看護学テキスト NiCE

成人看護学
慢性期看護

病気とともに生活する人を支える

| 改訂第4版 |

編集　鈴木久美　籏持知恵子　佐藤直美

南江堂

執筆者一覧

◆ 編 集

鈴木　久美	すずき くみ	大阪医科薬科大学看護学部
籏持知恵子	はたもち ちえこ	大阪公立大学大学院看護学研究科
佐藤　直美	さとう なおみ	浜松医科大学医学部看護学科

◆ 執 筆（執筆順）

鈴木　久美	すずき くみ	大阪医科薬科大学看護学部
片岡　優実	かたおか ゆみ	藤田医科大学病院看護部
今戸美奈子	いまど みなこ	高槻赤十字病院看護部
籏持知恵子	はたもち ちえこ	大阪公立大学大学院看護学研究科
木下　幸代	きした さちよ	山梨県立大学大学院看護学研究科
佐藤　直美	さとう なおみ	浜松医科大学医学部看護学科
府川　晃子	ふかわ あきこ	兵庫医科大学看護学部
巽　あさみ	たつみ あさみ	人間環境大学大学院看護学研究科
藪下　八重	やぶした やえ	佛教大学保健医療技術学部看護学科
鈴木智津子	すずき ちづこ	浜松医科大学医学部附属病院看護部
小江奈美子	おえ なみこ	京都大学医学部附属病院看護部
齊藤　奈緒	さいとう なお	宮城大学人間・健康学系看護学群
高橋　正子	たかはし まさこ	兵庫医科大学病院看護部
川地香奈子	かわち かなこ	東京都済生会中央病院看護部
森本　悦子	もりもと えつこ	甲南女子大学看護リハビリテーション学部
近藤　美紀	こんどう みき	国立がん研究センター東病院看護部
阿部　恭子	あべ きょうこ	東京医療保健大学千葉看護学部
片岡　　純	かたおか じゅん	愛知県立大学看護学部
松本　麻里	まつもと まり	公益社団法人福岡医療団訪問看護ステーションわかば
髙山　京子	たかやま きょうこ	順天堂大学医療看護学部
池亀　俊美	いけがめ としみ	榊原記念病院看護部
眞茅みゆき	まかや みゆき	北里大学看護学部
利木佐起子	りき さきこ	佛教大学保健医療技術学部看護学科
山中　政子	やまなか まさこ	天理医療大学医療学部看護学科
森　　一恵	もり かずえ	兵庫医科大学看護学部
清水　玲子	しみず れいこ	金沢医科大学大学院看護学研究科
田中　登美	たなか とみ	奈良県立医科大学医学部看護学科
鶴田　理恵	つるた りえ	大阪公立大学医学部附属病院看護部

杉野　祐子	すぎの ゆうこ	国立国際医療研究センター病院エイズ治療・研究開発センター
飯岡由紀子	いいおか ゆきこ	埼玉県立大学大学院保健医療福祉学研究科・研究開発センター
杉本　知子	すぎもと ともこ	北里大学看護学部
長崎ひとみ	ながさき ひとみ	山梨大学医学部看護学科
植木　博子	うえき ひろこ	公立福生病院看護部

はじめに

　本書『看護学テキストNiCE成人看護学　慢性期看護—病気とともに生活する人を支える』の初版は，看護実践能力の強化をめざして改正（第4次改正）された看護基礎教育の指定規則の内容に即し，これからの看護基礎教育にふさわしい成人看護学テキストの一つとして2010年に刊行されました．学生の皆様が，慢性疾患とともに生活する人を理解し，その人を支える慢性期看護の考え方を深め，臨地実習で看護実践を展開していく際に必要な基礎知識や技術，看護に対する姿勢を身につけるための道しるべとなるよう努めました．

　本書は初版の刊行以降，4～5年ごとに改訂してきましたが，2019年に改訂第3版が刊行されたのち，新型コロナウイルス感染症のパンデミックという未曽有の出来事が起こり，私たちの日常生活は一変しました．また，頻発している自然災害，加速する少子高齢化に伴う人口減少や疾病構造の急激な変化，増加しつづける生活習慣病を有する患者，分子生物学の飛躍的進歩に伴うゲノム医療や新薬開発，人工知能や情報通信技術の導入の急速化，2035年問題を見据えての健康先進国をめざした保健医療福祉システムの改革など，われわれを取り巻く社会や医療の環境は大きく変化し続けています．このような絶え間ない変化のなかで，患者が求める医療ニーズの多様性や療養の場の拡大に対応すべく高い看護実践能力が求められています．こうした状況に鑑みて看護基礎教育の指定規則が改正され（第5次改正），2022年度より新しいカリキュラムでの教育が始まりました．そこでこのたび，病気とともに生活する人をより深く理解し，科学的根拠に基づいた看護実践を展開するために，最新の統計や関係法規，診療ガイドライン等の知見を盛り込んだ改訂第4版を刊行することにいたしました．

　改訂第4版はこれまでの構成を踏襲しつつ，第Ⅰ章では臨床現場の状況に合わせて療養移行や外来での継続看護の実際と，慢性疾患を有する人が災害に遭遇したときの看護について新たに項目を立てて充実させました．また，第Ⅱ章では最新情報へのアップデートを図りました．第Ⅲ章では治療・療養行動にかかわる概念や理論の理解が進むように，解説する概念や理論の順序性を検討したうえで事例を増やし，新たに「コンコーダンス」の概念の解説を加えました．さらに，第Ⅳ章と第Ⅴ章では，最新の統計や保健医療福祉制度の改正に則した修正を加え，診療ガイドラインの改訂に合わせて疾患・治療および看護の内容を見直し，第Ⅵ章では学生が実習で受け持つことが多い事例を追加いたしました．

　本書を多くの学生の皆様や看護教育に携わる教員の方々にご活用いただき，時代のニーズや臨床現場に適したより充実したテキストとなるよう，忌憚ないご意見をいただけますと幸いです．

2023年1月

鈴木　久美
籏持知恵子
佐藤　直美

初版の序

　わが国では，生活習慣病の増加や医療技術の進歩に伴い慢性的な経過をたどる健康障害を有する人が急増している．この慢性的な経過をたどる健康障害の多くは慢性疾患であり，慢性疾患に罹患する人の増加はわが国のみならず先進諸国における共通の健康問題となっている．

　『慢性期看護』は，『成人看護学概論』のテキストを基盤にしており，慢性的な経過をたどる健康障害，いわゆる慢性疾患を有する人および家族を対象とし，その人々が周囲のサポートや資源を活用して上手にセルフマネジメントあるいはセルフケアしながらその人らしい社会生活を送れるように援助することをめざしている．慢性疾患のとらえ方はさまざまであるが，本書では糖尿病や循環器病などの疾患のみならず，手術を第1選択としない慢性経過をたどるがん，潰瘍性大腸炎や筋萎縮性側索硬化症などの難病を含めて慢性疾患として位置づけた．

　本書は，看護基礎教育課程の学生が，慢性疾患とともに生活している人を理解し，その人を支える慢性期看護の考え方を深めることができるよう，また看護実践を展開していく際に必要な知識や論理的思考を身につけ臨地実習に活用できるように構成した．

本書の特長

　第Ⅰ章では，慢性疾患を有する人を理解するために必要な基礎知識として，慢性疾患と治療のとらえ方およびその特徴を取り上げた．そして慢性疾患を有する人にどのような視点で看護を提供したらよいのか，慢性疾患とともに生活することを支える看護の役割について概説した．

　第Ⅱ章は，慢性疾患で治療を受ける人は実際どのような状況に置かれるのかについて理解を深めるために，慢性疾患を有する人の身体，心理・社会的特徴とその家族の特徴を説明した．

　第Ⅲ章では，慢性疾患を有する人のセルフマネジメントを促す援助を提供する際に基盤となる理論や概念を取り上げ，さらにセルフマネジメント能力を高める援助方法や看護技術，社会資源の活用に焦点をあてて解説した．

　第Ⅳ章と第Ⅴ章では，医療の高度化・専門分化が進んでいるなかで慢性疾患を有する人とその家族に対する具体的な援助を理解するために，主な治療法や代表的な慢性疾患を取り上げて患者の特徴および看護実践について詳述した．

　第Ⅵ章は，第Ⅰ章から第Ⅴ章における知識を応用する力や臨床判断する力を身につける1つの方法として，慢性疾患を有する人の看護において特徴的な臨床事例を通して，どのように患者を理解し看護実践に結びつけたらよいのかについて考える筋道を学べるようにした．

　第Ⅶ章は，先にも述べたように慢性疾患はわが国のみならず先進諸国の共通の健康問題であることから，ほかの国における医療や看護の動向について知見を広げ，日本で提供されている医療や看護を多角的な視点からみられるように「慢性期看護の今後の展望」とした．

今後さらに本書の内容を充実させたいと考えているので，皆さまの忌憚ないご意見をいただければ幸いである．

　なお，本書の刊行にあたり，南江堂看護編集室のスタッフをはじめ多くの関係者の皆さまに心より感謝申し上げる．

2010年7月

鈴木　久美
野澤　明子
森　　一恵

目次

第Ⅰ章 慢性期看護とは … 1

1 慢性疾患の特徴　鈴木久美 … 2
- A．慢性疾患のとらえ方 … 2
- B．慢性疾患の種類と経過 … 3
- C．慢性疾患の動向と社会の変化 … 9

2 慢性疾患における治療の特徴　鈴木久美 … 20
- A．慢性疾患における治療の考え方 … 20
- B．慢性疾患における治療法とその特徴 … 22

3 慢性疾患を有する人をとりまく療養環境の特徴 … 26
- A．療養環境の変化と看護師の役割拡大　鈴木久美 … 26
- B．病院・地域・在宅との連携　鈴木久美 … 27
- C．療養移行，継続看護の実際　片岡優実 … 29
- D．医療費の問題　鈴木久美 … 32

4 慢性疾患を有する人に対する看護の役割　鈴木久美 … 35
- A．慢性疾患を有する人が直面するインフォームド・コンセントと意思決定を支える援助 … 35
- B．慢性疾患を有する人の病気の受け入れの過程を支える援助 … 37
- C．慢性疾患を有する人のセルフマネジメントを促すための継続的支援 … 38
  - コラム　エンパワメントアプローチ　40
- D．慢性疾患を有する人の人権擁護および看護実践における倫理的問題へのかかわり … 40

5 慢性疾患を有する人にかかわる専門職とチーム医療　鈴木久美 … 44
- A．チーム医療とは … 44
- B．チーム医療の実践 … 45

6 災害時における慢性疾患を有する人の看護　今戸美奈子 … 48
- A．災害が慢性疾患を有する人に及ぼす影響 … 48
- B．災害発生時の慢性疾患を有する人への看護 … 49

第Ⅱ章　慢性疾患を有する人とその家族の理解 …… 55

1 慢性疾患を有する人の身体的特徴　鈴木久美 …… 56
- A. 加齢に伴う身体機能の変化 …… 56
- B. 慢性疾患および治療が及ぼす身体機能への影響 …… 61
- C. 成人期における加齢，慢性疾患，治療が及ぼす身体的影響について …… 62

2 慢性疾患を有する人の心理的特徴 …… 64
- A. 成人の発達課題　鈴木久美 …… 64
- B. 慢性疾患および治療が及ぼす心理過程の特徴 …… 66
  - 1● 難病患者の心理過程　今戸美奈子 …… 66
  - 2● がん患者の心理過程　鈴木久美 …… 68
  - 3● 障害受容過程モデルによる心理過程　今戸美奈子 …… 70
- C. 慢性疾患および治療が及ぼす自己概念への影響　簱持知恵子 …… 72
  - コラム　病気におけるスティグマ（stigma）って何だろう　73

3 慢性疾患を有する人の生活および社会的特徴　簱持知恵子 …… 76
- A. 役割とは …… 76
- B. 慢性疾患および治療が及ぼす役割の変化 …… 76
- C. 慢性疾患および治療とセクシュアリティ …… 78

4 慢性疾患を有する人を支える家族の特徴　簱持知恵子 …… 81
- A. 患者と家族をとりまく問題 …… 81
- B. 家族に必要なケア …… 83

第Ⅲ章　慢性疾患を有する人とその家族への援助・支援の基本 …… 87

1 治療・療養行動にかかわる主な概念・理論 …… 88
- はじめに　鈴木久美 …… 88
- A. セルフケア　木下幸代 …… 89
- B. セルフマネジメント　鈴木久美 …… 92
- C. 自己効力感　木下幸代 …… 96
- D. 健康信念　佐藤直美 …… 99
- E. トランスセオレティカルモデル　鈴木久美 …… 102
- F. アドヒアランス　鈴木久美 …… 107
- G. 病みの軌跡　簱持知恵子 …… 110
  - コラム　トランジションセオリー　114

2 治療・療養を促進する支援 117

- A. セルフマネジメント能力を高める支援　府川晃子 117
- B. 成人患者への教育的アプローチ　佐藤直美 122
- C. 相談技術　佐藤直美 129

3 社会資源の活用 133

- A. 日本の社会保障制度　巽あさみ 133
- B. 保健医療福祉制度　巽あさみ 134
- C. 事例でみる難病患者の社会資源の活用　巽あさみ 147
- D. サポートグループやセルフヘルプグループ　藪下八重 150

第Ⅳ章　慢性疾患の主な治療法と治療を受ける患者の看護 155

1 インスリン療法を受ける患者の援助　鈴木智津子 156

- A. インスリン療法の基礎知識 156
- B. インスリン療法を受ける患者の特徴 159
- C. インスリン療法を受ける患者への援助 160
  - コラム　インスリン抵抗性　164

2 人工透析を受ける患者の援助　小江奈美子 167

- A. 人工透析の基礎知識 167
- B. 人工透析を受ける患者の特徴 172
- C. 人工透析を受ける患者への援助 173

3 ペースメーカーを装着している患者の援助　齊藤奈緒 178

- A. ペースメーカーの基礎知識 178
  - コラム　植込み型心臓デバイスの種類　178
- B. ペースメーカーを装着している患者の特徴 181
- C. ペースメーカーを装着している患者への援助 181
  - コラム　心臓デバイスチーム　185

4 ステロイド療法を受ける患者の援助　高橋正子 187

- A. ステロイド療法の基礎知識 187
- B. ステロイド療法を受ける患者の特徴 190
  - コラム　ステロイド薬使用にあたり注意が必要なケース　190
- C. ステロイド療法を受ける患者への援助 191

5 化学療法を受ける患者の援助　川地香奈子　197
- A．化学療法の基礎知識　197
- B．化学療法を受ける患者の特徴　199
- C．化学療法を受ける患者への援助　201
  - コラム　手足症候群　207

6 放射線療法を受ける患者の援助　森本悦子　210
- A．放射線療法の基礎知識　210
- B．放射線療法を受ける患者の特徴　215
- C．放射線療法を受ける患者への援助　216

7 同種造血幹細胞移植を受ける患者の援助　近藤美紀　221
- A．同種造血幹細胞移植の基礎知識　221
- B．同種造血幹細胞移植を受ける患者の特徴　225
- C．同種造血幹細胞移植を受ける患者への援助　227

8 内分泌療法を受ける患者の援助　阿部恭子　232
- A．内分泌療法の基礎知識　232
- B．内分泌療法を受ける患者の特徴　234
- C．内分泌療法を受ける患者への援助　235

9 肝動脈塞栓療法を受ける患者の援助　片岡　純　239
- A．肝動脈塞栓療法の基礎知識　239
- B．肝動脈塞栓療法を受ける患者の特徴　242
- C．肝動脈塞栓療法を受ける患者への援助　243

第Ⅴ章　慢性疾患を有する人とその家族への看護　249

Ⅴ-1．呼吸器系の障害を有する人とその家族への援助　250

1 気管支喘息　松本麻里　250
- A．気管支喘息患者の身体的，心理・社会的特徴　250
- B．気管支喘息患者および家族への援助　252

2 慢性呼吸不全（慢性閉塞性肺疾患［COPD］を含む）　松本麻里　258
- A．慢性呼吸不全患者の身体的，心理・社会的特徴　258
- B．慢性呼吸不全患者および家族への援助　260

3 肺がん　　高山京子　269
A．肺がん患者の身体的，心理・社会的特徴　269
B．肺がん患者および家族への援助　271

V-2. 循環器系の障害を有する人とその家族への援助　276

1 高血圧　　池亀俊美　276
A．高血圧患者の身体的，心理・社会的特徴　276
B．高血圧患者および家族への援助　279

2 不整脈　　齊藤奈緒　287
A．不整脈患者の身体的，心理・社会的特徴　287
B．不整脈のある患者および家族への援助　290

3 虚血性心疾患（狭心症，心筋梗塞）　　池亀俊美　295
A．虚血性心疾患患者の身体的，心理・社会的特徴　295
B．虚血性心疾患患者および家族への援助　297

4 慢性心不全　　眞茅みゆき　308
A．慢性心不全患者の身体的，心理・社会的特徴　308
B．慢性心不全患者および家族への援助　310

V-3. 消化器系の障害を有する人とその家族への援助　318

1 胃・十二指腸潰瘍　　利木佐起子　318
A．胃・十二指腸潰瘍患者の身体的，心理・社会的特徴　318
B．胃・十二指腸潰瘍患者および家族への援助　321

2 慢性肝炎　　山中政子　326
A．慢性肝炎患者の身体的，心理・社会的特徴　326
B．慢性肝炎患者および家族への援助　328
　　コラム　薬害肝炎について　332

3 肝硬変　　森　一恵　334
A．肝硬変患者の身体的，心理・社会的特徴　334
B．肝硬変患者および家族への援助　337

4 肝臓がん　　片岡　純　345
A．肝臓がん患者の身体的，心理・社会的特徴　345

B．肝臓がん患者および家族への援助 ... 348

5 潰瘍性大腸炎　片岡優実 ... 353
A．潰瘍性大腸炎患者の身体的，心理・社会的特徴 ... 353
B．潰瘍性大腸炎患者および家族への援助 ... 355

6 クローン病　片岡優実 ... 360
A．クローン病患者の身体的，心理・社会的特徴 ... 360
B．クローン病患者および家族への援助 ... 362

V-4. 代謝・内分泌系の障害を有する人とその家族への援助 ... 367

1 糖尿病　鈴木智津子 ... 367
A．糖尿病患者の身体的，心理・社会的特徴 ... 367
B．糖尿病患者および家族への援助 ... 371

2 脂質異常症　鈴木智津子 ... 380
A．脂質異常症患者の身体的，心理・社会的特徴 ... 381
B．脂質異常症患者および家族への援助 ... 382
- コラム　メタボリックシンドローム　387
- コラム　特定健康診査・特定保健指導　389

3 甲状腺機能障害（亢進症・低下症）　森　一恵 ... 391
A．甲状腺機能障害（亢進症・低下症）患者の身体的，心理・社会的特徴 ... 391
B．甲状腺機能障害（亢進症・低下症）患者および家族への援助 ... 393
C．そのほかの甲状腺機能障害について ... 398

V-5. 腎・泌尿器系の障害を有する人とその家族への援助 ... 400

1 慢性腎不全（慢性腎臓病）　清水玲子 ... 400
A．慢性腎不全患者の身体的，心理・社会的特徴 ... 400
B．慢性腎不全患者および家族への援助 ... 403

2 前立腺がん　田中登美 ... 411
A．前立腺がん患者の身体的，心理・社会的特徴 ... 411
B．前立腺がん患者および家族への援助 ... 414

V-6. 血液・免疫系の障害を有する人とその家族への援助 …… 419

1 再生不良性貧血　　森　一恵 …… 419
- A. 再生不良性貧血患者の身体的，心理・社会的特徴 …… 419
- B. 再生不良性貧血患者および家族への援助 …… 420

2 白血病　　鶴田理恵 …… 426
- A. 白血病患者の身体的，心理・社会的特徴 …… 426
- B. 白血病患者および家族への援助 …… 429

3 HIV感染症/AIDS　　杉野祐子 …… 435
- A. HIV感染者/AIDS患者の身体的，心理・社会的特徴 …… 435
- B. HIV感染者および家族への援助 …… 438

4 関節リウマチ　　飯岡由紀子 …… 445
- A. 関節リウマチ患者の身体的，心理・社会的特徴 …… 445
- B. 関節リウマチ患者および家族への援助 …… 451

5 全身性エリテマトーデス　　府川晃子 …… 457
- A. 全身性エリテマトーデス患者の身体的，心理・社会的特徴 …… 457
- B. 全身性エリテマトーデス患者および家族への援助 …… 460

V-7. 脳・神経系の障害を有する人とその家族への援助 …… 465

1 脳梗塞　　杉本知子 …… 465
- A. 脳梗塞患者の身体的，心理・社会的特徴 …… 465
- B. 脳梗塞患者および家族への援助 …… 467

2 パーキンソン病　　杉本知子 …… 473
- A. パーキンソン病患者の身体的，心理・社会的特徴 …… 473
- B. パーキンソン病患者および家族への援助 …… 475

3 筋萎縮性側索硬化症　　佐藤直美 …… 481
- A. 筋萎縮性側索硬化症患者の身体的，心理・社会的特徴 …… 481
- B. 筋萎縮性側索硬化症患者および家族への援助 …… 483

4 重症筋無力症　　佐藤直美 …… 489
- A. 重症筋無力症患者の身体的，心理・社会的特徴 …… 489
- B. 重症筋無力症患者および家族への援助 …… 491

V-8. 感覚器系の障害を有する人とその家族への援助 497

1 視覚障害　　森　一恵 497
- A．視覚障害患者の身体的，心理・社会的特徴 497
- B．視覚障害患者および家族への援助 499

2 突発性難聴　　長崎ひとみ 505
- A．突発性難聴患者の身体的，心理・社会的特徴 505
- B．突発性難聴患者および家族への援助 507

第Ⅵ章　事例で考える 511
- A．治療継続がむずかしい患者への支援　　池亀俊美 512
- B．副作用が強い患者への症状マネジメント　　髙山京子 513
- C．セルフモニタリングが必要な患者への教育的支援　　鈴木智津子 514
- D．治療の意思決定に直面している患者への支援　　片岡優実 515
- E．役割変更を迫られている患者・家族への支援　　植木博子 516
- F．増悪を繰り返す患者への教育的支援　　松本麻里 517
- G．入退院を繰り返す心不全患者への支援　　簱持知恵子 518

設問　解答への視点（第Ⅵ章　事例で考える） 519

練習問題　解答と解説 523

索引 530

第Ⅰ章

慢性期看護とは

学習目標
1. 慢性疾患および治療・変化している療養環境の特徴について理解する
2. 慢性疾患を有する人に対する看護の役割について理解する
3. 慢性疾患を有する人にかかわる専門職とチーム医療の重要性について理解する

1 慢性疾患の特徴

この節で学ぶこと

1. 慢性疾患の種類および経過について説明できる
2. 慢性疾患がもたらす障害の概念について説明できる
3. 慢性疾患の罹患や死亡の概況について説明できる
4. 慢性疾患における主な施策について説明できる

　日本において慢性疾患を有する人が増加しており，深刻な健康問題となっている．そして，慢性疾患はいったん発症すると長期にわたり養生法や治療を継続していかなければならず，患者の心身や生活にさまざまな影響をもたらす．ここでは，慢性疾患のとらえ方，慢性疾患の種類および経過，慢性疾患からもたらされる障害，慢性疾患の動向および国の施策について概説する．

A. 慢性疾患のとらえ方

　慢性疾患（chronic disease）は，長期にわたり，ゆっくりと進行する疾病であり，心疾患や脳卒中，がん，慢性呼吸器疾患，糖尿病などが含まれる．また，病気が急激に発症し治療によって完全に治る急性疾患に対して，完全に治ること（治癒）が望めない病気，あるいは治るにしてもきわめて長い期間を要する病気[1]ととらえられている．

　ラブキン（Lubkin IM）とラーセン（Larsen PD）は，**表Ⅰ-1-1**に示すようにそれぞれの時代に定義されてきた慢性疾患について示しており，慢性疾患を厳密に定義することは複雑でむずかしいと述べている．米国慢性疾患委員会の「損傷あるいは正常からの逸脱であり，以下に示す特徴を1つ以上有する．永続的，機能障害の残存，不可逆的な病理学的変化に起因する，リハビリテーションのために患者は特定の訓練を必要とする，および長期にわたる管理・観察・ケアを必要とする」の定義（1957年）が，日本ではよく用いられている．カルチン（Curtin M）とラブキンは1995年に，疾患（disease）と病気あるいは病（illness）とを区別し，慢性疾患を個人の体験を重視した慢性の病（chronic illness）として，「慢性の病は，くつがえすことのできない現存であり，疾患や障害の潜在あるいは集積である．それは，支持的ケアやセルフケア，身体機能の維持，さらなる障害の予防などのために必要な人間にとって包括的な環境を含む」と定義している[2]．

　このように慢性疾患は，さまざまな定義から，次のようにとらえることができる．

表Ⅰ-1-1 慢性疾患の定義

著者	定義	利点	欠点
米国慢性疾患委員会 1957年	あらゆる損傷あるいは正常からの逸脱であり，以下に示す特徴を1つ以上有する：永続的，機能障害の残存，不可逆的な病理学的変化に起因する，リハビリテーションのために患者は特定の訓練を必要とする，および長期にわたる管理・観察・ケアを必要とする	簡潔，一般的に適用可能	家父長的，医学を基盤にした介入，柔軟性に欠ける，一方的アプローチ
Abram 1972年	全般的な適応を必要とする一定の時間を超えた身体的機能の障害	行動志向，簡潔	簡潔すぎる
Feldman 1974年	持続的な医療を必要とする状態．社会的，経済的，および行動的合併症，それらは意味のある，継続的な個人の参加あるいは専門職者のかかわりを必要とする	多くの人々のかかわりに注目している．多様な専門職者のかかわりを基盤にしている	複雑，クライエントの役割によりケア提供者に焦点がある
Buergin 1979年	長期の経過をたどり，そこからの回復が部分的でしかないような疾患に伴う，さまざまな期間に及ぶ症状と徴候	簡潔，伝統的	疾患志向
Cluff 1981年	医学的介入によって治癒しない状況であり，病気の程度を減少させ，セルフケアに対する個人の機能と責任を最大限に発揮するためには，定期的なモニタリングと支持的なケアが必要である	クロニックイルネスをもつ人を主要なセルフケア役割に導く．柔軟．他の専門職を巧みに引き込む．医学的介入の役割を定義	いくぶんかは医学志向
Mazzuca 1982年	毎日の管理を成功させるために高い水準の自己責任を必要とする状況	自助役割についての知識．未来信奉者的	簡潔すぎる
Vergrugge 1982年	退行性の病気		単純すぎる
Bachrach 1992年	長期あるいは生涯にわたり重度の機能障害に帰結する主要な精神的病気を体験している個人にかかわること	政策の発展やサービスの計画の促進に対する偏りの均等化	精神的健康志向．用語の適用は失望を意味し，スティグマをまねくことがある

［ラブキンIM, ラーセンPD：慢性性とは．クロニックイルネス—人と病いの新たなかかわり（黒江ゆり子監訳），p.8, 医学書院, 2007より引用］

①不可逆的で治癒が望めない
②長期にわたり治療を必要とする
③身体機能の維持や障害予防のためにセルフケアやマネジメント，定期的なモニタリングが必要である
④継続的な専門職者のかかわりを必要とする

B. 慢性疾患の種類と経過

1● 慢性疾患の種類とその特徴

慢性疾患には，心疾患，脳卒中，糖尿病，がん，パーキンソン（Parkinson）病，全身性エリテマトーデス（systemic lupus erythematosus：SLE）などが含まれるが，疾患の

特性からさまざまな見方ができる．心疾患，脳卒中，糖尿病，肺がんや大腸がんは，生活習慣に関連して発症する疾患として**生活習慣病**（life-style related disease）ともよばれている．パーキンソン病，SLE，再生不良性貧血などは，治療がむずかしく，慢性の経過をたどる**難病**（intractable diseases）として位置づけられている．また，慢性疾患のなかで死因第1位を占めている悪性新生物，いわゆるがんは，他の慢性疾患とは異なった特徴をもっている．それぞれの特徴は，次のとおりである．

a. 生活習慣病

生活習慣病は，2次予防に重点を置いていた「成人病」対策に加え，生活習慣の改善を目指す1次予防対策を強化するために導入された概念であり，「食習慣，運動習慣，休養，喫煙，飲酒などの生活習慣が，その発症・進行に関与する疾患群」[3]と定義されている．すなわち，生活習慣を改善すれば病気の発症や進行を予防できる疾患群である．それぞれの生活習慣と関連がある疾患を以下に示す．

①**食習慣**：2型（インスリン非依存性）糖尿病，肥満，家族性のものを除く脂質異常症（高脂血症），高尿酸血症，先天性のものを除く循環器疾患，家族性のものを除く大腸がん，歯周病　など
②**運動習慣**：2型糖尿病，肥満，家族性のものを除く脂質異常症，高血圧症　など
③**喫煙**：肺扁平上皮がん，先天性のものを除く循環器疾患，慢性気管支炎，肺気腫，歯周病　など
④**飲酒**：アルコール性肝疾患　など

また，生活習慣病発症前の状態が注目され，「内臓肥満」「高血糖」「高血圧」「脂質異常」が重複している場合，脳卒中や心筋梗塞（しんきんこうそく）の発症の危険性が高いことが明らかにされている．これらの重複状態を**メタボリックシンドローム**（metabolic syndrome；内臓脂肪症候群）という．

b. 難　病

難病は，医学的に明確に定義された病気の呼称ではなく，「不治の病」に対して社会通念として使われてきた用語であり，原因不明で治療がむずかしく，慢性の経過をたどる疾患とされている．1972年の難病対策要綱[4]の策定以降，難病は，①原因不明，治療方法未確定であり，かつ，後遺症を残すおそれが少なくない疾病，②経過が慢性にわたり，単に経済的な問題のみならず介護等に著しく人手を要するために家族の負担が重く，また精神的にも負担の大きい疾病，ととらえられてきた．しかし，「難病対策要綱」が策定され長い年月が経過し，医療の進歩や患者および家族ニーズの多様化，社会・経済状況の変化に伴い難病全般にわたる改革が求められるようになった．そこで，厚生科学審議会疾病対策部会難病対策委員会では，さまざまな検討を重ね，難病を，発病の機構が明らかでなく，かつ治療方法が確立していない，希少な疾病であって，当該疾病にかかることにより長期にわたり療養を必要とすることとなるもの，と定義している．このうち，①患者数が日本において一定の人数に達しない（人口の0.1％程度以下）こと，②客観的な診断基準（またはそれに準ずるもの）が確立していること，の要件をすべて満たす疾患を「指定難病」としている（p.144参照）．

c. 悪性新生物（がん）

　がんは，診断・治療技術のめざましい進歩により生存率が向上し，がんの診断後10年以上生きながらえる人々が多くなった．その結果，いまや慢性疾患として位置づけられるようになったが，いまだ一般の人々の中では「がん＝死」のイメージが強い．

　がんは，**悪性新生物**あるいは**悪性腫瘍**ともよばれており，悪性新生物は上皮性悪性腫瘍（がん腫）と非上皮性悪性腫瘍（肉腫）の総称名である．新生物とは，すでにできあがっている身体に新たに作られた組織塊（そしきかい）をさし，腫瘍と同義語である．この新生物は，宿主に死をもたらすなどの悪影響を及ぼすか否かで悪性新生物（悪性腫瘍）と良性新生物（良性腫瘍）に分類される．悪性新生物は，隣接した組織に侵入したり遠隔転移をしたりして，宿主の身体を破壊しながら宿主が死ぬまで増え続けていく悪性の腫瘍をいう[5]．つまり，がんは，がん化した細胞が無秩序に増殖し，周囲の組織に浸潤したり，血管やリンパ管を通して他臓器に転移したりして，臓器不全やさまざまな病態を引き起こし，生体を死にいたらしめる疾患である．正常細胞ががん細胞に変化する過程には，多くの遺伝子変異が関係するとされており，その変異が「**がん遺伝子**」や「**がん抑制遺伝子**」に起こった場合にがん化の過程が進行すると考えられている[5]．がん遺伝子は，細胞のがん化を起こさせる原因遺伝子であり，それが活性化するとがん細胞が際限なく増殖する．また，がん抑制遺伝子は，細胞周期を停止して遺伝子に生じた損傷を修復したり，細胞死を誘導したりする働きをもっており，その働きが失われると遺伝子の損傷が蓄積し異常な細胞が増殖し続ける．このようにがん遺伝子やがん抑制遺伝子に異常が蓄積されると，最終的にがん細胞が発生すると考えられている．

　このようにしてがんは，周辺組織への浸潤や再発・転移を繰り返しながら，身体状態の悪化をもたらす性質をもっているため，局所療法である手術療法や放射線療法，全身療法である化学療法や内分泌療法などの薬物療法を組み合わせて，がん細胞を破壊する**集学的治療**が肝要とされている．これらの治療は，他の慢性疾患に比べて身体の形態や機能を喪失するような身体侵襲（しんたいしんしゅう）の大きい治療や，生命を脅かしたり生活に支障をきたしたりするような副作用の強い治療が多い．

d. 慢性疾患の特徴

　このように慢性疾患は，さまざまな特性をもっており，次の3つのタイプにまとめることができる．

> ①生活習慣を改善すれば病気の発症や進行を予防できるが，いったん発症すると治療の継続が必要となる疾患
> ②原因不明で治療法が未確立であり，長期にわたり身体的，心理・社会的，経済的負担が大きい疾患
> ③周辺組織への浸潤や再発・転移を繰り返し，身体侵襲を伴う治療を必要とする疾患

2 ● 慢性疾患の経過

　慢性疾患は，多くの要因が関連して時間とともに集積し，気づかないうちに症状が現れていることがしばしばである．そして，慢性疾患を知覚したときから，患者にとって病気

とともに生きる過程が始まる．ここでは，慢性疾患の病状の進行からとらえた経過について述べる．

慢性疾患は，診断されたときから病気の進行や状態によってさまざまな経過をたどる．疾病の発症や病状の進行から経過をとらえたとき，「診断・治療導入期」「安定・維持期，寛解期」「急性増悪期，再燃期」「進行期」「終末期，またはエンドオブライフの時期」と分けることができる．

a. 診断・治療導入期

「診断・治療導入期」は，自覚症状をもち，あるいは無症状の状態で慢性疾患の診断を受け，診断に基づいた治療を開始する時期である．この時期は，健康だった人が青天の霹靂のごとく病気を診断されたり，病気が急激に発症するため，患者はさまざまな心理的反応を示す．「まさか自分が」とショックを受けたり，「きっと何かの間違いに違いない」と否認したり，あるいは「なんで自分だけが」と怒りが込み上げてきたり，「人生には夢も希望もない」と絶望感に打ちひしがれたりとさまざまである．場合によっては，診断名を受け入れられずに病院を転々として治療が手遅れになったり，治療を拒否して民間療法に走ったりする人も少なくない．患者は，このように不安定な心理状態におかれながら，治療に対しての意思決定を迫られるため，**情緒的サポート**と**意思決定支援**が重要となる．さらに，病気が診断されると，そこが病気とともに生きるスタート地点となるため，病気や治療に関する新しい知識や技術について患者が主体的に学べるような**教育的支援**も必要とされる．また，この時期は治療に伴うさまざまな症状が出現するため，患者が**症状マネジメント**や**セルフモニタリング**できるように援助する．

b. 安定・維持期，寛解期

「安定・維持期，寛解期」は，治療がうまく軌道に乗ったり，いったん治療の区切りがつき，症状や検査所見などが常態化（ほぼ正常な状態に戻ること）あるいは悪化しない状態が続き，病状がコントロールされ安定している時期である．白血病やSLEなど疾患によっては，この時期を寛解期とよんでいる．この時期は，病気をコントロールするための**セルフマネジメント**の方法を獲得したり，**セルフケア**の確立を目指して生活の再調整が必要となるため，自己効力感を高めてセルフマネジメントあるいはセルフケアが継続できるように援助することが重要となる．

c. 急性増悪期，再燃期

「急性増悪期，再燃期」は，原疾患の悪化やコントロール不足，あるいは合併症の併発，感染や生活の不摂生などの増悪因子が引き金となり，生命の危機状態あるいは著明な苦痛症状が出現している時期である．**増悪因子**とは，疾患あるいは病状を悪化させる要因をいい，原疾患は異なっても共通した増悪因子がある．たとえば，感染（上気道感染，肺炎，気管支炎など），生活の不摂生（過労，不眠，暴飲暴食など），身体侵襲によるもの（手術，全身麻酔，外傷，分娩など），治療によるもの（未治療，服薬の減量，服薬中止やのみ忘れなど），精神的ストレス（不安，いらだち），環境によるもの（寒冷や炎暑，紫外線）は，心不全，呼吸不全，腎不全，自己免疫疾患などに共通している増悪因子である．この時期は，患者が急性期と同じような状態に陥ることが多い．したがって，再び安定・維持期に移行できるように，生命の危機状態から回復できるように援助し，身体状態が安定してき

たら，患者自身が日常生活を振り返り，急性増悪した要因に気づいて，その増悪因子を取り除くことができるように生活の再調整を促す援助が必要となる．

d. 進行期

「進行期」は，原疾患の進行に伴い徐々に身体機能が低下し，生命の危機に陥りやすい時期である．たとえば，筋萎縮性側索硬化症（amyotrophic lateral sclerosis：ALS）の場合，四肢麻痺や球麻痺による症状で発症し，病気の進行に伴い全身の筋力が低下するとともに呼吸筋が侵されて呼吸障害に陥り，人工呼吸器を必要とする状態となる．この時期は，身体機能の低下とともに生活範囲も縮小し，苦痛を伴う症状が増えるため，積極的な症状緩和をはかりその人の状態に合わせた生活を工夫できるように援助する．

e. 終末期，またはエンドオブライフの時期

「終末期，またはエンドオブライフの時期」は，原疾患の悪化により余命が短くなり，死が間近に迫る時期である．この時期は，進行期同様に身体機能の低下とともに生活範囲がさらに縮小し，苦痛症状が強くなる．また，死を間近にして死への恐怖や家族に対する心配などの苦悩を伴うことが多い．したがって，積極的な症状緩和をはかり，家族とともにその人らしい生活ができるように援助することが必要となる．

「診断・治療導入期」から「終末期，またはエンドオブライフの時期」にいたるまで，患者は病気の診断に伴う心理的苦痛，治療の副作用や病状悪化に伴う身体症状，家庭や職場での役割変更に伴う社会的問題を体験したり，死への恐怖や生きる意味を見出せずスピリチュアルペイン（霊的苦痛）をかかえたりするなど全人的苦痛を有している．このような全人的苦痛に対しては，診断後早期から緩和ケアを導入し，患者のQOLの改善を目指したケアを提供することが求められている．とくに，「進行期」「終末期，またはエンドオブライフの時期」になると，病状悪化に伴う身体症状や精神症状が複合して出現し，全人的苦痛が強くなるため，緩和ケアを中心とした援助が必要不可欠となる．

このように慢性疾患は，さまざまな経過をたどり，たとえ同じ疾患でもその時期によって患者の置かれる状況は異なる．この慢性期看護では，「診断・治療導入期」「安定・維持期，寛解期」に焦点を当てており，「急性増悪期」の看護は急性期看護で，「進行期」「終末期，またはエンドオブライフの時期」の看護は緩和ケアで取り扱っている．

3 ● 慢性疾患と障害

慢性疾患のなかには身体の形態や機能の不可逆的変化により，障害（disability）を伴うこともある．たとえば，慢性閉塞性肺疾患（chronic obstructive pulmonary disease：COPD）は，肺活量減少に伴う労作性呼吸困難をもたらし，歩行や動作が困難となる．糖尿病は，病気が進行すると網膜症を併発し，それに伴い視力を失い，日常生活のみならず社会生活が著しく制限される．脳梗塞は，その後遺症として言語障害や片麻痺により，うまく会話ができなかったり1人で外出ができなかったりして人との交流が制限される．このように慢性疾患によりさまざまな障害がもたらされる．

障害は，疾患によって生じた生活上の困難・不自由・不利益であり[6]，とくに慢性疾患を有する人は障害を併せもっていることが多い．この障害を客観的にとらえるために，一

定の役割を果たしてきたのが世界保健機関（WHO）で示した**国際障害分類**（International Classification of Impairments, Disabilities, and Handicaps：**ICIDH**）である．ICIDHにおける「障害」は，「形態・機能障害（impairment）」「能力障害（disability）」「社会的不利（handicap）」の3つのレベルから階層的にとらえられており，当時は疾患だけでなく，個人レベルや社会レベルで障害をとらえるという点が画期的であった．しかし，その後，この分類法は，医学的なとらえ方である「機能障害」に着目しがちであること，またマイナス面中心のモデルになっていること，環境が考慮されていないこと，社会的不利の分類が不備であること，障害のある人の立場が考慮されていないことなどの指摘がなされた[7]．そして，障害に対するプラス面でのとらえ方を加味した「国際生活機能分類」（International Classification of Functioning, Disability and Health：ICF，図Ⅰ-1-1）が2001年のWHO総会で採択され，現在にいたっている．このICFの特徴[6,8]は，以下のとおりである．

①障害を3つのレベルでとらえるという階層構造の考え方は変わらないが，否定的な概念から中立的・肯定的な概念へと変化している
②障害の原因だけでなく，環境因子と個人因子を背景因子として導入している
③ICIDHのモデルは矢印が一方向であったが，ICFは両方向の矢印に変わり相互作用モデルとなっている
④活動の評価において1次的に発揮される「能力（capacity）」と，日常生活における「実行状況（performance）」とを区別している
⑤ICIDHは医学モデルと批判されていたが，ICFは医学モデルと社会モデルの統合を目指している

このICF[7,8]は，障害を人が「生きる」こと全体の中に位置づけて，「生きることの困難」として理解するという，新しい健康観を提起している．そして，生活上の困難は誰にでも起こりうるものであり，病気や障害をもっている特定の人のためのものではなく，病気ではない妊娠や高齢，ストレス状態などあらゆる人の健康上の問題でも活用できるようになっている．図Ⅰ-1-1に示したように，ICFは「生活機能」の分類と，それに影響する「背景因子」（環境因子と個人因子）の分類で構成されており，さらに生活機能に影響

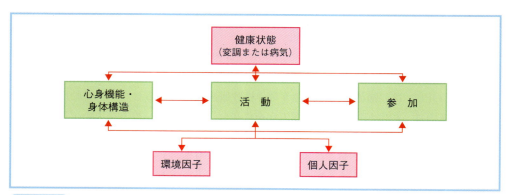

図Ⅰ-1-1　国際生活機能分類（ICF）の生活機能の構造（2001年）

［障害者福祉研究会（編）：ICF序論．ICF国際生活機能分類—国際障害分類改定版，p.17, 中央法規出版，2002より引用］

する「健康状態」を位置づけている．「生活機能」は3つのレベル，生命レベルの「心身機能・身体構造」，生活レベルの「活動」，人生レベルの「参加」で示されており，これらは相互に影響を与え合い，さらに「健康状態」「環境因子」「個人因子」とも影響し合うという相互作用モデルとなっている．そして，「心身機能・身体構造」の心身機能は手足などの動きや精神のはたらき，構造は心臓や手足の一部などの体の部分のことである．「活動」は生活行為のことであり，この行為を「できる活動」と「している活動」に分けているのが特徴である．また，「参加」は家庭や社会への関与や役割のことである．たとえば，脳梗塞で片麻痺に伴う歩行障害のある患者がいた場合，ICIDHでのとらえ方は歩行障害が「買い物の困難さ」という社会的不利益を生み出す原因としてとらえられてしまう危険性があった．しかし，ICFでは，歩行障害のある患者が「買い物の困難さ」に直面する原因には，その人がかかえる障害のみならず，道路に段差があること，駅やお店にエスカレーターがないこと，また手助けをしてくれる人がいないことなど，いろいろな要因が存在するととらえることができる．このようにICFはその人の生活機能を障害だけでなく環境を含めた広い視点からポジティブな視点も含めてとらえることを目指している．そして，さまざまな専門分野の異なった領域で役立つことを目的としており，患者や当事者へのさまざまなサービスの場面などで幅広く活用されている．

C. 慢性疾患の動向と社会の変化

1 ● 社会の変化と死因構造の変化

　　悪性新生物，心疾患，脳血管疾患などの慢性疾患は，死因の上位を占めており，図Ⅰ-1-2に示すように年々増え続け，先進諸国の共通の健康問題となっている．死因構造は，環境や社会情勢に大きな影響を受け，その時代背景により変化する．図Ⅰ-1-2をみると終戦直後までは結核が死因の1位を占めていたが，1951年には脳血管疾患が結核にとって代わり1位となった．これは，抗結核薬の普及や定期健診，予防接種などの公衆衛生対策に加え，国民の生活水準が高まり，結核の死亡率が大幅に減少したからである．1981年には悪性新生物（がん）が死因の1位となり，それ以降2011年までは，悪性新生物，心疾患，脳血管疾患が上位を占めていた．日本は，戦後めざましい経済成長により，物質的に国民の生活が豊かになり，医療技術の進歩もあいまって，世界有数の長寿国となった．その一方で，欧米化した食生活，運動不足，喫煙などの不適切な生活習慣の積み重ねによる生活習慣病が急増し，環境や社会情勢の変化により，死因構造の中心が感染症から慢性疾患へと大きく変化した．しかし，2011年以降は脳血管疾患や肺炎，老衰が死因の第3位を占めるようになり，高齢化の影響が反映されている．

図Ⅰ-1-2　主要死因別にみた死亡率（人口10万対）の推移

[厚生労働統計協会：人口動態.国民衛生の動向・厚生の指標増刊69(9)：55, 2022より引用]

2 ● 慢性疾患の罹患および死亡の概況

a. 主な慢性疾患の総患者数および受療率

　主要な慢性疾患の総患者数[*1]は，2017年の患者調査によれば図Ⅰ-1-3に示すように「高血圧症」が約994万人，「糖尿病」が約329万人，「脂質異常症（高脂血症）」が約220万人，「がん」が約178万人，「脳卒中」が約112万人となっており，糖尿病，がん，脂質異常症は年々増加している．2017年の受療率[*2]をみると，入院では1,036，外来では5,675となっている．これは，ある調査日において人口の1.0％が入院しており，約5.7％が外来受診していることを示している．また，図Ⅰ-1-4の年齢階級別主要疾患受療率をみると，入院および外来ともに年齢が高くなるに従って受療率が高くなっている．さらに疾患別でみると，入院では30〜60歳代の壮年層においてがんや脳卒中の受療率が高い．外来では，壮年層において高血圧症の受療率がもっとも高く，次いで糖尿病あるいは脂質異常症である．このように総患者数および受療率ともに慢性疾患が大部分を占めていることがわかる．

　また，2019年の国民健康・栄養調査によれば，生活習慣病の予備群であるメタボリックシンドロームが強く疑われる者とその予備群と考えられる者は，40〜74歳では男性2人に1

[*1] 総患者数とは，調査日現在において継続的に医療を受けている者の数を次の計算式により推計したものである．総患者数＝入院患者数＋初診外来患者数＋再来外来患者数×平均診療間隔×調整係数（6/7）
[*2] 受療率とは，推計患者数を人口10万対で表した数字である．

1. 慢性疾患の特徴　11

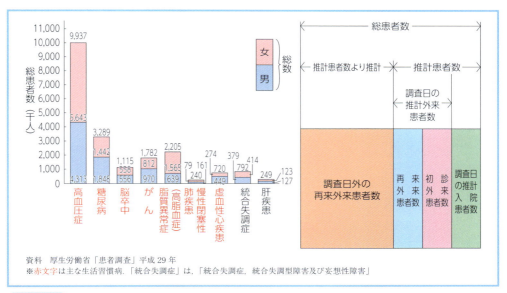

図Ⅰ-1-3　主要疾患の総患者数
[社会保険出版社編：生活習慣病のしおり2022, p.5, 社会保険出版社, 2022より許諾を得て転載]

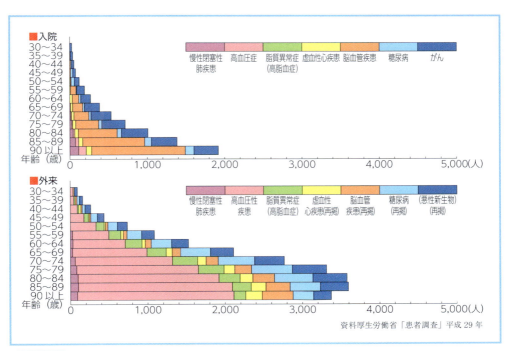

図Ⅰ-1-4　年齢階級別主要疾患受療率（人口10万対）
[社会保険出版社編：生活習慣病のしおり2022, p.5, 社会保険出版社, 2022より許諾を得て転載]

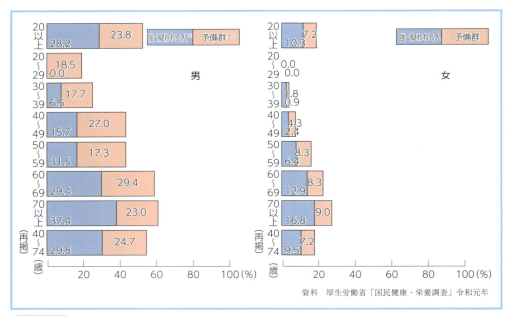

図Ⅰ-1-5　メタボリックシンドロームの状況

*1 メタボリックシンドロームの予備群：腹囲が男85cm以上，女90cm以上で，3つの項目（血中脂質，血圧，血糖）のうち1つに該当する者
*2 メタボリックシンドロームが強く疑われる者：腹囲が男85cm以上，女90cm以上で，3つの項目（血中脂質，血圧，血糖）のうち2つ以上の項目に該当する者

［社会保険出版社（編）：生活習慣病のしおり2022, p.40, 社会保険出版社, 2022より許諾を得て転載］

人，女性5人に1人であり，図Ⅰ-1-5に示すように40歳以上でその割合が高くなっている．

b. 主な慢性疾患の死亡状況

　死亡数は，2021年確定数では143万9,856人であり，人口10万人に対する死亡率は1,172.3で，2016年の1046.0から若干増加した．表Ⅰ-1-2の死因別死亡状況をみると，悪性新生物が38万1,497人ともっとも多く，次いで心疾患が21万4,623人，老衰が15万2,024人と3位となり，高齢化の影響で老衰が上位を占めるようになった．さらに，もっとも多い悪性新生物の部位内訳をみると，表Ⅰ-1-3に示すように1位が肺，2位が大腸，3位が胃の順に死亡数が多い．また，心疾患および脳血管疾患の死亡率の推移は，図Ⅰ-1-6と図Ⅰ-1-7に示すように心疾患のなかでは虚血性心疾患や心不全が，脳血管疾患では脳梗塞が多い．

3 ● 慢性疾患における施策

　慢性疾患に対する施策は，さまざまな取り組みがなされており，そのなかで主に生活習慣病，難病，がんについて下記に述べる．

a. 生活習慣病対策

（1）健康日本21

　生活習慣病は，2次予防を主眼としてきた成人病対策に加えて，1次予防対策も推進していく方針を導入した疾患概念である．生活習慣病に対する施策は，壮年期死亡の減少，健康寿命の延伸と生活の質の向上を目指し，2000年度から「21世紀における国民健康づ

表 I-1-2 性別にみた死因順位別死亡数・死亡率（人口10万対）

死因	令和3年（2021）* 総数		男		女		2（'20）総数	
	死亡数	死亡率	死亡数	死亡率	死亡数	死亡率	死亡数	死亡率
全死因	1,439,809	1,172.7	738,105	1,236.6	701,704	1,112.2	1,372,755	1,112.5
悪性新生物〈腫瘍〉	(1) 381,497	310.7	(1) 222,465	372.7	(1) 159,032	252.1	(1) 378,385	306.6
心疾患	(2) 214,623	174.8	(2) 103,644	173.6	(2) 110,979	175.9	(2) 205,596	166.6
老衰	(3) 152,024	123.8	(5) 41,283	69.2	(3) 110,741	175.5	(3) 132,440	107.3
脳血管疾患	(4) 104,588	85.2	(3) 51,590	86.4	(4) 52,998	84.0	(4) 102,978	83.5
肺炎	(5) 73,190	59.6	(4) 42,335	70.9	(5) 30,855	48.9	(5) 78,450	63.6
誤嚥性肺炎	(6) 49,489	40.3	(6) 29,320	49.1	(6) 20,169	32.0	(6) 42,746	34.6
不慮の事故	(7) 38,296	31.2	(7) 21,990	36.8	(7) 16,306	25.8	(7) 38,133	30.9
腎不全	(8) 28,686	23.4	(8) 15,079	25.3	(10) 13,607	21.6	(8) 26,948	21.8
アルツハイマー病	(9) 22,960	18.7	(15) 7,987	13.4	(8) 14,973	23.7	(9) 20,852	16.9
血管性及び詳細不明の認知症	(10) 22,343	18.2	(14) 8,162	13.7	(9) 14,181	22.5	(10) 20,815	16.9

資料　厚生労働省「人口動態統計」（*は概数である）

注　1）死因分類は，ICD-10（2013年版）準拠（平成29年適用）による．
　　2）男の9位は「慢性閉塞性肺疾患（COPD）」で死亡数は13,668，死亡率は22.9．10位は「間質性肺疾患」で死亡数は13,584，死亡率は22.8である．
　　3）「結核」は死亡数が1,844，死亡率は1.5である．
　　4）「熱中症」は死亡数が750，死亡率は0.6である．
　　5）「新型コロナウイルス感染症」は死亡数が16,756，死亡率は13.6である．

[厚生労働統計協会：人口動態．国民衛生の動向・厚生の指標 増刊69（9）：55，2022より引用]

表 I-1-3 がん死亡数の順位（2021年）

	1位	2位	3位	4位	5位
男性	肺	大腸	胃	膵臓	肝臓
女性	大腸	肺	膵臓	乳房	胃
男女計	肺	大腸	胃	膵臓	肝臓

[国立がんセンター：がん情報サービス，〔https://ganjoho.jp/reg_stat/statistics/stat/summary.html〕（最終確認：2023年1月10日より引用）]

くり運動」（**健康日本21**）が開始され，2011年10月に健康日本21の最終評価がとりまとめられた．「栄養・食生活」「身体活動・運動」「休養・こころの健康づくり」「タバコ」「アルコール」「歯の健康」「糖尿病」「循環器疾患」「がん」の9つの分野について達成状況を分析した結果，目標値に達した項目は16.9％，目標値に達していないが改善傾向にある項目は42.4％，変わらない項目は23.7％，悪化している項目は15.3％であった．この最終評価で問題提起された課題と日本の健康対策の現状をふまえて，2012年7月に「21世紀にお

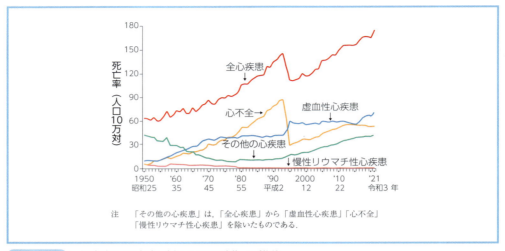

図 I-1-6 心疾患の死亡率（人口 10 万対）の推移

資料　厚生労働省「人口動態統計」（令和3年は概数である）
[厚生労働統計協会：人口動態.国民衛生の動向・厚生の指標 増刊69(9)：58, 2022 より引用]

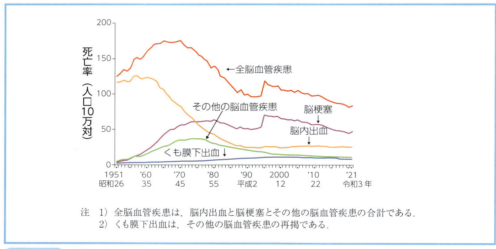

図 I-1-7 脳血管疾患の死亡率（人口 10 万対）の推移

資料　厚生労働省「人口動態統計」（令和3年は概数である）
[厚生労働統計協会：人口動態.国民衛生の動向・厚生の指標 増刊69(9)：58, 2022 より引用]

ける第2次国民健康づくり運動」（健康日本21［第2次］）（2013～2022年度）が策定された．健康日本21（第2次）の方針として，①健康寿命の延伸と健康格差の縮小，②生活習慣病の発症予防と重症化予防の徹底，③社会生活を営むために必要な機能の維持および向上，④健康を支え，守るための社会環境の整備，⑤栄養・食生活，身体活動・運動，休養，飲酒，喫煙および歯・口腔の健康に関する生活習慣および社会環境の改善が挙げられ，53項目の目標が設定された．この健康日本21（第2次）は，2017年から中間評価が行われ，2018年に中間評価報告書が公表された．報告書では53項目のうち60.4％が「改善してい

る」と評価され，十分な改善が認められた主な項目として，健康寿命，血糖コントロール不良者の減少などが挙げられた．一方，改善が不十分な項目は，メタボリックシンドローム該当者・予備群の数，肥満傾向にある子どもの数などであった．そして，2021年から最終評価が行われ，その評価結果をふまえて2022年には次期健康づくり運動プランが策定・公表，2024年から次期プランが実施される予定である．なお，医療費適正化計画等と計画期間を一致させるために健康日本21（第2次）の期間は2023年度まで延長される予定である[9]．

（2）特定健康診査，特定保健指導

また，2008年4月より図Ⅰ-1-8に示すように生活習慣病の発症に深く関連しているメタボリックシンドロームに着目した特定健康診査と特定保健指導を医療保険者に義務化し，40～74歳の被保険者・被扶養者に対して生活習慣病予防を目指した対策が実施されている．

この特定健康診査，特定保健指導の制度がスタートしたのち，健診データの電子的標準化が実現し，レセプト情報を解析できるようになった．2013年に政府が閣議決定した「日本再興戦略」において，「国民の健康寿命の延伸」が重要施策として挙げられ，この戦略の中で「健康管理や予防の必要性を認識しつつも，個人に対する動機づけの方策が十分に

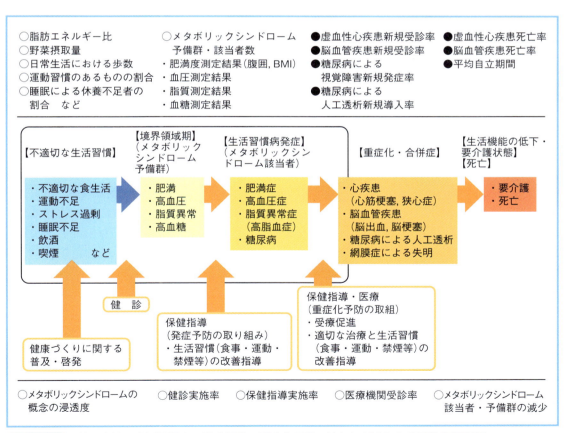

図Ⅰ-1-8　糖尿病等の生活習慣病の発症予防・重症化予防の流れに対応した客観的評価指標

[社会保険出版社編：生活習慣病のしおり2022，p.41，社会保険出版社，2022より許諾を得て転載]

講じられていない」という課題を解決するために「予防・健康管理の推進に関する新たな仕組みづくり」としてレセプトなどのデータ分析，それに基づく加入者の健康保持増進のための「データヘルス計画」の取り組みが求められた[10]．その後，さまざまな研究で健診データを用いた解析がされており，特定保健指導の成果について公表されている[11]．

b. 難病対策

難病対策は，1972年の「難病対策要綱」が第一歩となり，その取り組みがなされてきた．これまで難病対策として，「難治性疾患克服研究事業」「特定疾患治療研究事業」「小児慢性特定疾患治療研究事業」「更生医療給付事業」「育成医療給付事業」などの施策が40年にわたり推進され，難病の実態把握や治療方法の開発，難病医療の水準の向上，患者の療養環境の改善など一定の成果を上げてきた．しかし，医療の進歩や患者および家族のニーズの多様化，社会や経済状況の変化に伴い，原因の解明すら未確立の疾患でも研究事業や医療費助成の対象に選定されていないものもあり，難病の疾患間で不公平があること，医療費助成について都道府県の超過負担が続いており，この解消が求められていること，難病に関する普及啓発が不十分なことなどにより国民の理解が必ずしも十分でないこと，難病患者の長期にわたる療養と社会生活を支える総合的な対策が不十分であることなどさまざまな課題が指摘されるようになった[9]．

そこで，2011年9月より厚生科学審議会疾病対策部会難病対策委員会において「難病対策の見直し」に関する審議を開始し，①効果的な治療方法の開発と医療の質の向上，②公平・安定的な医療費助成のしくみの構築，③国民の理解の促進と社会参加のための施策の充実という3つの難病対策の改革の柱を掲げて取り組んできた．厚生科学審議会疾病対策部会難病対策委員会は，2013年1月に「難病対策の改革について（提言）」を取りまとめ，2014年5月に「難病の患者に対する医療等に関する法律」（p.144参照）が成立した．この法律の概要は表Ⅰ-1-4に示したとおりであり，基本方針の策定，難病にかかわる新たな公平かつ安定的な医療費助成の制度の確立，難病の医療に関する調査および研究の推進，療養生活環境整備事業の実施などが挙げられており，2015年1月1日より施行されている．また，難病における医療費助成は，これまで特定疾患治療研究事業の対象疾患である56疾患が助成対象であったが，新たな医療費助成の対象となる指定難病は，2015年の法律施行時は110疾病となり，その後，医療費助成の対象範囲が拡大され，2021年11月では338疾病となっている．

c. がん対策

がん対策は，がんが1981年にわが国の死亡原因の1位となったのを機に，1984年度から「対がん10か年総合戦略」，1994年度から「がん克服新10か年戦略」が取り組まれてきた．その結果，胃がんや子宮頸がんなどの死亡率は大幅に減少したが，乳がんや前立腺がんの死亡率や罹患率はいまだ増加の一途をたどっている．さらに，人口の高齢化に伴いがん死亡数・罹患数が増加している．そこで，がんに対する新しい治療法の開発や標準的ながん医療を全国どこでも受けることができる体制の整備が求められ，2003年に「第3次対がん10か年総合戦略」が策定され，「がん研究の推進」「がん予防の推進」および「がん医療の向上とそれを支える社会環境の整備」を柱として2004年から実施されている．そして，「第3次対がん10か年総合戦略」の推進をさらに強化するために，国民・患者の

表Ⅰ-1-4 難病の患者に対する医療等の総合的な推進を図るための基本的な方針(概要)

難病の患者に対する医療等に関する法律(平成26年法律第50号.以下「法」という.)第4条第1項に基づき,難病の患者に対する医療等の総合的な推進をはかるための基本的な方針を定める.

1. 難病の患者に対する医療等の推進の基本的な方向

- 難病は,一定の割合で発症することが避けられず,その確率は低いものの,国民の誰にでも発症する可能性があり,難病の患者およびその家族を社会が包含し,支援していくことがふさわしいことを基本認識として,広く国民の理解を得ながら難病対策を計画的に推進
- 法の基本理念にのっとり,難病の克服を目指し,難病の患者が長期にわたり療養生活を送りながらも社会参加の機会が確保され,地域で尊厳をもって生きることができるよう,共生社会の実現に向けて,社会福祉その他の関連施策と連携しつつ,総合的に施策を実施
- 社会の状況変化等に的確に対応するため,難病対策の実施状況等をふまえ,少なくとも5年ごとに本方針に再検討を加え,必要があると認めるときは見直しを実施

2. 難病の患者に対する医療費助成制度に関する事項

- 難病の患者に対する医療費助成制度は,法に基づいて適切に運用するとともに適宜見直し
- 指定難病については,定められた要件を満たす疾病を対象とするよう,疾病が置かれた状況をふまえつつ,指定難病の適合性について判断.合わせて,医学の進歩に応じ,診断基準等も随時見直し
- 医療費助成制度が難病に関する調査および研究の推進に資するという目的をふまえ,指定難病の患者の診断基準や重症度分類等に係る臨床情報等を適切に収集し,医療費助成の対象とならない指定難病の患者を含む指定難病患者データに係る指定難病患者データベースを構築

3. 難病の患者に対する医療を提供する体制の確保に関する事項

- できるかぎり早期に正しい診断ができる体制を構築
- 診断後はより身近な医療機関で適切な医療を受けることのできる体制を確保
- 難病の診断および治療には,多くの医療機関や診療科等が関係することをふまえ,それぞれの連携を強化

4. 難病の患者に対する医療に関する人材の養成に関する事項

- 難病に関する正しい知識をもった医療従事者等を養成することを通じて,地域において適切な医療を提供する体制を整備

5. 難病に関する調査および研究に関する事項

- 難病対策の検討のために必要な情報収集を実施
- 難病の医療水準の向上をはかるため,難病患者の実態を把握
- 難病の各疾病について実態や自然経過等を把握し,疾病概念の整理,診断基準や重症度分類等の作成や改訂等に資する調査および研究を実施
- 指定難病患者データベースを医薬品等の開発を含めた難病研究に有効活用できる体制に整備

6. 難病の患者に対する医療のための医薬品,医療機器および再生医療等製品に関する研究開発の推進に関する事項

- 難病の克服が難病の患者の願いであることをふまえ,難病の病因や病態を解明し,難病の患者を早期に正しく診断し,効果的な治療が行えるよう研究開発を推進
- 患者数が少ないために開発が進みにくい医薬品,医療機器および再生医療等製品の研究開発を積極的に支援

7. 難病の患者の療養生活の環境整備に関する事項

- 難病の患者の生活上の不安が大きいことをふまえ,難病の患者が住み慣れた地域において安心して暮らすことができるよう,難病相談支援センター等を通じて難病の患者を多方面から支えるネットワークを構築
- 地域のさまざまな支援機関と連携して難病の患者に対する支援を展開している等の先駆的な取り組みを行う難病相談支援センターに関する調査および研究を行い,全国へ普及

8. 難病の患者に対する医療等と難病の患者に対する福祉サービスに関する施策,就労の支援に関する施策その他の関連する施策との連携に関する事項

- 難病の患者が地域で安心して療養しながら暮らしを続けていくことができるよう,医療との連携を基本としつつ,福祉サービスの充実などをはかる
- 難病の患者の雇用管理に資するマニュアル等を作成し,雇用管理に係るノウハウを普及するとともに,難病であることをもって差別されない雇用機会の確保に努めることにより,難病の患者が難病であることを安心して開示し,治療と就労を両立できる環境を整備

9. その他難病の患者に対する医療等の推進に関する重要事項

- 難病に対する正しい知識の普及啓発をはかり,難病の患者が差別を受けることなく,地域で尊厳をもって生きることのできる社会の構築に努める
- 保健医療サービス,福祉サービス等についての周知や利用手続きの簡素化を検討

[厚生労働省:難病法(難病の患者に対する医療等に関する法律)概要.〔https://www.mhlw.go.jp/content/000527525.pdf〕(最終確認:2023年1月10日)より引用]

視点に基づきがん対策の飛躍的な向上を目的とした「がん対策推進アクションプラン2005」が2005年に策定された.

　このように日本の長年のがん対策は，その取り組みによりさまざまな成果を収めてきたが，なお，がんが国民の生命を脅かし重大な健康問題となっていることを考え，2007年4月から「**がん対策基本法**」が施行された．このがん対策基本法は，図Ⅰ-1-9に示すように「がん対策推進協議会」の意見を聞いたうえで「**がん対策推進基本計画**」を策定し，これを基盤に都道府県が地域の特性をふまえて「都道府県がん対策推進計画」を定めて，総合的，計画的に推進することとされている．主な施策として「がん予防及び早期発見の推進」「がん医療の均てん化の促進等」「研究の推進等」の3つを柱にして進められてきた.

　2007年度からの第1期がん対策推進基本計画では，「がん診療連携拠点病院の整備」「緩和ケア提供体制の強化」および「地域がん登録の充実」がはかられた．2012年度からの第2期の基本計画では，「小児がん拠点病院の整備」「がんの教育・普及啓発」および「がん患者の就労を含めた社会的な問題」への取り組みも新たに追加され，死亡率の低下や5年相対生存率が向上するなど一定の成果が得られた．さらに，取り組みが遅れている分野のいっそうの強化をはかるために，2015年12月に「がん対策加速化プラン」が策定された．しかし，がん対策基本法の成立から10年が経過するなかで，がん医療のみならず，がん患者にかかわる就労・就学支援等の社会的問題等に対処していく必要性が明らかになったことをふまえ，図Ⅰ-1-9に示したように2016年に法の一部改正が行われた．この法律の一部改正により，基本的施策のなかに「がん患者の就労等」と「がんに関する教育の推

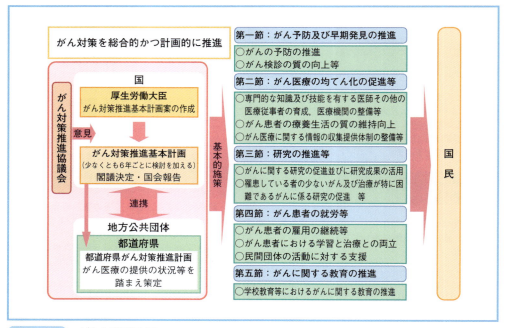

図Ⅰ-1-9　がん対策基本法

[厚生労働統計協会：がん対策. 国民衛生の動向・厚生の指標 増刊69(9)：156, 2022より引用]

進」が新たに加わった.

そして，基本計画の10年間の取り組みを評価した結果，2007年度からの目標であった「がんの年齢調整死亡率（75歳未満）の20％減少」を達成することができず，今後もがん予防のための施策をいっそう充実させ，早期発見・早期治療につながるがん検診の受診率を向上させていく必要性が明らかとなった[10]．また，新たな課題として，希少がん，難治性がん，小児がん，AYA（adolescent and young adult）世代（思春期および若年成人世代）へのがん対策が必要であること，ゲノム医療等の新たな治療法を推進していく必要があること等が示された[10]．このような課題と法の一部改正をふまえ，2018年に第3期の基本計画[11]が策定された．この基本計画の全体目標は「がん患者を含めた国民が，がんを知り，がんの克服を目指す」として，①科学的根拠に基づくがん予防・がん検診の充実，②患者本位のがん医療の実現，③尊厳をもって安心して暮らせる社会の構築が掲げられ，取り組まれている．そして，2021年から第4期の基本計画に向けた中間評価が行われている．

> **学習課題**
> 1．慢性疾患の種類を挙げ，それぞれの特徴について説明してみよう
> 2．障害の定義および概念がどのように変化しているか説明してみよう
> 3．総患者数および死亡者数の多い慢性疾患を3つ挙げてみよう

引用文献

1) 日野原重明：健康・病気・医学の体系．医学概論，p.50-56，医学書院，2005
2) ラブキンIM, ラーセンPD：慢性性とは．クロニックイルネス―人と病いの新たなかかわり（黒江ゆり子監訳），p.3-20，医学書院，2007
3) 社会保険出版社（編）：生活習慣病のしおり2022，p.83，社会保険出版社，2022
4) 厚生労働統計協会：難病対策．国民衛生の動向・厚生の指標 増刊68(9)：169-173，2021
5) 小林正伸：やさしい腫瘍学．からだのしくみから見る"がん"，p.49-75，南江堂，2014
6) 上田 敏：障害・障害者・リハビリテーション的アプローチ．リハビリテーションの思想―人間復権の医療を求めて，第2版，p.86-143，医学書院，2004
7) 上田 敏：ICF（国際機能分類）の理解と活用―人が「生きること」「生きることの困難（障害）」をどうとらえるか．きょうされん，p.5-31，2012.
8) 障害者福祉研究会（編）：ICF序論．ICF国際生活機能分類―国際障害分類改定版，p.3-23，中央法規出版，2002
9) 厚生労働統計協会：健康増進対策．国民衛生の動向・厚生指標 増刊68(9)：97-99，2021
10) 前掲4），p.9
11) 津下一代：特定健診・特定保健指導の成果・課題から，平成30年度以降の健康・医療戦略を展望する．人間ドック 31：7-21，2016
12) 厚生科学審議会疾病対策部会難病対策委員会：難病対策の改革について（提言），2013，〔https://www.mhlw.go.jp/stf/shingi/2r9852000002udfj-att/2r9852000002udh0.pdf/〕（最終確認：2023年1月10日）
13) 厚生労働省：がん対策推進基本計画（第3期）＜平成30年3月＞，〔https://www.mhlw.go.jp/stf/seisakunitsuite/bunya/0000183313.html〕（最終確認：2023年1月10日）
14) 厚生労働省：がん対策推進基本計画の概要（第3期）＜平成30年3月＞，〔https://www.mhlw.go.jp/stf/seisakunitsuite/bunya/0000183313.html〕（最終確認：2023年1月10日）

慢性疾患における治療の特徴

> **この節で学ぶこと**
> 1. 慢性疾患の治療の考え方について説明できる
> 2. 慢性疾患を有する人に行われている治療の特徴について説明できる．

　慢性疾患は，不可逆的な変化により治癒が望めない状態であり，疾患をうまくマネジメントできなければ急性増悪（ぞうあく）を繰り返し，合併症を併発して死にいたる．このような特徴をもつ慢性疾患の治療は，疾病をコントロールしながら急性増悪や2次障害・合併症を予防し，また失った機能を補って，その人にとって通常の生活が送れるようにすることである．しかし，慢性疾患における養生法や治療法を継続することは，患者およびその家族の日常生活や社会生活に多様な影響をもたらす．ここでは，慢性疾患における治療の考え方とその特徴について概説する．

A. 慢性疾患における治療の考え方

1 ● 疾病の発症要因

　疾病の発症には，図Ⅰ-2-1に示すように遺伝子異常や加齢などの遺伝要因，病原体や

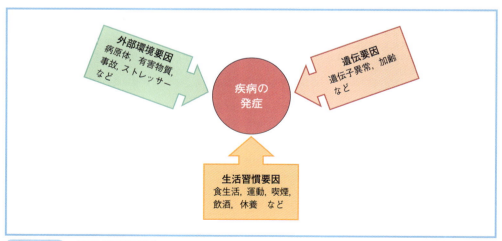

図Ⅰ-2-1　疾病の発症要因
[社会保険出版社（編）：生活習慣病のしおり2022, p.2, 社会保険出版社, 2022より許諾を得て改変し転載]

有害物質などの外部環境要因，食生活や運動などの生活習慣要因が関連することが明らかになっている．2017年の総患者数の上位は，高血圧症，糖尿病，脂質異常症（高脂血症），がんが占めており，これらの疾患は原因が明らかでない悪性新生物を除くと，ほとんどが生活習慣によるものである．

2 ● 疾病の予防対策

疾病の予防対策には，図Ⅰ-2-2に示したように健康を増進して発病そのものを予防する「1次予防」，健診などにより疾病を早期に発見し，早期に治療する「2次予防」，疾病の進行や障害への対応としての治療・機能回復・機能維持という「3次予防」がある．国民1人ひとりが健康的な生活習慣を確立し，疾病を予防することが望ましい．しかし，なんらかの原因で慢性疾患が発症した場合には，疾病の原因を除去する根治療法ではなく，長期にわたって，生活習慣を改善したり，治療を継続することによって疾病を上手にコントロールし，病気の進行を防ぎ合併症・2次障害を予防するという考え方が重要となる．このように慢性疾患の重症化を予防するために，日本では欧米の疾患管理（disease management：DM）に注目し，この概念を診療に取り入れるようになった．米国における疾患管理は，医療費支出の過半を占める慢性疾患患者を対象に，症状の悪化を防ぐことで入院や手術の利用を抑制し，医療費の削減および医療の質の向上を目的として実施されている[1]．また，ドイツにおける疾病管理も，慢性疾患患者の治療に関連する関係者間の連携を円滑に行うこと，エビデンスに基づいた治療を行い，治療の質を向上させることに重点を置いて実施されている[1]．疾患管理プログラムは，慢性疾患を有する人を対象にする包括的なアプローチであり，疾病の重症化予防，継続的なケア，臨床アウトカムの向上，医

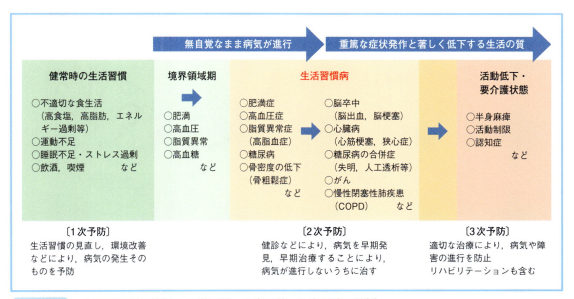

図Ⅰ-2-2　生活習慣病の進行と1次予防・2次予防・3次予防の関係

［社会保険出版社（編）：生活習慣病のしおり2022, p.7, 社会保険出版社, 2022より許諾を得て転載］

療費の適正化を促進するもので一定の効果が得られていることから，日本においてもこれらの要素を含んだ「糖尿病性腎症重症化予防プログラム」や「心不全患者の疾患管理プログラム」などが導入されている．とくに心不全患者においては，多職種チームによる疾患管理プログラムが重視されており，心不全の生命予後やQOLの改善に有効であり，多職種によるチーム医療により運営され，心不全の治療，管理，ケアに関する専門的知識，技術を有する医療従事者が複数含まれることが望ましいとされている[2]．つまり，慢性疾患を有する患者のQOLの向上および高騰する医療費の適正化を目指して，患者が疾患をセルフマネジメントできるように継続的に支援し，重症化予防につながるようにエビデンスに基づいた医療をチームで提供することが求められているのである．

B. 慢性疾患における治療法とその特徴

慢性疾患の治療は，薬を1週間内服すれば，あるいは1週間入院すればそれで終了するというわけではなく，生涯にわたりあるいは繰り返し行われる．治療法によっては，患者の心身あるいは生活に大きな影響をもたらすものもある．図Ⅰ-2-3に示したように，慢

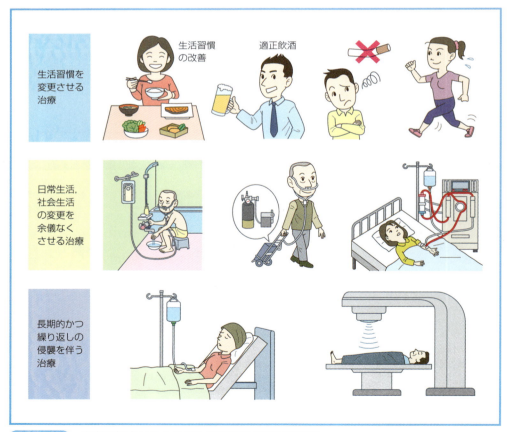

図Ⅰ-2-3　患者の視点からとらえた慢性疾患の治療の特徴

性疾患の治療を患者の視点から「**生活習慣を変更させる治療**」「**日常生活・社会生活の変更を余儀なくさせる治療**」「**長期的かつ繰り返しの侵襲を伴う治療**」ととらえ，それぞれの特徴について述べる．

1 ● 生活習慣を変更させる治療

　食事療法（摂取エネルギー制限，塩分制限，タンパク質制限など）や運動療法（運動処方），安静療法（安静保持），禁煙などは，生活習慣に関連した**養生法**であり，生活習慣を修正あるいは変更することそのものが治療となる．つまり，疾患の発症に関連の深い生活改善を修正あるいは変更できれば，疾病の進行を防ぎ，合併症や2次障害の予防につながるのである．しかし，生活習慣を改善あるいは変更するということは容易なことではない．習慣とは，長年の家庭生活のなかで身につけられた，比較的固定した，あまり努力しなくても自然と反復できる行動様式であり，その行動を変化させることは，本人のみならず周囲の人の多大な努力を要する．

　たとえば，糖尿病となり食事療法が必要となった患者は，摂取エネルギー制限のために計算をしながら食品を選んで食べなければならない．毎晩のんでいたお酒や大好きなケーキも我慢しなければならないかもしれない．友人との食事や同僚との酒のつきあいも断らなければならなくなるだろう．また，患者の食事を作る人は，その人のために摂取エネルギー制限に合わせた献立を考えたり，別メニューの食事を準備したりしなければならない．さらに，食事療法を継続させるためには，周囲の理解とサポートが必要となる．このように，生活習慣を変える，つまり日常の行動様式を変えるということは容易なことではなく，周囲の人までをも巻き込むのである．

2 ● 日常生活・社会生活の変更を余儀なくさせる治療

　長い経過のなかでは不適切な生活習慣を改善できなかったり，食事療法や運動療法を守っていてもなんらかの原因で病状が悪化して，病気をコントロールすることがむずかしい状況が生じる．このような場合は，内服薬やインスリンの自己注射，人工透析，在宅酸素療法などに頼ることになる．これらの治療法は，食事療法や運動療法に比べて，不快な副作用を伴ったり，習得しなければならない知識や技術を要するため，実施・継続に時間がかかり，治療の受け入れがむずかしい．

　たとえば，高血圧で降圧薬の内服治療が必要になった患者は，自覚症状がほとんどなくても，薬は毎日欠かさずのまなければならない．このため患者は，内服の継続に伴う心理的負担を感じたり，自覚症状がないため薬をのみ忘れたり，逆に頭痛やふらつきなどの副作用により自己判断で薬を中止してしまうことがあるかもしれない．また，人工透析や在宅酸素療法などの治療は，日常生活や社会生活においてさまざまな制限をもたらす．慢性腎不全で血液透析が必要になった患者は，週に3回の血液透析に通うために，仕事や家事を調整しなければならず，生活するうえでの時間的制約が生じたり，仕事内容を変えたり，家庭内での役割変更をしなければならない．また，旅行先でも透析施設の確保が必要となる．さらに，年齢によっては，転職せざるをえなかったり，結婚や出産をあきらめなければならず，人生設計をも変えなければならないこともある．慢性呼吸不全で在宅酸素療法

が必要になった患者は，酸素のチューブを装着しながら食事や入浴，排泄などをしなければならないため行動範囲が制限される．そして，外出の際にも携帯用酸素ボンベを持ち歩かなければならない．

このように内服薬や人工透析，在宅酸素療法などは，患者の日常生活や社会生活の変更を余儀なくさせ，さまざまな制限や制約を伴う．

3 ● 長期的かつ繰り返しの侵襲を伴う治療

がんや自己免疫疾患などは，他の慢性疾患の治療と比べて身体侵襲を伴う治療が多い．がん治療は，体中のがん細胞を根絶するために，手術療法のみならず化学療法や放射線療法，内分泌療法，塞栓療法などを繰り返し行わなければならない．白血病や小細胞肺がんで抗がん薬がよく効く疾患の場合は，複数の抗がん薬を組み合わせて，寛解が得られるまで継続しなければならない．そして，化学療法や放射線療法，塞栓療法は，身体侵襲が大きい副作用を伴う．外来化学療法が必要になった患者は，抗がん薬の副作用として骨髄抑制（易感染，易出血，貧血など）や消化管粘膜の障害（悪心・嘔吐，下痢，便秘），脱毛などが出現しやすい．そのため，副作用を上手にマネジメントしながら，食事内容を工夫したり，ウイッグを準備したり，通院治療のために仕事の時間や内容を調整するなどさまざまな面で日常生活を再調整しなければならない．さらに，脱毛によるボディイメージの変容に伴って心理的葛藤が生じたり，年齢によっては性機能や生殖機能の障害をも体験するかもしれない．また，肝臓がんで塞栓療法が必要となった患者は，発熱や倦怠感などの副作用に耐えながら，治療の効果が得られない場合は入退院を何度も繰り返さなければならない．自己免疫疾患に対する治療（大量のステロイド薬や免疫抑制薬による治療）は，がん治療と同様に心身ともに影響を及ぼす副作用が大きい．大量のステロイド薬の副作用として，免疫抑制に伴う易感染，脱毛，満月様顔貌，うつ状態などがあるため，セルフマネジメントが必要となる．このようにがん治療や自己免疫疾患の治療は，身体侵襲が大きく，多大な心理・社会的影響をもたらす．

> **学習課題**
>
> 1．生活習慣病における1次予防，2次予防，3次予防について説明してみよう
> 2．慢性疾患を有する人に行われている治療を挙げ，それぞれの特徴について簡潔に説明してみよう

引用文献

1) 健康保険組合連合会：保険者等による慢性疾患の発症・重症化予防に関する国際比較調査 報告書＜令和元年6月＞〔https://www.kenporen.com/include/outline/pdf/kaigai_r01_01.pdf〕（最終確認：2023年1月10日）
2) 木田圭亮，佐藤如雄：心不全再発予防（疾患管理プログラム　多職種連携），ICUとCCU，**43**(5)：265-273, 2019

3 慢性疾患を有する人をとりまく療養環境の特徴

> **この節で学ぶこと**
> 1. 療養環境の変化について述べることができる
> 2. 慢性疾患における医療費の問題について述べることができる
> 3. 慢性疾患を有する人の療養移行・継続看護が必要な背景について述べることができる

　高齢化に伴い高騰する医療費の問題や，各医療機関の機能の分化により，慢性疾患を有する人をとりまく療養環境は急速に変化している．慢性疾患を有する人に質の高い看護を提供するためには，患者がどのような療養環境のなかで治療やケアを受けているのかについて理解することが必要である．ここでは，治療・療養環境の変化，病院・地域・在宅との連携，療養移行・継続看護の実際，医療費の問題について概説する．

A. 療養環境の変化と看護師の役割拡大

　日本では，1961年からスタートした国民皆保険制度により，国民は「誰でも医療にかかることができる安心」を手に入れた．しかし，医療の進歩や人口の高齢化が急速に進むなか，わが国のGDPは伸び悩み，医療費も介護給付費も上昇する一方，国民医療費は年々高騰している．このような背景のもと急性期病院における長期入院の適正化や診療群別包括制度（DPC）の導入，在宅医療の推進により，治療や療養の場は病院から外来，地域，在宅へとシフトしている．入院患者の重症度の構成割合をみると，図Ⅰ-3-1に示すように「生命の危険がある」が5.6％，「生命の危険は少ないが入院治療を要する」が76.7％となっており，主には急性疾患あるいは手術を要する疾患，慢性疾患の急性増悪などの入院と推察できる．このことから考えて，慢性疾患の診断・治療導入期や安定・維持期の患者は，外来や地域のクリニックや診療所，在宅において治療を受けていることになる．したがって，患者に対する主な看護実践の場は，外来あるいは地域のクリニックや診療所，在宅となり，外来看護やクリニック・診療所における看護，訪問看護の重要性が高まっている．また，在院日数の短縮化や生活習慣病の患者に対する対策が強化され，自己管理が確立していない状態で退院する者も増えており，外来では医療依存度の高い患者が増加している．このような状況のなかで，専門性の高い看護を提供することが外来で求められ，看護師が専門外来を行うようになり，**看護専門外来**を開設する病院が増えている．看護専門外来の領域としては，「フットケア」「糖尿病」「生活習慣病」「禁煙」「慢性腎不全」，自己注射や自己導尿，酸素療法，経管栄養法，中心静脈栄養法など在宅で自己管理をしなが

3. 慢性疾患を有する人をとりまく療養環境の特徴　27

図Ⅰ-3-1　重症度の状況別にみた推計入院患者数の構成割合
[厚生労働省：令和2年（2020）患者調査（確定数）の概況を参考に作成]

ら療養する患者や家族に対する「在宅療養相談」「がん看護」などであり，外来看護にかかわる診療報酬の範囲も拡大してきている．さらに，2012年度の診療報酬改定では「退院前訪問指導料」[1]，2016年度には「退院後訪問指導料」[2] の加算がつくようになり[1]，訪問看護師だけでなく病棟の看護師も訪問看護師と同行して患者の自宅を訪問し，患者が安心して退院後の生活が送れるよう療養上の指導を行えるようになった．このように，病院における看護師は，病棟のみならず外来や在宅の場においても専門性を発揮できるようになり，看護師の役割拡大が進んでいる．

B. 病院・地域・在宅との連携

　慢性疾患を有する患者は，生涯にわたり疾病をコントロールしながら病気とともに生活することを余儀なくされるため，医療者の継続的なかかわりを必要とする．すなわち，その場しのぎのケアやかかわりではなく，切れ目のない医療サービスを提供することが求められている．そのためには，病院内における病棟と外来との連携のみならず地域とも連携をとり，垣根を取りはらった医療サービスを提供していくシステムづくりが重要である．そこで，地域連携を推進するための有効なツールとして「**地域連携クリティカルパス**」が用いられている．これは，疾病別に，疾病の発症から診断，治療，リハビリテーション，在宅療養までを，複数の医療機関や施設で協働して作成する一連の診療計画である．この地域連携クリティカルパスの普及により，急性期病院から回復期病院を経て在宅に戻るまで継続的な切れ目のない医療を提供することが期待され，病院，地域，在宅における連携

が重視されている．この地域連携クリティカルパスは，2006年度の診療報酬改定から評価されるようになり[3]，適用疾患も診療報酬改定のたびに増えている．

　また，2006年の医療法改正以降，病院・病床機能の分化と連携が推進されるとともに，急性期病院における退院患者の平均在院日数がさらに短縮化され，退院後も高カロリー輸液や経腸栄養，自己注射，継続的なリハビリテーションを必要とする患者や，日常生活の援助を全面的に必要とする患者が増加してきた．しかし，医療依存度や介護度の高い患者とその家族は，退院後の生活に対して不安を抱きやすく，病気や障害と向き合いながらその人らしく自宅で生活することが困難となり，入退院の繰り返しや自宅に戻れるのに療養型病院への長期入院を余儀なくされることが多い．そして，在宅への移行を円滑にするためには，入院早期からの退院後の生活を見越して行う**入退院支援**や，地域医療・介護への移行をマネジメントする**退院調整**が不可欠とされている．入退院支援[4]は，患者が自分の病気や障害の管理を円滑にするために，入院早期から退院後も継続が必要な医療や看護を受けながらどこで療養するか，どのような生活を送るかを自己決定するための支援である．一方，退院調整[4]は，患者の自己決定を実現するために，患者や家族の意向をふまえて環境・人・ものを社会保険制度や社会資源につなぐというマネジメントの過程である．このように，病棟や外来の看護師は，患者が病気とともにその人らしく充実した生活が送れるように，地域や在宅も視野に入れて看護を提供することが求められている．

　さらに，2025年には，団塊の世代が一斉に75歳以上の後期高齢者になり，慢性疾患や複数疾患をかかえる患者の増加，リハビリテーションニーズの増大，自宅で暮らしながら医療を受ける患者数の増加等，医療，介護，福祉サービスへの需要が高まり，社会保障財政のバランスが崩れ，さまざまな問題が起こることが予測されている．このような問題への対策として，2012年に社会保障・税一体改革大綱が閣議決定され，①病院・病床の機能の分化・強化，②在宅医療の推進，③医師確保対策，④チーム医療の推進という4つの施策が示され，この内容は2015年に「持続可能な医療保険制度を構築するための国民健康保険法等の一部を改正する法律」として法的に位置づけられた[5]．そして，これまでの救命・延命，治癒，社会復帰を前提とした「病院完結型」医療から，患者の住み慣れた地域や自宅での生活のための医療，地域全体で治し，支える「地域完結型」の医療へと転換が求められている．さらに，「医療から介護へ」「病院・施設から地域・在宅へ」と医療・介護・予防・生活支援・住まいの継続的で包括的なネットワーク，すなわち**地域包括ケアシステム**づくりが推進されている．地域包括ケアシステム[6]とは，図Ⅰ-3-2に示したように医療や介護，予防のみならず，福祉サービスを含めたさまざまな生活支援サービスが，日常生活の場（日常生活圏）で適切に提供できるような地域での体制である．このように，今後は病院，地域，在宅の連携の強化がますます重要となり，「地域包括ケア」の構築および充実が期待されている．

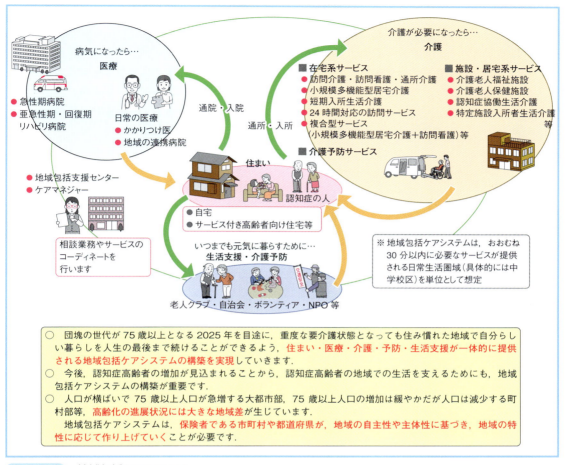

図Ⅰ-3-2 地域包括ケアシステム

[厚生労働省：地域包括ケアシステム，〔https://www.mhlw.go.jp/stf/seisakunitsuite/bunya/hukushi_kaigo/kaigo_koureisha/chiiki-houkatsu/〕（最終確認：2023年1月10日）より引用]

引用文献

1) 厚生労働省：平成24年度診療報酬改定について，平成24年度診療報酬改定の概要，〔http://www.mhlw.go.jp/stf/seisakunitsuite/bunya/kenkou_iryou/iryouhoken/iryouhoken15/index.html〕（最終確認：2023年1月10日）
2) 厚生労働省：平成28年度診療報酬改定について，平成28年度診療報酬改定の概要，〔http://www.mhlw.go.jp/file/06-Seisakujouhou-12400000-Hokenkyoku/0000125201.pdf〕（最終確認：2023年1月10日確認）
3) 櫃本真聿：患地域包括ケア時代の地域に根差した医療の創り方，p.73，日総研，2017
4) 宇都宮宏子，三輪恭子（編）：これからの退院支援・退院調整—ジェネラリストナースがつなぐ外来・病棟・地域，p.10，日本看護協会出版会，2011
5) 厚生労働統計協会：医療対策．国民衛生の動向・厚生の指標 増刊 64(9)：188-191，2017
6) 前掲5)，p.260-261

C. 療養移行，継続看護の実際

病院・病床機能の分化と連携の推進により，在院日数が短縮化されている．そのため，慢性疾患患者は，自身の疾患に伴い必要となる医療処置等を退院後も継続して在宅で自己管理する必要性が高まっている．入院中から在宅療養を見据えて患者・家族へ自己管理の

指導を行い，退院後も安全に適切な自己管理を安心して継続できるよう，病院と在宅療養支援者，たとえば在宅療養支援診療所（かかりつけ医）や訪問薬剤指導（訪問薬剤師），訪問看護（訪問看護師）などとの連携が重要である．

ここでは療養移行や継続看護の実際について，慢性疾患の中で高カロリー輸液による栄養管理が必要となったクローン病（**第V章 3-6**参照）の患者を例に，在宅中心静脈栄養法を導入し，入院中に指導を受けて退院後，外来での継続看護およびかかりつけ診療所等による支援を受けて，在宅療養生活を送るまでに至った実践を示す．

> **事例 Ⓐ**
> 専門医のいる大学病院で通院治療を受けているクローン病患者Aさん（45歳，男性）．20歳で発症し，クローン病の再燃・増悪を繰り返し，小腸狭窄のため，これまでに3回小腸切除術を受けた．残存小腸が1メートルとなり，短腸症候群（下痢がつづき，脱水・低栄養状態が続く）の状態で，経腸栄養では十分な水分・栄養摂取ができなくなった．そのため，高カロリー輸液での経静脈栄養法による管理が必要となったため，静脈ポートからの投与による在宅中心静脈栄養法を導入することになった．

事例の解説

1 ● Aさんの入院中の指導から在宅療養支援体制の調整，継続支援の経過

a. 入院中の指導

在宅で静脈ポートから高カロリー輸液を投与する医療行為を，患者および家族が安全に適切に実施できるよう指導をした．

Aさんは妻と2人暮らしで，平日は9〜17時まで事務職の仕事に従事している．輸液をしながら勤務することについて，職場より了解を得ることができたので，24時間持続で輸液投与することとした．Aさんと妻へ，高カロリー輸液製剤の準備，在宅用輸液ルート・ポンプの取り扱い，輸液投与方法の指導を行った．

静脈ポート針は1回/週の差し替え交換とし，診療所医師に依頼した．安全に輸液投与ができるよう入浴時のみ，ポート針に装着したコネクターから輸液ルートをはずして，防水処置（テープ保護）をして感染に注意すること，ポート針刺入部の観察や血液の逆流等によるルート内の閉塞といったトラブルの対処方法などを指導した．

b. 在宅療養支援診療所（かかりつけ医）および在宅医療受け入れ薬局への連絡調整

Aさんは平日に仕事があるため，大学病院での受診日は有給休暇をとっていた．そこで，平日の仕事帰りに受診できる在宅療養支援診療所に紹介をしてかかりつけ医とし，普段の輸液管理については，診療所医師に体調管理，輸液製剤処方を依頼した．

輸液製剤を準備して届けることについては診療所医師と連携をとっている在宅医療受け入れ薬局へ処方箋を出してもらい，Aさん宅へ訪問薬剤指導により薬剤師が輸液製剤を届け，自宅でのAさんの輸液実施状況，体調について確認してもらうこととなった．

c. 在宅療養支援体制

在宅で医療処置である中心静脈栄養法を患者・家族が行うため，感染やルート閉塞のトラブルが発生した場合は，24時間対応できる体制が必要である．在宅療養支援診療所への連絡もしくは状態によっては大学病院の救急外来でも対応することで患者・家族は安心して在宅で過ごすことができる．

d. 退院後の経過

入院中に指導を受け，Aさん自身で輸液投与の管理を行えるようになって退院した．妻も一緒に指導を受け，Aさんの体調がすぐれず，自分ですべてを行うことがむずかしいときは，妻が手伝うことができるようになっていた．

退院後初回の大学病院の外来受診は2週間後とし，診療所医師および訪問薬剤師から情報提供書を送ってもらった．訪問薬剤師は，Aさん宅で実際に輸液投与をしている状況を確認し，感染予防や輸液製剤の適切な投与（準備や投与速度の調節，入浴時の処置など）についてAさんが自宅で実施している状況の報告書を大学病院外来医師，看護師へ送ってもらった．さらに外来受診時に診療所医師より血液検査データ，在宅中心静脈栄養法の処方内容など受診時のAさんの状態についての情報提供書を大学病院外来担当医に出してもらった．

大学病院外来担当医が，採血検査での栄養状態の確認，輸液製剤の処方内容確認とともに，Aさんのクローン病の状態も確認した．外来看護師は，在宅中心静脈栄養法に関する確認，再指導を行った．訪問薬剤師からの報告書で，自家用車での通勤時および職場での輸液製剤・輸液ポンプの携帯方法について，輸液ポンプがときおり閉塞でとまってしまうトラブルが生じており，対処方法を再度確認する必要があることが伝えられた．外来看護師は，輸液製剤と輸液ポンプを手提げバッグに入れる方法と職場のデスクの状態を確認して，血液の逆流や閉塞を起こさないようにする手提げバッグの置き方を指導した．

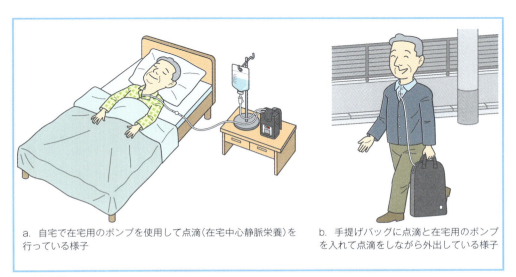

a. 自宅で在宅用のポンプを使用して点滴（在宅中心静脈栄養）を行っている様子

b. 手提げバッグに点滴と在宅用のポンプを入れて点滴をしながら外出している様子

図 I-3-3 高カロリー輸液を投与しながら日常生活を送る患者

e. 病院・地域・在宅の連携による在宅療養指導管理

Aさんは，このように大学病院・在宅療養支援診療所・在宅医療受け入れ薬局の連携支援体制により，高カロリー輸液を自宅・職場で投与しながら療養生活を送ることができるようになった（図Ⅰ-3-3）．

慢性疾患患者は，さまざまな医療処置・治療を在宅で自己管理しながら過ごすことが必要となる場合がある．在宅で過ごすことを可能にするためには，地域包括ケアシステムによる継続的連携支援が重要である．

D. 医療費の問題

2019年の国民医療費は，図Ⅰ-3-4に示すように約44兆円と年々増加傾向にあり，国民所得に対する比率は11.06％である．そして，国民1人あたりの医療費は，1965年度が1万円台，1980年度が10万円台，2019年度が35万円台となっており，国民の負担も年々大きくなっている．とくに図Ⅰ-3-5をみると，生活習慣病の医療費は全体の医療費の約3分の1を占めている．そして，医療費の年次推移をみると，高血圧症，脳血管疾患，糖尿病は横ばいであるが，がんは右肩上がりに増加している．2006年に可決された医療構造改革関連法では，基本的考え方のなかの1つとして医療費適正化の総合的な推進が掲げられ，生活習慣病の予防徹底と平均在院日数の短縮を挙げている．そして，医療費の適正化をはかるための方策として，2018年度に始まった第三期医療費適正化計画では，地域医療構想に基づいた医療資源の有効活用と地域内における医療機関の連携推進，生活習慣病の重

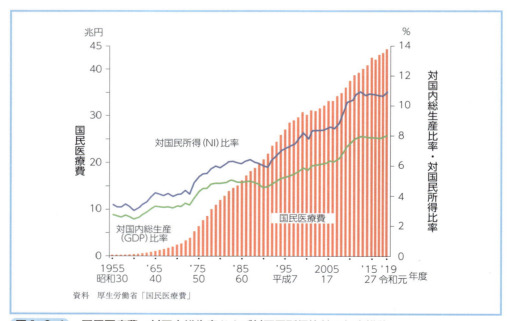

図Ⅰ-3-4 国民医療費・対国内総生産および対国民所得比較の年次推移

[厚生労働統計協会：医療保険制度．国民衛生の動向・厚生の指標 増刊69(9)：229, 2022より引用]

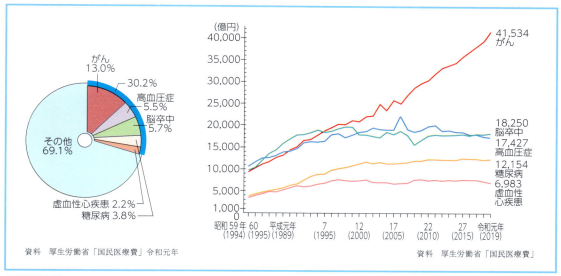

図Ⅰ-3-5　一般診療費の構成割合と年次推移

[社会保険出版社（編）：生活習慣病のしおり 2022, p.4, 社会保険出版社, 2022 より許諾を得て転載]

表Ⅰ-3-1　医療機能とその定義

医療機能	定　義
高度急性期機能	急性期の患者に対し，状態の早期安定化に向けて，診療密度がとくに高い医療を提供する機能
急性期機能	急性期の患者に対し，状態の早期安定化に向けて，医療を提供する機能
回復期機能	急性期を経過した患者への在宅復帰に向けた医療やリハビリテーションを提供する機能．とくに，急性期を経過した脳血管疾患や大腿骨頸部骨折等の患者に対し，ADLの向上や在宅復帰を目的としたリハビリテーションを集中的に提供する機能（回復期リハビリテーション機能）．
慢性期機能	長期にわたり療養が必要な患者を入院させる機能．長期にわたり療養が必要な重度の障害者（重度の意識障害者を含む），筋ジストロフィー患者または難病患者等を入院させる機能

[厚生労働省：地域医療構想, 地域医療構想策定ガイドライン, 〔https://www.mhlw.go.jp/content/10800000/000711355.pdf〕（最終確認：2023年1月10日）を参考に作成]

症化予防などに重点をおいている．地域医療構想とは[1]，超高齢社会にも耐えうる医療提供体制を構築するため，2014年6月に成立した「地域における医療及び介護の総合的な確保を推進するための関係法律の整備等に関する法律」によって制度化されたものであり，将来人口推計をもとに2025年に必要となる病床数を4つの医療機能ごとに推計したうえで，病床の機能分化・連携を進め，効率的な医療提供体制を実現する取り組みである．二次医療圏を基本に全国で341の「構想区域」を設定し，構想区域ごとに高度急性期，急性期，回復期，慢性期の4つの医療機能ごとの病床の必要量が推計される（表Ⅰ-3-1）．今後は構想区域ごとに「地域医療構想調整会議」を設置し，関係者の協議を通じて，地域の高齢化等の状況に応じた病床の機能分化と連携が進められるようになる．

引用文献

1) 厚生労働省：地域医療構想，地域医療構想策定ガイドライン，〔https://www.mhlw.go.jp/content/10800000/000711355.pdf〕（最終確認：2023年1月10日）

> **学習課題**
> 1．慢性疾患を有する人の療養環境の場において，どのようなことが課題になっているか説明してみよう
> 2．地域包括ケアシステムについて，自分の言葉で説明してみよう
> 3．慢性疾患を有する人の継続看護の重要性について説明してみよう

4 慢性疾患を有する人に対する看護の役割

この節で学ぶこと
1. インフォームド・コンセントと意思決定を支える援助について述べることができる
2. 病気とともに生きることを支える援助について述べることができる
3. セルフマネジメントを促す継続的支援について述べることができる
4. 患者の人権擁護および看護実践における倫理的問題へのかかわりについて述べることができる

　慢性疾患の管理は，不可逆的な病理的変化や障害を上手にマネジメントして病気の進行や悪化を防ぐことがポイントとなる．このような慢性疾患を有する人に対しての看護の目標は，患者およびその家族が，生活との折り合いをつけながら，病気とともに生活する自分なりの方法を見つけられるように患者の生活あるいはQOLの向上を目指して援助することである．主な看護の役割としては，①インフォームド・コンセントと意思決定を支える援助，②病気とともに生きることを支える援助，③セルフマネジメントを促すための継続的支援，④患者の人権擁護および倫理的問題におけるかかわりが重要となる．ここでは，それぞれの看護の役割について概説する．

A. 慢性疾患を有する人が直面するインフォームド・コンセントと意思決定を支える援助

1 ● インフォームド・コンセントにおける支援

　慢性疾患と診断された患者は，医師から診断名やこれから必要となる検査，治療法などの説明を受け，自分で治療を決定して同意するというインフォームド・コンセントの場面に直面する．**インフォームド・コンセント**とは，患者との良好なコミュニケーションのもとに，主治医が患者に対して十分な説明を行い，自発的に**意思決定**した同意を患者から得ることである[1]．そして，医師が患者に説明する内容として，①疾患の診断名，重症度，原因，②予想される検査や治療法についての目的と内容，③予想される結果と危険性（副作用や合併症などを含む）や限界，④それ以外のできうる治療方法，⑤検査や治療を受けないことにより予想される結果，⑥治療拒否権が挙げられる．

　患者は，ある日突然医師から前述したような診断名や治療法などを説明され，治療選択およびその決定を迫られる．したがって，看護師は，医師が患者に説明する場面に同席して，医師は患者にどのような説明をし，それを患者がどのような表情で聞き理解しているのかを把握する．もしその場面に同席できない場合でも，患者が医師の説明をどのように聞き，感じたのかを確認する．患者の病気や治療法に対する理解や患者が示す心理反応は，

患者の個別性に合わせた治療法の選択，病気や治療の受け入れ，セルフマネジメントなどの援助を提供する際に重要となる．そして，医師の説明に対して患者がどのように思ったのか患者の気持ちを傾聴する．とくに，がん，難病，身体侵襲の大きい治療など受け入れがたい病気や治療法の説明を受けた患者は，混乱，否認，不安などさまざまな心理反応を示すので，患者の感情表出を促して心理的支援を行う．さらに，患者自身が治療法を意思決定できるように支えることが重要である．

2● 効果的な意思決定支援

患者の意思決定にはいくつかのタイプがあり，患者に治療の選択肢を選ぶ力がないという想定で医師が意思決定する**パターナリズムモデル**，医療者と患者が話し合い，協働して意思決定する**シェアードディシジョンモデル**，患者が主体的に意思決定をする**インフォームドディシジョンモデル**がある[2]．以前は医師が患者の治療法を決定するパターナリズムモデルが多かったが，現在では患者と医療者が協働して治療やケアを決めるシェアードディシジョンモデルが推奨されている．そのため，効果的な患者の意思決定支援をするために，患者と医療者との「**共有意思決定モデル**（Shared decision making model）」[3]を用いるとよいだろう（図Ⅰ-4-1）．

このモデルは，患者が自分らしく意思決定できるように医療者と【選ぶことについて話し合う】【選択肢について話し合う】【決定について話し合う】という3つのステップから構成されている．【選ぶことについて話し合う】は，まず患者が治療の選択肢があることを知っているかどうかを確認するステップである．医療者は，患者に治療を選択することや話し合いを通して決めることを伝える必要がある．そして，適切な選択のためには患者

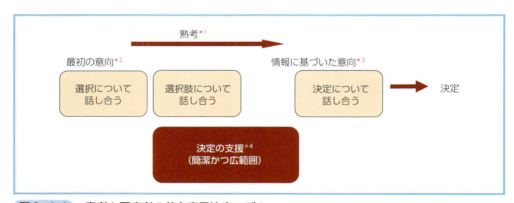

図Ⅰ-4-1　患者と医療者の共有意思決定モデル

[*1] 熟考：患者自身が選択するという必要性に気づき，治療の選択肢を理解し，何を大事にしたいかについて十分に検討する過程である．
[*2] 最初の意向：選択肢があるということに気づくことは，最初の意向を知識に基づいて発展させることができる．そして，目標は情報に基づいた意向へと達することである．
[*3] 情報に基づいた意向：個人的な意向は，「患者がもっとも大事にしていることは何か」ということに基づき，治療の利益や害についての適切な理解により判断される．
[*4] 決定の支援：決定にあたり，医療者と患者が一緒に使用できる簡潔で十分かつ広範囲な内容を含んだ小冊子やDVD，webを用いて支援する．

[Elwyn, G., Frosch, D., Thomson, T., et al.：Shared Decision Making：A Model for Clinical Practice. Journal General Internal Medicine, 27(10)：1361-1367, 2012を参考に作成]

に自分自身の意向（preference）や考えをよく熟考し，急いで結論を出さないように伝えることが重要となる．【選択肢について話し合う】は，患者に治療やケアなどの選択肢に関する詳細な情報を提供するステップである．医療者は，患者に治療やケアの選択肢の提示と各選択肢のメリットとデメリットなどの情報を提供し，対話を通して患者の意向を把握する．そして，患者に意思決定支援に有用な小冊子やDVD等のツールを提示し，振り返りを行いながら患者の理解を確認する．【決定について話し合う】は，患者の意向を一緒に検討し，患者にとって何が最良かを決定するプロセスである．医療者は，患者に生活や人生において何を大事にしているのかを尋ね，患者の意向を導き出し，治療やケアを決定しても良いかを確認する．患者が治療法やケアなどを決定できた場合は振り返りを行い，迷いがなければこのプロセスを終結する．

　このような一連のプロセスにおいて，医療者は患者に対して「意思決定に参加するよう励ます」「情報を提供する」「疑問に答える」「希望や要望を聴く」という援助を行う．しかし，なかには病気や治療と向き合うまでの状態にいたっていない者もいるため，よく患者の心理状態を見きわめて支援することが必要である．また，病気に関する情報をインターネットで調べたり，同病者から得たりしたものの情報の整理ができず混乱する患者もいるため，医療者は患者に情報のもつ意味や解釈，判断の根拠などについて説明し，意思決定に役立てられるように援助する．さらに，意思決定のプロセスにおいては，気持ちが揺れ動く患者やいったん治療法やケアを決定しても迷う患者もいるため，患者の病気や治療の理解度や心理状態に合わせて支援することが重要である．

B. 慢性疾患を有する人の病気の受け入れの過程を支える援助

　慢性の病気を医師から知らされたとき，患者はさまざまな心理反応を示す．「なぜ私が……」とショックを受けたり，「きっと何かの間違いに違いない」と否認したり，「なんで自分だけがこんな病気になったのだろう」と怒りが生じたり，「不摂生な生活をしていたから罰が下ったのだ」と罪悪感にさいなまれたりとさまざまである．また，どの慢性疾患も病気をコントロールするために養生法や治療を長期にわたり継続していかなければならない．場合によっては，インスリン自己注射や腹膜透析，在宅酸素療法など特殊な技術の習得を必要とする治療法もある．患者はこのような治療や養生法を組み込んだ日常生活を再調整しなければならないため，これらの現実を受け入れることは容易なことではない．

　さらに，疾患や治療の副作用からもたらされる健康な状態（気力，運動，意思伝達，排泄能力）の喪失や，身体部分（器官，毛髪，体重）の喪失，役割や自己価値観の喪失，生きがいや生きる希望の喪失，性的能力の喪失，経済的な喪失，周囲の人々との関係性の喪失など身体的，心理・社会的に多くのものを失う．そして，これらの喪失に伴い自尊心が低下したり，自信を失う可能性が高く，いままでの自分と病気である自分との間で葛藤が生じアイデンティティの危機に陥りやすい．したがって，患者が「たとえ病気になってもこれまでの自分とはなんら変わらない」とか，「インスリン注射は生活の一部になっている」「人工透析しながらでも旅行に行ける」など病気や治療を受け入れることができるように支援することが重要である．患者が病気や治療を理解し，それを受け入れることは，

養生法や治療をスムーズに生活のなかに取り入れながらセルフマネジメントすることを促し，病気の悪化や合併症・2次障害の予防につながる．

そのために看護師は，患者を理解し，積極的傾聴や受容，保証，感情の共有などのスキルを用いながら情緒的サポートを行う．積極的傾聴とは，プライバシーの守られた雰囲気のなかで落ち着いて患者の話を聴くことである．また，受容とは，患者が話を聴いてもらったあとで，話を聴いてくれた医療者に批判されずに受け入れられた感覚を体験することである．保証とは，「大丈夫ですよ」ということが伝えられて，心配したり不安に思っている患者が安心するようなアプローチである．感情の共有とは，お互いの感情を理解することである．これらのスキルを使って情緒的サポートをすることは，患者の緊張や不安などさまざまな心理的苦痛を緩和して，患者が現実と向き合うことを促す援助へとつながる．そして，患者のニーズや心理状態に合わせて病気や治療についての適切な情報を提供し，注射や器械操作などの技術の習得を支援して現実認識を促す．その際に，患者が「この食事療法だったらやっていける」とか，「この方法だったら自分でもできる」など自己効力感を高めることがポイントとなる．

さらに，患者が自信を取り戻し，病気とともに生きることができるように援助する．具体的には，患者が失ったものやできないことばかりに目を向けるのではなく，残されている機能やできることに目が向けられるように，できていることを言語化して伝えることである．そして，患者が知識や技術を習得できたり，養生法を継続できている場合，そのことを認めて必ず肯定的なフィードバックを返す．このようなことにより，患者は失った自信を取り戻し，病気とともに生活する自分なりの方法を見出すことができるようになるだろう．

C. 慢性疾患を有する人のセルフマネジメントを促すための継続的支援

慢性疾患を有する人は，疾患の不可逆的な変化により治癒が望めないため生涯にわたり病気をコントロールしていく必要がある．たとえば，糖尿病と診断された患者は，まず生活習慣を見直し，食事内容を変更したり，生活のなかに運動を取り入れなければならない．人工透析が必要になった慢性腎不全患者は，塩分や水分制限をしながら，週に3回の血液透析をこれまでの生活のなかに組み入れなければならない．このように生活習慣を変更し

たり，治療を生活のなかに組み入れたりすることは，患者にとって容易なことではなく，これまでの生活における楽しみを奪うことになりかねない．

慢性疾患を有する患者は，長期にわたり病気をコントロールするために医療者から推奨された養生法や治療法を日常生活のなかに組み入れて，病気や生活を自分で管理すること，すなわちセルフマネジメントが求められる．

セルフマネジメントとは，「患者と医療者が協同し，慢性疾患により生じる課題に対して問題解決的アプローチを用いて，自己効力感を高めながら患者が主体的に取り組むプロセスである」(第Ⅲ章-1-B「セルフマネジメント」の項［p.92］参照)といえる．したがって，医療者は，患者との協同関係に基づき，患者が病気や生活における役割，感情のマネジメントの課題に対処できるように支援する役割を担っている．患者のセルフマネジメントを促進する援助は，対話を通した協同関係に基づき，慢性疾患により生じる課題を患者が認識し，自分に適した解決策を考えられるように，「病気や治療に関する知識」，患者に必要な「セルフモニタリングや症状マネジメント，感情のマネジメント，コミュニケーションの技術」について教育的アプローチや相談技術を用いて介入することである．そして，患者が行動を起こそうとしたり，行動を維持できるように自己効力感を高める支援をする．さらに，看護師は，患者が実行したことを評価できるように患者自身の行動や方法を振り返る場をもち，うまくいった点や改善点を一緒に考えて，フィードバックするとともに，患者が行動や方法の改善点に気づき，行動の修正ができるように支える．このようなプロセスを継続できると，患者は次第に健康的な行動や方法が身につき，病気とともに生きることができるようになる．

慢性疾患を有する患者が病気をうまくセルフマネジメントするためには，**エンパワメント**(empowerment)が必要不可欠とされている[4,5]．難病を診断されたばかりの患者は「なぜ私なの．今後どうなるの？」と不安を訴えたり，脳梗塞で麻痺のある患者は「何もできない自分は，生きていても仕方ない」と無力感を抱くかもしれない．また，過労やストレス，感染症などにより病気が悪化（急性増悪）して入退院を繰り返すと，患者は「病気がよくならないのなら，何をしても無駄だ」とコントロール感覚を失うかもしれない．このように患者は，病気のあらゆる経過の中で**パワーレスネス**(powerlessness)，すなわちパワーの喪失を体験する．ミラー(Miller JF)[6]はパワーレスネスを「成果に影響を及ぼす活動を行う能力や権力を欠いているという知覚」と定義し，さらに，患者はパワーの源としての体力，気力，希望，動機づけ，知識，肯定的な自己概念，心理的持久力，ソーシャルサポートの減退や喪失を体験していると述べている．患者にとってパワーレスネスあるいはパワーの源の喪失は，自己管理に悪影響を及ぼし，病気の悪化やQOLの低下をもたらしかねない．そこで，患者の自己管理を促進したり，精神的健康やQOLを維持するためにエンパワメントが重要になる．

また，慢性疾患の管理は複雑で長期にわたるため，患者はさまざまな身体的・心理社会的要因を考慮しながら，自分の価値観やライフスタイルに合った目標を設定し，日々のケアや処置などの決定を行うことが求められる．そのため，病気のセルフマネジメントは患者自身がコントロールし，責任を負うものであり，セルフマネジメントを成功させるためにはエンパワメントが鍵となる．

エンパワメントという用語の意味はさまざまであるが，通常①パワーをもつことと共有すること，②パワーの源とパワーを増強させる方法，の2つの側面がある[7]．世界保健機関（WHO）[8]では「エンパワメントとは，人々が自分の健康に影響を与える意思決定や行動をよりよくコントロールできるようになるプロセス」としている．アンダーソン（Anderson RM）とファンネル（Funnel MM）[9]は，エンパワメントを「個人が自分の人生をコントロールし，責任をもてるように，本来もっている能力を発見（および開発）し，伸ばしていくこと」ととらえている．さらに，European Patinet's Forum[10]は，「人々が自分自身の生活をコントロールできるようになり，彼ら自身が重要であると考える問題に対して行動する能力を高めるための多次元的なプロセス」と定義している．このようにエンパワメントは，患者が本来もっている力を発揮して，病気や生活をコントロールできるようになるプロセスのことであり，なんらかの理由でパワーレスネスになっている患者のパワーを回復できるように支援することが重要となる．

> **コラム**
>
> **エンパワメントアプローチ**
>
> 患者のエンパワメントを促進するアプローチとして，いくつかの方法が示されている．ファンネル（Funnel MM）とアンダーソン（Anderson RM）[i]が糖尿病患者へのセルフマネジメント教育として提唱しているエンパワメントアプローチは，病気やライフスタイルに関連した目標を立て，それを達成するために必要な情報と明確さを患者に提供する5つのステップからなるプロセスであり，対話を重視している．「問題あるいは課題を探る」「感情と意味を明確にする」という最初の2つのステップは，問題を定義し，患者の努力を支援または阻害する可能性のある信念，思考，感情を確認することである．「目標の設定」という3つ目のステップは，患者が取り組むべき長期的な目標を確認すること，そして「計画を立てる」という4つ目のステップは，その長期目標を達成するための行動変容を選択し，実行することである．「結果を評価する」という最後のステップは，患者が自分の努力を評価し，その過程で何を学んだかを確認することである．また，教育学者のフレイレ（Freire P）[ii, iii]は，識字教育を通してエンパワメント教育の基礎となる「傾聴−対話−行動アプローチ」を提唱している．第1段階の「傾聴」は，対象者が感じている課題を理解することから始まる．そして，第2段階の「対話」では，課題をもとに対等な立場で対話し，第3段階の「行動」では対話から想起された課題について行動し，ポジティブな変化を起こすことである．このようなアプローチを用いて介入する際には，患者のパワーレスネスの状況をよくアセスメントして，その患者の状況に合ったエンパワメントアプローチを適用することである．そして，患者のセルフマネジメントに向けて，病棟，外来，地域の診療所やクリニックなどの医療専門職者のチーム全体で継続的にサポートすることが重要である．
>
> **引用文献**
> i) Funnell MM, Anderson RM：Empowerment and Self-Management of Diabetes, Clinical Diabetes, **22**(3)：123-127, 2004
> ii) パウロ・フレイレ：被抑圧者の教育学　50周年記念版,（三砂ちづる訳），p.130-248, 亜紀書房, 2018.
> iii) 桑原ゆみ, 高山望：エンパワメント, 看護実践に活かす中範囲理論第2版（野川道子編）, p.366-382, メヂカルフレンド社. 2016.

D. 慢性疾患を有する人の人権擁護および看護実践における倫理的問題へのかかわり

1 ● 慢性疾患患者の人権擁護

患者は，勉強してから糖尿病や慢性腎不全，がんになるわけではなく，ある日突然医師

から診断名を伝えられ，あわてて病気や治療に関する情報を探す．そして，病気や治療に関する情報は，難解な医学用語や専門用語が多く，一般の人々が理解するには多大なエネルギーと時間を要する．このようなことから，患者と医療者との間で病気や治療に関する知識の差が生じても当然のことである．また，患者は，さまざまな身体的，心理・社会的喪失を体験しており，非常に傷つきやすく脆弱な状態におかれている．このような立場にある患者は，たとえ医療者にいいたいことがあったとしても自分の意見や要望をいえなかったり，自分で決める権利をもっていたとしても医師の治療方針に従わざるをえなかったりということは少なくない．このように弱い立場にある患者の権利を擁護することを**アドボカシー**（advocacy）といい，これは看護の重要な役割である．アドボカシーは，訳さずに英語のまま使われることが多い．アドボカシーとは，弱い立場にある人の味方となってその権利や利益を守るために闘うことであり，アドボケイト（advocate）はアドボカシーを実践する人のこと，つまり権利の擁護者ということになる[11]．

このアドボケイト（擁護者）の役割として，フンメル（Hummel FI）[12]は，10の役割を挙げているが，ここでは主なものとして①意思決定のための相談者，②仲介者，③情報提供者，④代弁者について説明する．

①意思決定のための相談者としては，患者の責任と自己決定権を最大限に高めて支援する．つまり患者の意思を尊重して自分で決定できるように援助することである．
②仲介者としては，患者と医師あるいは患者と家族などの両者の話に耳を傾け，問題を明確にし，両者がお互いに理解できるように援助する．つまり，両者の間である合意が成り立つように援助することである．
③情報提供者としては，患者に特定の治療や処置の利点を伝えるだけでなく，これらの行為がもたらしうるリスクや結果についても説明する．また，患者が利用可能な選択肢や情報についても伝えることである．
④代弁者としては，自分の意見や要望を表明できない，あるいはしたくない患者になりかわって，他の医療者に患者の気持ちを表明することである．この際，患者の意見や要望を適切に言語化し，患者のかかえる問題を患者の視点から簡潔明瞭に表明することが重要である．

看護師は，慢性疾患を有する人やその家族が弱い立場におかれやすいことを十分に理解し，患者の権利を擁護する立場にあることを認識して看護することが求められている．

2 ● 慢性疾患を有する人の看護実践における倫理的問題と看護の役割

科学技術の進歩に伴い診断や治療技術が高度化，複雑化するなかで，看護師は慢性疾患患者を援助する際にさまざまな倫理的な問題に直面している．

患者を援助する際に直面しやすい倫理的問題として，主に①インフォームド・コンセントに関すること，②治療の意思決定に関すること，③症状マネジメントに関することが挙げられる．

a. インフォームド・コンセントに関する問題

インフォームド・コンセントに関する問題は，がんや難病などの予後不良の患者に真実

をどこまで伝えるかというときに生じやすい．臨床では，再発・転移を繰り返すがん患者や，急速に進行している難病患者にどこまでの情報を伝えるかといった場面に遭遇する．患者には知る権利があり，真実を語ることは**倫理原則**として重要なことである．その一方で真実を語ることにより患者がショックを受けて病状を悪化させるといった害を与えてしまう場合もある．看護師は，患者の価値観や心身の状態，サポート体制などを把握し，患者に与えられている情報をよく理解して，患者にとってのメリット・デメリットは何かを十分に医療者間で検討できるようにする．そして，常に患者の言葉に耳を傾け，言葉の裏に隠されている患者の思いをくみとることができる感性を磨くことが大切である．

> 倫理原則とは，道徳的意思決定や道徳的行為を導き，専門職の道徳的判断形成の中心となり，すべてのヘルスケアに普遍的に重要なものである[13]．看護にとって重要な倫理原則は，自律，善行と無害，正義，誠実，忠誠が挙げられる．
> **自　律**：個人は自らの選択に基づいて，自分の行動を決定する自由をもつこと．
> **善行と無害**：良いことを行い，害を回避すること．
> **正　義**：適正かつ公平なヘルスケア資源を分配すること．
> **誠　実**：真実を伝える，嘘をいわない，あるいは人をだまさないこと．
> **忠　誠**：人の専心したことに対して誠実であり続けること．守秘義務や約束を守ること．

b. 治療の意思決定に関する問題

治療の意思決定に関する問題は，どの慢性疾患患者にも生じることである．実際に，インスリン自己注射や人工透析が必要になってもそれを受け入れられず治療を拒否する，あるいはがん患者が健康食品などの代替療法を第一選択として他の治療を一切拒否するといった場面や，人工呼吸器を装着している筋萎縮性側索硬化症（ALS）の患者が呼吸器を外してほしいと言う場面に遭遇することがある．患者には治療を拒否する権利があり，また患者の意思決定を尊重することは自律の原則に基づくことである．その一方で，看護師には患者の生命を守るという義務がある．看護師は，患者との良好なコミュニケーションをとりながら，なぜ治療を拒否するのかについて患者の思いを傾聴し，患者にとって望ましい方向で治療の意思決定ができるように支える．時には，治療に対する誤解から治療を拒否し続けている患者もいる．

c. 症状マネジメントに関する問題

適切に緩和できる症状を放置することは倫理的に問題があるとされている．とくに痛みや持続する吐き気，呼吸困難などの不快症状は，患者に身体的，心理・社会的な影響をもたらし，QOLの低下につながる．つまり，症状マネジメントが適切にできていれば，患者はより生産性を高めることができ，QOLを向上させることができる．たとえば，痛みを緩和できる麻薬などの薬剤があっても，麻薬に対する患者や医療者の誤解があると効果が得られる最大限度量まで用いられないことがある．また，医療者の知識不足で症状のアセスメントが不十分なために，適切な治療やケアが提供されていないこともある．さらに症状がうまくコントロールできず薬剤を増量する際に，薬剤の増量＝病状の悪化と思い込み，それを認めることができず症状を我慢するという患者も少なくない．このように緩和できる症状に対して医療者が治療やケアを怠ることは，倫理的問題へとつながるのである．

したがって，看護師は，患者の症状に気を配りながら十分なアセスメントを行い，積極的に症状の緩和に努めることが重要である．

> **学習課題**
> 1．インフォームド・コンセントの定義について説明してみよう
> 2．慢性疾患を有する人に対して，病気の受け入れの援助をどのようにしたらよいのか説明してみよう
> 3．慢性疾患を有する人に，なぜセルフマネジメントの支援が必要なのか，その理由を説明してみよう
> 4．患者の人権擁護の定義について説明してみよう
> 5．慢性疾患を有する人の看護を行ううえで，どのような倫理的問題が生じやすいか挙げてみよう

引用文献

1) 仙波純一：患者としての権利．かしこくなる患者学，p.133-142，放送大学教育振興会，2007
2) 中山和弘，岩本隆：患者中心の意思決定支援，p.19-22，中央法規，2012
3) Elwyn G, Frosch D, Thomson T, et al：Shared Decision Making：A Model for Clinical Practice. Journal General Internal Medicine, **27**(10), 1361-1367, 2012
4) Schulz PJ, Nakamoto K.：Patient behavior and the benefits of artificial intelligence：The perils of "dangerous" literacy and illusory patient empowerment. Patient Educ. Couns. **92**：223-228, 2013
5) Asimakopoulou K, Gilbert D, Newton P, et al.：Back to basics：Re-examining the role of patient empowerment in diabetes. Patient Educ. Couns. **86**：281-283, 2012
6) Miller JF：Coping with chronic illness：Overcoming powerlessness (3rd ed), FA Davis Press, 2000
7) Angelmar R, Bermann PC：Patient?empowerment?and efficient health outcomes. Financing sustainable healthcare in Europe：New approaches for new outcomes, p.139-161, 2007〔https://www.sitra.fi/app/uploads/2017/02/The_Cox_Report-2.pdf〕（最終確認：2023年1月10日）
8) World Health Organization：Health Promotion Glossary of Terms 2021, p.14〔https://www.who.int/publications/i/item/9789240038349, 9789240038349-eng.pdf〕（最終確認：2023年1月10日）
9) Anderson RM, Funnell MM：Patient empowerment：reflections on the challenge of fostering the adoption of a new paradigm, Patient Educ Couns. **57**(2)：153-157, 2005
10) European Patinet's Forum：EPF Background Brief：Patient Empowerment 2015, p.4.〔https://www.eu-patient.eu/globalassets/campaign-patient-empowerment/epf_briefing_patientempowerment_2015.pdf〕（最終確認：2023年1月10日）
11) 前掲1），p.258-320
12) フンメルFI：アドボカシー．クロニックイルネス―人と病いの新たなかかわり（黒江ゆり子監訳），p.138，医学書院，2007
13) サラT.フライ，メガン-ジェーン・ジョンスト：倫理の学派．看護実践の倫理，第3版（片田範子，山本あい子訳），p.19-48，日本看護協会出版会，2010

5 慢性疾患を有する人にかかわる専門職とチーム医療

> **この節で学ぶこと**
> 1. 慢性疾患を有する人にかかわる専門職について述べることができる
> 2. チーム医療の実践について述べることができる

　医療の高度化・複雑化や超高齢社会の到来とともに，地域包括ケアシステムが導入され，安心・安全な医療を求める患者や家族が多くなる一方で，医療専門職者の役割はこれまで以上の深化と協働が期待されている．従来の「病院完結型」から，医療・介護・予防・生活支援が住み慣れた地域で包括的に提供される「地域包括ケアシステム」へとシフトしている現在，病院と地域の連携がこれまで以上に必要とされている．そのため，患者や家族のニーズに即した質の高い医療を提供するためには，医師や看護師，薬剤師，理学療法士，作業療法士，メディカルソーシャルワーカー（medical social worker：MSW）などの医療従事者のみならず，介護支援専門員，地域包括支援センターや社会福祉機関の職員など多職種の人々が協働してチーム医療を実践することが肝要である．ここでは，チーム医療の概念とその実践について概説する．

A. チーム医療とは

　チーム医療は，医療技術の進展による高度化や合理化に伴い多数の医療専門職が誕生するなかで，専門分化や細分化によって生じる問題や弊害を補うために必要とされた．"チーム医療"という用語が使われ始めたのは1970年代であり，複数の医療者がかかわる医療を意味する言葉として一般的に認識されてきた．その後，医療専門職に関する法律や教育において，チーム医療は医療過誤を防ぎ，患者のニーズに合わせた質の高い医療を提供することができ，かつ経済効率を高めるうえで重要であると強調されている．とくに糖尿病，心疾患，脳血管疾患，難病，がんなどの慢性疾患においては，病院内で横断的なチームを作ったり，病院を越えた地域の医療スタッフとチームを作ったりというように，チーム医療が重要視されている．以下にチーム医療の目的とその意義・必要性について述べる．

1 ● チーム医療の目的

　チーム医療を実践することは，異なる知識と情報をもつ者同士がその知識と情報に基づいて自由にコミュニケーションするなかで最適な医療を見つけていく営為である[1]．そして，多職種で担う「チーム」とは，さまざまな技能をもった人が集まり，患者のQOLを

高めるという目標を共有し、そのニーズを満たすようにするものである[2]。つまり、チーム医療の目的は、患者の治療効果およびQOLを最大限に高めるために、専門的知識や技術をもった多職種の保健医療・福祉の専門職者が集まり、患者の治療法やケアについて検討して最適な医療を提供することである。そのためには、複数の専門職で構成されたチームを作り、協働することが必要不可欠となる。

2 ● チーム医療の意義・必要性

a. インフォームド・コンセントやQOLの重視

現在の医療では、インフォームド・コンセントが前提となり、**患者満足**（patient satisfaction）やQOLという考え方が重視されている。患者は、治療効果のみならず、納得した治療や安心・安全が得られるような医療を期待している。したがって、患者の治療やケアに対する満足感やQOLを高めるためには、多職種が協働して医療を提供することが必要となる。

b. 切れ目のない医療の提供

慢性疾患患者は、生涯にわたり疾病をコントロールしたり、障害をもちながら病気とともに生活している。このような患者に切れ目のない医療を提供するためには、多職種の専門職者により患者を多面的、全人的にとらえて、それぞれの専門性を発揮することが必要となる。また、病棟、外来、地域・在宅の場で多職種と連携をとりながら統一性、継続性のある治療やケアを提供することが求められている。

c. 多職種による倫理的問題の解決

最適な医療を提供する際、根拠に基づいた医療（EBM）と倫理性の両方を考慮しなければならない。慢性疾患における医療は、日進月歩の勢いで変化しており、インフォームド・コンセント、診断・治療にまつわる意思決定、症状マネジメントなどに関する倫理的問題が多い。そのため医療者は、患者が最善の治療やケアを意思決定できるように、倫理的問題に配慮しながら患者を支える役割を担っている。従来のパターナリズムのような患者−医師関係における意思決定スタイルではなく、患者−多職種チームというような意思決定スタイルで医療を実践することが望まれている。

B. チーム医療の実践

患者中心のチーム医療を推進していくために必要なことは、多職種が各自の責任のもとでおのおのの役割を自立して果たしていくことである。これを実践するためには、多職種の医療スタッフが、それぞれの役割を十分に理解し、お互いに信頼関係を築くことが重要である。ここでは、慢性疾患患者にどのような職種がかかわり、どのようにしたらチーム医療を効果的に実践できるのかについてポイントを挙げて説明する。

1 ● 慢性疾患を有する人にかかわる専門職とチーム構成

a. チームの構成とその関係性

チーム医療の利点は、患者を全人的、多面的にとらえることができ、専門的な知識や技

術をチームで補い合いながら実践することにより，質の高い医療を提供できることにある．通常，チームメンバーは，患者とその家族を中心として医師，病棟および外来看護師，専門看護師，認定看護師，訪問看護師，薬剤師，理学療法士，作業療法士，栄養士，メディカルソーシャルワーカーなどの多職種で構成される．そして，患者とその家族を含めたチームメンバーは，上下関係でなく対等な立場で協働，連携する関係性がよいとされている．各専門職が対等な立場で協働，連携するためには，各個人が専門領域における知識および技術を確実に身につけ，自己研鑽し続ける態度が必要とされる．

b. よいコミュニケーションと信頼関係の構築

よりよいチーム医療を実現していくためには，メンバー同士の信頼関係を築いていくことが必要不可欠となる．つまり，個々の専門性や能力を尊重して認め合い，協力関係を作っていくことである．そのためには，チームの雰囲気がオープンであり，**アサーティブコミュニケーション**が重要となる．アサーティブコミュニケーションとは，具体的には，異なる立場の専門職がそれぞれの意見を自由に発言し，かつお互いの意見を聴き，尊重することである．たとえ，チーム内で意見の食い違いや葛藤が起こったとしても，建設的に話し合い，お互いに歩み寄ることが重要である．

2 ● 効果的なチーム医療の実践

a. 明確なチームの目標

チームがより効果的に機能していくためにはチームの目標を明確にし，ビジョンをもつことが鍵となる．チームの目標を明確にする際には，「患者・家族にとって何がベストなのか」「患者・家族のQOLの維持・向上を目指すために，医療者は何をすべきなのかあるいは何ができるのか」をチーム内で問いながら目標を定める．時には，患者を置き去りにした目標となっていることも見受けられるが，チーム医療の主役はあくまでも患者・家族であることを忘れないようにしなければならない．

b. 情報や問題を共有するシステム

一般に共有とは，メンバー同士が同じ意識や理解をもつことである．チームで情報や問

題を共有することは，メンバーの意識や理解が統一され，患者に対してさまざまな発見や見方ができるようになる．したがって，情報や問題を共有できるシステム作りが重要である．たとえば，ミーティングやカンファレンスは多職種で情報や問題を共有できる場となるため，意図的にこのような場を設けるようにするとよい．

c. 多職種との協働

多職種で協働する場をもつことは，互いの専門性を認め合う機会となり，またそれぞれが担う役割や責任の明確化につながる．そして，多職種で協働することで，多様性や継続性のあるケアを提供できるようになり，治療効果やケアの質の向上につながる．たとえば，多職種カンファレンスやクリニカルパスの作成・運用は，各チームメンバーが専門的知識や技術を補い合って協働することにより，実現可能なものとなる．

学習課題

1. チーム医療の目的および必要性について説明してみよう
2. チーム医療にかかわる専門職種を挙げてみよう
3. チーム医療を効果的に実践するためには，どのようなことが必要か説明してみよう

引用文献

1) 細田満和子：「チーム医療」の理念と現実，p.76-82，日本看護協会出版会，2003
2) Ajemian I：The interdisciplinary team, Oxford Textbook of Palliative Medicine, pp.17-28, Oxford University Press, 1994

6 災害時における慢性疾患を有する人の看護

この節で学ぶこと
1. 慢性疾患を有する人が災害時に直面する課題について述べることができる
2. 慢性疾患を有する人が被災した際の看護援助や，病状や治療に応じた防災準備について述べることができる

A. 災害が慢性疾患を有する人に及ぼす影響

1 ● 日本における近年の災害

　日本はその地形の特性上，地震や台風など，毎年さまざまな**自然災害**が発生し，人々の生命や健康，社会生活へ多くの被害をもたらしている．1995年の阪神・淡路大震災や2011年の東日本大震災は，日本の歴史においてその被害は甚大で，多くの人命が失われた．近年では，気候変動の影響により，局地的な集中豪雨などその被害はさらに甚大化している．また，南海トラフ地震などの大規模地震の発生も予測されている．このような自然現象により生じる自然災害以外にも，災害には2005年のJR福知山線脱線事故のような人為的な原因による**人為災害**，特別な環境下で対応に特殊な装備が必要となる**特殊災害**がある．

- **自然災害**：地震，津波，台風，豪雨，豪雪，洪水，高潮，竜巻，火山噴火など
- **人為災害**：大規模交通事故（列車，航空機，船舶など），産業事故（工場や発電所での爆発，化学物質の流出など），テロリズム，紛争など
- **特殊災害**：核物質による汚染，病原微生物（細菌やウイルス）による感染症，化学物質による火災・中毒など

　これらの災害は，地震発生後に台風が襲来するなど複合的に発生し，被害が拡大する場合もある．たとえば東日本大震災では，地震とそれに伴う津波により，福島第一原子力発電所で原子力事故が発生し，放射性物質による汚染のため多くの住民が避難を余儀なくされた．

　2019年12月に中国・武漢市で原因不明の肺炎として報告されたCOVID-19（新型コロナウイルス感染症）は，WHOが2020年3月にパンデミック（世界的な流行）と表明し[1]，2020年12月時点ですべての大陸で感染が確認された．日本においてもCOVID-19は感染拡大を繰り返しており，我々は長期にわたる感染症による特殊な災害の中で暮らしている．

2 ● 慢性疾患を有する人が災害時に直面する課題

a. 避難行動をとることの困難さ

慢性疾患を有する人には高齢者が多く，それぞれの疾患特性や加齢に伴う心身の機能低下，労作時呼吸困難や倦怠感などの症状，治療としての酸素吸入や人工呼吸器の装着などの影響で，避難行動が困難となりやすい．患者自身で，避難の必要性やタイミングを適切に判断することのむずかしさもある．平成30年7月豪雨（2018年）や令和元年東日本台風（2019年）では，亡くなった者の約7～8割は60歳以上であった[2]．避難行動の遅れは生命に直結するため，いざという時に行動できるための準備が必要となる．

b. 慢性疾患の増悪

慢性疾患を有する人は，内服・注射などの薬物，人工透析，酸素療法といった治療，食事・運動・休息などの療養法を組み合わせたセルフケアにより，体調を調整している．災害発生時には，これらの治療やセルフケアの継続が困難となり，疾患の増悪や合併症の発生のリスクが増大する．人工呼吸器や吸引，人工透析，酸素療法，インスリン療法，ステロイド薬など治療や薬剤の内容によっては，中断が生命の危険につながる場合もあり，注意が必要となる．また，避難所へ移動した場合は，生活環境の変化や保存食の多用，ストレス，不活動などによっても疾患の増悪のリスクが高まる．さらに，COVID-19流行下では，感染の脅威に伴う外出自粛の長期化により，身体活動の低下などの生活習慣の変化，社会活動の減少による孤立や抑うつなども増悪の一因となる可能性がある．

c. 災害関連死のリスク

災害関連死とは，日本災害看護学会では「災害で直接外傷等を負ったわけではないが，被災後の避難生活において疲労の蓄積や医療の滞り・環境の悪化など間接的な原因で，被災者が新たに罹患したり，持病の悪化などにより死亡すること」[3]と定義されている．震災による精神的ショックと過酷な避難生活は，被災者の交感神経の緊張・血圧上昇をまねき，同時に起こる脱水と相まって，血液粘度は上昇し，脳卒中や心筋梗塞を起こしやすくなる[4]．加えて，冬季ではインフルエンザなどの呼吸器感染症，避難所のスペースに余裕がない状況では車中避難に関連した深部静脈血栓症（エコノミークラス症候群）なども災害関連死の要因としてあげられる．慢性疾患を有する人は，これら災害関連死のリスクが高く，予防への働きかけが重要である．

B. 災害発生時の慢性疾患を有する人への看護

災害は，その対策を考えるうえで，発生時点から3日程度までを超急性期，3日から7日程度までを急性期，7日から1ヵ月程度を亜急性期，1ヵ月から3年程度を慢性期，その後，災害からの復興期，静穏期，再び起きる可能性がある災害に向けて準備する準備期というサイクルでとらえられる．ここでは，とくに，慢性疾患を有する人が，治療・セルフケアの中断から生命の危機を生じやすい超急性期・急性期と，いつ起こるかわからない災害時にどのように自分の健康を守れるかといった備えを整えることが重要となる準備期の支援を中心に考える．

表Ⅰ-6-1　被災した慢性疾患を有する人のアセスメントの視点

視　点	具体例
被害状況	・災害の種類，被害の内容や規模，二次災害の危険性 ・被災地域の特徴，災害発生時の気候（気温や湿度など） ・居住場所の被害状況 ・ライフライン（水道・電気・ガス・通信など）の状況
医療状況	・慢性疾患の病状，治療状況，普段のセルフケア状況 ・治療の継続が可能か（内服薬や注射薬，酸素ボンベ，医療機器などを持ち出せたか，その残量がどの程度あるか，機器は使用可能か，など） ・災害時の治療の対処法を知っているか ・治療が継続できない場合，体調への影響がどの程度か ・悪化の徴候を理解しているか，自ら申告できそうか
生活状況	・日常生活動作の自立度，自分でできる部分と介助が必要な部分 ・食事，排泄，睡眠，清潔，コミュニケーションの状況 ・普段使用している眼鏡や補聴器，義歯を持ち出したか，持ち出せなかった場合はどの程度不自由がありそうか ・表情や言動，訴えの内容 ・生活している環境の特徴による不自由さ（避難所ではプライバシーが保たれない・身動きがとりにくい，自宅では片づけに追われる・食料や日用品の配給などが受けられない・情報が不足する，など）

1 ● 超急性期・急性期（災害発生から1週間程度）における看護援助

a. 情報収集とアセスメント

　災害発生後，慢性疾患を有する人の安否確認とともに，どのような状況にあるのか情報収集とアセスメントを行う（表Ⅰ-6-1）．災害時は，人的，物的資源が極度に限られ混乱した状況にあるため，緊急性の高い課題をアセスメントし，対象者の生命の安全を最優先してかかわる．

b. 治療継続への援助

　慢性疾患の治療を継続できるよう援助する．定期的に内服している薬剤で，中断してはいけないといわれている薬が持ち出せていない場合は，救護所へ受診し相談を勧める．その際，お薬手帳があると相談がスムーズになる．治療別の援助例について次に示す．

・**在宅酸素療法**：酸素ボンベの業者と連絡をとり対応の相談を促す．酸素ボンベの残量が少ない場合は，できるだけ安静にして必要最低限の酸素流量へ減らすといった対処も考える．酸素吸入ができる福祉避難所や病院の開設情報があれば，そこへの移動を検討する．
・**血液透析**：通院先の医療機関へ連絡し，どこで透析が可能かの相談を促す．東日本大震災の際には，被害の規模が大きく，透析患者の県外への集団避難も行われた[5]．透析ができるまでは，エネルギー不足を防ぎ，水分・塩分・カリウムの摂取量の管理に注意する．
・**インスリン療法**：手持ちのインスリンの量を確認し，少なければ通院先や救護所で処方を受けるよう促す．食事ができない場合は，シックデイ・ルール*に沿う．人目を気にせず自

---

*シックデイ（病気の日）とは，糖尿病患者が発熱や下痢，嘔吐などにより，普段のように食事がとれなくなった状態で，シックデイの時の過ごし方やインスリンなど，どのように対応するのかの基本をシックデイルールという．このルールは，あらかじめ主治医と相談して決めておく．

己注射ができる場所を確保したり，低血糖に備え，ブドウ糖や甘い物をもっておくよう配慮する．
- **がん治療中**：抗がん薬治療中の場合，1～2週間程度遅れてもよい治療か，予定どおりに必ず行わなければならないかを確認し，急ぐ治療の場合は医療機関への相談を促す．被害が大きく，通院中の病院に連絡が取れないときは，地域のがん診療連携拠点病院などへ相談する．

c. 避難所における日常生活やセルフケアへの支援

できるだけ安全に日常生活を保つことができるよう以下の点に働きかける．

- **環境整備**：避難所ではできる限りプライバシーが保たれる空間を確保し，冬季には保温，夏季には暑さ対策を講じながら，定期的な換気，清掃を行う．
- **食事**：災害の衝撃やストレスにより食事が不十分となりやすいが，可能な限りエネルギー不足にならないよう摂取を促す．避難所などでの食事は，おにぎりやパンなど，炭水化物が多い．物資が不足する中でも，自分の病状に合うよう量を調整して必要な場合は残すよう勧める．
- **排泄**：排泄の状況とともに，病状に応じた水分摂取ができているか確認する．トイレの使いづらさや移動の負担を回避するために，水分摂取を控えることは危険であると説明する．避難所では，トイレを清潔に安全に使用できるように整備することも重要である．
- **休息と活動**：急激なストレス負荷や過度の疲労などから，十分に休息・睡眠がとれない場合が多い．夜間の照明などの環境の工夫や，臥位で休める空間が確保できるよう配慮する．また，日中の活動を保つためにも，軽い体操など意図的に体を動かす機会も提供する．
- **清潔**：手指消毒やマスク着用による感染予防を促す．口腔ケアも肺炎予防に重要だが，水道が使用できない場合は洗口液などを使用する．手洗いの代わりにウエットティッシュも有用である．糖尿病の人が身体に創傷を負った場合は，清潔を保ち感染徴候に注意する．
- **体調悪化時の対処**：体調悪化時の症状やサインに気づいた場合は，我慢せずに早めに受診するか救護所で診察を受けるよう促す．
- **ストレス対処**：強い不安やイライラ，怒りっぽくなる，集中力や記憶力の低下などは，強い衝撃を受けたときに起こりえる正常なストレス反応である．看護師は，温かい態度で支持的，共感的にかかわり，対象者自身の力が回復していくように寄り添う．避難所でも日常生活のリズムを崩さないことや，イライラしたら深呼吸をする，信頼できる人に話を聞いてもらうなどの対処方法も，対象者の状況に応じてアドバイスする．

2 ● 災害への備えを整える準備期の支援

防災の基本は「自分の命は自分で守る」ことである．年に1回程度は，その時々の自分の病状や治療に応じた備えについて，医療者と一緒に考える機会をもてるようにする．

a. 体調管理

平常時から良い体調を保つことは，災害に備える意味でも重要であることを理解してもらう．自分で自分の病気や治療が簡単に説明できる記録やメモを携帯する．推奨されるワ

クチン接種を済ませておくことも備えとなる．

b. 災害発生時の行動予測と持ち出し物品の準備

自宅や周辺地域の災害のリスク，自宅の安全性について，ハザードマップなどで確認するよう促す．2021年5月の災害対策基本法の改正において，自力での避難行動が困難な人は避難行動要支援者として，市町村が主体となり個別の避難計画の作成に取り組むことが示された[6]．人工呼吸器装着中，自力で移動困難など，避難に特別な配慮を要する場合は，地域の関係各所と連携し，避難計画を立て訓練をしておくことが望ましい．また，物品の備えとして，1週間程度の水や食料の確保とともに，疾患の管理に必要な物品（薬の予備やお薬手帳・保険証のコピーなど）をまとめ，すぐに持ち出せるよう準備しておくことを勧める．

c. 災害発生時の治療に関する相談

治療に関して，災害発生時の対処法を主治医と話し合っておくよう勧める．中断すると危険な薬，その時の状況に応じて調整可能なこと，すみやかに受診が必要な症状や徴候などを話し合った経験があると，災害時に落ち着いて対処することに役立つ．

学習課題

1. 慢性疾患を有する人が，被災時どのような困難に直面するのか説明してみよう
2. 急性期（災害発生から1週間後までの期間）において，慢性疾患を有する人に対して行うべき援助を挙げてみよう
3. 準備期（災害に備えて準備を行う期間）において，慢性疾患を有する人に対して医療者が実施できる支援を説明してみよう

引用文献

1) WHO：Director-General's opening remarks at the media briefing on COVID19-March 2020．〔https://www.who.int/director-general/speeches/detail/who-director-general-s-opening-remarks-at-the-media-briefing-on-covid-19---11-march-2020〕（最終確認：2023年1月10日）
2) 内閣府：令和2年版防災白書，p.42-43〔http://www.bousai.go.jp/kaigirep/hakusho/r2.html〕（最終確認：2023年1月10日）
3) 日本災害看護学会：災害看護関連用語，〔http://words.jsdn.gr.jp/wordsdetail.asp?id=80〕（最終確認：2023年1月10日）
4) 上田耕蔵：「災害関連死」を防ぐために看護職が知っておきたいこと．コミュニティケア 19(13)：6-15, 2017
5) 風間順一郎，成田一衛，甲田 豊：東日本大震災における透析患者の集団避難．日本集団災害医学会誌 17：166-170, 2012
6) 内閣府（防災担当）：避難行動要支援者の避難行動指針に関する取組指針（令和3年5月改定），〔http://www.bousai.go.jp/taisaku/hisaisyagyousei/youengosya/r3/index.html〕（最終確認：2023年1月10日）

練習問題

Q1 わが国の2021年の死因順位の高い順に並べなさい．
1. 肺炎 　 2. 脳血管疾患 　 3. 悪性新生物 　 4. 心疾患 　 5. 老衰

Q2 生活習慣病はどれか．
1．AIDS　　2．2型糖尿病　　3．全身性エリテマトーデス　　4．白血病

Q3 2次予防はどれか．
1．生活習慣を見直し，生活を改善する．
2．関節可動域訓練をする．
3．低下した生活能力を援助する．
4．がん検診を受ける．

Q4 倫理原則として正しい説明はどれか．2つ選べ．
1．患者が治療を自ら選択し，それを決定できるように支えることは，自律の原則に基づいた行動である．
2．患者に公平に医療資源を分配することは，善行の原則に基づく行動である．
3．悪い知らせであっても患者に真実を伝えることは，誠実の原則に基づく行動である．
4．患者に害を与えないように看護することは，忠誠の原則に基づく行動である．
5．患者に対して守秘義務や約束を守ることは，正義の原則に基づく行動である．

Q5 チーム医療を実践することにより得られるメリットは何か．2つ選べ．
1．治療を最優先できる．
2．医療事故の予防ができる．
3．家族の意向が最優先される．
4．患者のQOLが向上する．
5．医療者の裁量権が増える．

Q6 災害後の急性期に，避難所にいる成人への心理的援助で適切なのはどれか．
1．宗教の多様性への配慮は後で行う．
2．会話が途切れないように話しかける．
3．確証がなくても安全であると保証する．
4．ストレス反応に関する情報提供を行う．

[解答と解説 ▶ p.523]

第Ⅱ章

慢性疾患を有する人とその家族の理解

学習目標

1. 慢性疾患を有する人の身体的特徴，心理・社会的特徴を発達課題と関連させて理解する
2. 慢性疾患による障害からの回復を心理過程に沿って理解する
3. 慢性疾患および治療が及ぼす自己概念について，自尊感情，ボディイメージ，役割，セクシュアリティについて整理できる
4. 慢性疾患を有する人の家族の特徴を理解する

1 慢性疾患を有する人の身体的特徴

この節で学ぶこと
1. 加齢に伴う身体機能の変化について説明できる
2. 慢性疾患や治療が及ぼす身体的影響について説明できる
3. 加齢，慢性疾患，治療が及ぼす身体的影響の関係が説明できる

　成人期は，15歳以上65歳未満と年代が幅広く，身体の成長，発達，衰退，心理面の成熟，社会的役割の拡大とその変化は著しい．成人期のどの年代で慢性疾患に罹患するかによって受ける影響は異なる．したがって，成人期における身体面，心理面，社会面の特徴をふまえたうえで，慢性疾患や治療がどのような影響をもたらすのかを理解しておくことは重要である．

A. 加齢に伴う身体機能の変化

　加齢現象（aging）とは，出生後の人間の形態および機能的変化を意味しており，成長後，年齢が加わるに従い現れてくる退行性の変化をいう[1]．この加齢現象は，人間には必ず生じるものであり，生理的な現象といえる．とくに，成人期は，15歳以上65歳未満と年齢範囲が広いため，加齢による身体機能の変化は著しい．

1 ● 呼吸・循環器系の変化

　呼吸器系の変化として，全肺気量，機能的残気量，残気量は，身体の発育とともに増加し，15歳前後で最大値に達する[2]．しかし，加齢により全肺気量は20歳以降の顕著な変化はみられないが，残気量は40歳以降から徐々に増加する（**図Ⅱ-1-1**）．また，換気量の減少（**図Ⅱ-1-2**）や，肺拡散能の低下がみられる．これらの要因として，肺の弾性収縮力の減少に伴う肺の末梢気道の閉塞，気道抵抗の上昇，肺や胸郭の伸展性を示す肺コンプライアンスの低下に伴う肺の硬化，肺胞毛細血管表面積の減少，肺胞機能の低下が関係すると考えられている[2]．

　循環器系の変化として，内膜，中膜，外膜から構成されている心臓血管は，発育期にかけて内膜と中膜の厚さが増加し，成人で一定になるが，加齢に伴いさらに内膜と中膜の厚さが増加する．この変化は，動脈血管の伸展性の低下や血圧の上昇，酸素運搬システムの機能低下をもたらす要因となる[2]．また，安静時の心拍出量は小児期から思春期にかけて増加し，加齢に伴いわずかに減少する．一方，運動時の最大心拍出量は成人期にかけて増

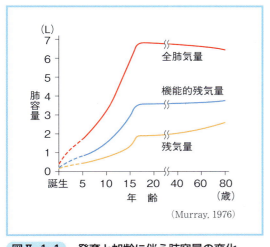

図Ⅱ-1-1　発育と加齢に伴う肺容量の変化

[高石昌弘(監):からだの発達と加齢の科学, p.77, 大修館書店, 2012より引用]

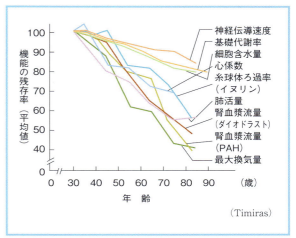

図Ⅱ-1-2　ヒトの加齢に伴う種々の機能低下

[中野昭一(編):図説からだの仕組みと働き(普及版), p.18, 医歯薬出版, 2001より引用]

加するが，加齢の影響で低下し，この変化は加齢に伴う血液量，筋ポンプ作用の低下による前負荷の減少と，末梢血管抵抗，つまり後負荷の増加によるものと考えられている[2]．

2 代謝系の変化

基礎代謝量は，身体が大きくなるにつれて増加し，女性では12～14歳，男性では15～17歳でピークとなり，以後年齢とともに減少していく（表Ⅱ-1-1）．一方，日本人のエネルギー摂取量をみると，身体活動量にもよるが，男女ともに30歳以降60歳代まで摂取しているエネルギー量はほとんど変化がない（表Ⅱ-1-2）．つまり，年齢とともに基礎代謝量が低下しているにもかかわらず，摂取しているエネルギー量が変わらないということは，不要なエネルギーが蓄積され，年齢とともに肥満者の割合が増えていることが予測される．実際に，図Ⅱ-1-3のように，年齢とともに男女ともに肥満者の割合が増加している．

さらに，加齢に伴い耐糖能や膵臓におけるインスリン分泌能力が低下したり，肥満が加わることにより末梢組織のインスリン抵抗性が生じることが明らかになっている[3]．

3 神経系の変化

神経機能の発達は，思春期から青年期でピークを迎え，その後徐々に低下するが，個人差や生活環境の条件によって著明な差が生じる．一般的に45歳ごろから学習能力，知覚，運動速度などが低下してくる[4]．

中枢神経系では，加齢に伴い神経細胞数や神経突起数，シナプスなどが減少するが，最近の研究では大脳皮質や海馬における神経細胞はほとんど減少しないということがいわれている[5]．

また，末梢神経は，中枢神経系からの情報を筋肉に伝えたり，感覚受容器からの情報を中枢神経系に伝える役割を果たしている．末梢神経線維において，無髄線維の数は加齢による変化はあまりみられないが，有髄線維の数は減少する．とくに20歳以降は図Ⅱ-1-4

表Ⅱ-1-1　参照体重における基礎代謝量

性別	男性			女性		
年齢（歳）	基礎代謝基準値 (kcal/kg体重/日)	参照体重 (kg)	基礎代謝量 (kcal/日)	基礎代謝基準値 (kcal/kg体重/日)	参照体重 (kg)	基礎代謝量 (kcal/日)
1〜2	61.0	11.5	700	59.7	11.0	660
3〜5	54.8	16.5	900	52.2	16.1	840
6〜7	44.3	22.2	980	41.9	21.9	920
8〜9	40.8	28.0	1,140	38.3	27.4	1,050
10〜11	37.4	35.6	1,330	34.8	36.3	1,260
12〜14	31.0	49.0	1,520	29.6	47.5	1,410
15〜17	27.0	59.7	1,610	25.3	51.9	1,310
18〜29	23.7	64.5	1,530	22.1	50.3	1,110
30〜49	22.5	68.1	1,530	21.9	53.0	1,160
50〜64	21.8	68.0	1,480	20.7	53.8	1,100
65〜74	21.6	65.0	1,400	20.7	52.1	1,080
75以上	21.5	59.6	1,280	20.7	48.8	1,010

［厚生労働省：日本人の食事摂取基準(2020年版)策定検討報告書，令和元年12月，〔https://www.mhlw.go.jp/content/10904750/00586553.pdf〕（最終確認：2023年1月10日）より引用］

表Ⅱ-1-2　栄養素等摂取量　　　　　　　　　　　　　　　　　　　　　　　　　令和元年（'19）

	年齢（歳）	15〜19	20〜29	30〜39	40〜49	50〜59	60〜69
男	調査人数（人）	130	183	210	351	350	502
	エネルギー（kcal）	2,515	2,199	2,081	2,172	2,188	2,177
女	調査人数（人）	119	182	250	391	425	544
	エネルギー（kcal）	1,896	1,600	1,673	1,729	1,695	1,784

資料　厚生労働省「国民健康・栄養調査」
［厚生労働省統計協会：国民衛生の動向・厚生の指標 増刊 69(9)：441, 2022を参考に作成］

のように全身反応時間が急速に延長し，身体の反応が鈍くなる．この要因としては，関節の硬化や筋力低下も多少影響しているが，その大部分は加齢に伴う脳内での情報処理能力の低下によるものである[4]．

　感覚器系では，視力が図Ⅱ-1-5のように40歳代後半から低下したり，視野が狭まったり，遠近調節力が低下するために物体の焦点を合わせるのが困難となったりする．これらの原因は，水晶体の混濁や硬化，縮瞳による光量の減少，網膜の視細胞の減少，視神経や視覚伝導路の機能低下が関与している[5]．聴覚も図Ⅱ-1-6のように40歳以降，高い周波数が急激に低下し，高音を聞き取るのが困難になる．この原因として，コルチ器官の受容器神経細胞の減少，蝸牛の振動部位の弾性の減少，聴覚神経の障害，脳幹神経核あるいは聴覚皮質の機能低下が挙げられている[5]．そして，皮膚の触覚や高周波の振動に対する感受性も加齢に従い低下し，皮膚にある感覚受容器の数が減少することにより生じると考えられている[5]．

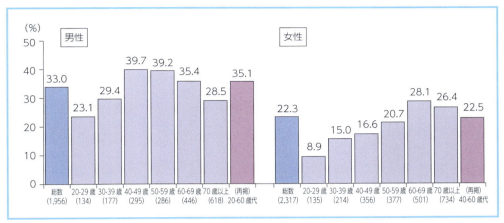

図Ⅱ-1-3 肥満者（BMI ≧ 25 kg/m²）の割合（20歳以上，性・年齢階級別）

(参考)「健康日本21（第二次）の目標」
適正体重を維持している者の増加（肥満（BMI 25以上），やせ（肥満（BMI 18.5未満）の減少）
目標値：20～60歳代男性の肥満者の割合 28%，40～60歳代女性の肥満者の割合 19%
[厚生労働省：令和元年国民健康・栄養調査結果の概要，〔https://www.mhlw.go.jp/content/000710991.pdf〕（最終確認：2023年1月10日）より引用]

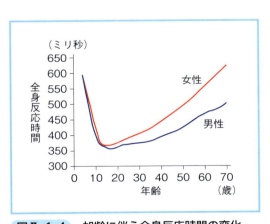

図Ⅱ-1-4 加齢に伴う全身反応時間の変化

[首都大学東京体力標準値研究会：新・日本人の体力標準値Ⅱ，p.254-257, p.265-269, 不昧堂出版, 2007より引用]

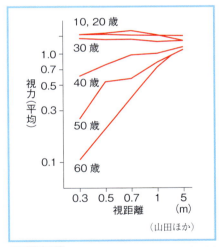

図Ⅱ-1-5 視力と視距離の年齢別関係

[中野昭一（編）：図説からだの仕組みと働き（普及版），p.14, 医歯薬出版, 2001より引用]

4● 体力の変化

　一般的に，体力は10歳代後半から20歳代前半にピークとなり，それ以降年齢とともに低下していく．20歳の値を基準に100％としたときに，45歳では約60～80％となり，65歳では約30～60％まで低下する（**図Ⅱ-1-7**）．しかし，加齢に伴う筋の萎縮は部位によっ

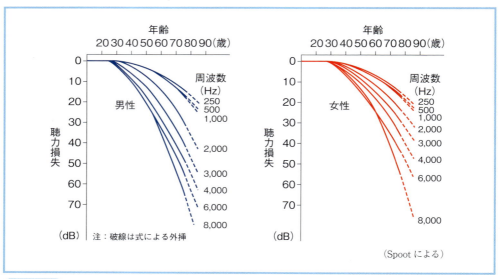

図Ⅱ-1-6　25歳を基準としたときの男女各年齢の聴力損失（dB）
［中野昭一（編）：図説からだの仕組みと働き（普及版），p.14，医歯薬出版，2001より引用］

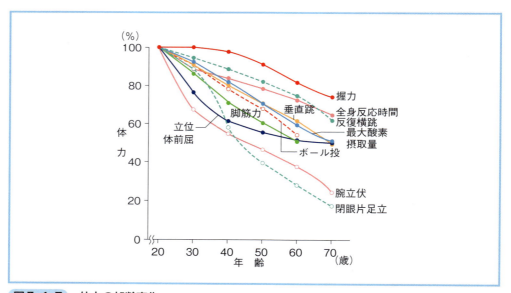

図Ⅱ-1-7　体力の加齢変化
［池上晴夫：運動生理学，p.97，朝倉書店，1987より引用］

て異なり，握力はゆるやかに低下していくが，脚筋力は顕著に低下する．これらの要因は骨格筋量の低下であり，健康な成人では20歳から50歳までの間に約10％，50歳から80歳までの間に30〜50％の骨格筋量が低下し，とくに下肢の筋量の低下が顕著である[6]．

5 ● 生殖機能の変化

　生殖機能は，男女ともに思春期から青年期にかけて成熟し，その後徐々に低下する．男性は，30歳前後から男性ホルモンの分泌が減少し始め，加齢に伴い徐々に低下するが，比較的高齢まで維持される[7]．一方，女性は，20～40歳まで女性ホルモンの分泌は比較的安定しているが，その後著明に減少し50歳前後で閉経を迎える．そして，閉経前後では，女性ホルモンの分泌低下に伴い，のぼせや発汗，動悸などの血管運動神経障害，いらだち，抑うつ気分，関節痛，睡眠障害などの更年期症状が出現し，泌尿器・生殖器疾患や心疾患，骨量減少に伴う骨粗鬆症などのリスクが高まる[8]．

B. 慢性疾患および治療が及ぼす身体機能への影響

1 ● 慢性疾患による身体機能への影響

　このような加齢現象により身体機能が年齢とともに低下していく過程で，不可逆的で病理的変化を伴う慢性疾患に罹患することは，さらに身体機能が障害され，患者はさまざまな苦痛を体験する．慢性呼吸不全や慢性心不全，慢性腎不全の患者は，身体内部の呼吸機能や心機能，腎機能が障害され，呼吸困難や倦怠感，疲労感などの苦痛症状を自覚する．このような症状を有する患者は，動くと疲れやすい，排便の際にいきんだり，話をすると息苦しいというように日常生活が障害される．青年期に発症しやすいクローン病や潰瘍性大腸炎の炎症性腸疾患の患者は，消化・吸収機能の低下により体重が減少したり，腹痛や食欲不振，下痢などの消化器症状を体験し，食生活の変更を余儀なくされ，学業や就労にも大きな影響を受ける．脳梗塞の患者は，中枢神経機能の障害により，片麻痺で歩けない，手が自由に使えないという運動機能障害や，うまく話せないという言語機能障害を有し，1つの機能障害がさらなる機能障害へとつながる．これらの障害は，患者の日常生活活動の低下をまねいたり，心理的葛藤や自信喪失など心理面への影響を与えたり，家庭や職場における役割が果たせないなど社会生活にも大きな支障をもたらす．

2 ● 治療による身体機能への影響

　慢性疾患の治療のなかには身体侵襲を伴うものもあり，身体機能は疾患のみならず治療の影響も受ける．自己免疫疾患のためステロイド薬を長期に内服している患者は，疾患による免疫機能の障害に加え，副作用である感染症や糖尿病，骨粗鬆症などを併発しやすい．また，満月様顔貌による外見の変化により心理的葛藤を伴うこともある．化学療法を受けている患者は，骨髄機能の低下による易感染状態や出血傾向，貧血，粘膜障害による悪心や食欲不振，末梢神経障害による手足のしびれや痛み，生殖機能障害による妊孕性（子どもを産む能力）の喪失などの副作用，さらに脱毛による外見の変化を体験する．このように身体侵襲の大きい治療は，副作用に伴う身体機能の低下や障害をまねくだけでなく，外見の変化ももたらし，患者にさまざまな影響を与える．さらに，このような患者は，気管支炎や肺炎といった呼吸器感染症を併発しやすいことに加え，内服薬の中断や過労，ストレスなどの**増悪因子**が加わると，身体機能が急激に悪化し生命の危機に陥りやすくなる．

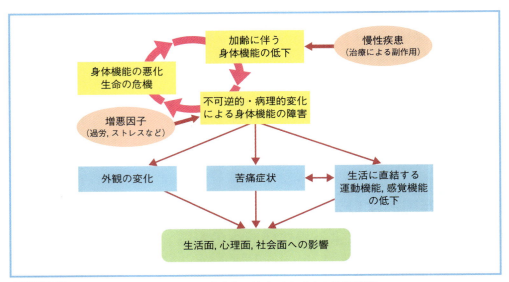

図Ⅱ-1-8 成人期における年齢，慢性疾患，治療が及ぼす身体的影響

C. 成人期における加齢，慢性疾患，治療が及ぼす身体的影響について

　加齢による身体機能の変化と慢性疾患や治療が身体機能に及ぼす影響の関係について，図Ⅱ-1-8に示した．加齢による身体機能の変化が顕著になる成人期に，慢性疾患に罹患し，治療を受けることで，身体機能が低下している状態に，さまざまな不可逆的・病理的変化が加わり，身体機能の障害がもたらされる．そして，このような身体機能の障害をもつ患者は，過労やストレスなどの増悪因子が加わることにより，身体機能が悪化し生命の危機にさらされる．患者はこのような状態に陥ると，さらなる加齢による身体機能の低下が加速化され，障害の悪化につながり，軽度な過労やストレスでも容易に生命の危機に陥りやすくなるという悪循環のサイクルが形成されていく．そして，身体機能の障害は，苦痛症状や外見の変化をもたらしたり，歩く，身体を動かす，見る，聞く，話すという生活に直結する運動機能や感覚機能の障害を引き起こし，生活面や心理面，社会面への悪影響をもたらす．

　したがって，成人期の患者は，慢性疾患に罹患し，治療を受けることにより，身体的な影響のみならず，生活面，心理面，社会面においても多大な影響を受ける．そして，患者の年齢や日常生活の過ごし方によってもその影響は異なる．そのため，加齢に伴う身体機能の変化，慢性疾患や治療によってもたらされる障害および症状とその影響，そして患者の年齢や生活背景を十分に理解し，患者の身体的特徴を把握することが重要である．

> **学習課題**
>
> 1. 50歳代で肝硬変に罹患した場合，疾患により身体機能はどのような影響を受けるかまとめてみよう
> 2. 人工透析を受けている腎不全患者は透析により，身体機能はどのような影響を受けるかまとめてみよう

引用文献

1) 中野昭一（編）：図説からだの仕組みと働き（普及版），p.15, 医歯薬出版, 2001
2) 高石昌弘（監）：からだの発達と加齢の科学, p.76-82, 大修館書店, 2012
3) 前掲2), p.213-223
4) 前掲1), p.17
5) 前掲2), p.71-74
6) 前掲2), p.117
7) 前掲1), p.19
8) 前掲2), p.95-97

2 慢性疾患を有する人の心理的特徴

> **この節で学ぶこと**
> 1. 慢性疾患や治療が成人期の患者の発達課題に及ぼす影響について説明できる
> 2. 難病をもつ人々の心理の特徴を述べることができる
> 3. がんと告知された患者の正常な心理反応について説明できる
> 4. 障害受容過程モデルについて述べることができる
> 5. 慢性疾患や治療が患者の自己概念に与える影響を理解する

A. 成人の発達課題

1 ● 発達課題

　人間は，誕生してから死にいたるまで，成長・発達し続ける存在であるが，発達のそれぞれの時期に果たさなければならない課題に直面し，それを達成することで健全な発達を遂げていく．この成し遂げるべき課題をハヴィガースト（Havighurst RJ）は，**発達課題**（developmental task）とよんだ．そして，ハヴィガーストはこの発達課題を「人生の一定の時期あるいはその前後に生じる課題であり，それをうまく達成することが幸福とそれ以後の課題の達成を可能にし，他方，失敗は社会からの非難と不幸をまねき，それ以降の達成を困難にする」[1]と定義している．人間の一生を「幼児期および早期児童期」「中期児童期」「青年期」「早期成人期」「中年期」「老年期」と6つの段階に分け，それぞれの時期の課題を生物学的，心理学的，文化人類学的観点から示した（『NiCE成人看護学概論』参照）．課題は，歩くことを学ぶというような身体的成熟から生ずるもの，社会的役割の獲得や責任を果たす学習のような社会からの文化的要請により生ずるもの，職業の選択や準備，価値や人生観の形成など個人的価値や動機から生ずるものなどから構成されている．そして，これらの課題には，一生のうちに1回しか現れない課題と，繰り返し現れる課題があり，繰り返される課題は最初の段階で成功すれば，後の段階でもほとんど成功するとしている．繰り返し現れる課題として，①同年輩の仲間との交際，②男性または女性のもつ社会的役割の学習，③市民としての責任をもった社会生活への参加を挙げている．成人期にあたる段階は，青年期，早期成人期，中年期であり，これらの段階における発達課題は，社会的役割を獲得するとともに親から情緒的にも経済的にも自立し，職業に就き社会的責任を果たすこと，結婚して家庭を築き，子どもを産み育てること，その一方で自分の加齢に伴う身体的変化を受け入れ，老いていく親の要求に対し責任を果たすことを学習するというものである．

一方，看護でよく用いられているエリクソン（Elikson EH）の発達理論[2]は，人間の自我発達に焦点が当てられており，人間の**ライフサイクル**を「乳児期」「幼児期」「遊戯期」「学齢期」「青年期」「若い成人期（前成人期）」「成人期」「成熟期（老年期）」と8段階に分け，その段階に特有の**心理・社会的危機**を通して健康なパーソナリティーが段階的に開かれ成長していくとしている．そして，各段階において獲得と克服しなければならない固有の課題があり，課題の達成について，前段階の課題の達成の上に次の課題の達成がなされるという漸成的に自我発達が進むことを示している．つまり，課題達成の成功や失敗は，次の段階の課題達成に影響を与えることを意味している．各段階の課題は，成功と失敗の対概念として提示されており，成人期の固有の課題は，青年期の「**同一性 対 同一性の混乱**」，若い成人期の「**親密 対 孤立**」，成人期の「**生殖性 対 停滞**」である．そして，同一性の確立は，青年期で終わるということではなく，生涯にわたり発達するとされている．エリクソンの発達理論の詳細は『NiCE成人看護学概論』を参照のこと．

2 ● 成人期における発達課題に慢性疾患および治療がもたらす影響

　成人期に慢性疾患に罹患した場合，患者はどのような影響を受けるのか，『NiCE成人看護学概論』で用いている年齢区分に従って概説する．

a. 青年期（15〜30歳）

　15歳から20歳代前半は，身体機能の発達とともに生殖機能が成熟し，男性として，女性としての社会的役割を獲得するなかで，身体的変化と役割変化との葛藤による混乱が生じやすい時期である．この時期は，自分はどんな人間かと自問自答し「**自我同一性（ego identity）**」を確立することが課題となる．また，職業選択や親から自立する時期でもあり，**同一性（identity）**の確立を目指して試行錯誤しながら，やがて自分の生き方，価値観，人生観，職業を決定し，自分自身を社会のなかに位置づけていく．このような年代に，たとえば白血病に罹患し，化学療法や骨髄移植を受けることは，長期の入院や外来通院が不可欠となるため，学業や職業選択に影響するだろう．また，化学療法の副作用には生殖機能障害のリスクもあるため，結婚や子どもを産み育てるという将来の課題にも影響するだろう．

　20歳代前半以降は，確立した自我同一性を基盤に職業に就き，市民としての責任を果たしつつ，異性との交際を通して家庭を築く時期となる．この時期は，異性との「**親密**」な関係を形成することが課題となる．親密とは，自分の同一性を尊重することと同じように，他者を自分とは異なる独立した存在であることを認めたうえで，他者の同一性も尊重して親しい相互関係をもつことである．このような年代に，たとえばクローン病に罹患し，薬物療法や経腸栄養，食事療法などの治療を受けることは，症状マネジメントをしたり，食生活の変更を余儀なくされたりするため，仕事の継続や結婚し家庭を築くということに影響を与える．

b. 壮年期（30〜60歳）

　30歳以降は，身体機能の衰えを徐々に感じ始めるようになり，身体機能の変化を受け入れなければならない一方，青年期で築き始めた家庭において子どもを育てるという役割を果たしつつ，職場や地域などで役割拡大が求められ責任ある立場や後進の育成を任される時期となる．また，40歳代後半〜50歳代は，自分の健康への不安や子どもの自立によ

る喪失感，老いていく親の介護および死といった問題も生じるようになる．この時期は，次世代を育てることに関心をもつという「生殖性（生産性）」が課題となるが，この生殖性には，結婚して子どもを産み育てることだけでなく，社会的な業績や知的，芸術的な創造も含まれる．このような年代に，慢性腎不全になり人工透析を受けることは，生活スタイルの変更を余儀なくされ病気をマネジメントしなければならないため，次世代の育成や職場における役割を果たすことに影響をもたらす．

c. 向老期（60〜65歳）

60歳以降では，身体機能の衰えが顕著となり，病気，退職に伴う役割や経済基盤の変化，親や配偶者，親しい人の死などさまざまな喪失を体験し，新たな人間関係や役割を再構築する時期である．このような年代に，たとえば慢性閉塞性肺疾患や脳梗塞などが発症すると，加齢に伴う身体機能の低下に，呼吸機能障害や運動機能障害が加わり，機能障害に合わせた日常生活に調整していく必要がある．そのため日常生活動作が制限されたり，家庭や職場，地域での役割変更を余儀なくされたりするなどさまざまな困難が生じやすい．

以上のように，どのような年代で慢性疾患に罹患するかによって，患者が受ける影響はさまざまである．したがって，成人期の発達課題を理解したうえで，患者は慢性疾患や治療によりどのような影響を受けるのかをアセスメントし，たとえ病気になったとしても発達課題が達成できるように援助することが重要である．

引用文献

1) ハヴィガースト RJ：人生，学習，発達．ハヴィガーストの発達課題と教育　生涯発達と人間形成（児玉憲典，飯塚裕子，三島二郎訳），p.3, 川島書店，1997
2) エリクソン EH：アイデンティティとライフサイクル（西平　直，中島由恵訳），p.134-139, 誠信書房，2011

B. 慢性疾患および治療が及ぼす心理過程の特徴

1 ● 難病患者の心理過程

a. 難病患者の特徴

難病は徐々に進行し，疾患の種類に応じて，痛み・しびれといった症状や運動機能・感覚機能などの障害が出現し，介護が必要になることも少なくない．さらに，治癒が困難であることや，自立した生活ができなくなることへの怒りや悲しみなど，精神的な負担も大きい．加えて，これまで担ってきた社会や家庭での役割を変更しなければならず，経済的な不安や社会参加の制限・家族の負担も生じる．このように，難病患者はいままでの生活や自分らしさを失うようなできごとに，一度限りではなく何度も直面しているのである．このことは，難病患者が疾患や障害とともに生活していく過程が，決して容易ではなく，長く険しい道のりであることを意味している．しかし，過酷な状況のなかでも，新たな価値を見出し，生き生きと暮らしている人々が存在する．彼らが，疾患や障害をどのように受け止めて，日々の生活を送っているのかを理解するために，ここでは対象喪失とそれに伴う心理過程の視点からみていく．

b. 対象喪失とそれに伴う心理過程

対象喪失とは，愛情や依存の対象を失う体験をいう．具体的には以下のようなものがある．

①近親者など愛情・依存の対象の喪失
②住み慣れた環境やこれまで担っていた役割，地位，故郷など，自己を支えていた環境の喪失
③自己を失う体験，あるいは自己を一体化させていたもの（国家や理想など）の喪失

　これらの対象喪失を体験したときには，重大なストレスを引き起こすといわれている．対象喪失が生じると，それに引き続いて起こる一連の心理過程の存在が認められている．一般的に，その心理過程は悲嘆の過程ともよばれており，次の4つの段階がある[1]．

①病気や障害の発生により衝撃を受け，どうしてよいかわからずパニックになり，無力感でいっぱいになる情緒的な危機の段階
②失ったことの現実を認めることができず，その失った対象を取り戻そうとする段階
③失った対象が戻ってこないという現実を認め，断念することで，悲嘆や絶望，抑うつなどが生じて落ち込む段階
④失った対象から心が離れ，新しい対象に気持ちを向けることができるようになる段階

　このような一連の過程を通して，最終的には喪失を受け入れ，新たな生活に向けて気持ちを立て直していくのである．しかし，これらの段階は，必ずしも明確に区別できるわけではない．むしろ，各段階が相互に重なったり，逆戻りしたり，同じ段階を何度も行き来したり，とどまったりということが起こる．悲嘆の過程は，多くの心理的葛藤を伴う非常につらい作業であるが，自分や周囲に対する新たな発見の機会でもあり，肯定的な意味ももち合わせているのである．

c. 難病患者の心理過程の特徴

　難病患者は，身体の機能やこれまでの生活様式，社会や家庭での役割など，さまざまな喪失を体験する．最初の大きな喪失は，発病から診断にいたる過程で経験される．原因が明らかでなく，治癒が期待できないといった現実は，激しいショックや絶望，混乱をまねく．「なぜ私がこのような病気に」，「生きていく気力がなくなった」などと表現する人も多い．これは，喪失に伴う心理過程の最初の段階であり，ここから悲嘆の過程が進んでいく．しかし，難病患者は，この過程が長期に及んだり，同じ段階にとどまったりすることが生じやすい．その理由としては，①根本的な治療が困難であること，②病状の進行によ

り何度も喪失を体験すること，③身体的な苦痛が強いことなどが考えられる．

(1) 根本的な治療が困難な疾患である

原因不明や治療が期待できない疾患であった場合，「この診断は間違っているのでは」とセカンドオピニオンを求めて医療機関をいくつも受診する，あらゆる治療法を求めて全国を駆け巡るといった行動が続くことがある．また，まれな疾患の場合，治療や予後に関する情報は少なく，自分の病気について理解することがむずかしいこともある．現実に起こっていることの理解が困難であることにより，悲嘆や抑うつが長びく可能性がある．

(2) 病状の進行に応じて何度も喪失を体験する

疾患や障害の受け入れが進みつつあっても，病状の進行によって新たな症状や障害が何度も繰り返し出現してくることがある．すると，喪失が重なり，悲嘆の過程は長期化し，あと戻りすることもある．このような悲嘆の過程が長引く状況では，適切な介入が行われなければ，失望や引きこもりへと移行しやすい．

(3) 身体的な苦痛が強い

疾患により違いはあるが，病状の進行により運動や言語，嚥下，呼吸などの機能障害が生じ，痛みやしびれ，冷汗，呼吸困難などのさまざまな症状を体験する．一部の神経難病では，自分の力で自分の体を動かすことや，意思を伝えることもむずかしい状況となる．次々にストレスが重なり，心の休まる暇もない状態が続く場合，悲嘆の過程をたどることが困難となる[1]．身体的な苦痛は疾患や障害の受け入れを困難にし，新たな症状の出現は病気の進行や死を予期させ，希望を見出すこともむずかしくなる．

このように，難病患者は長期にわたって，何度も喪失を体験し，悲しみ，新たな生活に向けて気持ちの整理を続けているのである．これは一生続く長い過程であり，また，個人によってさまざまに異なる過程である．疾患や障害の受け入れについては，本当にそのようなことができるのか，といった議論も存在する．しかし，難病患者にとって，その人自身が疾患や障害をどのように感じて受け止め，新たな価値を見出していくかは，日々の生活やQOLに大きな影響を与える．そのため，どのように疾患や障害をとらえているのかについて，その人に寄り添い理解していくことから，疾患や障害の受け入れへの援助は始まるといえる．

■引用文献■
1) 小此木啓吾：対象喪失とモーニング・ワーク．悲嘆の心理（松井　豊編），p113-134，サイエンス社，1997

2 がん患者の心理過程

a. 危機に対する正常反応

インフォームド・コンセントが前提となり治療が進められるがん医療において，ほとんどの患者にがんという病名が伝えられている．しかし，がんは慢性疾患としてとらえられるようにはなっているものの，いまだ「がん＝死」や「がんの治療はつらい」というイメージがあり，多くの患者はがん告知によって心理的衝撃を受ける．あるがん患者は，「1人で病院に行き，診断を聞きました．ショックでした．漠然とがんへの恐怖感はありましたが，周りにがんの人がいなかったので」と診断時は大きな衝撃を受け，その後「がんと

告知されたときは，2週間ぐらい精神的におかしくなり，食欲が落ちました．毎朝，目覚めるたびに，これが夢だったらと何度も思いました」と食欲不振や情緒不安定，そして非現実的な感覚などを体験している．このように，がん患者は診断後に危機状態におかれ，さまざまな症状を体験することが多い．

マシー（Massie MJ）とホーランド（Holland JC）[1]は，がんと診断された患者が示す反応を調査し，誰もが示す反応を正常反応としてとらえ，段階があるとしている．がんの診断後は，ショック，否認，絶望という反応を示し，これは告知後1週間以内とされている．その後，不安や抑うつ気分，食思不振，不眠，集中力低下などの不快な症状を示し，告知後1〜2週間続くが人によってさまざまである．そして，新しい情報に順応したり，現実の問題に直面したり，楽観的になろうとするなどして適応し，これは2週間ごろから始まるとされている．このような患者の心の動きや反応をわかりやすく図にしたのが図Ⅱ-2-1である．このように，誰もが危機状態におかれた場合，ある一定期間はさまざまな身体的・心理的苦痛を体験するのである．

b. 実存的危機

また，ワイスマン（Weisman AD）とウォーデン（Worden JW）[2]は，がんと診断されたときの患者の心理状態について120人を対象に調査を行い，がん患者が体験する苦悩は「精神の炎症」のようなもので精神的に健康な人には後遺症を残さず，その人が通常の精神状態に戻ったときに消える急性の苦悩であり，この状態は約100日続くことを示した．そして，がんの診断後に適応するための最初の100日を「実存的危機」と名づけ，非常に重要な時期であるとしている．このことは，がんと診断された最初の3ヵ月間は，医療者の適切な介入が必要とされていることを意味している．

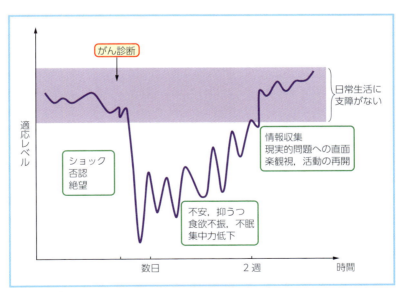

図Ⅱ-2-1　がん診断に対する通常反応

［秋月伸哉：がんの経過における正常反応と精神症状，専門医のための精神科臨床リュミエール24　サイコオンコロジー（大西秀樹責任編集），p.42, 中山書店，2010より引用］

一方で，がん患者の20～25％は，精神医学的な診断がつき，その大部分は日常生活に支障をきたす不安や抑うつを示す軽症の適応障害である[3]と報告されている．したがって，がん患者が示す正常な反応やその反応の持続期間を熟知し，その患者の状態に合わせた情緒的サポートや治療の意思決定支援をすることが重要となる．そして，患者が示す反応が正常なのか専門的介入が必要なのかをよく見きわめるために，患者の訴えを傾聴しながら表情や行動をよく観察して援助することがポイントである．

■引用文献■
1) マシー MJ，ホーランド JC：正常反応と精神障害．サイコオンコロジー第2巻（ホーランド JC，ローランド JH編，河野博臣，濃沼信夫，神代尚芳監訳），p.3-11，メディサイエンス社，1993
2) Weisman AD, Worden JW：The existential plight in cancer; significance of the first 100 Days. International journal of psychiatry in medicine 7(1)：1-15, 1976-1977
3) 福江真由美：疾患・治療に関連した精神医学的問題．サイコオンコロジー がん医療における心の医学（山脇成人監，内富庸介編），p.72-94，診療新社，1997

3 ● 障害受容過程モデルによる心理過程

障害が発生すると，人はどのような心理過程をたどるのであろうか．**障害受容過程**については諸説あるが，ここでは三沢による「中途障がい者の典型的な障害受容過程のモデル[1]」を示す（**図Ⅱ-2-2**）．突然に障害が発生し，その宣告がなされると，人は大きな衝撃を受け，ショックや混乱状態となる．混乱状態では，障害を正しく認知し冷静に受け止める余裕がないため，多くの患者は悲しみや怒り，絶望を感じ，抑うつに陥る．しかし，毎日の生活のなかで，ある日突然，生きている喜びを見出すことがある．これをスタミナ体験といい，生きる希望の芽生えにつながる．抑うつの暗闇から一筋の光が差しこんできたような体験である．そこで，時間の経過とともに新たな希望を見出すと，自分の障害をある程度心のなかに受け入れられるようになる．障害による不自由さを克服して，新しい人生に向けて現実的に考えていくのである．ここでは障害との和合，つまり障害と一緒に生きることへの心理が働く．過去より未来に関心が向き，これからの人生に対して前向き

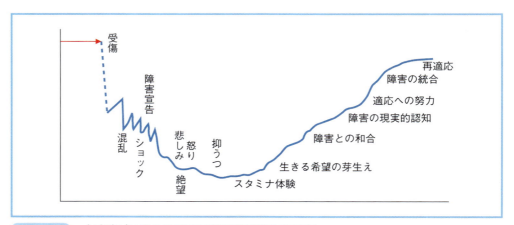

図Ⅱ-2-2　中途障がい者の典型的な障害受容過程のモデル

[三沢義一：リハビリテーション医学講座 第9巻　障害と心理, p.42, 医歯薬出版, 1985より引用]

な努力が行われるのである．これは，典型的な過程で，実際には，障害の程度・性質や，年齢，性格，家庭的・社会的役割の影響も受けると考えられている．

　実際に，全身性エリテマトーデス（SLE）という難病を患った38歳の主婦Aさんのケースを紹介する．

事例① 子どもの言葉が光に

　Aさんは，1年ほど前から朝に両手のこわばりや痛みがあったが，小学生の子ども2人の世話や同居している親の介護で忙しく，受診せず放置していた．そしてある朝，Aさんは起き上がることも困難なほどの倦怠感や，両手関節の強い痛みを感じ，緊急入院となり，検査の結果，SLEと診断された．診断後当初は，Aさんは「もっと早く受診したらよかった」「家族に迷惑をかけてしまう」と泣き，「何が原因なの？」と繰り返し看護師に尋ね，夜も眠れない状態であった．治療が始まり，倦怠感が緩和されてきたある日，家族との面会を終えたAさんには笑顔がみられた．それは，子どもたちから「お母さんの代わりに食器洗いや洗濯をしているから心配しないで」といわれ，いままで自分が迷惑をかけていることばかり気にしていたが，子どもは子どもなりにがんばっていることに気づき，自分もがんばって早く退院したいと思うようになった，ということだった．

　Aさんにとって，子どもの言葉は，今後の生活に視点を向けるきっかけとなる一筋の光となったのである．こうして，Aさんのように障害を体験した人は，ショックや混乱の時期を経て，少しずつ再適応への過程を進んでいくのである．

引用文献
1) 三沢義一：リハビリテーション医学講座 第9巻　障害と心理，p.38-43，医歯薬出版，1985

C. 慢性疾患および治療が及ぼす自己概念への影響

1 ● 自己概念とは

　自己概念とは，自己に対する認知のしかたとその認知内容であり，自分自身をどうとらえ，どう見ているか，また他者がそのような自分をどう評価しているかという自分についての一定の認識枠組みである[1]．ロイ（Roy SC）によれば，自己概念とは個人がある時点で自分に対して抱く信念と感情の合成体であり，内的認知と他者との反応についての知覚によって形成され，人の行動を導くものとされている[2]．また，自己概念は身体的自己と個人的自己という2つの領域に分けられ，さらに身体的自己は**身体感覚**と**ボディイメージ**という2つの構成要素からなり，個人的自己は**自己一貫性，自己理想，道徳的・倫理的・霊的自己**という3つの構成要素からなる．具体的内容については**表Ⅱ-2-1**に示すとおりである[3]．このような自己概念に影響するものとして，身体的発達，認知の発達，発達段階，人や環境との相互作用（主なケア提供者や重要他者の反応）などがある．慢性疾患による治療や症状，周囲の人を含めた社会における反応などにより，患者の自己概念は影響を受け，ボディイメージの変容（混乱），自尊心（自尊感情）の低下，セクシュアリティの問題などが生じる場合もある．

2 ● 慢性疾患および治療が及ぼす自尊心の低下

　自尊心（self-esteem）とは自己尊重，自尊感情とも言い換えられるが，「自己評価の感情」「自己に対する肯定的，否定的態度」とされ，自分が設定した価値基準に照らして自

表Ⅱ-2-1　自己概念の下位領域・構成要素の内容

領域		構成要素	内容	例
自己概念	身体的自己	身体感覚	自分の体をどのように感じているか，性的存在として自己を感じることができるかということ	「気分が悪い」 「とっても快調だ」 「現在の性生活に満足しています」
		ボディイメージ	自分自身の体や外見についての見方	「もう少し体重を落とさなくてはならない」 「私はきれいだ」 「私は健康的でない」
	個人的自己	自己一貫性	性格の特質，状況に対して自分がどのように行動し，反応するのかという自分自身に対する見方	「私はいつも時間を厳守する」 「私は1日中ベッドで寝ていることが気になります．いつもは動き回っていますから」
		自己理想	自分が何をすることができるか，またはどのようでありたいかという希望	「私は看護師になりたい」 「私は英語の成績をよくしたい」
		道徳的・倫理的・霊的自己	信仰の対象や倫理的信条との関係における自己の感じ方．自分が何者であるかの評価	「誰もが同等に医療を受ける資格があると思う」 「いまの苦しみは，この世のなかでは何か意味があると思う」

［シスター・カリスタ・ロイ：ザ・ロイ適応看護モデル，第2版，（松木光子監訳），p.404-447, p.402-480, 医学書院，2011／小田正枝（編）：ロイ適応看護理論の理解と実践，第2版，p.92-104, 医学書院，2016を参考に作成］

分を受容し，自分を尊重することであり，「これでよい（good enough）」という考え方であることを示している[4]．自尊心には，両親の養育態度や教師，仲間との相互作用などのほかに外傷性の経験，長期のストレス，強い人間関係の崩壊，そして主観的健康状態などが影響しているとされている．

糖尿病患者では生活満足度が低い者，ストレスが高い者が自尊心が低く，食行動上の問題が多い傾向にあり，病気に関する対処行動が良好な者が自尊心が高かったことも報告されている[5]．脳梗塞患者では機能障害の程度が重く日常生活動作の自立度の低い者が自尊心が低く[6]，慢性呼吸器疾患をもち，在宅酸素療法を行っている患者は，在宅酸素療法を実施していない同病患者や健常高齢者よりも自尊感情（自尊心）が低く，ソーシャルサポートと関連があった[7]．このように慢性疾患患者の自尊心は，疾患の機能障害による症状や治療，日常生活動作（activities of dairy living：ADL）の低下，日常生活や社会生活の変化，心理状況やサポートの状況から影響を受け，さらには患者の自己管理行動などの療養行動に影響を与える．看護師は，患者が機能障害をかかえながらも自己肯定感が得られるように，自立を支え，患者が直面する問題状況に対処できるよう支援する必要がある．

3 ● 慢性疾患および治療が及ぼすボディイメージの変容（混乱）

ボディイメージは自分自身の体や外見についての見方であるが，そこには身体の魅力とそれが人間関係や他の人の反応にどのように影響するかが含まれており，他者の反応の知覚により形成される．ボディイメージには，身体的要因や社会・文化的要因などが深く影響しており，個人の健康や社会的適応，人間関係など全体的なウェルビーイング（well-being）にも影響を与える．肯定的なボディイメージは自信を高め，他者との関係に促進的に働くが，否定的なボディイメージは心理的不適応または人間関係がうまくいかないなどの結果をまねくことがある[8]．慢性疾患による機能障害や治療，患者の年齢や性，病気の意味づけ，社会・文化的要因なども患者のボディイメージに影響を与える（**表Ⅱ-2-2**）．看護師はボディイメージ変容（混乱）のある患者の機能障害や身体的変化にかかわる経験をアセスメントし，患者が肯定的・否定的感情を表出できるようなカウンセリング的なかかわりやセルフケアに関する教育的支援，感情の共有やさまざまな情報交換としてのセルフヘルプグループなどの活用に向けた支援などを行う必要がある．

コラム
病気におけるスティグマ（stigma）って何だろう

スティグマとは，不名誉を意味する『烙印』をさす．古代ギリシャにおいて，奴隷や罪人，裏切り者を示すものとして身体に焼き付けられた印に由来する．スティグマという言葉は人の信頼性を失わせるような属性を言い表すために用いられるが，それは周囲の人々とかかわる時に問題となる[i]．スティグマはその特徴をもつ当事者自身が感じる「引け目」であり[ii]，ある特徴をもつ個人・集団に対する周囲の否定的な意見や反応であるpublic stigmaと自己概念にかかわるself-stigmaがある．

医療においてのスティグマは，ある特定の特徴をもつ個人や集団を，ある特定の病気と誤って関連づけられ，生じている．ハンセン病や精神疾患，HIV感染症などで取り上げられてきたが，

表Ⅱ-2-2　慢性疾患によるボディイメージの変容とその適応に影響する要因

ボディイメージの変容や その適応に影響する要因		内容や具体的例
疾患やその治療 に基づく影響	外観の変化	問題となる身体部分が他者にみえること ・てんかん発作 ・治療による副作用としてのムーンフェイス，脱毛，手術後の傷痕 ・麻痺や浮腫，皮膚の症状（腫瘍や紫斑）
	機能の制限	疾患や治療に伴う身体機能の制限 ・上下肢の喪失，乳房の喪失など 疾患や治療に伴う性機能の制限 ・生殖器の喪失，性機能の減退や喪失など
疾患以外の 影響要因	個人的要因	患者や重要他者の慢性疾患への意味づけ，慢性疾患や慢性的障害となった原因や痛みなどに左右される ・心筋梗塞を発症し，運動したり通常の活動をしたら死ぬのではないかという心臓の障がい者（不具者）のイメージをもつ ・慢性疾患，障害の要因が事故や健康管理の失敗だった場合には怒りや罪の意識や羞恥心をもつが，推奨された生命を救うような治療だった場合は避けがたい最小の代償による結果としてボディイメージをとらえる傾向にある ・痛みが強い際にはボディイメージは否定的になる傾向にある それまでの経験と対処 ・患者がこれまでのボディイメージを保持しているか，ボディイメージの組み替え，ボディイメージの否認など，どの段階にあるのかにより適応は異なる ・それまでの患者が用いてきたコーピング（できごとをどのように知覚し，どのように対処してきたか）
	時間的要因	身体の変化が起こる時間の長短 ・ゆっくりとした変化であればボディイメージの形成に十分な機会を得られる．脳血管発作など突然の病気や外傷，手術など短期間の変化であればボディイメージの変化を受け入れることに困難を伴う
	社会的要因	集団の社会的影響力 ・家族や仲間集団などの反応や価値などが患者自身のボディイメージへの否定的，肯定的反応に影響する 保健医療チームによる影響 ・病気や治療によって生じた変化を最初に見る立場にある保健医療従事者の反応が患者のボディイメージに影響する ・症状やセルフケア，感情のサポートなどの教育的・カウンセリング的な支援の有無
	文化的要因	健康と病気の知覚，そのボディイメージへの影響はさまざまである ・ある文化において瘦身は女性の美しさを示すが，他の文化においてはふくよかな女性が健康的で，美しいとされるなど
	年齢や性	・幼児期は比較的ボディイメージの変化を受け入れやすい ・思春期は仲間に関心を抱くようになるため，ボディイージの変化に適応することが困難になる ・成人期・老年期では，ボディイメージが形成され，アイデンティティの基盤の1つとなる．ボディイメージの変化を受け止められるかどうかは社会のなかで機能する能力，自立性，他者への魅力などより左右される ・慢性疾患に直面した際には，男性よりも女性のほうが否定的なボディイメージをもちやすい

[Lubkin IM, Larsen PD：Chronic Illness：Impact and Intervention, 8th ed., pp.138-144, Jones & Bartlett Learning, 2011を参考に作成]

糖尿病，メタボリックシンドローム，がんと診断された人など，さまざまな病気や障害をもっている人に対しても生じていることがわかってきている．たとえば慢性疾患である糖尿病やメタボリックシンドロームの患者などは「自己管理ができない人」，がん患者は「死に近い病気をもち，健康な人とは違う，同情的な存在」ととらえられることもある．そのような状況から当事者は，病気を開示できず，社会的な接触を避け，孤立したり，生きる気力を失ってしまうことがある．

スティグマは，病気の管理や社会生活に大きな影響を及ぼすので，医療者は，病気をもつ当事者がスティグマをもっているということだけでなく，自分自身もそのようなスティグマをもっているかもしれないことを自覚して，支援していく必要がある．

引用文献
i) Goffman, E（著），石黒　毅（訳）：スティグマの社会学　―烙印を押されたアイデンティティ，改訂版，せりか書房，2001
ii) Corrigan, P：How stigma interferes with mental health care, American Psychologist, **59**(7)：614-625, 2004

引用文献
1) 見藤隆子，小玉香津子，菱沼典子（総編集）：看護学辞典 第2版，p.382，日本看護協会出版会，2011
2) シスター・カリスタ・ロイ：ザ・ロイ適応看護モデル（松木光子監訳），p.404-447, p.402-480，医学書院，2011
3) 小田正枝（編）：ロイ適応看護理論の理解と実践，第2版，p.92-104，医学書院，2016
4) Rosenberg M：Society and the Adolescent Self-Image, pp.1-3, Princeton University Press, 1965
5) 北岡治子：生活習慣病の対処法　糖尿病．行動医学研究**7**(2)：83-91, 2001
6) 篠原純子ほか：脳梗塞患者の入院時における自尊感情と日常生活動作の関連．広島大学保健ジャーナル**5**(1)：28-34, 2005
7) 石田京子，土居洋子：長期在宅酸素療法患者の自尊感情とその関連要因．日本呼吸ケア・リハビリテーション学会誌，**16**(2)，317-321, 2006
8) Lubkin IM & Larsen PD：Chronic Illness Impact and Intervention, 8th ed., pp.75-160, Jones & Bartlett Learning, 2013

学習課題
1. 難病疾患患者（例：SLE），透析患者における障害からの回復を心理過程に沿って整理してみよう
2. 難病疾患患者（例：SLE），透析患者において疾患および治療が及ぼす障害とその支援について整理してみよう
3. 難病と診断された患者は，どのような心理過程をたどって適応に向かうのか，まとめてみよう
4. 40歳代で乳がんと診断され化学療法を受ける患者は，発達課題においてどのような問題が生じやすいか挙げてみよう
5. がんと診断され告知を受けた後1〜2週間でみられる症状を挙げてみよう

3 慢性疾患を有する人の生活および社会的特徴

> **この節で学ぶこと**
> 1. 慢性疾患が患者の生活に与える影響や社会的特徴を説明できる
> 2. 慢性疾患および治療が患者のセクシュアリティに与える影響を説明できる

A. 役割とは

役割とは，集団や社会のなかで，ある地位を占めるすべての人に対して，社会が課す価値・態度・行動様式である．役割は他者との関係のなかで，どのように振る舞うかについての期待であり，人は生涯にわたって成熟していくうちに新しい役割を獲得していく．ロイ（Roy）によれば人の役割には，年齢，性別，発達段階に基づいて社会から個々に付与された**一次的役割**（例：若い成人期の男性の場合には親密性という観点から新しい家族を作るなど），個人が発達段階と一次的役割の期待に応えるために引き受ける**二次的役割**（例：夫，妻，会社員，教員，学生など），さらに人が自由に選ぶ一時的な役割で，一次的，二次的役割に対する期待にそって選択される**三次的役割**（例：地域のサッカークラブメンバー，PTA会長など）があるとされている[1]．

B. 慢性疾患および治療が及ぼす役割の変化

1 ● 家庭における役割の変化

フリードマン（Friedman MM）によれば家族の機能には情緒機能，社会化と地位付与機能，ヘルスケア機能，生殖機能，経済的機能があり，それらの機能を果たすための家族成員は個々に家庭内でその役割を果たしている[2]．慢性疾患の発症やそれによる機能障害は患者およびその家族の役割の変更を余儀なくさせる．たとえば成人女性が脳卒中のために麻痺が残れば，それまで担っていた家事や子育てができなくなったり，成人男性が慢性腎臓病となり，血液透析治療が開始されることにより，仕事を辞め，転職し，これまでの収入が維持できなくなることもある．そのような場合は，他の家族成員にその役割を委譲したり，それまで他の成員が行っていた役割を担わなければならない．しかしこのような役割の変更がスムーズに行えないこともある．また，慢性疾患患者は病状や症状が安定している場合は，自分の体調管理よりも家事などの役割を優先してしまい，病気にかかわるセルフケア行動に支障を及ぼすこともある．慢性疾患による家庭内での役割の委譲や変更により，患者は自尊心が低下したり，ストレス状態に陥ることもある．また，役割の委譲

が十分行えず，セルフケアに支障が生じ，病状の悪化や再発につながることもある．したがって，慢性疾患患者が家庭内の役割の委譲や変更を適切に行えるような看護支援が求められている．

2 ● 社会生活における役割の変化

慢性疾患患者は不可逆的な機能障害をもつとともに，長期にわたる治療を継続しなければならない．パーソンズ（Parsons T）によれば，人は病気になることにより，①通常の社会的役割の諸責任が免除されること，②病気という状態に対しては責任をとらなくてもよいこと，③病者は自ら回復するように努力しなければならないこと，④医師など技術的に能力のある援助者を求め，その援助者に協力しなければならないこと，という4つの**病者役割**が付与されると述べている[3,4]．しかし，慢性疾患の経過において，治療や療養生活が中心となる急性増悪期，再燃期とは異なり，通常の生活に戻る安定・維持期，寛解期などにおいては，社会的役割がすべて免除されるわけではない．慢性疾患患者は病気を悪化させないよう病気の管理にかかわる新たな役割を獲得するとともに，病気や障害の経過に応じて，これまでの家族内や社会での役割を委譲，変更するための人間関係の調整や具体的活動が求められる．

ロイによる一次的役割から二次的役割，三次的役割について40歳の既婚女性Aさんの場合を考えてみる（**図Ⅱ-3-1**）．Aさんは，エリクソン（Erikson EH）の発達課題では「生殖性 対 停滞」という時期であり，創造的な仕事と次世代の指導を通して社会に貢献するという一次的役割をもつ．そして妻，母親，教師という二次的役割があり，社宅の管理委員や子どもの学校のPTA役員，教師としてキャリアアップするために大学院に通う学生などの三次的役割を担っている．このように活動的，積極的なAさんであったが，脳

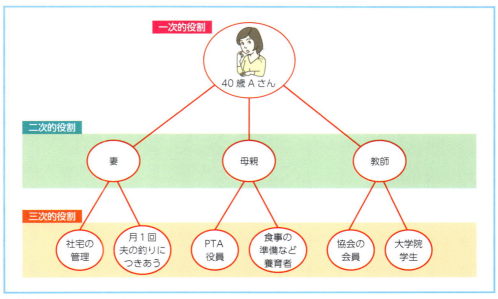

図Ⅱ-3-1 Aさんの役割

梗塞を発症して，言語機能障害，片麻痺が生じた場合，妻としての社宅の管理委員や夫の趣味である釣りのパートナーとしての役割，養育者としての子どもの学校のPTAや家事を担う役割，キャリアアップのための大学院での学生という役割を一時中断するか，回復や障害の状況に合わせて役割を変更しなければならないこともある．看護師はスムーズな**役割の移行**をはかることができるようにAさんの気持ちを支え，また，職場や地域，家庭内での**役割の変更**についての具体的方法を話し合うとともに，その実現のためにリハビリテーションチームと協働しながら言語機能や身体機能，生活機能の向上，獲得に向けての支援を行う．

C. 慢性疾患および治療とセクシュアリティ

人間は性的存在（sexual being）であり，人間の性は生物学的側面（sex）だけでなく，自分自身のことを男性，女性と認知することや性役割など心理・社会・文化的側面（gender）からもとらえられ，性行動のみをさすのではなく，人間同士の絆や愛情の表現も含み，**セクシュアリティ（sexuality）**としてとらえられている[5]．慢性疾患による痛みや倦怠感などの症状や機能障害，薬物療法などは，患者の性欲の低下，勃起機能障害（erectile dysfunction：ED），性交痛などの性機能障害を引き起こすことがある（**表Ⅱ-3-1**）．糖尿病患者のEDの有病率は52.5％，年齢や血糖コントロール状況，喫煙などのライフスタイルにより35〜80％と幅があり，女性糖尿病患者も調査により差があるが，糖尿病ではない女性より性機能障害の頻度は高いという報告もある[6,7]．

また，患者は「心筋梗塞になってしまったから，もう性生活はむずかしい…」「糖尿病だからもう性機能はだめになった」など疾患に対する誤った認識や「性行為の最中に発作

表Ⅱ-3-1　慢性疾患とセクシュアリティへの影響の例

影響要因	疾患	影響例
疾患 症状 薬物療法	循環器疾患 （高血圧， 脳血管疾患， 心疾患など）	・末梢血管の動脈硬化性変化に伴う陰茎海綿体への血流の減少によるED ・降圧薬（α遮断薬・β遮断薬，α₂受容体刺激薬，カルシウム拮抗薬，レセルピンによるED） ・強心薬・抗不整脈薬（ジゴキシン，ジソピラミド）によるED ・脳梗塞による麻痺に伴う生活動作の問題
	糖尿病	・自律神経系，末梢血管系，時に心因によるED ・性欲の減退，腟潤滑液の分泌低下による性交痛
	慢性腎不全	・性腺機能不全，高プロラクチン症，上皮小体機能亢進症，貧血，亜鉛欠乏によるED ・低テストステロン，高プロラクチン血症による性欲の減退 ・降圧薬に伴うED ・うつ状態による性欲低下など ・疲労感による性欲低下
	関節リウマチ 呼吸器疾患	・関節痛などによる痛み ・呼吸障害による活動制限
誤った 認識	虚血性心疾患 糖尿病	・「心筋梗塞になったらもう性生活は行えない」などの誤解や不安 ・「糖尿病患者は必ずEDになる」という誤解

が起こってしまったらどうしよう」などの不安から，性行動の再開が困難な場合もある．その結果，性的健康が保持できなくなることもあり，個人の自尊心の低下が生じたり，パートナーへの愛情表現や人間関係などに影響を与え，それが療養行動へも影響する．そのため，看護師として患者の性的健康が維持できるように教育的，カウンセリング的なかかわりが求められる．

慢性疾患が患者のセクシュアリティに影響を及ぼす事例を以下に示す．

> **事例②　糖尿病はパートナーとの絆へも影響する**
>
> 　Bさんは40歳代後半の男性で，仕事は会社員である．書道家である妻と2人暮らしである．子どもは大学生で別に生活している．2型糖尿病と診断され経口糖尿病薬で治療しているが，HbA1cは8.0 mg/dLであり，インスリン導入を検討することを主治医から話されている．Bさんはストレスを感じると食べて発散するタイプで，旅行先での食べ歩きも趣味である．
>
> 　「妻は食事を作ってくれる時もあるけど，自分の病気なんだから自分のことは自分でやるようにいうんです．食事は1人で食べてます．誰かそばにいて話を聞いてほしいから一緒に食べたいけど，妻は書道教室もあるから忙しいし．同じ糖尿病だった両親からも性機能障害のことは聞いてました．私には，負い目もあるしね…．これ以上いろいろいったら関係が壊れてしまうからいえなくて，ストレスがたまって間食もしちゃうんです．こんな気持ちはだれにもいえないしね．妻には糖尿病のことも一緒に考えてほしいんだけどね…．」
>
> 　看護師は性機能障害については一度，専門医の診察を受け，必要な治療や対処法についての指導を受けること，その後に妻と今後の療養法について改めて話し合ってみるように助言した．必要時，カウンセリングが受けられることも情報提供した．

学習課題

1. 慢性疾患患者のセクシュアリティに影響する要因について整理してみよう

引用文献

1）小田正枝（編）：ロイ適応看護理論の理解と実践，第2版，p.105-126，医学書院，2016

2) Friedman MM：Family Nursing, Theory and Practice, 3rd ed, pp.75-77, Appleton & Lange, 1992
3) パーソンズ・タルコット：社会体系論（佐藤　勉訳），青木書店，1974
4) パーソンズ・タルコット：社会構造とパーソナリティ（武田良三監訳），p.341-384，新泉社，1973
5) 旗持知恵子：セクシュアリティ．看護学大辞典，第2版（見藤隆子，小玉香津子，菱沼典子編），p.565，2011
6) Kouidrat Y, et al：High prevalence of erectile dysfunction in diabetes：a systematic review and meta-analysis of 145 studies, Diabete med **34**(9)：1185-1192, 2017
7) Antonio EP, et al：Female sexual dysfunction and diabetes：a systematic review and meta-analysis, J Sex Med **10**(4)：1044-1051, 2013

4 慢性疾患を有する人を支える家族の特徴

この節で学ぶこと
1. 慢性疾患を有する患者の家族をとりまく問題とその看護の概要を理解する

A. 患者と家族をとりまく問題

1 ● 家族の概念と機能

　家族とは絆を共有し，情緒的親密さによって互いに結びついた，家族であると自覚している2人以上の成員をいう[1]．家族成員同士は家族内の社会的役割に従って相互作用をもち，コミュニケーションをとっており，社会の文化，家族固有の共通の文化を共有しているとされている[2]．また家族は各成員から構成され，機能し，発達する1つの単位（ユニット）システムとしてもとらえられる．家族の機能は5つに分けられ（表Ⅱ-4-1），さらに家族単位での発達課題があるとされている（表Ⅱ-4-2）．しかし現在では，未婚率の増加・非婚化，婚姻関係の多様化（事実婚など），離婚・再婚など，多様な家族ライフスタイルの形成と変容が生じており，ライフスタイルに応じた発達課題への対応が求められている．家族成員が慢性疾患を発症することは，家族の発達課題の達成に影響し，家族がその機能を維持していくためには，家族として対処しなければならない．

2 ● 慢性疾患を有する患者と家族の課題・問題

　慢性疾患患者は慢性的な機能障害を生じるため，障害や治療によりライフスタイルなどの変容が求められ，仕事を変えなければならない状況が生じる場合がある．また，治療費による経済的負担などから，家族の経済機能が影響を受ける場合もある．家族は患者の療

表Ⅱ-4-1　家族の機能

家族の機能	内容
情緒機能	家族成員の情緒的ニーズを満たす機能
生殖機能	次世代を産み育て，社会を継続させていく機能
社会化と地位付与機能	子どもの社会化を担う機能．文化的価値なども教育する機能
ヘルスケア機能	健康に生活できるような生活習慣を確立，維持させていく機能
経済的機能	経済活動に参画し，収入等を得て，家族内に配分する機能

[Friedman MM：Family Nursing, Theory and Practice, 3rd ed, pp.75-77, Appleton & Lange, 1992より引用]

表Ⅱ-4-2　核家族の発達段階と基本的発達課題

発達段階	基本的発達課題
①新婚期 （結婚から第1子誕生まで）	・双方の出生家族から自立し，新しい生活様式を築き上げる ・出生家族とのかかわりを維持しつつ，夫婦としての絆を深める ・双方の親族や近隣との新たな社会関係を築く
②養育期 （乳幼児をもつ時期）	・育児という新たな役割を獲得し，乳幼児を健全に保育する ・夫婦という二者関係から，子どもを含んだ三者関係への変化を受け入れ，新しい生活のあり方を再構築する ・家事・育児の分担に関する夫婦のルールを築く ・必要に応じて保育サービスなどの社会資源を活用する ・祖父母と孫との関係を調整する
③教育期（前期） （学童期の子どもをもつ時期）	・子どもに大切な家族の一員であるという感覚を与え続けながら，子どもの社会性の発達を促す ・子どもが自分の手元から離れる不安や心配を乗り越え，学校生活や友人関係で子どもが直面する問題の解決に適切な手助けをする ・学校などの地域社会とのつながりを強化する
④教育期（後期） （10代の子どもをもつ時期）	・子どもの自由や責任を認め，開放的なコミュニケーションに努め，子どもと親との間に緩やかな絆を形成する ・子どもを見捨てることなく，子どもからの拒絶を受け入れることを学ぶ ・次第に焦点を子どもから配偶者に移し，夫婦を基盤にした将来の家族の発達段階の基礎を築きはじめる ・両親は，生活習慣病の予防に努める
⑤分離期 （子どもを巣立ちさせる時期）	・親離れ，子離れに伴う喪失感を克服し，親子が並行してこれらの課題を達成する ・子どもが巣立った後の老後に向けて，生活設計を具体的に検討する ・更年期障害や生活習慣病のコントロールに努める
⑥充実期 （夫婦二人暮らしの時期）	・夫婦が新たに出会い直し，夫婦の関係性を強化する ・加齢に伴うさまざまな変化を受け入れ，無理のない新しいスタイルを構築する ・地域活動に参加し，これまでの豊かな生活経験を社会的に生かす ・子どもの配偶者やその親族などと新たな関係を構築する ・老親の介護問題に夫婦で取り組む
⑦完結期 （配偶者を失った後の時期）	・配偶者を失った喪失の現実との折り合いをつける ・一人で暮らす生活や新たに同居しはじめた子どもたちの生活に適応する ・他者からの支援を受けるという新たな体験を通じて，社会を維持・拡大させる

［渡辺裕子（監）：家族看護学を基盤とした在宅看護論Ⅰ概論編，第4版, p.105, 日本看護協会出版会, 2021 より引用］

養への支援者としての役割を求められ，さらに療養法や療養場所の意思決定にかかわり，家族は，大きなジレンマをかかえることもある．糖尿病や脳血管疾患，心疾患などの主な慢性疾患の家族への影響と家族に生じやすい問題を表Ⅱ-4-3に示す．家族はこれらのケアや介護による負担（役割荷重・役割葛藤），パートナーとの関係性や不適切なコミュニケーションパターン，経済的問題，悲嘆・危機状態などの問題に対処し，家族機能を維持していかなければならない．

　一方，このような問題に対処しなければならない家族の状況は，少子高齢化の影響を受け，大きく変化している．2019年の国民生活基礎調査の結果では，全世帯数のうち，単独世帯が28.8％，夫婦のみの世帯が24.4％で約半数を占める[3]．また，65歳以上の高齢者は19.6％が単独世帯，夫婦のみの世帯が40.4％，配偶者のいない子と同居している割合は

表Ⅱ-4-3 慢性疾患が家族に与える影響と問題

家族に与える影響	問題	影響を受ける家族機能
・家族が患者とともにまたは患者に代わって症状管理を行う ・薬物管理，食事療法などを支援する ・症状により日常生活の自立度が低下した場合には介護が必要となる ・機能障害やライフスタイルの変容が引き起こす患者のストレス状態への支援が求められる ・療養の場所や治療法の意思決定を患者とともに行う ・家族内の役割の変化や障害（家事・育児役割の変更等） ・患者の治療や心身の状況により，患者に代わって地域での社会活動などに参画しなければならない場合もある	ケアや介護による負担 （役割荷重*・役割葛藤*） ⇒身体的負担（疲労） 　精神的負担（不安・抑うつ） 　家族関係の変化 　患者や家族の健康的な生活にかかわるセルフケア不足	社会化と地位付与機能 ヘルスケア機能 情緒機能
・病気や治療による身体的影響により性生活やコミュニケーションなどが影響を受ける	パートナーとの関係性への影響 不適切なコミュニケーションパターン	生殖機能 情緒機能
・長期にわたる治療費や，患者が仕事を失う，変わる場合もあり，家族が働くことが必要になる場合もある	経済的問題	経済的機能
・患者の生命の危機が生じる場合にも適応していくことが求められる	悲嘆・危機状態	情緒機能

*役割荷重：複数の役割を担う場合に身体的にも精神的にも時間的にも負担が大きい状態．
*役割葛藤：複数の役割を遂行しなければならない場合に生じる選択に迷う状態．
[旗持知恵子：生活習慣病患者の家族看護．改訂版 家族看護学（櫻井しのぶ編），p.201，ピラールプレス，2017より許諾を得て改変し転載]

26.0％であり，家族成員が慢性疾患を発症した場合の家族の対処機能は必ずしも高いとはいえず，脆弱化していることが大きな問題となっている．

B. 家族に必要なケア

　慢性疾患患者の家族への支援では，家族としての発達課題を達成，健康的なライフスタイルを維持して，健康問題への対応能力を育成することが目的となる．家族を患者の支援者としての個人ととらえる視点だけではなく，家族全体を機能させる1つの単位としてとらえ，支援する必要がある．したがって家族支援に関する看護者の役割として，①家族成員個々に働きかける役割，②家族成員間の相互作用・コミュニケーションを促進させる役割，③家族単位の社会性に働きかける役割などが重要となる[4]．必要な支援を以下に述べる．

1 ● 家族のアセスメントと問題を明確化する

　慢性疾患患者の病気と障害による影響を考慮しながら家族のアセスメントを行い（表Ⅱ-4-4），患者や家族の健康的な生活や療養生活にかかわるセルフケア不足，不適切なコミュニケーションパターンや家族の**役割荷重**や**役割葛藤**などの問題を明確化する必要がある．

表Ⅱ-4-4 慢性疾患患者の家族のアセスメント

1. 家族システムのアセスメント	1) 家族の基礎情報 　家族構成，家族の住所，家族の職業など 2) 家族の文化的背景 　家族の住んでいる地域の健康や障害に対する考え方など 3) 家族の発達段階 　現在の家族の主な機能や家族メンバーの健康状態に関するできごとや経験（死，喪失等） 4) 家族関係，コミュニケーションパターン 　家族のニードや感情をお互いに表現している程度，家族メンバー間の関係 5) 家族メンバーの役割 　家族内で誰が，どのような役割を果たしているか 　健康に関してリーダーシップをとっているのは誰か，意思決定者はだれか 6) 家族の対処パターン 　家族内で問題が生じた時，どのように反応し，対処してきたか
2. 患者と家族メンバーのアセスメント	1) 身体的側面 　既往歴，現病歴，障害の程度 2) ライフスタイルの内容 　食事，睡眠・休息，飲酒・喫煙習慣，健康習慣（ヘルスケアサービスの利用状況，服薬習慣等），健康観 3) 精神的側面 　ストレスや苦悩の程度，内容 4) 社会的側面 　現在の社会での役割遂行状況
3. 家族のセルフケア能力のアセスメント	1) 必要とされているセルフケアに関する知識や技術 　病態に関する知識，生活管理に関する知識があるか 　セルフケアの遂行に関連した知識，操作技能，コミュニケーション技能があるか 2) 病気の受け入れの程度 3) セルフケアへの動機づけと実施するエネルギーの程度 4) 現実に即して必要な療養法を選択し，セルフケアを実践する判断力，柔軟性の程度 5) ソーシャルサポートの活用 　サポートしてくれる社会資源に関する知識があるか，個人や家族が援助を求められる人がいるか

[旗持知恵子：生活習慣病患者の家族看護．改訂版 家族看護学（櫻井しのぶ編），p.202-203，ピラールプレス，2017より許諾を得て改変し転載]

2●家族成員全体の健康問題，健康の保持・増進への対処方法の獲得を支援する

　慢性疾患患者の家族はその療養生活の支援者として心身への負担を生じる場合も多く，食事・運動療法などに協力することにより，時には食の自由を奪われたような拘束感も抱きやすい．しかし，家族成員の慢性疾患の発症は，これまでの家族のライフスタイル等を見直す機会にもなり，家族の健康増進につながる機会ととらえることもできる．看護師は家族成員個々の健康レベルの維持・向上，家族全体として健康的なライフスタイルの維持・改善に向けて教育的支援を行う必要がある．

3●病気の管理に関するケア提供者として支援する

　家族が患者の療養にかかわる薬物療法や食事・運動療法などのセルフケアを支えるケア提供者として機能できるように支援する．そのためには家族が患者の病状や障害を理解で

きるように説明したり，具体的なケア方法などの技術の学習を支援することが必要である．また家族の不安な気持ちを受けとめ，苦労を理解し，家族が患者のために行っているケアを認め，評価することで，家族の情緒の安定をはかり，ケアへの意欲を維持できるように支援することも重要となる．

4 ● 家族内の円滑なコミュニケーションを促進する

家族内に慢性疾患による健康問題が生じると療養法や療養場所などさまざまな意思決定が必要になり，家族内の円滑なコミュニケーションが必要となる．しかしながら，家族によっては，十分に自分の意思や感情を伝え合うことができていない場合もある．看護者は，患者，家族それぞれに自己表現するための場を設定したり，患者の代弁者となり，家族間の相互理解がはかれるようなコミュニケーションを促進する調整的な役割を担うことが求められる．

また，家族内の健康問題は家族に危機的な状況をもたらすこともあるが，一方では，新たな価値の発見や絆を確認できる機会ともなる．そのような肯定的側面に気づかない場合もあるため，看護者は家族が家族成員の健康問題がきっかけで生じた肯定的側面にも気づくことができるような支援も重要となる．

5 ● 社会資源を活用できるように調整する

慢性疾患は不可逆的な機能障害を生じ，長期的な療養や介護が必要になることも多い．看護師はそのような状況でも家族成員の生きがいを尊重しながら，家族が発達課題を達成できるよう，また患者へのケアなどに対処できるように支援する必要がある．具体的には，家族の休養を考慮したショートステイ（**レスパイトケア**），デイサービス，患者会や家族などのセルフヘルプグループ，患者教育プログラム，医療・福祉サービスの利用などについての情報提供や，それにかかわる医療者および福祉担当者との調整が必要な場合もある．

学習課題

1. 糖尿病患者の家族に生じる問題について考えてみよう
2. 脳血管疾患患者の家族に対する支援について整理してみよう

練習問題

Q1 慢性疾患患者の特徴として正しいのはどれか．2つ選べ．
1. 加齢に伴い耐糖能や膵臓におけるインスリン分泌能力が低下し，さらに肥満が加わると末梢組織のインスリン抵抗性が低下する．
2. エリクソンの発達理論では青年期の発達課題は「親密 対 孤立」であり，慢性疾患がパートナーとの親密な関係に影響する場合がある．

3. 障害が突然に発生し，宣告されると，人は大きな衝撃を受け，混乱状態となるが，時間の経過とともに新たな希望を見出すと障害との和合（自分の障害と一緒に生きること）への心理が働き前向きな努力が行われる．
4. 慢性疾患患者は特有の症状を伴い，病気の経過は個人差が少なく，疾患により特徴があるため，疾患を十分に理解し，支援することが重要である．
5. 難病患者は病状の進行により何度も喪失を体験する．

Q2 以下の記述のうち，病者役割行動について，正しいのはどれか．2つ選べ．
1. 病者はありのままの自分を肯定的に受け止め，通常の生活を送るように行動する必要がある．
2. 病者は自らの回復に努める必要がある．
3. 病者は自己効力感をもち，通常の仕事の諸責任が免除される．
4. 病者は病気という状態に対して責任をとらなくてもよい．
5. 病者は医師や他の専門家に援助を求めることなく，自立して療養に努めなければならない．

Q3 別居している高齢の慢性疾患の親を介護する場合の介護力，サポート力がもっとも高い家族はどれか．
1. 結婚から第1子誕生までの夫婦
2. 10歳代の子どもをもつ再婚家族
3. 学童期の子どもをもつ夫婦
4. 子どもが自立した後の50歳代の夫婦

［解答と解説 ▶ p.523］

引用文献
1) 鈴木和子，渡辺裕子：家族看護学　理論と実践，第5版，p.29，日本看護協会出版会，2019
2) Friedman MM：Family Nursing, Theory and Practice, pp.8-9, Appleton & Lange, 1992
3) 厚生労働省政策統括官（統計・情報政策担当）：令和3年　国民生活調査（令和元年）の結果から　グラフで見る世帯の状況，p.6, 8，〔https://www.mhlw.go.jp/toukei/list/dl/20-21-h29.pdf〕（最終確認：2023年1月10日）
4) 前掲1），p.137-153

第Ⅲ章

慢性疾患を有する人とその家族への援助・支援の基本

学習目標

1. 慢性疾患を有する人と家族のセルフマネジメントを支援するための基盤となる治療・療養行動にかかわる理論・概念について理解する
2. 慢性疾患を有する人と家族のセルフマネジメント能力を高める方法について理解する
3. 慢性疾患を有する人と家族のセルフマネジメントを促進する教育的支援・技術の基本的な考え方と方法について理解する
4. 慢性疾患を有する人と家族の健康を維持・増進するために必要な社会資源である医療保健福祉制度やサービスおよびその活用方法について理解する

1 治療・療養行動にかかわる主な概念・理論

この節で学ぶこと

1. オレムの述べるセルフケアの定義について述べることができる
2. セルフケア理論における主要概念について理解し，説明できる
3. セルフマネジメントの概要および構成要素について説明できる
4. バンデューラが述べる人間の行動の決定要因としての自己効力感の概念と自己効力感を高める4つの主要な情報源について述べることができる
5. 健康信念モデルの概要とそれを活用した患者への支援について説明できる
6. 健康行動の実行に向けて行動変容する過程における変容ステージ，および変容ステージに応じた変容プロセスについて説明できる
7. アドヒアランスについて説明できる
8. 患者の病みの軌跡を理解することの必要性が説明できる．

はじめに

　日本では，生活習慣病に代表される慢性疾患を有する人々が急増しており，慢性疾患は深刻な健康課題となっている．治癒がむずかしい慢性疾患に罹患すると，患者と医療者は長期にわたり病気をコントロールしながら，合併症を予防し，病気の進行を遅らせなければならない．そのため，患者は，医療者から養生法や治療法の継続を求められ，適切な生活習慣の変更すなわち行動変容や，治療法を遵守することを迫られる．しかし，人間にとって，健康行動を変えたり，治療法を守って維持することは，容易でなく，成功したり，失敗に終わったりすることがある．このような患者の健康行動を理解したうえで支援するために，健康行動に関係する**健康信念**，**自己効力感**，**アドヒアランス**の概念や，健康行動を促進する方法として**セルフケア**，**セルフマネジメント**の概念，トランスセオレティカルモデルや病みの軌跡モデルなど健康行動や療養行動にかかわるモデルを学ぶことは重要である．とくに，慢性疾患を有する患者の援助法として，セルフケアとセルフマネジメントは主要な概念であるが，これらの用語はほぼ重なる概念としてとらえられている[1]．そこで，それぞれの概念について学ぶ前に，セルフケアとセルフマネジメントの用語の違いについて解説する．

　成人は，日々の生活のなかで職場や家庭におけるさまざまな役割を担いつつ，日常で生じる健康課題に自分で考え対処している．たとえば，バランスのよい食事をしたり，運動に取り組んだり，十分な睡眠時間を確保するなど健康維持や病気を予防するための活動をしている．また，病気になった場合は治癒・回復を目指して，休養をとったり，食生活を

改善したり，薬を飲んだりして，病気の管理に必要な活動を実践するなどさまざまな取り組みをしている．このように専門家の支援なしに自らの健康を守るための活動は，「セルフケア」とよばれている．そして，「セルフケアは，個人によって学習され，意識的に行われる身体的，精神的，社会的，霊的な活動を含む」[2]といわれており，自ら学習されることによって得られる人間のすべての側面を含んだ活動という広範囲の概念である．一方，慢性疾患と診断された場合，患者は医療者から推奨された養生法や治療法を日常生活のなかに組み入れて，自分で病気を管理することが求められる．このように自分自身による病気の管理は，「セルフマネジメント」とよばれている．「セルフマネジメントは，健康問題をかかえている個人が，医療専門家と協働して計画された活動を意図的に実行するプロセスである」[3]とされており，患者が医療専門家の支援を得ながら，健康問題を解決するプロセスといえる．このように，セルフケアとセルフマネジメントの用語は類似した概念ではあるが，セルフケアのほうがより広い概念であり，セルフケアのなかにセルフマネジメントの概念が含まれると考える．

　本節では，慢性疾患を有する患者が病気とともに自分らしく生活できるように援助するために，患者の療養行動を理解したり，それを支援するための代表的な理論や概念，モデルを概説する．

■引用文献■
1) 松繁卓哉：セルフケア／セルフマネジメントの支援をめぐる今日的課題．日本保健医療行動科学会雑誌 32（2）：15-19，2017
2) Matarese M, Lommi M, et al：A Systematic Review and Integration of Concept Analyses of Self-Care and Related Concepts. Journal of Nursing Scholarship 50（3）：298, 2018
3) 前掲1)，p.299

A. セルフケア

1 ● セルフケアとは

　一般的に成熟した成人は，日常的に生じる健康問題に自分で考え対処している自立した存在である．人々は，病気を予防し健康を維持すること，病気になった場合には日常生活行動とのバランスを取りながら病気の管理に必要な活動を実践すること，病気からの回復をはかることなど，さまざまな取り組みを要求されている．このような健康を守る活動は広く**セルフケア**（self-care）と表現される．セルフケアは，健康と病気のあらゆる段階における人々の主体的な活動を包含した概念であり，看護だけでなく広く保健医療のさまざまな場で用いられ，多様な意味を含んでいる．

　日常生活の場でのセルフケアは，他のさまざまな活動のなかに散りばめられていて，ほとんど意識されることはない．しかし，病気や老いによる身体の機能低下，環境の変化によりふつうの生活ができなくなると，「ふつうの生活を続けること・取り戻すこと」に多大な努力が必要となり，意図的にセルフケアを行うことが必要となる．

　米国の看護理論家であるオレム（Orem DE）[1]は，セルフケアについて「自分自身のために」「自分で行う」という二重の意味をもつとして，「個人が生命，健康，および安寧を

維持するために自分自身で開始し，遂行する諸活動の実践である」と定義した．成熟し自立して生活する成人は，自発的に自分自身のためのケアを行うことができる．しかし，乳幼児や小さな子ども，老人や病者などは，他者によるケアやセルフケアへの支援を必要としており，成人はこのようなセルフケアが十分にできない人々に対して，全面的なケアの提供あるいはセルフケアを支援する役割も担っている．セルフケアが自分自身で十分できない人々に対する援助方法としては，①他者に代わって行為する，②指導し方向づける，③身体的もしくは精神的支持（サポート）を与える，④個人の発達を促進する環境を提供・維持する，⑤教育する，の5つがあげられている．

2 ● セルフケア不足理論

「セルフケア不足看護理論」は，具体的な実践状況のなかでの看護とは何であるかについての一般理論であり，オレムとその協力者の長年の努力により開発された．この理論は，①セルフケアの概念とその構造を理解するための基礎となる「セルフケア理論」，②人々が看護を必要とする理由を示した「セルフケア不足理論」，③看護実践の構造および内容を理解するための「看護システム理論」，の3つから構成されている．

「セルフケア不足理論」は，「セルフケア不足看護理論」の中核を成すものであり，主要概念は下記のとおりである．

> **セルフケア要件**：個人がセルフケアを行うときの目的を一般化したもの．「普遍的セルフケア要件」「発達的セルフケア要件」「健康逸脱に対するセルフケア要件」の3つのタイプに分類される．
> **治療的セルフケア・デマンド**：ある期間，ある人が自分の力で，また自分のために充足すべきすべてのセルフケア要件を満たすのに必要な操作や一連の行為．
> **セルフケア・エージェンシー**：セルフケアに携わる人間の能力．成長・発達の過程で学習により獲得される複合的・後天的な能力である．

「セルフケア不足」とは，ある人が行為を行う能力（セルフケア・エージェンシー）とセルフケア・デマンドとの関係を示す抽象的な概念である．図Ⅲ-1-1に示すように，セルフケアを維持するために必要なこと（セルフケア要件）を満たすためにとるべき行為，すなわち，治療的セルフケア・デマンドにより特定化された行為を遂行するうえで，その要求とその人のセルフケア・エージェンシーのバランスが不適切なとき，「セルフケア不足」の状態となる．たとえば，脳梗塞による右半身麻痺のため歩行や力を使う仕事が不自由となった1人暮しの70歳代女性の場合を考えてみよう．自力での外出は困難でも，宅配サービスやインターネットを利用して買い物をする，友人や隣町に住む家族に依頼して週1〜2回できないことを助けてもらうなど，他者の支援を受けて必要な行為を実行することができればセルフケア不足は生じない．一方，認知症が進行した高齢者の場合には，用意されたものを食べるという行為はできるとしても，食べたことを忘れてしまうなど適切な食事の準備や食行為にかかわる判断ができないのであれば，セルフケア不足の状態であり，方向づけや環境調整などの支援が必要となる．

セルフケアは，学習された行動であり意図的に行われることを特徴とするものであるが，

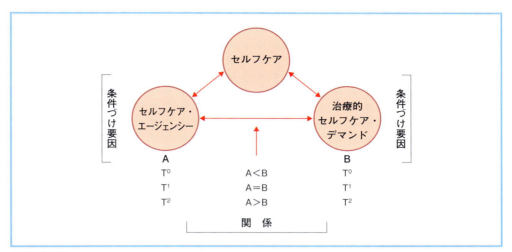

図Ⅲ-1-1 治療的セルフケア・デマンドにかかわるセルフケアの適切性の評価は，時の経過とともに変化する

[オレム DE：オレム看護論，第4版（小野寺杜紀訳），p.237，医学書院，2005 より引用]

　日常生活においてはあらゆる活動のなかに紛れこんで，習慣的・無意識的に実践されている．成熟し自立して生活する成人は，家族のなかでセルフケアの十分できない子どもや高齢者など依存状態にある人々に対するケア役割をもっているため，仕事や家族の世話などの社会的役割の遂行が優先されがちであり，自分自身のセルフケアについて意識することは少ない．

　糖尿病，腎臓病など自覚症状がほとんどない慢性疾患患者の場合には，社会的役割を果たしながらふつうの社会生活を送ることを余儀なくされており，病気の管理よりも仕事や家庭内の問題が優先されて定期受診や治療を中断し，病状を悪化させることがある．また，生活をともにする家族の影響は大きく，家族や友人・知人との交流がなく他者からの支援や協力が得られにくい1人暮らしの人は生活が乱れがちとなり，適切なセルフケアができない傾向にある．

　日々のセルフケアは，さまざまな慢性疾患の発症を予防し悪化を食い止めるための重要な要素である．セルフケア不足は，必要とされる行為とセルフケア能力とのバランスにより生じるので，セルフケア不足が考えられる場合には，各個人の状況やセルフケア能力に応じた適切な支援を行う必要がある．

3● セルフケア不足理論の看護への活用

　家族の協力や職場の理解を得て十分なセルフケアができていた状況から，妻の死により家族の協力・支援を失って急速に生活が乱れ，セルフケア不足に陥った壮年期男性の事例から，セルフケア不足理論を活用した看護支援について考えてみたい．

> **事例❸　家族の支えを失いセルフケア不足に陥った壮年期の男性**
>
> 　Bさんは62歳の男性で，2年前に定年となったが，嘱託として週4日同じ会社で働いている．8年ほど前に糖尿病と診断され，妻の協力もあって食事療法，運動療法，薬物療法（経口血糖降下薬）によりHbA1c 6.5％前後の良好なコントロールを維持していた．しかし，半年前に妻を亡くして何も手につかなくなり，飲酒量が増え食事も食べたり食べなかったりと適当になって，血糖コントロールが乱れ入院となった．
>
> 　入院後，Bさんは病棟で行われていた糖尿病教室に参加して，同病の患者や看護師と話をするうちに，「1人では何もする気が起きない．長生きしてもしかたないしどうなってもいい」という状態から少しずつ上向きな気持ちへと変化していった．

事例の解説

　担当した看護師は，入院までの経過を聴いて，Bさんは，セルフケア能力が高く糖尿病の自己管理が十分できていた人であるが，生活全般を支えていた妻の死により何事にも意欲を失って，セルフケアに取り組むことができなくなったと判断した．

　Bさんの治療的セルフケア・デマンドは，糖尿病の食事療法・運動療法・薬物療法の実施にかかわるすべてのセルフケア要件を充足するために必要な一連のすべての行為である．かつては妻のサポートにより必要な行為の一部が補われていたため，セルフケア不足はなく，適切なセルフケアが実施されていた．しかし，妻の死によって必要な支援が受けられなくなり，日常生活全般，とくに家族の関与が大きかった食事の準備や適切な食行動が困難となって，セルフケア不足に陥ったと考えられた．

　Bさんへの働きかけとしては，これまで実行していたセルフケアを取り戻すために，コントロールが乱れてからの状況を振り返り，自分自身で問題点に気づき目標や具体的な対策を考えるよう促した．糖尿病教室では，他の患者とともに退院後の目標設定を行い，①早起きして早朝のラジオ体操に参加する，②3食きちんと食べる，③休みの日は1時間以上ウォーキングをする，という3つを考えた．見舞いに訪れた娘夫婦も父の身体を心配して毎週訪問することを約束してくれた．

　担当看護師は，外来看護師に看護支援の継続を依頼し，退院時には「とにかく続けることが大事ですから，毎日全部やろうとがんばりすぎないでできる範囲で続けてください．何か楽しみを見つけられるといいですね．Bさんのことは外来の看護師に伝えておきますので，何かあったら相談してください」と励ました．退院したBさんは，早速，近くの神社で行われているラジオ体操に参加し，近隣の人々と挨拶を交わすようになった．また，カレンダーに目標の達成度や歩数を書き込み日々の励みとしてがんばっている．

引用文献
1) オレム DE：オレム看護論，第4版（小野寺杜紀訳），p.40-65，医学書院，2005

B. セルフマネジメント

　慢性疾患患者は長期にわたり病気をコントロールするために医療者から推奨された養生

法や治療法を日常生活のなかに組み入れて，病気や生活を自分で管理すること，すなわちセルフマネジメントが求められる．

1 ● セルフマネジメントとは

　慢性疾患における**セルフマネジメント**（self-management）は，クレア（Creer T）が慢性疾患をもつ子どものリハビリテーションにおいて最初に使用した用語である．クレアが提唱したセルフマネジメントの概念は，自己効力理論を基盤にしており，患者は自分自身のケアに積極的に参画すべきであるというものであった[1]．そして，コービン（Corbin J）とストラウス（Strauss AL）は，この概念を発展させ，医療者が推奨することを遵守する病気のマネジメント，ライフスタイルの修正における役割マネジメント，感情のマネジメントの3つの課題を位置づけた[2]．ローリッグ（Lorig KR）ら[3]は，コービンとストラウスが提唱した概念をさらに発展させ，慢性疾患を有する患者は，「病気の医学的側面のマネジメント，病気に伴う役割変更を含む生活における役割のマネジメント，慢性疾患の心理的な影響のマネジメントの3つの課題に対処することが求められ，これらの課題に対処するために，問題解決，意思決定，資源の利用，医療者とのパートナーシップの形成，自己効力感を高め行動を起こすためのスキルが必要である」としている．また，ラブキン（Lubkin IM）とラーセン（Larsen PD）[4]は，セルフマネジメントを「予防的および治療的なヘルスケア活動で，しばしば保健医療職者と協同して行われ，新しい技術と行動を含み，新しい行動を始めるためには**セルフモニタリング**，自己評価，自己強化が必要である」としている．さらに，ノフ（Knobf MT）[5]は，「セルフマネジメントは，患者が医療者や家族と協同して，慢性的な健康状態を自分自身でモニタリングやマネジメントする動的なプロセスである」と定義している．

　これらのセルフマネジメントの定義をふまえ，慢性疾患を有する患者におけるセルフマネジメントは，「患者が医療者と協同し，慢性疾患により生じる課題に問題解決アプローチを用いて対処し，自己効力感を高めながら主体的に取り組むプロセスである」といえる．

2 ● セルフマネジメントの構成要素

　いくつかのセルフマネジメントの定義に基づくと，慢性疾患を有する患者のセルフマネジメントに共通する構成要素は，「**慢性疾患により生じる課題**」「**患者と医療者との協同関係の形成**」「**問題解決アプローチ**」「**自己効力感**」と考えられる．

a. 慢性疾患により生じる課題

　ローリッグら[6]は，慢性疾患を有する患者には「病気のマネジメント」「生活における役割のマネジメント」「感情のマネジメント」の3つの課題があるとしている．

　「病気のマネジメント」においては，なんらかの慢性疾患になると食事療法や運動療法，薬物療法，酸素療法等の治療が必要になり病気や治療に関する知識を学ぶこと，また，脈拍測定や血糖測定などのセルフモニタリング，不快症状に対処するといった症状マネジメント，機器の操作などの技術を習得することが課題となる．

　「生活における役割のマネジメント」においては，病気になっても日々の生活を維持し，人生を楽しむために，病気によって妨げられる家庭や職場，地域における役割の調整が必

要となる．そのため，患者は家族や友人，職場の同僚と役割を調整するために必要なコミュニケーションスキルを学ぶことが課題となる．

「感情のマネジメント」においては，慢性疾患と診断され治療を受けることに伴ってさまざまな否定的感情が生じるため，感情の変化に対処することを学ぶことが求められる．「なぜ自分が病気になったのか」と怒りを覚えたり，「将来，計画していたことができない」と失望したり，「自分のことを誰も理解してくれない」と孤独感を抱いたり，「毎日，決まった時間に薬をのむのが面倒だ」と感じたり，さまざまな否定的な感情が生じる．

b. 患者と医療者との協同関係の形成

これまでは，患者は医療者の指示に従うという上下関係で医療が進められてきた．しかし，行動変容をするのは患者自身であり，症状を体験しているのも患者自身であることから，患者が自ら治療に参画して，病気をマネジメントすることが求められるようになってきた．そこで，患者と医療者の関係も変化してきており，患者の病気や治療への主体的取り組みが重要視されるようになった．したがって，医療者は，患者と信頼関係および協力関係を作り，患者が食事療法や運動療法を続けるといった健康行動の維持や継続ができるように支えることが基盤となる．

c. 問題解決アプローチ

慢性疾患を有する患者が直面している課題を解決するためには，問題解決アプローチが重要となる．問題解決アプローチでは，患者が自分のかかえている課題に気づき，その課題を特定して，課題解決のために活用できる方法を考え，自分でできそうな方法を選び，それらを実行することである．そして，実行した行動や方法が実際に課題解決につながったかどうかを評価する．解決にいたらない場合は，その要因をさぐり，改善点を特定して，さらに活用できる方法を考え，それを実行するというようなプロセスを経る．このようなプロセスをたどりながら，患者が自分にとってもっとも適した方法を見出せると，健康的な行動の維持や継続ができるようになる．健康的な行動を日常生活のなかに組み入れられると，楽に生活できるようになりQOLの向上につながる．この問題解決のプロセスは，患者と医療者がともに協力して行うことが鍵となる．

d. 自己効力感

自己効力感は，新しい行動を起こそうとするときの決定要因となり，ある行動を効果的に遂行できるという自信をいう．行動を起こすときや行動を維持するときに，自分はできるという自信が行動の強い動機づけとなるため，自己効力感を高めることが重要となる．この自己効力理論の詳細については，p.96を参照のこと．

3 ● セルフマネジメントを促進する援助

慢性疾患を有する患者は，長期にわたり病気をコントロールすることが求められるため，セルフマネジメントの概念を活用して援助することが重要である．患者がセルフマネジメントすることにより，治療のアドヒアランスが高まり，合併症や2次障害が予防され，QOLの向上につながる．では，セルフマネジメントを促進するためには，どのような援助が必要なのだろうか．

図Ⅲ-1-2に示したように，まず患者が医療者と協同しようと思えるように信頼関係や

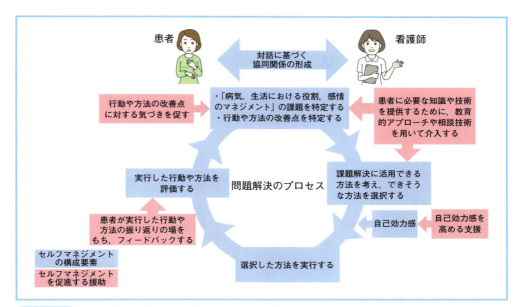

図Ⅲ-1-2　慢性疾患を有する患者のセルフマネジメントとその援助

協力関係，すなわち関係性を築くことが基盤となる．関係性を築く際に，看護師は自分と他者は考えていることや思っていること，感じていることが異なるという人と人との違いを認識することが前提となる．そして，対話に基づいて患者の病気体験を理解し，お互いの感情を共有することが大切となる．看護師は，このような関係性に基づき，患者が慢性疾患により生じる課題を認識し，自分に適した解決策を考えられるように，「病気や治療に関する知識」「セルフモニタリングや症状マネジメント，感情のマネジメント，コミュニケーションの技術」について**教育的アプローチ**や**相談技術**を用いて介入する．そして，患者が行動を起こそうとすることや，行動を維持できるように自己効力感を高める支援をする．さらに，看護師は，患者が実行したことを評価できるように患者自身の行動や方法を振り返る場をもち，うまくいった点や改善点を一緒に考えて，フィードバックすることが重要である．そして，患者が行動や方法の改善点に気づき，改善点をもとに行動できるように支える．このようなプロセスを継続できると，患者は次第に自分にとって望ましい健康行動や方法が身につき，病気とともに生きることができるようになる．

引用文献

1) Novak M, Costantini L, et al：Approaches to self-management in chronic illness. Seminars in Dialysis **26**（2）：188-194，2013
2) 前掲1），p.188-194
3) Lorig KR, Holman H：Self-management education：history, definition, outcomes, and mechanisms. Annals of Behavioral Medicine **26**（1）：1-7, 2003
4) ラブキン IM, ラーセン PD：コンプライアンス．クロニックイルネス—人と病の新たなかかわり（黒江ゆり子監訳），p.163，医学書院，2007
5) Knobf MT, Cooley ME, et al：The 2014-2018 oncology nursing society research agenda, pp.22-25〔https://www.ons.org/sites/default/files/2014-2018%20ONS%20Research%20Agenda.pdf〕（最終確認：2023年1月10日）
6) Lorig K, Hoiman H, et al：Living a Health Life with Chronic Conditions, pp.1-14, Bull publishing company, 2013

C. 自己効力感

1 ● 自己効力感とは

　臨床心理学の分野において1970年代後半，恐怖症などの問題行動を変えるアプローチとして，行動理論に基づいた行動療法の有効性が示されるようになった．その理論的基礎となっている考え方の1つに**自己効力感**（self-efficacy）がある．バンデューラ（Bandura A）[1]は，人間の社会的行動について，それまで考えられていたような外的刺激ではなく，それをどう受け止めるかという認知が大きな役割を果たしていると考え，人間の行動を包括的に説明するための理論として社会的学習理論を提唱した．自己効力感は，そのなかで規定された人間の認知的な働きを示す概念の1つであり，「ある特定の行動を効果的に遂行できるという確信」として定義される．1つひとつの行動について「いまそのことが自分にできるかどうか」という可能性を，その人がどのように予測しているかを表すものである．

2 ● 自己効力理論

　バンデューラによれば，人間の行動は，さまざまな要因が複雑に絡み合って生じており，単なる刺激への反応ではなく，刺激を解釈することが大きな役割を果たしていると考えた．行動に影響を及ぼすのは行動に先立つ予期機能であり，予期にはどのような結果を引き起こすかという**"結果予期"**と，うまくできるかどうかという**"効力予期"**の2つのタイプがある．たとえば，結果予期は毎日予習・復習をきちんとすればよい成績が取れるというような結果に関する予期であり，効力予期は予習・復習ができるかどうかということに関する予期である．わかっていてもできない，やり遂げる自信がない，という場合は，効力予期が弱く実行には移されない．この行動する前の「ここまでできる」という考え，すなわち，どの程度効力予期をもっているかの認知が自己効力感である．自己効力感が強化されることは，ある行動ができるという見通しをもつことであり，行動変容に直接つながっていく．

　自己効力理論は，心理学の領域で大きな発展を遂げ，行動変容を促す方策として心理臨床だけでなく教育場面等さまざまな分野において活用されている．看護においても，生活習慣病予防のためのセルフケア支援あるいは慢性疾患の自己管理支援などにおいて行動変容を促すことは看護援助の非常に大きな要素であり，自己効力理論が盛んに活用されるようになった．多くの保健医療施設では，慢性疾患患者の自己管理を支援する際，○○病教室などとして必要な知識・技術の教育が行われているが，知識量と実行度との関連は弱く，その行動がなぜ必要かという知識や具体的な運動の方法を指導するだけでは，行動を起こし維持することにはつながらないことが多い．たとえば，脳卒中で入院した高齢の女性は，「リハビリしてもちっともよくならない．こんな体で外に出かけたくない．お父さん（夫）や娘にやってもらうからいい」などといって機能訓練をいやがり，積極的に動こうとしない．あるいは，糖尿病教室において食事療法・運動療法などの知識・技術を学び減量するよう指導された壮年期の男性患者は，「わかってはいるが，仕事が忙しくて運動する余裕なんてないし，食べないともたないし，たぶん無理…」といって，はじめからでき

そうもないとあきらめている．このような事例の場合，さまざまな方略を組み合わせて自己効力感を高めていくことは，行動変容を促す支援として非常に有効である．

3 ● 自己効力感を高める方法

では，どのようにしたら自己効力感を高め行動を変えることができるであろうか．自己効力感を高める主要な情報源として下記の4つが挙げられている．

①遂行行動の達成（performance accomplishments）

遂行行動の達成とは，自分で実際にその行動を実行してみて「できた」という成功体験をもつことである．成功体験をもつことによって，自己効力感はもっとも高められる．たとえば，日ごろ運動する習慣のない肥満した男性が減量に取り組む場合には，具体的な方略として，身近で達成可能な目標の設定（普段の歩数よりも1,000歩増やす，1ヵ月で1kg減量する，など），体重や歩数などを記録し自分の生活を振り返ること，などが役に立つといわれている．逆に，いきなり激しいスポーツを開始したり，2週間で5kg減量というような大きな目標を立てたりすると，数日で続かなくなり挫折を体験することになる．失敗体験は自己効力感を大幅に低下させるので，目標設定は慎重に行わなければならない．

②代理的経験（vicarious experience）

代理的経験とは，他人の成功や失敗の様子を観察することにより学習することである．このような観察学習の体験も自己効力感に影響を与える．とくに，病気からの回復過程や障害を克服していく過程では，同じ病気や障害をもつ人々の行動を観察したり話を聞いたりすることにより自己効力感が高められ行動につながっていく．

③言語的説得（verbal persuasion）

言語的説得とは，ある行動について「やればできる能力がある」ということを他人からいわれたり，その人の能力を評価して「あなたならできる」と励まされたりして，言葉による影響を受けることである．たとえば，減量を目標として生活習慣の改善に取り組む場合，思うように減らない時期がくると，そこでくじけてあきらめてしまうことがある．このようなとき，専門家がいままでがんばってきたことを認め励ますという働きかけを行うと，再びがんばろうという意欲がもてるようになる．反対に，やったことが評価されなかったり無視されたりした場合には，自己効力感は低下し，やる気を失わせることとなる．

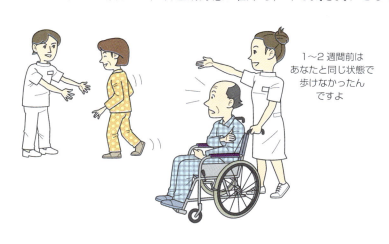

1～2週間前はあなたと同じ状態で歩けなかったんですよ

④情動的喚起（emotional arousal）

情動的喚起とは，自分の行動を判断するよりどころとなるような生理的反応や感情の変化を自覚することであり，たとえば，ウォーキングのあとの爽快感は，またやってみたいという気持ちを起こさせ，自己効力感を高める助けとなる．

4 ● 自己効力理論の看護への活用

習慣化された日々の行動を変えるには，さまざまな方略を組み合わせて自己効力感を高め，自らの力を確信することがその第一歩となる．

たとえば，看護師やリハビリスタッフに促されてしぶしぶ機能訓練室に通うことになった脳卒中の高齢女性は，自分よりも障害の重い同病者が粘り強く訓練に取り組み少しずつ回復している姿をみて（代理的経験），やればできるという気持ちをもつことができる．訓練を重ねて「室内の洗面台まで歩く」という最初の小さな目標が達成される（遂行行動の達成）と，それが成功体験となり，さらに，家族の励ましや医療者からの評価を得る（言語的説得）ことができれば自己効力感はますます強化されて行動変容へとつながっていくであろう．

次の事例は，自己効力理論を活用した生活習慣改善の試みである．

> **事例 ④** 身近な目標の設定により生活習慣を改善し減量に成功した壮年期の女性
>
> Yさん，48歳女性．夫，子ども（高校生，大学生）2人の4人家族で，パートタイムの仕事をしている．健康診断で高血圧，高血糖を指摘され生活習慣の改善について保健指導を受け，毎日の体重，血圧，歩数等を記録する用紙を渡された．若いころに比べ体重が10kg近く増加しているので，今回はしっかりやろうと決心して，普段の生活を見直して，まずは，1ヵ月1kgの減量を目標として「お菓子をやめる」「夕食のご飯の量を半分にする」という2つの具体的な目標を挙げ1ヵ月間集中的に取り組んだ．1ヵ月後には体重が1.5kg減少して，やればできるとうれしくなったが，気が緩んだのか次の月には0.5kgほど増加した．記録を振り返ったところ歩数が極端に少ない日があることに気づいたので，「毎日7,000歩以上歩く」という目標を加え，散歩が趣味という友人を誘って，季節の移り変わりを楽しみながら週末いっしょに近くの公園や神社を歩くことにした．
>
> 半年後には3kgの減量に成功して窮屈だった以前の服が着られるようになり，周囲からも「何だかすっきりしたみたい」と声をかけられて，さらに3kgの減量を目指そうと決意を新たにしている．

事例の解説

徐々に体重が増加して生活習慣の改善を迫られたYさんは，記録用紙を渡されたことをきっかけに体重を減らそうと決心した．身近な目標を設定して無理なくできることから取り組み，1ヵ月で1.5kgの体重減少という成果をあげた．Yさんの場合，自己効力感を高める情報源としてもっとも強く働いたのは，目標とした1ヵ月1kgの減量を達成したという"遂行行動の達成"である．しかし，翌月は気の緩みから増加気味になったので，運動に関する目標を加え，友人を誘い楽しく続けることを意識しながら取り組んだ．運動の際に得られる爽快感の自覚（情動的喚起）も自己効力感を高める一助となった．その結果，

半年後には3kgの減量に成功し，周囲からの評価（言語的説得）も加わって，自己効力感が強化され，さらなる減量を目指すようになったと考えられる．

このように，慢性疾患あるいはその予防などのために生活行動を変えなければならなくなったとき，自己効力感の強化につながる情報源を意識して粘り強く取り組むことができれば，変化した行動が維持されて健康的な生活習慣を獲得することができる．

■引用文献■
1) Bandura A：Self-efficacy：Toward a unifying theory of behavioral change. Psychological Review 84（2）：191-215, 1977

D. 健康信念

疾患の早期発見や疾病予防のための健康行動と心理的態度との関連を説明するためのモデル[1]として**健康信念モデル**がある．人が疾患を早期に発見するために健診を受けたり，疾病を予防するため，あるいは悪化させないために禁煙をするといった行動は，その疾患や予防法に関する知識があれば必ずとれるというわけではない．「自分は病気にならないだろう」「わかってはいるができない」「そんな思いをするくらいならやりたくない」といった行動に結びつかない状況を理解し，どのようなことが行動を促進するのか考えるヒントとなるモデルである．個人の健康行動は，基本的に個人の健康に対する**信念**により決定されるという仮定がもとになっている．

1 ● 健康信念とは

健康信念モデルを構成する，特定の健康行動を人に動機づけることに関連した**健康信念**として次のものがあげられている．

①**認知された罹患性**：このままの状態だと病気にかかり健康を損なう可能性がどれくらいあるか，ということについての個人の主観的な認識，すなわち感じ方をいう．

②**認知された重大性**：病気になることでどれくらい重大な結果が起こりうるか，ということについての個人の感じ方をいう．重大な結果の内容としては，致死率が高い，強い痛みを伴うといった医学的なものと，仕事ができなくなる，家族の生活が大変になるといった社会的なものが含まれる．

これらの認知された罹患性と重大性は，病気に対する脅威を形成する．

③**認知された利益**：勧められた行動をとることが病気に対する脅威をどれくらい軽減してくれるか，ということについての個人の感じ方をいう．つまり行動のプラス面のとらえ方である．ここでいう利益には，禁煙すればお金の節約になったり，肺がんを心配する家族が喜んでくれるといった健康に直接関係のないものもある．

④**認知された障害**：勧められた行動をとることでもたらされるマイナスの結果も含め，行動をとる際の障害となるものに対する個人の感じ方をいう．つまり行動のマイナス面のとらえ方である．ここでいう障害には，お金がかかる，不便だ，怖いなど，目に見える

ものと心理的なものの両方がある．

2 ● 健康信念モデル

健康信念モデルは，1950年代に米国の公衆衛生局にいた社会心理学者のグループが開発した[2]．その後多くの研究者に用いられ発展してきており，日本語ではほかに保健信念モデル，ヘルス・ビリーフ・モデルという訳も用いられている．

図Ⅲ-1-3にモデルの要素とその関係を示す．疾病に対する脅威が大きく，行動変容による障害よりも利益が上回っていると認知された場合に，人は推奨された健康行動をとるようになる，ということを意味している．モデルの要素には，上記の健康信念以外に行動のきっかけがある．行動のきっかけは，健康行動をとる引き金となる内的・外的なもので，なんらかの症状を自覚することやマスメディアによるキャンペーン，他者からのアドバイス，家族や友人の病気などがある．また，人口統計学的要因や社会心理学的要因は，個人の健康信念に影響を及ぼし，健康行動にも間接的に影響すると考えられる．

図Ⅲ-1-3には示していないが，近年，自己効力感が個人の信念の1つとしてこのモデルの要素に含まれるようになっている[3]．自己効力感とは，「ある特定の行動を効果的に遂行できるという自信」である（p.96参照）．健康信念モデルが提唱された当初は，健康行動としてスクリーニングや予防接種の受診など比較的単純な回数の限られたものに焦点が当てられていたが，長期にわたるライフスタイルの変更が求められる慢性疾患へ適用する場合，従来のモデルのみでは説明がむずかしく，行動変容を起こし，それを継続するためには，認知された障害を乗り越え，ライフスタイルを実際に変えることができるという

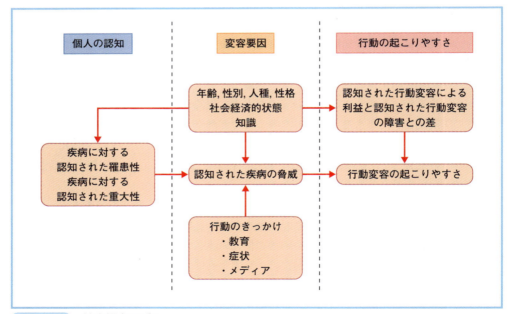

図Ⅲ-1-3　健康信念モデル

［グランツK，ライマーBK，ルイスFM：保健信念モデル．健康行動と健康教育—理論，研究，実践，第3版（Glanz K, Rimer BK, Lewis FM編，曽根智史，湯浅資之，渡部基ほか訳），p.57，医学書院，2006を参考に作成］

自信が必要であると考えられるようになった．

3 ● 健康信念モデルの看護への活用

例として糖尿病を有する患者が食事療法を行っていく際の支援を考える．

> **事例 ⑤ 健康信念モデルを活かした看護支援**
>
> Aさん，53歳男性．営業の仕事をしている．職場の健康診断をきっかけに1年前に糖尿病と診断され，食事療法や運動療法の説明を受け，薬物療法（経口血糖降下薬）を行っている．しかし血糖コントロールがあまりうまくいかず，HbA1cの値が上昇してきており，医師から「このままではインスリン療法を開始せざるを得なくなる」といわれた．その後待合室で落ち込んでいる様子のAさんをみて，看護師が話しかけた．すると，「外来でよく会っていたBさんが脳梗塞で入院したんだって．あの人も糖尿病だけど，酒のうまい店のこと話したりするのが楽しかったんだよね．自分もインスリンになるかもしれないと先生にいわれたけど，このままだとBさんのようになるかもしれないのか」と語った．

事例の解説

Aさんはこれまで食事療法や運動療法について説明を受けても，どこか他人事のようにしか思えず，多少食べるものに気を付けるようにはなったものの，実際は大きく生活は変えていないとのことだった．Aさんと話をしていくと，「合併症で腎臓や目が悪くなったら大変だ」とは思っていたが，「でも自分には起こらないだろう」と思っていた，との発言があり，重大性の認知はあっても罹患性の認知が低い状態だった．したがって，疾病の脅威に対する認知は高くなかったといえる．しかし，同じ病気で親しく話をしていたBさんが脳梗塞になったこと，血糖コントロールが良くなく，インスリン療法導入の可能性があると医師から告げられたことで，「やっぱり治療をちゃんとやらないと合併症が自分にも起こりうる」と罹患性の認知が高くなり，疾病の脅威の認知が高まった状態になった．

そこで看護師は，Aさんが，行動変容（ここでは食事療法や運動療法）による利益と障害についてどのように認知しているのか尋ねてみた．すると，「職業柄付き合いが多く，それを断っていると仕事に響く」という考え，「自分も飲んだり食べたりが好きだから我慢するのは耐えられない」という考えがあり，とくに食事療法を行うことによる利益と障害の差が大きくなり，食事療法を負担として認知したため行動変容が起こりにくくなっていることがわかった．看護師は，Aさんの疾病に対する脅威の認知が高まっていることから，合併症を起こさずにいること自体がもっとも仕事に響かない対策になることを伝えて行動変容の利益をより認識してもらうようにした．そして行動変容の障害を少しでも小さくするために，Aさんのこれまでの食生活の状況を詳しく聞き，Aさんが問題だと思っていることのうち，改善できそうなことから少しずつ変えていくため来院時に毎回面談を行っていくことをAさんと約束した．

引用文献

1) 看護大辞典〔電子版〕：看護医学電子辞書8，医学書院，2013
2) グランツK，ライマーBK，ルイスFM：保健信念モデル．健康行動と健康教育―理論，研究，実践，第3版（Glanz K, Rimer BK, Lewis FM編，曽根智史，湯浅資之，渡部基ほか訳），p.50，医学書院，2006

3) Skinner CS, Tiro J, Champion VL：The health belief model. Health Behavior：Theory, Research, and Practice, 5th ed（Glanz K, Rimer BK, Viswanath K edititors），p.79, Jossey-Bass, 2015

E. トランスセオレティカルモデル

　慢性疾患を有する人は，病気をコントロールするために養生法や治療を継続しなければならない．そのためには，これまでの生活習慣を変更したり，新たなことを学んで生活のなかに取り入れたりするなどの行動変容が迫られる．しかし，習慣化した行動を変容させることは容易ではない．プロチェスカ（Prochaska DO）とディクレメンテ（DiClemente CC）[1-6]は，これまでの健康行動の変容に関するさまざまな理論や心理療法を分析し，トランスセオレティカルモデルを示した．

1 ● トランスセオレティカルモデルとは

　トランスセオレティカルモデル（transtheoretical model）とは，行動変容のステージを利用して，介入に関する主要な理論から変化に関するさまざまなプロセスと原理を統合した理論であり，理論横断的なという意味でtranstheoreticalとよばれている[4]．このモデルは，禁煙できない人たちに対して効果的なプログラムを作るための研究を基盤に開発された理論である．そして，この研究から，人は禁煙する際にそれぞれの時期によって異なったプロセスを用いて一連のステージを経て進んでいくという現象が明らかになった．このような研究から始まり，このモデルは，さまざまな健康行動に関する研究に応用され，服薬遵守，肥満や高脂肪の食生活の改善，HIV/AIDS予防，マンモグラフィによる乳がん検診受診行動の促進などの研究領域で広範囲に用いられている．

2 ● トランスセオレティカルモデルの構成要素と関係性

　このモデルは，「変容ステージ」「変容プロセス」「意思決定のバランス」「自己効力感」の4要素で構成されている．

a. 変容ステージ

　人が自分の健康行動を変えてそれを維持するとき，表Ⅲ-1-1に示したように，前熟考期，熟考期，準備期，実行期，維持期の5つのステージを経ると考えられている．そして，このプロセスは順調に段階的に進むとは限らず，場合によって逆戻りをすることもあり，スパイラル状に進むスパイラルモデルと考えられている．

b. 変容プロセス

　このモデルでは，変容ステージに沿って，10の変容プロセスを用いると介入が効果的に進むとされている．変容のプロセスは，人がそれぞれのステージに進むために用いる潜在的および顕在的な活動である．10のプロセスは，次のとおりであり，「認知的・情緒的プロセス」と「行動的プロセス」に分類される．変容ステージの初期は「認知的・情緒的プロセス」が，ステージが進むに従って「行動的プロセス」が使用されるようになり，これらのプロセスはステージの促進に有用であるとされている．

1. 治療・療養行動にかかわる主な概念・理論

表Ⅲ-1-1　変容ステージ

ステージ	内容
前熟考期 precontemplation	6ヵ月以内に行動を変えようという気がない 例：運動しようとはまったく思っていない ＊このステージの人は，健康行動がもたらす結果について何も知らされていない，あるいは不十分な情報しかもっていない
熟考期 contemplation	6ヵ月以内に行動を変えようという意図がある 例：運動しようとは思っているが実行する気になれない ＊このステージの人は，行動変容によってもたらされるメリットに対して意識が高まっているが，デメリットにも敏感である
準備期 preparation	1ヵ月以内に行動を変えようという意図がある 例：運動を始めようとしており，実行のきっかけを待っている ＊このステージの人は，ここ1年の間に健康教育のクラスに参加したり，本を購入して読んだりするなどなんらかの健康行動を起こしている
実行期 action	行動を変えてから6ヵ月未満である 例：運動を開始し，それが続いている ＊このステージの人は，健康行動を実行して一定期間の顕在的変化がみられるが逆戻りしやすい
維持期 maintenance	行動を変えてから6ヵ月以上経過している 例：継続的に運動をしている ＊このステージの人は，行動変容を継続できると確信しており，逆戻りすることが少ない

【認知的・情緒的プロセス】
①意識の高揚（consciousness rising）：健康的な行動への変化に役立つ情報や方法を探したり，学んだりして，認識を高めること
②感情的体験（dramatic relief）：不健康な行動に伴う恐怖，不安，心配といった否定的感情を体験すること
③環境の再評価（environmental-reevaluation）：不健康な行動を続けることや健康的な行動を実践することが，周囲の人や環境にどのような影響を与えるのかについて認識すること
④自己の再評価（self-reevaluation）：不健康な行動を続けることや健康的な行動を実践することが，自分にどのような影響をもたらすのかについて認識すること
⑤社会的解放（social liberation）：健康的な行動変容を支援する方向に社会が変化していると認識すること

【行動的プロセス】
⑥自己解放（self-liberation）：行動を変えることができるという信念と，その信念に基づいて行動すると決意し，表明すること
⑦援助関係（helping relationships）：健康的な行動変容を促すためにソーシャルサポートを得たり，求めたりすること
⑧拮抗条件づけ（counter conditioning）：健康的な行動を学習したり，取り入れたりして，不健康な行動や考え方を置き換えること
⑨強化マネジメント（reinforcement management）：健康的な行動に対して報酬を増やし，不健康な行動に対し報酬を減らすこと

⑩**刺激のコントロール（stimulus control）**：不健康な行動のきっかけとなる要因や刺激を取り除き，健康的な行動のきっかけとなる刺激を増やすこと

c. 意思決定のバランス

意思決定のバランスは，行動変容することが個人にとって恩恵を被るか，負担になるかの判断であり，恩恵と負担の均衡を示すものである．変容ステージが低い段階では行動変容に対する負担を強く感じ，ステージが進むと行動変容の恩恵を強く感じるようになる．

d. 自己効力感

自己効力感は，「自分は不健康な行動に逆戻りせずに，困難な状況において対処できる」という自信のことをいう．そして，自己効力感をもつことで，人はさまざまな困難な状況において健康的な行動を起こそうとする．一般的に自己効力感は，変容ステージが低い段階では低く，ステージが進むと高まる．

これらの構成要素の関係は，図Ⅲ-1-4に示したとおりである．人の行動は，あるステージから次のステージに進む際に意思決定のバランスと自己効力感が重要になる．ステージの促進には，認知的・情緒的プロセスや，行動的プロセスの働きかけが必要となり，効果的にこれらの介入を用いることでステージの促進を円滑にする．そして，変容プロセスは，変容ステージを促進する階段に相当する．

3 ● トランスセオレティカルモデルの看護への活用

慢性疾患のなかでもとくに生活習慣病は，不適切な生活習慣によって引き起こされる病気である．つまり，生活習慣病は，食習慣や運動習慣，喫煙習慣などの生活習慣そのものを健康的な行動に変えなければならない．しかし，長年にわたり身についた生活習慣は，容易に変えられるものではない．したがって，このような生活習慣を変更し，健康的な行動変容を促す際に，トランスセオレティカルモデルが有効となる．このモデルを用いて看護介入するときは，患者がどのステージにいるのかをアセスメントし，そのステージに合った変容プロセスを用いて介入する．たとえば，50歳で糖尿病と診断された患者で，運動習慣がなくまったく糖尿病のことがわからない「前熟考期」であるとアセスメントできた場合は，働きかけとして「意識を高める」ために糖尿病の病態と運動を関連づけた知識を提供することにより患者は運動の必要性を理解できたり，「感情的体験」を促すために運動しない場合に生じるリスクを伝えることにより患者は不安を感じたりして，運動しようという思いにいたり「前熟考期」から「熟考期」へと進むかもしれない．このように，なんらかの行動変容が求められる患者に対して，このモデルを活用することは，効果的な看護を提供することにつながる．

1. 治療・療養行動にかかわる主な概念・理論　105

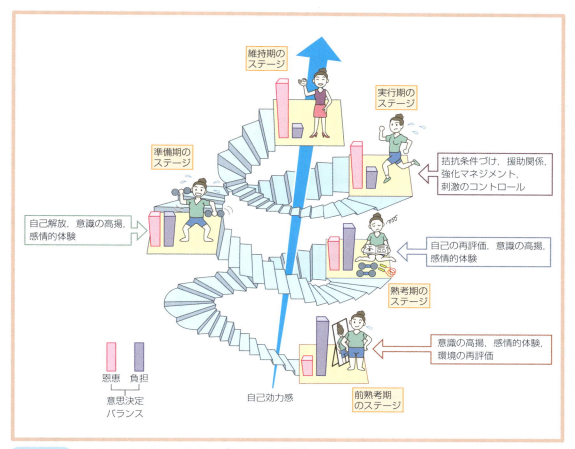

図Ⅲ-1-4　トランスセオレティカルモデルの4構成概念
［竹中晃二（編）：ストレスマネジメント─「これまで」と「これから」，p.163，ゆまに書房，2005より許諾を得て改変し転載］

事例⑥　トランスセオレティカルモデルに基づく教育的支援

　Aさん50歳，女性．は，近所のスーパー（自宅から約1kmの距離にある）で週4日のパートタイム勤務をしている．家族は，夫と子ども3人（大学4年生，高校2年生，中学3年生）の5人暮らしである．Aさんは，住民健康診査で血圧が高いこと（収縮期血圧148mmHg，拡張期血圧93mmHg）と肥満（BMI 30）を指摘されたため，近所の循環器内科クリニックで再検査をしたところ高血圧と診断された．医師から「食事療法と運動療法をして血圧がコントロールできるかしばらく試してみましょう．生活習慣の改善により血圧のコントロールができない場合は，血圧を下げる薬を使用します」と高血圧と治療方針について説明を受けた．Aさんは看護師から食事療法と運動療法の指導を受けることになった．

　看護師はAさんに医師から説明されたことへの思いを聞いたところ「症状もないのに先生から高血圧といわれてびっくりしました．でも，何もせずに高血圧を放っておくとよくないんでしょ．心臓に悪いとテレビで聞いたことがありますが，怖いですね．先生から塩分や食べる量を控えて，運動して減量するようにいわれたけど長続きするか心配．塩分を控えるといっても食事を作るたびにお塩を計るのも面倒だし，運動もあまり好きでないし，ど

うしたものかしら．だからといって薬はなるべくのみたくないのよ」と話した．また，食事習慣と運動習慣について聞くと，育ち盛りの子どもがいるため食事は揚げ物が多く，Aさん自身は甘いものやスナック菓子が好きで小腹がすくとお菓子を食べること，スーパーには自転車で通っており運動はほとんどしないとのことであった．

事例の解説

　看護師は，Aさんの訴えから介入すべき点と変容ステージについてアセスメントを行った．Aさんは高血圧に対する知識が多少あり，食事療法や運動療法による生活習慣の改善が必要であることは理解できているものの，どのように行動変容したらよいか迷っており，その具体的方策に悩んでいる段階である．これらのことから変容ステージとしては「熟考期」と判断した．「熟考期」のステージにおける効果的な変容プロセスとして「意識の高揚」「自己の再評価」「感情的体験」が挙げられる．Aさんの場合，すでに何もせずに高血圧を放置しておくと身体への悪影響が出ることを理解しており恐怖の感情体験をしている．そのため，看護師は「自己の再評価」「意識の高揚」のプロセスを用いて介入することにより自己効力感を高め，行動変容の負担を減らして次のステージへと移行できるように援助することが重要と考えた．

　看護師は，まず「自己の再評価」として食事療法や運動療法を行うことにより身体にどのような良い影響があるかについての認識を促進するために，Aさんのこれまでの食習慣と運動習慣について振り返る機会をもった．Aさんは「私の生活はいかに不健康かわかりました．だんだん年を取るとしわも目立ってぽっちゃりしている方が若そうにみえるので，太っていることをあまり気にしていませんでした．でも，血圧が高くなってきて，最近では動くのもおっくうになってきたので，食事に気を付けて少し運動もしないと身体によくないですね．まだ子どもにも手がかかるのでこれ以上悪くなったら大変です」と話し，生活習慣の改善への認識が高まった．

　次に，看護師は「意識の高揚」としてAさんに負担なくできそうな食事療法や運動療法に関する簡便で具体的な方法についての情報を提供した．たとえば，調理法として肉や魚類などは揚げるよりも焼く方が油脂を減らせること，菓子類には栄養成分表示がされているためナトリウムやエネルギーの少ない菓子や小分けになっているものを選択すること，調味料は塩の代わりに酢やレモン汁を使うとよいなど具体的な方法を提案した．また運動については，職場であるスーパーへは自転車でなく徒歩で通勤すること，スマートフォンの機能として歩数計の無料アプリがあるためそれを用いて1日どの程度歩いているか計測して目標をたてるとよいことなどを提案した．するとAさんは「そんなに堅苦しく考える必要はないんですね．提案してもらったことであれば自分でもできそう．早速，歩数計の無料アプリをダウンロードしてみるわ」と自己効力感の高まりとともに実践してみようと意思決定し，準備期に移行できた．

引用文献

1) Prochaska JO, DiClemente CC：Stages and processes of self-change of smoking：toward an integrative model

of change. J Consult Clin Psychol **51**（3）：390-395, 1983
 2）Prochaska JO, Norcross JC, Fowler JL, et al：Attendance and outcome in a work site weight control program：processes and stages of change as process and predictor variables. Addict Behav **17**（1）：35-45, 1992
 3）Rossi SR, Rossi JS, Rossi-DelPrete LM, et al：A processes of change model for weight control for participants in community-based weight loss programs. Int J Addict **29**（2）：161-177, 1994
 4）Prochaska JO, Velicer WF：The transtheoretical model of health behavior change. Am J Health Promot **12**(1)：38-48, 1997
 5）Reed GR, Velicer WF, Prochaska JO, et al：What makes a good staging algorithm：examples from regular exercise. Am J Health Promot **12**（1）：57-66, 1997
 6）カレンG，バーバラKR，フランシスML：健康行動と健康教育－理論，研究，実践（曽根智史，湯浅資之，渡部基ほか訳），p.121-135，医学書院，2006

F. アドヒアランス

　慢性疾患を有する人は，疾病をコントロールするために医療者から指示された養生法や治療法を守ることが重要である．たとえば，高血圧患者が必要な薬を毎日のむ，糖尿病患者が血糖値を下げるために食事の摂取エネルギーや栄養バランスに気をつける，エレベータを使わず階段を使うようにするなど，患者はさまざまな養生法や治療法を毎日の生活のなかで実施しなければならない．そして，病気の進行や悪化を防ぐためには，患者がこれらの養生法や治療法をどのくらい守れるのかということが鍵となる．しかし，どのくらいの患者が指示された養生法や治療法を実行できているのだろうか．先進国において推奨される治療法を守っている慢性疾患患者は約半数と推定されている[1]．このように，日常生活において養生法や治療法を守ることは，行動変容を伴い容易なことではない．医療者から指示された養生法や治療法を生活のなかでどの程度実行できているのかを評価する場合に用いられる概念が，コンプライアンスあるいはアドヒアランスである．

1● コンプライアンスからアドヒアランスへ

　コンプライアンスは，「要求や命令などへの応諾，服従，遵守」（リーダーズ英和辞典）を意味する言葉であり，ほとんどの場合そのまま訳さずに用いられている．医療において，**コンプライアンス**（compliance）とは，「推奨されている指示に調和するすべての行動を包括する用語」，**ノンコンプライアンス**（noncompliance）は，「推奨される指示に調和しない行動を意味する」[2]と定義されている．すなわち，医療者から指示された養生法や治療法を患者が遵守することであり，医療者が指導や説明したことに患者が従うという受動的な行動の意味が包含されている．

　これまで医療者は，症状や検査データの改善が思わしくない場合，「適切な指示を出しているのに，指示どおりにしない患者が悪い」というように，ノンコンプライアンスの問題を患者側の責任として判断しがちであった．このような医療者の姿勢では，患者が薬剤を服用する必要性を十分理解していなかったり，副作用をおそれて服薬を中断するような場合，効果のある薬剤を用いたとしても症状や検査データは決して改善されないだろう．これまでに，コンプライアンスに関する研究は数百にのぼるほど多数みられるが，コンプライアンス行動を顕著に変化させるような効果をもたらした報告はない[3]といわれている．そこで，患者側の問題に焦点を当てたコンプライアンスに対して，患者の主体性を尊重したアドヒアランスという概念が多く用いられている．

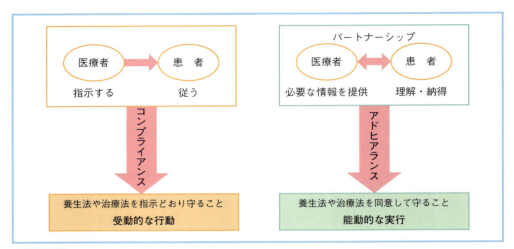

図Ⅲ-1-5　コンプライアンスとアドヒアランスの違い

2 ● アドヒアランスとは

a. アドヒアランスの概念

アドヒアランス（Adherence）は，コンプライアンスと同じようにそのまま訳されずに用いられており，「付着，固執，厳守，忠実な支持」（リーダーズ英和辞典）を意味する用語である．世界保健機関（WHO）[3]は，「アドヒアランスとは，患者が医療者の推奨する方法に同意して，服薬，食事療法，ライフスタイルの改善を実行すること」と定義している．つまり，アドヒアランスという概念は，患者が中心となり，医療者の推奨する養生法や治療法に同意して，服薬，食事やライフスタイルの改善を能動的に実行するという意味を含んでいる．さらに，WHOは，アドヒアランスを高めるために医療者と患者の関係において，患者個々の能力を導き出せるようなパートナーシップを形成することが重要であると強調している．したがって，医療者は，患者との信頼関係を築き，患者に必要な養生法や治療法の知識や技術を提供したり，患者の疑問や不安に対応するなど患者と双方向のコミュニケーションをすることが期待されている．一方，患者は医療者が推奨する養生法や治療法をよく理解し，納得したうえで能動的に実行することが期待されている．

コンプライアンスとアドヒアランスは，養生法や治療法を守るという行動においては同じようにみえるが，基盤となる考え方が異なる．このコンプライアンスとアドヒアランスの概念の違いについて図Ⅲ-1-5に示した．

b. 患者と医療者の関係に着目した概念：コンコーダンス

このようにコンプライアンスやアドヒアランスの概念の違いはあるものの，これらの概念は患者が医療者の推奨する治療法や療養行動にどのくらい従ったり，実行しているのかということを表すときに用いられるものである．コンプライアンスからアドヒアランスという用語に代替されるようになって，医師と患者の関係を変化させる大きな一歩となったことに間違いはない．しかし，アドヒアランスの概念には彼らの関係そのものを変化させるという意味までは含まれていない[4]．そこで，患者と医療者の関係に着目し，患者の視

表Ⅲ-1-2　アドヒアランスに影響を与える要因

要因	項目
患者自身の要因	1. 知識や信念：病気や薬剤に対する誤解，治療の必要性に対する理解不足，副作用へのおそれ，薬物依存へのおそれ，治療の安全に対する誤解など 2. ヘルス・リテラシー*の不足 3. 行動：忘れっぽさ，動機づけの低さなど 4. 社会的状況：社会や家族のサポート不足，交通手段の問題，薬剤費の問題など
患者の状態に関する要因	自覚症状，障害の程度，疾患の重症度，疾患の経過，効果的な治療法の有無など
治療に関連する要因	薬剤の入手状況，治療の複雑性，治療効果の即効性，副作用，副作用への対処法など
医療チームと医療機関に関する要因	患者と医療者の関係，患者を教育する能力，治療に必要な情報源へのアクセス方法の提供，再診の実施，地域で患者を支援するシステム，慢性疾患ケアのプロトコールに関する医療提供者のトレーニング，治療管理のサポートなど

*ヘルス・リテラシー：基本的な健康に関する情報やサービスを入手し遂行，理解するための個人の能力の程度．

　点を理解し，尊重するという**コンコーダンス**の概念が注目されるようになっている．コンコーダンスは，「調和」「一致」という意味があり，20世紀後半に英国王立薬剤師会が服薬のコンプライアンスやアドヒアランスを高める解決策として提唱した概念である[4,5]．コンコーダンス[6]は，医療者と患者が対等な関係で意思決定にかかわることを重要視した概念であり，患者と医療者がパートナーシップに基づいて相互に尊重するコミュニケーションを通して協働し，合意形成のもと患者が主体的に治療法を意思決定するプロセスである．そして，治療の決定権は患者にあり最終的には医療者ではなく患者が決めることが重要とされている．さらに，コンコーダンスの重要な要素として[7]，①患者がパートナーとして参加するための十分な知識をもっている，②患者がパートナーとして処方相談に参加する，③患者の服薬をサポートすることが掲げられている．

　したがって，看護師はコンコーダンスの実践をめざして，多職種と連携しながら患者を援助することが重要である．これらの援助によって患者の治療や療養行動へのアドヒアランスが高まり，治療効果が最大限に得られることが期待できる．

3 ● アドヒアランスに影響を与える要因と看護師の役割

　看護師は，患者が養生法や治療の最大の効果を受けられるように，アドヒアランスの向上を目指した援助を提供する役割を担っている．この役割を果たすために，アドヒアランスの障害となる要因をよく理解して介入することが重要である．

　アドヒアランスに影響を与える要因[8]として，**表Ⅲ-1-2**に示したように，①患者自身の要因，②患者の状態に関する要因，③治療に関連する要因，④医療チームと医療機関に関する要因が挙げられる．したがって，看護師は，これらをふまえたうえで，患者のアドヒアランスを低下させている要因がないかどうかを十分にアセスメントし，その人の状態に応じた援助を提供する必要がある．具体的には，患者自身が養生法や治療法をよく理解し，納得したうえで治療に取り組めるように，患者−医療者間のパートナーシップの形成，その人に必要な情報の提供，成人学習の特徴を生かした患者教育，心理的サポートなどを

組み合わせて介入する.

■引用文献■
1) Sabate E：Adherence to Long-term Therapies；Evidence for Action, p.5, World Health Organization, 2003
2) ラブキン IM, ラーセン PD：コンプライアンス. クロニックイルネス—人と病いの新たなかかわり（黒江ゆり子監訳），p.157-179, 医学書院, 2007
3) 前掲1), p.3
4) ボンド C：なぜ，患者は薬を飲まないのか？「コンプライアンス」から「コンコーダンス」へ（岩堀禎廣，フランムソン・ラリー翻訳），p.1-10, 薬事日報社, 2010.
5) 安保寛明：コンコーダンスによる共同意思決定とセルフケア概念への影響, 日本保健医療行動科学会雑誌, **32** (2), 20-24, 2017.
6) 前掲4), p.11-59
7) 前掲4), p.179-202
8) 大野真理子：アドヒアランスのバリア. 月刊薬事 **50**（11）：1791-1975, 2008

G. 病みの軌跡

1 ● 病みの軌跡とは

病みの軌跡（trajectory of illness）はコービン（Corbin J）とストラウス（Strauss AL）が提唱した軌跡理論に基づく慢性疾患管理の看護モデルのなかで示された用語であり，病気やその慢性状況の多様な行路をさす．行路は病気によってある程度予測できる場合もあるが，細部までは前もって予測はできず，過去を振り返った時のみ「病みの軌跡」として描くことができる．しかし，病気を適切に管理することにより，症状をコントロールし，病気の進行を遅らせることができ，その行路をある程度，方向づけることは可能である．

病みの軌跡には慢性疾患をもちながら患者やその家族がどのように日常生活を送り，機能障害に対応してきたか，アイデンティティに適応してきたかが反映される．そのような過去と未来をもった行路として病気をとらえることは，慢性疾患患者と家族への支援の新たな観点を看護者にもたらす．

2 ● 病みの軌跡モデル

病みの軌跡モデルは，慢性疾患とともに生きることやその対処などの調査に基づき導き出され，看護モデルとして提示された．

このモデルにおいて，個人やその家族は病気の予防や管理のプロセスにおける積極的な参加者であり，責任を担うものとされ，ケアの焦点は患者や家族が病気を予防・管理し，病気とともに生きる方策を発見することである．そして看護介入の目的は慢性疾患の行路を方向づけ，管理し，疾患の行路を変えたり，進行の速度を遅らせたりして生活の質を維持，向上させることである．

病みの軌跡モデルにおける重要な概念とその意味を**表Ⅲ-1-3**に示す．慢性疾患の病みの軌跡の局面には前軌跡期，軌跡発現期，安定期，不安定期，急性期，クライシス期，立ち直り期，下降期，臨死期があり，その局面ごとの特徴的な管理目標があり，患者や家族が対処しなければならない問題や支援は異なる（**表Ⅲ-1-4**）[1]．看護者は支持的援助者であり，直接的ケア，教育，カウンセリング，モニタリング，調整などを行う．

表Ⅲ-1-3 病みの軌跡モデルの主要な概念

主要概念	定義や意味
軌跡 (trajectory)	病気や慢性状況の行路を示し，時とともに多様に変化する 病気の可能性のある行路を予想して，症状を管理し，障害に対応することで行路を方向づけ，管理し，延長させることや安定させることはできる．しかし，病みの行路は過去のできごとを振り返ってみた時だけ「病みの軌跡」として描くことができ，前もって行路を定めておくことはできない
軌跡の局面移行 (trajectory phasing)	慢性状況が行路を経ていく際のさまざまな変化のことである 軌跡の局面には前軌跡期，軌跡発現期，安定期，不安定期，急性期，クライシス期，立ち直り期，下降期，臨死期があり，いくつかの下位局面がある
軌跡の予想 (trajectory projection)	病みの行路の見通しであり，病気の意味，症状，生活史，時間が組み込まれている．病気の管理にかかわる患者・家族・医師・看護師などはそれぞれの知識や経験，伝聞，価値などから独自に軌跡を予想する
軌跡の全体計画 (trajectory sheme)	病気の全体的な行路を方向づけること，症状をコントロールすること，障害に対応することを目的として立案される計画である．医学的な治療計画，食事療法，積極的な思考，瞑想なども含まれる
軌跡の管理 (trajectory management)	病みの行路がいくつかの局面を経て，軌跡の全体計画に従って方向づけられるプロセスのことである．症状や治療に伴う副作用のコントロール，危機への対処，合併症予防や障害への対応などがある
生活史 (biography)	人生の行路のことでアイデンティティを構成する．生活史への影響とは病気とその管理によって自分自身の特性や自分自身の人生行路がどのように変化するかということである

[ピエールウグ（編著）：慢性疾患の病みの軌跡−コービンとストラウスによる看護モデル（黒江ゆり子ほか訳），p.1-31，医学書院，1995／Ruth B H, Juliet M C (ed)：Chronic Illness Research and Theory for Nursing Practice, pp.4-5, Springer Publishing Company, 2001を参考に作成]

表Ⅲ-1-4 軌跡の局面と管理の目標

局面	定義	管理の目標・看護
前軌跡期	慢性状況にいたらしめるリスクを引き起こす遺伝的要因やライフスタイルが存在する．病みの行路が始まる前・予防的段階，徴候や症状がみられない状況	慢性疾患の発症を予防するのに必要な心構えとライフスタイルの変容ができるようにかかわる
軌跡発現期	症状や徴候がみられ，診断の期間が含まれる	適切な軌跡，予想，全体計画が立てられるようにする
安定期	病みの行路と症状が養生法によってコントロールされている状況で，病気の管理は家庭で行われている	病気の管理のための活動と生活や日常生活活動を調和させ，維持できるようにする
不安定期	病みの行路と症状が養生法によってコントロールできず，毎日の生活行動がむずかしくなる状況	毎日の活動を遂行する能力の妨げになるような症状をよりよくコントロールできるようにする
急性期	病気や合併症の活動期．その管理のために入院が必要となる状況	病気をコントロールし，普段の生活，毎日の生活活動が再開できるようにする
クライシス期	生命が脅かされている状況	生命の脅威を取り去る
立ち直り期	障害や病気のために生活が制限されるなかで，受け入れられる生活に徐々に戻る状況．身体面の回復，リハビリテーションによる機能障害の軽減，心理的折り合いをつけ，毎日の生活に適応し，自分の生活史を築くことに取り組む	行動を開始し，軌跡の予想と全体計画を進める
下降期	身体的状態や心理的状態が進行性に悪化し，障害や症状の増大によって特徴づけられる状況	身体状態の悪化に適応するために生活史と生活活動に関する必要な再調整が行えるようにする
臨死期	死にいたる数日，数週間	安らかな死，最期をもたらす

[ピエールウグ（編著）：慢性疾患の病みの軌跡−コービンとストラウスによる看護モデル（黒江ゆり子ほか訳），p.1-31，医学書院，1995／Ruth B H, Juliet M C (ed)：Chronic Illness Research and Theory for Nursing Practice, pp.4-5, Springer Publishing Company, 2001を参考に作成]

3 ● 病みの軌跡モデルの看護への活用[2,3]

病みの軌跡モデルにおける具体的な看護は，①個人と家族の位置づけを把握し，目標を設定する，②軌跡の管理に影響を与える条件を明らかにする，③介入の焦点を定め，介入する，④介入の効果を評価する，というプロセスで行われる．

①個人と家族の位置づけを把握し，目標を設定する

「位置づけ」を把握するとは，個人と家族の病気や生活史，日常の生活管理上のニーズへの対応が適切か明らかにすることである．位置づけに含まれるものとして過去から現在までの軌跡の局面，経験されてきた症状や障害，患者・家族・医療者などの軌跡の予想，治療や療養法と選択可能なすべてのケアを含む軌跡の管理の全体計画，その計画の遂行状況，日常生活活動の調整などがある．患者と家族は療養に関する管理への積極的な参加者であるため，看護師は患者，家族とともに管理の目標を設定する．各局面に対する管理の目標は表Ⅲ-1-4に示すとおりである．

②軌跡の管理に影響を与える条件を明らかにする

この段階では，病気の管理を促進する条件や目標達成のための能力を妨げる条件をアセスメントする．具体的には資金，行動力，知識，技術，人的資源などであり，病気の管理にかかわる患者の体験，患者や家族の動機づけの状況，ライフスタイルに関する信念などをアセスメントする．

③介入の焦点を定め，介入する

この段階では，患者が望ましい目標に到達するための条件を明らかにし，介入する．患者や家族の軌跡の予想が不適切な場合には，それを修正できるような正確な知識や情報を提供する必要があり，十分な動機づけや希望をなくしている場合は，患者の価値観や信念を知り，カウンセリング的なかかわりを行う．とくに病状が変化した時には患者の認識を確認し，必要なアプローチを見きわめ，支援していく必要がある．

④介入の効果を評価する

慢性疾患患者は明確な目標や基準があったとしてもライフスタイルを変更したり，実際に活動方法を変えることは容易でない場合が多い．到達できているかのみではなく，変化の内容や程度を評価することが必要である．

病みの軌跡モデルを使った看護の概略を事例を用いて示す．

事例⑦ 病みの軌跡モデルに基づく看護支援

Aさん，70歳代，男性．慢性閉塞性肺疾患（COPD）Ⅳ期であり，1秒率は31.3％である．若い時は野球の選手で投手として活躍し，体力には自信があった．高校を卒業してから建設会社に就職し，現場の工事を請け負ってきた．現在は退職して，妻と2人暮らしである．妻と車で旅行するのが楽しみであった．いまから10年前にCOPDと診断され，将来は酸素療法が必要になると医師にいわれたため，タバコはやめた．体力があれば何とかなると思ってきたが，3年前から在宅酸素療法が開始された．それでも体力を維持することが重要と考え，酸素療法をしながら散歩をしていた．しかし1年前から体重が減り始め，

食欲低下と呼吸困難のため今回の入院となった．現在，安静時酸素流量4L，労作時酸素流量7Lで，非侵襲的陽圧換気療法（non-invasive positive pressure ventilation：NPPV）を導入している．妻は体重低下を心配し，食事などの工夫をしてくれているが，「私は何をすればよいのかわからない」と話している．Aさんは「もう，体力もなくなり，この状態じゃ生きていけない．自分が哀れになる．生きていてもしょうがない」と話している．

事例の解説
▶ **患者と家族の位置づけと目標設定**

看護師は，これまでのAさんの病みの軌跡について，10年前に診断（軌跡発現期），以降安定期・不安定期の繰り返し→3年前に在宅酸素療法の導入→下降期→急性期と判断した（図Ⅲ-1-6）．現在は急性期であり，病気をコントロールし，毎日の生活活動が再開できるようにすることが必要であると考えた．

Aさんはこれまで"体力のある自分"というアイデンティティを大切にして生きてきた．体力を維持することを大事にし，医療者の意見を聞きながら自己管理を行ってきており，仕事や妻との生活も大事にしてきた．医師と看護師はCOPDの病状は進行しているが，NPPVにより呼吸状態を改善し，体力を維持することで，日常生活が可能であるという見通しをもっていた．しかしAさんは「この状態じゃ生きていけない」と今後の病状や生活（病いの行路）を予想し，生きる希望を見出せない状況であった．看護師は呼吸状態を改善し，在宅での生活を継続するためには，NPPVの操作法の習得，栄養状態・体力の改善のためのライフスタイルの変容が必要であると判断し，Aさんと妻とともにその必要性を確認した．

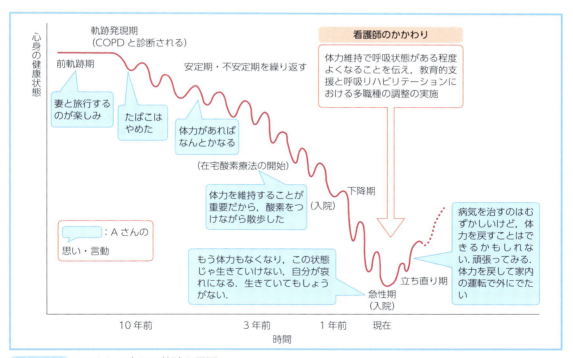

図Ⅲ-1-6 Aさんの病みの軌跡と局面

▶管理に影響を与える条件のアセスメント

　看護師はNPPVの管理，栄養状態の改善，体力（筋力）の改善への支援について，医師，看護師，栄養士，理学療法士などの多職種によるリハビリテーションが活用できると判断した．Aさんはこれまでも体力維持のためにさまざまな病気管理にかかわる努力をしてきた経験があり，妻も療養法のサポートには協力的である．Aさんと妻はNPPVの管理，栄養管理についての知識や技術を習得できる能力はあるが，Aさんはその動機づけとなる生きる希望がもてなくなっていると考えられた．

▶介入の焦点の明確化と介入

　Aさんは生活史から体力に価値を置き，体力の保持はAさんのアイデンティティにも影響していた．そのため，看護師はAさんの体力の回復・維持という点に着目し，Aさんが痛みの行路を現実的・肯定的にとらえ直し，今後の管理への動機づけがもてるようにする必要があると判断した．そしてAさんに体力の回復の見込みと体力の回復により呼吸状態が安定することを話した．そのうえで看護師はNPPVの管理方法の指導，栄養状態の改善，体力（筋力）の改善のための知識と技術に関する教育的支援と多職種による呼吸リハビリテーションが受けられるよう調整を行った．

▶介入の効果を評価する

　Aさんは，「こんなに弱ってしまって，もうすべがない，生きていられないって思ったけど，病気をよくするのはむずかしくても，何とか体力を戻すことならできるかもしれないよね．頑張ってみる．体力を戻して家内の運転で少しぐらいなら外にも出られるようにしたい」と話しており，前向きに指導やリハビリテーションに取り組んでいた．看護師はAさんが限定的な病気の行路を描き，希望をもち，現在の症状悪化に対処できていると評価した．

> **コラム**
> ### トランジションセオリー[i, ii]
>
> 　私たちの生活や人生にはさまざまな混乱や障害が降りかかる．慢性疾患と診断されることや死に直面することなども含まれ，それらはトランジション（transition）としてとらえられる．トランジションは「1つのかなり安定した状態から次の安定した状態に移るまでの期間のことであり，ある人生の時期や状況，状態，地位あるいはその他のものが推移すること」あるいは「比較的安定した1つの状態から別の状態への道筋である」とされている．トランジションは変化のプロセスであり，トランジションの結果として変化が生じるといわれる．
>
> 　トランジションには，①発達的トランジション（親になること，思春期や閉経，加齢によるできごとなどに伴うもの），②健康と病気にかかわるトランジション（病気からの回復過程や医療機関への入退院，慢性疾患と診断されることなどに伴うもの），③状況的トランジション（結婚や離婚など家族状況の変化，教育機関への入学を通しての経験，専門職の役割の変化などに伴うもの），④組織的トランジション（組織のトップの交替や組織の方針の変更，組織再編などに伴うもの）の4つのタイプがある．トランジションは人生で起こる外的な変化に対処する内面的な移り変わりのことである．看護者は対象の健全なトランジションを支え，促進するとする理論がトランジションセオリーである．看護者には，対象が新しい役割を十分に認識し理解できるよう，情報や行動，経験を意図的に伝達し，役割を修得する潜在的な力を引き出すことが求められている．トランジションを支え，促進するという観点から，慢性疾患患者への看護を考えることが期待されている．

引用文献

ⅰ）増野園惠：概説　Transitions Theory／トランジション理論．看護研究 49（2）：104-113，2016
ⅱ）Meleis AI：Transitions Theory：Middle-range and Situation Specific Theories in Nursing Research and Practice, Springer, 2010

引用文献

1) Ruth B H, Juliet M C（ed）：Chronic Illness Research and Theory for Nursing Practice, pp.4-5, Springer Publishing Company, 2001
2) 野川道子（編著）：9 病みの軌跡モデル．看護実践に活かす中範囲理論，第2版，p.152-175，メヂカルフレンド社，2016
3) ピエールウグ（編著）：慢性疾患の病みの軌跡－コービンとストラウスによる看護モデル（黒江ゆり子ほか訳），p.1-31，医学書院，1995

学習課題

1．オレムが述べるセルフケア不足理論における主要概念を挙げ，説明してみよう
2．バンデューラが述べる自己効力感と人間の行動との関係を説明してみよう
3．セルフマネジメントを促進する援助についてまとめてみよう
4．健康信念モデルを構成する要素とその関係性について，説明してみよう
5．肥満者の食習慣改善を例にとりトランスセオレティカルモデルの変容ステージと変容ステージに応じた働きかけについてまとめてみよう
6．コンプライアンスとアドヒアランスの違いについて，説明してみよう
7．病みの軌跡モデルの看護のプロセスについて説明してみよう
8．病みの軌跡モデルの観点から患者や家族をとらえる意義について説明してみよう

練習問題

Q1 これから新たにインスリン自己注射の方法を習得しようとしている男性患者（56歳，会社員，離婚して1人暮らし）の自己効力感を高める働きかけとして適切なのはどれか．2つ選べ．
1．短期間に手技を習得できるほうがよいので，自己注射の手順をまずひととおりすべて説明し，覚えてもらう．
2．運動療法を継続できた経験があるため，そのときのことを思い出してもらいながら，「今度もきっと頑張れますよ」と声かけをする．
3．同室の87歳の糖尿病患者が家族にサポートを受けながらインスリン注射を行っているため，体験談を聞いてみることを勧める．
4．「入院してインスリン療法を始めたら血糖値が安定していて体調がいい，とこの前おっしゃっていましたね」と声かけをする．
5．自己注射の練習でできていないところを看護師が箇条書きにしたメモをみえるところに貼っておく．

Q2 喫煙している患者に対し禁煙を勧める働きかけとして適切なのはどれか．
1．禁煙した場合に節約できるお金の使い道を考えてみるよう勧める．
2．いつまでに禁煙をするか，看護者が決めて患者に伝える．
3．喫煙がどのように身体に悪いのかわからないという患者に自分で調べることの重要性を説明する．
4．自分のことであるので，他人に頼らず，なるべく1人で頑張ることが重要だと励ます．

［解答と解説 ▶ p.524］

2 治療・療養を促進する支援

> **この節で学ぶこと**
> 1. 慢性疾患を有する患者のセルフマネジメントの必要性について理解し，説明できる
> 2. 患者のセルフマネジメント能力を高める方法について理解し，説明できる
> 3. 成人の特性を考慮した教育的アプローチの考え方とその方法について説明できる
> 4. セルフマネジメントの促進のために活用できる相談技術について説明できる
> 5. アンドラゴジーで述べられている，成人の学習の前提となる要素について説明できる
> 6. アンドラゴジーの考え方に沿った患者教育の方法について説明できる
> 7. 患者のセルフマネジメントを促進するために活用できる相談技術について説明できる

A. セルフマネジメント能力を高める支援

　慢性疾患を有する患者がセルフマネジメントを行い，病気とともに日常生活を送るためには，患者は自身の健康状態を継続的に観察する**セルフモニタリング**を行い，症状が日常生活に影響を及ぼさないように適切な対処をとるなどの**症状マネジメント**を行う必要がある[1]．したがって，慢性疾患を有する患者のセルフマネジメント能力を高めるためには，セルフモニタリングや症状マネジメントのスキルが必要となる．

1 ● セルフモニタリング

　セルフモニタリングは，患者が自身の状況を測定したり記録したりすることと，自己の状態や症状に意識を向けることの両方を含んでいる．患者が自身の状態と疾患の関係について理解を深め，疾患や症状に対して自分が何をすればよいのか知識をもったうえでセルフモニタリングをすることで，疾患に対する認識がさらに高められる．そのため，セルフモニタリングをするために，患者は主な症状の原因や，疾患に関連した身体徴候に関する知識ももっておく必要がある．たとえば，糖尿病の患者が自分の血糖値をモニタリングするには，自己血糖測定をし，「血糖値が70 mg/dL以下なら低血糖である」「低血糖になると手足の震えや発汗といった症状が出現する」という知識をもったうえで，自分にそのような症状が出現しているかどうか身体の状態に意識を向けて確かめることが必要である．

a. 自分自身の状態や症状を記録する

　患者は，自覚症状や血糖値，血圧など，自身が有する慢性疾患の管理に必要な徴候について記録することによって，医療者と情報を共有することができる．それにより，医療者は患者の病状やセルフマネジメントの状況を判断し，治療やケアをどのように行っていくか方針を決定することができる．例として，糖尿病患者が自己測定した血糖値を記録して

医療者へ提示することで，医療者は患者の外来受診時の血糖値のみでなく，普段の療養生活のなかでの血糖値の変動を把握したうえで，薬剤のコントロールや食事療法に関する指導の方向性などを決定できる．

b. 自分自身の状態や症状に意識を向ける

セルフモニタリングを行うことで，患者は疾患による症状や，疾患に関連した自分自身の状態に意識を向けるようになる．これは患者が症状そのものや，症状に影響する要因を認識することにつながり，症状に対する自分なりの対処方法を考えることにも役立つ．さらに，患者が対処を行った結果，自分自身の状態が望ましい方向に変化したことを認識すれば，対処は強化され，患者は望ましい行動を維持したり，よりよい方法を模索するようになる．

例として，糖尿病患者が，食事量を制限しているのに血糖値が下がらないと感じていても，実際に1日に食べたものを記録に残してみると，仕事の合間にジュースをのんでしまっていたことが初めて意識化されたりする．そういった要因が明確になることで，「ジュースをのむ回数を減らそう」といった対処を考えることができる．さらに，その対処を実施してみたことで血糖値が改善すれば，「こんなに効果が出るならジュースの代わりにお茶をもっていってのむようにしよう」と，さらなる意欲が湧くかもしれない．

2 ● 症状マネジメント

a. 症状マネジメントモデル

慢性疾患には，痛みや倦怠感，呼吸困難など，さまざまな症状を伴うことが多い．症状とは本人だけが感じる不快や苦痛の感覚であって，患者の日常生活や仕事などに大きな影響を及ぼすものである．そのため，看護師が患者の症状マネジメントを促進するためには医学的な知識に基づいた症状のアセスメントや対処方法だけでなく，症状は患者個人の体験であることを前提として，症状が患者の生活や心にどのような影響を及ぼすのかという広い視野でとらえることが必要になる．

カリフォルニア大学サンフランシスコ校（UCSF）で開発された症状マネジメントモデル（The Model of Symptom Management：MSM）は，症状は体験している個人の主観的なものであるととらえ，症状マネジメントにかかわる人々の取り組み・方略を理解する枠組みとして，症状の体験，症状の方略，および症状の結果を含むものである[2]．

ラーソン（Larson PJ）ら[3]は，この症状マネジメントモデルをもとに，症状マネジメントのための統合的アプローチ（Integrated Approach to Symptom Management：IASM）を開発した．

b. 症状マネジメントのための統合的アプローチ

症状マネジメントのための統合的アプローチ（IASM）とは，症状マネジメントモデルを看護実践に反映させたものである．

このアプローチの前提として，「症状は個人が体験している主観的なものであり，患者自身が症状マネジメントのエキスパートであること」「患者のセルフケア能力を活用すること」が挙げられており，看護師は，患者が自身のセルフケア能力に応じて症状を主体的に管理できるようにするために，患者の症状体験や行っている方略を正確に理解し，患者

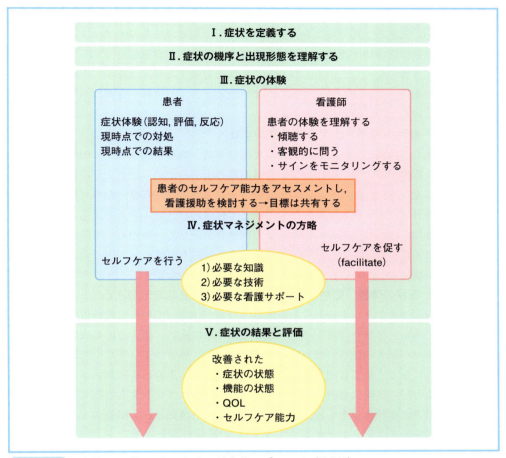

図Ⅲ-2-1 症状マネジメントのための統合的アプローチ（IASM）

［がん患者の症状緩和技術の開発に関する研究班：The Integrated Approach to Symptom Management 看護活動ガイドブック 改訂版Ver.11, p.4,〔http://sm-support.net/program/data/iasm_guidebook.pdf〕（最終確認：2023年1月10日）より引用］

のセルフケア能力のレベルに合った知識，技術，看護サポートを提供していく．また患者のセルフケア能力をアセスメントし，セルフケア能力のレベルに応じて提供すべき援助を決定していく．

このIASMモデルは，症状の定義，症状の機序と出現形態の理解，症状の体験の理解，症状マネジメントの方略，症状の結果と評価の5つで示されている．以下，IASMに添った臨床での看護実践の流れ[4]を紹介する（図Ⅲ-2-1）．

(1) 症状の定義を明らかにする

症状とは何であるかを明確に定義し，患者，看護師，医師，薬剤師など，患者にかかわるすべての人々の間で共有する．医療チーム内で定義が共有されていないと，支援に混乱をきたす可能性がある．たとえば，ある患者の下痢の症状の訴えに対し，あるスタッフは「あの患者は1日に2回しか便が出ていないのに下痢になったと話しているが，2回程度の排便では下痢とはいえないのではないか？」と考えるかもしれないし，別のスタッフは

「水様便が続いているのだから，回数は関係なく下痢といえるだろう」と考えるかもしれない．スタッフ間でのとらえ方が異なっている場合，そのスタッフがチーム内で担っている役割（看護師が患者に水分補給を促す，医師が止瀉薬を処方する，など）を積極的に果たそうとしなくなるかもしれない．症状を定義する際に注意すべき点として，症状はあくまで患者の主観的な体験であるため，患者が訴える身体の変調は基本的に存在するものとして対応することが重要である．

(2) 症状の機序と出現形態を理解する

患者の体験している症状について生理学的・病理学的な機序を理解する．症状の出現形態を観察することで機序が推測できる場合もあるため，患者からの報告に耳を傾け，密な観察を行う．症状の機序はいつも明らかになるとは限らないため，機序が明らかにならない場合は，考えられる可能性を考慮して仮説的にメカニズムを記述しておく．

また，医師は診断・治療の過程で機序を推測しているため，医師に情報を提供し，意見を求める必要がある．症状の機序に関する情報を医療チーム内で共有することは，症状緩和や観察の方略を広げ，スムーズな症状緩和につながる．

(3) 症状の体験（認知，評価，反応）とその意味を理解する

症状マネジメントを行うためには，患者が体験している症状への理解を深めることが重要である．体験を理解するということは，単に症状に関する情報収集を行うことではない．看護師が患者の症状に強い関心を示すことで，患者はより多くの情報を医療者に提供するようになり，症状に向き合うようになる．また，患者の症状マネジメントの状況を把握することで，同時に患者のセルフケア能力をアセスメントすることもできる．

患者の症状体験を正確に理解するために，看護師は，①傾聴する，②客観的に問う，③サインをモニタリングする，という3つの看護行為を行う．

①傾聴する

患者が認知している症状と，症状の評価，症状への反応，その結果について語ってもらい，症状に関して患者が体験していることを表現してもらう．患者に自由に語ってもらうため，病気に対する不安や仕事の悩みなど，症状から離れた内容が語られることもあるが，患者の話をさえぎったり否定したりすることなく聞くことが大切である．語られた患者の不安や悩みなどの内容が，患者の症状マネジメントに影響していることも多い．

②客観的に問う

患者が自身の症状についてより多くの情報を医療者に提供できるよう，看護師は傾聴して聞き取った内容からさらに掘り下げて質問を行う．症状の強さや部位，性質など，客観的で他者とも共有しやすい情報を引き出したり，患者が症状の原因についてどのようにとらえているか質問することで，患者の症状への理解を確認する．

③サインをモニタリングする

症状に対して患者がどのように反応しているか，身体面や心理・社会面，生活面に現れたサインを観察によって明らかにする．痛みによって，血圧が上昇したり，心理的な反応として不安が高まったり，仕事に支障をきたしたり，食事が摂れなくなったりと，症状はさまざまなサインとして現れる．特定の症状はそれに関連した特定のサインを引き起こすことが多いため，看護師には症状とサインに関する知識をもっていることが求められる．

(4) 患者の症状マネジメントの方略と結果を明らかにする

　患者が現在行っている症状への対処について明らかにする．患者が症状をマネジメントするために，現時点で対処に用いている方略はどのようなものか，主に対処しているのは誰なのか，家族などの身近な人たちはどう対応しているか，医療者にどのようなサポートを求めているかを明らかにする．患者は症状のメカニズムをよく理解しないまま，これまでの経験や自分なりの考えに基づいて対処を行っていることも多い．患者のやり方を否定することなく，実際にどのような対処を行っているのかと，その対処を行っている理由を確認する．

　患者の取り組みの結果，現在の症状の状態はどうであるのかを判断する．症状そのものの状態や，症状がどのように身体機能やQOLに影響しているかを聞き，アセスメントを行う．

(5) セルフケア能力をアセスメントする

　患者のセルフケアの状態を知り，セルフケア能力をアセスメントする．症状への対処の結果にかかわらず，自分自身で症状を理解して改善に向けた努力をしている患者は，セルフケア能力が高い可能性がある．

　患者のセルフケア能力のレベルに基づいて，以後の看護の方向性を判断する．患者のセルフケア能力が十分でない場合，看護師が患者の能力を代償して支援することになる．患者のセルフケア能力が十分に高い場合は，看護師はそれを維持できるよう患者を支持・教育していく．

(6) 援助を実施する

①必要な知識を提供する

　患者のセルフケア能力や状況に応じて，患者に適した方法で知識を提供する．たとえば，高齢で認知機能が低下している患者は専門的な知識を活用することがむずかしいため，平易な用語を用いて，わかりやすいパンフレットなどを活用して説明を行ったり，支援してくれる家族介護者に対して情報提供できるよう調整したりする．

②必要な技術を習得してもらう

　どのような技術をどのレベルで習得する必要があるかは，患者の状況によって異なる．看護師は患者の能力をアセスメントしたうえで，最小限必要な技術の内容と量を決める．そのなかには，習得した技術の効果を患者自身で評価できるような技術を含める．たとえば，鎮痛薬を用いて痛みのマネジメントを行っている場合，痛みを評価できるスケールを用いて記録することにより，鎮痛薬の効果を評価する方法について説明する．

③必要な看護サポートを提供する

　基本的な看護サポートとして，患者が症状をマネジメントできたことを認めたり，励ましたり，できるまで見守ったりすることが挙げられる．患者が高いセルフケア能力をもっていると判断される場合でも，それを維持したり，より向上させたりするためになんらかのかたちでサポートを提供する．「うまく症状をコントロールできていますね」「こうしてみたらもっとよくなるかもしれないですよ」といったフィードバックを行い，患者の実施している症状のマネジメントを支持することは重要な支援である．

(7) 改善された症状マネジメントの結果を明らかにする

　症状マネジメントを一定の期間続け，結果を評価する．症状や機能状態，患者のQOLや症状マネジメントにおけるセルフケア能力はどのように変化したかを適切に評価するため，信頼性のあるスケールを用いたり客観的な記述データを残す．

　セルフケア能力が向上した結果，症状が改善すれば，症状マネジメントに対する患者の姿勢はさらに前向きなものになる．患者自身が症状マネジメントに対して積極的に参加できるよう支援することで，主体的な症状マネジメントへつながる．

■引用文献

1) Miller WR, Lasiter S, Bartlett Ellis R, et al：Chronic disease self-management：a hybrid concept analysis. Nurs Outlook **63**（2）：154-161, 2015
2) UCSF症状マネジメント教員グループ：症状マネジメントのためのモデル．インターナショナルナーシングレビュー **20**（4）：22-28, 1997
3) Larson PJ, Uchinuno A, Izumi S, et al：An Integrated Approach to Symptom management. Nursing and Health Sciences **1**（4）：203-210, 1999
4) がん患者の症状緩和技術の開発に関する研究班：The Integrated Approach to Symptom Management 看護活動ガイドブック　改訂版Ver.11,〔http://sm-support.net/program/data/iasm_guidebook.pdf〕（最終確認：2023年1月10日）

B. 成人患者への教育的アプローチ

　慢性疾患を有する患者は，病状や症状をマネジメントし疾患の進行や合併症を防ぐために，長期にわたる医学的管理や生活習慣の改善が必要とされることが多い．しかし，療養生活における望ましい目標を医療者が掲げ，必要な知識を患者に提供するだけでは行動変容には結びつかないことが多い．患者自身が中心となって，医療者が推奨する養生法や治療法に同意して服薬や食事，ライフスタイルの改善を能動的に実行するというアドヒアランスを高められるような教育的アプローチが看護師には求められる．

1 ● 成人患者に対する教育の考え方

　成人患者への教育的アプローチとして，対象が成人であるという特性を考慮し，学習を支援するかかわりが必要であるといわれている．成人の学習を援助する技術と科学を**アンドラゴジー**という．アンドラゴジーという言葉は，ギリシャ語のandors（成人）と，agogos（指導）からなる合成語で，ヨーロッパで最初に使われたが，米国の教育学者マルカム・S・ノールズ（Malcom S. Knowles）によって理論から実践までが体系化された．アンドラゴジーは，子どもへの教育学を意味する**ペダゴジー**と対になる概念であるが，子どもがペダゴジー的に教えられ，成人はアンドラゴジー的に教えられるべきというわけではなく，学習状況によって使い分けるべきものであるとノールズは述べている[1]．すなわち，子どもであってもよく慣れ親しんだ分野（たとえばゲームのルールなど）の学習をする際には，アンドラゴジー的な方法で学ぶほうが効果が高く，大人であってもこれまでまったく学んだことのない内容であれば，ペダゴジー的な方法がよい場合もある．アンドラゴジーとペダゴジーを連続したものの両端としてとらえ，状況に合わせてそれらを組み合わせた方法を取っていくとよいと考えられる．アンドラゴジーとペダゴジーの考え方の比較

表Ⅲ-2-1　ペダゴジーとアンドラゴジーの考え方の比較

要素	ペダゴジー	アンドラゴジー
学習者の自己概念	依存的なパーソナリティ	自己決定性の増大
学習者の過去の経験の役割	学習資源として活用されるよりは，むしろその上に積み上げられるもの	自己および他者による学習にとっての豊かな学習資源
学習へのレディネス	年齢段階－カリキュラムによって画一的	生活上の課題や問題から芽生えるもの
学習への導入（方向づけ）	教科中心的	課題・問題中心的
学習動機	外部からの賞罰による	内的な誘因，好奇心

［ノールズ MS：成人教育の現代的実践－ペダゴジーからアンドラゴジーへ，第4版（堀　薫夫，三輪建二監訳），p.513，鳳書房，2015より引用］

表Ⅲ-2-2　学習についてのペダゴジーとアンドラゴジーのプロセスの諸要素

要素	ペダゴジー	アンドラゴジー
雰囲気	緊張した，低い信頼関係，フォーマル，冷たい，離れている，権威志向，競争的，診断的	リラックスした，信頼できる，相互に尊敬し合う，インフォーマル，温かい，共同的，支持的
計画	主として教師による	教師と学習支援者とが相互的に
ニーズ診断	主として教師による	相互診断による
目標の設定	主として教師による	相互調整による
学習計画のデザイン	教師による内容の計画 コースの概要 論理的な順序づけ	学習契約 学習プロジェクト レディネスに基づく順序づけ
学習活動	伝達的技法 割り当てられた読書	探求プロジェクト 個人学習 経験開発的技法
評価	教師による集団基準（正規曲線）による	学習支援者，専門家によって判定された，学習者が集めた証拠による，達成基準による

［ノールズ MS：成人教育の現代的実践－ペダゴジーからアンドラゴジーへ，第4版（堀　薫夫，三輪建二監訳），p.513，鳳書房，2015より引用］

を表Ⅲ-2-1に，それぞれの考え方に沿った学習のプロセスの諸要素を表Ⅲ-2-2に示す．ノールズのアンドラゴジー論では，成人の学習の前提として，自己概念，過去の経験，学習へのレディネス，学習の導入，学習動機が設定されている[2]．以下，これらの前提に沿って，成人患者に対する教育の考え方を述べていく．

a. 自己概念

人間は成熟するにつれて，その自己概念が，依存的なパーソナリティのものから，自己決定的なものになっていく．成人は，自分自身を自己決定的だと認知し，他人からも自己決定的な存在としてみられたいという心理的なニーズをもっている．慢性疾患を自己管理しつつ生活していくために学習する成人患者に対して，看護師にはそのニーズに応えるようなかかわりが求められる．患者が，決められたことを教えられる存在でなく，自己主導的に学習の目標や内容を定め，学習計画を立てていける存在として自らの学習が行えるよ

うに支援する．成人であっても，それまでの学校生活の経験から，「教育」と名のつく活動の場では自分はただいわれることを聞いている依存的な存在だと認識していたり，学習することは苦手であると抵抗感を抱いていたりする場合もある．しかし，成人は，いったん自分で自分の学習への責任を担えることがわかったならば，解放感と爽快感を味わうことになり，深い自我関与の伴う学習に参加する[3]ようになる．看護師は，患者にとって主体的な楽しい学習の経験が達成されるような援助を行うことが必要である．

b. 過去の経験

人間は成熟するにつれて経験を蓄積させていき，その経験の背景をもってさまざまな活動に参加する．成人は子どもより多くの量の経験を有し，また質も異なっているが，人によってもさまざまである．子どもの自己アイデンティティが，自分の家族構成や通っている学校などの外的なできごとに基づくのに対し，成人は，自分の経験から自己アイデンティティを引き出す[4]．「あなたはだれですか」と問われれば，成人は，自分の労働経験や，あるいは訓練や達成してきたことなどで自己を定義づけしようとする．したがって，成人の学習にとって経験の役割は大きく，経験そのものが学習への豊かな資源になる．新しい学習は，過去の経験と関連づけることで意味づけがなされていく．たとえば，糖尿病の食事療法を新たに学ぶ人は，過去に禁煙ができた経験を思い出し，「こういう気持ちで取り組み，周囲の人からこんなサポートが得られれば何とかできるかもしれない」と，あまり抵抗を感じることなく食事療法の実行に移すことができるかもしれない．また，成人の経験は他者の学習にも貢献できる．したがって，成人の教育においては，学習者の経験を引き出す方法によって学習が行われるようにするのが望ましい．たとえば，集団でのディスカッションやシミュレーションなどの参加型で参加者同士の相互作用が期待できる方法が有効である．

c. 学習へのレディネス

レディネスとは，学習が効果的に行われるために不可欠な学習者の内的な準備状態，あるいは準備性をいう．身体的，知的，精神的発達が学習を行うために必要な段階にいたっているかどうかの準備状況を示す．成人は，一般に職場，地域，家庭などにおいてさまざまな役割をもっている．それらの社会的役割を遂行したり，生活上の問題を解決したりするために，新たに学習の機会を求めることが多い．つまり，自分にとっての学習の必要性や意義を感じ，学習の成果を現実的な問題解決に役立てようとすることが，成人のレディネスの中心といえる．成人の学習へのレディネスは，社会的役割に関する発達課題と深く関連している．

したがって，成人患者への教育的アプローチにおいては，患者が学ぶ必要性を感じ，レディネスが高まった時期であるかどうか，学習のタイミングを見きわめることが重要である．また，学ぶ内容は，患者が学んだり解決したいと思う現実的な問題に即したものであることが望ましい．

d. 学習の導入（学習への方向づけ）

子どもにとっての学習は，後の人生で役に立つであろうまとまった教科（知識や技能）の蓄積のプロセスである[5]．これに対し，成人の学習は，応用の即時性という枠組みをもつ傾向にある．つまり，学習したことをすぐに応用し役立てるということである．成人に

とっての教育は，自分たちが現在直面している問題，あるいは近未来の具体的な目標に取り組む能力を向上させるプロセスである．この前提からも，成人患者の学習内容は，患者の関心事と結びついたものとし，問題解決的あるいは課題達成的なプログラムで学習が行われるようにすることが必要である．

e. 学習動機

子どもの学習の多くは，学校や家庭で周囲から指示されたり何か賞罰を与えられることによって行われる．しかし，成人の学習では，他者に指示されたり勧められることが学習のきっかけにはなりうるが，自らが必要性を感じ，学習するという明確な意思をもっていないと長続きせず効果的な学習とならないことが多い．すなわち，学習動機として成人の場合は内的な**動機づけ**が中心となる．内的な動機づけには「このことを学びたい，できるようになりたい」といった具体的な関心や目標達成，「これを学ぶことで自分なりに満足感を得たい」といった主観的な充実感などがある．成人患者への教育的アプローチにおいては，患者の興味・関心に訴えること，問題意識につながるような情報の提供，学習の継続につながる励ましの言葉や目標達成に向けて患者が行っていることの承認など，内的動機づけに働きかけるような支援が求められる．

2 ● 教育の方法とプロセス

患者教育は，看護過程と同じくアセスメント，計画立案，実施，評価というプロセスを通じて行われる．それは，綿密に計画を立て，時間と場所を決めて行われるものであり，同時に時間や場所を問わず患者や家族の自然な問いに答える形で行われるものでもある．

a. アセスメント

患者や家族のアセスメントすべき内容として，主に学習の準備状態，学習意欲，学習能力がある．

アセスメントしたこれらのことが，次の計画立案や実施，評価のプロセスに活用でき，よりその人に合った教育を行うことにつながる．

(1) 学習の準備状態（表Ⅲ-2-3）

患者の精神状態，病気に対する適応の段階，情緒的成熟度，過去の生活経験，患者と家族がもっている目標といった複数の側面から，学習に対する準備がどれくらいできている状態であるか把握する．

(2) 学習意欲（表Ⅲ-2-4）

アセスメントにあたっては，これから教育しようとする問題について，患者がどのような態度をもっているかを把握する必要がある．その学習が自分にとって重要だととらえているか，あるいはいまの自分には必要のないことだと考えているかということである．また，健康に対する考え方や社会文化的背景，宗教的信条などは健康や病気への態度に影響し，学習意欲にも影響する．

(3) 学習能力（表Ⅲ-2-5）

患者の身体状況，知的状態，好む学習形態などをアセスメントし，援助システムや社会経済的状態を把握することで，学習するための能力を判断する．

表Ⅲ-2-3　学習の準備状態

精神状態	軽い情緒反応は学習を加速する（今後の療養生活に軽度の不安があり，それが患者の注意力を鋭くして，学ぼうとする準備状態を高めるなど）が，情緒反応が強すぎると学習を阻害することになる．患者の経験する感情として，不安や怒り，恐怖，不信などがあるが，患者が学習を受け入れられる精神状態にあるかアセスメントすることが必要である．
適応の段階	患者が自分の病気についてどう感じているかを把握することが必要である．病気の存在を否定している，自分が悪かったのだと考えている，病気を進んで受け入れ生活様式を変えようとしている，など患者の病気への反応は時期により異なり適応の段階がある． 適応段階を知ることにより患者が学習する準備ができているかどうかをアセスメントする．
情緒的成熟度	患者がこれまでの発達課題を達成してきたかどうかという発達レベルと，自分を人間としてどうみているかという自尊心の程度を把握する．これらは，物事を決定し，その結果に責任をもって生活を自分で管理する能力に影響する．
過去の生活経験	患者がこれまで経験してきたことは，学習をより意味深く身近なものにし，学習準備状態を高める．医療的な内容に限定せず，患者の過去の経験について把握する．
患者と家族の目標	患者と家族の目標は患者の学習の優先順位を決定する[*]．現実的な目標は患者の学習への動機づけにつながるが，実現不可能な夢や期待は，学習意欲をそいでしまう．患者の目標を知るためには，まず患者が何を知りたがっているかをつかむことが必要である．また，家族の目標を知ることも重要である．家族の目標が現実的なものであれば患者の学習準備状態を高めるが，非現実的な期待は学習意欲を低下させる．家族の目標は，家族がどのくらい学習に積極的に参加する意思があるかの表れでもある．

[*]部は，McVan B（編）：患者教育のポイント—アセスメントから評価まで（武山満智子訳），p.51, 医学書院，1990を参考に作成

表Ⅲ-2-4　学習意欲

健康に対する考え方	健康観によって病気や病気への脅威に対する反応が決まる．自分がある病気にかかりやすい，その病気は自分の生活に重大な影響を与える，といった考えをもっている場合は，学習意欲が強くなる．さらにある行動をとることでその病気を防ぐことができ，病気を背負うより負担が少ないと確信されればいっそう積極的に学習をする．
コントロール状態	変化を起こさせる自分の能力がどれくらいあるかという認識（コントロール状態）によって，健康観が決定されることがしばしばある．一般に自分で病気をコントロールしていると感じている患者は，無力だと感じている患者よりも学習意欲が高い．
健康習慣	患者が健康に関する情報をどのように入手し，利用しているかを把握する．民間療法やサプリメントなど，医療者に指示された養生法でないものに頼る人は，医療を信用せず学習する意欲が低い場合がある．
社会文化的背景	患者の社会文化的背景がどのように病気に対する患者の反応を形づくってきたか，いまのその人の生活様式にどのような影響を与えているかを把握する．
宗教的信条	患者の宗教的信条の中身と強さを判定する．宗教も病気や医療に対する態度に影響し，学習意欲に影響を及ぼす．

b. 教育計画の立案

効果的な教育の基盤となる計画を作成する．その要素としては，学習目標，教育内容，教育方法，結果の評価方法がある．

（1）学習目標

患者が学習する領域には，思考過程を反映する課題を扱う認知領域，身体・運動領域に

表Ⅲ-2-5　学習能力

身体状況	生理的に学習を妨げる痛みや熱，嘔気などの症状がないか，感覚障害の程度とその代替方法，身体障害の程度などについて把握する．感覚刺激の過少や過多，見当識障害，睡眠障害，痛みなど入院中の患者の身体状況に影響する因子も含めてアセスメントする．
知的状態	患者が使う語彙や言葉づかい，自分の病気についての説明の詳細さ，学校教育の程度，仕事の内容などによって知的能力を判断する．見当識障害など知的能力を低下させる因子，言語障害，認知障害など学習能力に影響する因子を判断する．
学習形態	どのような学習形態で教育することが患者の学習能力を高められるかアセスメントする．
援助システム	患者が人生にうまく対処していくために頼りとしている，家族や友人，地域などの援助システムの中身と適切性を把握する．強力な援助システムは，患者のストレスを軽減させ，自信と自尊心をもたらし学習に集中させる．
社会経済的状態	一般に，経済的に安定している人は病気や苦痛による脅威が少なく，病気に対する支配感を増し，学習能力が向上する．

おける学習を扱う精神運動領域，態度や感情表現，個人の価値観などを扱う情意領域がある．患者が学習することの多くは，この3つの領域が均等にではないが関与している．たとえば，糖尿病患者にインスリン自己注射の方法を指導することを考えると，まずインスリン注射器の準備段階において，空打ちの必要性を理解し自分が打つべきインスリンの単位数を正しく把握するという認知作業が患者には必要である．そして，注射針を注射器に正しく取り付け，空打ちし，必要な単位分注射器の目盛りを回して設定することは精神運動作業にあたる．さらに針を扱うことに対して不安を示さず自信をもってできるかどうかということは情意領域の内容である．これらの領域を意識して目標を設定する．

　学習目標を明確にする過程で，患者の学習を評価する方法についてあらかじめ考えておくことで，目標を表現する言葉が見つけやすくなる．インスリンの単位数を正しく把握していることをどのように評価するのか，注射器の目盛りを正確に合わせられるようになっているかをどのように評価するか，針の扱いに不安を感じていないかどうかをどう評価するのか，具体的な評価技法をふまえて目標を定める．目標を明確に設定するということは，評価方法を計画することでもある．また，目標は，一方的に看護師が定めるのではなく，患者とともに設定することで効果のある教育につながる．

(2) 教育内容

　患者への教育内容としては，医療者が，患者が知る必要があると判断したことと，患者自身が知りたいと思っていることがある．また，教育内容はおのずと患者の学習目標を反映したものとなる．新しいことを学習する場合，患者がすでに知っていることをもとに学習できるよう配慮したり，簡単な内容から始めて複雑なものへ応用するようにすると抵抗なく学習を進めていける．

(3) 教育方法

　教育は1対1の個別教育やグループでの教育で行われる．個別教育では，とくに患者についてよく知り人間関係を確立すること，患者個々の状況に合わせて教育を行っていくことが重要である．グループ教育は，共通の健康上の問題をもった2名以上の人を対象にし

て行われる．グループでの学習は，それぞれの患者にとって他のメンバーの知識と経験を知り，自らの学習に活かす機会となる．同様の状況にある仲間がうまくできるのならば自分にもできるかもしれないという代理的経験によって自己効力感を高めることが期待できる．また，共感的な雰囲気のなかで，自分もグループにとって重要な存在であることを感じ，自己概念を高めることにもなる．

教育の方法としては，ディスカッションや現場の見学（例としてこれから血液透析を始める人が透析室を見学することなど），講義，デモンストレーション，ロールプレイ，ケーススタディなどがある．また，教育に用いる教材は，患者が好む学習形態に適したものとする．書籍やパンフレットなどの印刷物，DVD，人体模型，ポスター，コンピュータソフトを使ったプレゼンテーション，eラーニング教材などがあるが，患者に感覚障害がある場合，障害されていない感覚が活用できるよう配慮する．

(4) 結果の評価方法

上記「(1) 学習目標」の項でも述べたように，学習目標を設定する際に，評価方法を常に念頭に置くことが必要である．患者に質問して評価するのか，実演してもらうのか，言動や表情を観察するのかなど，具体的な評価方法を計画する．また，それがいつまでに達成できていることが望ましいかという観点から，評価の日程を計画する．

c. 実 施

立案した教育計画を実施する段階では，次のようなことに留意して進める．

(1) 環境の調整

あらかじめ予定を決めて教育を行う場合，プライバシーが保たれ，明るい静かな場所であるよう配慮する．また，時間についても，検査の直前やリハビリテーションの直後など，あわただしかったり患者が疲労していたりする時間を避け，落ち着いて教育が受けられるようにする．

(2) 患者とのよい人間関係の形成

患者教育は，患者と看護師の相互の関係で成り立つ．よい関係を作るうえで，患者との間に**ラポール**を形成させうるかどうかが重要[6]であるとされる．ラポールとは，2人の人物間で互いに信頼し合い，安心して感情の交流を行うことができる，自分の話を理解してもらえる，と感じられる関係をいう．自分自身の価値観で考えるのでなく，患者の立場に立って患者の感情や態度を受け止め，共感的態度をもって接することが重要である．

(3) 医療者間での教育内容の統一

患者教育には，複数の職種による医療チームでかかわることが多い．たとえば，食事療法について，栄養士と看護師がそれぞれ話をするということがある．チームのなかで，同じ目標，同じ内容で教育されるよう，カンファレンスを実施したり記録に残し情報が共有されるようにする．

(4) 教育途中での患者の理解の確認

患者にとって，初めて学ぶこと，自分の生活習慣の変更を余儀なくされることなどを一度で十分に理解し，実践できるようになるのは容易なことではない．看護師は，途中で患者の理解を確認しながら，その程度に応じて学習の進度を変更したり，複数の方法を組み合わせるなどして，着実に学習が進むようにする．

（5）適切なフィードバック

患者がとる行動が望ましいものである場合は，それを認め伝えることでその行動を強化することができる．反対に，望ましくない行動である場合には，具体的な改善点を伝え，患者がどのようにすればよいのかがわかるようにすることが重要であり，患者自身を否定するような言動はとってはならない．

d. 評　価

評価とは，指導の最中や後で，患者の学習の進み具合を持続的かつ系統的にアセスメントすることをいう[7]．計画立案の段階で設定した学習目標を尺度として患者教育の有効性を判定する．学習目標が明確で，客観的なものであるほど，評価も正確で有益なものになるため，計画の段階で，どのように評価するかということを意識して目標を設定することが重要となる．評価の視点としては，患者の学習状況だけでなく，教育者としての看護師の技能や技術，患者教育プログラムも含まれる．指導と学習の過程で常に評価を行うことは患者へのフィードバックをタイムリーに行うことになり，望ましい行動を強化し，望ましくない行動を修正することにつながる．また，教育する側にとっては効果的な指導方法を見つけることになる．評価についても他の教育過程と同様に，患者とともに行うようにする．

■引用文献

1) 渡邊洋子：ノールズとアンドラゴジー．生涯学習時代の成人教育学，p.122, 明石書店，2002
2) 前掲1), p.151
3) ノールズ MS：成人教育の新しい役割と技術．成人教育の現代的実践－ペダゴジーからアンドラゴジーへ，第4版（堀　薫夫，三輪建二監訳），p.43, 鳳書房，2015
4) 前掲3), p.49
5) 前掲3), p.56
6) ファルボ DR：上手な患者教育の方法（津田　司監訳），p.153, 医学書院，1992
7) Mc Van B（編）：患者教育のポイント―アセスメントから評価まで（武山満智子訳），p.112, 医学書院，1990

C. 相談技術

患者が疾患をセルフマネジメントしていくための知識や技術を身につけられるよう，教育的アプローチを行ったり，療養生活のなかで生じた悩みや困難をともに解決したりするために，看護師は，患者や家族と設けた面談の場で，あるいはベッドサイドで，対話を中心としたかかわりを行っていくことが多い．ここでは，そのような場面で活用できる相談技術について述べる．

1 ● 環境を整える

ここでの環境とは，面談を行う場所・時間，また話をする看護師の態度や患者との位置関係も含めたものとして考える．面談の場所を設ける際は，プライバシーが保てる明るく静かな部屋を選ぶ．検査の直前など慌ただしい時間を避け，落ち着いて話ができる時間を選ぶ．看護師は患者に対し**受容的態度**を示すことが大切であり，その1つとして，いすの背もたれに背中をつけるのでなく，少し前傾姿勢をとることで相手に関心をもっていることを示すことができる．また，人が他人に入ってこられると不快に感じる「個人的空間（パーソナルスペース）」を尊重し，適度な距離を保つことが大切である．位置関係として

は，対面ではなく，90度の位置やハの字の位置に座るほうが相手に圧迫感を与えず話をすることができる．ベッドサイドでは，腰かけていたり横になっている患者の目線と看護師の目線が同じ高さになるよう注意する．

2 ● 傾聴する

面談場面の雰囲気は，面談そのものに大きな影響を与える．自分がまるごと受け止められていると感じられる雰囲気のなかで，患者は自分を肯定的にとらえ，思いや考えを素直に表出し，これまでの生活を見直し新たな知識や技術を身につけていこうと考えたり，困難に感じていることについて対話を通し解決のヒントを得て，何とかやってみようと考えることができる．看護師は，患者に関心をもち，患者の話したいことや言葉にならない感情までも心を傾けて「聴く」，すなわち積極的傾聴を行うことが重要である．傾聴の具体的な技術としては，次のようなものがある．

①**アイコンタクトを活用する**：スムーズな会話を進めたり，相手の発言を後押しするためのノンバーバル（非言語）な手法としてアイコンタクトを活用する．不自然に凝視したり視線をそらすことなく，自然に視線を用いることが大切である[1]．

②**うなずく**：うなずくことで，相手の発言を励ましたり，うながすことにつながる．関心をもって話を聴いていることや，話をそのまま続けてほしいというメッセージを伝えることになり，アイコンタクトや表情とうなずきを組み合わせることで，相手の発言に共感性を示すなど多様なメッセージ性を含めることもできる．

③**相づちを打つ**：うなずきと重ねて用いられることが多い[2]が，タイミングよく相づちを打つことで，相手の話に関心をもっていることを伝え，相手にテンポよく話をさせることにもなる．

④**沈黙を活用する**：患者は沈黙しながら自分の考えをまとめたり，適切な言葉を選んだり，自分自身や問題への洞察を深めていることがある．無言のまま時間が流れた場合に，看護師は居心地の悪さから次の質問をしたりせず，むしろその沈黙の時間を大切にする．

3 ● 質問をする

必要な情報を収集するには，患者に意図的に質問をし，答えてもらう必要があるが，質問には開かれた質問と閉じられた質問がある．

①**開かれた質問**：オープンクエスチョンともいわれる．「はい／いいえ」では答えられない質問であり，患者にとっては自分の言葉で答えるために思考や気づきを深めることとなる．開かれた質問をうまく活用し，患者が自身に関する事実を詳細に述べたり，感情や考えを表現できるようにする．

②**閉じられた質問**：クローズドクエスチョンともいわれ，「はい／いいえ」で答えられる質問である．開かれた質問が相手に自分の言葉で話す機会を提供するのに対して，閉じられた質問は，質問をする側の主導で話を進める傾向が強くなる．しかし，この質問は患者にとっては答えやすいものなので，活用することで，必要な情報を的確に収集することがで

きる．また，患者にとってはいきなり自分の言葉で説明するのは容易ではないことも多く，まず，二者択一の質問から始めれば，患者が自分の言葉で話ができたり，洞察を深めるきっかけを提供する[3]ことになる．重要なのは，尋問や事情聴取のような形にならないように注意することである．

4 ● 承認する

長期間にわたって，これまでの生活習慣を変更していったり，療養のためにさまざまなことを調整しつつ生活を続けていくことは容易ではない．患者や家族は，自分が行ってきたことや行おうとしていることに対し，これでよいのだろうかと不安を抱く場合が多い．患者の行動や考えを**承認**することで，その不安が軽減されることが期待できる．うまくできている場合や，その考え方・方法でよいという場合は言葉で伝え，患者の自己効力感を高めながら，患者が自信をもって続けていけるように後押しをする．考えや方法が適切でない場合であっても，むやみに否定するのではなく，まず患者のこれまでの努力をたたえ，これまで頑張ってきたことに労いの言葉をかけるなどして，患者の自尊感情が低下しないように注意する．そのうえで，改善点を具体的に伝えていく必要がある．

5 ● 提案する

患者が療養生活のなかで身につけるべき新たなことを提案したり，かかえている問題を解決するための方法を提案するにあたっては，患者にとって受け入れやすい伝え方をすることが重要である．そのためには，患者が取り組む障壁の少ないところから始めてみること，段階的に少しずつ行っていくことを勧める．その際も，「どのようなことであれば，抵抗なく始められそうですか」などと患者の意見をもとに考えていく．勧める内容を行った場合の結果をともに想像し，患者が今後のことを肯定的にとらえられるようにする．また，押しつけるようないい方ではなく，「○○してみてはどうでしょう」と双方向の対話のなかで提案を述べる形にすると，患者は自分のこととして受け入れやすい．

■引用文献■
1) 岩間伸之：相談面接技法．対人援助のための相談面接技術，p.32，中央法規，2008
2) 前掲1），p.38
3) 前掲1），p.51

学習課題

1. 慢性疾患患者のセルフマネジメントを高める看護介入について，セルフモニタリングの視点で考え，具体的に述べてみよう
2. 症状マネジメントの統合的アプローチモデルの5つの要素について説明してみよう
3. アンドラゴジーの考え方に沿って，糖尿病をかかえる患者への教育の方法について具体的に述べてみよう

練習問題

Q1 成人の特性を活かした糖尿病患者への教育的アプローチとして適切なのはどれか.
1. 学習する内容と進め方について看護者が計画する.
2. グループでこれまでの療養生活について体験談を話す機会を設ける.
3. テーマごとに講義を受けることを中心にした学習スタイルにする.
4. 「血糖コントロールの必要性は感じていない」という患者に対し,スケジュールに沿って教育プログラムを受けるよう勧める.

[解答と解説 ▶ p.524]

3 社会資源の活用

この節で学ぶこと

1. 慢性期看護を実践する際に必要な社会資源を理解し，説明できる
2. 保健医療福祉制度について，法的根拠および目的，サービス内容，利用方法，サービス提供機関・職種とその役割・機能を理解し，説明できる
3. サポートグループやセルフヘルプグループの機能と参加する医療者（看護者）の役割について説明できる．
4. 慢性期看護を実践するにあたり，事例を通して制度やサービスを活用した具体的な支援方法について理解し，説明できる

社会資源とは利用者がかかえる生活上の諸欲求（ニード）の充足や問題解決を目的として利用できる各種の制度，法律，人材，設備，資金，機関，団体および人々の知識・技術などの諸要素を総称したものである．

A. 日本の社会保障制度

国民が安心して生活できるよう憲法第25条を基本理念として，最低生活を保障する公的な制度を**社会保障制度**という．

▶憲法第 25 条

> すべて国民は，健康で文化的な最低限度の生活を営む権利を有する．国はすべての生活部面について，社会福祉，社会保障及び公衆衛生の向上及び増進に努めなければならない．

社会保障制度は①社会保険，②社会福祉，③公衆衛生および保健医療，④公的扶助が挙げられる．

① **社会保険**：疾病，負傷，出産，死亡，障害，失業など，生活上の困難に対して一定の給付を行う強制加入の保険制度である．社会保険には医療保険，年金保険，介護保険，労働者災害補償保険，雇用保険がある．
② **社会福祉**：児童福祉，母子家庭福祉，老人福祉，障害者福祉など，社会生活を営むうえで立場が弱くなりがちな者を援助するシステムである．
③ **公衆衛生および保健医療**：母子保健，保健事業，医療サービス，公衆衛生など国民が健康に生活できるようなさまざまな事項についての予防，衛生の制度などである．
④ **公的扶助**：生活保護などがある．

B. 保健医療福祉制度

　ここでは，とくに慢性期看護に必要とされる，**医療保険制度**，**介護保険制度**，**障害者総合支援法**，**高齢者の医療の確保に関する法律**，**老人福祉法**，**難病**に関する制度について記述する（表Ⅲ-3-1）．

1● 医療保険制度

　医療保険の種類は表Ⅲ-3-2のとおりである．わが国では，医療保険はすべての国民が加入しなければならないという**国民皆保険制度**（かいほけん）（強制加入）が特徴である．

a. 給付の方法と一部負担金割合

　保険が支払われる形には2種類あり，現物給付と金銭給付がある．**国民健康保険法，健康保険法**に基づいている．給付の範囲と割合は2003年4月から医療費の自己負担率は，義務教育就学前は2割，義務教育就学後から69歳までは3割，70歳から74歳までは2割（現役並所得者は3割）である．75歳以上の者は「高齢者の医療の確保に関する法律（高齢者医療確保法）」の制度により，1割負担（現役並所得者は3割）である．

b. 保険給付の種類

（1）療養の給付

　被保険者が保険証を使って入院，外来通院など疾病，負傷など医療を受けるときに給付される現物給付．被保険者は医療機関の窓口に保険証を提示することで，かかった医療費の一部である「一部負担金」を支払えば健康保険が使える医療サービスのすべてが利用でき

表Ⅲ-3-1　保健医療福祉制度の種類と例

種類	例
保健	地域保健法（保健所，市町村保健センター）
医療	医療保険制度，高齢者の医療の確保に関する法律，難病の患者に対する医療等に関する法律
福祉	介護保険制度，障害者総合支援法，老人福祉法

表Ⅲ-3-2　医療保険の種類

	保険名		保険者	被保険者
職域保険	健康保険	全国健康保険協会管掌健康保険（協会けんぽ）	全国健康保険協会	健康保険組合が設立されていない中小企業の被用者
		組合管掌健康保険	健康保険組合	事業所の健康保険組合
	船員保険		政府	船員
	国家公務員共済組合		共済組合	国家公務員
	地方公務員共済組合			地方公務員
	私立学校教職員共済組合			私立学校教職員
地域保険	国民健康保険		市町村	職域保険以外の者
後期高齢者医療制度			広域連合47都道府県	75歳以上の者，一定の障害のある65歳以上の者

る．一部負担金を支払った残りの金額は「療養の給付」として保険者が医療機関に支払う．

(2) 入院時食事療養費，入院時生活療養費

入院療養中に受けた食事療養に要した費用．入院時生活療養費は，65歳以上の者が入院した時の居住費．

(3) 傷病手当金

病気休業中に被保険者とその家族の生活を保障するために設けられた制度で，病気やけがのために会社を休み，事業主から十分な報酬が受けられない場合に支給される．

(4) 高額療養費制度

※この制度は年末調整時に，一定の金額の所得控除を受けられる医療費控除制度とは別の制度である．

重い病気などで病院などに長期入院したり，治療が長引く場合には，医療費の自己負担額が高額となる．そのため家計の負担を軽減できるように，下記の一定の金額（自己負担限度額）を超えた部分が払い戻される高額療養費制度がある．ただし，保険外併用療養費の差額部分や入院時食事療養費，入院時生活療養費は支給対象にならない．

- 70歳未満の者では，年収約370万～約770万円の人[*1]：80,100円＋（1ヵ月の総医療費－267,000円）×1％
- 70歳以上の者では，2017（平成29）年8月からは，一般の人[*2]：1ヵ月の負担の上限額は世帯ごとに57,600円，多数回該当の場合44,400円，外来（個人ごと14,000円），2018年からは世帯金額は変わらず，個人ごと18,000円

(5) 訪問看護療養費

居宅で療養している人が，かかりつけの医師の指示に基づいて，訪問看護ステーションの訪問看護師から療養上の世話や必要な診療の補助を受けた場合，その費用が訪問看護療養費として現物給付される．

(6) 埋葬料（費）

死亡した場合，葬祭費用などを補うための給付である．

(7) 移送費

病気やけがで移動が困難な患者が，医師の指示で一時的・緊急的必要があり，移送された場合は，移送費が支給される．

(8) その他

出産育児一時金，出産手当金などがある．

※(2)(6)(7)(8)は現金給付である．

2 ● 介護保険制度

介護保険制度は急速な高齢化社会による介護需要の増大，世帯構造の変化医療費の増加

[*1] この他に年収約1,160万円以上，約770万～約1,160万円，～約370万円，住民非課税と5区分の所得に応じて自己負担限度額が異なる．

[*2] 一般の人とは，年収156万～約370万円，健保標準報酬26万円以下，国保・後期課税所得145万円未満，現役並み所得者，低所得者Ⅰ，低所得者Ⅱ以外の者を示す．

表Ⅲ-3-3　介護保険制度のしくみ

保険財政	保険料（第1号・第2号被保険者）50%，公費50% （国25%，都道府県12.5%，市町村12.5%）	
保険者	市町村，特別区（東京23区）	
被保険者	第1号被保険者	第2号被保険者
	65歳以上	40〜64歳までの医療保険加入者
保険料	原則として，年金より天引き	医療保険の保険料に加えて一括して徴収
サービスを利用できる人	要介護者，要支援者	介護保険法で定める特定疾病*により介護や支援が必要と認定された人
利用者の自己負担	原則として，1割	

*特定疾病：①初老期における認知症，②筋萎縮性側索硬化症，③後縦靱帯骨化症，④骨折を伴う骨粗鬆症，⑤多系統萎縮症，⑥脊髄小脳変性症，⑦脊柱管狭窄症，⑧早老症，⑨糖尿病性神経障害，糖尿病性腎症および糖尿病性網膜症，⑩脳血管疾患，⑪パーキンソン病関連疾患，⑫閉塞性動脈硬化症，⑬関節リウマチ，⑭慢性閉塞性肺疾患，⑮両側の膝関節または股関節に著しい変形を伴う変形性関節症，⑯がん末期

［厚生労働省老健局：公的介護保険制度の現状と今後の役割，2018，〔https://www.mhlw.go.jp/file/06-Seisakujouhou-12300000-Roukenkyoku/0000213177.pdf〕（最終確認：2023年1月10日）を参考に作成］

などに対し，平等かつ公正な保健医療サービスおよび福祉サービスを行うため，高齢者を社会で支え合うしくみとして設けられ，国民の保健医療の向上および福祉の増進をはかることとして2000年4月1日に施行された公的保険である．社会情勢の変化に伴うあらゆるニーズに対応すべく，3年に1度のペースで法律が改正されている．直近では2020年に改正，2021年に施行されている（2022年3月現在）．前回からの改正内容としては，介護医療院（介護療養型医療施設（2024年3月で廃止）に代わって制定された施設で，要介護の高齢者に対して医療・介護ともに生活の場を提供する）の創設（2018年〜）などがある．

a. 介護保険の基本理念

　介護保険は，①要介護状態になることの予防や要介護状態の軽減，悪化の防止を目指すこと，②医療と十分に連携すること，③心身状況や環境等に応じて利用者自らの選択に基づき，適切な**保健医療福祉サービス**を多様な事業者，施設から，総合的，効率的に提供すること，④可能なかぎり在宅での**自立した日常生活を目指す**こと，が基本理念とされている．介護保険制度のしくみについて表Ⅲ-3-3に示す．

b. 要介護者への介護サービス

　介護保険を利用する場合，保険者（市町村，特別区）が行う介護認定審査会による「要介護認定」が必要である．**要介護認定**は，要支援1，2，要介護1〜5の7段階に分類される．要介護者は表Ⅲ-3-4のサービス（介護給付）を受けることができる．要支援者は介護予防サービス（予防給付）を受けることができる．

　一方，介護保険ではないが，要介護認定に該当しない「非該当者」で要支援・要介護の可能性のある人に対しては，市区町村が行う介護予防事業または介護予防・日常生活支援総合事業等を利用することができる．なお，この介護予防・日常生活支援総合事業は，要支援者も利用することができる．

c. 介護支援専門員（ケアマネジャー）

　ケアマネジャーは，介護保険制度におけるコーディネーターであり，本人や家族に代わ

表Ⅲ-3-4　介護サービスの種類と内容（介護保険，要介護者）

	サービスの種類	内容	
居宅サービス等	訪問介護（ホームヘルプサービス）	ホームヘルパーが要介護者等の居宅を訪問して，入浴，排泄，食事等の介護，調理・洗濯・掃除等の家事，生活等に関する相談，助言その他の必要な日常生活上の世話を行う	
	訪問入浴介護	入浴車等により居宅を訪問して浴槽を提供して入浴の介護を行う	予防*
	訪問看護	病状が安定期にあり，訪問介護を要すると主治医等が認めた要介護者等について，病院，診療所または訪問看護ステーションの看護師等が居宅を訪問して療養上の世話または必要な診療の補助を行う	予防
	訪問リハビリテーション	病状が安定期にあり，計画的な医学的管理の下におけるリハビリテーションを要すると主治医等が認めた要介護者等について，病院，診療所，介護老人保健施設または介護医療院の理学療法士または作業療法士が居宅を訪問して，心身の機能の維持回復を図り，日常生活の自立を助けるために必要なリハビリテーションを行う	予防
	居宅療養管理指導	病院，診療所または薬局の医師，歯科医師，薬剤師等が，通院が困難な要介護者等について，居宅を訪問して，心身の状況や環境等を把握し，それらをふまえて療養上の管理および指導を行う	予防
	通所介護（デイサービス）	老人デイサービスセンター等において，入浴，排泄，食事等の介護，生活等に関する相談，助言，健康状態の確認その他の必要な日常生活の世話および機能訓練を行う	
	通所リハビリテーション（デイ・ケア）	病状が安定期にあり，計画的な医学的管理のもとにおけるリハビリテーションを要すると主治医等が認めた要介護者等について，介護老人保健施設，介護医療院，病院または診療所において，心身の機能の維持回復を図り，日常生活の自立を助けるために必要なリハビリテーションを行う	予防
	短期入所生活介護（ショートステイ）	老人短期入所施設，特別養護老人ホーム等に短期間入所し，その施設で，入浴，排泄，食事等の介護その他の日常生活上の世話および機能訓練を行う	予防
	短期入所療養介護（ショートステイ）	病状が安定期にあり，ショートステイを必要としている要介護者等について，介護老人保健施設，介護療養型医療施設等に短期間入所し，その施設で，看護，医学的管理下における介護，機能訓練その他必要な医療や日常生活上の世話を行う	予防
	特定施設入居者生活介護（有料老人ホーム）	有料老人ホーム，軽費老人ホーム等に入所している要介護者等について，その施設で，特定施設サービス計画に基づき，入浴，排泄，食事等の介護，生活等に関する相談，助言等の日常生活上の世話，機能訓練および療養上の世話を行う	予防
	福祉用具貸与	在宅の要介護者等について福祉用具の貸与を行う	予防
	特定福祉用具販売	福祉用具のうち，入浴や排泄のための福祉用具その他の厚生労働大臣が定める福祉用具の販売を行う	予防
	居宅介護住宅改修費（住宅改修）	手すりの取り付けその他の厚生労働大臣が定める種類の住宅改修費の支給	
	居宅介護支援	在宅の要介護者等が在宅介護サービスを適切に利用できるよう，その者の依頼を受けて，その心身の状況，環境，本人および家族の希望等を勘案し，利用するサービス等の種類，内容，担当者，本人の健康上・生活上の問題点，解決すべき課題，在宅サービスの目標およびその達成時期等を定めた計画（居宅サービス計画）を作成し，その計画に基づくサービス提供が確保されるよう，事業者等との連絡調整等の便宜の提供を行う．介護保険施設に入所が必要な場合は，施設への紹介等を行う	
施設サービス	介護老人福祉施設	老人福祉施設である特別養護老人ホームのことで，寝たきりや認知症のために常時介護を必要とする人で，自宅での生活が困難な人に生活全般の介護を行う施設	
	介護老人保健施設	病状が安定期にあり入院治療の必要はないが，看護，介護，リハビリテーションを必要とする要介護状態の高齢者を対象に，慢性期医療と機能訓練によって在宅への復帰を目指す施設	

(つづき)

施設サービス	介護医療院	主として長期にわたり療養が必要である要介護者に対し，療養上の管理，看護，医学的管理の下における介護および機能訓練その他必要な医療ならびに日常生活上の世話を行う施設	
	介護療養型医療施設**	脳卒中や心臓病などの急性期の治療が終わり，病状が安定期にある要介護高齢者のための長期療養施設であり，療養病床や老人性認知症疾患療養病床が該当する	
地域密着型サービス	定期巡回・随時対応型訪問介護看護	重度者を始めとした要介護高齢者の在宅生活を支えるため，日中・夜間を通じて，訪問介護と訪問看護が密接に連携しながら，短時間の定期巡回型訪問と随時の対応を行う	
	小規模多機能型居宅介護	要介護者に対し，居宅またはサービスの拠点において，家庭的な環境と地域住民との交流のもとで，入浴，排泄，食事等の介護その他の日常生活上の世話および機能訓練を行う	予防
	夜間対応型訪問介護	居宅の要介護者に対し，夜間において，定期的な巡回訪問や通報により利用者の居宅を訪問し，排泄の介護，日常生活上の緊急時の対応を行う	
	認知症対応型通所介護	居宅の認知症要介護者に，介護職員，看護職員等が特別養護老人ホームまたは老人デイサービスセンターにおいて，入浴，排泄，食事等の介護その他の日常生活上の世話および機能訓練を行う	予防
	認知症対応型共同生活介護（グループホーム）	認知症の要介護者に対し，共同生活を営むべく住居において，家庭的な環境と地域住民との交流のもとで，入浴，排泄，食事等の介護その他の日常生活上の世話および機能訓練を行う	予防
	地域密着型特定施設入居者生活介護	入所・入居を要する要介護者に対し，小規模型（定員30人未満）の施設において，地域密着型特定施設サービス計画に基づき，入浴，排泄，食事等の介護その他の日常生活上の世話，機能訓練および療養上の世話を行う	
	地域密着型介護老人福祉施設入所者生活介護	入所・入居を要する要介護者に対し，小規模型（定員30人未満）の施設において，地域密着型施設サービス計画に基づき，可能な限り，居宅における生活への復帰を念頭に置いて，入浴，排泄，食事等の介護その他の日常生活上の世話および機能訓練，健康管理，療養上の世話を行う	
	療養通所介護	難病，認知症，脳血管疾患後遺症等の重度要介護者またはがん末期患者を対象にしたサービスで，利用者が療養通所介護の施設に通い，食事や入浴などの日常生活上の支援や，生活機能向上のための機能訓練や口腔機能向上サービスなどを日帰りで提供	
	地域密着型通所介護	老人デイサービスセンターなどにおいて，入浴，排泄，食事等の介護，生活等に関する相談，助言，健康状態の確認その他の必要な日常生活の世話および機能訓練を行う（通所介護事業所のうち，事業所利用定員が19人未満の事業所）	
	看護小規模多機能型居宅介護（複合型サービス）	医療ニーズの高い利用者の状況に応じたサービスの組合せにより，地域における多様な療養支援を行う	

* 予防：介護予防サービスもある．
**「介護療養型医療施設」の経過措置期間（平成30年3月末まで）は，29年の法改正により令和6年3月末まで6年間延長されている．
[厚生労働統計協会：介護保険制度．国民衛生の動向．厚生の指標 増刊 67（9）：246-247，2020を参考に作成]

り，医療・保健・福祉のさまざまな社会資源をニーズに応じて組み合わせて，円滑かつ効率的に支援が展開していくようにケアプラン（介護支援計画）を立てて調整推進する専門家である．

d. 地域包括支援センター

地域包括支援センターはすべての**市町村**に設置されており，全国に5,351ヵ所ある（2021年4月末現在）．原則として保健師・社会福祉士・主任介護支援専門員を職員として配置する．要介護者や要支援者の生活をできるかぎり継続して支えるためには介護サービ

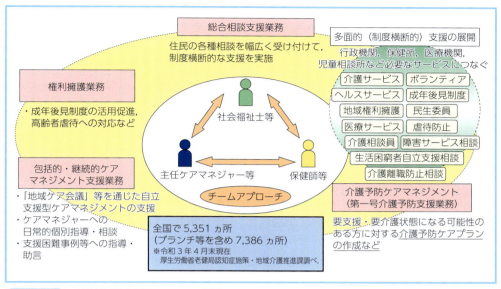

図Ⅲ-3-1 地域包括支援センターの業務

[厚生労働省：地域包括支援センター（参考資料），〔https://www.mhlw.go.jp/content/12300000/000756893.pdf〕（最終確認：2023年1月10日）より引用]

スを中核に，医療サービス，その他の生活支援サービスなどが継続的かつ包括的に提供されなければならない．地域包括支援センターは地域で包括的な支援を提供するために関係者の連絡調整を行い，さまざまなサービスや支援のコーディネートを行う重要な機関である．業務内容は①介護予防ケアマネジメント業務（要支援者のケアマネジメントを実施する），②総合相談支援業務（初期相談対応および専門的・継続的な相談支援，ネットワークの構築，実態把握などを行う），③権利擁護業務（成年後見制度の活用促進，高齢者虐待への対応などの支援を行う），④包括的・継続的ケアマネジメント支援業務（ケアマネジャーへの日常的相談，主治医・多職種の連携・ネットワークづくりなどにより包括的・継続的支援を行う）など4つの事業がある（図Ⅲ-3-1）．

3 ● 障害者総合支援法（障害者の日常生活及び社会生活を総合的に支援するための法律）

身体障害者，知的障害者，精神障害者に加え，難病等を対象として2013年に障害者自立支援法に代わり施行された法律．**障害者総合支援法**に基づく給付・事業を図Ⅲ-3-2に示した．関係する法律は，身体障害者福祉法，知的障害者福祉法，精神保健福祉法，児童福祉法等である．難病患者等で病状の変動などにより，身体障害者手帳を取得できないが一定の障害のある人々が新たに障害福祉サービス等の対象となった．「障害程度区分」を「障害支援区分」に改正した．厚生労働省で「障害者総合支援法施行後3年後の見直し」が検討され，2016年5月25日に「障害者の日常生活及び社会生活を総合的に支援するための法律及び児童福祉法の一部を改正する法律」が成立（同年6月3日に公布）し，2018年4月に施行された．また，2021年には同法の改正があり，感染症対策の強化業務継続への取り

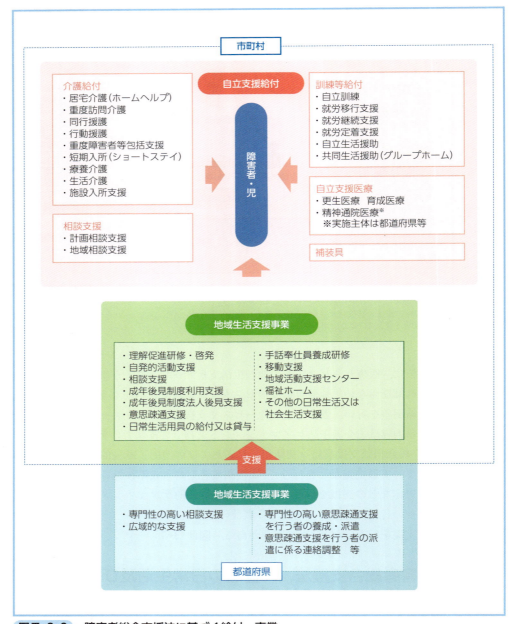

図Ⅲ-3-2　障害者総合支援法に基づく給付・事業

［全国社会福祉協議会：障害福祉サービスの利用について（2021年4月版），p.3，〔https://www.shakyo.or.jp/download/shougai_pumph/date.pdf〕（最終確認：2023年1月10日）より引用］

組み（感染症や災害に対する研修などを実施する），ICTの活用（電車に乗るのがむずかしい人へのビデオ会議システムを用いた支援など遠隔希望者を支援する）などが定められた．

〈障害者総合支援法の概要〉
1. **障害者の望む地域生活の支援**

    地域生活を支援する新たなサービス（自立生活援助）の創設，就労定着に向けた支援を行う新たなサービス（就労定着支援）の創設，重度訪問介護の訪問先（入院先医療機関等）の拡大，高齢障害者の介護保険サービスの円滑な利用（利用者負担を障害福祉制度により軽減［償還］）．

2. **障害児支援のニーズの多様化へのきめ細かな対応**

    居宅訪問により児童発達支援を提供するサービスの創設，保育所等訪問支援の支援対象を乳児院・児童養護施設も含める支援対象の拡大，医療的ケアを要する障害児に対する支援，障害児のサービス提供体制の計画的な構築．

3. **サービスの質の確保・向上に向けた環境整備**

    補装具費の支給範囲の拡大（貸与の追加），障害者福祉サービスの情報公表制度の創設と自治体による調査事務・審査事務の効率化．

a. 給付対象者

身体障害者，知的障害者，精神障害者，障害児，難病等国が定める366疾病（2021年11月現在）による障害がある人．対象となる人は，身体障害者・療育手帳・精神障害者保健福祉手帳をもっていなくても必要と認められた支援が受けられる．

b. 給付・事業の内容

①介護給付および訓練等給付，②自立支援医療，③補装具，④相談支援，⑤地域生活支援事業．

c. 障害福祉サービス等の利用手続き

①相談：サービス利用を希望する障害者等は市区町村または相談支援事業者に相談する．

②利用申請：希望するサービスが決定したら市区町村に利用申請を行う．

③サービス等利用計画案の依頼

④障害者支援区分認定調査等：認定調査員によるa.概況調査，b.障害支援区分認定調査80項目，c.特記事項について訪問調査を行う（身体介護を伴わない場合はb.障害支援区分認定調査および下記⑤〜⑦の調査は実施しない．ただし，⑥については市区町村の判断により審査会の意見を聴くことがある．訓練系・就労系サービス等は障害支援区分の認定を受ける必要はない）．

⑤1次判定（コンピュータ判定）：80項目の認定調査結果と医師意見書の一部項目をもとにコンピュータにより，区分1から区分6までの6段階で障害支援区分の1次判定が行われる．

⑥2次判定（審査会による判定）：市区町村審査会により，1次判定結果，特記事項，医師意見書（1次判定で評価した項目を除く）をもとに判定する．

⑦障害支援区分の認定：総合的な判定をふまえて障害支援区分の認定をし，申請者に通知される．

⑧サービス利用意向等の勘案事項の聞き取り，審査：支給決定にあたりサービス利用意向の聞き取りをし，概況調査の結果と併せて支給決定のための勘案事項として整理される．

⑨サービス等利用計画案の提出：サービス等利用計画案の提出を市区町村から求められた人は，指定特定相談支援事業者が作成したサービス等利用計画案を提出する．
⑩市区町村は支給決定案の作成をする．
⑪市区町村審査会は，作成した支給決定案の作成理由等の妥当性を審査する．
⑫支給決定：支給決定され，サービスの支給量などが決定されると受給者証が交付される．
⑬サービス等利用計画の作成：指定特定相談支援事業者はサービス事業者等との連絡調整を行い，サービス等利用計画を作成する．
⑭サービスの利用開始：サービスを利用する事業者と利用に関する契約を行い，サービス利用開始となる．

d. 障害福祉サービス（表Ⅲ-3-5）

サービスは，個々の障害のある人々の障害程度や勘案すべき事項（社会活動や介護者，居住等の状況）をふまえ，個別に支給決定が行われる「障害福祉サービス」と，市町村の創意工夫により，利用者の方々の状況に応じて柔軟に実施できる「地域生活支援事業」に大別される．

「障害福祉サービス」は，介護の支援を受ける場合には「介護給付」，訓練等の支援を受ける場合は「訓練等給付」に位置付けられ，それぞれ，利用の際のプロセスが異なる．サービスには期限のあるものと，期限のないものがあるが，有期限であっても，必要に応じて支給決定の更新（延長）は一定程度，可能となる．

e. 地域生活支援事業

地域で生活する障害のある人（およびその家族）の日常生活を支え，ニーズに応じた利便性の高いサービスの情報を都道府県や市町村が地域の特性に合わせて提供する．

市町村の例：
①移動支援：円滑に外出できるよう移動を支援する．
②地域活動支援センター：創作活動や生産活動の機会の提供，社会との交流促進を行う施設．
③福祉ホーム：住居を求めている人が低額な料金で居室などを利用できる．また，日常生活に必要な支援を行う．

4 ● 高齢者の医療の確保に関する法律

老人保健法は，国民の老後における健康の保持と適切な医療の確保をはかることを目的として1982年に制定され，40歳以上の人に対する健康診断等の保健事業と75歳以上の高齢者に対する医療の給付を市町村が実施することを定めていた．2008年4月から，老人保健法は廃止され，老人保健法の医療事業は「高齢者の医療の確保に関する法律」へ，それ以外の保健事業は「健康増進法」に引き継がれた．

5 ● 老人福祉法

老人の総合的・体系的福祉の推進を目指して1963年に制定された．都道府県と市区町村に対して老人福祉計画の作成を義務づけるとともに，老人福祉施設（老人デイサービスセンター，老人福祉センター，老人介護支援センター，養護老人ホーム，特別養護老人ホーム，軽費老人ホーム，老人短期入所施設）および在宅福祉事業（ホームヘルプ，デイ

3. 社会資源の活用

表Ⅲ-3-5　障害福祉サービスに係る自立支援給付等の体系

	サービス名称	サービスの内容
介護給付	居宅介護（ホームヘルプ）	自宅で，入浴，排泄，食事の介護等を行う
	重度訪問介護	重度の肢体不自由者または重度の知的障害若しくは精神障害により，行動上著しい困難を有する人で常に介護を必要とする人に，自宅で，入浴，排泄，食事の介護，外出時における移動支援，入院時の支援などを総合的に行う
	同行援護	視覚障害により，移動に著しい困難を有する人に，移動に必要な情報の提供（代筆・代読を含む），移動の援護等の外出支援を行う
	行動援護	自己判断能力が制限されている人が行動するときに，危険を回避するために必要な支援や外出支援を行う
	重度障害者等包括支援	介護の必要性がとても高い人に，居宅介護等複数のサービスを包括的に行う
	短期入所（ショートステイ）	自宅で介護する人が病気の場合などに，短期間，夜間も含め施設で，入浴，排泄，食事の介護等を行う
	療養介護	医療と常時介護を必要とする人に，医療機関で機能訓練，療養上の管理，看護，介護および日常生活の支援を行う
	生活介護	常に介護を必要とする人に，昼間，入浴，排泄，食事の介護等を行うとともに，創作的活動または生産活動の機会を提供する
	施設入所支援（障害者支援施設での夜間ケア等）	施設に入所する人に，夜間や休日に，入浴，排泄，食事の介護等を行う
訓練等給付	自立訓練	自立した日常生活または社会生活ができるよう，一定期間，身体機能または生活能力の向上のために必要な訓練を行う．機能訓練と生活訓練がある
	就労移行支援	一般企業等への就労を希望する人に，一定期間，就労に必要な知識および能力の向上のために必要な訓練を行う
	就労継続支援（A型＝雇用型，B型＝非雇用型）	一般企業等での就労が困難な人に，働く場を提供するとともに，知識および能力の向上のために必要な訓練を行う 雇用契約を結ぶA型と，雇用契約を結ばないB型がある
	就労定着支援	一般就労に移行した人に，就労に伴う生活面の課題に対応するための支援を行う
	自立生活援助	一人暮らしに必要な理解力・生活力等を補うため，定期的な居宅訪問や随時の対応により日常生活における課題を把握し，必要な支援を行う
	共同生活援助（グループホーム）	共同生活を行う住居で，相談や日常生活上の援助を行う．また，入浴，排泄，食事の介護等の必要性が認定されている方には介護サービスも提供する さらに，グループホームを退居し，一般住宅等への移行を目指す人のためにサテライト型住居がある
相談支援	計画相談支援	・サービス利用支援 障害福祉サービス等の申請に係る支給決定前に，サービス等利用計画案を作成し，支給決定後に，サービス事業者等との連絡調整等を行うとともに，サービス等利用計画の作成を行う ・継続サービス利用支援 支給決定されたサービス等の利用状況の検証（モニタリング）を行い，サービス事業者等との連絡調整等を行う
	地域相談支援	・地域移行支援 障害者支援施設，精神科病院，保護施設，矯正施設等を退所する障害者，児童福祉施設を利用する18歳以上の者等を対象として，地域移行支援計画の作成，相談による不安解消，外出への同行支援，住居確保，関係機関との調整等を行う ・地域定着支援 居宅において単身で生活している障害者等を対象に常時の連絡体制を確保し，緊急時には必要な支援を行う
地域生活支援事業	移動支援	円滑に外出できるよう，移動を支援する
	地域活動支援センター	創作的活動，または生産活動の機会の提供，社会との交流の促進を行う
	福祉ホーム	住居を必要としている人に，低額な料金で，居室等を提供するとともに，日常生活に必要な支援を行う

［全国社会福祉協議会：パンフレット　障害福祉サービスの利用について（2021年4月版），p.4-5，〔https://www.shakyo.or.jp/download/shougai_pumph/date.pdf〕（最終確認：2023年1月10日）を参考に作成］

サービス，給食サービス，ショートステイ，入浴サービス，寝具乾燥消毒サービス）について規定している．1973年に一部が改定され，老人の医療費自己負担の無料化が実施されたことにより，老人の受診が増え，老人医療費の高騰をまねき，国や地方自治体の財政を圧迫する結果となった．このため，上記の老人保健法を制定し，医療事業や保険事業を有料にし，老人保健法に該当しない場合のみ**老人福祉法**によるという体制に切り替えた．しかし，人口の高齢化はさらに進み，財政上破綻をきたしたため，従来，老人福祉法，老人保健法の管轄であった介護部門を介護保険法で賄うこととした．現在では，介護保険法の適用が優先され，やむをえない事由があるときのみ，たとえば虐待を受けているなどの理由で，緊急で施設への入所が必要な場合は老人福祉法に基づく市区町村の措置によって老人ホームへの入所が行われるという形式となっている．

6 ● 難病に関する制度，取り組み

2015年1月に施行された「**難病の患者に対する医療等に関する法律**」（**難病法**）は旧来の厚生省令に基づく制度から法律に基づく制度に改められた．

難病法の基本理念として，「難病の克服を目指し，難病患者がその社会参加の機会が確保されること及び地域社会において尊厳をもって生きられる共生社会の実現を目指すこと等」とし，その理念に基づき，難病の医療にかかる医療の推進・体制・人材養成に関する事項，調査研究に関する事項，療養生活や環境整備，福祉サービスや就労支援に関する施策との連携に関する事項等について，国による基本方針の策定がある．また，その柱として①難病にかかわる新たな公平かつ安定的な医療費助成，②難病医療に関する調査および研究の推進，③療養生活環境整備事業の実施が提示されている．

同法の趣旨は，難病の患者に対する医療費助成に関して，法定化によりその費用に消費税の収入を充てることができるようにするなど，公平かつ安定的な制度を確立するほか，基本方針の策定，調査および研究の推進，療養生活環境整備事業の実施等の措置を講ずることである．

法律の概要は下記のとおりであり，2015年1月1日より施行されている．

①基本方針の策定

厚生労働大臣は，難病にかかわる医療その他難病に関する施策の総合的な推進のための基本的な方針を策定する．

②難病にかかわる新たな公平かつ安定的な医療費助成の制度の確立

都道府県知事は，申請に基づき，医療費助成の対象難病（指定難病）の患者に対して，医療費を支給．指定難病にかかわる医療を実施する医療機関を，都道府県知事が指定．支給認定の申請に添付する診断書は，指定医が作成．都道府県は，申請があった場合に支給認定をしないときは，指定難病審査会に審査を求めなければならない．医療費の支給に要する費用は都道府県が負担し，国は，その2分の1を負担する．

③難病の医療に関する調査および研究の推進

国は，難病の発病の機構，診断および治療方法に関する調査および研究を推進する．

④療養生活環境整備事業の実施

都道府県および指定都市は，難病相談支援センターの設置や訪問看護の拡充実施等，療

養生活環境整備事業を実施できる．

a. 難病と指定難病

難病法では，難病を「発病の機構が明らかでなく，治療方法が確立していない希少な疾病であって長期の療養を必要とするもの」と定義している．

また，「指定難病」とは，難病のうち，さらに以下の①および②の要件のすべてを満たすものをいい，患者の置かれている状況からみて良質かつ適切な医療の確保をはかる必要性が高いものとして，厚生科学審議会の意見を聴いて厚生労働大臣が指定する．難病の医療費助成（特定医療費という）の対象となる．

> ①患者数がわが国において一定の人数[*]に達しないこと
> ②客観的な診断基準（またはそれに準ずるもの）が確立していること
> [*]人口の0.1％程度，およそ12万人強．

b. 難病患者の在宅での療養を支える社会資源

(1) 医療費の援助（指定難病の要件に該当する疾病を対象とする）

①対象疾病

特定疾患治療研究事業の対象疾患である56疾病が医療費助成対象であったが，2015年1月1日より「難病の患者に対する医療等に関する法律」が施行され，110の指定難病が対象となった．その後，2015年7月には対象疾病は306まで増加し，2021年11月から338疾病に拡充された．

②自己負担額割合

自己負担額割合は**2割**である．自己負担上限額所得の階層区分および負担上限額については，医療保険の高額療養費制度や障害者の自立支援医療（更生医療）を参考に設定．症状が変動し入退院を繰り返す等の難病の特性に配慮し，外来・入院の区別を設定しない．受診した複数の医療機関等の自己負担（薬局での保険調剤および訪問看護ステーションが行う訪問看護を含む）をすべて合算したうえで負担上限額を適用する．

③所得把握の単位等

所得把握の単位は医療保険における**世帯**である．所得を把握する基準は，市町村民税（所得割）の課税額とする．同一世帯内に複数の対象患者がいる場合，負担が増えないよう，世帯内の対象患者の人数で負担上限額を按分する．人工呼吸器装着者の負担上限月額は所得階層にかかわらず**1,000円**（2022年7月1日現在）である．

④入院時の食費等

標準的な食事療養および生活療養にかかわる負担については患者負担とする．

⑤高額な医療が長期的に継続する患者の取り扱い

高額な医療が長期的に継続する患者[*]については，自立支援医療の「重度かつ継続」と同水準の負担上限額を設定．

---

[*]「高額な医療が長期的に継続する患者（「高額かつ長期」）とは，月ごとの医療費総額が5万円を超える月が年間6回以上ある者（たとえば医療保険の2割負担の場合，医療費の自己負担が1万円を超える月が年間6回以上）とする．人工呼吸器等装着者の負担上限額については，所得区分にかかわらず月額1,000円とする．

⑥高額な医療を継続することが必要な軽症者の取り扱い

助成の対象は症状の程度が一定以上の者であるが,軽症者であっても高額な医療を継続すること*が必要な者については,医療費助成の対象とする.

(2) 身体障害者手帳の申請,等級の変更(各市町村障害福祉担当課)

※(2)に関連して「障害年金」(障害者手帳と障害年金は別の制度であり障害者手帳＝障害年金の等級ではない)

- 国民年金 ── (各市町村保険年金担当課)
- 厚生年金 ── (各社会保険事務所)

(3) 障害者総合支援法による障害福祉サービス

- 利用できるサービスがホームヘルプサービス,短期入所,日常生活用具の給付の3つから障害者総合支援法に定める障害福祉サービス(p.139参照)に広がった.

(4) 難病患者等ホームヘルパー養成研修事業

(5) 訪問看護指導等

- 保健師による訪問指導
- 訪問看護ステーションからの訪問看護
- 病院の訪問看護室からの訪問看護
- 在宅介護支援センターからの訪問介護

(6) 在宅人工呼吸器使用患者支援事業

指定難病及び特定疾患治療研究事業対象疾患患者で,診療報酬で定められた回数を超える訪問看護を受ける場合,その回数を超えた訪問看護料について公費負担を受けられる制度で,年間260回の訪問看護が医療保険制度とは別に支給される.

(7) 保健所の難病患者・家族を対象とした支援事業

- 医療相談事業・訪問指導(診療)事業
- 講演会
- 患者交流会
- 人工呼吸器の貸与や給付(都道府県等により異なる)

(8) その他

- 生活保護(各市町村生活保護担当課)
- 就労相談(ハローワーク)

---

*「高額な医療を継続すること」とは,月ごとの医療費総額が33,330円を超える月が年間3回以上ある場合(たとえば,医療保険の3割負担の場合,医療費の自己負担が1万円以上の月が年間3回以上)とする.

C. 事例でみる難病患者の社会資源の活用

慢性疾患の難病のなかでも，ALS（筋萎縮性側索硬化症）を取り上げ，ALS療養者Cさんを例として，その状況に応じた対処を具体的に考えてみる．

事例 ⑤

人口3万人のA県B市に住むALS療養者Cさん，50歳，男性．家族は妻48歳，長男15歳，長女10歳である．徐々に病気が進行し，会社も休職，在宅で寝たきり状態となった．さらに病状が悪化し，人工呼吸器をつけなければならなくなり，四肢はまったく動かせなくなった．現在要介護度5，身体障害者手帳1級である．A県知事の指定を受けている指定医療機関の難病指定医の治療を受けている．気管切開をして人工呼吸器を使い，胃瘻を造設しているので，重症度は5度でもっとも重い[1]．そのため，Cさんの介護は24時間365日の喀痰除去と体位交換が必要である．さらに体調が悪いと喀痰の吸引も1日に数十回に及ぶことがあった．妻は介護が長期化するにつれて睡眠不足や将来の不安で次第に心身の疲労が蓄積してきた．また，子どものことが気がかりであっても介護で手が回らずイライラすることが増えた．

事例の解説

ALSは介護保険の40歳以上65歳未満の第2号被保険者も介護保険を利用できる特定疾病であり，指定難病および障害者総合支援法の対象疾患であることから，Cさんも以下のようなさまざまな社会資源が利用できる．

▶ まずは，福祉課窓口へ

優先順位として，まず介護保険が適用される．居住地のB市役所福祉課窓口へ申請すると市役所職員等が訪問調査で聞き取りにくる．調査の結果をもとに1次判定，2次判定があり，要介護度が決定されると介護保険のサービスが利用できる．要介護度が認定されて，サービスを受けるには，居宅介護支援事業者のケアマネジャーに依頼してケアプランを立ててもらう必要がある．ケアプランの成立によって初めて介護保険が利用できるようになる．介護保険にないサービスや足りない分は，障害者総合支援法による障害福祉サービスやボランティアも利用する．また，A県の保健所の難病担当保健師に相談し，指定難病の

経済的に不安……
日常生活が不安……
どこに相談したら……

申請をすると，指定難病受給者証がもらえる．

▶医療費について

指定難病医療費助成申請をして助成を受けるほか，高額療養費の還付制度や，身体障害者手帳を提示して障害者医療費助成制度（重度障害者医療証等）を利用することができる．

▶在宅療養時の社会資源

ALSは厚生労働大臣が定める疾病等のため医療保険による訪問看護を受けることが可能（介護保険のサービスが優先）である．また，介護保険にないサービスや物品は障害者総合支援法によるサービスを利用することもできる．喀痰の頻回の吸引など，とくに24時間介護が必要となる重度のALSの場合は重度訪問介護が利用できる．そのほかケアマネジャーや保健師のマネジメントを受けたり人工呼吸器装着時の介護は家族の疲労度が高いため在宅難病患者一時入院事業を利用することができる．

▶生活の経済的不安に活用できる制度

経済的には，一般的に会社では診断書の提出により仕事を休み始めるが，会社独自の制度や有給休暇を使うことにより，休職に入るまでは100％給与が支払われることもある．休職扱いとなると，会社からの給与は出なくなるが，傷病手当金支給申請書を提出することによって健康保険組合等から傷病手当金（給与の3分の2相当）が支払われる．1.5〜3年で休職満了になると退職となる（会社や勤続年数によって期間が異なる）．そのほかには身体障害者手帳があれば障害厚生年金，任意で入っている生命保険があれば保険金が出る．退職する場合は雇用保険（失業手当が出る）も使える．その他身体障害者手帳による税金の控除，交通運賃割引がある．

▶告知時の患者・家族に対する援助

病名の告知や人工呼吸器装着の決定について，患者・家族は大きな不安，葛藤を抱く．

病院の主治医や看護師，訪問看護師，保健所や保健センターの保健師は，積極的に患者・家族の気持ちを傾聴し，患者・家族が自らの気持ちを整理し，病気の受容，人工呼吸器装着の意思決定をし，病気に立ち向かえるよう援助していくことが重要である．また，患者会や患者交流会を通して，同じ立場である人たちからエンパワメントされることによって病気と向き合う気持ちがもてたり長期療養生活への適応が可能になっていくようになる．

▶日常的サービスは，ケアマネジャーに相談

人工呼吸器装着後はカテーテルで定期的に喀痰を吸引しなければならない．機器管理調整，喀痰吸引，胃瘻からの栄養摂取介助のため，訪問看護師が1日3回訪問する（介護保険で不足の場合は障害者総合支援法のサービスで補うことができる）．また，喀痰吸引は24時間対応が必要であり，夜間の喀痰吸引は，喀痰吸引等研修を受講し，認定特定行為業務従事者認定証をもつホームヘルパーが担当する．また，停電時の対応として電力会社のかかわりも重要となる．

発語できない場合は言語以外のコミュニケーションを工夫することが必要となる．パソコンによるコミュニケーション機器「ファイン・チャット®」「伝の心®（でんのしん）」などのAAC機器（AAC：augmentative & alternative communication，補助代替コミュニケーション）を導入するが必要であれば，日本ALS協会等で福祉機器として貸出サービスを利用できる．近年，NPPV（非侵襲的陽圧換気療法）の導入により，人工呼吸をしな

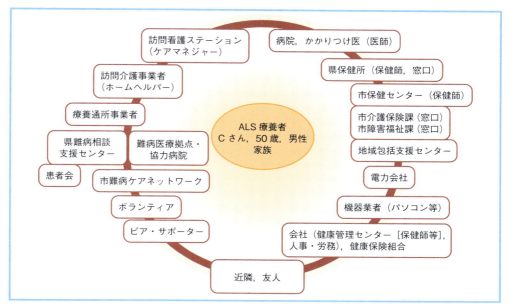

図Ⅲ-3-3　ALS患者が利用できる社会資源

がら食事や会話が可能となってきた．それにより患者のQOLの維持・向上が可能となった．

　利用者の病状変化やさまざまな問題解決に対応して，必要時にケア会議を開催し対策を講じる．ケア会議を招集し，複数のサービスをコーディネートするのは主にケアマネジャー，保健師等である．

▶**本人，家族のことでの総合的相談は地域の担当保健師に相談**

　介護をしている家族の介護負担等に関しては地域の保健センターなど保健師に相談することができる．必要であれば家庭訪問をして，介護の状況，利用している社会資源の適切性や介護の負担状況等についてアセスメントし解決へ向けて支援する．とくに公的な立場から客観的なアセスメントをし，患者や家族のニーズを汲み取り支援できることが特徴である．

　このように，Cさんという1人のALS患者のQOLの向上を目指して，多くの職種，事業者がサポートネットワークを通して連携して活動している（図Ⅲ-3-3）．

　以上のように利用できる社会資源は多数あるが，重要なことは，社会資源としてのサービスの多くは患者・家族による申請であるため，看護師自身がサービスの内容についての知識をもち，患者・家族に適切な情報提供をする必要がある．そのうえで，患者・家族が適切なサービスを意思決定できるよう支援することが重要である．保健医療福祉の専門家が必要なサービスであると思っても，当事者は希望していない場合もあり，その人の考え方を大切にしてかかわることが求められる．また，患者・家族が求めるサービスであっても，看護師は常に自立的支援を考えているため，それが阻害されると考えられる場合は，患者・家族の希望とは異なった対応をする場合もある．つまり患者自身や家族の顕在的・

潜在的能力を尊重して働きかけることになる．すべてを看護師が援助してしまうのではなく，一部を援助することによって，患者・家族に達成感や自己効力感をもってもらい，療養に前向きになってもらう，などである．

このように，社会資源の活用方法については，どのようなサービスがあるのか，その申請はどこにするのか，どのくらい費用がかかるか，などについては，できるだけ具体的に看護師が情報を提供することが重要であり，昨今の法律改正についても看護師自身がよく理解して，すべてを知らなくても管轄の保健所保健師等ネットワークについて知り，相談窓口などの情報を提供することによって適切なサービスを提案できるようにしておくことが求められる．

D. サポートグループやセルフヘルプグループ

治療技術の向上や地域医療の推進，高齢化により慢性疾患をもちながら地域で生活する人々が増加し，患者や家族が直面する問題やニーズが複雑化・多様化している．家族や地域社会のあり方も時代とともに変化し，人々をサポートする力や問題を解決する力が減退するなかで，新しいサポートのあり方として，**サポートグループ**や**セルフヘルプグループ**などグループによる相互支援が保健・医療の分野でも展開されている．

サポートグループとセルフヘルプグループは，「発起人がメンバーと同じ問題を共有しているか（当事者性をもつか）」において相違点はあるが，患者や家族が体験をわかちあい相互支援を行う点や「グループ」で得られる効果は共通している．グループを開催する目的として，①メンバーがかかえる問題の解決や軽減，②問題とのつき合い方の学習，③安心できる居場所づくり，④自分たちに必要な情報の交換，⑤社会への働きかけなどがある[2]．慢性疾患の領域では，難病患者やがん患者とその家族，生活習慣病をもつ患者などのグループが広く活動している．

1 ● サポートグループの活用と支援

サポートグループとは，特定の悩みや障害をもつ人々を対象とした小グループのことであり，専門家やその問題に関心がある人々，その問題を乗り越えた先輩など当事者ではない人々によって企画・維持される．その目的は，参加者がかかえている問題を仲間のサポートだけでなく専門家の助言を受けながら，解決あるいは受容を目指すものである．参加者の自主性・自発性が重視されるが，セルフヘルプグループよりも保護され安全性が高く，専門家への依存が生じやすい．

サポートグループに参加する医療者は，専門家としてグループ全体の運営の責任を負う．指導者ではなくファシリテータ（促進者）として，メンバー同士が話しやすい雰囲気やお互いの援助能力を発揮できる場を作り，交流を促進する役割がある．また，その人にそのグループが適しているか，心理的に耐えられるかなどの判断も必要となる[3]．

2 ● セルフヘルプグループの活用と支援

セルフヘルプグループとは，なんらかの問題・課題をかかえている本人や家族自身の当

事者グループのことであり[4]，その目的は，自分がかかえている問題を仲間のサポートを受けながら自分自身で解決あるいは対処していくことにある．わが国では**患者会**や家族会としてサポートグループよりも長い歴史をもち，社会に働きかけるグループもある．専門家中心ではなく仲間中心であるセルフヘルプグループの特徴は，メンバーの①共通の問題，②共通のゴール，③対面的な相互作用，④対等な関係，⑤自発的な参加，⑥専門家との多様な関係などである[5]．専門家がグループ設立・維持に協力することはあるが，基本的にメンバーの自主性・自発性がもっとも重視される．

セルフヘルプグループは，情緒的サポートや役立つ情報の提供，役割モデルとの出会い，自己開示の機会など多くの機能をもち，その基本的要素[6]として「わかちあい」「ひとりだち」「ときはなち」を備えている．「わかちあい」は自発的な体験の語りやピアサポートを含み，「ひとりだち」では**体験的知識**を得て意思決定や自己管理をし，社会参加の機会としていく．「ときはなち」は自尊感情を回復し，外に向けて力を得ること（エンパワメント）につながる．また，セルフヘルプグループでは，「人は援助することでもっとも援助（利益）を受ける」という「ヘルパー・セラピー原則[*]」[7,8]が有効に機能し，それはメンバー間だけでなく協働する医療者にも利益をもたらし実践を豊かにする．

[*]ヘルパー・セラピー原則：セルフヘルプグループの重要な側面としてリースマン（Riessman, 1965）が挙げた概念で，なぜメンバーは生き生きするのか，自己を変化させるのかを説明する．共通の問題をかかえたメンバーが援助的役割を担うことによって，自分の問題をより理解できたり，自分の経験が社会的に役立つことを実感できたりする．それは援助する人の成長や自信・力を得ることにつながり，援助者が援助（利益）の受け手となっている関係が成立することを示している．

このようにセルフヘルプグループは専門家からは得られない効用をもつが，参加自体がメンバーのストレスになったり，運営上の仕事を任された負担が病状の悪化につながったりするリスクもある．さらに，メンバーのニーズの多様化，リーダーによる「独裁」，運営メンバーと利用するメンバー間の軋轢（あつれき），中心的メンバーの疲弊，活動のマンネリ化などにより，その存続がむずかしくなることもある[9]．また，すべての人が参加を希望するとは限らない．既存の支援への満足や組織の一員となることの負担感，未知のグループへの抵抗感や病気を忘れたいという思い，体力や精神的エネルギーの減退などを考慮する必要がある．

セルフヘルプグループにおける専門家の役割は，グループの理解者として，専門的知識や最新情報の提供，グループの紹介，困ったときの相談役，代弁者，新グループの結成，会報発行や会場提供などの周辺的な援助を適度な距離を保ち側面から提供することにある．さらに医療者であれば，メンバーの病状に配慮したり，負担を軽減する提案をしたりすることが可能であり，共有する問題の特性に配慮したサポートができるというメリットもある．

サポートグループもセルフヘルプグループも対面で始まったが，インターネットの普及によりオンラインでのグループ活動も可能になり，映像や音声機能を活用した活動に発展している．時間や場所を共有する必要がなく匿名（とくめい）での参加も可能という特徴をもつが，一方でサポート機能の限界やリスクもある．今後，参加者がそれぞれのサポートを相補的にバランスよく活用できるような支援が求められる．

学習課題

1. 成人期の患者・家族が利用できる社会資源のうち最低生活を保障する公的な制度（社会保険制度）を4つ挙げそれぞれ説明してみよう
2. 慢性期患者が利用できる主な法的制度について説明してみよう
3. 障害をもつ慢性期患者が障害福祉サービスを利用する場合の手続きについて具体的に説明してみよう
4. サポートグループやセルフヘルプグループの機能と参加する医療者（看護者）の役割について説明してみよう

練習問題

Q1　「難病の患者に対する医療等に関する法律」について正しいのはどれか．
1. 医療費助成の申請は居住している市町村で行う．
2. 指定されている難病（指定難病）の種類は，法律の制定後変わっていない．
3. 入院時の通常の食事療養にかかる費用も助成の対象となる．
4. 原則として医療費の自己負担割合は2割である．

［解答と解説 ▶ p.524］

引用文献

1) 難病情報センター:指定難病一覧 筋萎縮性側索硬化症(ALS)〔http://www.nanbyo.or.jp/entry/214〕(最終確認:2023年1月10日)
2) 高松 里:セルフヘルプ・グループとサポート・グループ実施ガイド―始め方・続け方・終わり方,p.14-15,金剛出版,2004
3) 前掲2),p.97-102
4) 久保紘章:セルフヘルプ・グループ―当事者へのまなざし,p.137,相川書房,2004
5) 前掲4),p.8
6) 岡 知史:セルフヘルプグループの援助特性について,上智大学社会福祉研究,p.4-17,1994
7) Gartner A, Riessman F:セルフ・ヘルプ・グループの理論と実際―人間としての自立と連帯へのアプローチ(久保紘章監訳),p.117,川島書店,1985
8) 前掲4),p.134
9) 高橋 都:がん患者とセルフヘルプ・グループ―当事者が主体となるグループの効用と課題.ターミナルケア 13(5):357-360,2003

第Ⅳ章

慢性疾患の主な治療法と治療を受ける患者の看護

学習目標
1. 慢性疾患における代表的な治療法について理解する
2. それぞれの治療を受ける患者の身体的，心理・社会的特徴について理解する
3. それぞれの治療を受ける患者に対する具体的な援助について理解する

1 インスリン療法を受ける患者の援助

> **この節で学ぶこと**
> 1. インスリン治療の目的・位置づけを説明することができる
> 2. インスリン療法を受ける患者の身体的，心理・社会的特徴を説明することができる
> 3. 低血糖についての指導内容を説明することができる
> 4. インスリン自己注射指導の指導方法と注意事項を説明することができる

A. インスリン療法の基礎知識

1 ● 治療の目的・位置づけ

インスリン療法は，食事療法，運動療法や経口血糖降下薬で治療しても血糖コントロールが十分でない場合や，インスリン分泌が著しく少ない場合に必要となる．インスリン療法は，糖尿病でインスリンが不足していることに対してそれを補う治療である．ブドウ糖毒性*を解除して膵臓の疲弊を防ぎ，インスリン分泌能を維持するために，近年はインスリン療法を早期に開始するのが効果的と考えられている．また，インスリン療法は，従来，入院して導入することが多かったが，外来においても導入されるようになっている．

2 ● 治療方法

インスリン療法の基本は，健常者にみられる血中インスリンの変動パターンを再現することにある．インスリン分泌は，食事に関係なく常時分泌されている基礎分泌と食事によって上昇する血糖値を下げようと分泌される追加分泌からなる（**図Ⅳ-1-1**）．インスリン製剤には，作用の違う超速効型インスリン，速効型インスリン，中間型インスリン，混合型インスリン，配合溶解インスリン，持効型溶解インスリンがある（**表Ⅳ-1-1**）．基礎分泌を補うインスリン製剤は，中間型インスリンと持効型溶解インスリンである．追加分泌を補うインスリン製剤は，超速効型インスリンと速効型インスリンである．混合型インスリンと配合溶解インスリンは，基礎分泌と追加分泌の両方を補うインスリン製剤である．

インスリン製剤は同じ作用でも剤型が違ったり，製薬企業によって注射器の使い方も異なるので，患者の病態や状態，ライフスタイルに合ったインスリン製剤，注射器を選択する．

---

*ブドウ糖毒性：持続的な高血糖は，インスリン分泌不全とインスリン抵抗性の相互作用によって生じる．いったん持続する高血糖が成立すると，高血糖がインスリン分泌不全やインスリン抵抗性をさらに悪化させ悪循環に陥る．これをブドウ糖毒性という．

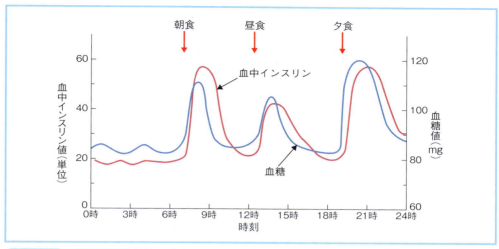

図Ⅳ-1-1 健常者の血糖値と血中インスリンの1日の変化

[山田幸男, 三澤博人（編著）：やさしくわかりやすい糖尿病の自己管理, 第3版, p.13, 日本メディカルセンター, 2001 より引用]

表Ⅳ-1-1 インスリン製剤の種類

	超速効型	速効型	中間型	混合型	混合型	配合溶解	持効型溶解
発現時間 最大時間	10〜20分 1〜3時間	約30分 1〜3時間	1〜3時間 4〜10時間	10〜20分 1〜4時間	約30分 2〜8時間	10〜20分 1〜3時間	約1時間 明らかなピークなし
持続時間	3〜5時間	約8時間	18〜24時間	18〜24時間	18〜24時間	42時間 （反復投与時）	約24時間
特徴	食直前投与 食事による血糖の上昇を抑える	食前投与 食事による血糖の上昇を抑える 静脈内注射も可能	基礎インスリン分泌を補う	超速効型と中間型をさまざまな比率で混合したもの	速効型と中間型を混合したもの	超速効型と持効型溶解を混合したもの	基礎インスリン分泌を補う 空腹時血糖値の上昇を抑える

3 ● 治療の対象疾患（適応）[1]

a. インスリン療法の絶対的適応[*1]

以下のような場合には，必ずインスリン療法を施行する．

- インスリン依存状態．
- 高血糖性の昏睡（糖尿病性ケトアシドーシス，高浸透圧高血糖状態）．
- 重症の肝障害，腎障害を合併しているとき．
- 重症感染症，外傷，中等度以上の外科手術（全身麻酔施行例など）のとき．
- 糖尿病合併妊婦（**妊娠糖尿病**[*2]で，食事療法だけでは良好な血糖コントロールが

[*1] 絶対的適応：いかなる場合でも施行する妥当性があること．
[*2] 妊娠糖尿病：妊娠中に発症，あるいははじめて発見された耐糖能異常．

得られない場合も含む).
・静脈栄養時の血糖コントロール.

b. インスリン療法の相対的適応*

以下のような場合には,状況に応じインスリン療法が必要かどうか判断する.

・インスリン非依存状態の例でも,著明な高血糖(たとえば,空腹時血糖値250 mg/dL 以上,随時血糖値350 mg/dL以上)を認める場合.
・経口薬療法のみでは良好な血糖コントロールが得られない場合.
・やせ型で栄養状態が低下している場合.
・ステロイド治療時に高血糖を認める場合.
・ブドウ糖毒性を積極的に解除する場合.

4 ● 治療の副作用と合併症

a. 低血糖

低血糖は,インスリン療法において最大で,唯一の副作用といっても過言ではない.

インスリン療法では,インスリン注射によって血中のインスリンレベルが上昇すると,血糖値は下がる.しかし,インスリン供給が多くなると低血糖をきたす.

(1) 低血糖が起こりうる状況(状態)

・いつもより食事量が少ないときやいつもより食事時間が遅くなったときになりやすい.
・激しい運動をしているとき,運動直後,さらに運動後ある程度時間がたって遅れて低血糖になることもある.
・ブドウ糖毒性が解除され,血糖値が下がっていくときに低血糖を自覚することが多い.
・感染症や外科手術のときはインスリン抵抗性が強まるが,治療によって改善するとインスリンの効果が上がるため,それまでと同量のインスリン注射を行うと低血糖をきたすことがある.
・糖尿病腎症などから腎不全を合併している場合は,インスリンの代謝が遅延しインスリンの効果は遷延しやすい.また,高度な自律神経障害を合併している場合は消化管運動の障害をきたし,血糖値の変動が大きく低血糖の危険が高い.
・注射するインスリンの量や種類を間違えたときにもなりやすい.

(2) 低血糖の症状

血糖値が60 mg/dL以下に低下すると,身体は血糖値を上げようとしてさまざまなインスリン拮抗ホルモン(グルカゴン,アドレナリン,コルチゾール,成長ホルモン)を分泌する.最初にグルカゴンが分泌され,次にアドレナリンが分泌されると自律神経が刺激されて,発汗,手指の震え,動悸などの警告症状が出現する.血糖値が50 mg/dL以下に低下すると,眠気,脱力感,会話や動作の低下,集中力の低下などの**中枢神経系症状**が現れる.さらに,血糖値が30 mg/dL以下に低下すると,**意識障害,けいれん,昏睡**などの症状が現れる.

低血糖症状を自覚する血糖値には個人差があり,普段の血糖値が高い人は100 mg/dL

---

*相対的適応:状況によっては妥当性があること.

でも症状を自覚する場合がある．また，自律神経障害のある人ではアドレナリンの分泌が障害されると，警告症状がなく突然中枢神経系症状が現れる場合がある．これを**無自覚性低血糖**という．

b. 糖尿病合併症

血糖コントロールがうまくいっていないと発症したり，進行したりする．糖尿病合併症には，高度のインスリン作用不足によって起こる急性合併症と，長年の高血糖によって起こる慢性合併症がある．慢性合併症には糖尿病網膜症，糖尿病性腎症，糖尿病性神経障害があり，三大合併症といわれている．

B. インスリン療法を受ける患者の特徴

1● 身体的特徴

インスリン療法を受ける患者は，多くが持続する**高血糖**状態にある．持続する中等度以上の高血糖症状には，口渇，多飲，多尿，体重減少がある．しかし，症状はないこともある．また，高血糖の状態は徐々に作られ慢性化しているため，気づいていないことも多い．尋ねられて初めて「そういえば，お茶を飲む量が増えた」「おしっこの量が多い」「体重が1年で3kg減った」などと自覚することもある．持続する高血糖状態では，インスリン作用の不足によりエネルギーをうまく作り出せないため，家事を休みながら行うというように活動に対する根気のなさを感じていることもある．これらの症状は生活に大きな支障が出ることは少なく，気にとめずに生活していることが多い．

2● 心理・社会的特徴

インスリン療法を勧められた患者は誰もがやりたくないと思っており，導入には抵抗を示す．「針を自分の体に刺すのが怖い」「低血糖が怖い」「注射器をもって職場に行くのはわずらわしい」「他人に見られたくない（知られたくない）」など理由はさまざまである．

近年，注射器の扱いは簡単になっており，針も細くなっている．それを説明したり見せたりすることで，抵抗感が少なくなる患者もいる．しかし，理性ではインスリン療法の必要性は理解できていても，やはり自分の体に針を刺すことは感情的に受け入れがたいもの

である．
　また，インスリン療法は低血糖に直結しやすい．低血糖は死を意識させるものであり，患者は表現のしようのない不快感を体験している．低血糖への恐怖を乗り越えつつ，インスリン療法を取り入れていくのは大変なことである．
　インスリン療法導入に対する抵抗には，インスリン療法の誤った情報が関与していることもある．患者は「インスリン療法を始めたら最後である」「始めたら一生やめられない」「インスリンを使用すると膵臓がダメになる」など誤解をしている場合がある．

C. インスリン療法を受ける患者への援助

1 ● 看護アセスメント（表Ⅳ-1-2）

インスリン療法を受ける患者に対するアセスメントの際，以下のことに注意して行う．

①インスリン療法の必要性をアセスメントする（インスリン療法の適応）．
②インスリン療法導入前にどのような症状や身体の変化があるのかをアセスメントする．
③インスリン療法導入後の血糖値と症状や身体の変化をアセスメントする．
④どれくらいの血糖値のときにどのような低血糖の症状を感じるのかをアセスメントする．
⑤インスリン療法を受ける患者の心理・社会的特徴をアセスメントする．
⑥インスリン注射は患者自身で行えるのかをアセスメントする．
⑦家族の支援や社会資源の利用が必要かをアセスメントする．

2 ● 援助の方針

インスリン療法を受ける患者の身体的，心理・社会的特徴をふまえ，援助の方針を次のように考える．

①患者がインスリン療法の必要性を理解することができるように援助する．
②インスリン療法によって身体の状態がよくなっていることを患者が理解することができるように援助する．
③患者や家族がインスリンを注射できるように知識と技術を提供する．
④患者や家族が低血糖に対処できるように知識を提供する．
⑤患者がインスリン注射を生活に組み入れることができるように援助する．

3 ● 看護実践

a. インフォームド・コンセントおよび意思決定支援

(1) インスリン療法を取り入れることに対する患者の考えや思いを聴いて受け止める

インスリン注射をしたいと思う人はいない．できることならしたくないと思っていることを念頭においてかかわることが大切である．

(2) 患者の考えや思いのなかで，思い違いがある場合は適切な知識や情報を提供する

患者にとって一生注射をしなくてはならないのかどうかということが重要なポイントに

表Ⅳ-1-2　インスリン療法を受ける患者の看護アセスメント

目　的	アセスメント項目		備　考
身体的側面 ●インスリン療法の必要性（適応）をアセスメントする ●インスリン療法導入前後の血糖値や症状，身体の変化をアセスメントする ●低血糖の血糖値と症状をアセスメントする	①絶対的適応	・インスリン依存状態，高血糖性の昏睡，重症の肝障害や腎障害の合併，重症感染症・外傷・中等度以上の外科手術（全身麻酔施行例など），糖尿病合併妊婦，静脈栄養法施行中の血糖コントロール	・どのような身体の状態や状況があるためにインスリン療法を導入するのか把握する．
	②相対的適応	・インスリン非依存状態でも著明な高血糖を認める，経口薬療法のみでは良好な血糖コントロールが得られない，やせ型で栄養状態が低下している，ステロイド治療時に高血糖を認める，ブドウ糖毒性を積極的に解除する	
	●検査データ	・血糖値（空腹時，食後2時間，随時），HbA1c，GA ・血糖日内変動 ・血清Cペプチド，尿中Cペプチド，HOMA-R ・GAD抗体，膵島細胞抗体（ICA），IA-2抗体，インスリン自己抗体（IAA），ZnT8抗体 ・中性脂肪，HDLコレステロール，LDLコレステロール，尿タンパク，尿中アルブミン，eGFR（推算糸球体濾過量）	・これらの抗体は1型糖尿病では陽性率が高い． ・糖尿病合併症や動脈硬化性疾患の程度を把握する．
	●既往歴	・心筋梗塞，狭心症，脳梗塞，高血圧，脂質異常症，膵疾患，肝疾患，内分泌疾患，胃切除，足潰瘍など	
	●高血糖症状	・口渇，多飲多尿，体重減少，易疲労感	
	●合併症による身体の変化	・眼のかすみ，視力低下，下肢のしびれ・痛み・感覚鈍麻，こむら返り，白癬などの感染症，湿疹，爪病変，足潰瘍，歯周病など	・症状がある場合は，インスリン療法導入後の改善状況を確認し，よくなっていたら治療の効果があらわれていることを伝える．
	●血糖値と低血糖症状	・血糖値60 mg/dL以下：発汗，手指の震え，動悸など（警告症状） ・血糖値50 mg/dL以下：眠気，脱力感，会話や動作の低下，集中力の低下など（中枢神経系症状） ・血糖値30 mg/dL以下：意識障害，けいれん，昏睡など ・血糖値が60 mg/dLよりも高い値で低血糖症状を自覚していないか ・無自覚性低血糖	・低血糖に対処できるように，どれくらいの血糖値でどのような低血糖症状が出現するか確認する．
	●低血糖になったときの状況	・いつもより食事量が少ない，食事時間が遅くなった ・激しい運動をした，運動直後，運動から時間が経って遅れて低血糖になった ・ブドウ糖毒性が解除された ・感染症や外科手術後，身体の状態が回復してきた	
日常生活の側面 ●インスリン注射を患者自身で行えるかをアセスメントする	●インスリン療法に関する知識	・インスリン療法の必要性，使用するインスリンの作用時間と特徴，低血糖症状・対処方法・なりやすいとき，シックデイ対応方法	
	●インスリン自己注射手技・管理	・自己注射が可能か，どの手順・手技に援助が必要か，家族の協力が得られるか ・インスリンの保存・破棄を患者が行えるか	
	●血糖測定	・血糖自己測定が可能か，血糖値のセルフモニタリング（記録）は可能か	
	●日常生活	・日常生活においてインスリン注射の時間や場所，低血糖への具体的な対処方法を考えられているか	

(つづき)

認知・心理的側面 ●インスリン療法を受ける患者の心理的特徴をアセスメントする	●理解力および受け止め ●価値観 ●対処方法 ●心理状態	・インスリン療法の必要性の理解・受け止め ・インスリン療法に関する誤った情報 ・何を大切に思っているか ・これまでの問題への対処法 ・インスリン療法導入に対する抵抗感・心情 ・治療・低血糖に対する不安 ・精神疾患の有無（患者,家族）,性格（神経質,不安症など） ・家族のインスリン治療体験	
社会的側面 ●インスリン療法を受ける患者の社会的特徴をアセスメントする ●家族の支援や社会資源の利用が必要かアセスメントする	●役割 ●職業 ●ソーシャルサポート ●経済状態 ●キーパーソン ●家族構成 ●家族の状態 ●社会資源	・年齢,発達段階,家庭・職場における役割や立場 ・就業・就学の状況,労働時間,労働内容,人間関係 ・友人・同僚などの周囲からのサポートの有無 ・保険の種類,医療費の支払い能力,経済的サポートの有無 ・キーパーソンは誰か（家族,友人） ・構成員,協力者の存在 ・家族の治療に対する受け止めや理解,援助,家族関係,協力の有無 ・社会資源の利用や援助は必要か	*インスリン注射や管理が安全に行えない場合は家族の協力や社会資源の利用,インスリンの種類や注射回数などの変更が検討される.

なる．事前に主治医に見通しを確認しておき，統一された情報を提供する必要がある．

b. 症状マネジメント

(1) 低血糖時の対応について指導する

　血糖値が70 mg/dL（患者の状態によってこの値は違うので確認のこと）以下または低血糖症状を自覚したときは，砂糖10～20 g（40～80 kcal）またはブドウ糖5～10 gを摂取し，15分くらい安静にする．15分後，症状が改善していないときは同量の砂糖またはブドウ糖を摂取する．さらに，食事まで30分以上ある場合は1単位（80 kcal）程度のクッキーなどを摂取しておく．なお，α-グルコシダーゼ阻害薬服用中の患者では必ずブドウ糖を選択する*．

　大事なのは，低血糖の警告症状の時点でブドウ糖を摂取し，回復を待つことである．しかし，会議があと少しで終わる，家までもう少しというふうに対処を遅らせると，低血糖の症状は進み，意識がなくなることもある．また，低血糖時にアメやチョコレートで対応した場合，血糖値が60 mg/dL以下（警告症状出現時）では短時間で十分な血糖値の上昇が望めない．無自覚性低血糖のある患者では頻繁に血糖測定を行い低血糖を回避していく．

　また，低血糖になったあとのインスリン注射の量を減量したり，食直後に行うなど主治医の指示に従って行う．4回注射をしている患者では，寝る前の血糖値が低いとインスリン注射を自己判断でやめてしまうことがよくある．寝る前のインスリンは基礎分泌を補うインスリンであるので，1単位（80 kcal）程度のクッキーを摂取して注射を行うように指導する．クッキーの摂取は夜中の低血糖を回避するためである．

---

*α-グルコシダーゼ阻害薬は，消化管の二糖類をブドウ糖に分解する消化酵素の働きを抑えることで，血糖の急激な上昇を抑える．そのため，低血糖時に砂糖（二糖類）を摂取してもすぐに吸収されず，回復に時間がかかる．

c. インスリン療法を安全に実施するうえでの注意事項

〈インスリン自己注射指導〉

患者にとってインスリン療法はできることならば受けたくない治療である．また，インスリン療法を取り入れるということは，決まった時間に注射し，低血糖にならないように生活調整を毎日しなければならないわずらわしさを引き受けていくことでもある．これらを心得て注射指導にあたることが重要である．具体的な注射の手順や手技は製薬企業等が提供しているパンフレットを使用して指導するとよい．

(1) 指導は段階的に行うと緊張感を軽減しながら自己注射に移行できる

1回目は指導者が実演する．2回目は練習用物品で，同じものをもって一緒に行う．3回目は練習用物品で，1人で注射の手順・手技を習得できるように繰り返し練習してもらう．手順と手技をある程度習得したら，4回目は監視下で実際に自己注射を行ってもらう．

(2) 初めて自己注射をするときは，手を添えて誘導しながら行うと患者は安心できる

患者は針を刺すのが怖いので，看護師が手を添えて針の刺入を行うと患者は安心して実施することができる．これは患者にとって自己注射を嫌な体験にしないための配慮である．

(3) 注射部位とローテーションのしかた（図Ⅳ-1-2）を説明する

同一部位へ繰り返し注射を行うと，注射部位の脂肪が増加し，軟らかい腫脹を生じることがあり，インスリンの吸収を不安定にする場合がある．これをインスリンリポハイパートロフィーという．

インスリンの吸収は，腹部，上腕外側，殿部，大腿部の順で速い．吸収が速く，安定しているのは腹部であり，安全に自己注射するのに適している．注射部位は3cm（指2本分）ずつずらして注射していく．

(4) インスリンの保存方法や廃棄方法を説明する

使用中のインスリンの保管は家のなかで生活している温度であれば問題ない．未使用のものは冷蔵庫に保管する．凍結は避けなければならないので，患者がインスリンをもって飛行機に乗る際には，インスリンを手荷物として機内に持ち込むように指導する．

使用した注射器や針は決められた容器に入れて必ず医療機関へもってくるように，それ以外の紙類などは一般ごみとして捨てるなどの分別を指導する．具体的な廃棄方法は自治

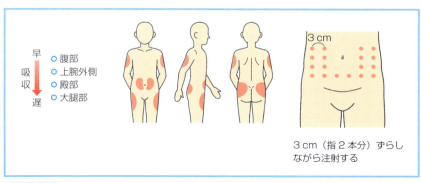

図Ⅳ-1-2 インスリンの自己注射部位

体や医療機関によって違うので，確認してから説明する．

〈血糖自己測定指導〉

インスリン療法の治療効果を高め，安全にインスリン注射をするために**血糖自己測定**をしてもらうこともある．具体的な血糖測定の手順や手技は器具の販売元が提供しているパンフレットを使用して指導するとよい．

d. セルフモニタリング

血糖値，症状や体調をみていくことで，低血糖に対応するだけでなく，回避することも可能になる．また，血糖値が高く（低く）なる要因もわかってくると，生活調整に活かすことができ血糖コントロールをしやすくなる．

(1) 低血糖の症状を感じたときに血糖測定を行い，症状と血糖値を照らし合わせる

どれくらいの血糖値や症状で低血糖がわかるのかを確認し，適切な対処に結びつける．

(2) 血糖値の高い・低いときの要因を患者とともに繰り返し振り返る

食事：食事の間隔，食べたもの・量，栄養素（炭水化物，タンパク質，脂質）
活動：強度，量
症状：低血糖症状，皮膚や神経のピリピリ感，ボーっとした感じ，疲れなど
体調：感染，下痢，嘔吐など

e. 日常生活および治療継続における教育的支援

▶低血糖は緊急事態であり，患者と家族に対応方法を十分教育することが重要である

(1) 低血糖を感じたらブドウ糖を摂取するように指導する

ブドウ糖（砂糖）を携帯し，低血糖症状を感じたら絶対に我慢せずに摂取するよう教育する．

(2) 低血糖時，経口摂取不可の場合の対応を家族に指導する

意識レベルが低下しているときは，誤嚥の危険があるため体を横向きに寝かせ，無理にブドウ糖（砂糖）を飲ませようとしてはいけない．口唇と歯肉の間に塗りつける程度にしておく．そして，救急車を要請する．

(3) 場合によっては，無自覚性低血糖のある患者の家族にグルカゴン製剤（注射薬または点鼻薬）の使用方法を指導する

救急車到着までに家族がグルカゴン製剤（注射薬または点鼻薬）を使用できると，回復も速い．

(4) 必ず医療機関で治療を受けるよう指導する

意識レベルが低下するほどの低血糖の場合は，一時的に意識レベルが回復しても，低血

コラム

インスリン抵抗性

血中のインスリン濃度に見合ったインスリン作用が得られない状態をいう．肝臓，筋肉，脂肪組織において，細胞表面にある受容体の数の減少や構造の異常が起きたり，細胞内への情報伝達が伝わりにくくなると，インスリンの効き具合（インスリン感受性）が悪くなり血糖値は上昇する．インスリン抵抗性を起こす原因として，遺伝のほか，肥満，運動不足，高脂肪食，ストレスなどが挙げられる．

糖の再発や遷延で意識障害が再び出現する可能性があるため，必ず医療機関で治療を受けるように指導する．

(5) 血糖値の変化や症状の改善をみて，よくなっていることを伝える

患者は血糖値がよくなっていることを認識できていないことも多い．目標値を伝えながら血糖値がよくなっていることを伝えるとよい．

f. 心理・社会的支援

仕事や経済的理由から治療を中断した患者が体の状態の悪化で入院し，インスリン療法を導入するというケースもみられる．このような患者では，糖尿病合併症も悪化していることも多い．糖尿病網膜症による視力障害，糖尿病腎症による腎障害，糖尿病性神経障害による足潰瘍（そくかいよう）や自律神経障害によって，QOLは低下する．仕事ができなくなったり，生活スタイルを変更しなくてはならない状況になり，患者は心理・社会的にも苦痛を伴う．そのため，悪化していた体の状態を少しずつ受け止められるように助けること，そして，これからどのように生活していくのかを一緒に考えていくことが必要となる．そのなかで社会資源の利用を検討しなくてはならないこともある．

g. 家族への支援

インスリン注射は家族のサポートを必要とする場合もある．しかし，同居している家族は仕事で帰りが遅く生活時間が合わないことや家族間の関係の問題などから，協力を得られることがむずかしいこともある．医療者は「家族が協力するのはあたり前」と思いがちであるが，家族もまた自分の家族に針を刺すという行為に抵抗を感じることを理解する必要がある．そのうえで，注射の準備と片づけは家族に，注射は本人ができるように指導するという代替案を提案するなどして指導を進めていく．そうすると，その過程で家族の抵抗も薄れ，協力してくれる範囲が広がることもよくある．また，患者と家族のできる範囲に合わせて，注射の種類や回数，内服薬との併用など治療内容を変更していくことも必要である．

学習課題

1. インスリン療法の絶対的適応と相対的適応について説明してみよう
2. 低血糖の症状，起こりうる状況，対応方法について説明してみよう
3. インスリン自己注射指導の指導方法と注意事項について説明してみよう

練習問題

Q1 以下の症状のうち，血糖値が50 mg/dL以下になると出現しやすい中枢神経系症状を2つ選べ．
　1．手指の震え　　2．動悸　　3．集中力低下　　4．冷汗　　5．意識障害

> **Q2** インスリン注射を受ける患者への指導で適切なのはどれか.
> 1. 車の運転は,危険を伴うためやめるように説明する.
> 2. 低血糖症状を自覚したときは,ブドウ糖5〜10gを摂取し,15分程度安静にする.
> 3. 注射部位は,腹部や大腿部であれば同じ場所に繰り返し注射しても問題ない.
> 4. 針やインスリン製剤機器は,家庭ごみとして出してもよい.

［解答と解説 ▶ p.524］

■引用文献■
1) 日本糖尿病学会（編）：糖尿病治療ガイド2022-2023,p.70,文光堂,2022

2 人工透析を受ける患者の援助

この節で学ぶこと
1. 血液透析と腹膜透析の特徴を述べることができる
2. 人工透析を受ける患者の支援について説明できる

A. 人工透析の基礎知識

1 ● 治療の目的・位置づけ

慢性腎臓病（chronic kidney disease：CKD）ステージ（**表Ⅳ-2-1**）において，G3区分以降では，専門医を受診することで透析導入を遅延できるといわれている．しかし，進行しG5にいたった場合，末期腎不全となり腎代替療法が必要となる．この腎代替療法（renal replacement therapy：RRT）の1つが人工透析であり，**血液透析**（hemodialysis：HD）と**腹膜透析**（peritoneal dialysis：PD）がある．人工透析は，生命予後とQOLの改善を目

表Ⅳ-2-1 慢性腎臓病（CKD）重症度分類

原疾患	蛋白尿区分		A1	A2	A3
糖尿病	尿アルブミン定量（mg/日）		正常	微量アルブミン尿	顕性アルブミン尿
	尿アルブミン/Cr比（mg/gCr）		30未満	30〜299	300以上
高血圧 腎炎 多発性囊胞腎 移植腎 不明 その他	尿蛋白定量（g/日）		正常	軽度蛋白尿	高度蛋白尿
	尿蛋白/Cr比（g/gCr）		0.15未満	0.15〜0.49	0.50以上
GFR区分 （mL/分/ 1.73 m²）	G1	正常または高値	≧90		
	G2	正常または軽度低下	60〜89		
	G3a	軽度〜中等度低下	45〜59		
	G3b	中等度〜高度低下	30〜44		
	G4	高度低下	15〜29		
	G5	末期腎不全（ESKD）	<15		

重症度は原疾患・GFR区分・蛋白尿区分を合わせたステージにより評価する．CKDの重症度は死亡，末期腎不全，心血管死亡発症のリスクを緑 のステージを基準に，黄 ，オレンジ ，赤 の順にステージが上昇するほどリスクは上昇する．
（KDIGO CKD guideline 2012を日本人用に改変）
[日本腎臓学会（編）：CKD診療ガイド，p.3，東京医学社，2012より許諾を得て転載]

表Ⅳ-2-2　日本の透析導入患者の原疾患別の割合

順位	原疾患	%
1	糖尿病性腎症	40.7
2	腎硬化症	17.5
3	慢性糸球体腎炎	15.0
4	不明	13.8
5	多発性囊胞腎	2.3
6	急速進行性糸球体腎炎	1.6

患者調査による集計
［日本透析医学会統計調査委員会：わが国の慢性透析療法の現況（2020年12月31日現在），補足表16，〔https://www.jstage.jst.go.jp/article/jsdt/54/12/54_611/_pdf/-char/ja〕（最終確認：2023年1月10日）を参考に作成］

的として行われる．

　日本の透析導入患者数は，近年65歳未満では減少傾向にあるが，65歳以上では増加傾向にあり，透析患者の高齢化が問題となっている．また，透析導入患者の原疾患は，1998年以来，糖尿病性腎症が第1位である（表Ⅳ-2-2）．

2 ● 治療方法

　日本では約96％が血液透析，約4％が腹膜透析を受けている現状がある．

a. 血液透析（HD）

　血液透析は透析液供給装置と透析器（ダイアライザー）を利用し，拡散と濾過の原理によって血液中の老廃物を除去すると同時に不足した物質の補充を行う．また，体内に貯留した水分の除去を行う．血液透析は血管から血液を毎分200 mLほど体外へ取り出す必要があるため，患者のQOLを維持できるよう通常，利き腕とは反対側の橈骨動脈と橈側皮静脈の吻合を行いブラッドアクセス（シャント）が作製される（図Ⅳ-2-1a）．

b. 腹膜透析（PD）

　腹膜透析は腹膜がもつ半透膜の機能を利用し，血液透析と同じ原理で透析を行う．透析液を腹腔内へ貯留するために径5 mmのカテーテルを挿入するカテーテル留置術が必要となる（図Ⅳ-2-1b）．近年，透析開始数ヵ月前にカテーテルを皮下組織に埋めこみ，透析開始時に出口部を作製する段階的腹膜透析導入法（stepwise initiation using moncrief and popovich［technique］：SMAP）が一般化されつつある．

3 ● 治療の適応

　適切な時期に透析導入を行うこと，また，近年の透析液の開発によって，QOLの維持あるいは向上が可能となり，長期の生存者が増えている．現在，1991年に厚生科学研究班が示した透析導入基準を指針としている（表Ⅳ-2-3）．

　血液透析と腹膜透析にはそれぞれに特徴がある（表Ⅳ-2-4）．血液透析は，多くの場合，医療機関で行われ，患者の生涯を通じて繰り返される永続的な治療である．一方，腹膜透析は医療機関へ通う必要はなく在宅療養を継続することが可能である．しかし，生体膜（腹膜）を使用するため機能に限界があり，腹膜透析導入後7〜8年で血液透析への移行が

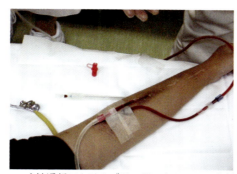 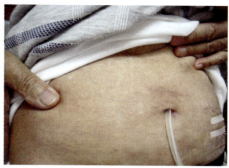

a. 血液透析におけるブラッドアクセスへの穿刺　b. 腹膜透析のカテーテル出口部

図Ⅳ-2-1 ブラッドアクセス（シャント）への穿刺とカテーテル出口部

表Ⅳ-2-3 慢性腎不全透析導入基準

A. 臨床症状
1. 体液貯留（全身性浮腫，高度の低タンパク血症，肺水腫）
2. 体液異常（管理不能の電解質，酸塩基平衡異常など）
3. 消化器症状（悪心，嘔吐，食欲不振，下痢など）
4. 循環器症状（重症高血圧，心不全，心包炎）
5. 神経症状（中枢・末梢神経障害，精神障害）
6. 血液異常（高度の貧血症状，出血傾向）
7. 視力障害（尿毒症性網膜症，糖尿病性網膜症）
これら1〜7項目のうち3個以上該当しうるものを高度（30点），2個を中等度（20点），1個を軽度（10点）とする．

B. 腎機能		
血清クレアチニン （mg/dL）	（クレアチニンクリアランスmL/分）	点数
8以上	（10未満）	30
5〜8	（10〜20未満）	20
3〜5	（20〜30未満）	10

C. 日常生活障害度
尿毒症症状のため起床できないもの：高度（30点）
日常生活が著しく制限されるもの：中等度（20点）
運動，通学あるいは家庭内労働が困難であるもの：軽度（10点）

透析導入の判定基準
A（臨床症状）＋B（腎機能）＋C（日常生活）＝60点以上を透析導入とする

注：年少者（10歳以下），高齢者（65歳以上），全身性血管合併症のあるものについては10点を加算．
[厚生省糖尿病調査研究班，腎不全医療研究班合同委員会：糖尿病性腎不全に対する長期透析適応基準，1991より引用]

必要である．透析療法の適応は血液透析，腹膜透析の特徴をふまえたうえで選択される[1]．一般的に，社会復帰を重視する場合は腹膜透析が選択される傾向にある．

近年，長時間透析やオーバーナイト透析，またPDHDハイブリッド療法（腹膜透析を行いながら週に1回血液透析療法を行う）など，各々の生活や身体状態に適した療法が行われている．

表Ⅳ-2-4　血液透析と腹膜透析の相違

項　目	血液透析	腹膜透析
透析場所	原則として医療施設で行う	自宅・会社などで行う（清潔な場の確保）
透析時間	週3回（4〜5時間/回）	連続的に24時間
透析による拘束時間	4〜5時間 3回/週	交換時間（約30分/回，3〜5回/日×7日）
透析操作	医療スタッフ	患者自身・家族
通院回数	3回/週	1〜2回/月
手　術	シャント造設術	カテーテル留置術
体液量・体液組成の変動	大きい	小さい
残存腎機能	比較的早期に喪失する	比較的維持しながら実施
社会復帰	可能　時間の制約がある	可能　時間の制約が比較的少ない
食事療法	塩分・水分・リン・カリウムの管理が重要	塩分・水分・リンの管理が重要 エネルギー制限
管　理	シャント管理	カテーテル出口部の管理

4 ● 治療の副作用と合併症

a. 血液透析の副作用と合併症

(1) 循環器合併症

　透析患者の死亡原因の第1位は心不全である．循環器合併症の頻度が高く，予後も悪い．心不全の原因としては，体液過剰，貧血，高血圧などが挙げられる．心不全では，胸部X線画像での心拡大，肺うっ血，胸水，腹水を認める．透析日と透析日の間での体液貯留は心臓への負荷を増大させ病態を進展させる．また，貧血は心拍出量増加により心負荷を増大させる．

(2) 骨・関節障害

①2次性副甲状腺機能亢進症

　腎機能の低下により尿中へのリン（P）排泄量が減少し，体内にリンが貯留する．そのことによって，ビタミンDの活性化が低下する．また，リンが直接副甲状腺に働きかけることにより副甲状腺ホルモンの分泌を亢進させる．特有な所見としては，X線画像にラグビーのユニフォームに似ている模様を示すラガージャージー脊椎とよばれる像を認める．

②腎性骨異栄養症

　腎不全に伴う代謝性骨病変を総称して**腎性骨異栄養症**とよぶ．これは，線維性骨炎型，骨軟化症型，線維性骨炎型と骨軟化症型の混合型，軽度変化型，無形成骨病型，に分類される．線維性骨炎型は2次性副甲状腺機能亢進症のときにみられ，骨が次第に線維化されていく．骨形成マーカー（アルカリホスファターゼ，オステオカルシン，骨型アルカリホスファターゼなど）の上昇によって確定診断される．骨軟化症型は，骨形成の過程で石灰化が障害されるものである．最大の発症要因は活性型ビタミンDの不足である．混合型は，線維性骨炎型と骨軟化症型の所見が混在しているものである．軽度変化型の組織像は健常者と変わらない．無形成骨病型は，血清副甲状腺ホルモン濃度が低く，骨折率が高い．ま

た，骨折後の治癒が悪く，異所性石灰化が多いといわれている．
（3）透析アミロイドーシス
　透析アミロイドーシスはβ_2ミクログロブリンより形成されるアミロイドタンパクが関節や骨，その周囲の組織，皮下組織などに沈着して機能障害を引き起こす病態である．β_2ミクログロブリンは糸球体で濾過され尿細管で再吸収されるが，腎機能の低下によりβ_2ミクログロブリンの血中濃度が上昇することによって，発症する．症状はアミロイドの沈着部位によってさまざまである．心筋への沈着によって心筋機能の低下をきたし，心不全や不整脈を発症する．疾患の進行に合わせて整形外科的治療が行われることもある．
（4）易感染性
　人工透析を受けている患者は，免疫調節異常のため，感染症にかかりやすい．主な感染経路では呼吸器系がもっとも多くなっている．透析患者では結核菌への罹患率，死亡率ともに非透析患者に比べ高くなっている．また，胸部X線画像で明らかな病巣が認められない肺外結核が特徴とされている．

b．腹膜透析の副作用と合併症
　腹膜透析特有の主な合併症について述べる．
（1）カテーテル出口部感染，トンネル感染
　出口部感染とはカテーテル出口部の感染をいい，トンネル感染とは皮下や外部カフとトンネル部の感染をいう．出口部からの膿性あるいは血性滲出液を認め，発赤，腫脹，圧痛を伴うことがある．トンネル感染の場合は出口部感染を伴っていることが多く，これらの感染から腹膜炎へ拡大する．
（2）腹膜炎
　感染経路で多いのは，カテーテルの出口部から皮下トンネルを経由する場合と，回路のカテーテル内を経由する場合である．出口部経由の感染は，細菌が皮下のカテーテルを伝って腹腔内に進入することによる．また回路からの感染では，腹膜透析開始時と終了時のカテーテルの接続や切り離し時の不潔操作が主な原因となる．
　腹膜炎の確定診断は，排液中の白血球数が$100/mm^3$以上で，そのうち50％以上が好中球であることである．排液のにごりによって発見され，腹膜炎は腹膜透析離脱の原因となることが多い．
（3）腹膜機能不全
　腹膜の機能は透析時間とともに低下する．この原因としては，透析液pH（酸性）や，透析液中のブドウ糖分解産物，生体内でのブドウ糖分解産物，終末糖化産物の形成が関与している．腹膜の機能を検査するために腹膜平衡試験（peritoneal equilibration test：PET）を定期的に行う必要がある．
（4）被囊性腹膜硬化症（encapsulating peritoneal sclerosis：EPS）
　もっともおそれられている合併症であり，発症は腹膜透析期間に比例しているといわれているが，腹膜炎を繰り返すことにより早期に起こる場合もある．
　発症の過程についてはいまだに不明であるが，病理学的に腹膜硬化が認められている．腸管同士が癒着して塊となり，その表面を被膜がおおい繭状となる．
　症状としては，イレウス症状である悪心・嘔吐，腹痛が必発である．腹部CT検査では

腹膜の肥厚，広範な腸管の癒着像が認められる．保存的治療として腹膜透析の中止，蠕動抑制治療，ステロイド薬の投与などが行われるが，手術となる場合もある．

B. 人工透析を受ける患者の特徴

血液透析では週3回医療機関に通院し，1回につき約4〜5時間治療を受けることになる．また，腹膜透析では1日に数回自宅や会社で1回30分程度腹部カテーテルを通して腹腔内の透析液を交換する．患者にとって透析は生涯繰り返される永続的な治療である．今後の人生を医療機器とともに生きていくことは，患者にとってさまざまな意味をもっている．

1 ● 透析療法受容に伴う心理的変化

腎代替療法として透析導入が告げられると，また，受診ごとに，「腎臓は回復しないのか，治ることはないのか」「動けるのに本当に腎臓が悪いのか」など質問したり，透析が必要であるということを否定したい気持ちで患者は数ヵ所の医療機関を訪れることも少なくない．

腎機能の低下から透析導入までに患者は否認，怒り，不安を繰り返し，透析導入後もこの葛藤を体験しながら，人生を送っていく場合も多い．

2 ● 役割の喪失と時間調整

透析治療を受けることによって患者の社会性は大きく変化する．患者は通院あるいは治療時間の確保のために時間調整をはかりながら生活を営む．また，社会や家族から孤立し社会的疎外感を体験することもある．社会や家庭のなかでそれまで担ってきた役割を喪失する場合も多く，これまでの役割の喪失や変化を受け入れながら新しい役割を見出していくことが課題となる．

3 ● ボディイメージの変化

人工透析を受けるために，シャント造設，カテーテル留置を受けなくてはならず，外見の変化を避けることはできない状況にある．血液透析では内シャントの発達によって，**上肢の血管が隆起**してくる．また，腹膜透析では腹腔内への**透析液貯留**によって腹囲がひと

回り大きくなる．それに伴って，服のサイズが変わる．さらに，腹部に出口部があることから腹部を露出する海水浴や温泉への旅行などを控える人も少なくない．QOLの維持・向上のために，人工透析を導入する患者に対して事前にボディイメージの変化にかかわる情報提供を行うことは重要である．

C. 人工透析を受ける患者への援助

1 ● 看護アセスメント（表Ⅳ-2-5）

人工透析は永続的なケアであることから，治療法の自己決定が重要となる．そのためには，十分な時間を設け，適切な説明を行う必要がある．治療法の選択から受容までの心理変化を支援し，アセスメントしていくことが必要である．透析導入前（保存期）から導入期，維持期と各時期に生じてくる患者の葛藤を理解することから始める．

2 ● 援助の方針

人工透析を受ける目的は生命の予後とQOLの改善にあることをふまえて，援助の方針を次のように考える．

> ①腎機能の低下に伴い生じる身体的，社会的変化に配慮し，腎代替療法を適切な時期に導入できるように意思決定の支援を行う．
> ②導入後は，水分・食事などの自己管理を行いながら生活の再調整を行い，QOLの維持・向上が行えるように支援する．

3 ● 看護実践

a. インフォームド・コンセントおよび意思決定支援

患者の意思決定を支援するうえで重要なことは，適切な医療情報の提供が適切な時期に行われることである．

腎代替療法には，血液透析，腹膜透析，腎臓移植があるが，施設によっては実施していないものもある．しかし，患者はすべてを知る権利をもち，医療者は患者に腎代替療法について偏りのない情報提供を行わなければならない．もちろん，患者には腎代替療法を選択しないという選択肢も存在する．また，これらの情報を基に患者自身が各々の利点や欠点を理解し，自らの生活スタイルや価値観を大切にしたうえで決定することである．

腎代替療法の選択を行う時期はCDK分類のステージ区分G4～5とされている．

看護師は患者が医師からの説明をどのように理解しているのかを確認していく．腎代替療法の選択の場だけではなく，検査，治療方針の決定についての話し合いから関与することが望ましい．患者は意思決定の過程で，精神的なストレスを受けることも珍しくない．患者の家族の同席が必要になる場合，看護師には患者をとりまく状況を把握したうえで支援することが求められる．

また，透析導入は，緊急度によって意思決定に時間的制限があることを，患者も医療者も理解しておく必要がある．尿毒症症状が出現すると，患者の判断力は低下する．

表Ⅳ-2-5　人工透析を受ける患者の看護アセスメント：導入期・維持期

目的	アセスメント項目		備考
身体的側面 ●腎機能の低下・腎代替療法の選択が身体に及ぼす影響をアセスメントする	●検査データ ①腎・泌尿器系 ②血液系 ③電解質，代謝 ④酸塩基平衡 ●心機能 ●既往症の確認 ●症状 ●バイタルサイン ●薬物療法 ●【維持期】透析条件に関連する項目	・検査項目のデータや所見の異常の有無程度を把握する ・尿素窒素，クレアチニン，シスタチンC ・ヘマトクリット，ヘモグロビン，タンパク，アルブミン ・赤血球，白血球，血小板 ・Na，Cl，Ca，リン，中性脂肪，コレステロール ・pH ・心胸比，心電図 ・高血圧，糖尿病，精神疾患など ・尿毒症症状（消化器症状，中枢神経症状，循環器症状，造血器症状など）の有無と程度 ・不均衡症状（頭痛，嘔気，倦怠感など）の有無と程度 ・体重増減幅 ・体温，呼吸，脈拍，血圧，体重 ・【維持期】透析日と非透析日の変動 ・使用薬剤と腎機能の関連性 ・効率・透析条件の評価 ・各手技の確認 ・合併症の有無・程度	・検査データからCKDステージをアセスメントする． ・尿毒症症状が進行すると判断能力の低下などもみられるため，とくに見落とさないように留意する． ・必要な手技が行えるかどうかが透析導入の条件となるため，とくに腹膜透析では重要．
日常生活の側面 ●腎機能の低下・腎代替療法の選択が日常生活に及ぼす影響をアセスメントする	●睡眠 ●食事 ●排泄 ●清潔 ●日常生活 ●セルフケア能力	・睡眠時間の程度，熟眠感の有無など ・摂取量，内容，食欲の有無，飲水量，制限食の尊守の有無など ・排尿・排便回数と量 ・清潔行動状況 ・仕事や余暇のバランス ・必要な行動がとれているか ・疲労の程度など ・自分でできること，できないことを把握・理解する	
認知・心理的側面 ●腎機能の低下・透析療法の選択が心理状態に及ぼす影響をアセスメントする	●理解および受け止め ●心理状態 ●価値観 ●対処方法	・【導入期】腎代替療法に対する理解・受け止め ・【維持期】腎代替療法開始前後での治療に対する思いの変化など ・疾患・治療に関連した思いと対処 ・将来や予後に対する不安 ・生活に対する思い ・生きがいなど ・何を大切に思っているか ・ストレスの有無と程度・対処方法	
社会的側面 ●腎機能の低下・透析療法の選択が社会的側面に及ぼす影響をアセスメントする	●役割 ●ソーシャルサポート ●家族の状態 ●経済状態	・年齢・発達段階 ・家庭・職場における役割・立場 ・就学・就労の状況 ・【導入期】透析療法の選択に伴う予測される家庭・職場での役割変化 ・【維持期】治療に伴う家庭・職場での役割変化 ・人的サポートの有無 ・経済的サポートの有無 ・家族の協力はあるのか ・疎外感などを感じていないか ・費用（医療，生活）に対する思いや不安の有無	

腎不全患者の意思決定支援は，腎代替療法導入だけに必要とされるものではなく，人生の終末をどのように迎えるかについても医療者のかかわりが必要である．透析療法では，透析療法ができなくなる時が来ることや，移植した腎臓の機能が低下する時が来ることについても伝えておくことが大切となる．

　すなわち医療者と患者との信頼関係の構築が重要となる．近年，意思決定支援の1つの方法として共有意思決定（shared decision making：SDM）が使用されている．共有意思決定にあたっては，患者が正しい医学的情報を理解し，自分らしい決定ができるように，医療者と患者がともにもつ情報や目標を共有することが求められる．

b. 人工透析を安全に実施するうえでの注意事項

　血液透析では，透析機器周囲の管理も重要となってくる．安全で安楽な治療を行うためには，看護師が器械管理を行うことが大切である．開始前にはバイタルサインや意識レベルなど患者の全身状態を把握し，血液透析（体外循環）を開始できるかアセスメントする．

　また，各々の透析条件の確認を行うことが必要である．透析中は，表情やバイタルサインなどから，安全・安楽に実施されている確認のためのモニタリングをしていく．

　腹膜透析においては，患者または家族の手技の習得が必須である．とくに，腹膜カテーテルと透析バッグの接続では，**清潔操作**が要求されるため，確実な手技の確認を定期的に行う必要がある．また，感染経路になる出口部は，ケアを毎日行うことが重要である．医療機関ではなく自宅で行うことが特徴でもある腹膜透析では器材のトラブルなど緊急時の対応を確認しておくようにする．

c. セルフモニタリング

　人工透析では自己管理が重要であるが，早期からすべての自己管理を完璧に実行することはむずかしい．血液透析では一定の時間で行われる除水はドライウェイト*の3〜5％とされている．透析間の体重増加が著しい場合はその要因を患者とともに振り返ることが大切であり，日常生活のなかで何をどのように変えたらよいのかを一緒に考えていく．

　血液検査値の変動を患者と一緒にみていき，値が意味すること，実際に患者が体験していることを結びつけていくことが，セルフモニタリングにつながる支援である．

d. 日常生活および治療継続における教育的支援

　透析を受ける患者は，水分・食事管理，薬物管理，シャント管理，出口部管理が必要である．

　水分管理は透析導入前，導入後，維持期によってそれぞれ異なる．残腎機能が低下するにつれて尿量は減少するため，尿量によって水分摂取量が変更されることを事前に伝えておく．必要時は自宅での尿量測定を実施する．毎日決まった条件下での体重測定は大切であり，自己管理ノートを作成し記入できるように支援する．

　食事管理では，バランスのよい食事が基本であるが，血液透析では塩分・カリウム・リンを摂りすぎないようにする．腹膜透析では塩分・エネルギーの摂りすぎに注意する必要がある．本人，調理者ともに栄養士と相談しながら自己管理を行うことが望ましい．なお，

---

*ドライウェイトとは，体内に余分な水分の貯留がなく，血圧や体調もよく，心胸比（X線画像上の心臓と肺野の幅の比率）が50％以下の状態となる，適正な水分バランスの状態の体重である．

腹膜透析液は糖分を含んでおり，液からもエネルギーが吸収される．過剰なエネルギー摂取は肥満をまねくばかりではなく，出口部のトラブルや合併症が起こりやすくなる．

薬物管理では内服の必要性を十分理解したうえで確実な内服が行えるかを確認しておく．腹膜透析では，内服に加え透析液の特徴を伝える．

透析液は主に物質交換をするものと水分除去が主となるものがある．1回の交換を忘れたり，交換時間が大きくずれた場合の対処について伝えておく．

血液透析では**シャント管理**，腹膜透析では**出口部管理**が透析を継続するうえでの鍵となる．シャント管理は，毎日シャントの流動音とともに振動音を確認する必要性を伝える．流動音確認のために聴診器の購入を勧めることもある．万一，流動音，振動音に変化を認めた場合は，すぐに医療機関へ連絡することを伝えておく．これらは，シャント肢の圧迫によるシャント閉塞の場合や，日常生活のなかで嘔吐，下痢，高熱などによる**脱水症状**をまねいた場合にも起こりやすいことを伝え，シャント管理を行うよう支援する．

腹膜透析の出口部管理は毎日のケアを実践し，異常の早期発見ができるように支援する．出口部に発赤，腫脹，膿などの異常を認めた場合はすぐに医療機関に連絡できるように緊急時の対応を伝える必要がある．とくに，腹膜炎の初期症状である排液の混濁，腹痛はすみやかに医療機関へ連絡することを徹底しておく．また，カテーテルの破損は，患者の手技によって起こることがあるため，出口部ケアの際にはハサミを腹部上で使用しないことなど予防方法を伝えることが重要である．

e. 社会的支援

人工透析には月に数十万円の費用が必要とされるが，1972年に透析患者は身体障害者認定となったため，医療費の自己負担が軽減される．腎臓の機能障害は，1級，3級，4級に定められている．血清クレアチニン値が8 mg/dL以上の透析継続者は身体障害者1級の適応となる．交付の申請手続きは，必要書類を住民登録のある居住地の福祉事務所または役場，市役所の障害福祉課に提出して行う．

透析療法にかかる経済的な負担が軽減される制度として，特定疾病療養費，更生医療，育成医療，心身障害者医療費助成制度がある．特定疾病療養費は特定疾病療養受領証を取得しなくてはならない．更生医療は身体障害者手帳を所持することによって医療費が公費負担される制度である．身体障害者手帳や介護サービスなどの制度のしくみ，活用法について情報提供を行っていく．また，メディカルソーシャルワーカーと連携をとることによって，よりスムーズな情報提供が行える．

f. 家族への支援

人工透析を受けている患者家族のQOLの維持が必要である．近年，PDラストという考え方が普及しつつある．これは，人生の終末期を自宅で迎えるために，血液透析から腹膜透析（PD）へ変更していくというものである．とくに腹膜透析では家族が実施者となることは珍しくないため，導入期より家族を含めた教育支援を行っていく．

また，家族は患者を支えるために社会や家庭内での役割を調整し，患者自身も家族内における役割の変化が生じていく．このように患者，家族双方に変化が生じているので，片方だけの訴えを聞いていても解決策を見出すことはむずかしい．両者の心情をふまえたうえで支援する．

学習課題

1. 血液透析と腹膜透析の適応の違いを述べてみよう
2. 血液透析と腹膜透析それぞれに伴う合併症を述べてみよう
3. 人工透析を受ける患者の教育的支援内容を挙げてみよう
4. 人工透析を受ける患者に関連した社会福祉支援内容を挙げてみよう

練習問題

Q1 血液透析の副作用・合併症を2つ選べ．
1. 肺うっ血
2. 2次性甲状腺機能低下症
3. 腎性骨異栄養症
4. イレウス症状
5. 高血糖

Q2 腹膜透析を受ける患者への指導として適切なのはどれか．2つ選べ．
1. 塩分や水分，リンの管理は不要になる．
2. 排液の混濁，腹痛がある場合は，腹膜透析を中断して様子をみる．
3. 腹膜炎を予防するためにすべての運動を制限する．
4. 血清クレアチニン8 mg/dL以上で透析継続者は，身体障害者1級の適応となるため，その申請手続きをするように勧める．
5. 感染予防のためにカテーテル出口部のケアを毎日する．

[解答と解説 ▶ p.524]

引用文献

1) 今井圓裕（編）：血液浄化法．腎臓内科レジデントマニュアル，第4版，p.199，診断と治療社，2007

3 ペースメーカーを装着している患者の援助

この節で学ぶこと
1. ペースメーカー治療の目的，適応疾患，合併症を説明できる
2. ペースメーカー植込み患者の身体的，心理・社会的特徴を説明できる
3. ペースメーカー植込み患者への援助方針および支援内容を説明できる

A. ペースメーカーの基礎知識

1 ● 治療の目的・位置づけ

ペースメーカーは，刺激伝導系の障害によって自己脈が出ない，または少ない**徐脈性不整脈**患者の心停止による突然死を防ぐ，あるいは症状緩和を目的として植込まれる心臓デバイスである．日本では1974年に保険償還の対象となり，2021年植込み件数（新規＋交換）は7万件近く[i]にのぼり，累計患者数は50万人を超えていると推測されている．ペースメーカーには，長期的な管理を目的として体内に植込む永久的ペースメーカーと，開心術後などに用いる一時的ペースメーカーがある．近年，デバイスの小型軽量化，多機能化の発展は目覚ましい．2008年には，デバイスが記録する情報を電話回線を通じて専用サーバに送り，医療者が病院にいながら患者の体調を把握できる遠隔モニタリングシステムが開始され，致死性不整脈の早期発見や合併症を防ぐことに貢献している．さらに，2012年からはMRI対応型のデバイス，2017年にはカプセル型のリードレスペースメーカーも登場している．

> **コラム**
> **植込み型心臓デバイスの種類**
>
> 植込み型心臓デバイス治療は，致死性不整脈や重症心不全患者に対する非薬物療法の1つである．心臓デバイスの種類は，徐脈性不整脈に対するペースメーカー（PM），頻脈性不整脈に対する植込み型除細動器（ICD），重症心不全患者に対する心臓再同期療法（CRT）や除細動器付き心臓再同期療法（CRT-D）がある．ICDやCRT-Dには，除細動機能があり，除細動機能作動時の衝撃は大きく，患者は心的外傷後ストレス障害（PTSD）や極度の不安，うつ状態に陥ることも少なくない[i]．
>
> **引用文献**
> i) 齊藤奈緒：特集：心臓デバイス植込みの患者のケア．看護技術 **60**(13)：16-26, 2014

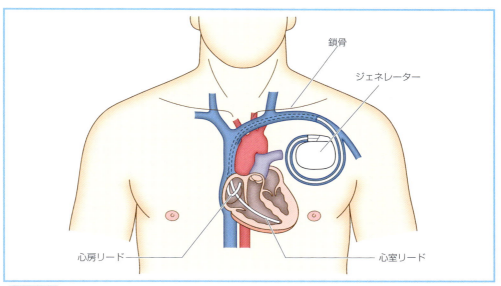

図Ⅳ-3-1 ペースメーカーのしくみ

2 ● 治療方法

　ペースメーカーは，本体（ジェネレーター：電池と刺激発生・感知回路から成る）とリードから構成される．一時的治療では，ジェネレーターは体外にあり，リードが経皮的に心臓壁まで植込まれ，治療終了後に抜去される．植込み式は，本体は左または右の鎖骨下前胸部に皮膚と筋膜の間にポケットを形成して植込む．リードには，心房リードと心室リードがあり，双方ともポケットに植込んだ本体から静脈を経由して心臓のなかに挿入し，リードの先端を心臓内に固定する．このリードを介して心筋の興奮を感知して（**センシング**機能）ジェネレーターに情報を伝え，設定された治療に基づいてジェネレーターがリードを介して心筋を刺激する（**ペーシング**機能）ことで，心臓の拍動を保つことができる（**図Ⅳ-3-1**）．

　ペースメーカーによる治療は，患者の刺激伝導系の障害に合わせてモードが設定される．このモードは，アルファベット3文字で表現される．1文字目はペーシング（刺激）部位，2文字目はセンシング（感知）部位，3文字目はペーシング様式を示す．ペーシング部位とセンシング部位には，心房（A），心室（V），両方（D）がある．ペーシング様式には，患者自身の自発興奮を感知したときにその刺激を抑制する機能（I），自発興奮に呼応して刺激を行う（同期）機能（T），そして抑制と同期の両方の機能（D）をもつものもある．主たるモードとその意味を**表Ⅳ-3-1**に示す．

3 ● 治療の対象疾患

　ペースメーカー治療の対象疾患は，徐脈性不整脈である．徐脈性不整脈により心臓の拍動が得られないことで，脳や体内への循環血液量が低下し，息切れやめまい，眼前暗黒感，意識消失などの症状が出現し，心不全や心停止にいたる．主たる徐脈性不整脈疾患は，洞

表Ⅳ-3-1 主なペースメーカーの設定（例）

モード	ペースメーカーモード			機能
	ペーシング部位	センシング部位	応答様式	
AAI	A（心房）	A（心房）	I（抑制）	洞不全症候群で刺激伝導に異常のない場合などに適応される．心房に1本のリードが留置されており，心房の興奮により抑制される，心房ペーシング
VVI	V（心室）	V（心室）	I（抑制）	徐脈がまれな場合や徐脈性心房細動などに適応される．心室に1本のリードが留置されており，心室の興奮により抑制される，心室ペーシング
DDD	D（心房と心室）	D（心房と心室）	D（抑制と同期）	多くの徐脈性不整脈に適応される．心房と心室両方にリードが留置されており，心房と心室の興奮による抑制も同期も可能な，心房心室ペーシング

不全症候群（SSS），房室ブロック（AVB），徐脈性心房細動である．洞不全症候群は，刺激伝導系の始まりである洞結節からの興奮が出ない洞機能不全である．房室ブロックは，心房から心室への興奮の伝導が延長したり途絶したりする．わが国では，これらの症状の性質と強さなどから，日本循環器学会や日本不整脈学会等による『不整脈非薬物治療ガイドライン（2018年改訂版）』[2])の基準により植込みが判断されている．

4 ● 治療の合併症

ペースメーカーなどの心臓デバイス治療による合併症には，植込み術による合併症と長期的な合併症がある．

a. 植込み術による合併症

植込み術中には，ポケット形成やリード留置操作による気胸・血胸，静脈や心臓壁の穿孔などが起こる可能性があるほか，さまざまな機械的刺激によって不整脈，とくに心室細動や心停止を起こす危険もある．術後合併症には，ポケット形成部や血管穿刺部の出血・血腫形成，リード移動・脱落，ペーシング・センシング不全，感染，金属アレルギーがある．とくに，術前から抗凝固薬や抗血小板薬を服用している場合は出血のリスクが高いため，十分な圧迫固定が必要である．また，リードの先端が心臓壁に固定されるには時間がかかるため，植込み側の上肢挙上によって容易にリードがずれてしまう．そのため，術後3日程度は上肢挙上を避ける必要がある．

b. 長期的な合併症

術後早期および長期的に留意する必要がある合併症は，**感染や金属アレルギーとペーシング・センシング不全**である．感染や金属アレルギーは，術後早期のみならず，時間がたって出現することがあることに留意したい．感染やアレルギー症状が発生すると，抗菌薬による治療だけではなく，植込んだデバイスとリードを抜去する必要があるため，それだけ侵襲や負担が大きく，同時に不整脈治療自体への影響も大きい．したがって，植込み部の感染徴候のモニタリングによる早期発見・早期対処が重要になる．ペーシング・セン

シング不全は，ペースメーカーが適切なセンシングやペーシングを行えない状態である．リードの移動や脱落だけではなく，治療による心筋や刺激伝導系，心機能の変化によって起こる．その他，長期的には，ペースメーカー依存性頻拍や**ペースメーカー症候群**など，生理的機能と器械による機能が調和しないことで頻拍が起こったり，血圧変動や心拍出量の減少をきたしたりすることもある．したがって，適宜モード等の設定を適切に調整しなければならない．そのため，デバイス設定を確認・調整するためのペースメーカー専門外来への通院が必要となる．

B. ペースメーカーを装着している患者の特徴

　ペースメーカーをはじめとする心臓デバイス治療は，植込まなければ死にいたる病態に対して適用されることから，基本的には一度導入するとやめることができない一生継続する治療である．さらに，器械であるために，電磁干渉回避のための生活制限や，電池やリードの耐用年数限界（約7～10年）から植替える必要がある．そして，適切な治療管理のための専門外来への通院や合併症予防のためのセルフモニタリング，基礎疾患によっては不整脈を起こさないような日常生活活動調整などのセルフマネジメントの必要があるなど，生命予後の獲得の一方でさまざまな生活上の制限を伴う治療でもある．

　ペースメーカーを装着している患者の特徴は，基本的には，不整脈患者の身体的，心理・社会的特徴（p.287参照）と同様である．これらに加えて，ペースメーカー植込み患者は，心不全などの不整脈の基礎疾患による長い経過のなかで治療を選択した患者や，突然の意識消失発作というエピソードですぐに植込んだ患者，自覚症状がないのに植込みが必要になる患者など，植込みにいたる体験はさまざまある．そのため，植込みにいたる意思決定や植込み後のさまざまな生活の変化が伴う治療に対する思いは複雑で，さまざまな苦悩[3]をかかえている．たとえば，器械が植込まれているというボディイメージの変化や，ペーシング治療が適切に行われているかどうか，電池消耗や誤作動に対する気がかりや不安などを抱くことがある．また，家族は，デバイスが植込まれたことで突然死を避けられる安心感を得る一方で，患者と同様に，また意識消失が起こるかもしれないという不安は決してなくならない．そして，患者の生活変容に伴って家族の生活も変容を迫られることがあり，さまざまな葛藤や苦悩をかかえていることも忘れてはならない．

C. ペースメーカーを装着している患者への援助

1 ● 看護アセスメント

　ペースメーカー植込み患者においては，不整脈や心機能などの状態，植込み治療による合併症の徴候を早期発見する必要がある．そして，治療が日常生活や心理・社会的側面に与える影響をアセスメントし，患者・家族の感染症などの合併症を早期発見・早期対処するためのセルフモニタリング，および，植込みに伴う生活上の制約をうまく生活に組み入れるためのセルフマネジメント能力，必要なサポート体制についてアセスメントすることが必要である（表Ⅳ-3-2）．

表Ⅳ-3-2　ペースメーカー植込み患者の看護アセスメント

目的	アセスメント項目	
身体的側面 ● 不整脈症状をアセスメントする ● 合併症の徴候を早期発見する	● 治療内容 ①不整脈の種類 ②治療内容 ● 患者の状態 ①不整脈や合併症の症状 ②その他	・診断名，不整脈原因疾患 ・心電図：自己調律，ペーシング波形，ペーシング・センシング不全波形 ・内服薬：種類，量 ・ペースメーカー設定 ・胸部X線：ジェネレーターやリードの位置，気胸・血胸や心不全など合併症所見 ・植込み部：発赤，熱感，腫脹，疼痛，滲出液などの炎症反応，皮膚損傷 ・自覚症状：血圧低下，脳虚血，心不全症状（めまい，眼前暗黒感，ふらつき，冷や汗，脱力感，息切れ，胸部違和感，失神） ・採血結果：炎症反応，出血傾向，栄養状態，貧血，電解質バランス，心機能 ・心エコー，血管造影，心筋シンチグラフィー ・既往歴，家族歴
日常生活の側面 ● 不整脈症状やデバイス治療に伴う日常生活への影響をアセスメントする	● 日常生活動作の遂行 ①活動 ②食事 ③排泄 ● 電磁干渉環境 ①家庭環境 ②車両環境 ③趣味活動 ④工業機器・機械 ⑤医療機器	・家事，入浴（湯温，時間，更衣環境），買い物・通勤・通学の移動方法 ・食欲，食事摂取量，塩分・水分 ・尿量，排便（便秘，下痢） ・携帯電話，IH調理器，電気毛布，マッサージチェア，体脂肪計 ・運転免許，金属探知機，EAS，無線 ・無線，環境：全自動麻雀卓 ・無線，高電圧施設，高周波器，電磁装置など ・放射線治療，電気メス，MRI（MRI対応デバイスもある），高／低周波治療器など
認知・心理的側面 ● セルフマネジメント能力をアセスメントする ● 治療に対する受け止め方をアセスメントする	● 認知機能 ● 心理状態	・認知症の有無など認知力，教育歴，疾病や治療についての理解力 ・不安，恐怖，うつ，ストレスの有無，程度，その内容，患者なりの対処方法，睡眠
社会的側面 ● 治療による社会活動，経済状況への影響をアセスメントする	● 役割 ● 職業 ● ソーシャルサポート ● 経済状態 ● 家族	・家庭内，職場，地域社会における役割 ・就業の有無，仕事の内容，勤務時間，労働量，通勤時間・方法，職場環境 ・友人，知人，同僚などのサポートの有無，疾患や治療についての理解度，医療保健福祉関連の多職種チームによるサポート体制 ・医療保険，介護保険，身体障害者手帳申請 ・家族構成，同居状況，キーパーソン，家族員のサポート能力，健康状態，患者の疾患や治療への理解度

2 ● 援助の方針

ペースメーカー植込み患者の，身体的，心理・社会的特徴をふまえて，援助方針を以下のように考える．

①ペースメーカー治療の目的と必要性を理解して植込むことを選択することができるよう意思決定を支援する．

②自己検脈や植込み部の観察などを通して，作動不全や合併症を早期発見・早期対処できるように援助する．

③電磁干渉からの回避，および不整脈の原疾患に適した日常生活調整を患者なりの生活にうまく組み入れるための知識・情報を得て，判断することができるように援助する．

3 ● 看護実践

a. インフォームド・コンセントおよび意思決定支援

ペースメーカー植込みにあたり必要なインフォームド・コンセントの内容は，現在の病

状および治療法，ペースメーカー植込み方法と合併症，植込み術後の経過，退院後の日常生活上の注意点（運転制限，電磁干渉回避，身体障害者手帳申請）である．『ペースメーカー，ICD，CRTを受けた患者の社会復帰・就学・就労に関するガイドライン（2013年改訂版）』[4]に，電磁干渉回避のための制限や身体活動調整をはじめとする生活管理の基本的な考え方が示されている．これらには，医療・保健・学校・産業・福祉・工学・法学的知識を有するメンバーからなる不整脈・心臓デバイス医療チームによる包括的支援が必要である．

　デバイス治療は，一度植込むと途中でやめることはできない．看護師は，患者・家族が生命を救うために植込んだことを後悔することなく適応していくために，植込み後に治療や自己管理を継続し，最期を迎えるまでの過程における意思決定を支援する必要がある．植込みの決定においては，単に生命を救うためだけではなく，患者と家族が治療の目的，メリット，デメリットをどのように理解しているかを具体的に確認し，患者自身がデバイス治療をどのように意味づけて決定するかを大切にする必要がある[5]．植込み後，治療による症状緩和や生活の変化に伴って，患者の治療に対する認識は変化する[3]．とくに，若年者の場合，器械を植込まないと生きていけないという事実をかかえ，就職や結婚などライフスタイルの変化ごとにさまざまな思いを抱くことになる．また，高齢者も増えており，認知機能の低下をはじめ，心身機能の低下をかかえながら新たな生活を調整することの負担は大きい．したがって，植込み後に患者が自分で，あるいは，サポートを得ながら治療や生活上の自己管理を継続するために，いつ，何について，知識や情報を提供したり，サポート体制を調整したりする必要があるかをアセスメントし，患者・家族の関心[3]に寄り添う必要がある．

b. 症状マネジメント

　ペースメーカー治療の目的は，症状緩和と心停止予防である．すなわち，効果的な治療が行われることで，不整脈によるめまい，眼前暗黒感，息切れ，意識消失などの症状はなくなる．しかし，ペーシング・センシング不全によってこれらの症状が出現することがあるため，その際はすぐに受診する必要がある．

　なお，植込み術中・術後は，創部痛やポケット部の違和感が生じる．我慢することで不整脈や心負荷をまねくため，鎮痛薬を使用し，積極的に除痛をはかる必要がある．また，リードの安定のための上肢挙上制限がある期間は，それに伴うセルフケア援助が必要となる．その他，感染や金属アレルギー症状については，看護師による観察や患者のセルフモニタリングによって早期発見・早期対処することが重要である．

c. セルフモニタリング

　ペースメーカー植込み後のセルフモニタリングのポイントは，合併症の早期発見・早期対処のための植込み部の観察および自己検脈である．

　感染や金属アレルギーの早期発見・早期対処のため，**植込み部の観察方法**を説明する．具体的には，毎日観察することの必要性の理解を促し，更衣や入浴時などの鏡をみるタイミングのいつ，どこで観察するかを考え，発赤（ほっせき），熱感，腫脹（しゅちょう），疼痛，滲出液がないかどうかを見たり触ったりして確認する方法を指導する．そして，これらの異常がある場合は，すぐに医療機関に連絡・受診することを理解してもらう必要がある．なお，近年デバイスの小型化のために症例数は減っているが，やせ，女性，若年者，高齢者などの場合は，衣

服のポケット部の膨隆が目立ったり，体動によってポケット内でジェネレーターがずれたりすることから，皮膚の摩擦による皮膚損傷を起こすこともある．そのため，体表の皮膚損傷を観察したり，予防的に綿素材の皮膚にやさしい衣類や当て布などを用いたりすることを説明する．

ペースメーカーの作動不全の早期発見および不整脈症状管理のために，**自己検脈**について指導する必要がある．ペースメーカー手帳を用いてペースメーカーの設定を確認し，患者・家族の理解を促す．そして，ペーシング機能設定の脈拍数と自分の脈拍数とを比較し，異常の判断基準について確認する．自己検脈の方法は，第2〜4指で橈骨動脈を触知し，1分間の脈拍数を数え，脈がとんだりしていないかリズムを確認することを説明する（図V-2-2［p.292］参照）．高齢者などは，自分で橈骨動脈を確認することがむずかしいこともあるため，できるだけ早期から自己検脈に取り組んでいく必要がある．また，橈骨動脈を確認できない場合は，内頸動脈など測定部位を変えることも検討する．なお，自己検脈ができない場合は，家族が検脈できるよう指導する．

d. 日常生活および治療継続における教育的支援

ペースメーカー植込み患者の日常生活や治療継続に関する自己管理においては，服薬とペースメーカー外来への定期受診の徹底，自動車運転の制限，電磁干渉回避のための環境・生活調整がポイントとなる．これらの支援では，制限や禁止を教えるだけではなく，対処方法や代替手段を獲得できるように患者・家族と考え，環境やサポート体制を調整することが大切である．

（1）服薬と定期受診の徹底

ペースメーカーは，不整脈を治すものではなく，薬物療法と併用して症状緩和や心停止予防を目的とする治療である．そのため，患者・家族がこのことを十分に理解し，自己判断で服薬を中断することがないようにすることが大切である．また，不整脈イベントやデバイスの電池残量，必要な治療が行われる設定であるかを確認・調整するために，3〜6ヵ月ごとのペースメーカー専門外来の受診を徹底する必要がある．ペースメーカー外来では，プログラマとよばれる器械を通してペースメーカー作動状況や電池残量，心電図波形による不整脈の検出を確認し，必要に応じて設定変更を行う．そして，遠隔モニタリングシステム導入患者においては，確実にデータ送信ができるように援助する必要がある．

（2）自動車運転

ペースメーカーを植込んだ患者は失神発作が生じる可能性があるため，自動車運転は，道路交通法に則って制限されている．症状によって禁止期間などが決められている．概要は日本不整脈心電学会ホームページ[6]等から情報が得られるため，十分に確認して患者・家族に理解を求める必要がある．これにより，運転を職業とすることができなくなるのみならず，高齢者や地方で暮らす人にとって，生活のための移動手段が奪われることになるため，代替移動手段やサポート体制を整える必要がある．

（3）電磁干渉回避

電磁干渉については，デバイス機能の発展や，電気自動車急速充電，ワイヤレスカードシステム，医療環境（歯科や整形治療等）などの新たな電磁環境に応じてアップデートされる．看護師がこれらの情報をタイムリーにアップデートする必要があるだけでなく，患

者・家族はどこからこれらの情報を得ることができるのか，そのリソースを知っておく必要がある．電磁曝露環境とされる，家電をはじめとする家庭内，車両や趣味活動環境，高電圧・高周波環境にある施設や医療機器など，患者をとりまく環境について，植込まれるデバイスの業者が作成するパンフレット等を用いて確認する．また，電磁干渉を受けた際の症状（ふらつき，めまい，胸部不快等）を確認し，干渉を感じたらすぐに原因部から距離をとること，基本的に離れれば正常作動に戻ることを説明し，それでも症状が軽減しない場合はただちに医療機関に連絡することを説明し，過度な不安を抱かないように配慮する必要がある．なお，患者によっては，職業や配置転換を余儀なくされることもあるため，職場の理解を得られるように調整する必要もある．

(4) 上肢運動への留意

リード脱落や断線を防ぐため，植込み後2ヵ月は植込み側の上肢を強い力で挙上することを避け，その後も，激しく体がぶつかる運動や，植込み部に近い腕の筋肉を続けて動かす運動（腕立て伏せ，重い荷物の上げ下ろしなど）を避ける必要がある．ただし，上肢挙上を過度に制限し続けると関節拘縮をきたしてしまうこともあるため留意する．

(5) 心機能に応じた生活活動調整

最後に，不整脈の種類や心機能に応じて，心負荷がかからないように生活活動を調整する必要がある患者もいる．この場合は，心不全患者へのセルフマネジメント支援と同様であるため，参照されたい．

e. 心理・社会的支援

ペースメーカー植込み患者は，前述のとおり，植込みにいたる不整脈体験や器械を植込んで生きることへの思いなどにより，さまざまな苦悩をかかえている[3]．また，治療によって職業やライフイベントなど，社会生活や経済面にも影響を受けている．身体障害者手帳の心臓機能障害1級に該当するため，自治体申請手続きを進め，支援を受けられるようにする．また，電磁干渉などに過剰に神経質になったり，うつ状態に陥ってしまったりすることも少なくない．患者なりの気分転換やリラックスできる時間や方法を見つけることも大切である．看護師は，患者の疾病経過における患者・家族の気がかりや希望などの関心を把握することが重要である．心理・社会的支援には，傾聴・共感などのカウンセリングも必要であるが，何よりも植込み後に患者なりの社会生活を安心して送れるように調整できることが重要である．

f. 家族への支援

前述のように，家族も，患者の不整脈や治療に対する不安や気がかりをかかえている．ペースメーカー治療に伴う患者に必要な生活調整は，家族の生活にも直接的に影響する．

> **コラム**
> **心臓デバイスチーム**
>
> 植込み型心臓デバイス治療は病気の管理のみならず，治療による社会生活への影響が大きいことから，多職種からなる包括的な心臓デバイスチームによる支援体制の構築が急務である．日本循環器学会ほかによる『ペースメーカー，ICD，CRTを受けた患者の社会復帰・就学・就労に関するガイドライン（2013年改訂版）』[i]，『不整脈非薬物治療ガイドライン（2018年改訂版）』[ii]にその包括的支援として必要な内容が記述されている．

> **引用文献**
> ⅰ）日本循環器学会ほか：ペースメーカー，ICD，CRTを受けた患者の社会復帰・就学・就労に関するガイドライン（2013年改訂版），〔http://www.j-circ.or.jp/guideline/pdf/JCS2013_okumura_h.pdf〕（最終確認：2023年1月10日）
> ⅱ）日本循環器学会ほか：不整脈非薬物治療ガイドライン（2018年改訂版），〔http://www.j-circ.or.jp/guideline/pdf/JCS2018_kurita_nogami.pdf〕（最終確認：2023年1月10日）

そのため，家族は患者をサポートする1人ではあるが，同時に家族は患者をサポートする人としての苦悩をかかえることを忘れてはならない．したがって，前述した支援はすべて，患者・家族ともに行う必要がある．なお，日本心臓ペースメーカー友の会など，患者・家族団体があり，このようなピアサポートグループも患者・家族へのサポートになるため，必要に応じて紹介する．

学習課題

1. ペースメーカー治療が必要となる対象疾患を挙げてみよう
2. ペースメーカー植込み後のセルフモニタリングのポイントを挙げてみよう
3. ペースメーカー植込み患者の日常生活における自己管理の留意点を挙げてみよう

練習問題

Q1 ペースメーカーの植込み後の合併症はどれか．2つ選べ．
1. リードの移動
2. PTSD
3. ペースメーカー症候群
4. 心停止
5. 気胸

Q2 ペースメーカー植込み後の退院時の指導で適切なのはどれか．
1. 症状がなくても定期的なペースメーカーのチェックを受ける．
2. ふらつき，めまい，胸部不快の症状出現時は，その場にとどまり休憩する．
3. 自動車の運転はいままでどおりできる．
4. 植込み側の上肢挙上運動は，植込み後3ヵ月間は禁忌である．

［解答と解説 ▶p.524］

引用文献

1) 日本不整脈デバイス工業会：2021年ペースメーカ市場調査，〔http://www.jadia.or.jp/date/2021_pm.pdf〕（最終確認：2023年1月10）
2) 日本循環器学会ほか：不整脈非薬物治療ガイドライン（2018年改訂版），〔http://www.j-circ.or.jp/guideline/pdf/JCS2018_kurita_nogami.pdf〕（最終確認：2023年1月10日）
3) Nao Saito, et al：Illness experience；living with arrhythmia and implantable cardioverter defibrillator, Kobe J Med. Sci **58**（3）：72-81, 2012
4) 日本循環器学会ほか：ペースメーカー，ICD，CRTを受けた患者の社会復帰・就学・就労に関するガイドライン（2013年改訂版），〔http://www.j-circ.or.jp/guideline/pdf/JCS2013_okumura_h.pdf〕（最終確認：2023年1月10日）
5) 齊藤奈緒：特集：心臓デバイス植込み患者のケア．看護技術 **60**（13）：16-26, 2014
6) 日本不整脈心電学会：不整脈に起因する失神例の運転免許取得に関する診断書作成と適性検査施行の合同検討委員会ステートメント，〔http://new.jhrs.or.jp/pdf/guideline/com_icd200603_01.pdf〕（最終確認：2023年1月10日）

4 ステロイド療法を受ける患者の援助

> **この節で学ぶこと**
> 1. ステロイド療法の基本を理解し，説明できる
> 2. ステロイド療法を受ける患者の身体的，心理・社会的特徴を述べることができる
> 3. ステロイド療法を受ける患者への支援について述べることができる

A. ステロイド療法の基礎知識

1 ● 治療の目的・位置づけ

ステロイド薬とは，副腎から分泌される**副腎皮質ホルモン**のなかの，主に糖質コルチコイドを化学的に合成したものをいう．この糖質コルチコイドの働きはさまざまで，血糖や血中コレステロール・中性脂肪の上昇作用，骨塩量の減少作用，筋肉からのアミノ酸産生の増加などがある．またステロイド薬は薬効として抗炎症作用のほかに，免疫抑制作用，抗アレルギー作用などを発現する．これらの作用はいずれも根治的に作用するのではなく，あくまでも「抑制的」に作用する．つまり，症状・病態を軽減，改善はするが，疾患の原因を除去することはできない．したがって，病勢が活動的であるときに，投与を中止すると再発することが多い．

また，ステロイド薬は作用が多彩であるのと同時にその副作用もまた多彩であり，投与量，投与期間，離脱の決定には慎重を要する．投与量の決定には，診断と病態，臓器障害の重症度，疾患活動性の評価が必要となる．

ステロイド薬は種類や形態がさまざまで，作用時間の長いものや短いもの，作用の強いもの弱いものなどがあり，疾患の種類や治療目的によって使い分けられる（**表Ⅳ-4-1**）．

表Ⅳ-4-1 各製剤の抗炎症作用の力価とその持続時間

持続時間	合成ステロイド薬	同等の力価を示す量
短時間 （8〜12時間）	ヒドロコルチゾン（コートリル®）	20 mg
中間 （12〜36時間）	プレドニゾロン（プレドニン®） メチルプレドニゾロン（メドロール®）	5 mg 4 mg
長時間 （36〜72時間）	デキサメタゾン（デカドロン®） ベタメタゾン（リンデロン®）	0.75 mg 0.6 mg

2 ● 治療方法

　ステロイド薬は多くの疾患・病態に使用され，その投与方法もさまざまである．ステロイドの補充を目的とする場合や自己免疫性疾患の治療には，一般的に吸収の安定性がよい経口投与が選択される．また，**ショック**（急性循環不全）などの緊急性を要する場合は，経静脈的投与が用いられる．これらの投与方法を全身投与といい，ステロイド薬が体のすみずみまでいきわたり，作用を発揮する．

　上記とは別に局所性の疾患，たとえばアトピー性皮膚炎のような皮膚に限局した疾患の場合，全身的な投与を行う必要は少なく，皮膚のみ（局所）に作用すれば十分なことが多いため，軟膏などの外用薬が使用される．ほかにアレルギー性鼻炎なら点鼻薬，喘息なら吸入薬などがある．これらを局所投与といい，全身投与に比べると比較的副作用が少ない．

　ステロイド薬からの離脱は，すべての疾患で可能とは限らない．たとえば，全身性エリテマトーデス（systemic lupus erythematosus, SLE）などの膠原病では，完治はしなくとも日常生活を支障なく送るために，必要最小限の維持量としてステロイド薬を長期間（場合によっては一生）投与し続けることが多い．ステロイド薬の離脱は，その方法に一定の方式はなく，疾患の性質や病態によって異なる．

a. ステロイド離脱症候群

　長期的なステロイド薬による治療継続中に，突然急激な減量や中止をすると，強い倦怠感や関節痛，吐き気，頭痛，血圧低下などが起こる．これを**ステロイド離脱症候群**とよぶ．これはステロイド薬の多量・長期投与により，副腎皮質からのホルモン分泌機能低下や副腎萎縮が起きていることにより起こり，ときには生命にかかわることもある．また，急激な減量や中止は原疾患の悪化（リバウンド）をきたすこともある．

b. ステロイドパルス療法

　①病状が重症かつ早急な対処が必要とされる場合，②大量の内服ステロイド薬で効果不十分な場合，③内服ステロイド薬の総量を減らしたい場合，に選択される治療方法である．ステロイド薬を大量に静脈投与することで，効果を十分に発現させようとするものであり，使用量はメチルプレドニゾロンを1日1,000 mg，通常3日間1クールとして行う（500 mgを3日間使用する場合はミニパルスとよぶ）．この治療法は大量にステロイド薬を使用するため，一過性の血圧上昇や血糖上昇などを生じ得るが，重大な副作用としては血栓形成傾向以外は乏しいとされている．ただし，心臓をはじめとする各臓器に負担がかかる可能性があり，連続して何度も行えない，などの問題がある．また，感染症や消化管潰瘍がある場合は避けるべきとされている．

3 ● 治療の対象疾患

　炎症性疾患や自己免疫性疾患，アレルギー性疾患などさまざまな病態に広く用いられる．詳細については表Ⅳ-4-2に示す．

4 ● 治療の副作用

　ステロイド薬は多大な治療効果がある反面，深刻な副作用を生じることがある．これは，抗炎症作用や免疫抑制作用だけを期待しても，それ以外に血糖上昇作用やコレステロール

表Ⅳ-4-2　ステロイド療法（経口・経静脈）の対象疾患

リウマチ・膠原病	関節リウマチ，リウマチ性多発筋痛症，全身性エリテマトーデス，混合性結合組織病，多発性筋炎・皮膚筋炎，強皮症，血管炎症候群（高安動脈炎，巨細胞性動脈炎，結節性多発動脈炎，ANCA関連血管炎など），ベーチェット病，成人スチル病，シェーグレン症候群，IgG4関連疾患など
血液疾患	白血病（急性白血病，慢性リンパ性白血病，慢性骨髄性白血病急性転化），自己免疫性溶血性貧血，特発性血小板減少性紫斑病，悪性リンパ腫，多発性骨髄腫，再生不良性貧血，好酸球増多症候群
呼吸器疾患	気管支喘息（重積発作含む），間質性肺炎，サルコイドーシス
腎疾患	ネフローゼ症候群，急速進行性糸球体腎炎，間質性腎炎
神経・筋疾患	脳脊髄炎，多発性硬化症，顔面神経麻痺，重症筋無力症
消化器・肝疾患	潰瘍性大腸炎，クローン病，劇症肝炎，自己免疫性肝炎
内分泌・代謝疾患	慢性副腎皮質機能不全，急性副腎皮質機能不全（副腎クリーゼ），アジソン病，副腎性器症候群（先天性副腎過形成），ACTH単独欠損症
その他	副腎摘出術後，突発性難聴，アトピー性皮膚炎などの湿疹・皮膚炎群（重症例），内眼・視神経など眼科領域の炎症性疾患，薬剤・化学物質によるアレルギー・中毒，アナフィラキシー，鎮痛補助，抗がん薬に伴う悪心・嘔吐，臓器移植後の拒絶反応の抑制，術後の後療法など

ANCA：抗好中球細胞質抗体　ACTH：副腎皮質刺激ホルモン

上昇作用などが働いてしまうためである．多くの場合，副作用は効果の延長線上にあり，避けることができないものであることから，治療に際しては，目的とする効果が十分得られ，かつ副作用を最小限に抑える，というバランスを考えた使用方法が必要となる．ステロイド薬の副作用症状は多彩である．頻度は低いが患者の生命に危険を及ぼす，または重大な障害を与える可能性のある重篤な副作用と，頻度は高いが必ずしも治療を要さない軽症の副作用の2つに大別される．これら，記述した副作用症状のすべてが1人の患者に起きるわけではない．

a. 重篤な副作用

（1）感染症の誘発と増悪

　ステロイドにより身体の免疫機能が低下（リンパ球や免疫グロブリンの減少）するため，感冒やインフルエンザにかかりやすくなる．重症になるとサイトメガロウイルス感染やニューモシスチス肺炎，敗血症などを引き起こし，生命にかかわる．患者背景にもよるが，プレドニゾロン換算で20 mg/日を超える場合，感染症のリスクが高いとされている．しかし，プレドニゾロン換算で5 mg/日以下であっても感染症のリスクがあるとされている．

（2）骨粗鬆症・骨折

　骨は常に古い骨が破壊され（骨吸収），そこに新しい骨が作られる（骨形成）というサイクルを繰り返している．この骨吸収と骨形成のバランスにより骨は調節されているが，ステロイドは骨吸収を促進し，かつ骨形成を低下させるため骨密度は低下する．そのため，大腿骨頸部骨折や椎体の圧迫骨折が起こる．『ステロイド性骨粗鬆症の管理と治療ガイドライン2014年改訂版』に基づき，経口ステロイド薬を3ヵ月以上使用中あるいは使用予定の患者には，ステロイド薬の用量や投与期間にかかわらず生活指導等の一般指導を行う．既存骨折がある場合，65歳以上，プレドニゾロン換算7.5 mg/日以上使用する場合，骨密

度（％YAM）70％未満の場合は骨粗鬆症予防のためビスホスホネート製剤等による薬物療法を行う．

（3）糖尿病の誘発と増悪
ステロイドは肝臓で糖を合成する働きを高め，筋肉での糖の取り込みを妨げる．その結果として高血糖となり，糖尿病を引き起こす．

（4）脂質異常症（高脂血症）
ステロイドには血液中のコレステロールや中性脂肪の値を上昇させる作用があり，結果として動脈硬化や脳梗塞など脳血管障害の危険性が高まる．

（5）精神症状
ステロイドにより不眠，興奮や多幸症，うつ状態となることがあり，とくに若年者や女性に出やすい．とくにSLEでは原疾患自体が精神症状をきたすこともあり，精神症状がどちらに起因するのかの判別がむずかしい．

ほかに，消化管潰瘍，副腎不全，白内障や緑内障，高血圧，ステロイド筋症などがある．

b. その他の軽症な副作用
ムーンフェイス（満月様顔貌），中心性肥満，痤瘡，多毛，頭髪の脱毛，月経異常，浮腫などがある．

B. ステロイド療法を受ける患者の特徴

1 ● 身体的特徴
ステロイド療法を受ける患者は，疾患や病状で身体的苦痛を受けている状態に加え，ステロイド薬の副作用によって日常生活にさまざまな苦痛や制限を生じることがある．たとえば，ステロイドは血糖を上げる作用をもつうえに，食欲が亢進しやすく肥満になりやすいため，食事管理を行い体重増加に注意する必要がある．また，骨粗鬆症になりやすいため，ステロイド薬開始前にすでに骨量の低下している患者や閉経後の女性は，骨折などの危険性が高く日常生活行動に注意が必要である．

2 ● 心理的特徴
「ステロイド薬は怖い」という情報が氾濫しているため，治療を受けていることそのものに苦痛を感じることがある．副作用がつらい，少しでも早くステロイド薬をやめたいという気持ちから，自己判断で減量や中断するケースが少なくない．とくに若い女性におい

> **コラム**
> **ステロイド薬使用にあたり注意が必要なケース**
>
> 患者が，感染症（有効な抗菌薬がない場合，全身の真菌症，結核など），胃潰瘍，精神疾患，白内障，高血圧，電解質異常，手術後，血栓症，心臓疾患，糖尿病，骨粗鬆症などの状態にある場合，ステロイド薬の使用が病状を悪化させることがあるが，ステロイド薬でなければ治療できないケースもある．このような場合は副作用を増強するおそれがあるため，注意しながら慎重に投与する．

ては，ムーンフェイスや中心性肥満など，軽症な副作用ではあるが美容上の変化がみられると，気分が落ち込む，社会から引き込もるなどの状態となり，精神的負担から適切な治療が行われないケースもある．また，ステロイド薬の副作用により，うつ状態に陥ることもあり，場合によっては薬物療法を必要とすることがある．

3 ● 社会的特徴

定期的な通院や入院によって，病勢を観察しながら投与量の調整を必要とする場合があり，学業や就業，家庭や社会での役割などに支障をきたすことがある．これらにより，経済的にも負担を生じることとなる．また，女性の場合，原疾患の状態やステロイド薬投与量によっては妊娠・出産にも影響を及ぼすことがある．

C. ステロイド療法を受ける患者への援助

ここでは，長期間継続的にステロイド療法を受ける患者への援助について述べる．

1 ● 看護アセスメント

ステロイド療法において，その効果とともにさまざまな副作用症状，それらが及ぼす心理・社会的影響についてアセスメントすることが必要となる．アセスメントの項目は**表Ⅳ-4-3**にまとめた．

2 ● 援助の方針

ステロイド療法を受ける患者の身体的，心理・社会的特徴をふまえて，援助の方針を次のように考える．

> ①患者がステロイド薬の副作用症状のアセスメントとその対処ができるように援助する．
> ②患者がステロイド療法および副作用症状に対する正しい知識を獲得できるように教育的支援を行う．
> ③患者が適切な治療の継続および治療を受けることに対する葛藤を乗り越えることができるように支援する．

3 ● 看護実践

a. インフォームド・コンセントおよび意思決定支援

治療を始めるにあたり，看護師は患者やその家族がステロイド薬に対してどのような認識をもっているかを確認する必要がある．その認識にいたった経緯を十分理解したうえで，正しい知識を提供する．とくに副作用症状については，なぜそのような症状が出るのかを説明し，その対処方法について指導する．また，治療途中での自己判断によるステロイド薬の減量や中断が，さらに状況を悪化（ステロイド離脱症候群や原疾患のリバウンド）させることを，患者・家族が理解できるまで十分説明する．患者・家族の治療に対する不安について傾聴し，主体的に治療に参加できるように支援する．長期的な治療に対し，医師

表Ⅳ-4-3　ステロイド療法を受ける患者の看護アセスメント

目的	アセスメント項目		備考
身体的側面 ● ステロイド薬の副作用をアセスメントする ● ステロイド薬の副作用症状に伴う変化や苦痛の有無，程度をアセスメントする	● 検査データ	・検査項目のデータや所見の異常の有無と程度を把握する	・培養検査：どのような細菌，真菌に感染しているかを知ることができる．
	①血液系	・白血球数，リンパ球数，CRP，赤血球沈降速度，血液培養，出血凝固系	
	②内分泌・代謝系	・血糖値，HbA1c，コレステロール，中性脂肪，副腎機能検査，電解質データ	
	③骨・関節系	・X線，骨塩定量，骨シンチグラム，MRI	
	④呼吸・循環器系	・X線，胸部CT，心エコー，心電図，咽頭・喀痰培養	
	⑤泌尿器系	・腎機能検査，尿検査（検尿，尿培養，尿量・性状）	
	⑥消化器系	・X線，内視鏡検査，腹部CT，便潜血	
	⑦脳神経系	・髄液検査，頭部CT，脳波検査，MRI	
	● 既往症の確認	・副作用に関連する既往症を把握する（肺結核，高血圧，糖尿病，消化管潰瘍，骨粗鬆症，精神疾患など）	
	● 症状	・各症状の有無とその程度を把握する ・発熱，消化器症状（腹痛，排便，食欲など），呼吸器症状（咳，痰，呼吸困難など），関節や筋肉の痛み，しびれ，皮膚・粘膜症状（痤瘡，落屑，紫斑，多毛，口内炎など），浮腫，体重の増減，顔貌・体型の変化，眼症状，精神症状（不眠，多幸感，興奮，うつ，異常言動など）	
	● バイタルサイン	・体温，脈拍，血圧，呼吸	
日常生活の側面 ● ステロイド療法に伴う身体・精神症状が日常生活に及ぼす影響をアセスメントする	● 食事	・食事時間，食事内容と量，嗜好，食欲，間食の有無，水分摂取量	
	● 排泄	・排尿・排便回数，量と性状，排泄時の随伴症状	
	● 睡眠	・睡眠時間，熟眠感の有無，睡眠薬の使用状況	
	● 清潔	・清潔行動状況（入浴，歯磨きなど），整容，清潔に対する考え方	
	● 運動	・適度な運動，疲労感の有無	
	● 日常生活	・必要な行動がとれているか	
	● 余暇	・余暇を楽しめるか，趣味	
	● セルフケア能力	・自分にできることとできないことを把握・理解する	
心理的側面 ● ステロイド療法が心理状態に及ぼす影響をアセスメントする	● 理解力および受け止め	・ステロイド薬についての知識と受け止め，服薬アドヒアランス，基本的な理解力の程度	・病前の性格や精神疾患の家族歴が，ステロイド薬の副作用としての精神症状と関連があるといわれている．
	● 価値観	・何を大切に思っているか	
	● 対処方法	・これまでの問題への対処法	
	● 心理状態	・疾患，治療・副作用に対する不安 ・精神疾患の有無（患者・家族），性格（神経質，不安症など）	
社会的側面 ● ステロイド療法が社会・経済状況に及ぼす影響をアセスメントする	● 役割	・年齢・発達段階，家庭・職場における役割や立場	
	● 職業	・就業・就学の状況，労働時間，労働量，労働内容，人間関係	
	● ソーシャルサポート	・友人・同僚など周囲からのサポートの有無	
	● 経済状態	・保険の種類，医療費の支払い能力，経済的サポートの有無	
	● キーパーソン	・キーパーソンは誰か（家族，友人）	
	● 家族構成	・構成員，協力者の存在	
	● 家族の状態	・家族の治療に対する受け止めや理解，家族関係，協力の有無	

との関係は重要となるため，信頼関係が維持できるようその間を橋渡しする役割も看護師にとって重要である．

b. 症状マネジメント

　ステロイド薬の副作用症状は，薬剤の種類や強さ，使用方法，使用期間などによって多種多様であり，看護師はそのメカニズムを十分に理解することが必要である．また，患者がどのような症状に苦痛を感じているか，生活にどのような支障をきたしているか，どのように表現しているかを理解する．看護師はそれらの症状がなぜ起こるのかを説明し，対処方法を指導する．

c. ステロイド療法を安全に実施するうえでの注意事項

　看護師はステロイド薬の種類や強さ，使用方法などを理解するとともに，治療の状況（使用期間，投与量など）によって副作用症状の種類や発現のタイミングが違うことを知識として知っておく必要がある．また，治療においては継続性が重要であることから，患者が定期的に通院し，医師から指示された服薬方法を理解したうえで守ることができるよう支援する．また，肉体的・精神的ストレス，外科手術や抜歯，出産などの際には一時的にステロイド量を増量しなければならないこともあるので，必ず医師に相談することを指導する．ステロイド薬の使用量が多い時期に**予防接種**を受ける際も，必ず医師に確認するよう指導する．

d. セルフモニタリング

　治療中は症状の変化について患者自身が気づくことができるよう指導する．たとえば，バイタルサインや体調の変化，生活のなかで気づいたできごとなどを記録することで，自身の変化に気づくことができるようにする．外来受診の短時間の間に，医師と効果的なコミュニケーションをとるためには，記録している変化について話をすることは有用である．感染症の徴候や関節・筋肉などの体の痛み，体重の変化や食事量，皮膚・粘膜症状，精神的な変化や睡眠状況など，気づいたことがあればすぐに医療機関を受診する，または相談するよう指導する．ただし，ステロイド薬に対する不安が強い患者に対し，さらなる心理的負担を与えるような指導は避けなければならない．このような場合，患者の心身の状態によっては家族の支援を要請することも必要である．患者が変化について苦痛を感じているならば，看護師はその気持ちに共感し，効果的な対処方法を患者とともに考え，励まし

ながら治療が継続できるよう支援する．また，好ましくない生活習慣や行動があるならば，ただ否定するのではなく，患者が納得し変容できる範囲で少しずつ好ましい行動をとることができるよう支援する．

e. 日常生活および治療継続における教育的支援

医師から指示されたとおりに，確実に内服することを基本とする．本来，自己分泌されるステロイドの血中濃度は早朝に高く，午後になるに従って低下するため，1日1回投与ならば朝に内服，2回以上なら朝を多く，午後からは少なく投与することが多い．一般的にステロイド薬の治療効果は，24時間にわたって生体リズムに合わせた平均的な血中濃度を維持することで発揮されると考えられている．したがって，のみ忘れないように規則正しい服用を指導することが重要である．また，日常生活における副作用症状についての予防教育・指導を行う．

> **副作用症状に対する予防教育・指導**
> ①**感染症**：人ごみのなかに行かない，手洗い・うがいを励行するなどの生活指導を行う．起こりうる感染症の種類や初期症状を十分説明し，異常（微熱や倦怠感などの軽微な症状でも）があればただちに医師に報告するよう指導する．感染症に対する予防薬を使用する場合は，その意義を十分説明し，自己中断しないよう指導する．
> ②**高血糖**：糖尿病発症の可能性について説明し，バランスのよい食事を摂る，食べすぎない，間食をしない，糖分を含んだ飲料をのみすぎない，などを日常生活のなかで心がけるよう指導する．食事管理の一環として栄養士の指導を受ける場合，患者だけでなく家族（食事を作る人）も一緒に指導を受けることが望ましい．自己管理として1日1回の体重測定と記録を習慣にすると自己コントロール感が得られ継続しやすい．
> ③**骨粗鬆症**：予防薬（ビスホスホネート製剤など）を確実に内服する必要性や服薬方法について十分説明する．体重を増やさない，無理な荷重をかけない，重いものをもたない，筋力維持に努めるなどの日常生活上の注意点について指導する．
> ④**ムーンフェイスや中心性肥満などの美容上の変化**：ステロイド薬の減量とともに軽快するものであることを事前に説明しておく．とくに若い女性においては，これらの変化が服薬アドヒアランスに大きく影響することを理解したうえで，自己判断での服薬中断は危険が高いことを繰り返し説明しておく．

f. 心理・社会的支援

長期的にステロイド療法を受けることによって，ムーンフェイスや中心性肥満，痤瘡，多毛などの美容上の変化を生じ，「できれば治療を受けたくない」「やめてしまいたい」と感じることが予測される．これらの変化のために心理的葛藤が生じ，社会的に「引きこもり」などの状況に陥ることも少なくない．つらい気持ちを受け止めるとともに，ステロイド薬の量が減れば徐々にそれらの症状はよくなることを説明し，治療が継続できるよう温かく見守り支援する．また，ステロイド療法により，不眠や興奮，多幸感，うつ状態などの精神症状が出現し，日常生活に支障をきたすことがある．入院中に精神症状が悪化すると，医療者やほかの患者との関係がうまくいかずトラブルを引き起こすこともあり，入院生活の継続そのものが困難となるケースもある．状況によっては，精神科医と相談のうえ，抗うつ薬や向精神薬などを投与する必要がある．

g. 家族への支援

　ステロイド薬に対する誤った情報や偏見から，家族が治療を拒否することもあり，これが患者の治療の妨げになることがある．場合によっては，適切な治療時期にステロイド薬が使用できず，原病の症状を悪化させ治療困難になるケースもある．ステロイド薬について，その効果と副作用について家族にも正しい知識を提供する必要があり，それが患者を支援する力となる．また，副作用症状である感染症や高血糖，肥満については，日常生活において家族の協力が不可欠であることを説明する．

学習課題

1. ステロイド療法の全身投与と局所投与について述べてみよう
2. ステロイドパルス療法について述べてみよう
3. ステロイド離脱症候群について述べてみよう
4. ステロイド薬の副作用と，その症状の身体的アセスメント項目について説明してみよう
5. ステロイド療法を受ける患者への教育的支援について述べてみよう

練習問題

Q1 長期にわたりステロイド療法を受けている患者に出現しやすい副作用はどれか．
1．蝶形紅斑　　2．レイノー現象　　3．網状皮斑　　4．ムーンフェイス

Q2 長期ステロイド療法を受けている患者への生活指導について適切なのはどれか．2つ選べ．
1．感染しやすいため，外出時のマスク着用，外出後の手洗いなどを励行する．
2．低血糖を起こしやすいため，外出時はブドウ糖を持参する．
3．骨粗鬆症の予防薬として出された薬は確実に内服する．
4．体重増加が認められたらステロイド薬を一時中断する．
5．インフルエンザにかかった場合，特発性間質性肺炎を起こしやすい．

[解答と解説 ▶ p.525]

5 化学療法を受ける患者の援助

この節で学ぶこと
1. 化学療法の目的と治療方法について説明できる
2. 化学療法を受ける患者の特徴について説明できる
3. 化学療法を受ける患者の看護援助のポイントを説明できる

A. 化学療法の基礎知識

1 ● 治療の目的・位置づけ

a. 化学療法とは

　がん細胞の増殖を直接的または間接的に抑制する抗悪性腫瘍効果をもつ薬剤（これを**抗がん薬**という）による治療はがん薬物療法と総称することができる．**がん薬物療法**には，主に細胞傷害性抗がん薬，分子標的治療薬，免疫チェックポイント阻害薬，ホルモン療法薬が用いられる．**化学療法**とは，これらの薬剤のうち細胞傷害性抗がん薬，分子標的治療薬を用いた治療をさすことが多く，全身的な効果を期待して行われ，主に点滴などの経静脈投与や経口での内服が行われる．

　化学療法はがん治療において，手術療法，放射線療法と並ぶ3大治療の1つで，現在では多数の抗がん薬があり通常複数の薬剤を組み合わせた併用療法が行われている．ある特定の疾患において，もっとも多くの患者に対して，より高い効果が期待できる治療を標準治療とよんでおり，標準治療は臨床試験を経て確立されていく．

b. 化学療法の目的

　多くの固形がんの治療は，生存期間の延長を目指したり，症状緩和を期待して行われる．治癒を目指して行われる治療には，造血器腫瘍の化学療法や，固形がんの手術と組み合わせることで再発を予防する化学療法（補助化学療法）がある．また病期，転移など病気の進展状況や患者の背景によっても何を目的として治療を行うのかが異なる．患者の生き方，これからの人生の過ごし方にも影響を及ぼすため，看護支援のあり方も変わることから，治療の目的を理解して看護に携わることは重要である．

2 ● 化学療法に用いられる薬剤の特徴

a. 細胞傷害性抗がん薬

　化学療法のほとんどに細胞傷害性抗がん薬が含まれる．細胞傷害性抗がん薬はDNAの合成や分裂を阻害することで，腫瘍細胞の分裂・増殖を抑制する．一般的な薬剤では，治

療効果が発揮される用量（治療域）と，有害反応が出現する用量（有害反応域）の間に差がある．しかし，細胞傷害性抗がん薬では治療域と有害反応域が非常に近く，抗腫瘍効果と有害反応が同時にあらわれることが多い．つまり，治療の効果を期待できると同時に，副作用が生じるため，治療と並行して副作用対策を行う必要がある．

b. その他の抗がん薬

細胞障害性抗がん薬とは異なる機序でがん細胞に作用し，類似した症状の副作用であっても発現様式が異なるものが多い．

分子標的治療薬：がん細胞の浸潤・増殖・転移などに関係する特定の分子の解明が進み，その分子に選択的に作用するように開発された薬剤であり，増殖の過程で細胞内に伝達される信号を遮断したり，細胞表面のタンパク質に結合して細胞増殖を抑制したりする[1]．近年では分子標的治療薬に細胞障害性抗がん薬を結合させた薬剤が開発され，乳がんや胃がんの治療に用いられている．

3 ● 治療の適応

化学療法は，患者の疾患に対して期待できる治療効果や治療目的に基づき，適応となるか否かを評価する．治療効果がリスクを上回ると予測される場合に治療が行われる．

患者のパフォーマンスステータス（performance status：PS）＊や栄養状態が良好なこと，化学療法によるダメージに十分耐えうる適切な臓器機能（骨髄・腎・肝・心・肺機能など）があること，年齢，インフォームド・コンセントが得られていることから検討する．これらについては，医師が評価しているが，直接抗がん薬を患者に投与する看護師も，化学療法開始前にアセスメントして理解しておく．

4 ● 治療の副作用と合併症

a. 抗がん薬による副作用の特徴

（1）細胞傷害性抗がん薬による副作用

細胞傷害性抗がん薬はがん細胞の増殖や腫瘍の増大を抑制し，全身的な効果が期待できる．その一方で，前述の薬剤の特徴から，正常細胞にも影響を及ぼし，さまざまな副作用症状を伴う侵襲の大きな治療である．副作用には，患者にとって苦痛の強いものや，致命的になりうるものが多い．感覚・運動・機能障害や，外観の変化を伴うものもあり，QOLを低下させやすく，十分なケアが必要である．

（2）その他の抗がん薬による副作用

細胞障害性抗がん薬と異なる機序で症状が発現する．発現頻度は少ないが，実際に発現すると重篤化しやすいもの，皮膚症状によって外観の変化を伴うものなどがある．

分子標的治療薬：正常細胞とがん細胞の区別なく作用する細胞傷害性抗がん薬と異なり，分子標的治療薬はがん細胞の増殖に関与する標的分子への作用が主体となる．ただし，副作用対策を考えるとき，薬剤が標的とする分子が正常細胞にも存在している場合には，その

＊パフォーマンスステータス（PS）：患者の全身状態を表す指標．日常生活動作のレベルに応じて0〜4の5段階であらわされる．

表Ⅳ-5-1　副作用の出現時期

時間経過	副作用
投与日	アレルギー反応（過敏症，発熱，発疹，血圧低下），急性悪心・嘔吐，血管痛，血管外漏出
2～3日	全身倦怠感，食欲不振，遅発性悪心・嘔吐，便秘，下痢
7～14日	口内炎，食欲不振，骨髄抑制（好中球減少）
数週間	脱毛，皮膚障害，色素沈着，神経障害，臓器障害（心，肝，腎など），間質性肺炎
数週間～数ヵ月	貧血，肺線維症，心毒性，神経障害
数　年	2次発がん

組織（臓器）にも毒性が生じるため注意を要する．治療の中断・終了で副作用が軽減する[2]．

b. 抗がん薬の主な副作用と出現時期

細胞傷害性抗がん薬は細胞分裂周期の速い細胞により強く作用し，身体の各部位の細胞分裂周期によって，副作用の出現時期が異なる（**表Ⅳ-5-1**）．分子標的薬などその他の薬剤では，各々の作用メカニズムにより，さまざまな副作用を生じる．副作用には抗がん薬の点滴治療中に生じるものと，治療後に生じるものがある．治療中は注意深い観察を行い，異常の早期発見・早期対処に努める．主な副作用の概要を**表Ⅳ-5-2**に示す．

B. 化学療法を受ける患者の特徴

1 ● 苦痛を伴う多様な副作用が出現することで日常生活の再構築が必要となる

すでに述べたように，化学療法を受ける患者は，がんの縮小効果を期待して治療を受ける一方で，自覚症状を伴う副作用によって身体的，心理・社会的な苦痛を体験する．副作用には他に，自覚症状としてあらわれないが生命の危機につながるもの，生命の危機に直結しないが心理・社会的に影響を受けるものもある．抗がん薬は細胞分裂の速度が速い細胞への影響がもっとも大きく，細胞分裂の速度に応じて副作用の出現時期が異なるため，患者は時間の経過とともに複数の副作用を体験する．がんそのものの症状による苦痛や心身の機能低下が同時に起こる可能性があることや，副作用症状を病状の進行によるものととらえてしまうこともある場合を考慮する．

このように化学療法を受けることでがんの進行を抑えたり，治癒を目指すことができる疾患もあり，身体的な苦痛を緩和したり長期的に生きる可能性につながる一方で，侵襲（しんしゅう）の大きな副作用が多く新たに苦痛を引き起こしやすい．そのために，よりよい人生を送るために患者自身が選択したものの，QOLの低下により治療継続意欲が低下することがある．副作用による苦痛を最小限とし日常生活を再構築していくことができるように多側面からの支援が必要となる．

表Ⅳ-5-2　抗がん薬による副作用の概要

副作用	症状・徴候	出現時期
血管外漏出[3]	・点滴部位の皮膚にあらわれる次の症状：①発赤，腫脹，疼痛，灼熱感，②びらん，水疱形成，潰瘍化，壊死	・①は治療中～治療直後（数日後に発現することもある） ・②は治療後数日～数週間
骨髄抑制	・感染に伴う症状：のどの腫れ・痛み，痰，下痢，発熱など ・貧血に伴う症状：疲れやすい，息切れ，動悸など ・出血傾向：歯磨きで出血する，鼻血，皮下出血など	・白血球減少：数日～1週間で始まり，2週間前後で回復する ・赤血球減少：数週間～数ヵ月間かけて徐々に減少 ・血小板減少：1～2週間
悪心・嘔吐	抗がん薬点滴前，点滴中，点滴後に吐き気を催したり，実際に嘔吐する．発症のタイミング（発症時期の項参照）により3つに分類される ①急性悪心・嘔吐 ②遅発性悪心・嘔吐 ③予測性悪心・嘔吐	①抗がん薬点滴後24時間以内 ②抗がん薬点滴後24時間以降，数日間 ③抗がん薬点滴前
便秘	・便が硬くなる ・排便回数や量が少なくなる ・便が出ない	治療当日～
下痢	・排便回数の増加 ・軟便，水様便の排泄	・コリン作動性下痢[*1]：抗がん薬投与開始後24時間以内 ・腸管粘膜傷害による下痢[*2]：抗がん薬投与開始後24時間以降
神経障害	・中枢神経障害：精神症状や神経症状 ※生命にかかわる重篤な障害となることがある ・末梢神経障害：四肢末端のしびれ感，感覚鈍麻や感覚過敏 ※ボタンがかけにくい，ものがうまくつかめない，文字を書きづらい，転びやすい	数週間～数ヵ月間 ※抗がん薬の蓄積投与量の増加に伴い症状が発現，増強する
皮膚障害	・乾燥，色素沈着，紅斑，皮疹，瘙痒，皮膚落屑，びらん，紅斑を伴う疼痛 ・爪甲障害（変色や変形），脱毛	数日～数週間
口内炎	・口腔粘膜や舌の乾燥，発赤，腫脹，潰瘍，痛み ・会話がしにくい，口を動かしにくい ・嚥下しにくい ・味覚の変化	数日～14日間

[*1] コリン作動性下痢：一過性の早発性下痢．抗がん薬によって副交感神経が刺激され，腸蠕動が亢進し，腸管からの水分吸収傷害が起こり下痢をきたす．とくにイリノテカン塩酸塩水和物では，コリン作動性の下痢を大量に生じることがある．

[*2] 腸管粘膜傷害による下痢：抗がん薬投与開始後24時間以降～数日たってから出現する下痢である（遅発性下痢）．抗がん薬や薬剤の代謝物によって腸管粘膜が傷害されて起こると考えられている．

2 ●治療継続には患者・家族によるセルフケアが重要である

在院日数の短縮化，外来での治療管理に対する診療報酬の算定など医療経済的な側面と，副作用に対する支持療法（抗がん薬の副作用症状を予防・軽減させるための治療）の発展などの要因から，化学療法は外来を基盤として行われることが多くなっている．入院して治療を受ける場合も，抗がん薬の点滴終了後は早期に退院して，多様な副作用症状が出現する時期を自宅で過ごすことが多い．患者自身で，あるいは家族による援助のもとで，副作用の予防・早期発見・早期対処ができるようなセルフケア支援が重要である．多様な患者背景を考慮して個々の患者に適した情報提供を工夫し，来院時には消失していても自宅

で体験した症状を共有するなど，患者と看護師がともに症状のアセスメントおよび対処方法の評価を行う必要がある．副作用によって日常生活上妨げられていることを把握し，可能な限り患者が望むライフスタイルを叶えられるように副作用マネジメントの方略を検討することは，日常生活の再構築の支援につながっていく．

3● 重要な意思決定に直面する機会が何度もある

化学療法を受けるがん患者は病気の経過の中で，何度か重要な意思決定を行う場面に遭遇する．具体的には受ける医療の方向性や診療，療養の場所に関することが多く，主な例として以下の場面がある．

> ①がんであることと病状および治療方針の説明を受けた後，治療法を選択する場面
> ②経過観察中であったが，再発・転移のために治療再開を検討するとき
> ③受けている化学療法の効果がなく病状が悪化した場合の治療方針変更時
> ④抗悪性腫瘍治療から緩和医療中心の治療となる場面

各々の場面で患者が大切にしてきた価値観や信念が脅かされたり，人生設計を変更する必要性が生じるなど，非常に重要な意思決定を迫られる．十分な精神的支援のもとで，納得して選択ができるように配慮する．

C. 化学療法を受ける患者への援助

1● 看護アセスメント（表Ⅳ-5-3）

a. 治療開始前のアセスメント

看護師は患者の日常生活を支援する立場から，なぜこの治療が適応となるのか，患者は治療を受けるために心身の準備ができているのかを把握しておく．治療回数が決まっている場合と，再発・転移治療のように効果があるかぎり治療を継続する場合とでは，患者支援のありようが異なるため，治療スケジュールに関しても理解しておく．薬剤によっては累積投与量に制限があったり，投与回数に応じて副作用のリスクが異なるものがあるため，使用する薬剤の特徴を理解し，過去の治療歴についても情報を得て，その時の副作用発現様式を確認しておく．また，抗がん薬を直接患者に投与するのは看護師であるので，副作用が患者に及ぼす影響を理解して侵襲の大きな治療に携わる準備をする．

b. 治療中のアセスメント

抗がん薬には，薬剤の投与中に薬物有害反応として起こる副作用がある．特徴としては，点滴開始後の比較的早い時期に症状が出ること，対応が遅れると重篤化し致命的となりうることが挙げられる．点滴投与管理のなかで，治療開始前に行うアセスメントに基づきこれらの即時型副作用の発現がないか予測しながら注意深く観察を行い，小さな変化や症状であっても過小評価せずにリスクを考慮して対応する．これは抗がん薬の投与管理でとくに重要なことである．

c. 治療後のアセスメント

抗がん薬の投与後は，時期に応じてさまざまな副作用症状が出現する．各々の副作用の

表Ⅳ-5-3 化学療法を受ける患者の看護アセスメント

目 的	アセスメント項目		備 考
身体的側面 ● 副作用発現のリスクをアセスメントする（治療前）	● 治療内容・薬剤のアセスメント ① 疾患と治療計画 ② 使用する薬剤の特徴 ③ 副作用発現のリスク	・診断名，病期，治療目的，レジメン名，予定コース数，治療期間と休薬期間，投与経路 ・予測される副作用の種類 ・頻度，程度，時期など ・年齢，パフォーマンスステータス（PS），主要臓器	・肝・腎機能は薬剤排泄に影響を及ぼす．
	● 患者のアセスメント ① 全身状態 ② 過去の治療歴	・機能（血液検査データ，心肺機能など），バイタルサイン ・口腔内の状態，末梢血管の状態 ・既往歴，アレルギー歴 ・がん以外の合併症（糖尿病，心疾患など） ・疼痛などの苦痛症状 ・治療内容と効果，出現した副作用とその経過，副作用への対処方法	
● 抗がん薬に伴う副作用症状を早期に発見，対処する	● 検査データ（治療当日，治療後） ● 即時型副作用の有無と程度（治療中） ● 遅発性副作用の有無と程度（治療後）	・白血球数，好中球数，血小板数，ヘモグロビン値，CRP，ALT，AST，T-Bil，腎機能 ・血管外漏出，過敏反応・インフュージョンリアクション*，急性悪心・嘔吐 ・遅発性や予測性の悪心・嘔吐，神経障害，発熱，便秘，下痢，皮膚障害，口内炎，倦怠感	*インフュージョンリアクション：分子標的治療薬を用いた治療で，主に点滴中に生じる副作用のこと．一般の抗がん薬に伴う過敏反応とは異なる特有の症状がみられることから，区別して表記される．
日常生活の側面 ● 副作用症状が日常生活に及ぼす影響をアセスメントする	● 食事 ● 活動-休息パターンの変化 ● 日常生活動作の遂行	・食事内容と量，嗜好の変化 ・睡眠や休息が十分とれているか	
心理的側面 ● がんや治療への心理的な反応をアセスメントする	● 治療に対する理解内容および受け止め方 ● セルフケア能力	・意思決定までの過程，病状や治療に対する思いや理解・認識内容，元来の価値観，自己イメージの変化 ・起こりうる副作用についての理解内容，副作用対策の重要性の認識内容，セルフモニタリング項目の理解，セルフケアに関する教育内容とその理解，家族や他者からサポートを得ることに対する考え方	・主体的に，安心して治療を継続するための支援を検討する際に必要．
社会的側面 ● 治療や副作用によって生じる身体的・心理的な変化が社会的状況に及ぼす影響をアセスメントする	● 日常生活と社会的役割・ソーシャルサポートの存在 ● 家族構成，キーパーソンとその役割		・キーパーソンは1人とは限らず，複数いることもある．情緒的サポートと治療中の生活へのサポートをする人が異なることもある．

好発時期を理解して自覚症状や血液検査データ，日常生活動作や生活パターンなどの変化をモニタリングし，患者の状況に応じた副作用症状マネジメントや支援を検討する．

2 ● 援助の方針

化学療法に使用される薬剤，起こりうる副作用，および化学療法を受ける患者の特徴をふまえて，援助の方針を次のように考える．

① 苦痛の少ない安全・安楽な治療環境を調整する

　使用する薬剤の特性をふまえてがん化学療法の特性を理解し，適切な投与管理を行うとともに，副作用による苦痛をできるかぎり緩和して，患者が安全で安楽な治療を受けるための環境を調整する．

② 主体的な治療選択や治療継続，治療への参加を促し，その人らしい人生の選択ができるように支援する

　主体的に治療に参加できないと，副作用対策のためのセルフケアが適切に行われにくく，また治療継続の意義が見出せずに治療を続けられないこともある．患者にとって治療を受けることにどのような意義があるのかをともに考え，主体的に治療に参加できるように支援する．

③ 長期的に抗がん薬治療を継続することを支える

　治療計画を理解し，治療中の患者の苦痛を最小限に，またその後の治療と生活を長期にわたって支援する．化学療法には，術前補助化学療法，術後補助化学療法のように決まった回数，決まった量で治療をスケジュールどおりに行うことで予後を改善させるものがある．これらの治療では局所療法の前後で化学療法を行うため，がん治療が長期化するが，できるかぎりスケジュールどおりに治療が行えるように心身のサポートが必要である．また再発・転移治療では効果が認められるかぎり化学療法を継続するため，長期的な治療の継続を支援することが必要である．

3 ● 看護実践

a. インフォームド・コンセントおよび意思決定支援

　既に述べたように，化学療法を受けるがん患者は病気や治療経過の中で，何度か重要な意思決定をする場面に遭遇する．これらの場面では，個人にとって受け入れがたく厳しい現実に直面することが多い．

　がんであること，病状が悪化したり再発・転移が見つかったこと，今後化学療法を継続するのがむずかしいことなど，厳しい現実に向き合うときに生じる否定的な思いに伴う怒りや不安が強い状況では，新たな情報を取り入れたり，患者がこれからの人生をどのように選択していくかを判断することが困難になる．このような患者の思いに焦点を当て，情緒的な支援のもとで情報提供を行う．個人の生き方や価値観を尊重し，患者にとってもっともメリットのある治療や療養の方法を選択していくことができるように支援する．病気や治療について得た情報が，一般的な情報としてではなく患者自身にとってどのような意義があるのかを見出すことができるように相談に乗り，意思決定のプロセスを支える．

b. 化学療法による合併症・副作用への援助と症状マネジメント

　副作用の発生機序，好発時期，対処方法について理解し，症状のアセスメントを行い，適切な支持療法が行われるよう支援したり，副作用の症状に応じた日常生活の調整を行う．

　副作用症状の出現に伴い，患者の身体機能や生活パターン，心理・社会的状況がどのように影響を受けるかを予測し，患者とともに日常生活上の工夫を話し合う．

表Ⅳ-5-4　組織侵襲の程度に基づく抗がん薬の分類

壊死起因性抗がん薬（ビシカント薬剤；vesicant drugs）：血管外へ漏れ出た場合に，水疱や潰瘍をもたらす可能性がある薬剤である．また，組織傷害や組織壊死のような血管外漏出の重度の副作用が生じる可能性がある
炎症性抗がん薬（イリタント薬剤；irritants drugs）：注射部位やその周囲，血管に沿って痛みや炎症を生じる可能性がある薬剤である．多量の薬剤が血管外に漏出した場合には潰瘍をもたらす可能性もある
非壊死性抗がん薬（non-vesicant drugs）：薬剤が漏れ出たときに，組織が傷害を受けたり破壊されたりすることはない（可能性は非常に低い）といわれる薬剤である

［参考文献：EONS, 2007；Extravasation Guidelines 2007, Schulmeister L 2011. 佐藤／Polovich M, 2009］
［日本がん看護学会（編）：外来がん化学療法看護ガイドライン2014年版—①抗がん剤の血管外漏出およびデバイス合併症の予防・早期発見・対処, p.27, 金原出版, 2014より許諾を得て改変し転載］

(1) 血管外漏出

　血管外漏出への対策は，まず，血管外漏出のリスクを把握して予防に徹することである．そして，発生した場合に，早期に発見できるよう注意深く自覚症状・他覚症状の観察を行い，軟部組織の傷害を最小限とするための迅速な対応につなげることである[3]．傷害に伴う身体的・心理的苦痛や，治療継続に対する不安への配慮も必要である．

　抗がん薬は血管外へ漏れ出た場合，皮膚などの組織損傷の程度に応じて3つに分類され（表Ⅳ-5-4），それぞれに漏出後の処置内容が異なることを理解しておく．組織損傷の増悪防止と回復促進に努めるとともに，心理的ケアにも力を入れ，継続的に経過観察し支援を行う．なお，一度漏出した血管の部位は，それ以降の治療で使用しないことが望ましい．

　予防：抗がん薬の投与には，できるだけ弾力のある，真っ直ぐで太い血管を用いることが望ましい．適切な血管の選択は，血管外漏出予防の基本である．手背や肘関節周囲は屈曲する部位であり，留置針が曲がったり移動したりしやすく，血管外漏出のリスクが高くなるため避けるのが望ましい．また，漏出が生じた場合に，周囲の神経や血管，腱，筋肉へと損傷が広がり，重度の機能障害が生じるリスクが高いとされている[4]．

　早期発見：点滴開始後は，安定した自然滴下と血液の逆流があるか，発赤や腫脹がないかなど，刺入部周囲の状態を観察する．同時に痛みや灼熱感などの患者の自覚症状を確認し，アセスメントを行う．いずれかの徴候・症状があれば，血管外漏出を疑っていったん針を抜き，新たな場所に静脈穿刺をして治療を継続することが望ましい．

　漏出時の対応：血管外漏出の徴候を確認した場合は，すべての点滴を止めて医師に報告する．その後，①漏出した薬液をできるかぎり吸引しながら針を抜き，②漏出部の範囲をマーキングして大きさを測り，③抗がん薬の組織侵襲の程度に応じて対応し，④重症度を評価し，漏出した薬剤の種類や量，部位や症状，行った処置と患者への説明内容について記録を行う．

(2) 骨髄抑制

　化学療法前から感染のリスクを評価し，感染予防や感染徴候の早期発見により，重篤化を予防する．そのためには患者自身のセルフケアが重要である．白血球や好中球が減少しても自覚症状を伴わないため，ほかの苦痛の強い副作用と比較すると患者が関心をもちにくいこともある．しかし，治療を計画どおりに進めるためにも，患者自身が主体的に感染を予防したり重篤化しないよう対処することが必要である．治療後の白血球数・好中球数

の推移や，もっとも低値となる時期を患者自身が把握して，感染しやすい時期を予測しながら，うがい，手洗いなどの感染予防策をとるように促す．そして，重篤化予防のために，感染徴候を観察し，早期発見・早期対処を行う．

すべてのがん患者のケアでもっとも重要で実際的な対策は，標準予防策（スタンダード・プリコーション）である．石鹸と流水による手洗い，皮膚の清潔を保つために毎日シャワーや入浴を行うことが望ましい．

粘膜に対するケアでは，口腔，鼻腔・副鼻腔，陰部，肛門付近は細菌が繁殖しやすく，化学療法が行われる前には症状が少なくても，施行後の好中球減少とともに感染症が顕在化してくることがある．化学療法を行う際にはこれらの部位の感染と清潔ケアに留意する．これは，生体のバリア機能の保持または早期回復を目指しており，粘膜を介した病原菌の侵入を防ぐうえで重要である．

発熱性好中球減少症（febrile neutropenia：FN）＊発症のリスク低減を期待して顆粒球コロニー刺激因子（granulocyte-colony stimulating factor：G-CSF）を使用するが，発症がゼロになるわけではなく，患者・家族には感染予防のセルフケア，発熱時の対応について説明が必要である．

（3）悪心・嘔吐

抗がん薬による悪心・嘔吐は，発症時期によって①急性悪心・嘔吐（抗がん薬点滴24時間以内），②遅発性悪心・嘔吐（抗がん薬点滴24時間以降数日間），③予測性悪心・嘔吐（抗がん薬点滴前）に分類される．抗がん薬の催吐性リスクが高いものは，5-HT_3受容体拮抗薬やステロイド薬を悪心・嘔吐予防目的で使用する．急性あるいは遅発性悪心・嘔吐がコントロールされないと，予測性悪心・嘔吐につながりやすいため，発症を予防することは重要である．

症状の出現時にはどのタイプの悪心・嘔吐なのかをアセスメントし，適切な制吐薬を選択して苦痛緩和をはかる．抗不安薬の使用などの薬物療法の検討や，精神的なサポートが有効なことが多い．

（4）便 秘

治療開始前に患者の排便パターンを確認し，化学療法中に便秘を生じる要因や，便通コントロールが必要であることについて情報提供する．食事内容の工夫や水分摂取を促すことは重要だが，悪心・嘔吐や味覚障害があり経口摂取が進まない場合は配慮を要する．食事や日常生活上の工夫のほか，緩下薬を適切なタイミングと方法で使用する．

（5）下 痢

排便パターンと便の性状の観察は，便秘と同様，下痢への対応でも重要である．抗がん

＊発熱性好中球減少症（febrile neutropenia：FN）：「好中球数が500/μL未満，あるいは1,000/μL未満で48時間以内に500/μL未満に減少すると予測される状態で，腋窩温37.5℃以上（口腔内温38℃以上）の発熱を生じた場合」と定義されている[5]．好中球減少の程度（数値と期間）が高度であるほどFNの発症リスクおよび重症化のリスクが高く，重篤な感染症に発展して死にいたることもある．FNと診断された際には，すみやかに培養検査を行った後，ただちに広域スペクトルを有する抗菌薬の投与が開始される[6]．

FNの主な発症要因は，化学療法によって骨髄機能が抑制されて高度の好中球減少が生じたことにあるが，がん患者では，がんの進行や，化学療法や放射線療法に伴う毒性などが免疫機能を低下させる要因となり，通常と比べて感染症を合併しやすい状態といえる．ここに治療歴の累積による骨髄予備能の低下，化学療法に伴う粘膜バリア機能の脆弱化などの要因が加わると，FNを発症するリスクが高まる．さらに感染症と合併するリスクが高まる．

薬によって腸管粘膜が損傷したり，白血球が低下している時期は下痢を起こしやすい．回数や量が多い場合は止痢薬を用いるが，抗がん薬の種類や下痢が生じる時期により，慎重な使用が必要な場合もある．

特定の抗がん薬で生じるコリン作動性の下痢では，大量の水様便が排泄され脱水を引き起こすことがあり，抗がん薬投与開始から24時間以内の排便状況にとくに注意を要する．

(6) 末梢神経障害

手足の感覚が鈍い，しびれる，ものをつかみにくい，歩行時に地に足がついていないと感じるなどの症状を自覚することがあり，症状が出ると長期化することが多い．末梢神経障害が悪化して日常生活動作に困難を生じるようになると原因薬剤を中止したり変更したりするが，症状に早く気づいて対応することで重篤化を防ぐことができる．日常生活では末梢の感覚低下に伴う熱傷やけがなどの危険性や，運動障害がある場合の転倒などに注意する．また患者が心地よいと感じる場合，症状緩和として手浴や足浴が効果的なこともある．

(7) 皮膚障害

皮膚障害の予防および発症後の対応の基本は，①皮膚の保湿に努め，皮膚のバリア機能を保つ，②物理的・化学的刺激を避ける，③清潔保持と二次感染予防である．具体的な物理的・化学的刺激としては摩擦や圧迫，薬剤や化粧品などによるものが挙げられる．紫外線や入浴時の湯による刺激もそのうちの1つであり，日焼け予防，入浴やシャワー浴時の湯の温度にも留意する．症状発現前から保湿を心がけ，症状悪化時には状況に応じてステロイド外用薬を用いることが多い．患者自身が症状の変化を判断して外用薬を用いることができるよう支援を行う．

脱毛を起こしやすい抗がん薬の場合は，治療前開始前にウィッグを準備したり，脱毛時のケアについて情報提供を行う．

(8) 口内炎

口内炎では，口腔内粘膜の乾燥，発赤，腫脹や疼痛などの症状が現れ，会話がしづらくなったり，食事や水分摂取が困難となるなど，患者のQOLを著しく阻害する．一度できてしまうと治りにくいため，予防がもっとも重要である．化学療法開始前から口内炎の発生機序や予防的ケアの意義，ブラッシングや含嗽など具体的なセルフケア方法について情報提供を行い，日常生活上習慣化されるように支援する．発生した場合は，可能な限り含嗽やブラッシングを継続するが，痛みや出血によってむずかしい場合は口腔ケア用スポンジブラシを使用するなど工夫する．鎮痛薬や粘膜保護薬を使用し，症状緩和を行いながら粘膜の清潔と湿潤を保ち，感染など二次障害の予防に努める．また食事形態の工夫も必要となるため，患者の食習慣を把握し，摂取可能な食品や調理法を検討する．

c. セルフケア支援

化学療法後の副作用対策では，医師や看護師によるアセスメントとともに患者のセルフケアが重要となる．患者自身が副作用の症状をモニタリングして適切なタイミングで対処する場面が多い．次の治療サイクルが始まるまでに，どのような副作用をいつどのような症状として体験したのかを看護師とともに振り返り，患者自身が副作用に気付き評価できるように，セルフモニタリング力を強化することが大切である．

開始時に症状や徴候がない場合でも，ひとつの治療サイクル中に起こりうることとその

対処について情報提供し，患者自身も適切に対応できるよう支援を行う．患者にとってわかりやすくセルフケアに活かすことができるよう，内容や量を工夫して情報提供する．

化学療法は長期にわたることが多いため，長期的な治療継続の支援が必要である．とくに初回治療の患者では，化学療法中の経過，副作用の出現のしかたや程度とその対策などの具体的なイメージがもてないまま，侵襲の大きな治療を開始することが不安につながりやすい．治療とその副作用が患者にとって「対処しきれないもの」ではなく「自分にも何とか対処できることがあるもの」だという認識をもてるよう支援が必要である．自宅で患者自身が体調管理をしているときに評価・判断がむずかしい時は電話などで連絡し医師や看護師と対応を相談できることを伝えておく．また，患者が本来もつセルフケア能力を最大限に引き出すように支援することが大切である．

d. 心理・社会的支援

化学療法を受ける患者は，治療スケジュールや副作用の影響により，日常生活様式の変更が必要になることや，仕事や家庭での役割や他者との関係性にも影響を受けることが少なくない．副作用対策を十分に行い，患者個々の背景を理解して，できるかぎりその人らしく日常生活を送ることができるような支援や調整を行う．

近年では治療成績の向上により，長期的な患者のQOL向上を意図した施策上の取り組みも多様になってきた．各種制度や相談できる場所について情報収集し，対象となる患者に紹介したり，相談が受けられるように橋渡しをすることも重要な支援のひとつである．

例として，働く世代のがん患者が治療を受けながら仕事を継続するための就労支援の取り組みでは，医療機関での支援はもちろん，地域や職場での支援が受けられる体制も整備されつつある．

また，小児を含む若年がん患者への治療の改善の一方で，がん治療が妊孕性（にんようせい）（妊娠できる能力のこと）に影響を及ぼすことが知られており，がん経験者に不妊や性ホルモンの分泌低下が見られることが明らかとなってきている．これらのことから，生殖細胞の保護や保存に対する取り組みがなされるようになってきた[7]．さらに高額な費用の助成や不妊治療の保険適用によって経済的負担の軽減をはかる流れもあり，がん患者が出産できる可能性を温存する妊孕性温存療法を受ける機会が広がっている．

e. 家族への支援

家族は日々の生活を営み問題の状況に対処するために，家族全員がお互いの物理的・情緒的かかわり合いを通じて，役割や機能を分担し協力し合っている．家族メンバーががんの診断に伴い治療を受けている状況は，家族内での役割やメンバー間の関係性にも影響を及ぼす．患者自身が大きく揺れ動くなかで，家族はより大きな振れ幅で揺れ動いているこ

コラム

手足症候群

抗がん薬の副作用による皮膚障害の一種．手，足，爪の四肢末端部を好発部位として，軽度のものでは紅斑，色素沈着を生じる．症状が悪化すると，手掌や足底の皮膚が角化し亀裂や落屑を生じたり，知覚過敏や歩行困難をきたしたり，ものをつかむことがむずかしくなることがある．患部は発赤・腫脹して疼痛を伴い（有痛性紅斑），水疱，びらんを形成することもある．

とを理解しておきたい．家族は大きな揺らぎのなかにありながら，患者にとって重要な支援者としての役割を期待される機会が多くある．看護者は家族を患者の支援者としてのみでなく，家族自身が支援を必要としている存在であることを忘れてはならない．患者に何が起こっているのか理解できるように，治療後の体調変化や副作用への対応について情報提供したり，家族の心情を受け止めることは重要な支援となる．

f. 化学療法を安全に実施するうえでの注意事項

患者にとって安全・安心な治療環境を整備することは既に述べたが，ここでは，抗がん薬の投与に携わる看護師にとって安全に実施することについて述べる．

抗がん薬は細胞毒性をもち，健康障害をもたらすおそれのある薬剤（hazardous drug：HD）とされている．催奇形性や発がん性があるといわれており，それを調剤したり投与するなど取り扱う医療者にも影響を及ぼす．そのため，抗がん薬を調剤する際には安全キャビネットや閉鎖式薬物移送システム（closed system drug transfer device：CSTD[*]）を使用し，抗がん薬を取り扱うすべての職員は個人防護具として，手袋，マスク，ガウン，保護メガネを着用することが推奨されている．抗がん薬を投与する際は，薬剤への曝露を最低限とするよう対策をとる．抗がん薬の曝露対策に関するガイドラインでは，CSTDを用いた抗がん薬投与時でも個人防護具を使用することが推奨されている．CTSD使用下でもHDによる環境汚染の報告があり，曝露の可能性が皆無ではないためである[8]．

学習課題
1. 細胞傷害性抗がん薬の代表的副作用を挙げてみよう
2. 化学療法を受ける患者のアセスメントのポイントを述べてみよう
3. 化学療法を安全に実施するうえでの注意点を挙げてみよう

練習問題

Q1 抗がん薬の副作用について正しいのはどれか．2つ選べ．
1. 骨髄抑制のうちもっとも早期に影響を受ける血球は，赤血球である．
2. 神経障害は，末梢神経障害よりも中枢神経障害のほうが多くみられる．
3. 悪心・嘔吐は，すべての抗がん薬にみられる副作用である．
4. 下痢には，コリン作動性下痢と腸管粘膜傷害によるものがある．
5. 皮膚障害は，表皮の基底細胞がダメージを受けることによって生じる．

［解答と解説 ▶ p.525］

---

[*]CSTDとは，薬剤を調製・投与する際に，外部の汚染物質がシステム内に混入することを防ぐと同時に，液状あるいは気化/エアロゾル化したHDが外に漏れ出すことを防ぐ構造を有する器具である[9]．

■ 引用文献 ■

1) 中根　実：分子標的治療薬とは．がん看護実践ガイド分子標的治療薬とケア（日本がん看護学会監，遠藤久美，本山清美編），p.13，医学書院，2016
2) 前掲1），p.15
3) 中根　実：抗がん剤の血管外漏出．がんエマージェンシー　化学療法の有害反応と緊急症への対応，p.17，医学書院，2015
4) 前掲3），p.39
5) 日本臨床腫瘍学会（編）：発熱性好中球減少症（FN）診療ガイドライン，第2版，p.2，南江堂，2017
6) 日本がん看護学会（編）：外来化学療法看護ガイドライン2014年版 ①抗がん剤の血管外漏出およびデバイス合併症の予防・早期発見・対処，p.99，金原出版，2014
7) 日本癌治療学会（編）：小児，思春期・若年がん患者の妊孕性温存に関する診療ガイドライン2017年版，web版総論，金原出版，2017〔http://www.jsco-cpg.jp/fertility/guideline/#I〕（最終確認：2023年1月10日）
8) 日本がん看護学会，日本臨床腫瘍学会，日本臨床腫瘍薬学会（編）：がん薬物療法における職業性曝露対策ガイドライン2019年版，第2章Ⅳ曝露対策 CQ12 HD静脈内投与管理にCSTDを使用していても，PPEを使用することが推奨されるか，p.81，金原出版，2019
9) 前掲8），p.4

6 放射線療法を受ける患者の援助

> **この節で学ぶこと**
> 1. 放射線療法の目的と治療方法について説明できる
> 2. 放射線療法による有害事象とその予防・悪化を防ぐ援助を説明できる
> 3. 放射線療法を受ける患者の看護援助の特徴を説明できる

A. 放射線療法の基礎知識

1 ● 治療の目的・位置づけ

　放射線療法は，手術療法や化学療法と並び，がん（悪性腫瘍）の3大治療法の1つとされ，がんの治癒を目的としたり，転移症状の緩和や延命を目的とする治療法である（**表Ⅳ-6-1**）．もっとも多く使われるのはX線で，次いで電子線である．その他，γ線，陽子線，重粒子線，中性子線など（**図Ⅳ-6-1**）がもつ高いエネルギーと各々の特徴（**図Ⅳ-6-2**）を用いて，正常組織とがん細胞の放射線感受性の差を利用することで腫瘍の成長・増殖を阻止する治療法であり，がんの局所療法として位置づけられている．また，透過力がある放射線を使うことで，同じ局所療法である手術療法と比較して，身体への負担が少なく，機能や形態の温存が可能であるという利点があり，QOLの維持ができるため，ほかの治療法との併用を含め，今後高齢者やさらに多くの患者に対して，利用率の上昇が予想されている．

2 ● 治療方法

　放射線療法は，体外から遠隔照射装置を用いて照射する**外部照射法**（外照射法）と，体

表Ⅳ-6-1　放射線療法の目的

根治照射	早期がんや感受性の高い腫瘍に対して治癒を目的として行う．また切除により機能や形態の損失が大きな場合
緩和（姑息）照射	治癒は期待できないが疼痛などの症状を軽減し，患者の苦痛除去と延命を期待して行う
術前照射	術中のがん細胞散布の防止，手術適応拡大を目的として行う
術後照射	術後の肉眼的残存病巣や顕微鏡的残存がん細胞への照射
術中照射	術中に切除不能な残存病巣へ照射する
予防照射	他の治療を補完する目的で再発や転移をきたしやすい部位へ予防的に照射する

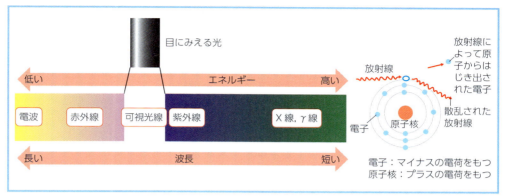

図Ⅳ-6-1　放射線の種類と性質

[黒河千恵：放射線治療に使う放射線の種類と装置，がん放射線治療パーフェクトブック（唐津久美子・藤本美生編），p.36-37．学研メディカル秀潤社，2016より許諾を得て改変し転載]

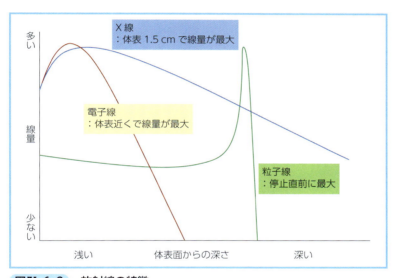

図Ⅳ-6-2　放射線の特徴

内に密封線源を留置または刺入する**密封小線源治療法**，非密封線源を静脈内あるいは経口投与する非密封小線源治療法（**内用療法**）の3つの方法に大別される．

また，放射線療法で用いられる単位はGy（グレイ）であり，放射線のエネルギーが人体にどれだけ吸収されたか（吸収線量）を表す．

a．外部照射法

光子線（γ線，X線），電子線，重粒子線（陽子線，重イオン線）などの放射線を体外から照射する方法の総称である．使用する放射線の種類は，腫瘍の深さ（皮膚から腫瘍までの距離）によって選択される．外部照射では，正常細胞への影響をできるだけ小さくするために，できるだけ腫瘍に限局して照射されるよう計画する．効果は，総線量，照射回数，治療期間によって変わってくる．外部照射のうちもっとも多く利用されているのは，

図Ⅳ-6-3　X線照射装置の例
Image courtesy of Varian Medical Systems, Inc. All right reserved

リニアック（直線加速器（図Ⅳ-6-3））から発生する高エネルギーX線を用いた1方向からの照射（1門照射）や向き合った2方向からの照射（対向2門）である．さらに，腫瘍への集中性を高めた技術を用いた**強度変調放射線治療**（intensity-modulated radiation therapy：IMRT）や**画像誘導放射線治療**（image-guided radiotherapy：IGRT）などがある．近年は，陽子線や重粒子線を用いた**粒子線治療**も行われているが，治療装置が特殊で大きく，限られた施設のみでの実施となっている．

b. 密封小線源治療法

腫瘍内もしくはすぐ近くに放射線の発生源である小さな線源（放射線同位体）を挿入し，集中的に腫瘍に照射する方法である．一般的に，外部照射法よりも正常組織への影響が小さい．組織内に小線源を刺入する組織内照射と，内腔に小線源を挿入し治療する腔内照射がある．たとえば近年，前立腺がんへの永久刺入による小線源治療が良好な治療成績を上げている．

c. 非密封小線源治療法（内用療法）

放射性同位元素を経口または経静脈的に投与し，体内から照射を行う方法である．これは放射性同位元素が選択的に腫瘍部分に集まる性質を利用する．たとえば，甲状腺がんの場合，甲状腺のもつヨード集積機能を利用して，甲状腺のがん細胞に選択的にヨードの放射性同位元素を取り込ませて高線量を照射することによって治療を行う．代表的な対象臓器として，甲状腺，前立腺，骨，副腎などがある．

3 ● 治療のしくみと対象疾患

放射線療法は，各種放射線を腫瘍に照射することで，腫瘍細胞を死滅させる治療法である．そのため，放射線感受性が高い細胞ほど，放射線療法の効果が期待できる．治療対象となる疾患は多岐にわたり，ほとんどすべてのがんと一部の良性腫瘍に用いられる．

腫瘍の成長・増殖の阻止は，照射された総線量に依存するが，同時に周囲の正常組織の

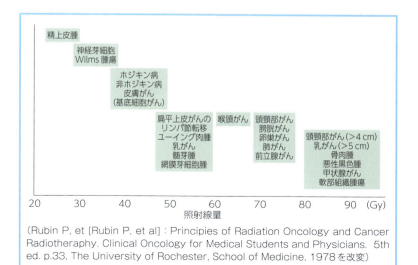

図Ⅳ-6-4 X線による腫瘍の制御に必要な線量

[泉佐知子：放射線治療の原理, がん放射線治療パーフェクトブック(唐澤久美子, 藤本美生編), p.33, 学研メディカル秀潤社, 2016より引用]

耐容線量（図Ⅳ-6-4, 表Ⅳ-6-2）にも依存する．つまり，放射線感受性が高い腫瘍でも，隣接している臓器の感受性が高いために，そこに治癒を目指した耐容線量を照射した場合，治療後の生活や生命に支障が出ると判断される場合は，放射線療法が適応外となる場合もある．細胞分裂が盛んな骨髄や粘膜，腺組織は放射線の耐容線量が低く，細胞分裂が少ない筋肉や神経などは耐容線量が高い．

4 ● 治療の副作用と合併症

放射線療法に伴う副作用症状のことを**有害事象**とよぶ．有害事象は，照射された臓器の耐容線量，患者個人の体質などに起因して生じる．照射開始から3ヵ月ごろまでに生じる**早期（急性期）反応**と，治療開始から数ヵ月，数年を経て生じる**晩期（遅発性）反応**に大別される．

a. 早期（急性期）反応

早期（急性期）反応は照射期間中に生じ，線量とともに増強するが，照射終了のあとは次第に回復する．早期反応のうち，全身反応として**放射線宿酔，骨髄抑制**，栄養状態の低下など，局所反応として放射線皮膚炎，放射線粘膜炎，急性浮腫などがある．

(1) 放射線宿酔

頻度は高くないが，治療開始日から数日に発症することが多い．悪心・嘔吐，食欲不振，全身倦怠感などが生じる．照射野が広い場合や上腹部，全骨盤への照射の際に起こりやすい．

(2) 放射線皮膚炎

照射野に放射線が当たることによって生じる皮膚炎で，発赤，発汗低下，脱毛，色素沈着などがみられ，線量が多い場合には水疱やびらんを生じることがある（図Ⅳ-6-5）．

表Ⅳ-6-2　正常組織の耐容線量

		TD5/5 (5年間で5％に副作用を生ずる線量)			TD50/5 (5年間で50％に副作用を生ずる線量)			判定基準
	体積	1/3	2/3	3/3	1/3	2/3	3/3	
骨	大腿骨頭	—	—	52 Gy	—	—	65 Gy	壊死
	顎関節	65 Gy	60 Gy		77 Gy	72 Gy		著明な開口障害
	肋骨	50 Gy	—	—	65 Gy	—	—	病的骨折
皮膚		10 cm²	30 cm²	100 cm²	10 cm²	30 cm²	100 cm²	毛細血管拡張
		—	—	50 Gy	—	—	65 Gy	
		70 Gy	60 Gy	55 Gy	—	—	70 Gy	壊死，潰瘍
脳・神経	脳	60 Gy	50 Gy	45 Gy	75 Gy	65 Gy	60 Gy	壊死，梗塞
	脳幹	60 Gy	53 Gy	50 Gy	—	—	65 Gy	壊死，梗塞
	視神経	50 Gy	体積効果なし		—	—	65 Gy	失明
	視交差	50 Gy	体積効果なし		65 Gy	体積効果なし		失明
	脊髄	5 cm	10 cm	20 cm	5 cm	10 cm	20 cm	脊髄炎，壊死
		50 Gy	50 Gy	47 Gy	70 Gy	70 Gy	—	
	馬尾神経	60 Gy	体積効果なし		75 Gy	体積効果なし		臨床的に明らかな神経損傷
	腕神経叢	62 Gy	61 Gy	60 Gy	77 Gy	76 Gy	75 Gy	臨床的に明らかな神経損傷
	水晶体	10 Gy	体積効果なし		—	—	18 Gy	手術を要する白内障
	網膜	45 Gy	体積効果なし		—	—	65 Gy	失明
頭頸部	中耳・外耳		30 Gy	30 Gy*		40 Gy	40 Gy*	急性漿液性耳炎
			55 Gy	55 Gy*		65 Gy	65 Gy*	慢性漿液性耳炎
	耳下腺	—	32 Gy*		—	46 Gy*		口内乾燥症 (TD100/5は50 Gy)
	喉頭	79 Gy*	70 Gy*		90 Gy*	80 Gy*		軟骨壊死
		—	45 Gy	45 Gy*	—	—	80 Gy*	喉頭浮腫
胸部	肺	45 Gy	30 Gy	17.5 Gy	65 Gy	40 Gy	24.5 Gy	肺炎
	心臓	60 Gy	45 Gy	40 Gy	70 Gy	55 Gy	50 Gy	心外膜炎
	食道	60 Gy	58 Gy	55 Gy	72 Gy	70 Gy	68 Gy	臨床的狭窄，穿孔
腹部	胃	60 Gy	55 Gy	50 Gy	70 Gy	67 Gy	65 Gy	潰瘍，穿孔
	小腸	50 Gy		40 Gy*	60 Gy		55 Gy	閉塞，穿孔，瘻孔
	大腸	55 Gy		45 Gy	65 Gy		55 Gy	閉塞，穿孔，潰瘍，瘻孔
	直腸	100 cm³では体積効果なし	60 Gy		100 cm³では体積効果なし	80 Gy		高度の直腸炎，壊死，瘻孔，狭窄
	肝臓	50 Gy	35 Gy	30 Gy	55 Gy	45 Gy	40 Gy	肝不全
	腎臓	50 Gy	30 Gy*	23 Gy	—	40 Gy*	28 Gy	臨床的腎炎
	膀胱	—	80 Gy	65 Gy	—	85 Gy	80 Gy	症候性の膀胱 萎縮・体積減少

*50％以下の体積では明らかな変化は認めない
出典：Emami B, Lyman J, Brown A, et al. Tolerance of normal tissue to therapeutic irradiation. Int J Radiat Oncol Biol Phys 21：109-122, 1991.
[日本放射線腫瘍学会編：放射線治療計画ガイドライン2020年版, p.424-425, 金原出版, 2020より許諾を得て転載]

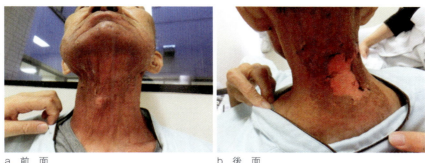

a. 前　面　　　　　　　　　　　　　　b. 後　面

図Ⅳ-6-5　放射線皮膚炎の例
（58 Gy 照射時の皮膚炎）

（3）放射線粘膜炎

咽喉頭粘膜，鼻腔や食道，腸管，尿管粘膜などに照射された場合に発症し，粘膜刺激症状（鼻水，流涙，下痢など）が生じる．放射線皮膚炎よりも低い線量で現れ，治療開始早期から発赤や浮腫を伴うことが多い．

（4）急性浮腫

照射開始後，数時間で発症することもあり，脳浮腫や声門浮腫などさまざまな圧迫症状を引き起こすことがある．

b. 晩期（遅発性）反応

晩期（遅発性）反応は，すべてにおいて出現するとはいえないが，発症した場合，回復がむずかしいとされる．したがって，晩期（遅発性）反応が患者の生活に影響を与えることがないよう治療が実施されることが必要である．発症した場合は対症療法が治療の中心となる．皮膚や粘膜の難治性潰瘍・**壊死**，**イレウス**，穿孔などが生じる．

B. 放射線療法を受ける患者の特徴

1 ● 身体的特徴

放射線療法は，治療目的や照射部位によって照射線量が計画され，出現する可能性のある有害事象の種類や時期をある程度予測しやすいが，患者各々の個人的要因によって症状出現の時期や症状が継続する期間が異なる．患者は目に見える皮膚症状などの局所症状や全身倦怠感などの全身症状として有害事象を体感し，症状によっては日常生活上の困難をもたらす機能障害をかかえる可能性もあり，QOL の低下をきたすこともある．

2 ● 心理・社会的特徴

一般に「放射線」は患者に対して悪い印象を与えやすい言葉である．また治療にかかわる機器や場所なども，初めて放射線療法を受ける患者にとっては未知の脅威と受け取られかねず不安をもたらしやすい．その一方で，標的となる腫瘍を X 線画像などで視覚的にとらえやすく，治療回数が設定されることで患者自身が治療を乗り越える原動力を得やすい

といえる．また多くの場合，外来通院での治療となり，患者は日々の社会生活を維持しながら治療を継続できる環境にある．

C. 放射線療法を受ける患者への援助

1 ● 看護アセスメント

照射部位や照射線量によってもたらされる有害事象を予防するとともに，出現した場合は症状の悪化を抑え，最小限の影響にとどめるための早期の対応が必要である．同時に治療を継続するための心理・社会的な影響をアセスメントすることも重要である．アセスメントの目的・項目を**表Ⅳ-6-3**に示す．

表Ⅳ-6-3 放射線療法を受ける患者の看護アセスメント

目的	アセスメント項目	
身体的側面 ●放射線療法による有害反応発現の程度をアセスメントする	●照射部位（照射される組織） ●治療期間，照射線量，照射方法（一括，分割），照射される組織の体積 ●照射部位（組織）の放射線感受性 ●生じる有害事象 ●栄養状態 ●既往歴および治療歴 ●現在使用している薬剤	・予測される早期反応，晩期反応とその程度 ・総タンパク量，アルブミンなどの検査データ，身長，体重，BMI，半年間の体重の増減の有無と程度 ・いままで受けてきた治療とその影響，効果など （とくに照射野に含まれる部位について）
日常生活の側面 ●放射線療法による有害反応へのセルフケア能力をアセスメントする	●治療による日常生活への支障や苦痛の程度 ●学習能力	・セルフケアを妨げる要因（身体的，精神的，他の慢性疾患の罹患など）の有無の確認 ・有害事象に対して行ったセルフケアの内容とその効果
認知的側面 ●がん罹患や治療の受け止めをアセスメントする	●疾病に関連する情報 ●治療目的や治療内容の理解度 ●治療や治療効果への心配や不安の程度 ●治療を受けることへの思いや態度 ●治療形態（外来治療か入院治療か） ●個人的特性	・疾患，病期，放射線療法を受けるまでの経緯，現在生じている身体的な症状 ・主治医（放射線治療医）からのインフォームド・コンセントの内容と本人の理解の程度 ・治療を受けることに対する希望の内容 ・有害事象などによる身体症状が日常生活に及ぼしている影響の範囲や程度 ・これまでの治療経過から得た有害事象への対処能力の程度 ・年齢，性別，性格，家族構成など
心理・社会的側面 ●放射線療法による心理・社会的な影響をアセスメントする	●ボディイメージやセクシュアリティに関する情報 ●治療の影響による社会生活や役割への影響 ●対応能力 ●ソーシャルサポートの状況	・有害事象による外見の変化の程度やそれらへの思い，不安の程度 ・ボディイメージの変容による女性らしさや男性らしさへの影響，悲嘆，皮膚の変調などによる性生活の変化 ・社会的役割の変化による自尊心への影響の程度 ・治療や有害事象による就労への影響の程度と本人の就労継続への対応の状況 ・コーピングスタイル，過去に体験した困難なできごとの有無 ・家族，友人らの人的資源や経済的な資源の有無と活用の程度

2 ● 援助の方針

放射線療法を受ける患者の身体的,心理・社会的特徴をふまえ,援助の方針を次のように考える.

①放射線療法の治療内容や有害事象を理解し,治療を継続できるように援助する.
②有害事象の予防,早期発見と対処に関するセルフケア能力を身につけ,日常生活上の困難を最小限に抑えることができるように援助する.
③疾病や治療に対する不安や心配を表現でき,緩和が図れるように援助する.

3 ● 看護実践

a. インフォームド・コンセントおよび意思決定支援

放射線療法を受ける際,患者はもともとの疾患の主治医から放射線治療科を紹介され,受診する.初めて放射線療法を受ける患者にとっては未知の治療方法である場合が多く,治療効果がどのくらい望めるのか,また治療による副作用症状はどの程度現れるかなど,新たな不安やとまどいを抱くこととなる.また,初めて会い説明を受ける放射線治療医との関係性を築くのもストレスとなりうる.看護師はそのような患者の心理的な状況をふまえて,患者が放射線療法について具体的な治療方法や治療によるメリット・デメリットを理解したうえで,治療への意思決定を円滑に行えるよう支援することが重要である.

b. 症状マネジメント

放射線療法による代表的な有害事象とそのケアについて**表Ⅳ-6-4**に示す.また,**図Ⅳ-6-6**に放射線皮膚炎に対する治療の様子を示す.有害事象は照射部位と照射量によって,いつごろ出現するのかをある程度予測できるため,予防も含めて早期から具体的な援助を行うことが必要である.そのため,看護師は患者の個人的特性を把握したうえで,有害事象発現のリスクを考慮し,照射開始時からの症状マネジメントの実施と継続したかかわり

表Ⅳ-6-4　放射線療法による主な有害事象とその看護援助

照射部位	症　状	具体的な看護援助の例
頭　部	脱毛,脳浮腫(頭蓋内圧亢進)	頭痛,悪心,めまいなどの有無の観察の実施と早期発見と対処.頭皮への刺激を避けるため低刺激シャンプーの使用を勧める
口腔・咽頭	口内炎,咽頭炎,口内乾燥,味覚低下,咽頭痛など	口腔内の保護と清潔についての指導.頻回な含嗽の励行.症状に合わせた苦痛緩和を早期から実施する.食事形態の工夫や栄養補給の方法については個々に相談に応じ工夫する
胸部・食道	嚥下困難・障害,咳嗽,喀痰,排痰障害など	食事形態の工夫を行う.食道粘膜保護薬や鎮咳薬などの薬剤投与は症状に合わせて行う.肺炎の予防と早期発見に留意する
腹　部	悪心・嘔吐,食欲不振,下痢など	高タンパク食,水分摂取の励行.症状に合わせて栄養補給の方法や薬剤投与(制吐薬,粘膜保護薬,整腸薬など)を工夫する
骨盤・下腹部	膀胱炎,下痢,便秘など	水分摂取の励行.高脂肪・刺激物の摂取を避け,消化のよい食品選択を勧め,症状に応じて薬剤投与(制吐薬,粘膜保護薬,整腸薬,消化薬など)
全　身	骨髄抑制,悪心	感染予防,十分な栄養と水分の補給.症状や血液データによって行動制限などを実施する

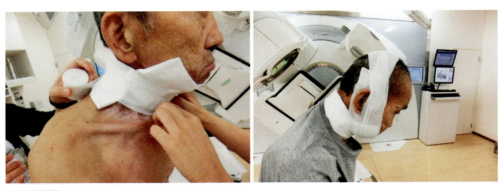

図Ⅳ-6-6　皮膚炎の治療
図Ⅳ-6-5の患者に対する治療の様子を示している．病変部の皮膚を洗浄後，軟膏を塗布し，保護した．

が重要となる．

c. セルフモニタリング

　放射線療法において，有害事象の出現とその程度をいかにコントロールするかが重要である．そのため，照射部位と照射範囲によって出現が予想される有害事象についてはその経過を伝え，変化がみられる場合はすみやかに看護師あるいは医師に相談することを促す必要がある．その際，有害事象の出現やその重症化には個人差があることを伝え，自己判断で変化を見過ごさないように伝えることも重要である．早期にみられる全身症状の放射線宿酔による全身倦怠感に対する休息や水分摂取の促し，また放射線皮膚炎の初期症状である紅斑や乾燥に対して皮膚刺激を避ける衣類の選択など，有害事象への有効な対策を治療の開始前から伝えることができる．

d. 日常生活および治療継続における教育的支援

　放射線療法は外来治療として実施される機会が増え，さらに治療による侵襲が他の治療よりも比較的軽度であり，今後増加が予想される．患者自らが治療内容や治療経過を把握し，予想される有害事象の早期発見や対処を行う必要性が高い．そのため看護師は，患者の放射線療法にかかわる情報（照射部位，照射量，照射回数など）の把握とともに，日常生活における個人的対処能力やソーシャルサポートについて判断しなければならない．また，治療開始時のオリエンテーションから始まり，有害事象への予防および対処方法を教育するとともに，患者の治療継続の意欲を支え，目標を共有できるようなかかわりを適宜もつことが求められる．とりわけ患者が高齢であり，有害事象によって日常生活へ多大な影響が予想される場合や，原疾患の病状が重篤（じゅうとく）な場合などは，治療開始時からの継続した注意深いかかわりが求められる．

e. 心理・社会的支援

　患者は慣れない治療の場や人という環境に対処しながら，さまざまな不安や心配をかかえて治療に取り組んでいる．また，放射線療法によって生じると説明されている有害事象の出現への不安や症状による身体的苦痛をかかえていたとしても，具体的に看護師に訴えてこない場合も予想される．看護師は，安全かつ確実に，そして計画どおりに照射が実施

されることに留意するとともに，患者個々のかかえる心理的な問題にも注目し，機会を見つけて話を聴くなど積極的にかかわる必要がある．治療に伴う苦痛のみならず，病気や転移などによる身体的な苦痛や，家族や仕事の継続について等の社会的な問題をかかえている可能性もあり，看護師は毎日治療に訪れる患者を注意深く観察しながら，必要時，それぞれに有効と思われる資源を用いた援助を行うことが重要である．

f. 家族への支援

高齢であったり疾患の状態によって，患者自らが治療による有害事象への気づきやセルフケアが十分に行えない状況にある場合，家族には患者と同等かそれ以上の放射線療法に関する知識が求められる．そのような場合，家族への治療に関する情報の伝達と，有害事象に関する知識および対処についての教育的かかわりが必要となる．

また，家族が放射線療法についての知識不足などから過度の不安を抱いている場合は，その思いを傾聴し，少しでも緩和できるよう働きかけ，患者とともに家族も治療に前向きに取り組めるような配慮が重要である．

g. 放射線療法を安全に実施するうえでの注意事項

放射線療法を行う場は危険区域に指定され，機器の保全と取り扱う医療従事者についても安全管理が徹底されている．放射線療法に携わる看護師にとって，放射線を取り扱ううえでの3原則（距離，遮蔽，時間）を忠実に守り，**放射線被曝**を最小限にすることが必須である．一方，外部照射を受ける患者は，慣れない機器に囲まれた場所での治療となるため，オリエンテーション時に実際に治療室の内部の様子をみせ，説明することによって不安の軽減をはかる．また，治療台の昇降を安全に行えるように患者個々の状況によっては介助や，治療前の疼痛の緩和が必要である．密封線源を用いる治療の場合は，線源の脱落防止のためにベッド上での生活についてなど細かく制限されるが，いずれも患者に対して，理由を十分に説明したうえで協力を求める．

学習課題

1. 放射線療法の主な目的を2つ挙げ，その内容について簡単に述べてみよう
2. 放射線療法の開始時に患者に説明するオリエンテーションの内容として重要なものを3つ挙げてみよう
3. 有害事象として，皮膚に早期にみられる症状と看護援助について説明してみよう

練習問題

Q1 放射線療法について正しいのはどれか．2つ選べ．
1. 外部照射は正常細胞への影響をできるかぎり小さくし，腫瘍に限局して照射できるため，有害事象として早期反応はほとんどみられない．
2. 密封小線源治療法は，体内の組織内や腔内に小線源を挿入し，集中的に腫瘍に照射する方法であり，前立腺がんで治療効果がみられている．
3. 非密封小線源治療法（内用療法）は，放射性同位元素を内用し，体内から照射を行う方法であり，代表的な対象臓器として甲状腺，骨，副腎などが挙げられる．
4. 放射線の耐容線量が低い組織は筋肉や神経であり，耐容線量が高い組織は骨髄や粘膜，腺組織である．
5. 放射線療法の適用は，手術療法が適応とならないがんのみとなる．

Q2 放射線療法による有害事象で適切なのはどれか．
1. 早期反応は，治療開始から数ヵ月以降に生じる．
2. 放射線宿酔の主な症状は，悪心，嘔吐，食欲不振，全身倦怠感である．
3. 粘膜炎は，皮膚炎よりも高い線量で出現する．
4. 晩期反応として，皮膚の色素沈着，脱毛が生じる．

［解答と解説 ▶ p.525］

7 同種造血幹細胞移植を受ける患者の援助

> **この節で学ぶこと**
> 1. 同種造血幹細胞移植の目的と治療方法について説明できる
> 2. 同種造血幹細胞移植による副作用，合併症とその予防，重篤化を防ぐ援助について述べることができる
> 3. 同種造血幹細胞移植を受ける患者の看護援助の特徴を述べることができる

A. 同種造血幹細胞移植の基礎知識

1 ● 治療の目的・位置づけ

a. 同種造血幹細胞移植とは（図Ⅳ-7-1）

　放射線療法や抗がん薬による化学療法は投与線量・投与量を増加させていくと，ある一定の投与量（最大耐用量）を超えた時点でなんらかの毒性（有害反応）のためそれ以上の増量が不可能となる．多くの抗がん薬においてこれ以上投与できないと判断される毒性（有害反応）は骨髄抑制である．

　同種造血幹細胞移植は，**抗腫瘍効果**を高めるために最大耐用量を上回る大量の抗がん薬

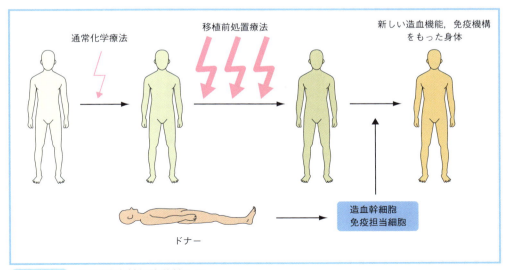

図Ⅳ-7-1　同種造血幹細胞移植とは

や全身放射線照射を用いた強力な治療（これを**移植前処置**とよぶ）を行い，その後に**ドナー**（提供者）の，あるいは患者自身の**造血幹細胞**を輸血のように点滴静注で移植する治療方法である．造血幹細胞は自己複製能と多分化能を有している．このため強力な移植前処置によって損なわれた造血機能も，造血幹細胞を移植することによって補うことができる．

b. 同種造血幹細胞移植の目的

　同種造血幹細胞移植の適応疾患となる急性白血病や悪性リンパ腫などの造血器腫瘍は，抗がん薬に対する感受性が高く，投与量を増やせばより抗腫瘍効果を期待できる．しかし，増量すれば骨髄抑制の毒性が強くなってしまう．そこで造血幹細胞を移植することによって造血機能の再構築をはかることができれば，骨髄抑制の影響を抑えることができ常用量を超える量の抗がん薬の投与が可能となり，抗腫瘍効果の増大を期待できることになる．これが同種造血幹細胞移植の目的である．さらにドナーから細胞の提供を受ける同種造血幹細胞移植では，抗がん薬治療や放射線治療では得られないドナーの免疫担当細胞に由来する抗腫瘍効果を得ることも期待している．

c. 同種造血幹細胞移植の種類

　造血幹細胞移植は，造血幹細胞の供給源の相違，ドナーの相違，移植前処置方法の相違によってそれぞれ分類される（**図Ⅳ-7-2**）．

　ヒト白血球抗原（human leukocyte antigen：HLA）は，赤血球を除く，ほぼ体内のすべての細胞の表面に存在する特殊なタンパク質のグループで，人それぞれに構造の微妙な違いがあり，免疫システムが「自己」と「非自己」を区別するための目印として働いている．同種造血幹細胞移植を受ける患者とドナーの間では，HLAの不一致（ミスマッチ）が多いほど，有害な合併症の発症率が高まることが知られており，HLAが一致しているドナーと一致していないドナーのいずれも選択できる場合には，特別な理由がなければ，HLA一致ドナーから移植を受けることが望ましいと考えられている．一方，最近では，

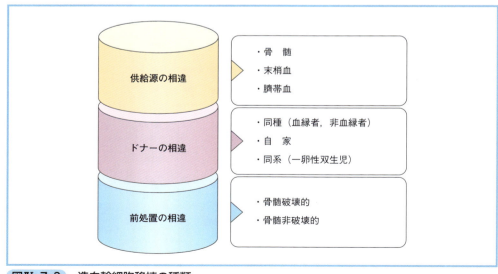

図Ⅳ-7-2　造血幹細胞移植の種類

表Ⅳ-7-1 同種造血幹細胞移植前処置に使用される主な抗がん薬とその特徴的な副作用

一般名	商品名	特徴的な副作用（大量投与時）
シクロホスファミド	エンドキサン®	出血性膀胱炎 低ナトリウム血症 心筋障害
ブスルファン	ブスルフェクス®	けいれん
	マブリン®	肝中心静脈閉塞症
シタラビン	キロサイド®	発熱，筋肉痛などのアレルギー様症状 中枢神経障害（小脳症状） 角結膜炎 手足症候群（手足の紅斑）
メルファラン	アルケラン®	口腔，消化管の粘膜障害
フルダラビン	フルダラ®	骨髄抑制，倦怠感

このような「HLAのバリア」を克服するための移植方法の開発が進んでおり，HLAのミスマッチがあるドナーからの移植成績も大きく向上している．

2 ● 治療方法

　同種造血幹細胞移植の前処置として用いる治療は，抗がん薬による化学療法と放射線療法である．

　移植前処置に用いる抗がん薬は，投与量を増量すればより抗腫瘍効果が得られる用量依存性の抗がん薬になる．前処置に用いられる主な抗がん薬を**表Ⅳ-7-1**に示す．どの抗がん薬を用いるかは，患者の疾患や病態，年齢や全身状態によって選択される．

　全身放射線照射（total body irradiation：**TBI**）は，12 Gyを2～3日間にわけて照射することが多い（移植実施施設により多少方法が異なる）．全身に均一に照射できるようアクリルや鉛の板などの補償フィルターを付加する．放射線による肺臓炎予防のためにも補償フィルターを付加する．

　腫瘍細胞の根絶を目指して治療法が選択されるが，治療の毒性に耐えられない高齢者や臓器機能低下を合併する患者に対し，同種造血幹細胞移植の適応を拡大させるために抗がん薬の選択や投与量の調整，放射線照射量を減弱した骨髄非破壊的前処置という方法が用いられることも多くある．この場合，ドナーの免疫担当細胞による抗腫瘍効果をより期待する．

　移植前処置の後，ドナーから提供された造血幹細胞を経静脈投与する．この一連の過程を経ることが移植治療である．

3 ● 治療の対象

　どの対象においても同種造血幹細胞移植を行うべきかどうかの判断は簡単ではない．いくつかの疾患については，同種造血幹細胞移植を行った場合と行わなかった場合との治癒率の比較はできるが，実際の治療経過は複雑である．原疾患は治癒しても合併症などのためにQOLが低下する可能性がある．単に治癒率を比較して適応を考えるのではなく，患者や家族の価値観・人生観を参考にしながら適応を考えなくてはならない．

a. 疾患

適応となる主な疾患は，造血器腫瘍に分類される白血病や悪性リンパ腫，多発性骨髄腫である．ドナーからの細胞の提供による造血機能回復が大きな目的となる疾患としては，再生不良性貧血や骨髄異形成症候群が挙げられる．疾患により同種造血幹細胞移植後の治癒率などは異なる．自己免疫疾患や代謝性疾患に対して適用されることもあるが標準的治療とはいえず，まだ臨床試験の段階にあると考えられている．

b. 年齢

主たる適応疾患が白血病であることからも，対象年齢の下限は0歳児となる．上限については，移植前処置で非常に強力な抗がん薬治療や全身放射線照射を行うことから，治療の毒性に耐えうる年齢として，治療方法を考慮しても65歳までと現在は考えられている．非常に幅の広い年齢層が対象患者となることから，発達年齢，発達課題を考慮した治療選択や看護ケアの提供が重要となってくる．

4 ● 治療の副作用と合併症

a. 副作用

移植前処置では，大量の抗がん薬投与や全身放射線照射が行われるため，それぞれの治療の副作用が通常よりも重度でかつ長期にわたり発生することとなる．肺や肝臓，腎臓，心臓，中枢神経などの障害など重要臓器に致命的毒性が出現することも多い．とくに，治療後の骨髄抑制は非常に重篤で，移植した造血幹細胞が造血を始めるまでの間は重症感染症や重要臓器内の出血，貧血をきたしやすい．このため好中球が一定レベルに回復する期間は，患者はHEPAフィルターという高性能フィルターが装備された防護環境に入室している必要がある．

b. 移植片対宿主病

ドナーから造血幹細胞の提供を受ける同種造血幹細胞移植は，ドナー由来の移植細胞（移植片）が患者の身体（宿主）を非自己とみなして攻撃する**移植片対宿主病**（graft versus host disease：**GVHD**）が特徴的な合併症として発症する．GVHDは発症する時期や症状の現れ方によって，**急性GVHD**と**慢性GVHD**に区別される．

(1) 急性GVHD

急性GVHDの標的となる主な臓器は皮膚，腸管，肝臓である．皮膚GVHDの所見としては多くの場合，瘙痒感を伴う小丘疹が特徴的であるが，重症となると全身紅皮症，水疱形成，表皮剝離にいたることもある．腸管GVHDの症状としては，疼痛を伴う水様性下痢が特徴だが，進行すると下血，イレウスとなることもある．肝臓GVHDは，肝機能検査データの異常が主体であるが，重症になると黄疸，肝不全となり致命的となりうる．

(2) 慢性GVHD

慢性GVHDはドナー由来のTリンパ球が患者のあらゆる臓器を攻撃することによって自己免疫疾患様の症状を呈する免疫反応である．皮膚，肝臓，分泌腺組織を中心に多彩な症状を呈する病態であり，同種造血幹細胞移植後，原疾患は治癒していてもQOLを低下させたり感染症を合併したりすることがある．

発症を予防するために造血幹細胞を移植する前日より免疫抑制薬を投与するが，それで

表Ⅳ-7-2　主な晩期合併症

- 感染症
- 眼合併症：
　角結膜炎，白内障
- 口腔合併症
- 呼吸器合併症：
　閉塞性細気管支炎，特発性器質化肺炎
- 心血管系合併症
- 肝合併症
- 腎・尿路合併症：
　慢性腎疾患（CKD）
- 筋・結合組織合併症
- 骨格系合併症：
　骨粗鬆症，大腿骨頭壊死
- 中枢・末梢神経合併症：
　認知機能障害
- 内分泌合併症：
　メタボリックシンドローム
- 皮膚粘膜合併症
- 二次がん
- 心理的問題
- 性的問題
- 不妊

もGVHDを発症したときは，ステロイド薬を追加して全身投与することが標準的治療となっている．

c. 晩期合併症

　治療成績が向上したことに伴い同種造血幹細胞移植後の長期生存者が増加したことで，**移植後晩期合併症**がより大きな問題として挙がるようになっている．移植後晩期合併症はきわめて多彩な病像を呈し，その病態には移植前処置，GVHD，感染症などの因子が深くかかわっている．主な晩期合併症を**表Ⅳ-7-2**に列挙した．晩期合併症のなかには，早期診断や早期治療がその予後を大きく改善するものがある．そのため，移植後患者に対するGVHDや晩期合併症のための体系的な**長期フォローアッププログラム**の構築が喫緊の課題として着目されている．

B. 同種造血幹細胞移植を受ける患者の特徴

1 ● 対象となる患者背景の幅広さ

　同種造血幹細胞移植の適応となる疾患は，造血器腫瘍が主体であるが，がんではない良性疾患も対象となる．また，同種造血幹細胞移植の適応となる年齢は0～65歳までと幅広い．それぞれの年齢に応じた発達課題があり，そこから生じる患者の問題も異なってくる．治癒を目指して行われる治療であるがゆえに，治療後の社会とのつながり（親・家族，保育，学習，仕事，役割など）にかかわる課題はさまざまである．

　同じ状況で同じ治療をしたとしても，副作用や合併症の出現や治癒するかどうか，再発率などの個人差も大きい．患者がかかえる症状や問題に個人差が大きいことを認識する必要がある．

2 ● 移植後の合併症に伴う心理・社会的問題

　前述したように，いずれの移植対象疾患についても治癒を目指すために患者にとって唯一残された治療となるが，それと引き換えに致死的毒性症状や合併症を乗り越えなければならない．治療関連毒性による症状は非常に苦痛が強いうえに，なかなか改善せず長期化する．また，同種造血幹細胞移植後に発生するGVHDは重症化することも多く，さらに

ほかの合併症を惹起し苦痛が複雑化する反面，抗腫瘍効果が期待できることから患者は苦痛をある程度受け入れて乗り越えていかなくてはならない．患者は，この矛盾した状況に葛藤しつつ，非常に苦痛の強い身体症状に対処できなくなることもある．

同種造血幹細胞移植の治療が終了し，身体症状が改善したとしても，患者は常に再発への不安や今後の経過に対する不安をかかえている．また，合併症により引き起こされるさまざまな身体症状と身体症状に伴う体力低下の遷延により，社会および家庭内での役割変更を余儀なくされ，焦りや自責の念を抱く患者も多い．移植後の合併症は，内部障害が主であるのでほかの人が身体症状のつらさを理解，認識することがむずかしいために，患者は孤独感を感じることもある．

同種造血幹細胞移植の対象となる年齢は生産年齢であり，家族の中心的役割を担っているため，治療が終了してもなかなか社会生活に戻れないことは，家族の経済的問題につながってくることも多い．

3 ● 健常者をドナーとする倫理的課題

同種造血幹細胞移植においては，通常の医療としての諸問題以外に，健常なドナーを必要とするという特殊性があるため，多岐にわたる倫理的配慮が必要である．

ドナー候補は，まず血縁者（家族）から検索開始の意向を確認される．患者にとって血縁者から提供を受けるかどうかは移植後の予後やQOLを左右する決定となり，ドナー検査から実際の提供，その後のドナーの身体にも少なからず苦痛やリスクを伴うものであるため，さまざまな葛藤を生じさせる．患者，ドナーとその家族の双方に社会的・心理的圧力や葛藤が生じる．造血幹細胞の提供はドナー自身の自由意思に基づくもので，強制であってはならない．ドナーの同意取得に患者が同席しないようにすることなど，提供を拒否することを阻害するような要因を排除しなくてはならない．骨髄バンクを介したドナーの個人情報は完全に匿名化されているが，感謝の気持ちを伝えたい患者の意向に配慮し，一度だけ手紙を送ることが許可されている．

C. 同種造血幹細胞移植を受ける患者への援助

1 ● 看護アセスメント

強力な治療による副作用症状や移植後の合併症を早期に発見し，症状の悪化を抑え，最小限にとどめるように対応することが必要である．また，治療とその後の療養生活を継続するための心理・社会的影響をアセスメントすることも重要である．アセスメントの目的および項目を**表Ⅳ-7-3**に示した．

2 ● 援助の方針

同種造血幹細胞移植を受ける患者の特徴をふまえて，援助の方針を次のように考える．

表Ⅳ-7-3 同種造血幹細胞移植を受ける患者の看護アセスメント

目的	アセスメント項目		備考
身体的側面 ● 副作用，合併症のリスクをアセスメントする ● 移植前処置に関連した毒性の症状や移植後の合併症を早期に発見，対処する	● 治療内容・薬剤・放射線のアセスメント ① 疾患と治療計画 ② 使用する薬剤の特徴 ③ 副作用，合併症の発現リスク ● 患者のアセスメント ① 全身状態 ② これまでの治療歴と副作用の発現程度 ● 臨床検査データ ● 身体症状の有無と程度 ● バイタルサイン	・疾患，病態，病期 ・移植の種類 ・年齢，パフォーマンスステータス，主な臓器機能，既往歴，原疾患以外の合併症 ・抗がん薬治療，放射線療法経験の有無，出現した副作用の種類と程度 ・血液データ，画像検査データ ・疼痛，苦痛の主観的症状 ・全身の変化の客観的症状 ・徴候をとらえるバイタルサイン	
日常生活の側面 ● 副作用や合併症がどの程度日常生活に影響を及ぼしているかアセスメントする	● 食事 ● 活動-休息 ● 日常生活行動	・食事摂取内容と摂取量，嗜好，味覚の変化 ・睡眠時間，熟睡感，日中の休息時間 ・活動量と活動内容，生活行動の遂行の程度，遂行できなくなった内容	
認知心理的側面 ● 疾患や治療への心理的な反応をアセスメントする	● 治療に対する受け止め，姿勢 ● セルフケア能力	・疾患や治療に対する理解・認識・思い ・治療意思決定までのプロセス，価値観 ・起こりうる副作用や合併症に関する理解・認識 ・医療者や家族から支援を受けることに対する考え・思い ・セルフケアに関する指導内容とその理解，実行能力	・長期にわたる闘病・療養生活を主体的に継続し，生活や身体の変調と折り合いをつけるための支援を検討する．
社会的側面 ● 治療やその副作用，合併症によって生じる身体的・心理的変化が社会的側面に及ぼす影響をアセスメントする	● 日常生活と社会的役割 ● 家族構成やそれぞれの役割	・生活様式，経済的状況，学校・仕事の状況 ・家族との関係性，家族間の情報共有	・治療にかかわる費用や社会的保障の必要性を考える． ・治療後の社会復帰を支援する際に必要となる． ・ドナー選択にかかわる倫理的課題に配慮する際に必要である．

> ①同種造血幹細胞移植の目的や意味を理解し，移植後の生活や価値観を包含した意思決定ができるように支援する．
> ②治療に関連した毒性，合併症の症状を早期発見・早期対処し，苦痛を最小限に抑えられるように援助する．
> ③同種造血幹細胞移植後の身体や生活の変調に対して折り合いをつけて療養生活が継続できるように支援する．
> ④倫理的課題に配慮しながら，患者とともに家族機能が維持されるように調整する．

3 ● 看護実践

a．インフォームド・コンセントおよび意思決定支援

患者は，「移植」という治療を提示されると，治癒することを期待し，長い闘病生活から解放されることに希望を見出す一方で，生命をも脅かす未知の治療への不安やほかの選択肢との間で葛藤が生じる．とくに，健常ドナーの造血幹細胞を必要とする同種移植では，移植前処置を開始すれば中止はできず，また移植した後は移植した細胞を身体の外に出すことはできないので患者は十分な意思決定が求められる．長期にわたる身体的・心理的苦痛症状を移植前に具体的にイメージすることは非常にむずかしい．患者は移植後の状況はやってみないとわからないことを引き受けて治療にのぞむことになる．

患者の自己決定を擁護する責任を担う看護師は，治療の意思決定を迫られている患者の危機的状況を十分に理解し，患者が移植を選択したことを後悔しないように心理的なケアを行うことが求められる．移植前から患者にとって移植を受けることの意味について傾聴し，意思決定を行った患者の価値観を共有することが必要である．

b．副作用・合併症症状のマネジメント

移植前処置に伴う治療関連毒性やGVHDをはじめとする合併症のアセスメントと症状マネジメントは，その後の患者の予後や体験に大きく影響する．移植からの経過時期と出現する可能性のある治療関連毒性の症状に対する正しい知識をもち，予測的に観察し早期に対応することは，患者がより安全・安楽に治療を乗り越えていくことにつながる．また，出現している身体症状の病態生理を理解し臨床検査データや症状，徴候をしっかりと観察してアセスメントしながら，基本的な看護ケアを継続することや二次的障害を予防する看護ケアを提供していくことが重要である．

移植前処置に伴う**治療関連毒性**として，口腔粘膜障害を例に挙げる．口腔内は細菌，真菌，ウイルスを含むすべての微生物感染症が起こりうる．口腔内の発赤，腫脹，疼痛にはじまる炎症所見が主であるが，重症化すると高熱，敗血症など全身症状をきたすことも多い．口腔粘膜障害を予防するためには，早期からの口腔ケアの実践が重要となる．口腔の状態，リスク因子，口腔ケアに関する知識，口腔ケアの実践方法などを情報収集し，患者とともにケア方法を実践していく．口腔粘膜障害出現時には，少しでも継続できるケア方法に変更する．また疼痛や発熱を伴う場合には，適切な症状緩和方法を医師とともに考え提供できるようにする．さらに口腔の状態をていねいに観察，アセスメントを行い，感染症コントロール方法を検討する．総合的に観察，介入，方法変更，評価していくことで重

症化を防ぐことができ，患者の苦痛を最小限にし，2次的障害を予防することにつなげる．また，このようなケアの繰り返しと工夫が患者のセルフケア能力を高めることにもつながり，継続した実践へと結びつけることになる．

c. 治療後の日常生活における教育的支援

移植後も続く免疫不全状態に対処するために，移植前からセルフケアへの自覚を高めることが必要である．移植治療によってもたらされる疾患の治癒とQOL低下という葛藤から導き出された治療への意思決定は主体的な療養行動獲得の機会となる．

感染予防行動や治療による副作用に対する対処行動は，移植を受ける患者が獲得すべきセルフケア行動として非常に重要である．これから起こることを予測し，イメージしてセルフケアすることや，実際に起こったときの衝撃を少なくすることを目的として，また，患者にとって有効な情報内容，説明するタイミングや時間の長さ，頻度，理解を促進するための方法などを工夫して情報提供を行う．長きにわたる治療経過を苦痛が少なく過ごすために，患者が積極的かつ主体的に取り組むことができるように支援する．身体の変調を受容し，うまくつき合っていけるように支援することや，身体症状に合わせて生活を再構築するための工夫をともに考えることも大切である．

移植後は非常に多くのことがらに注意しながら生活をしていかなくてはならない．その主な項目と内容を**表Ⅳ-7-4**に示す．治療が終了し，日常生活に戻れることが決定してからでは多くのことを習得しきれない．患者の知識，認識，行動を含むセルフケア能力を常にアセスメントしながら，時間をかけて習得していけるよう支援していく必要がある．

表Ⅳ-7-4　治療後必要な指導項目とその主な内容

項目	内容
感染予防行動	手洗い，口腔ケアの継続，人ごみを避けること，定期的な掃除と掃除方法（ほこりをためない．水まわりの乾燥など）
注意する感染症	移植後の免疫回復の過程，かかりやすい感染症状とその時期，対処方法，緊急連絡先
GVHD	GVHDの症状，症状の観察を自分で継続すること，症状が出現したときの生活上での注意・工夫，症状出現時の早期受診
免疫抑制薬	指示されたとおりに内服を継続する重要性，内服を忘れたときや症状により内服できないときの対処方法
予防接種	予防接種の可能時期，同居家族への予防接種の必要性
食事	食品からの感染に何をどのように注意する必要があるか，外食時の注意
運動	体力の回復を目指し活動範囲を拡大することの必要性と注意点
喫煙	禁煙厳守
娯楽・旅行	日焼け予防の必要性と具体的方法，遊びに行ける場所と注意点
ペット	動物を媒介する感染症に関する知識，具体的対処方法
植物の取り扱い	土いじりは一定期間避けること
美容	皮膚に刺激の少ない方法
性生活	感染症に注意しつつパートナーとのコミュニケーションをはかる重要性，不妊に関すること，性交渉時の注意点

d. 心理・社会的支援

　患者の心理的問題に対処する方法としては，患者が自分自身を肯定的に評価できるように支援することが重要なポイントである．それにはまず，患者がかかえているさまざまな身体症状を可能な限りコントロールすることが重要である．医療者は，ともすれば感染症や合併症の発症のリスクを低減するために行動を強制したり，制限することばかりを指導してしまいがちである．患者は不安から過剰に慎重に考えることが多い．患者個別の行動パターンやセルフケア能力，理解度に合わせ，制限するだけでなく療養行動として必要になることを一緒に考えることが大切である．

　患者がかかえている心理的問題に気づきにくいこともある．不安・抑うつ尺度など既存のスクリーニングツールの活用や簡単かつ意図的な質問を投げかけることで，患者の心理的問題にタイムリーに介入できるようにすることが必要である．移植治療終了後は，患者が移植を乗り越えた自分を誇らしいと思えたり，全体として現在の自分でよいと思えたり，物事を前向きに考えられるように，体調を冷静に観察できるよう支援していくことを常に念頭に置く必要がある．不快な症状に付き合いながら，不安とも向き合う患者の心理的状況を客観的にみつめてつき合い，それでも前に進もうとする患者の強さを信じて，医療者をともに歩む存在として患者が認識できるようなかかわりが重要である．

　これまで述べてきたように，同種造血幹細胞移植を受ける患者は，身体的，心理的，社会的なさまざまな問題をかかえながらも治療を受け，治療後もその問題は続いていく．医師，看護師だけでは到底解決できない問題もある．移植チームとしてそれぞれの専門性を発揮できるように連携しつつ支援していくことが非常に重要である．

e. 家族への支援

　健常な造血幹細胞の提供者を絶対的に必要とする同種移植では，患者の同胞をはじめとする家族から提供者を検索することから始まるため，必然的に家族機能に倫理的課題をはらんだ大きな影響を及ぼす．看護師は患者の支援者としての位置づけだけでなく，治療方針を決定するうえでの重要なキーポイントとなることが特徴づけられる．家族機能として患者に対する物理的支援（洗濯や食事など身の回りの世話），認知的支援（精神的な支援，前向きな考え方など），社会的支援（経済的な支援，社会的な保障など）が円滑に機能することを目標に，看護師は家族に対しても患者と同様に身体的，心理的，社会的な側面の情報を収集，整理，介入し，患者と家族の間の調整役となる必要がある．

学習課題

1．同種造血幹細胞移植後の特徴的な合併症を1つ挙げ，その症状について説明してみよう
2．同種造血幹細胞移植を受ける患者の倫理的課題について説明してみよう
3．同種造血幹細胞移植後の日常生活で注意が必要なことを挙げてみよう

練習問題

Q1 移植片対宿主病（GVHD）について正しいのはどれか．2つ選べ．
1. GVHDは，ドナー由来の移植細胞が患者の身体を非自己とみなして攻撃するために生じる．
2. 急性GVHDの標的となる主な臓器は，腎臓である．
3. 腸管GVHDの症状として，腹痛を伴う便秘が特徴的である．
4. 慢性GVHDは，ドナー由来のTリンパ球が患者のあらゆる臓器を攻撃することによって，自己免疫疾患様の症状を呈する免疫反応である．
5. 皮膚GVHDの症状として，瘙痒感を伴わない膨隆疹が特徴的である．

［解答と解説　▶p.525］

8 内分泌療法を受ける患者の援助

この節で学ぶこと
1. 内分泌療法の目的・適応を理解し，説明できる
2. 内分泌療法を受ける患者の特徴を理解し，アセスメント項目について説明できる
3. 内分泌療法の副作用の症状マネジメントやセルフケアの指導について説明できる

A. 内分泌療法の基礎知識

1 ● 治療の目的・位置づけ

　乳がんと前立腺がんは，性ホルモンに依存して増殖する特徴がある．そのため，性ホルモンを遮断することでがんの増殖を抑制するのが**内分泌療法**（ホルモン療法）である．閉経後の更年期症状の緩和を目的とする**ホルモン補充療法**と混同しないよう注意する．

　乳がんの内分泌療法では，治療期間が2〜10年という長期間にわたることがある．また，前立腺がんでは，前立腺特異抗原（prostate specific antigen：PSA）値の増減に合わせて治療と休止を繰り返す間欠的内分泌療法が行われることがある．したがって，乳がんと前立腺がんの内分泌療法では，長期間の治療に伴う副作用症状のセルフモニタリングとセルフケアが必要となる．

2 ● 治療方法

a. 乳がんの内分泌療法の作用機序

　抗エストロゲン薬は，乳腺組織における細胞内のエストロゲン受容体に結合することによって，エストロゲンが結合するのを遮断する．閉経前の患者に用いられるLH-RH*アゴニストは，下垂体のLH-RH受容体に作用し，性腺刺激ホルモンの放出を抑制するため，卵巣からのエストロゲンが分泌されなくなる．アロマターゼ阻害薬は，閉経後の患者に用いられるが，皮下脂肪内のアロマターゼによる副腎由来のアンドロゲンからのエストロゲンの合成を阻害する．

b. 前立腺がんの内分泌療法の作用機序

　LH-RHアゴニストは，下垂体のLH-RH受容体に作用して，性腺刺激ホルモンの放出を抑制するため，精巣からのテストステロンが分泌されなくなる．抗男性ホルモン薬は，前立腺細胞において，精巣や副腎に由来する男性ホルモンの取り込みを遮断する．

---

*LH-RH：luteinizing hormone-releasing hormone；性腺刺激ホルモン放出ホルモン．

表Ⅳ-8-1　内分泌療法薬の種類・薬剤名・方法・副作用

種類	薬剤名（商品名）	適応	方法	副作用
抗エストロゲン薬	タモキシフェンクエン酸塩（ノルバデックス®） トレミフェンクエン酸塩（フェアストン®）	閉経前乳がん，閉経後乳がん	内服	更年期様症状．閉経後乳がんの場合：子宮内膜がん（体がん）発症リスクの上昇
	フルベストラント（フェソロデックス®）	閉経後乳がん	4週間に1回筋肉内注射	ほてり，皮下硬結
アロマターゼ阻害薬	アナストロゾール（アリミデックス®） レトロゾール（フェマーラ®） エキセメスタン（アロマシン®）	閉経後乳がん	内服	更年期様症状，関節痛，骨痛，骨塩量減少，骨粗鬆症，頭痛，嘔気
プロゲステロン薬	メドロキシプロゲステロン酢酸エステル（ヒスロンH®）	閉経前乳がん，閉経後乳がん	内服	体重増加，浮腫，血栓症
LH-RHアゴニスト	ゴセレリン酢酸塩（ゾラデックス®） リュープロレリン酢酸塩（リュープリン®）	閉経前乳がん，前立腺がん	ゴセレリン：4週間または12週間に1回 リュープロレリン：4週間または12週間または24週間に1回，皮下注射	更年期様症状，アンドロゲン低下による諸症状，骨塩量減少，皮下硬結
抗男性ホルモン薬	フルタミド（オダイン®） ビカルタミド（カソデックス®） クロルマジノン酢酸エステル（プロスタール®）	前立腺がん	内服	アンドロゲン低下による諸症状，肝障害，乳房腫脹・乳房痛
	エンザルタミド（イクスタンジ®）			疲労感，食欲不振，脱力感
	アパルタミド（アーリーダ®）			食欲減退，皮疹，皮膚：瘙痒症，ほてり，けいれん発作，心障害
	ダロルタミド（ニュベクオ®）			貧血，好中球減少，食欲減退，頭痛，めまい，心障害
	アビラテロン酢酸エステル（ザイティガ®）			肝障害，低カリウム血症，浮腫，高血圧
女性ホルモン薬	エストラムスチンリン酸エステルナトリウム水和物（エストラサイト®） エチニルエストラジオール（プロセキソール®）	前立腺がん	内服	アンドロゲン低下による諸症状，心血管障害，血栓症，消化器症状
LH-RHアンタゴニスト	デガレリクス酢酸塩（ゴナックス®）	前立腺がん	4週間に1回皮下注射	アンドロゲン低下による諸症状

c. 治療方法

治療方法は，内服または皮下注射である．内服と注射を併用する場合がある．内分泌療法薬の種類や方法を**表Ⅳ-8-1**に示す．

3 ● 治療の適応

　乳がんの初期治療としての手術後，腫瘍の病理組織検査においてエストロゲン受容体が発現している場合に内分泌療法が行われる．また，転移・再発時はエストロゲン受容体が発現していて，生活・生命が脅かされる状態でないときに適応となる．

　前立腺がんでは，主に高齢者や転移のある進行がんの場合に内分泌療法が適応となる．局所進行がんの場合では，手術後の補助療法として，または，放射線療法の前に内分泌療法を行う．

4 ● 治療の副作用

　乳がんの内分泌療法の副作用としては，エストロゲンの低下による**更年期様症状**がみられ，具体的には，ほてり，のぼせ，肩こり，発汗，腟の乾燥感，帯下（たいげ）の変化，抑うつ気分などがある．アロマターゼ阻害薬の副作用では，関節痛・骨痛，骨塩量減少・骨粗鬆症（こつえん）などがあり，抗エストロゲン薬のうちタモキシフェンクエン酸塩では，閉経後乳がんに投与される場合，子宮内膜がん（子宮体がん）の発症リスクの上昇などがある．

　前立腺がんの内分泌療法の副作用としては，アンドロゲンの低下による症状（性欲減退，勃起障害，筋力低下，肥満，易疲労感（い），ほてり，骨粗鬆症など）がみられる．女性ホルモン薬の副作用には，心血管障害，血栓症などがあり，慎重な投与が必要である．

　薬剤ごとの副作用は**表Ⅳ-8-1**にまとめた．

B. 内分泌療法を受ける患者の特徴

　ここでは，内分泌療法を受ける乳がん患者の特徴を示す（前立腺がん患者の特徴は，**第Ⅴ章-5-2「前立腺がん」**参照［p.411］）．

　乳がんは，乳房にがんが発見された段階で，すでに目に見えない小さながんが全身に広がっている**微小転移**があると考えられている．そのため，乳房そのものへの手術療法とともに，全身治療として化学療法や内分泌療法が行われる．しかし，患者は手術のみで治療が終わると考え，内分泌療法の必要性を理解できないこともある．また，薬そのものへの抵抗感や副作用への不安などの心理的負担が生じることがある．さらに，閉経の有無に

よって，投与される薬剤が異なるため，「ほかの人と薬が違う」と不安を抱くこともある．

乳がんの内分泌療法では，更年期様症状の出現や骨密度の低下，体重増加などの副作用があるため，日常生活での食事や運動などのセルフケアが必要となる．また，エストロゲンの低下により腟壁が萎縮し，潤滑性の低下や自浄作用の低下をきたし，帯下の増加や性交痛が生じることもある．さらに，抑うつやイライラ感，集中力の低下が生じる場合もある．

初期治療における内分泌療法は2～5年継続して行われるが，閉経後の乳がんの治療では10年間の内服治療が行われることもある．そのため，長期間に及ぶ内服によるわずらわしさや，医療費・交通費などの経済的負担が生じる．

このような問題があるにもかかわらず，内分泌療法の副作用である更年期様症状や関節痛・骨痛などは，化学療法の吐き気などの副作用に比べて症状が軽いため，周囲の理解を得られないことがある．また，性交痛などの性生活の悩みを患者1人でかかえてしまうことにより，夫やパートナーとの関係が希薄になることもある．さらに，挙児希望（妊娠・出産を希望している）患者の場合には，内分泌療法終了後に妊娠・出産となるため，ライフサイクルへの影響がある．

内分泌療法を受ける乳がん患者の問題は，1人ひとり異なり，さらにセクシュアリティにもかかわるので，患者の気持ちに沿って思慮深い細やかな援助が必要となる．

C. 内分泌療法を受ける患者への援助

ここでは，内分泌療法を受ける乳がん患者への援助を示す（前立腺がん患者への援助は，**第Ⅴ章-5-2「前立腺がん」**参照［p.411］）．

1 ● 看護アセスメント

内分泌療法に対する患者の理解や受け止め，副作用の症状や程度とそれによる日常生活への影響の有無と対処のしかた，治療による経済的負担や家族への影響などを把握し，患者のセルフケア能力を吟味して援助を検討する必要がある（**表Ⅳ-8-2**）．

2 ● 援助の方針

内分泌療法を受ける患者の身体的，心理・社会的特徴をふまえ，援助の方針を次のように考える．

①内分泌療法の必要性を理解し，治療を継続できるように援助する．
②副作用症状をセルフモニタリングし，日常生活におけるセルフケアができるように援助する．
③治療に伴う心理的，社会・経済的問題に対して，家族や友人など周囲の人々の理解と協力を得ることができるように援助する．

表Ⅳ-8-2　内分泌療法を受ける乳がん患者の看護アセスメント

目的		アセスメント項目
身体的側面 ●内分泌療法による副作用発現の程度をアセスメントする	●生じうる副作用 ●バイタルサイン ●既往歴・治療歴 ●家族歴	・ほてり・発汗・のぼせ・不眠，抑うつ，不正出血，関節痛，骨痛，骨塩量減少，頭痛，嘔気，体重増加，浮腫，血栓症，皮下硬結，性交痛，帯下の変化 ・血圧の変化の有無 ・血管・循環器系の疾患の有無，骨・関節関連の疾患の有無 ・骨粗鬆症の家族歴の有無
認知・心理的側面 ●内分泌療法による副作用へのセルフケア能力をアセスメントする	●疾病に関連する情報 ●治療内容・方法 ●理解力および受け止め ●セルフケア能力 ●心理状態 ●セクシュアリティ	・病名，病期，治療経過，閉経状態，ホルモン受容体の有無 ・薬剤の種類，投与方法，投与期間 ・治療目的や治療内容，生じうる副作用をどのように理解し受け止めているか ・食事・運動など日常生活において取り組んでいるセルフケアの内容を把握する ・治療に対する不安や心配の程度，内容 ・妊娠・出産の希望の有無，性生活の変化の有無
社会的側面 ●内分泌療法による心理・社会的な影響をアセスメントする	●ソーシャルサポート ●経済状態	・家族・友人・知人からのサポートの有無 ・医療費・通院費による負担の程度

3 ● 看護実践

a. インフォームド・コンセントおよび意思決定支援

　治療開始前の援助では，医師が患者に，内分泌療法の目的や適応，ホルモン薬の種類，投与方法や治療期間，起こりうる副作用について，どのように説明したかを把握したうえで，患者が理解している内容を確認する．患者の理解が十分でないときや，疑問がある場合には，わかりやすい言葉で看護師が説明するとともに，必要に応じて再度，医師からの説明を受けられるようにする．

　術後の病理診断で再発リスクの低い乳がんの場合には，ホルモン受容体が出現していても，内分泌療法をしないという選択肢がある．また，挙児希望の場合には，治療期間の短縮も選択肢となる．内分泌療法のメリットとデメリットについての患者の価値観を尊重し，患者が納得して治療法を選択できるように援助する必要がある．

b. 症状マネジメント

　アロマターゼ阻害薬による関節痛・骨痛に対しては，鎮痛薬の投与やホルモン薬を変更する場合があるので，医師に相談するように説明する．また，タモキシフェンクエン酸塩を内服している患者の不正出血が続くときには，婦人科医に相談するよう促す．性交痛に対しては，水溶性の腟潤滑ゼリーの使用を勧めるとよい．

c. 内分泌療法を安全に実施するうえでの注意事項

　LH-RHアゴニストの皮下注射では，内出血や皮膚の硬結を生じることがある．前回の注射部位を確認し，同一部位とならないように注意する．また，ゴセレリン酢酸塩の注射後は注射部位を圧迫し止血を確認する．体内で徐々に吸収される薬剤であるため，注射後は，もまないように注意する．

d. セルフモニタリング

　ホルモン薬ごとに特徴的な副作用について説明し，体調の変化に気づくように指導する．日記などに，副作用の症状と程度や出現時期を記録するように促すのがよい．ほてりや発汗は，生活行動や食事，環境の変化などによって出現することがあるので，誘因とし

て可能性があるようなことをメモしておくのがよい．体重は，毎日一定の時間に同じ条件下で測定するよう促す．不正出血は，量や色調，持続日数などを記録するのがよい．

e. 日常生活および治療継続における教育的支援

ほてり，のぼせ，発汗などの更年期様症状に対しては，衣類による調整や室温の調整，酸味や香辛料の強い食事を避けるように指導する．大豆イソフラボンには弱いエストロゲン作用があるので，サプリメントとして摂取するのは避け，大豆食品として摂取するよう勧める．市販の健康食品やアロマオイルには，女性ホルモン様の成分が含まれることがあるので，成分を確認し，使用にあたっては医師に相談するよう促す．帯下の増加に対しては，清潔の保持を促す．

体重増加に対しては，食事摂取の内容や量や時間を見直すとともに，食事を作りすぎない，余計な買い置きをしないように指導する．ウォーキングや水泳などの運動を取り入れるのもよい．骨密度の低下に対しては，運動やカルシウムの摂取のほか，日常生活で転倒しないよう注意を促す．

f. 心理・社会的支援

初期治療としての内分泌療法を受けている患者は，「内分泌療法を受けたくないけれど再発予防のためにしかたがない」「再発を本当に予防できるかどうかわからない，再発するのではないか」「副作用としての更年期様症状や子宮体がんが心配」などの不安がある．また，転移・再発への内分泌療法を受けている患者では，「ホルモン薬でいいのだろうか，もっと強い薬でないと効果がないのではないか」「治療の効果があるうちはいいけれど，薬が効かなくなったらどうなるのだろうか」などの不安がある．患者の訴えを傾聴・受容・共感し，治療を続ける患者を支える援助が重要である．

とくに，閉経前の患者では，内分泌療法による月経停止や更年期様症状によって，女性らしさの喪失感を抱くことがある．看護師は，患者の心理的苦痛に寄り添い，患者が女性としての自分の価値を保ちつつ，自分の新たな価値観や自信を獲得するプロセスを見守る支援を行う．

セクシュアリティに関しては，夫やパートナーとの関係が希薄になり，悩みながらも医療者になかなか相談できずにいることもある．内分泌療法を開始する前に，看護師は，セクシュアリティへの影響について説明するとともに，看護師が性の相談にも応じることを伝え，専門的な相談機関に関する情報の提供や，腟潤滑ゼリーのサンプルの提供をする．内分泌療法開始後も，副作用症状の把握とともに，プライバシーに配慮しながらセクシュアリティに関する問題が生じていないかを確認する．

内分泌療法の内服治療は長期間にわたるため，処方を受け取るために通院する時間的・経済的負担は少なくない．乳がん治療専門医療機関とかかりつけ医との連携により，患者が乳がん専門医療機関を受診せずに，かかりつけ医から処方箋を受け取ることが可能になってきている．看護師は，乳がん治療専門医療機関とかかりつけ医との連携において，患者が不安や疑問に思うとき，困ったときにいつでも支援できる体制を整えておく必要がある．

g. 家族への支援

家族は，内分泌療法について「副作用の少ない軽い治療」と受け止めていることがある．家族に対してホルモン薬ごとに特徴的な副作用について説明し，家族の理解を促す．とく

に，患者が抱いている副作用への不安や，内服治療継続によるわずらわしさ，更年期様症状としての気分の変調やイライラ感などへの理解と，家族による心理的サポートの重要性を伝える．関節痛や骨痛，倦怠感，頭痛などの副作用により日常生活や家事への影響が生じることもあるので，患者の家庭での役割について家族の協力と支援を促す．

学習課題
1. 内分泌療法の治療の適応を説明してみよう
2. 内分泌療法を受ける乳がん患者の看護アセスメントの要点を説明してみよう
3. 内分泌療法を受ける乳がん患者の援助の方針を説明してみよう
4. セクシュアリティに関する患者への援助について説明してみよう

練習問題
Q1 アロマターゼ阻害薬の主な副作用について正しいのはどれか．
1. 子宮内膜がん　2. 乳房痛　3. 関節痛や骨痛　4. 血栓症

［解答と解説 ▶ p.525］

肝動脈塞栓療法を受ける患者の援助

> **この節で学ぶこと**
> 1. 肝動脈塞栓療法の目的ならびに対象疾患を説明できる
> 2. 肝動脈塞栓療法を受ける患者の特徴を説明できる
> 3. 肝動脈塞栓療法を受ける患者の看護を説明できる

A. 肝動脈塞栓療法の基礎知識

1 ● 治療の目的・位置づけ

　血管造影やCTなどの放射線による画像診断の技術を利用した治療をインターベンショナルラジオロジー（interventional radiology：IVR）という．**塞栓療法**はIVRの1つに位置づけられる．塞栓療法では，動脈へ経皮的にカテーテルを挿入し，目的部位までカテーテルを進入させたのちに，塞栓物質を注入することで血流を遮断する．塞栓物質による血流遮断という手技を用いることから，塞栓療法の主な目的は，①動脈性の出血の止血，②動脈を栄養血管とする腫瘍の壊死をはかること，である．腫瘍の壊死を目的とした塞栓療法の対象となる疾患には，肝細胞がん，腎細胞がん，子宮筋腫があり，それぞれ肝動脈，腎動脈，子宮動脈を塞栓する．

2 ● 治療方法

a. 肝動脈塞栓療法

　塞栓療法の代表的なものは，肝細胞がんに対する経カテーテル肝動脈塞栓療法（transcatheter arterial embolization：TAE，以下，**肝動脈塞栓療法**とする）である（また肝動脈に抗がん薬を注入して塞栓する治療を**肝動脈化学塞栓療法**［transcatheter arterial chemoembolization：TACE］とよぶ）．肝臓には，肝動脈と門脈の2本の栄養血管が流れ込んでいる．肝動脈は腹腔動脈から分岐する動脈であり，門脈は腸管から吸収した栄養分を肝臓に運ぶ機能をもつ．肝臓の正常な組織には，肝動脈から20～30％，門脈から70～80％の栄養が供給されている．そして，肝細胞がんの多くは肝動脈を栄養血管とする特徴をもつ．したがって，肝細胞がんに栄養を供給する肝動脈を選択的に塞栓することによって血流を遮断し，がんを壊死させて縮小・消失をはかることができる．また，肝動脈化学塞栓療法では，抗がん薬と油性造影剤の混合物を肝動脈に入れた後に塞栓し，抗がん薬が局所に長期にとどまることでがんの壊死効果を得る[1]．肝臓の正常組織は主として門脈から血流を受けるため，塞栓療法による影響を受けることが少ない．肝動脈塞栓療法はこの

ような肝臓の血流分布を利用した治療法である．

b. 肝動脈塞栓療法の手順

肝動脈塞栓療法は次の手順で行う（図Ⅳ-9-1）[2]．

① 大腿動脈周辺の局所麻酔を行った後，鼠径部の大腿動脈からカテーテルを経皮的に挿入する．X線透視画像を確認しながら大腿動脈にカテーテルを逆行させて進める．

② カテーテルから造影剤を注入して肝動脈を造影し，肝細胞がんの部位や数，大きさや形態，栄養血管となる動脈の診断を行う．

③ 肝細胞がんの栄養血管となっている末梢の動脈までカテーテルを進める．腫瘍を正確に診断するためにCTを一緒に行うこともある．塞栓物質（多孔性ゼラチン粒球状塞栓物質）で動脈を塞ぐ．肝動脈化学塞栓療法では，がんの縮小効果をはかるために，動脈を塞栓する際に抗がん薬を栄養血管に注入する（TACE）．通常，抗がん薬はヨード化ケシ油脂肪酸エチルエステル（リピオドール®）と混ぜて使用される．リピオドール®は油性の造影剤であり，組織に停滞して抗がん薬の抗腫瘍効果を高める．また，あらかじめ抗がん薬を含浸させた薬剤溶出性球状塞栓物質を用いることがある．

④ カテーテルを大腿動脈まで戻し抜去したあと，動脈穿刺部位の圧迫止血を約15分間行う．このあと穿刺部の出血が起こらないように数時間～翌朝まで下肢を伸ばした状態で安静にする．

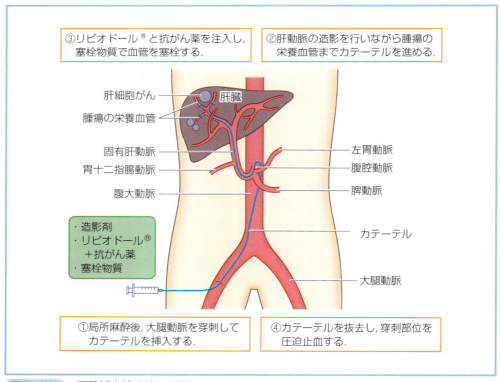

図Ⅳ-9-1 肝動脈塞栓療法の手順

3 ● 治療の対象となる肝臓がん

　肝動脈塞栓療法では，肝臓の予備機能の指標であるChild-Pugh分類がAまたはBで，がんの個数が3個以内で大きさが3 cmを超えているか，4個以上のがん（大きさを問わない）があり，肝切除術や穿刺局所療法といった根治的治療の対象とならない肝細胞がん，あるいは門脈腫瘍栓を有し肝切除術の適応とならない肝細胞がん[2]が治療の対象となる．

4 ● 治療の副作用と合併症

a. 肝動脈塞栓療法の副作用

（1） 腹 痛
　肝動脈塞栓療法の施行時に生じる腹痛は，塞栓物質が血管に注入された刺激により生じる．また，肝動脈塞栓療法後の上腹部痛は，栄養血管を塞栓した結果として腫瘍が壊死することに伴う痛みである．

（2） 悪心・嘔吐，食欲不振
　造影剤や抗がん薬の副作用で生じることがある．通常は2, 3日で改善する．

（3） 発 熱
　腫瘍の壊死に伴う炎症や吸収熱のため，肝動脈塞栓療法後の2, 3日は37〜38℃の発熱が生じることがある．

（4） 抗がん薬による骨髄抑制
　使用された抗がん薬による**骨髄抑制**が生じる．

（5） 造影剤の副作用
　肝動脈塞栓療法施行時は，血管造影に使用される造影剤の副作用が生じる可能性がある．造影剤による副作用には，**アナフィラキシー**，熱感，悪心，瘙痒感，発疹，頭痛などがある．

b. 肝動脈塞栓療法の合併症

（1） 胃・十二指腸潰瘍，胆囊炎（たんのうえん），膵炎（すいえん），脾梗塞（ひこうそく）
　塞栓物質や抗がん薬が，胃・十二指腸動脈などの肝細胞がんの栄養血管以外の血管に流れ込んで，潰瘍を形成したり，炎症を起こしたりすることから生じる．

（2） 穿刺部の出血
　大腿動脈穿刺部の圧迫止血が不十分であると，出血することがある．また，肝機能の悪化により凝固機能が低下している患者は，出血の危険性が高い．

（3） 血栓の形成
　大腿動脈を穿刺する刺激により，血栓が形成されることがある．

（4） 肝機能障害
　肝臓の血流が遮断されることによる正常な肝組織への影響と，腫瘍の壊死によって，一時的な肝機能の低下が生じる．腫瘍が大きい場合や塞栓を行った範囲が広い場合は肝機能障害が増悪することがある．

（5） 肝膿瘍（かんのうよう）
　腫瘍が大きい場合，腫瘍の壊死した部分に感染が起こり膿瘍を形成することがある．膿瘍を形成すると発熱・腹痛が生じる．

(6) 腎機能障害

腫瘍が大きい場合，壊死した腫瘍成分の排泄に伴い腎機能障害を起こすことがある．また，造影剤や抗がん薬が腎機能に影響を与える場合もある．

B. 肝動脈塞栓療法を受ける患者の特徴

1 ● 身体的特徴

a. 顕著な自覚症状がないまま経過する

肝臓には，アミノ酸・血漿タンパク・脂肪などの合成・分解・貯蔵，解毒作用，胆汁の産生や分泌といった機能がある．肝細胞がんによってこれらの肝臓の機能が影響を受けても，肝臓の予備能力は高く軽度の肝機能低下ではほとんど自覚症状はない．したがって，肝動脈塞栓療法を受ける患者の多くは，肝細胞がんや治療に伴う肝機能低下による顕著な自覚症状を感じることなく経過する．しかしながら，肝細胞がんの再発を繰り返し，肝内に腫瘍が多発性に発生することで肝臓の予備能力を超えたダメージが生じると，黄疸，腹水，出血傾向，肝性脳症，全身倦怠感といった肝不全症状が出現する．このような肝不全症状は急激に発現することがあり，患者は体調悪化の自覚による死の不安や症状増悪による身体的苦痛を体験する．

b. 肝動脈塞栓療法の副作用や治療後の安静による身体的苦痛

(1) 副作用による身体的苦痛

肝動脈塞栓療法の主な副作用は，腹痛，悪心・嘔吐，食欲不振，発熱である．また，使用された抗がん薬による副作用症状として骨髄抑制などが起こる．

(2) 治療後の安静に伴う苦痛

肝動脈塞栓療法では動脈を穿刺するため，治療後に穿刺部位を約15分間圧迫止血する．圧迫止血をしている間はベッド上での安静が必要であり，その後も通常3〜6時間は安静を保持する．穿刺側の下肢の屈曲や体位変換が制限されるので，同一体位を保つことに伴う腰背部痛が生じる．また，食事や排泄はベッド上で臥床したままで行われ，必要に応じて尿道留置カテーテルが挿入されるなど，活動制限による苦痛が生じる．

2 ● 心理・社会的特徴

a. 繰り返し入院治療を受けることによる社会的役割への影響と経済的負担

　肝動脈塞栓療法は根治を目指した治療ではないため，治療の効果をみながら繰り返し治療が行われる．肝動脈塞栓療法には入院が必要である．肝動脈塞栓療法を繰り返し受ける患者は，治療のために仕事や家事などの社会的役割に関する調整を行う必要がある．また，肝炎や肝硬変を基礎疾患にもつ患者の場合は，肝炎や肝硬変に対する治療期間が長く，かつ肝動脈塞栓療法を繰り返すことに伴う経済的な負担が生じやすい．

b. 根治を望めないことによる不安

　肝動脈塞栓療法の効果はCT検査またはMRI検査で評価される．通常は治療の1ヵ月後に検査による評価が行われ，効果が得られればその後は定期的に肝細胞がんの状態を検査する．肝細胞がんは肝炎や肝硬変が基礎疾患にあると，治療をしても再発する可能性が高い．患者は，治療の効果に対する期待と不安，肝細胞がんが進行することに対する不安，見通しの不確かさを常にかかえながら生活することになる．肝動脈塞栓療法の効果が得られなければ，肝機能と肝細胞がんの状態を考慮してその他の治療法を検討することになり，治療の効果に期待をかけていた患者の心理的衝撃は大きい．

c. 家族の負担

　家族は患者と同様に，治療の効果や病状の進行に対する不安，患者の予後に対する不安をかかえやすい．また，入院治療が繰り返されることで，患者が担っている仕事や家庭での社会的役割をほかの家族員が代わる必要が生じ，家族員の生活のしかたが変化して負担がかかる．

C. 肝動脈塞栓療法を受ける患者への援助

1 ● 看護アセスメント

　肝動脈塞栓療法が安全，安楽に行われるように，患者の身体的側面・治療によって影響を受ける日常生活・心理的側面・社会的側面のアセスメントを行う．アセスメントの項目を表Ⅳ-9-1にまとめた．

2 ● 援助の方針

　肝動脈塞栓療法を受ける患者の身体的，心理・社会的特徴をふまえ，援助の方針を次のように考える．

> ①肝動脈塞栓療法について患者が十分に理解し，安全，安楽に治療が受けられるよう支援する．
> ②肝動脈塞栓療法の副作用症状の緩和と，セルフモニタリングが行えるよう支援する．
> ③肝動脈塞栓療法を繰り返し受けることに伴う心理・社会的な苦痛を軽減し，治療と，地域での質の高い生活の両立がはかれるよう支援する．

表Ⅳ-9-1 肝動脈塞栓療法を受ける患者の看護アセスメント

目的	アセスメント項目		備考
身体的側面 ● 肝細胞がんや肝動脈塞栓療法による身体への影響をアセスメントする ● 肝動脈塞栓療法による身体的苦痛の程度をアセスメントする	● 検査値	・肝細胞がんや肝動脈塞栓療法による身体への影響を把握するために，治療前後にアセスメントする ・総ビリルビン，アルブミン，インドシアニングリーン試験（ICG）の値，プロトロンビン活性値，LDH，AST，ALT ・電解質（Na，K，Ca），血小板数，アンモニア値，血清アミラーゼ値，クレアチニン，尿素窒素値	・治療に耐えうる肝機能の状態か，および治療による肝機能への影響をアセスメントする．
	● 全身状態	・全身倦怠感・黄疸・腹水・浮腫・肝性脳症・疼痛・出血傾向・血糖値の変動の有無と程度	
	● 肝細胞がんの進行度	・部位・大きさ・数に関する画像診断（肝血管造影，CT，超音波）	
	● 肝炎・肝硬変の程度，症状，治療	・肝炎・肝硬変が基礎疾患にある場合には，それらの疾患の程度と症状，受けている治療	・治療後に肝炎・肝硬変の症状増悪の有無をアセスメントする． ・穿刺後の出血のリスクを抗凝固薬，抗血小板薬の内服の有無ならびにプロトロンビン活性値と血小板数からアセスメントする．ビグアナイド系糖尿病薬は造影剤により乳酸アシドーシスを起こすことがある． ・治療による身体的苦痛の有無を把握し，援助に役立てる．
	● 服薬・アレルギー	・抗凝固薬や抗血小板薬の内服の有無，造影剤のアレルギーの有無，糖尿病薬等内服の有無	
	● 感染症	・ウイルス性肝炎など	
	● 肝動脈塞栓療法の副作用・合併症の有無	・腹痛，悪心・嘔吐，食欲不振，発熱，穿刺部位の出血，足動脈の触知，安静臥床に伴う腰背部痛，抗がん薬の副作用（白血球数減少，腎機能障害，間質性肺炎など），尿量の変化，副作用による苦痛の程度	
日常生活の側面 ● 肝動脈塞栓療法による日常生活への影響をアセスメントする	● 治療の副作用や治療後の安静が日常生活に与える影響	・腰痛の既往の有無，ベッド上での排泄や食事の経験の有無を治療前に確認する	・腰痛の既往がある場合はマットの種類を事前に工夫するなどの援助に役立てる．
	● 食事	・食事のしかた，食事・水分摂取量，排泄のしかた	
	● 排泄	・排泄方法，排尿回数，尿量，排便回数，排便の性状	
	● 活動	・睡眠の状況，日常生活における活動状況	
	● 清潔	・入浴・洗面・更衣整容の状況	
	● セルフケア能力	・これまでの生活において，病気を悪化させないように気をつけてきたことは何か：運動，睡眠，休息，食事，排泄，清潔において気をつけてきたことに関する情報	
認知・心理的側面 ● 肝細胞がんと肝動脈塞栓療法が心理状態に及ぼす影響をアセスメントする	● 理解力および受け止め	・患者と家族の病気に対する理解度，不安，受け止め方 ・患者と家族の肝動脈塞栓療法についての理解度，治療効果に対する期待，不安 ・肝動脈塞栓療法を繰り返すことに対する受け止め方や不安	・治療を繰り返し受けることが，治療に対する意欲や不安に及ぼす影響を把握し，前向きに治療を受けることの援助に役立てる．
	● 対処方法	・入院を繰り返すことや治療の副作用に対してどのように対処しているか	
社会・経済的側面 ● 肝細胞がんと肝動脈塞栓療法が社会・経済状態に及ぼす影響をアセスメントする ● 退院後，肝臓の機能を庇護しながら質の高い生活を送るための援助に必要な情報をアセスメントする	● ソーシャルサポート ● 経済状態 ● 役割 ● 家族の状態 ● 価値観	・家族のサポート体制 ・治療を繰り返すことによる経済的側面への影響 ・患者と家族のそれぞれが担う社会的役割と入院に伴う影響 ・患者の家族に対する負い目，家族の負担感 ・日々の生活のなかで大切にしていることは何か，治療が終わったらどのように過ごしたいと考えているか	・治療を繰り返し受けることが，患者の社会的役割や経済状況に及ぼす影響を理解し，病気をもちながらも質の高い生活を送ることの援助に役立てる．

3 ● 看護実践

a. インフォームド・コンセントおよび意思決定支援

　肝細胞がんの治療法は，肝臓の予備機能と，腫瘍の数ならびに大きさなどを考慮して決定される．患者と家族には，病状の説明とともに，肝動脈塞栓療法が選択された理由，治療の方法と期待される効果，治療の副作用などについて医師から説明される．治療に関する意思決定を支援するために，患者が医師の説明を十分に理解できたかどうか，治療を受けることを患者が自分の意思で決めたかどうかを確認し，理解が不十分な部分は説明を補足したり，情報を提供したりして援助する．とくに，肝炎や肝硬変を基礎疾患にもつ患者は，肝細胞がんの発症に対する脅威をかかえながら肝炎・肝硬変に対する治療を長期にわたって受けてきた経過がある．肝細胞がんと診断されて間もない患者は心理的衝撃が大きく，冷静な意思決定を行うことが困難な状況に陥りやすいため，患者の思いを理解し，心理的に安定するように支援する．

b. 症状マネジメントとセルフモニタリング

　患者が肝動脈塞栓療法を安全・安楽に受けられるように，副作用症状をマネジメントする．また，出現する可能性のある副作用について事前に患者に説明し，患者自身も副作用に対処できるよう支援する．

(1) 腹　痛

　治療当日から生じることが多い．腹痛の強さや部位を観察し，医師の指示に基づいて鎮痛薬を使用する．腹痛が強いときには安静が保たれるように日常生活の援助を行う．また，腹痛および発熱，悪心・嘔吐が長引く場合には，胃・十二指腸潰瘍，胆囊炎，膵炎，脾梗塞などの合併症が疑われるので継続的な観察を行う．患者には，腹痛の増強や下血など排便の性状の変化がある場合には医療者に伝えるように説明する．

(2) 悪心・嘔吐，食欲不振

　悪心・嘔吐の程度や食事の摂取状況，悪心・嘔吐の随伴症状である倦怠感や脱水，不眠の有無を観察する．抗がん薬や造影剤の副作用による腎機能障害を予防するためにも水分摂取は重要である．患者には脱水にならないように水分摂取の必要性を説明し，圧迫止血のために活動が制限されているときは飲水を援助する．嘔吐のため水分摂取ができないようであれば医師の指示に基づいて制吐薬の使用や補液を行う．

(3) 発　熱

　発熱の程度，熱型，発熱に伴う患者の苦痛を観察する．冷罨法（れいあんぽう）や，医師の指示に基づいて解熱鎮痛薬の与薬を行う．1週間以上の発熱が続く場合には，肝膿瘍の形成が疑われるので継続的に観察を行う．発熱時は安静が保たれるように日常生活の援助を行う．

(4) 抗がん薬の副作用

　抗がん薬の副作用による骨髄抑制で白血球数が減少することがある．白血球数の推移を検査値から把握し感染予防を行う．また，患者自身が感染予防の行動をとれるように白血球数の検査値を伝えるとともに，清潔の保持，うがい，手洗い，マスクの着用の必要性を説明する．

c. 肝動脈塞栓療法を安全に実施するうえでの留意事項

　肝動脈塞栓療法を受ける患者には治療について事前に説明を行う．説明内容は，①治療

表Ⅳ-9-2 肝動脈塞栓療法を受ける患者の看護

<治療前日の看護>
①鼠径部の除毛：治療部位の視野の確保と，治療後に動脈の圧迫固定が確実に行えることを目的に，両側鼠径部と陰部の除毛を行う
②下剤の与薬：治療後はベッド上安静が指示されるため，治療後の安静保持のために医師の指示に基づいて下剤を与薬し治療前の排便をはかる
③足背動脈のマーキング：大腿動脈穿刺による血流障害の有無を治療後に観察するため，両足背の動脈の拍動が触れるところにマーキングを行う

<治療当日の看護>
①排便の確認：排便の有無を確認する
②食事の制限，補液の実施：食事の制限や補液を医師の指示に基づいて実施する
③尿道留置カテーテルの挿入：治療後の大腿動脈穿刺部位の安静を保つため，必要に応じて尿道留置カテーテルを挿入する
④検査衣への更衣と装飾品の除去：治療室に移送するときには検査衣に着替え，義歯・眼鏡・時計・装飾品などをはずす
⑤前投薬：医師の指示に基づいて前投薬を行い，ストレッチャーで治療室に移送する
⑥治療室の看護師との連携：治療の前後に治療室の看護師と患者に関する情報の交換を行う
⑦治療中の看護：バイタルサイン・局所麻酔薬や造影剤の副作用症状の観察，行われている処置について適宜説明することで不安の軽減をはかる
⑧肝動脈塞栓療法後の副作用と合併症の観察：バイタルサイン，肝性脳症の徴候，腹痛，悪心・嘔吐，食欲不振，発熱などの副作用を観察し，症状マネジメントを行う．また，穿刺部位の出血の有無，大腿動脈穿刺による血流障害がないかを足背動脈の触知や下肢の冷感，しびれの有無で観察する．造影剤や腫瘍の壊死による腎機能低下を把握するために水分摂取量と尿量を経時的に観察する
⑨安静の保持：穿刺部位からの出血予防のための安静に伴い制限される日常生活の援助（食事：おにぎりにして食べやすくするなどの工夫，排泄：床上排泄の援助，清潔：口腔ケアや洗面の援助）を行う
⑩安楽の工夫：臥床による腰背部痛に対し，マットの工夫，安静指示の制限内での体位変換やマッサージを行う
⑪安静解除：歩行可となった時は肺血栓塞栓症の症状（呼吸困難，胸痛）に注意する

の方法，②治療の副作用と合併症，③治療に必要な前処置，④治療に伴う日常生活（食事，排泄，清潔，活動）の制限，⑤点滴や内服薬に関すること，である．肝動脈塞栓療法の実施に沿った看護について**表Ⅳ-9-2**に示した．

d. 日常生活および治療継続における教育的支援

　肝細胞がんの進行や繰り返される肝動脈塞栓療法は患者の肝機能に影響を与える．肝機能の低下を最小限に抑え，肝臓を庇護しながら患者が望む生活を送れるように支援する．また，繰り返し治療を受ける場合には，患者がどのような生活を送りたいと望んでいるかを理解したうえで，治療の継続と社会での質の高い生活が両立できるように日常生活における教育的支援を行う．教育内容は次のとおりである．

①ストレス解消や体力保持のための適度な運動と，肝血流量を保持し肝細胞の再生をはかるための安静の両方のバランスをとるように説明する．
②肝機能が低下するとアンモニア代謝が低下し，肝性脳症を生じる．日ごろから便秘にならないように排便のコントロールを行う．
③抗がん薬の副作用による骨髄抑制や肝機能低下による免疫低下が生じることがあるので，感染予防の必要性を説明する．
④肝炎や肝硬変が基礎疾患にある場合は，肝機能の状態に応じた食事療法を指導する．
⑤治療後に腹痛や発熱が続いたり，肝不全症状が出現したときは受診するよう説明する．

e. 心理・社会的支援

　肝動脈塞栓療法後に生じる腹痛や発熱は，病状の悪化や治療効果に対する不安を強めるため，これらの症状が治療の副作用であることを説明して不安の軽減をはかる．また，治療中は狭い検査台の上で体を動かさずにいなければならないことや羞恥心などの苦痛を体験するため，治療中の患者の心理面への配慮も必要である．

　肝動脈塞栓療法は根治を目指した治療ではなく，患者は治療の効果に対する期待と不安，がんの進行や予後に対する不安，見通しの不確かさをかかえる．さらに，これらの不安や治療時に体験する身体的苦痛は，患者が継続して治療を受けようとする意欲に影響を与える．患者が治療や自分の病状について理解できるように情報を提供するとともに，治療や病気に対する患者の思いを傾聴し共有する．

f. 家族への支援

　家族は患者と同様に心理的に不安定になったり，介護によって疲労していたり，患者への接し方がわからず困惑していることがある．患者だけでなく，家族も看護の対象として認識することが必要である．また，患者にとって家族は身体面，生活面，心理・社会面のすべてにおいて重要な支援者である．家族が患者の支援者であるためには，まずは家族が心理的に安定していることが重要である．家族は治療の効果や病状の進行に対する不安，患者の予後に対する不安などをかかえやすく，患者が治療のため入院を繰り返す場合は患者の仕事や家庭での社会的役割を代わるなどの負担を体験している．家族の思いを聴く時間をとって傾聴し，家族が自分の思いを語ることでつらい気持ちが軽減するように援助する．

学習課題

1. 肝動脈塞栓療法の特徴をまとめてみよう
2. 肝動脈塞栓療法の副作用と合併症を挙げてみよう
3. 肝動脈塞栓療法を安全，安楽に実施するための看護のポイントを説明してみよう

練習問題

Q1 肝動脈塞栓療法を受ける患者の当日の看護について適切なのはどれか．
1. 治療中は，造影剤によるインフュージョンリアクションに注意する．
2. 治療後は，足背動脈の触知や下肢の冷感，しびれの有無を観察する．
3. 治療終了後24時間は，食事や水分摂取を禁止する．
4. 治療終了後に意識清明であればすぐに歩行できる．

［解答と解説　▶ p.525］

引用文献

1) 村田慎一，茶谷祥平，佐藤洋造ほか：肝細胞がん−肝動脈化学塞栓療法．The GI Forefront 16(2)：122-126, 2020
2) 日本肝臓学会（編）：肝癌診断ガイドライン2021年版，p.180-190，金原出版，2021
3) 福島泰斗：塞栓療法．がん看護19(6)：546-548, 2014

第Ⅴ章

慢性疾患を有する人とその家族への看護

学習目標

1. 代表的な慢性疾患を有する人の身体的,心理・社会的特徴について理解する
2. 代表的な慢性疾患を有する人の看護アセスメントの視点について理解する
3. 代表的な慢性疾患を有する人の具体的な援助について理解する

1 気管支喘息

V-1. 呼吸器系の障害を有する人とその家族への援助

この節で学ぶこと
1. 気管支喘息患者の身体的，心理・社会的特徴を説明できる
2. 気管支喘息患者を理解するためのアセスメント項目を説明できる
3. 気管支喘息患者が気管支喘息のコントロール状態を良好に保つために必要な援助や教育的支援について理解できる

A. 気管支喘息患者の身体的，心理・社会的特徴

　気管支喘息（以下，喘息）は，気道の慢性炎症によって気道平滑筋の収縮，気道粘膜の浮腫，気道分泌物の亢進が生じ，変動性のある気道の狭窄をきたす疾患である．炎症によって気道の過敏性は亢進し，健常者ではまったく反応しない程度の刺激で容易に狭窄し，**咳嗽**，喘鳴，**呼吸困難**を生じる．気道狭窄は可逆性であり，自然に，あるいは治療により改善するが，気道炎症の持続により気道壁の肥厚（リモデリング）をきたすと，気道狭窄は不可逆性となり，さらに気道過敏性が亢進するのが特徴である（**図Ⅴ-1-1**）．病型には，環境アレルゲンに対する特異的IgE抗体が検出されるアトピー型と検出されない非アトピー型がある．成人発症喘息の多くは非アトピー型である．

　喘息の管理目標は，気道炎症を引き起こす因子の回避・除去，薬物療法による気道炎症の抑制と気道拡張を達成し，患者が健常者と変わらない日常生活を送れるようにすること，その結果，喘息死や急性増悪の予防，呼吸機能低下の抑制といった将来のリスクを回避す

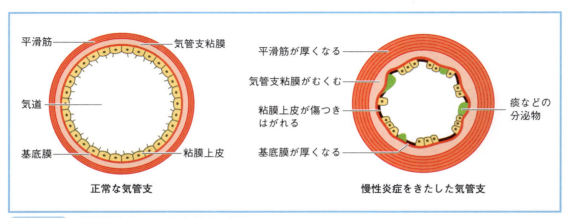

図Ⅴ-1-1 慢性炎症をきたした気管支の断面

ることである[1]．喘息の管理は，症状の有無にかかわらず，長期管理薬による治療を継続することが基本となる．喘息治療には重症度に応じた4つの治療ステップがある．どのステップにおいても中心となるのは，気道の炎症を抑える吸入ステロイド薬（inhaled corticosteroid, ICS）であり，段階的に他の長期管理薬を組み合わせて治療強度を高めていく．治療のステップアップやステップダウンは，治療開始後の喘息症状，増悪頻度，患者の服薬アドヒアランス，吸入手技などの評価に基づいて検討される．

なお，高用量のICSを含む複数の長期管理薬による治療を適切に続けても，喘息症状の改善が乏しく，増悪を繰り返す重症喘息患者が全体の1割程度存在する．近年，重症喘息に対する治療の選択肢として，生物学的製剤[*1]による治療の追加，あるいは気管支熱形成術（bronchial thermoplasty, BT）[*2]の施行も検討されるようになっている．このほか，ダニがアレルゲンとなって発症している軽症から中等症の喘息で，アレルギー性鼻炎を合併している場合は，アレルゲン免疫療法[*3]が考慮される．

以下，喘息患者の身体的，心理・社会的特徴について述べる．

1 ● 増悪（発作）の繰り返しは，予後に悪影響を及ぼす

喘息は，さまざまな内因性・外因性刺激が契機となり，急性増悪（発作）を引き起こす．主な要因には，ウイルスによる呼吸器感染症，ほこり，カビ，花粉などの環境アレルゲンの曝露があり，そのほか運動，気温や気圧の変化，心理的ストレスなどがある．増悪の典型的な症状には，夜間や早朝に出現する発作性の呼吸困難や喘鳴，胸苦しさ，咳嗽などがあり，主に呼吸困難の程度によって増悪強度が判定される．増悪は気道の炎症や過敏性を増幅させ，気道のリモデリングをまねくおそれがあり，重篤な喘息症状の進行や既往は喘息死のリスクがある．

2 ● 喘息のコントロールにはセルフマネジメントの継続が不可欠である

喘息では，自覚症状がないときでも気道の炎症は持続している．気道のリモデリングの進行を抑え，増悪を予防するには，患者自身が気道の炎症を抑える長期管理薬，主に吸入ステロイド薬を適切に続けて，良好なコントロールを維持するとともに，環境アレルゲン，心理的ストレスの回避，気道感染予防などのセルフマネジメントに取り組む必要がある．

また，いったん気道が収縮して症状が発現すると，その気道収縮刺激だけで気道のリモ

[*1] 生物学的製剤
　気道の慢性炎症にかかわっている体内物質「インターロイキン（interleukin, IL）」や「IgE」の働きを抑えて，喘息症状を抑える．成人の重症喘息では，抗IgE抗体製剤のオマリズマブ，抗IL-5抗体製剤のメポリズマブ，抗IL-5受容体α鎖抗体製剤のベンラリズマブ，抗IL-4受容体α鎖抗体製剤のデュピルマブの使用が認められている．投与間隔は製剤によって異なり，2〜8週間ごとに皮下注射する．抗IgE抗体製剤については在宅自己注射が認められている．

[*2] 気管支熱形成術
　成人重症喘息患者を対象とする気管支内視鏡的治療法である．内視鏡で気管支にカテーテルを挿入し，直接気道粘膜に熱を加えることにより組織を損傷させ，気管支収縮の要因である肥厚した平滑筋を減少させることによって，気道の収縮反応を抑制し，喘息症状の緩和をはかる．2015年4月に保険適用となり，専門施設での治療が始まっている．

[*3] アレルゲン免疫療法
　ダニがアレルゲンとなって喘息を発症している患者に対し，ダニエキスを皮下注射で少量から投与していくことにより，体をアレルゲンに慣らし，アレルゲンに曝露された際に引き起こされる症状を緩和する治療法である．すぐに効果は表れず，治療期間は3〜5年間が目安とされている．

デリングは進行するため，患者自身による増悪の早期発見と早期対応がきわめて重要となる．

3 ● 喘息症状と心理・社会的背景は相互に影響し合っている

喘息の慢性的な経過や増悪は，患者にとって，疾患の成り行きを予測困難なものにし，増悪の再発に対する恐怖，将来に対する不安，治療管理の継続に無力感を抱くおそれがある．喘息症状による睡眠障害，予定外の受診や入院は，仕事や学業などにも支障をきたし業績や成績の低下，経済的負担をまねくこともある．

一方，不安，緊張，怒り，抑うつなどの心理状態は，喘息症状と密接に関係している．ライフイベントの変化（進学，就職，転職，近親者の病気や死など）や日常生活のストレス（対人関係や仕事の負担など）が喘息の発症や再燃に先行してみられることも多い．心理的因子により治療に対するアドヒアランスが低下した結果，喘息のコントロールの悪化につながることもある．また，職業に関連して曝露される物質が原因となり発症したり増悪したりする喘息では，労働環境の整備・改善，作業中の防護服の装着などの原因物質の曝露の回避・軽減をはかる．症状の改善がみられない場合，配置転換や転職など大きな調整を余儀なくされることもある．

B. 気管支喘息患者および家族への援助

1 ● 看護アセスメント

喘息症状と患者の日常生活や心理・社会的背景は相互に影響し合っている．喘息症状や治療管理による日常生活や心理・社会的影響，そして患者の日常生活や心理・社会的背景に存在する喘息の発症・悪化の誘因をアセスメントする必要がある．**表V-1-1**にアセスメント項目を示す．

2 ● 援助の方針

喘息患者の身体的，心理・社会的特徴をふまえ，援助の方針を次のように考える．

①患者が主体的に喘息に対する自己管理に取り組み，症状の増悪や呼吸機能の低下を予防し，QOLを維持・改善できるように支援する．
②急性増悪（発作）時は重篤な呼吸機能の悪化や生命の危機的状態を回避できるように支援する．

3 ● 看護活動

a. 症状マネジメント

喘息は，良好にコントロールされているときは無症状であり，増悪を起こすことによって，呼吸困難，喘鳴，咳嗽などが出現する．これらの喘息症状は，患者がほとんど自覚しないわずかな喘鳴や胸苦しさから，会話や歩行ができないレベルまで広範囲にわたり，症状の重症度に応じた段階的な増悪治療が行われる．患者が喘息症状の悪化を自覚した場合には，その症状の重症度に応じて，増悪治療薬開始や救急外来受診の判断ができるよう，

表Ⅴ-1-1　気管支喘息患者の看護アセスメント

目的	アセスメント項目		備考
身体的側面 ● 喘息のコントロール状態および急性増悪の強度をアセスメントする． ● 喘息の増悪因子をアセスメントする．	● 病歴	・喘息の初発時期，これまでの医療機関受診状況，投薬歴と治療に対する反応，急性増悪（予定外受診，救急外来受診，入院）の頻度，喘息による呼吸不全や挿管の既往の有無，既往歴（アレルギー性鼻炎，副鼻腔炎の既往，肥満，薬剤や食物アレルギー），家族歴（アトピー素因，喘息）	・鼻炎・副鼻腔炎，肥満，食物アレルギーの合併は喘息増悪の危険因子である．
	● 検査データ ①呼吸機能の評価	・スパイロメトリー：1秒量（FEV$_1$），1秒率（FEV$_1$%），%1秒量（%FEV$_1$），フローボリューム曲線 ピークフロー値，気道可逆性試験，気道過敏性試験	・気流制限，気道過敏性，気道可逆性を評価する．喘息の診断，治療方針の決定，治療効果の判定のために重要な指標である．
	②動脈血ガス分析	・pH，動脈血酸素分圧（Pao$_2$），動脈血二酸化炭素分圧（Paco$_2$），動脈血酸素飽和度（Sao$_2$，Spo$_2$）など	・喘息の急性増悪の強度を判定する指標である．
	③血液検査および喀痰検査	・末梢血好酸球数，喀痰中の好酸球比率	・好酸球性気道炎症の存在を判定する．
	④アレルゲン検索	・血清総IgE値，血清特異的IgE抗体，プリックテスト，スクラッチテスト，皮内テスト，アレルゲン吸入誘発試験，環境曝露試験	・急性増悪の誘因を検索し，アレルゲンを回避するうえで重要である．
	● 徴候・症状 ①喘息のコントロール状態	・日中および夜間の喘息症状の有無と出現頻度，増悪治療薬の使用頻度，運動を含む活動制限の有無	
	②急性増悪の経過，および症状	・喘鳴，胸苦しさ，息切れ，咳嗽，睡眠障害などの症状悪化を自覚したのはいつからか，どのくらいの頻度，どのような時に，どの程度の症状か，増悪の誘因，増悪治療薬の使用状況	・呼吸困難の程度に基づいて増悪強度が判定される（軽度：苦しいが横になれる／中等度：苦しくて横になれない／高度：苦しくて動けない／重篤：呼吸減弱・チアノーゼ・呼吸停止）
	● 身体所見	・呼吸数と深さ，肩呼吸，起坐呼吸，陥没呼吸，聴診所見（喘鳴，呼気延長，連続性ラ音の聴取，呼吸音の減弱），発汗，頻脈，チアノーゼ，四肢冷感，意識レベルの低下，発熱・脱水症状・血圧の変化などの合併	
日常生活の側面 ● 喘息とその治療が日常生活に及ぼす影響をアセスメントする ● 日常生活における増悪の誘因をアセスメントする ● セルフケアの実践状況をアセスメントする	● 環境	・室内アレルゲンの曝露回避（建物の気密性と換気状況，室内の清掃方法や頻度，カーペット使用の有無，使用している暖房器具，エアコンの掃除頻度，寝具や寝室の管理状況，ペットの有無など） ・喫煙や受動喫煙の有無 ・屋外の大気汚染（PM2.5，黄砂の飛来）の曝露状況 ・気温や気圧の変化，季節性アレルゲン（花粉）の影響	・主な感作アレルゲンは，家塵ダニ，真菌類，動物（ペット），花粉などである．
	● 食事	・食物アレルギーを有する場合は，アレルゲンとなる食品・アルコールによる増悪誘発の有無，飲酒の頻度や量 ・肥満がある場合は，食事内容と量	
	● 睡眠	・喘息症状による睡眠の妨げの有無と程度，睡眠時間	
	● 清潔	・更衣，入浴，歯磨き，含嗽などの清潔習慣，感染予防行動の有無	
	● 動作・活動	・喘息症状による活動制限，運動による増悪誘発の有無	
	● 趣味・余暇活動	・趣味・余暇活動の内容と頻度	
	● セルフケア能力	・日常生活を調整しながら治療を継続する能力の有無，程度（禁煙，薬物療法，吸入手技，ピークフローの測定，日誌の記録など）	

（つづき）

認知・心理的側面 ●喘息とその治療が認知・心理的側面に及ぼす影響をアセスメントする． ●セルフケアの習得，実践に影響している認知機能や心理状態をアセスメントする．	●疾患や治療の理解および受け止め	・疾患や治療に関する医師の説明内容，気管支喘息の病態や増悪因子をどのように理解し，受け止めているか ・喘息の治療や副作用をどのように理解し，受け止めているか ・喘息のコントロールに対する意欲・態度	
	●価値・信念	・何に価値を置き，何を大切にしているか，信仰する宗教は何か	
	●対処方法	・これまで喘息の増悪にどのように対処してきたか，コーピングパターン	
	●心理状態	・不安，緊張，苛立ち，怒り，抑うつ，あきらめなど	
	●認知機能	・理解力，記憶力，コミュニケーション能力	
社会・経済的側面 ●喘息とその治療が社会・経済的側面に及ぼす影響をアセスメントする． ●社会生活における増悪の誘因の有無をアセスメントする．	●役割	・家庭，職場における地位・役割	
	●職業・学業	・職歴，仕事の内容や取り扱う物質，職場環境，就労日の症状悪化の有無，勤務時間や休日の頻度，身体的負担の状況，喘息症状による仕事や学校生活への影響，通院や入院に関する職場や学校の理解，人間関係	
	●家族構成 ●家族の状態	・家族構成，同居家族の有無・人数 ・家族によるサポートの状況，患者の疾患や障害に対する家族の関心・理解力，情緒的関係，コミュニケーション	
	●キーパーソン	・家族または周囲の人の中でキーパーソンは誰か	
	●ライフイベント	・最近の重要なできごと（就職，試験などの行事，離婚，配偶者の病気や死など）	
	●経済状態 ●ソーシャルサポート	・医療保険の種類，経済的不安の有無 ・友人・知人・同僚・患者会などのサポートの有無，利用している社会資源	

医師や薬剤師と連携をとりながら，具体的に指導する．

増悪により救急外来受診や入院となった際は，セミファウラー位や起坐位など，患者にとって呼吸困難の増強がない安楽な体位をとり，十分な休息と睡眠がとれるよう援助する．動脈血酸素飽和度（SpO$_2$）低下を認める場合は，SpO$_2$ 95％前後を維持できるよう酸素療法を行う．頻呼吸，経口摂取困難から脱水症を合併している場合は，脱水症に対する治療も行う．

セミファウラー位 　　　　　　　　　　　起坐位

b. セルフモニタリング

咳嗽，胸苦しさ，喘鳴，呼吸困難，睡眠障害などが増悪の症状・徴候であることを伝え，セルフモニタリングを促す．ただし，これらの喘息症状が，必ずしもコントロール状態を鋭敏に反映するとは限らず，気道の状態を客観的に評価することが重要である．

ピークフロー（最大呼気速度，peak expiratory flow：PEF）は，1秒量とともに気流制限の程度を示す指標として信頼性が高い．朝の服用前と夜の測定によりPEFの日内変動を求めることができる．このPEF値の変動の程度は気道過敏性のレベルを示しており，気道炎症の重症度の指標ともなる．PEF値が予測値または自己最良値に比べ20％以上の低下を認める場合，あるいは日内変動が20％以上ある場合は，気道過敏性が亢進している可能性が高く，長期管理薬の強化や増悪治療薬の開始を検討する必要がある．日常生活において，患者がPEF値の定期測定や評価が正しくできるよう指導する．

　なお，ピークフローメーターは喘息に伴う呼吸生理機能の詳細な異常までは評価できないため，必要に応じて呼吸機能検査を実施することが望ましい．患者自身がそのことを認識し，定期的な受診と検査により自分の状態を正確に把握することも重要である．

c. 日常生活における教育的支援および援助

(1) 増悪因子の回避

　喘息の増悪を予防するには，まずは患者自身が，喘息症状の悪化の誘因を知ることが重要である．増悪時には何が誘因となったのか，患者が自分の生活や行動を振り返ることができるよう支援する．増悪の誘因が特定され，除去や回避が可能な場合は，患者にその情報を伝え，具体策について指導する．日常生活において増悪の誘因を避ける方法を表V-1-2に示す．

(2) 薬物療法

　喘息に対して行われる薬物療法は**長期管理薬**と**増悪治療薬**に大別される．長期管理薬は，毎日，継続的に使用し良好なコントロールを目指す薬剤であり，抗炎症作用のある吸入ステロイド薬を中心に，気管支拡張作用をもつ長時間作用性のβ_2刺激薬，抗コリン薬，テオフィリン徐放製剤，ロイコトリエン受容体拮抗薬を併用する．また，増悪治療薬は，喘息増悪治療のために短期的に使用する薬剤であり，主として短時間作用性のβ_2刺激薬や抗コリン薬，ステロイド薬，テオフィリン薬が用いられる．

　一般に，速効性のある増悪治療薬と異なり，長期管理薬は不快や苦痛の自覚がない状態で使用することが多いため，症状が改善したという自覚が得られにくく中断してしまう場合も多い．薬剤師と連携をとりながら，患者自身が長期管理薬と増悪治療薬それぞれの意義と用途の違いについて十分に理解したうえで適切に使用できるよう指導し，薬物療法に対するアドヒアランスを高める．

　現在，ステロイド薬，短時間および長時間作用性β_2刺激薬・抗コリン薬は，喘息の病変部である気管支と細気管支に直接到達できる吸入薬が用いられることが多い．使用する吸入器具の特徴や注意点と個人の特性をふまえた指導を行う．また，吸入薬は血中濃度を低く維持できるため全身性の副作用は少ないが，口腔，咽頭，喉頭，食道では濃度が高くなる．ステロイドの吸入薬には，口腔・咽頭カンジダ症，嗄声などの局所の副作用があり，β_2刺激薬には振戦，動悸，頻脈などの副作用がある．吸入後は含嗽し，口腔・咽頭症状を軽減するとともに，全身への吸収も少なくする必要がある．

d. 心理・社会的支援

　長期にわたる患者の療養をサポートできるよう，患者が医師をはじめとする医療関係者と治療についての見通しや治療上の不安など，よく話し合える良好な関係を確立できるよ

表V-1-2 日常生活において喘息の増悪の誘因を避ける方法

増悪を引き起こす誘因	増悪の誘因を避ける具体的な方法
呼吸器感染症	・含嗽・手洗いの励行 ・インフルエンザワクチン接種 ・風邪流行時は人ごみを避ける
過労やストレス	・睡眠や休養を十分にとる
食物・食品添加物 アルコール	・アレルゲンとなる食品は摂取しない ・アルコールで増悪が誘発される場合は，飲酒およびアルコール含有物を避ける
薬物 アスピリン喘息 （NSAIDs過敏喘息）	・増悪の誘因となる薬剤は絶対に使用しない ・アスピリンや非ステロイド性抗炎症薬（NSAIDs）が増悪の誘因となる場合は，内服薬，注射薬，坐薬に限らず，湿布や塗り薬などでも起こることがあるので，十分に注意する ・歯科をはじめ，他の医療機関を受診する場合は，必ず薬剤アレルギーがあることを申し出る ・β遮断薬は気管支収縮を誘発する可能性があるため，原則として使用しない
室内アレルゲン	・床の掃除機かけは，できるだけ毎日行うことが望ましいが，少なくとも3日に1回は行うことが望ましい ・照明器具の傘，タンスの天板なども，年に1回は徹底した拭き掃除をすることが望ましい ・カーペット，布製のクッション，ソファの使用，ぬいぐるみはできるだけ避ける ・十分な換気を行う ・エアコンを掃除する ・患者自身が掃除をする場合は，マスクやスカーフを着用して行う ・布団カバーやシーツはこまめに取り替える ・シーツをはずして，寝具両面に直接掃除機をかける ・ネコや犬などのペットは，寝室では飼わない
刺激物質	・禁煙する，他者のタバコの煙に曝露されないようにする ・線香，蚊取り線香，焚火，調理時の煙，霧や入浴中の湯気などでも増悪が誘発されることがあるため，注意する ・香りの強い石鹸，シャンプー，ローション類は使用を控える ・殺虫剤の散布，塗装，香りの強い食べものの調理などは喘息患者がいないところで行う ・通風が悪い場合，煙が出る場合，強い香りがする場合は，窓を広く開け，換気する
気象・大気汚染	・気温や気圧の変化，雷雨，黄砂，花粉などが増悪を引き起こすことがあるため，コントロール不良の患者の場合は，気象予報や環境省の注意報を参考に外出を控えるようにする ・花粉や黄砂に対してはマスク着用を勧める

う支援する．長期の入院となった場合や，気管支熱形成術や生物学的製剤など高額な治療法を選択しなければならない場合は，医療費控除や高額療養費制度の活用を勧めることも重要である．また，患者の心理・社会的背景を把握し，喘息の発症と経過を心身両面から検討していく必要がある．積極的な傾聴の姿勢で喘息患者に接し，感情の表出を助け，患者自身が問題に気づくことができるようアプローチするとともに，問題に適切に対処できるよう教育的，心理的な支援を行う．喘息教室などの参加を通じて，同じ病気をもつ患者同士が，同じ立場でコミュニケーションをとる機会を作り，知識の共有，不安の軽減をはかるのも有用である．

e. 家族への支援

喘息の増悪は日々の生活と密接に関係しているため，喘息患者と生活をともにする家族にも喘息という疾患を理解し，症状を増悪させないための日常生活の注意点，増悪時の対応など協力を得られるよう働きかけていく必要がある．また，家族自身も患者の疾患や症

状に伴いさまざまな不安，戸惑い，悩みをかかえているので，それらを表出できる機会を作り，できるかぎり解消できるよう支援していく．

> **学習課題**
> 1．喘息患者の気道粘膜には，どのような病態的特徴があるか説明してみよう
> 2．喘息患者の看護アセスメントをするうえで，どのような観察や情報収集が必要か説明してみよう
> 3．喘息の増悪因子とその予防方法について説明してみよう
> 4．喘息に対して行われる薬物療法はどのようなものか説明してみよう
> 5．喘息の症状の増悪の回避や有意義な日常生活のために必要な援助や教育的支援について説明してみよう

> **練習問題**
> **Q1** 気管支喘息に対する薬物療法について正しいのはどれか．
> 1．吸入薬の副作用は，内服や注射より少ない．
> 2．薬効を高めるために，吸入薬使用後は含嗽しない．
> 3．薬物療法は，増悪時のみ，短期的に行われる．
> 4．主に副腎皮質ステロイド薬とβ遮断薬が用いられる．

[解答と解説 ▶ p.525]

引用文献
1) 一般社団法人日本アレルギー学会喘息ガイドライン専門部会（監）：喘息予防・管理ガイドライン，p.3，協和企画，2021．

V-1. 呼吸器系の障害を有する人とその家族への援助

2 慢性呼吸不全
(慢性閉塞性肺疾患[COPD]を含む)

> **この節で学ぶこと**
> 1. 慢性呼吸不全（主にCOPD）患者の身体的，心理・社会的特徴を説明できる
> 2. 慢性呼吸不全（主にCOPD）患者を理解するためのアセスメント項目を説明できる
> 3. 慢性呼吸不全患者（主にCOPD）の増悪や生命予後の悪化につながる危険因子とその予防・対処法を説明できる
> 4. 慢性呼吸不全患者（主にCOPD）が安定した療養生活を送るために必要な援助や教育的支援を説明できる

A. 慢性呼吸不全患者の身体的，心理・社会的特徴

慢性呼吸不全とは，空気中の酸素を取り込む換気やガス交換の働きが障害され，血液中の酸素量が一定基準より低い，低酸素血症が1ヵ月以上続いている状態であり，高二酸化炭素血症を伴うこともある．慢性呼吸不全をきたす基礎疾患にはさまざまあるが，もっとも多いのは**慢性閉塞性肺疾患**（chronic obstructive pulmonary disease：**COPD**）であり[1]，近年，その**有病率**と**死亡数**の増加が問題視されている．

COPDは，タバコの煙など有害物質を長期に吸入曝露することによって慢性の気道・肺の炎症を生じる疾患であり，徐々に進行する労作時の**呼吸困難**や慢性の**咳嗽**と**喀痰**が代表的な症状である[2]．その病態として特徴的なのは，気管支腺からの分泌亢進，気管支壁の線維化・肥厚（リモデリング），炎症で破壊された肺胞同士の癒合・気腫化による肺の弾性収縮力の低下によって生じる気流閉塞と肺の過膨張であり，通常は進行性である．

COPDに対しては，病期，症状の程度，増悪の頻度などの評価に基づいて，薬物療法，禁煙・感染予防などの日常生活指導，栄養管理，運動療法，**酸素療法**，換気補助療法などの包括的な治療とケアが，多職種が参加したチーム連携のもとで行われる．以下，COPDを基礎疾患とする慢性呼吸不全患者の特徴を述べる．

1 ● 呼吸困難による身体的苦痛と身体活動への支障が大きい

COPDの労作時の呼吸困難（息切れ）は，気流閉塞と動的肺過膨張*に加えて，呼吸筋疲労や低酸素血症などによって生じ，進行すると肺高血圧症や心不全の合併も関与してくる．COPDの呼吸困難は持続的で進行性であるのが特徴で，早期には階段や坂道を上がる

---

*動的肺過膨張：運動によって呼吸が速迫した際に，呼気が不十分になり，「吐き残し（air trapping）」の蓄積によって肺の過膨張が生じる状態．残気量の増加に伴い吸気量が減少し，体動時の呼吸困難や運動能力の低下の原因となる．

ときに自覚する程度だが，進行すると，入浴，更衣，洗面などの日常の身体活動でも呼吸困難を自覚するようになり，患者のQOLを大きく障害する．

2 ● COPDの増悪を繰り返しながら，機能障害が進展する

COPDはゆっくりと進行する慢性疾患であるが，その経過中には呼吸困難，咳嗽や喀痰などが増強し，安定期の治療の変更が必要となる，いわゆるCOPDの増悪を起こすことがある．そのほとんどは呼吸器感染症を契機に発症する．COPDの増悪は，患者の呼吸機能の低下のみならず，身体活動性やQOLの低下，生命予後の悪化をまねく．

3 ● COPDの合併症や併存症は生命予後に悪影響を及ぼす

a．肺高血圧症・肺性心の合併

COPDでは，気流閉塞や低酸素血症の進行に伴い，肺動脈圧が上昇し肺高血圧症を合併する．持続的な肺高血圧症は右室の肥大と拡張をまねき，肺性心とよばれる状態になる．増悪などによって低酸素血症がさらに悪化すると，肺動脈圧が上昇し，頸静脈怒張，下腿浮腫，肝腫脹，体重増加，尿量減少などの右心不全の徴候が出現する．

b．運動耐容能と身体活動性の低下

労作時の呼吸困難を自覚するようになると，患者は身体活動に対して消極的になりやすい．日常の身体活動性の低下は，廃用による身体機能の低下や失調，とくに心循環器や下肢骨格筋の機能低下をまねく．この状態になると，軽い労作でさえも強い呼吸困難や筋疲労をきたすようになり，さらに身体活動性が低下するという悪循環を形成する．

c．栄養障害

COPD患者には栄養障害を認めることが多い．その要因には，気流閉塞や肺過膨張により呼吸筋のエネルギー消費量が増大しているにもかかわらず，身体活動性の低下や低酸素血症のため消化管の働きが悪く，慢性的な食欲不振によりエネルギー摂取量が低下しやすいことが挙げられる．咀嚼や嚥下，食事の動作による呼吸困難や疲労感も要因となる．また，肺の過膨張に伴い横隔膜の平坦化をきたすと，わずかな食事でも腹部膨満が生じ，横隔膜の運動が制限され呼吸困難の増強につながる．

d．全身性の炎症

COPDの炎症は肺だけでなく，全身性に認められ，栄養障害，骨粗鬆症，骨格筋機能障害，心・血管疾患などのリスクと関連している．

4 ● COPDの管理には，さまざまなセルフマネジメントが必要となる

COPDの重症化および合併症を避け，日常生活における自立やQOLを維持するには，患者自身が，疾患や治療を理解し，タバコの煙などの有害物質や感染などの危険因子の回避と予防，呼吸困難のマネジメント，身体活動性の維持，薬物療法，栄養管理，増悪の症状・徴候のセルフモニタリング，および増悪時の対処法などの自己管理に取り組むことが不可欠である．また，在宅において，長期（在宅）酸素療法，非侵襲的陽圧換気療法を安全，かつ有効に行うには，患者がこれらの療法の必要性を理解し，管理に必要な知識やスキルの習得と生活の調整を行うことが課題となる．

5 ● 呼吸困難や治療に伴う心理・社会的影響が大きい

COPDの患者は，不安や抑うつ症状を合併することが多い．その背景には，疾患の進行に伴う労作時の呼吸困難や身体機能の障害により，日常生活，社会参加，趣味・余暇活動の制限，ひいては社会的孤立や疎外感をまねきやすいことが挙げられる．活動をあきらめたり，失敗した体験には落胆や悲嘆を伴い，患者は「何もできなくなった」「何のために生きているのか」と自分自身や人生を悲観し苦悩しやすい．また，長期（在宅）酸素療法や非侵襲的陽圧換気療法の導入も，患者にとっては不安やボディイメージの変容を伴い，心理的適応が困難になることがある．

6 ● 家族の負担や経済的負担が大きい

COPD患者は，労作性の呼吸困難の進行に伴い，外出や入浴などの日常生活に支障をきたすため，家族の介護負担，医療費・介護費・医療機器の維持費，通院のための交通費などによる経済的負担の増大が問題になることがある．

B. 慢性呼吸不全患者および家族への援助

1 ● 看護アセスメント

COPDは単に呼吸機能の障害にとどまらず，全身に合併症や併存症を生じる．また，呼吸困難や療養法は患者の日常生活，心理・社会的側面にまで影響を与える．したがって，COPD患者のアセスメントは全体的に行う必要がある．表V-1-3にアセスメント項目を示す．

2 ● 援助の方針

COPD患者の身体的，心理・社会的特徴をふまえ，援助の方針を次のように考える．

①呼吸困難をマネジメントし，日常生活における身体活動性を維持できるよう支援する．
②呼吸機能障害の進展や合併症の予防に必要な自己管理を実践できるよう支援する．

3 ● 看護活動

a. 症状マネジメント

(1) 日常生活における呼吸困難（息切れ）のマネジメント

COPDの労作時の呼吸困難に対して口すぼめ呼吸を指導する．この呼吸法は，呼気時に口をすぼめて，ゆっくりと呼出することにより，気管支の内側に圧をかけ，末梢気道の虚脱と吐き残しを防ぐ．また，ガス交換効率を高め，労作によって生じた低酸素血症からの回復促進にも応用できる．重症のCOPDの患者は，表V-1-4に示すような動作で，呼吸困難を生じやすい．患者がそのことを認識し，自分の生活習慣，動作，居住環境などを見直し，呼吸困難を軽減・回避し，日常における身体活動性を維持できるよう支援する．日常生活において呼吸困難をマネジメントするためのポイントを表V-1-5に示す．

(2) パニックコントロールの指導

急に呼吸困難が増強したときの対処法として，パニックコントロールを指導する．呼吸

表Ⅴ-1-3 慢性呼吸不全（主にCOPD）患者の看護アセスメント

目的	アセスメント項目		備考
身体的側面 ● 呼吸機能障害の重症度とその合併症の有無をアセスメントする． ● 増悪の徴候をアセスメントする．	● 病歴（現病歴，既往歴，治療歴，家族歴など）	・呼吸不全の基礎疾患，発症時期，喫煙歴，職業性粉塵や化学物質の吸入歴，医療機関受診・治療歴，長期（在宅）酸素療法の導入時期・酸素吸入処方，急性増悪（予定外受診，救急外来受診，入院）の頻度，呼吸不全や挿管の既往の有無，既往歴（結核，喘息，アレルギー，副鼻腔炎，小児期の呼吸器感染症など），呼吸器疾患の家族歴	
	● 検査データ ①呼吸機能	・スパイロメトリー：肺活量（VC），%肺活量（%VC），努力肺活量（FVC），1秒量（FEV$_1$），1秒率（FEV$_{1.0}$%）フローボリューム曲線などの換気能力の指標，換気障害の型 ・動脈血ガス分析：pH，Pao$_2$，Paco$_2$，Sao$_2$ などの酸塩基平衡，肺でのガス交換機能，換気機能の指標	・COPDの病期分類には，予測1秒量に対する比率（対標準1秒量：%FEV$_1$）が用いられている． ・長期（在宅）酸素療法を受けている患者の場合，病状の進行により当初設定された酸素流量では低酸素血症をきたすため，定期的に評価する．また，Paco$_2$ 確認のため，年1回以上の動脈血ガス分析を行うことが望ましい．
	②心循環器系	・心電図，心エコー：肺循環障害，右心機能障害のほか，虚血性心疾患，不整脈の合併の有無	
	③運動耐用能	・6分間歩行試験，シャトルウォーキング試験	
	● 徴候・症状 ①症状	・労作性呼吸困難（息切れ），倦怠感，咳嗽，痰，喘鳴	・COPDの病初期では自覚症状や身体所見は出現しないことが多い． ・呼吸困難（息切れ）はmMRC（modified British Medical Research Council）などの質問票を用いるとより客観的に評価できる． ・%IBM＜90%やBMI＜20 kg/m^2 であれば栄養障害が考えられる． ・基礎疾患による病変や肺炎の診断・評価に用いられる．身体所見と相補的にみると有用である．
	②身体所見	・呼吸状態（呼吸回数，努力呼吸，口すぼめ呼吸，深さ，呼吸運動の左右差） ・聴診所見：呼吸音の減弱，副雑音 ・身体所見：樽状胸郭，呼吸筋疲労，やせ，体重（%IBW，BMI）減少 ・画像所見：胸部単純X線画像，胸部CT	
	③増悪の徴候	・低酸素血症：頻呼吸，重度の呼吸困難，頻脈，動悸，チアノーゼ，失見当識，精神不安 ・高二酸化炭素血症：皮膚紅潮，頭痛，発汗，頸動脈の躍動性拍動，縮瞳，羽ばたき振戦，傾眠 ・右心不全徴候：浮腫，頸静脈怒張，体重増加 ・呼吸器感染症：発熱，湿性咳嗽，膿性痰の増加	
日常生活の側面 ● 慢性呼吸不全とその治療が日常生活に及ぼす影響をアセスメントする． ● 日常生活における増悪因子の有無をアセスメントする． ● セルフケアの実践状況をアセスメントする．	● 環境	・居住環境における階段，段差，エレベーターの有無，ベッドやいすほか，道具の利用状況．長期（在宅）酸素療法を受けている患者の場合，酸素供給装置の設置場所，屋内の動線，火災事故や熱傷につながるリスクファクターの有無	
	● 食事	・食習慣，食事内容と量，食事回数，栄養補助食品の利用の有無，摂食時の息切れや腹部膨満の有無，食欲不振，食事中の姿勢，咀嚼や嚥下の状態，歯周病の有無	
	● 排泄	・排尿回数と尿量，排便パターン，便の性状	
	● 睡眠	・睡眠時間，中途覚醒の有無，熟睡感，夜間の症状や起床時の頭痛，日中の過度の眠気の有無	・COPDは病期の進行により低換気を生じる．この病態は覚醒時より睡眠時に早期に出現する．
	● 清潔	・更衣，入浴，歯磨き，含嗽などの清潔習慣	

(つづき)

	●動作・活動	・どのような動作で呼吸困難，低酸素血症を生じるか，一日の過ごし方，坐位・臥位時間，歩行や運動などの身体活動の頻度，酸素吸入下の日常生活動作	・患者は呼吸困難（息切れ）を生じる動作・活動を避け，坐位中心の生活になりやすい．
	●趣味・余暇活動	・趣味・余暇活動の内容と頻度	
	●セルフケア能力	・日常生活を調整しながら治療を継続する能力の有無，程度（禁煙，薬物療法，感染予防，呼吸法，在宅医療機器の取り扱いなど）	
認知・心理的側面 ●慢性呼吸不全とその治療が認知・心理的側面に及ぼす影響をアセスメントする． ●セルフケアの習得，実践に必要な認知機能や心理状態をアセスメントする．	●疾患や治療の理解および受け止め	・疾患や治療についての医師の説明内容，疾患や治療をどのように理解し，受け止めているか，症状マネジメントに対する意欲・態度	
	●価値・信念	・何に価値を置き，何を大切にしているか，信仰する宗教は何か	
	●対処方法	・これまで問題にどのように対処してきたか	
	●心理状態	・抑うつ，不安，苛立ち，欲求不満，葛藤，予後悲観	
	●認知機能	・理解力，記憶力，コミュニケーション能力	
社会・経済的側面 ●慢性呼吸不全とその治療が社会・経済的側面に及ぼす影響をアセスメントする．	●役割 ●職業	・家庭，職場における地位，役割，社会活動 ・就業の有無，仕事の内容，通勤時間，通勤手段，職場環境，人間関係	
	●家族構成	・家族構成（家族成員の年齢，同居・別居の有無）	・高齢であったり，認知症や重度の呼吸機能障害を有する患者の場合，療養を支援する家族の状態をアセスメントすることが重要である．
	●家族の状態	・家族成員の健康状態，患者の疾患や障害に対する家族の関心・理解力，家族の協力の有無，情緒的関係，コミュニケーション	
	●キーパーソン	・家族または周囲の人の中でのキーパーソンは誰か	
	●経済状態	・医療保険の種類，療養や通院にかかる費用，支払い能力	
	●ソーシャルサポート	・友人・知人・同僚・患者会などのサポートの有無，利用できる社会資源，身体障害者手帳等級，介護認定，利用している介護保険や福祉サービス	

表Ⅴ-1-4　慢性呼吸不全患者が呼吸困難を自覚し，制限される動作

動作	動作の例
重力に逆らう動作	坂道や階段を上る，浴槽から出る，立ち上がる，持ち上げる
上肢を挙上する動作	洗髪，かぶるタイプのシャツの着脱，洗濯物を干す
上肢の使用を反復する動作	歯を磨く，身体を洗う，掃除機をかける，拭き掃除
体幹を屈曲させる動作	かがむ，しゃがむ，靴下・ズボンの着脱，足を洗う
息をこらえる動作	排便，重いものを持ち上げる

表Ⅴ-1-5　日常生活において呼吸困難をマネジメントするためのポイント

・息苦しくなる動作を理解する
・動作を始める前に口すぼめ呼吸と腹式呼吸で呼吸を整える
・口すぼめ呼吸で息を吐きながら動作する
・ゆっくりと動作を行う
・息苦しさが出現するまえに，休息をとる
・負担がかかる動作を避けたり，何度も同じ動作を繰り返さなくてもすむよう，動作の方法や要領を工夫する
・計画性のある，余裕をもった行動，生活のリズムを確立する
・動作効率がよく，負担を最小限に活動できるよう，居住環境を整備したり，道具を利用する
・酸素吸入の流量を適切に設定し，低酸素血症を回避する

困難時は，焦らず，座るか，壁やクッションなどに寄りかかる姿勢をとり，まずは口すぼめ呼吸により息を吐き出すことで，呼吸を整える．その際，やや前傾姿勢をとり，腕を自分の膝や寄りかかった壁や台などに置いて，固定することによって，胸部や腹部の動きが乱れず，横隔膜が動きやすくなる．たとえ呼吸困難を生じても，患者自身で回復できることは呼吸困難に対する不安や恐怖の克服につながる．

(3) 排痰法の指導

痰の貯留は，換気量の減少や感染源となるため，**吸入療法**，**体位ドレナージ**（痰の貯留した肺区域を気管分岐部からみて垂直に上方となるような体位をとることで，重力を利用し痰の移動を促進させる方法），ハッフィング（吸気をゆっくりと，呼気を強く速く行うことを3，4回繰り返し，痰に可動性を与える方法）等の**排痰法**を習得できるよう支援する．

(4) 増悪時の症状マネジメント

COPDの増悪時の薬物療法は，短時間作用性の気管支拡張薬（β_2刺激薬，抗コリン薬），経口ないし経静脈的にステロイド薬の全身投与，痰の膿性化がある場合は抗菌薬の投与が行われる．

COPDの増悪期には，気流閉塞の悪化，酸素化障害，2次的な心不全の合併により呼吸困難の増強を認める．呼吸困難の原因や程度に応じて，患者の安静や安楽をはかる．体位は，呼吸運動を妨げない，うっ血を増強させない，痰を喀出しやすい，全身の筋肉を弛緩できるなどに留意し，一般にはセミファウラー位や起坐位とする．また，増悪時は痰の量が増加するうえに，発熱や経口摂取量の低下に伴う脱水により痰の粘稠度が増し，気道内に貯留しやすい．痰の量・粘稠度と貯留部位，脱水の有無，患者の喀出力のアセスメントに基づき，薬物療法，水分管理，体位ドレナージ，吸引などの**気道浄化のケア**を行う．

また，低酸素血症是正のために酸素療法は必須となるが，COPDのように，もともと換気障害による慢性的な高二酸化炭素血症がある患者に対する高濃度の酸素投与は，CO_2ナルコーシスのリスクとなる．CO_2ナルコーシスとは，換気量の低下により高二酸化炭素血症と呼吸性アシドーシスとなり，意識障害をきたした状態である．酸素療法中は，酸素化の目標を動脈血酸素分圧（PaO_2）60 Torr以上，あるいは動脈血酸素飽和度（SaO_2）90%以上とし，酸素化だけでなく，高二酸化炭素血症，呼吸性アシドーシス，意識障害，自発呼吸の減弱をきたしていないか観察する必要がある[3]．呼吸状態が改善しない場合は換気補助療法の適応となる．

b. セルフモニタリング

増悪時は，早期に治療を開始し，重症化させないことが重要であり，そのためには患者自身が増悪の影響の重大性を認識し，増悪の早期発見と対応に取り組むことが不可欠となる．患者が普段から，呼吸状態，痰の量や色調の観察，体温，脈拍，経皮的動脈血酸素飽和度（SpO_2）の測定を行えるよう，具体的な観察項目，観察方法，解釈のしかたを説明する．これらは療養日誌に記録すると，日々の変化を客観的にとらえやすい．また，増悪時の対応として，呼吸困難の悪化，咳嗽・喀痰の増加，膿性痰の出現，発熱，SpO_2の低下などを認めた場合の薬物療法の開始，医療機関への連絡や受診のタイミングについても説明する．

c. 日常生活における教育的支援および援助

（1）禁煙支援

喫煙および**受動喫煙**はCOPDの発症や増悪のリスクファクターとなるため，禁煙や受動喫煙の回避について教育する．喫煙はニコチンに対する依存症であり，患者の知識や意思だけで禁煙を継続するのは容易なことではない．変容ステージに応じた介入とともに，時には禁煙補助薬を組み合わせた禁煙治療を受けられるよう調整をはかる．

（2）呼吸器感染症の予防

COPD患者においては，呼吸器感染症が重症化しやすく，かつ増悪の原因となるため，呼吸器感染症の予防がきわめて重要となる．手洗い，含嗽（がんそう），食後の歯磨きに加え，風邪やインフルエンザの流行期には，室内の湿度を保つ，外出時のマスクの着用，風邪を引いている人や人ごみには近づかない，などの感染予防法について説明する．また，インフルエンザワクチンや肺炎球菌ワクチンの予防接種を勧める．これらは患者と同居する家族にも指導し協力を得る必要がある．

（3）薬物療法

安定期のCOPDの薬物療法の中心は気管支拡張薬である．気管支拡張薬には抗コリン薬，β_2刺激薬，テオフィリン徐放製剤の3種類がある．閉塞性換気障害の程度，症状，増悪頻度などを考慮して，単剤から段階的に多剤を併用していく．一般に，ごく軽度のCOPDでは短時間作用性気管支拡張薬を必要時のみに使用し，軽度以上のCOPDでは長期作用性気管支拡張薬を定期的に使用する．抗コリン薬やβ_2刺激薬は全身投与に比べると副作用が少ない吸入薬が用いられる．患者が正しく吸入しなければ期待する効果は得られないため，薬剤師と連携をとりながら，使用する吸入薬の特徴や注意点，個人の特性をふまえた吸入指導を行う．β_2刺激薬には手指の振戦，動悸，頻脈などの副作用がある．吸入後は含嗽し，口腔・咽頭症状を軽減するとともに，全身への吸収も少なくする必要がある．

（4）栄養管理

COPD患者の栄養状態を評価するために，食習慣の詳細，食事中の呼吸困難や腹部膨満感などの症状，咀嚼や嚥下の状態を把握する．体重測定はもっとも簡便な栄養評価であり，％標準体重（％ ideal body weight：％ IBW）やBMI（body mass index）のほか，定期的な体重測定により経時的な体重変化を把握することが重要である．栄養障害が高度になると栄養に対する介入の効果が低下するため，栄養障害の予防や早期の介入が重要である．患者には，COPDにおいては栄養障害が起こりやすいこと，栄養障害によって呼吸筋力や下肢筋力の低下が起こることなどを説明し，患者の栄養管理に対する意識を高める支援を行う．また，定期的な体重測定の習慣をつけることも，患者が自分の体格や栄養状態を認識するために重要である．食事摂取量が少ない患者や体重が減少傾向にある患者に対しては，医師や栄養士と連携をとりながら，高エネルギー，高タンパク食を基本に食生活を改善できるように支援する．食事摂取量を増やすには，食事中の呼吸困難をマネジメントすることも不可欠であり，休息をとる，姿勢の調整，軽い食器の選択，分食や間食で補う，消化管でガスを発生する食品を避ける，などの工夫も説明する．食事摂取量を増やすことがむずかしい場合や体重減少が進行する場合は，経腸栄養剤による経口栄養補給も考慮する．

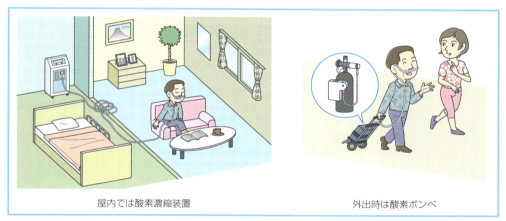

図Ⅴ-1-2　長期（在宅）酸素療法を受ける患者の暮らし

(5) 長期（在宅）酸素療法

　慢性呼吸不全に対し薬物療法や呼吸リハビリテーションを十分に行っても低酸素血症が持続する場合は，長期（在宅）酸素療法が適用される[*1]．慢性呼吸不全に対する長期（在宅）酸素療法は，生命予後の改善，労作時の息切れの改善，運動能力の向上，睡眠の質の改善などの効果が認められている．長期（在宅）酸素療法に用いられる酸素供給装置には，酸素濃縮装置，液化酸素，携帯型酸素ボンベ，携帯型液化酸素などがあるが，日本では屋内は据え置き型酸素濃縮装置，屋外は呼吸同調器[*2]を装着した携帯型酸素ボンベが用いられることが多い（図Ⅴ-1-2）．

　患者が在宅で酸素療法を実施するにあたってはさまざまなリスクを伴う．酸素流量が不十分であれば低酸素血症による心臓への負担増大，Ⅱ型呼吸不全患者が高流量の酸素吸入を行った場合はCO_2ナルコーシスを生じる．酸素は支燃性のガスであり，線香や煙草などの火気に近づけると，熱傷や火災事故の危険がある．このほか，酸素供給装置の故障，カニューレや延長チューブの破損，外出中に携帯型酸素ボンベが空になるケース，停電や災害の発生などもある．患者が安全かつ有効に，長期（在宅）酸素療法を利用できるよう，起こりうるリスクを想定した知識やスキルの提供（表Ⅴ-1-6）とともに，訪問看護や在宅酸素事業者と連携し，在宅における安全管理と支援の体制を整えておく．

　酸素療法を導入したことによって，息切れが軽減し行動範囲が拡大できる患者がいる一方で，居住環境での移動がスムーズにいかない，カニューレや延長チューブが動作の邪魔になる，外出時の酸素ボンベが重たいなどの課題に直面する者もいる．酸素には依存性があるといった誤解，酸素につながれる制約感，煩わしさ，羞恥心などから酸素療法を否定的にとらえ，アドヒアランスの障害となることも少なくない．酸素療法が導入された後も，

[*1]慢性呼吸不全に対する長期（在宅）酸素療法の社会保険適用基準は，動脈血酸素分圧（PaO_2）が55 Torr以下の患者，およびPaO_2 60 Torr以下で睡眠時または運動負荷時に著しい低酸素血症をきたす患者であって，医師が必要であると認めた者とされている．
[*2]吸気開始を感知して酸素を一定量供給する酸素節約装置である．効率的に酸素ボンベから酸素供給されるようになるため，使用時間を2～3倍に増やすことができる．

表Ⅴ-1-6　長期（在宅）酸素療法を行う患者に対する教育内容

教育項目	具体的な教育・支援内容
長期（在宅）酸素療法の必要性と意義	・患者の疾患の過程，病態と病状について，呼吸機能検査，動脈血ガス分析，パルスオキシメーターによる脈拍数やSpO_2の結果をふまえて説明する． ・低酸素血症が身体に及ぼす影響について説明する． ・酸素吸入を在宅で行うことの意義について説明する． ・酸素吸入によって何が改善されるのか，それが患者にとってどのような意味があるのか，患者が望む生活・生きがいと酸素療法を結びつけて考えられるように働きかける．
処方された酸素流量遵守の重要性	・安静時，労作時，睡眠時では酸素流量は異なる．労作時は酸素消費量が増加するため，吸入する酸素流量も安静時の1.5～2倍に設定されることを説明する． ・パルスオキシメーターを用いた脈拍数やSpO_2（目標90％以上）のモニタリングにより，自分に必要な酸素流量を理解できるよう支援する． ・自己判断で処方された酸素流量の減量をしたり，酸素吸入をしない場合は低酸素血症をきたすおそれがあることを説明する． ・Ⅱ型呼吸不全患者が高流量の酸素吸入を行った場合はCO_2ナルコーシスをきたすおそれがあることを説明する．
酸素供給装置の操作と安全な利用	・酸素供給装置の操作・管理方法の習得を，パンフレットやチェックリストなどを用いて支援する． （酸素流量の設定や変更方法，カニューレや延長チューブとの接続，酸素濃縮器のフィルターや加湿器の掃除，携帯用酸素ボンベの使用方法，ボンベの交換方法，呼吸同調装置の電池交換の方法，液化酸素の場合は携帯用子容器への充填方法など） ・酸素供給装置の設置における留意点を説明する． （装置や回路は火気から2ｍ以上離す，酸素濃縮器の周囲は15 cm以上あけ機器内部の温度が上昇するのを防ぐ，液化酸素の親機は設置場所の耐荷重を考慮する） ・カニューレは古くなると硬くなり，皮膚トラブルや破損の原因となるので，適宜，交換するよう促す． ・酸素供給装置から鼻腔までの回路を点検し，不完全な接続，回路内の水滴，屈曲，亀裂，破損に注意を促す． ・携帯用酸素ボンベの残量確認方法，ボンベ1本あたりの使用可能時間の目安を説明する．
災害・緊急時の備えと対応	・機器類の故障，停電，災害などで酸素供給が一時的に困難となった場合の備えと対処法のシミュレーションを行っておく． 　・かかりつけの医療機関，訪問看護ステーション，酸素事業者の連絡先の確認 　・予備的な酸素ボンベの配置，酸素濃縮器や枕元に懐中電灯の準備 　・酸素濃縮器からの酸素供給ができない場合は，すみやかに酸素ボンベに切り替える．患者のみならず同居家族がボンベの取り扱いを習得しておくことが望ましい 　・停電中は酸素消費量を最小限にするため，安静にしておく
日常生活への酸素療法の取り入れ方と工夫	・日常生活範囲に酸素が供給されるよう酸素供給装置を設置し，必要に応じて延長チューブを設置する．延長チューブは15～20ｍであれば流量や酸素濃度に影響はない． ・自宅の間取りや患者の動線を確認し，酸素供給装置の設置場所や休憩のためのいすの設置などを検討する． ・屋内を移動する場合，延長チューブが絡まないよう自分で巻きながら移動する，階段や廊下の手すりなどにＳ字フックを取りつけ延長チューブを這わせておく，などの工夫を紹介する． ・外出時に使用する携帯用の酸素供給装置は，患者に合った携帯方法（ショルダーバッグ，リュック，カートなど）を選択してもらう． ・カニューレの外見が気になる場合は，眼鏡フレームを利用したり，スカーフや服の下にカニューレを通すなど，カニューレを目立たせない工夫を紹介する．
医療や福祉のしくみ	・健康保険による在宅酸素療法のしくみと自己負担額を説明する． ・経済的なメリットがある場合は身体障害者手帳取得を勧める． ・在宅支援が必要な場合は，介護保険の申請やサービス利用に向けた調整を行う．

患者の酸素療法の実施状況，酸素療法による日常・社会生活上の困難，心理的問題を把握し，環境調整や生活上の工夫について情報提供を行うことで問題解決をはかるとともに，心理的適応を促す支援を行うことも重要である．

d. 心理・社会的支援

療養生活のなかでかかえる困難や思いを語り感情を表出できる機会を提供し，傾聴するとともに，患者の疑問やニーズへの対応，患者の苦労に対するねぎらい，努力に対する称賛など肯定的なフィードバックを行うことが重要である．強い不安や抑うつ症状がある場合は，精神科医，心療内科医，精神看護専門看護師などの専門職の支援が得られるよう調整する．患者会，サポートグループなどを通して，同じ病気をもつ患者同士での知識の共有，情緒的サポートが得られるよう，これらの社会資源についての情報提供も大切である．

また，在宅療養における生活支援と経済的負担の軽減のために社会資源の活用を促す．呼吸機能障害の程度により身体障害者手帳の取得が可能であり，等級に応じて医療費助成，ネブライザー購入助成，年金・手当の給付，交通費の割引，税金・公共料金の減免などが受けられる．また，介護保険において，通常，介護申請が可能なのは65歳以上であるが，COPDは特定疾病に該当するため40歳以上65歳未満で申請可能である．介護度に応じて，訪問介護，訪問看護，訪問リハビリテーション，福祉用具給付・貸与などのサービスを受けることができる．

e. 家族への支援

家族もまた，患者の疾患や治療に伴う問題や困難に戸惑い，不安を感じている．家族が抱いている疑問や不安を表出できる機会を作り，それが解消できるよう支援したり，必要に応じて社会資源の活用を勧め，心身の介護負担の軽減をはかる．

学習課題

1. 呼吸困難が慢性呼吸不全患者の日常生活，心理・社会的側面に及ぼす影響について説明してみよう
2. 慢性呼吸不全患者の看護アセスメントをするうえで，どのような観察や情報収集が必要か説明してみよう
3. 慢性呼吸不全患者の呼吸困難をマネジメントする方法について説明してみよう
4. 慢性呼吸不全の急性増悪の徴候として，注意すべき症状を説明してみよう
5. 慢性呼吸不全患者が安定した療養生活を送るために，どのような日常生活指導が必要か説明してみよう

練習問題

Q1 COPD患者に対する日常生活指導について正しいのはどれか．
1. 労作時の息切れがないよう，安静にしていたほうがよい．
2. 安静によりエネルギー消費が少なくなるので，低エネルギー食にする．
3. インフルエンザワクチンなどの予防接種を勧める．
4. タバコは，本数を減らすだけでもよい．

［解答と解説 ▶p.526］

引用文献

1) 日本呼吸ケア・リハビリテーション学会酸素療法マニュアル作成委員会/日本呼吸器学会肺生理専門委員会：酸素療法マニュアル（酸素療法ガイドライン改訂版），p.1-14，日本呼吸ケア・リハビリテーション学会，2017．
2) 日本呼吸器学会COPDガイドライン第6版作成委員会（編）：COPD（慢性閉塞性肺疾患）診断と治療のためのガイドライン，第6版，p.8-12，メディカルレビュー社，2022．
3) 前掲2），p.153-155

V-1. 呼吸器系の障害を有する人とその家族への援助

3 肺がん

この節で学ぶこと
1. 肺がん患者の身体的，心理・社会的特徴を説明することができる
2. 肺がん患者の看護アセスメントについて説明することができる
3. 肺がん患者のセルフモニタリングへの援助について説明することができる
4. 肺がん患者の心理的支援について説明することができる

A. 肺がん患者の身体的，心理・社会的特徴

　肺がんは，気管支，細気管支，肺胞の細胞において，がん遺伝子やがん抑制遺伝子が傷つき，細胞増殖のコントロールが不能となって，無秩序に増殖しながら正常組織に浸潤する悪性腫瘍である．また，**血行性**および**リンパ行性**に遠隔転移を引き起こす予後不良な疾患の1つである．部位別がん死亡率では，男性の第1位，女性の第2位を占め，男性の死亡数・罹患数は女性の約2倍である[1,2]．タバコは肺がんのリスクファクター（危険因子）であり，非喫煙者に比べて喫煙者の肺がん罹患リスクは，男性で4.4倍，女性で2.8倍と高い[3]．禁煙により肺がん罹患リスクは減少し，禁煙期間が長いほどリスク減少率は大きい．また，タバコによる受動喫煙は社会的問題であり，肺がん罹患に対する予防教育も重要である．

　肺がんの分類は組織型から，主に腺がん，扁平上皮がん，大細胞がん，小細胞がんに分類される．治療法を考えるうえで，進行は速いががん薬物療法や放射線療法に感受性の高い小細胞肺がんと，それ以外の非小細胞肺がんに大別される．非小細胞肺がんの治療法は，病気の広がりを表すTNM分類（T：原発腫瘍の進展度，N：所属リンパ節転移の有無や広がり，M：遠隔転移の有無）によって病期が決まり，それに基づく治療法が推奨される．小細胞肺がんは，腫瘍が片側胸郭内に限局している限局型とそれを越える進展型に分類される．また，病期のほかに，年齢や全身状態，臓器機能も考慮して，治療内容が決定される．

　治療法として，早期肺がんは手術によって治癒が可能であるが，手術が適応ではない肺がんは治癒を目指すことがむずかしい．したがって，がん薬物療法や放射線療法を繰り返し行い，病状コントロールをすることによって延命や症状緩和を目指す．

1 ● 病状の進行に伴う身体症状

　腫瘍のできる部位や大きさ，進行度によって，出現する症状は異なる．肺門近くにできる腫瘍は気管支粘膜を刺激し，咳嗽や喀痰，血痰を生じる．腫瘍が気管支に浸潤すると，気道を狭窄し喘鳴や呼吸困難を引き起こす．肺野に腫瘍がある場合は，初めは無症状なことが多いが，壁側胸膜へ進展すると胸痛や胸水貯留をまねく．腫瘍や腫大したリンパ節が

上大静脈を圧迫することによる症状は上大静脈症候群とよばれ，顔面から上肢の浮腫や側副循環の形成による前胸部の表在静脈怒張がみられる．また，反回神経が腫瘍によって浸潤・圧排されると反回神経麻痺となり，嗄声や嚥下障害を生じる．腫瘍が肺尖部を越えて上腕神経叢や交感神経節へ浸潤すると，肩から腕にかけての疼痛やしびれをきたす．これをパンコースト症候群とよぶ．さらに，腫瘍が生物学的活性物質を産生することによって生じる症状は，腫瘍随伴症候群と総称される．主として，抗利尿ホルモン不適切分泌症候群，副腎皮質刺激ホルモン分泌過剰によるクッシング症候群，高カルシウム血症などがある．

肺がんの遠隔転移の好発部位は，脳，肝臓，骨，副腎などである．とくに，骨への転移は，疼痛や骨折，脊椎骨の破壊により脊髄が圧迫されてしびれや麻痺を生じることがある．

2 ● がん薬物療法や放射線療法による副作用（p.199, 213参照）

肺がんのがん薬物療法は，悪心や食欲不振，下痢などの消化器毒性，倦怠感や体重減少，骨髄抑制，腎・肝・心機能の低下，脱毛や皮疹，色素沈着など外観の変化，しびれに代表される末梢神経障害など，抗がん薬の種類によりさまざまな苦痛を伴う副作用を生じる．とくに，新しい作用機序を示す免疫チェックポイント阻害薬は，自己免疫疾患に類似した症状（免疫関連有害事象）をきたし，全身のあらゆる臓器に起こす可能性があり，治療中だけでなく治療後にも生じることがある．

放射線療法は照射野に含まれる臓器へ影響を与えるため，縦隔が照射野に含まれると食道炎や嚥下障害，食欲低下，皮膚障害などを生じ，治療後数ヵ月経過した後に放射線肺臓炎が起こることもある．長期間持続する副作用や遅発性反応として現れる場合もあるため，治療後も継続的な観察が必要となる．また，繰り返される治療によって心身ともに疲労し，副作用のマネジメントがうまくできなくなると，治療継続が困難になる場合がある．

3 ● 治癒困難な疾患がもたらす心理的影響

がんと診断された患者は，衝撃を受けて事実を否認するという初期反応から，不安や抑うつ，食欲不振や不眠など心身ともに落ち込む時期を経て，徐々に事実に向き合い適応へといたる[4]．この心理的反応は通常2週間程度だが，落ち込む時期が長引くと適応障害やうつ病を発症する可能性がある．また，手術が適応ではない肺がん患者は治癒を目指すことはむずかしい状態であるため，治療がいったん終了してもいつか再発するのではないかという不安や，新たな症状の出現によって病状の進行を懸念する．とくに，執拗な咳嗽や呼吸困難感による「息が苦しい」という感覚，視覚的印象の強い血痰の喀出は，生命の危機を意識しやすい．症状の進行に伴う不安の高まりは，呼吸困難を助長し，日常生活へ影響を及ぼす．

4 ● 肺がん患者の社会的特徴

治療を繰り返す過程で，入院や外来通院の際には，仕事と治療の調整をしていかなければならない．休職や退職をせざるをえない場合は，経済的な問題をかかえることもある．さらに治療による脱毛や皮疹，色素沈着によるボディイメージの変容は，人前に出ることへのためらいを生じ，生活の活動範囲が狭まりやすい．

B. 肺がん患者および家族への援助

1 ● 看護アセスメント

疾患がもたらす症状と，治療によって生じる副作用の知識を得ておくことが必要である．呼吸器症状は，活動の制限など日常生活へ影響を及ぼすだけではなく，生命にも直結する．そのため，綿密に症状のアセスメントを行う．アセスメントの詳細は，**表V-1-7**に示す．

2 ● 援助の方針

手術の適応ではない肺がん患者の身体的，心理・社会的特徴をふまえ，援助の方針を次のように考える．

> ①診断時：病状や治療内容の説明に対する理解を促進し，自ら意思決定ができるように援助する．
> ②治療時：がん薬物療法や放射線療法などの副作用による苦痛の軽減をはかり，治療を継続しながら社会生活が送れるよう援助する．
> ③治療終了時：病状進行への不安に理解を示し，症状緩和に努めることによって，患者が望む生活を送れるよう援助する．

3 ● 看護活動

a. 症状マネジメント

効果的にマネジメントを行うためには，患者の主体的なかかわりが必要である．病状や対処方法をわかりやすく説明し理解を得るとともに，患者の個別性に合わせた方法で援助する．また，患者が望むレベルまで苦痛が軽減されたかどうか，実施したケアの評価を行う．**疼痛の評価**は，もっとも強い痛みを10，痛みなしを0として数字で痛みの程度を表すNRS（Numeric Rating Scale）などのツールを用いることによって，痛みの変動や除痛効果を患者とともに評価できる．とくに，鎮痛薬として用いられるオピオイドは，薬の血中濃度を一定に保つことで除痛効果を発揮するため，決められた量を定時に服用するよう指導する．症状に合わせた服薬調整が必要な場合には，内服手帳を利用して症状と使用したレスキュー薬の量や時間を記載してもらい，外来受診時に患者と一緒に内容を確認する．上手に対処できている場合には，その方法でよいことを伝えると自信をもって継続できる．肺がんの進行に伴う主な身体症状とその対処方法を**表V-1-8**に示す．

b. セルフモニタリング

治療前には，オリエンテーションを行い，副作用の種類と発現時期，消失時期，対処方法などをわかりやすい言葉で説明し，患者が症状に早期に気づけるよう指導する．また，がん薬物療法の副作用は，治療中に繰り返し出現する可能性があるため，日誌に症状を記録しておくと，症状の出現するパターンを把握し活用することができ，次の治療に備えることができる．説明された方法で対処しても症状が軽減されない場合には，我慢せず受診するよう伝える．

定期的に外来受診する患者に対しては，適切に症状へ対処するために，経過をみてよい

表Ⅴ-1-7 肺がん患者の看護アセスメント

目的	アセスメント項目		備考
身体的側面 ● 肺がんの症状と苦痛の程度，進行度をアセスメントする ● 治療の副作用の程度，治療効果をアセスメントする	● 病歴 ● 検査データ ①画像検査 ②腫瘍マーカー ③血液学検査 ④生化学検査 ⑤動脈血ガス分析 ⑥心機能検査 ● バイタルサイン ● 身体所見 ● 徴候・症状 ①咳嗽 ②喀痰，血痰 ③呼吸困難 ④反回神経麻痺 ⑤疼痛 ⑥全身状態 ⑦治療の副作用 ● リスク要因	・現病歴，既往歴，治療歴，家族歴など ・胸部X線，胸部CT，腹部CT，脳CT/MRI，骨シンチグラフィ，PET ・小細胞肺がん：ProGRP，NSE ・非小細胞肺がん：CEA，SCC，CYFRA，CA125 ・白血球数，好中球数，赤血球数，ヘモグロビン，ヘマトクリット，血小板数 ・肝胆系（ALT，AST，ALP，γ-GTP，総ビリルビン），腎系（尿酸，クレアチニン，クレアチニンクリアランス，尿素窒素），炎症（LDH，CRP），電解質（K，Ca，Na，Cl），栄養（総タンパク，アルブミン） ・Pao_2，$Paco_2$ ・エコー，心電図 ・体温，脈拍，血圧，呼吸数，Spo_2 ・体重 ・咳嗽の種類（湿性あるいは乾性），持続性 ・痰の色，粘性，頻度．喀痰の困難感，血液混入量と色調 ・労作時と安静時での自覚症状，労作時の息切れや呼吸数の増加，胸郭の動きや呼吸の深さ，リズム，肺野全体の呼吸音の減退や副雑音の聴音，Spo_2の変化，チアノーゼの有無 ・嗄声の有無，発声困難，嚥下障害の程度 ・疼痛の部位や程度，持続性か間欠的か，発現状況，除痛の効果 ・倦怠感，るい痩，体重減少 ・骨髄抑制，悪心・嘔吐，下痢・便秘，腎障害，皮膚障害，末梢神経障害，脱毛：高血圧，間質性肺炎，免疫関連有害事象など ・喫煙歴（1日あたりの本数，喫煙期間，禁煙期間）	・腫瘍の広がり，治療効果を評価する． ・がん薬物療法中は血球の減少と回復までの期間に留意する． ・$Paco_2$が高いときは，意識障害の有無も確認しCO_2ナルコーシスに注意する． ・痰に新鮮血が混じるようなときは喀血に留意する． ・脊椎転移による疼痛がある場合には，脊髄圧迫の症状である麻痺や知覚異常，膀胱直腸機能障害に留意する．
日常生活の側面 ● 肺がん症状と治療が日常生活に与える影響についてアセスメントする	● 環境 ● 食事 ● 排泄 ● 睡眠 ● 清潔 ● 動作・活動 ● 趣味・余暇活動 ● セルフケア能力	・居住環境，通院手段・時間 ・食欲，食事摂取量，食べやすい形態，好みの味つけ，味覚変化，水分摂取量 ・1日尿量や回数，排便の性状，排便時困難感（努責），腹部膨満感の有無，下剤の使用効果，便秘を引き起こす・薬剤使用の有無 ・睡眠時間，熟眠感の有無，睡眠薬の使用状況 ・入浴やシャワーによる呼吸への負荷の程度，清潔行動が行えているか ・活動量，歩行距離，ベッド上で過ごす時間，移動時の介助の必要性 ・趣味や余暇活動の内容や頻度，治療や症状により影響を受けているか ・日常生活を調整しながら治療を継続する能力有無，程度 ・感染予防行動など副作用への対応の程度，鎮痛薬の定時内服ができているか	・便秘時は，便秘を引き起こす薬剤の有無や，下剤の使用状況，食事や水分摂取量，活動量なども考慮に入れてアセスメントする． ・睡眠が十分に保たれていない場合には，咳嗽や喀痰による断眠，日中の活動量や環境のほか，患者の心理的側面も考慮してアセスメントする．
認知・心理的側面 ● 肺がん症状と治療が認知および心理状態に与える影響についてアセスメントする	● 疾患や治療の理解および受け止め ● 価値・信念	・病状や治療の理解と受け止め．今後のなりゆきをどのようにとらえているか ・何に価値を置き，何を大切にしているか，信仰する宗教は何か，大切にしていること，希望する生き方，闘病への姿勢	・患者から話を聞くことがむずかしい場合には，家族から情報を得る．

(つづき)

	●対処方法	・これまで問題にどのように対処してきたか，1人で判断できるか，自ら必要な時に援助を求められるか	
	●心理状態	・表情の変化，言動，怒りや不安の表出	
社会・経済的側面 ●肺がん症状と治療が社会・経済状態に与える影響についてアセスメントする	●役割	・家族の中での役割，仕事や社会活動の中での役割	・患者をサポートする家族の状況も併せてアセスメントする．
	●職業	・職種の内容，現在の就労状況，勤務先までの移動時間とその手段，通院や入院に関する職場の理解と融通性	
	●家族構成	・家族員の年齢，同居・別居の有無	
	●家族の状態	・家族員の健康状態，心理的状態，家族内役割の変化	
	●キーパーソン	・家族または周囲の人のなかでのキーパーソンは誰か	
	●経済状態	・医療保険の種類，経済的状況，経済的心配の有無，高額療養費制度等の利用の有無	
	●ソーシャルサポート	・友人・知人・同僚・患者会などのサポートの有無，利用できる社会資源	

状況と早期に対処すべき状況について説明をしておく．たとえば，痰に含まれる血液量の増加や新鮮血への変化，急速に増悪する呼吸困難，38℃を超える発熱などは，早急な処置が必要となるため，これらの症状発現時には連絡するよう指導する．手術で片肺を摘出している患者は，呼吸機能の予備力が低いためとくに注意が必要である．また，急激な体重減少や食事摂取量の低下，倦怠感など，呼吸器症状以外にも注意を払うよう伝える．

c. 日常生活における教育的支援および援助

鎮咳薬や去痰薬，鎮痛薬，消化薬など多くの薬を内服しているので，薬の名称と効能，服用方法を説明し正しく内服できるようにする．

また，肺がん患者は，食事量の低下，抗がん薬や制吐薬，オピオイドの作用による腸蠕動低下によって便秘を生じやすい．呼吸困難のある肺がん患者にとって，**腹部膨満**や排便時の努責（怒責）は，症状の増強につながる．したがって，定期的な排便が得られるように下剤の服用方法や十分な水分摂取，腹部マッサージなどの対処方法も指導する．

在宅酸素療法（home oxygen therapy：HOT）の導入は，酸素が必要な人にとって退院して自宅で過ごすことや，外出を可能とし，社会生活を維持することができる．自己調節可能な酸素流量を守り，症状増悪時の連絡や，火気厳禁などの注意事項を指導する．

d. 心理・社会的支援

肺がんの診断時は，患者が家族と一緒に説明を受けられるように場の調整を行う．説明後は，病状や治療に対する理解，受け止め方を確認し，主体的に治療に取り組めるよう意思決定プロセスを支援する．

治療過程において，副作用がつらく治療継続がむずかしいと感じたり，期待した治療効果が得られない場合に，落ち込みや怒りなど精神的に不安定となりやすい．患者の表情や睡眠状態なども確認し，気持ちの表出をはかり，相談窓口の存在と遠慮せずいつでも連絡してよいことを伝える．治療が長期にわたる場合には，仕事復帰へのタイミングあるいは

表Ⅴ-1-8　肺がん患者に特有な身体症状とその対処方法

症状	対処方法
咳嗽	咳嗽を誘発する要因を最小にする ・環境を清潔に保つ ・加湿器を使用するなど適度な湿度を保つ ・外へ出るときには衣類を着込むなど，できるだけ部屋との温度差を最小限にする ・体動により咳嗽が増強する場合には，移動を控えるか，車いすなどを利用する ・執拗な咳嗽により筋肉痛を生じるときは，クッションをかかえて緩和をはかる ・適した鎮咳薬を使用し，効果を評価する ・麻薬性鎮咳薬を使用する際には，便秘や眠気など副作用の出現に注意する
喀痰，血痰	喀痰にかかる負担を軽減する ・痰の粘稠度を下げるために水分摂取やネブライザー吸入を促す ・吸入後に体位ドレナージを行いながらタッピングやバイブレーションを行う ・喀痰しやすいよう前かがみの体位をとる ・効果的に喀痰ができるよう，呼吸法を用いた喀出方法を指導する ・自力で喀痰できない場合には，吸引処置を行う ・指示の去痰薬や止血薬の効果を評価する ・血液混入量が多い場合には，無理な喀出は避ける
反回神経麻痺	誤嚥を予防する ・飲食時には，上体を起こし，少量ずつゆっくりとのみ込むよう促す ・とろみのついたのみ込みやすい形態に食事を変更する ・唾液のたれこみによるむせがある場合には，のみ込まず喀出するよう指導する
呼吸困難，息切れ	酸素消費量が少なくすむよう日常生活動作を工夫する ・動いた後は呼吸を整え，休息を入れる ・呼吸困難の程度により，排泄や清潔，移動などの日常生活動作の介助を行う ・周囲のものの配置や身の回りの物品を整えて，活動量を減らす ・安楽な体位を工夫する．（セミファウラー位や起坐位など） ・口腔内が乾燥しやすいため，適宜水分摂取や口腔ケアを促す ・室温は低めに設定し，顔に風がやさしく当たるようにうちわや扇風機で送風する ・指示の酸素流量を守り，適切な器具（カニューレやマスクなど）を使用して酸素吸入を行う
疼痛	安楽に過ごせるように除痛をはかる ・指示の鎮痛薬を適切に使用し，効果を評価する ・体動による疼痛増強が予測される場合には，事前にレスキュー薬を使用し除痛をはかる ・オピオイドを使用する場合には，便秘や悪心，眠気などの副作用に注意する ・クッションなどを用いて，安楽な体位を保持する ・マッサージや罨法を用いて除痛効果を高める

　仕事の継続を悩んだり，旅行を希望しながらも控えていることがある．医師と相談し，患者の望む生活と治療のバランスが取れるよう調整する．

　再発時や治療中止時における患者の衝撃は大きい．とくに，治療をがんばって続けたなかで治療を中止し**緩和ケア**へ専念する場合は，患者の苦悩を受け止めながら，患者が気持ちを整理していけるよう寄り添っていく．また，安心して自宅で療養生活を送るために，メディカルソーシャルワーカーやがん相談支援センターなどの相談窓口への紹介を行い，緊急時に対応可能な地域の支援を確保する．

　石綿（アスベスト）による健康被害として認定される場合には，労働者災害補償保険制度や石綿健康被害救済制度による医療費等の給付を受けることができる．対象となる患者には，制度が活用できるよう情報提供する．

e. 家族への支援

患者の治療や療養生活において，家族は患者のよき支援者でありともに悩む存在である．患者への説明時には，できるだけ家族も一緒に同席できるよう配慮し，情報を共有し理解が得られるようにする．症状への対処については，すぐに連絡すべき症状や自宅でできる対処方法を説明し，不安を軽減する．家族が患者のために何かできることはないかと考えている場合には，食事や環境の工夫，呼吸困難時にうちわで扇ぐなど家族にできることを一緒に見出していく．また，家族は，患者にはいえず不安をかかえ込むことがある．家族に対してねぎらいの言葉をかけ，家族の思いを傾聴することや，家族の疲労を軽減できる方法について話し合うことも必要である．

学習課題

1. 肺がん罹患とタバコの関係について説明してみよう
2. 肺がんの症状について腫瘍部位をふまえて説明してみよう
3. 手術が適応ではない肺がん患者の心理的影響について説明してみよう
4. 肺がん患者の症状マネジメントについて説明してみよう
5. 疼痛のある肺がん患者への教育的支援の内容を挙げてみよう

練習問題

Q1 肺がん患者への看護で正しいのはどれか．
1. 新鮮血の血痰が続いても呼吸困難がなければ問題はない．
2. 反回神経麻痺のある患者の飲食時には，少量ずつ摂取して誤嚥を防ぐ．
3. 麻薬性鎮咳薬やオピオイド鎮痛薬を使用しているときは下痢に気をつける．
4. 痛みに対してオピオイド鎮痛薬を使用している場合は，痛みが軽減したら自己調節して服用量を減らしてよい．

[解答と解説 ▶ p.526]

引用文献

1) 国立がん研究センターがん情報サービス「がん統計」（厚生労働省人口動態統計）：人口動態統計（厚生労働省大臣官房統計情報部）全国がん死亡データ（2020年），〔https://ganjoho.jp/reg_stat/statistics/data/dl/index.html#a14〕（最終確認：2023年1月10日）
2) 国立がん研究センターがん情報サービス「がん統計」（全国がん登録）：全国がん登録 全国がん罹患データ（2018年），〔https://ganjoho.jp/reg_stat/statistics/data/dl/index.html#a14〕（最終確認：2023年1月10日）
3) Wakai K, Inoue M, Mizoue T, et al：Tobacco smoking and lung Lancer risk：an evaluation based on a systematic review of epidemiological evidence among the Japanese population. Japanese Journal of Clinical Oncology **36**（5）：309-324, 2006
4) Massie MJ, Holland JC：Overview of normal reactions and prevalence of psychiatric disorders. Handbook of Psychooncology（Holland JC ed），pp.273-282, Oxford University Press, 1990

V-2. 循環器系の障害を有する人とその家族への援助

1 高血圧

この節で学ぶこと
1. 高血圧の定義と分類を説明できる
2. 高血圧患者の身体的，心理・社会的特徴を説明できる
3. 高血圧治療の目的および看護目標を説明できる
4. 高血圧患者の看護の特徴を説明できる

A. 高血圧患者の身体的，心理・社会的特徴

血圧は年齢や性別によっても差があり，同じ人であっても常に一定ではない．1日のなかでも時間帯によって変化し，運動やストレス，気温などの影響を受けやすい．

高血圧とは，持続的に血圧が高い状態をいう．高血圧は，腎臓，心臓，脳，大動脈など心血管障害を合併する慢性疾患であり，将来の腎硬化症，狭心症・心筋梗塞，脳出血，脳梗塞，大動脈瘤などの原因となる．さらに，これらの疾患は要介護状態を引き起こす要因となり，超高齢社会に突入した日本における社会的問題でもある．日本における高血圧人口は4,300万人と推定されている[1]．また，厚生労働省発表の「国民医療費の概況」によると，2019年度の国民医療費44兆3,895億円のうち，高血圧性疾患の医療費は1兆7,427億円であった．前年度に比べて54億円減少している．

1● 高血圧の病態と治療

a. 高血圧の基準・分類と高血圧患者のリスク層別化

『高血圧治療ガイドライン2019（JSH2019）』では，診察室血圧では140/90 mmHg以上，家庭血圧では135/85 mmHg以上を高血圧としている（**表V-2-1**）．

高血圧には原因不明の**本態性高血圧**と**2次性高血圧**がある．日本人の高血圧患者の約90％は本態性高血圧である．本態性高血圧は，遺伝的要因に，食塩の過剰摂取，ストレス，運動不足，喫煙などの環境要因などいくつかの因子が複合的に関与し，それらが心臓や血管に負担をかけ，高血圧を起こすと考えられている．また，本態性高血圧のなかには診察室でのみ高血圧を示す**白衣高血圧**も含まれる．白衣高血圧と考えられる場合は診察室での血圧測定だけでなく，家庭血圧や24時間血圧を測定することによって診断される．

2次性高血圧とは腎性（腎実質性および腎血管性高血圧），内分泌性（原発性アルドステロン症，クッシング症候群，褐色細胞腫），心血管性（大動脈縮窄症，大動脈炎症候群，大動脈弁閉鎖不全症など）などの疾患により，高血圧をきたしたものをいう．

高血圧が長年続くことで，血管壁が固くなり動脈硬化を引き起こし，心臓，脳，腎臓，

表 V-2-1　成人における血圧値の分類

分類	診察室血圧 (mmHg)			家庭血圧 (mmHg)		
	収縮期血圧		拡張期血圧	収縮期血圧		拡張期血圧
正常血圧	<120	かつ	<80	<115	かつ	<75
正常高値血圧	120〜129	かつ	<80	115〜124	かつ	<75
高値血圧	130〜139	かつ/または	80〜89	125〜134	かつ/または	75〜84
I度高血圧	140〜159	かつ/または	90〜99	135〜144	かつ/または	85〜89
II度高血圧	160〜179	かつ/または	100〜109	145〜159	かつ/または	90〜99
III度高血圧	≧180	かつ/または	≧110	≧160	かつ/または	≧100
(孤立性)収縮期高血圧	≧140	かつ	<90	≧135	かつ	<85

[日本高血圧学会高血圧治療ガイドライン作成委員会(編):高血圧治療ガイドライン2019, p.18, ライフサイエンス出版, 2019より許諾を得て転載]

表 V-2-2　脳心血管病に対する予後影響因子

A. 血圧レベル以外の脳心血管病の危険因子	B. 臓器障害/脳心血管病	
高齢(65歳以上)	脳	脳出血，脳梗塞 一過性脳虚血発作
男性	心臓	左室肥大(心電図，心エコー) 狭心症，心筋梗塞，冠動脈再建術後 心不全 非弁膜症性心房細動[*2]
喫煙		
脂質異常症[*1] 　低HDLコレステロール血症(<40 mg/dL) 　高LDLコレステロール血症(≧140 mg/dL) 　高トリグリセライド血症(≧150 mg/dL)		
肥満(BMI≧25 kg/m²)(とくに内臓脂肪型肥満)	腎臓	タンパク尿 eGFR低値[*3](<60 mL/分/1.73 m²) 慢性腎臓病(CKD)
若年(50歳未満)発症の脳心血管病の家族歴		
糖尿病　空腹時血糖≧126 mg/dL 　負荷後血糖2時間値≧200 mg/dL 　随時血糖≧200 mg/dL 　HbA1c≧6.5%(NGSP)	血管	大血管疾患 末梢動脈疾患(足関節上腕血圧比低値: ABI≦0.9) 動脈硬化性プラーク 脈波伝播速度上昇(baPWV≧18 m/秒， cfPWV≧10 m/秒) 心臓足首血管指数(CAVI)上昇(≧9)
	眼底	高血圧性網膜症

青字:リスク層別化に用いる予後影響因子

[*1] トリグリセライド400 mg/dL以上や食後採血の場合にはnon HDLコレステロール(総コレステロール−HDLコレステロール)を使用し，その基準はLDLコレステロール+30 mg/dLとする.
[*2] 非弁膜症性心房細動は高血圧の臓器障害として取り上げている.
[*3] eGFR(推算糸球体濾過量)は下記の血清クレアチニンを用いた推算式(eGFR$_{creat}$)で算出するが，筋肉量が極端に少ない場合は，血清シスタチンを用いた推算式(eGFR$_{cys}$)がより適切である.
　eGFR$_{creat}$(mL/分/1.73 m²) = $194 \times Cr^{-1.094} \times$ 年齢$^{-0.287}$(女性は×0.739)
　eGFR$_{cys}$(mL/分/1.73 m²) = $[104 \times Cys^{-1.019} \times 0.996^{年齢}$(女性は×0.929)$] - 8$

[日本高血圧学会高血圧治療ガイドライン作成委員会(編):高血圧治療ガイドライン2019, p.49, ライフサイエンス出版, 2019より許諾を得て転載]

眼などの臓器にさまざまな影響を及ぼす．高血圧は脳心血管病にとっての危険因子である(表V-2-2)．

　高血圧患者の予後は，高血圧の管理に加え，高血圧に基づく臓器障害の有無，その進展

表Ⅴ-2-3 診察室血圧に基づいた脳心血管病リスク層別化

リスク層	血圧分類	高値血圧 130〜139/ 80〜89 mmHg	Ⅰ度高血圧 140〜159/ 90〜99 mmHg	Ⅱ度高血圧 160〜179/ 100〜109 mmHg	Ⅲ度高血圧 ≧180/ ≧110 mmHg
リスク第一層 予後影響因子がない		低リスク	低リスク	中等リスク	高リスク
リスク第二層 年齢(65歳以上)，男性，脂質異常症，喫煙のいずれかがある		中等リスク	中等リスク	高リスク	高リスク
リスク第三層 脳心血管病既往，非弁膜症性心房細動，糖尿病，タンパク尿のあるCKDのいずれか，または，リスク第二層の危険因子が3つ以上ある		高リスク	高リスク	高リスク	高リスク

JALSスコアと久山スコアより得られる絶対リスクを参考に，予後影響因子の組合せによる脳心血管病リスク層別化を行った．層別化で用いられている予後影響因子は，血圧，年齢(65歳以上)，男性，脂質異常症，喫煙，脳心血管病(脳出血，脳梗塞，心筋梗塞)の既往，非弁膜症性心房細動，糖尿病，タンパク尿のあるCDKである．
[日本高血圧学会高血圧治療ガイドライン作成委員会(編)：高血圧治療ガイドライン2019, p.50, ライフサイエンス出版, 2019より許諾を得て転載]

の程度に影響を受ける．予後評価および治療管理のために高血圧患者のリスクを層別化したものが表Ⅴ-2-3である．

以上より高血圧の治療の目的は，高血圧の持続による脳心血管病の発症とそれによってもたらされる死亡を抑制し，高血圧患者のQOLの維持・向上をはかることである．2次性高血圧の治療は原疾患の治療・管理が主となるため，本項では以下，本態性高血圧患者を中心に述べることとする．

高血圧の治療にあたっては，リスクの層別化に応じた管理計画を立て，すべての患者に対して生活習慣の修正の徹底を図りながら，必要に応じて薬物による降圧療法を開始する．

高血圧の治療はまず食事と運動を中心とした生活習慣の修正を行う．次に薬物療法を試みる．降圧薬は単独で低用量(原則として1日1回投与)から開始し，3ヵ月で降圧目標を目指す．生活習慣の修正のみでは多くの高血圧患者は目標とする降圧を得られないが，降圧薬の種類と用量を減らすことができるといわれている．降圧目標に達しない場合は，降圧薬の増量，降圧薬2種類の併用を試みる．降圧薬選択に際しては，脳心血管危険因子，臓器障害，脳心血管病の有無・程度，降圧薬の副作用・薬価，QOL，性機能への影響などを考慮する．カルシウム(Ca)拮抗薬，アンジオテンシンⅡ受容体拮抗薬(ARB)，アンジオテンシン変換酵素(ACE)阻害薬，少量の利尿薬，β遮断薬が主要降圧薬であり，積極的な適応や禁忌もしくは慎重使用となる病態や合併症の有無に応じて，適切な降圧薬を選択する[2]．

b．血圧と食塩の過剰摂取および交感神経活動

高血圧の遺伝的要因をもつ人は腎臓のナトリウム(Na)排泄機能が低下しているといわれ，食塩の摂取に伴いナトリウムが体内に貯留しやすく，体液の浸透圧を維持するために，体内の水分が増え，結果，循環血液量が増えることになる．そのため心臓はより強い

ポンプ機能で増えた血液量を全身に拍出させようとするため，血管壁への圧力が増し，血圧が上がることになる．

また，ナトリウムイオンが細胞内に増えると交感神経が活性化して血管の収縮性が高まり，血管抵抗が増し，血圧が上がる．

2 ● 高血圧患者の身体的特徴

ほとんどの高血圧患者は無症状であることが特徴的である．非特異的症状としては頭痛，肩こり，めまいなどがある．この場合は，精神的・身体的ストレス自体，あるいはストレスの結果生じた首や肩の筋緊張による頭痛や肩こりがもとで血圧が上がっていることが多い．

なお急激な血圧上昇により，脳，心臓，腎臓などの臓器障害をきたす高血圧緊急症の場合は，複視，嘔吐，頭痛，頭重，意識障害，乏尿などをきたし，脳出血，大動脈解離，高血圧性脳症を合併する場合がある．

3 ● 高血圧患者の心理・社会的特徴

高血圧患者は自覚症状がほとんどないことから，患者が高血圧という病気を認識，理解することが困難になりやすい．また生活習慣の修正や薬の内服は生涯にわたることが患者のストレスとなることもある．一方，合併症や予後に対する不安・心配を生じることもある．

B. 高血圧患者および家族への援助

1 ● 看護アセスメント（表V-2-4）

多くの場合，高血圧患者はなんの症状もなく，ほかの疾患の診察時や健診において高血圧を指摘される．看護アセスメントでは脳心血管病の危険因子を含めた健康歴，血圧コントロールの実際（とくに家庭血圧），合併症の早期発見のための各種検査データ，生活習慣と生活習慣修正のための心理・社会的側面に着目する必要がある．

2 ● 援助の方針

高血圧患者の身体的，心理・社会的特徴をふまえて，援助の方針を次のように考える．

①血圧が適正な値にコントロールできるように援助する（降圧目標は表V-2-5を参照）．
②血圧コントロールに必要な生活習慣の修正を主体的に実践できるように援助する．
③高血圧による合併症を早期に発見し，予防・対処できるように援助する．

3 ● 看護活動

a. セルフモニタリング

家庭血圧の測定は，患者の治療継続に対するアドヒアランスを高めるとともに，降圧薬治療による過剰な降圧，あるいは不十分な降圧，血圧の季節変動性を評価することに役立つ．

とくに家庭での血圧の値，推移は降圧薬の種類・量を調節する医師の判断材料ともなる．家庭血圧の測定方法については表V-2-6を参照されたい．ただし，心配性の人は，一生

表Ⅴ-2-4 高血圧患者の看護アセスメント

目的	アセスメント項目		備考
身体的側面 ●高血圧のコントロール状況をアセスメントする ●高血圧による心血管系合併症の徴候をアセスメントする	●病歴	・現病歴（高血圧），既往歴，治療歴（内服治療の有無），家族歴，健診データ，とくに血圧の推移．	・外来における血圧測定の際は，5分間以上の安静坐位後に行う．また一過性の血圧上昇をまねくため30分以内のカフェインの摂取，喫煙を控える． ・初診時および入院時は，必ず左右上肢の血圧を測定する． ・家庭血圧・ABPMで得られる情報：白衣高血圧・逆白衣高血圧・早朝高血圧・夜間血圧（ABPMによる睡眠時血圧を夜間血圧とよぶ）． ・ABPM：ambulatory blood pressure monitoring；24時間自由行動下血圧測定 ・ABI：ankle-brachial pressure index；上下肢血圧比 ・PWV：pulse wave velocity；動脈波伝播速度 ・Augmentation Index：脈波増大係数 ・標準のBMIを22とする． ・BMI：body mass index＝体重kg÷（身長m）^{2}
	●検査データ ①血液・一般尿検査	・尿（タンパク，赤血球，白血球，糖） ・血液生化学検査（赤血球数，白血球数，血小板数，ヘモグロビン，ヘマトクリット，尿酸値，中性脂肪，LDL・HDLコレステロール，総コレステロール，空腹時血糖，HbA1c, Na, K, Cl, Ca, 総タンパク，ALT, AST, γ-GPT, LDH, ビリルビンなど）	
	②呼吸・循環・血管系	・胸部X線，心電図，心エコー，頸動脈エコー，ABI, PWV, Augmentation Index, 高感度CRP	
	③腎・泌尿器系	・BUN，クレアチニン，GFR，尿中微量アルブミン排泄量	
	④脳神経系・眼底	・頭部MRI，認知機能テスト，眼底検査	
	⑤2次性高血圧スクリーニングのための検査	・血圧に影響を与える薬剤（甘草，非ステロイド性抗炎症薬，経口避妊薬およびシクロスポリン）の確認	
	●身長・体重等の推移	・身長，体重，肥満度（BMI），腹囲	
	●バイタルサイン	・体温，脈拍，血圧，呼吸数，意識レベル	
	●身体所見	・血圧（診察室・外来血圧測定，家庭血圧測定，24時間自由行動下血圧測定［ABPM］） ・身長，体重，肥満度（BMI），腹囲 ・甲状腺腫・頸静脈怒張の有無と程度 ・心雑音・Ⅲ音およびⅣ音の有無 ・四肢末梢：末梢動脈拍動の減弱，血管雑音，浮腫の有無	
	●症状・徴候	・頭痛，頭重感，意識障害，嘔吐，複視，乏尿など	
日常生活の側面 ●血圧のコントロールおよび生活習慣の修正が日常生活に及ぼす影響をアセスメントする	●環境	・生活環境の変化の有無とその内容	・とくに高齢者の場合，生活環境の変化により食生活，運動習慣が変化し血圧値が変化することがある．また測定時，急に室温が下がった環境で測定すると，血管が攣縮し，血圧が上昇することがある． ・調理を行う人，家族の嗜好についても確認する（塩分や油の多い食事を好むのかなど）． ・同居する家族の食事についての嗜好を確認する．食生活を改善することは，患者・家族の生活習慣修正に向けた行動の1つとなりうる． ・便が硬く，排便時「いきむ」ことで一過性に血圧が上がる．
	●食事	・食事内容（回数，量），食欲，水分摂取量，塩分・脂質を多く含む食事についての嗜好，起床後第2尿・随時尿でのNa・クレアチニン測定	
	●排泄	・排尿回数，排尿量と性状 ・排便回数，便の硬さ，排便習慣の工夫（その人なりの工夫），下剤・整腸薬使用の有無と程度	
	●睡眠	・睡眠時間，寝つきや目覚めの状況，睡眠薬・精神安定薬使用の有無と程度	
	●清潔	・入浴の有無	
	●動作・活動	・運動習慣の有無とその内容（運動の種類，運動強度，回数，時間），どのような動きが障害されているか	
	●喫煙の有無・程度	・ブリンクマン指数（＝1日の喫煙本数×喫煙年数）	
	●趣味・余暇活動	・どのような趣味・余暇活動を行っているか，患者が行っている工夫	
	●セルフケア能力	・日常生活を調整しながら治療を継続する能力の有無，程度	
認知・心理的側面 ●高血圧とその治療，生活習慣修正に向けた取り組みが心理状態に及ぼす影響をアセスメントする	●疾患や治療の理解および受け止め	・疾患および脳心血管病危険因子，治療およびその副作用をどのように理解し，それを受け止めているか ・指導するうえで必要な理解力	・同居する家族，キーパーソンとなる家族の理解力，心理状態も確認する．
	●価値・信念	・何に価値を置き，何を大切にしているか，信仰する宗教は何か	
	●対処方法	・これまで問題にどのように対処してきたか	

(つづき)

	●心理状態	・いらだち，不安，抑うつの有無や程度，認知症の有無と程度	＊認知機能については，長谷川式簡易知能評価スケール，MOCA-Jなどの結果を確認する
社会・経済的側面 ●高血圧とその治療，生活習慣修正に向けた取り組みが社会・経済状態に及ぼす影響をアセスメントする	●役割 ●職業	・職場における地位・役割 ・就学・就業の有無，仕事内容，勤務時間，労働量，通勤時間・手段，職場環境や人間関係	
	●家族構成 ●家族の状態	・家庭における役割 ・何人暮らしか家族の病気や治療の理解力および受け止め，協力体制の状態	
	●キーパーソン	・家族または周囲の人のなかでのキーパーソンは誰か	
	●経済状態	・医療保険の種類，民間保険の加入の有無，医療費の支払能力の有無と程度	
	●ソーシャルサポート	・友人・知人・同僚・患者会などのサポートの有無，利用できる社会資源の有無と程度	

本態性高血圧のなかには医療機関（診察室）でのみ高血圧を示す白衣高血圧も含まれる．白衣高血圧は診察室での血圧測定だけでなく，家庭血圧や24時間血圧を測定することで診断される．

表V-2-5 降圧目標

	診察室血圧（mmHg）	家庭血圧（mmHg）
75歳未満の成人[*1] 脳血管障害患者 　（両側頸動脈狭窄や脳主幹動脈閉塞なし） 冠動脈疾患患者 CKD患者（タンパク尿陽性）[*2] 糖尿病患者 抗血栓薬服用中	<130/80	<125/75
75歳以上の高齢者[*3] 脳血管障害患者 　（両側頸動脈狭窄や脳主幹動脈閉塞あり，または未評価） CKD患者（タンパク尿陰性）[*2]	<140/90	<135/85

[*1] 未治療で診察室血圧130〜139/80〜89 mmHgの場合は，低・中等リスク患者では生活習慣の修正を開始または強化し，高リスク患者ではおおむね1ヵ月以上の生活習慣修正にて降圧しなければ，降圧薬治療の開始を含めて，最終的に130/80 mmHg未満を目指す．すでに降圧薬治療中で130〜139/80〜89 mmHgの場合は，低・中等リスク患者では生活習慣の修正を強化し，高リスク患者では降圧薬治療の強化を含めて，最終的に130/80 mmHg未満を目指す．
[*2] 随時尿で0.15 g/gCr以上をタンパク尿陽性とする．
[*3] 併存疾患などによって一般に降圧目標が130/80 mmHg未満とされる場合，75歳以上でも忍容性があれば個別に判断して130/80 mmHg未満を目指す．
降圧目標を達成する過程ならびに達成後も過降圧の危険性に注意する．過降圧は，到達血圧レベルだけでなく，降圧幅や降圧速度，個人の病態によっても異なるので個別に判断する．
[日本高血圧学会高血圧治療ガイドライン作成委員会（編）：高血圧治療ガイドライン2019, p.53, ライフサイエンス出版, 2019より許諾を得て転載]

　懸命に血圧を測定しようとすればするほど精神的に動揺し，血圧が高くなり，値が大きく変動するので，家庭血圧測定導入にあたっては注意する．
　なお，前述したように頭痛や肩こりは高血圧の非特異的症状であるが，頭痛や肩こりがみられたら，実際に血圧を測定し（家庭血圧でもよい），収縮期血圧が200 mmHg以上，または拡張期血圧が120 mmHg以上であれば，早く医師に相談するよう指導する．
　血圧に加え，体重，運動の有無・程度（歩数記録など），体調などを日記や血圧手帳と

表Ⅴ-2-6　家庭血圧の測定時の注意点

1. 上腕カフ・オシロメトリック装置を用いる
2. 朝は，起床後1時間以内，排尿後，降圧薬前，朝食前に，坐位1～2分の安静後に測定する
3. 夜は就寝前に，坐位1～2分の安静後に測定する
4. いすに座った姿勢で測定する（いつも同一姿勢で測定する，枕やタオルなどで測定側の腕を固定する）
5. カフが心臓と同じ高さになるような位置に腕を置く
6. カフを巻いたとき，カフと腕の間に指が1～2本入る程度にする．巻き方がゆるいと，動脈を圧迫する力が弱くなり，血圧値が高めに出る．またカフの中央部が上腕動脈にかかるように巻く
7. 1機会に2回測定した平均を原則とする．とくに血圧が高い場合には必ず2～3回繰り返し測定する．続けて血圧を測ると腕がうっ血しやすいので，1回ごとに腕を高く上げ，手を数回握ったりして，腕のうっ血を取り除いてから測り直す．1度だけ測定した場合，その測定値をそのまま記入する
8. 食事や入浴の直後は避ける

して記しておくことは，自身の身体の変化に気づきやすく，医療者にもそれらを伝えやすい．また患者が記入しやすく，読みやすいように，グラフを用いたり，1ヵ月ないしは1週間の血圧の変化をみることができるなど，レイアウトや文字の大きさを工夫する．

b. 日常生活における教育的支援および援助

降圧および高血圧による脳心血管系の合併症を予防するため，また，降圧薬の効果を高めるために，すべての患者に対して，生活習慣の修正を支援していくべきである．

(1) 高血圧および高血圧による合併症についての理解を促す

高血圧の治療，生活習慣の修正は生涯にわたり続くものであり，患者自身が高血圧について正しい理解のもと，治療に臨まなければいけない．通常，幼少期から長年にわたる生活習慣を修正することは，容易ではない．

医療者は患者の高血圧という病気の受け止め方を確認し，正しい知識を提供し，生活習慣修正のための動機づけを行い，具体的にどの部分の生活習慣をどうやって修正するのか，患者とともに考える必要がある．生活習慣上の問題点に患者自身が気づき，自ら生活習慣修正の目標が立てられるように患者と話し合う．また目標は具体的に患者がイメージできるように，患者の言葉で書き表されること，患者自らが行動の記録（日記）をつけるなどの工夫を提案する．患者にはできている部分を肯定的に評価し，できていない部分を直接非難せず，患者に自分で気づいてもらう．患者の人格を否定しないなどの配慮も必要である．

(2) 生活習慣修正のための日常生活の支援

生活習慣の複合的修正は，より顕著な降圧を認めることができる[3]．

①食事（塩分を好む食習慣を修正する）

・塩分は1日6g未満とする．

現在，食品の栄養表示は食塩ではなくナトリウム（mg/100gあるいはmg/mL）表示となっている．そのため以下の式に基づきナトリウムを食塩に換算しなければいけない．

$$\text{食塩相当量（g）} = \text{ナトリウム（mg）} \times 2.54 \div 1{,}000$$

なお，高齢者では脱水，食欲減退に注意して必要に応じて制限を緩める．

必要時，家族（調理する人）も交えて栄養士による栄養指導が受けられるように調整する．

- 野菜・果物の積極的摂取，飽和脂肪酸・コレステロールの摂取を控える．多価不飽和脂肪酸も低脂肪乳製品の積極的摂取を勧める．

ただし，カリウム（K）を多く含む野菜・果物の積極的摂取は，腎障害のある患者では，高カリウム血症を引き起こすため推奨されない．さらに糖尿病患者では，果物の積極的摂取は摂取カロリーの増加につながるため，推奨されない．

以上をふまえ，具体的な食品名，量，調理法を示して指導する．

②適正体重の維持

肥満者（BMI 25以上）では減量により血圧が低下する．また脂質異常症（高脂血症），糖尿病，高尿酸血症も改善する．BMIより患者の肥満度，標準体重（BMI 22）を算出し，目標体重を患者とともに設定する．なお，4.5 kgの減量でも有意な降圧をきたすことが大規模臨床試験（TONE）[4]で報告されているため，無理のない長期的な減量を指導していく．

$$適正体重（kg）= 22 \times （身長 m）^2$$

なお，食事療法だけでは減量は成功しない．運動療法を併用することが必須である．**運動**により**基礎代謝**を増加させ，減量中に筋肉が落ちることを防ぐ．

③運動療法

高血圧患者に適している運動は，**有酸素運動**であり，軽度の動的な等張性運動（例：早歩き，ランニング，水中歩行など）である．急激な血圧上昇を伴う静的な運動（例：腕立て伏せ，重量挙げ，ベンチプレスなど），強度の調節がむずかしい運動は避ける．

運動は，心肺運動負荷試験による運動処方に基づいて実施することが推奨される．簡単な運動の強さの目安は，会話ができる程度，少しきついと感じる程度である．運動は定期的に（できれば毎日30分以上）行うことが目標となる[5]．

中等症から重症の高血圧患者は，運動中の血圧上昇に伴う心血管事故の可能性があるため，ある程度の血圧コントロールができるまで，積極的な運動は控えたほうが安全である．

また，高齢者の場合は，整形外科的疾患（膝や関節など）による痛みや運動制限を有していることがあり，それらが運動の妨げになることもある．整形外科的疾患の有無・程度について運動前にアセスメントし，整形外科医・理学療法士とともに運動処方を検討する必要がある．

④節　酒

飲酒は血圧を上昇させる．エタノール換算で男性は20〜30 mL/日（日本酒換算1合前後）以下，一般的にビールなら中びん1本程度，日本酒であれば小さなお銚子1本程度である．女性はその半分の10〜20 mL/日以下にすべきである[6]．

アルコールの摂取は，エネルギーの過剰摂取および酒の肴（さかな）による塩分の過剰摂取につながりやすい．また，飲酒後は血管が拡張し，その後寒いところに移動すると血管が収縮して血圧が急激に上昇するので，冬場などは注意が必要である．

⑤禁　煙

タバコに含まれるニコチンの血管収縮作用により血圧が上昇する．喫煙はがんなどの非循環器系疾患のみならず，虚血性心疾患や脳血管障害などの危険因子でもあるため，高血圧患者では脳心血管系合併症の予防の観点からも禁煙すべきである．

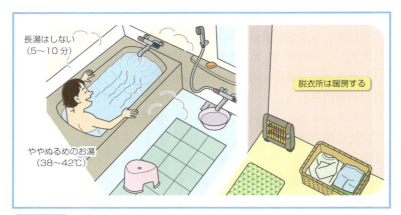

図Ⅴ-2-1　高血圧患者の入浴時に留意する点

　喫煙習慣の本質は**ニコチン依存症**であり（薬物中毒の1つであり，疾患である），本人の意思だけで禁煙することは困難である．喫煙患者には，喫煙の害が大きいこと，治療法があることを伝え，個別性，主体性を重視した，セルフモニタリングや段階的な目標設定など**認知行動療法**を用いて支援を行っていく．必要に応じて禁煙補助薬（バレニクリン，ニコチン補充療法）なども考慮する．一定の条件を満たせば保険診療で禁煙指導を受けることができる[6]．

(3) その他，血圧を上げないための日常生活への支援

①入　浴

　極端に熱いお湯や水風呂は，皮膚に刺激を与え，筋肉の血管を収縮させるため，血圧が上がる．脱衣場や浴室が寒いと，寒冷刺激により血管が収縮して，血圧は急激に上昇する．脱衣場に暖房を入れる，浴室を暖めておくなど寒冷刺激を避ける工夫が必要である．入浴後の湯冷めにも注意する．

②車の運転

　車の運転は肉体的に激しい運動を伴うわけではないが，精神的ストレスにより血圧が上昇する．運転中のハプニング，渋滞，高速道路の運転などイライラすることが多く，そのようなときは血圧が上昇することを常に頭に入れて運転するように指導する．

③排便時の「いきみ」

　便秘による排便時の「いきみ」は血圧を上昇させるので，便秘予防の指導，必要時緩下薬の投与を行う．

④リラクセーション，気分転換

　個々人の好みに合わせたリラクセーション，気分転換をはかる．

⑤睡　眠

　十分な睡眠時間を確保する．就寝前のカフェインの摂取は避ける．必要時，睡眠薬や精神安定薬の投与を検討する．

⑥性生活

　性交為は血圧を上昇させるが，血圧がコントロールされている場合，性生活において高

血圧ゆえの問題はない．血圧がコントロールされていない場合や，脳心血管病を合併する場合の性交時の血圧上昇は正常な人の変化よりも大きく，血圧はより高くなることを留意する．一方，必要以上に性生活について不安や心配を抱き，性生活の質が低下する場合もあるので，その点も配慮する．また適宜パートナーの協力も得ることも大切である．性生活について医療者と話し合える関係作りも必要である．

(4) 内服薬の管理についての支援

　降圧薬の使用開始にあたっては，高血圧および血圧コントロールの重要性について患者が理解し，納得して降圧薬を内服できるか，確認する．

　一定期間の生活習慣の修正を行っても140/90 mmHg未満に下降しない場合は，降圧薬治療が開始される．降圧薬は1日1回投与のものを低用量から始めることが原則である．ほかの薬剤との相互作用，副作用に注意する．また降圧薬使用開始時に血圧降下に伴う体の不調（めまい，倦怠感，立ちくらみなど）がしばらくの間（1ヵ月くらい）続くことがある．またこれらの症状がひどいときは降圧薬の量が多いことも考えられるため，処方医に相談することを指導しておく．また家庭用血圧計で自身の血圧を測定し降圧と不調の傾向をつかむことも大切である．

　降圧薬はその量，種類を減らすことはできても，血圧コントロールのために生涯続けなくてはいけないことが多い．薬の中断は未治療よりも予後を悪化させることがある．そのため，患者自身の判断で内服を中止しないように指導しておく必要がある．

(5) 定期的な受診の必要性と緊急時の対処方法

　血圧のコントロールおよび合併症の早期発見と早期対処は生涯にわたり継続的に行われるため，定期的な受診の必要性の理解を促す．とくに，転勤や転職は治療中断のきっかけとなりやすく，注意が必要である．

　また合併症の徴候・症状出現時，および緊急時の医療機関への連絡方法を具体的に説明する．

c. 心理・社会的支援

　高血圧の発症には遺伝素因と環境要因が関与しており，環境要因は生活習慣によるものである．また幼少期から続いた生活習慣を修正することは容易なことでない．高血圧は生涯つきあっていかなければいけない疾患であることを患者がどう受け止めているか，また患者は生活習慣修正のつらさやストレス，合併症発症の不安が存在することを理解することが大切である．患者の行動修正について関心を示し，患者や家族の話を傾聴する．患者の思いを否定せず，患者の努力やできていることを認め，肯定的に評価する必要がある．

　たとえば，体重が減少したこと，血圧が下がったこと，血液検査データ（血清コレステロールや血糖値など）においてよい結果が出たことは称賛し，それが継続できるように支援する．また，なかなか血圧が下がらない，減量できない，血液検査の結果が改善しないなど悪い結果の場合は，それらの結果や患者の思いを否定せず，患者の話を傾聴し，患者とともに段階的に次回までの具体的な目標を立てる．

d. 家族への支援

　高血圧患者は，生涯にわたる血圧コントロールのため，生活習慣の修正を余儀なくされることがあり，日常生活や職場において家族や職場の理解と協力が必要となってくる．そ

のため，高血圧に関する知識や生活習慣修正のための指導は，患者のみならず家族も交えて行うことが望ましい．また，高血圧の発症は環境要因も大きく関与しているため，とくに食習慣や運動習慣については，家族全体での取り組みが必要であり，患者以外の家族の高血圧を含めた**メタボリックシンドローム**発症の予防にも有用と考える．

> **学習課題**
> 1．高血圧の治療のゴールについて説明してみよう
> 2．高血圧患者の教育的支援の内容を挙げてみよう
> 3．家庭血圧の測定方法について説明してみよう

> **練習問題**
>
> **Q1** 高血圧患者の生活習慣修正のための食生活への援助のうち，正しいのはどれか．2つ選べ．
> 1．塩分は1日8g未満とする．
> 2．高齢者では脱水，食欲減退に注意して必要時制限を緩める．
> 3．腎障害のある患者では，カリウムを多く含む野菜・果物の積極的摂取を勧める．
> 4．糖尿病のある患者では，果物の過剰な摂取は，推奨されない．
> 5．高血圧患者に適している運動は静的な運動である．

［解答と解説 ▶ p.526］

引用文献

1) 日本高血圧学会高血圧治療ガイドライン作成委員会（編）：高血圧治療ガイドライン2019，p.7，ライフサイエンス出版，2019
2) 前掲1），p.76
3) Appel LJ, Champagne CM, Harsha DW, et al : Writing Group of the PREMIER Collaborative Research Group : Effects of comprehensive lifestyle modification on blood pressure control : main results of the PREMIER clinical trial. The Journal of the American Medical Association 2（16）: 2083-2093, 2003
4) Whelton PK, Appel LJ, Espeland MA, et al : Sodium reduction and weight loss in the treatment of hypertension in older persons : a randomized controlled trial of nonpharmacologic interventions in the elderly (TONE). TONE Collaborative Research Group. The Journal of the American Medical Association 279（11）: 839-846, 1998
5) 前掲1），p.68
6) 前掲1），p.69

V-2. 循環器系の障害を有する人とその家族への援助

2 不整脈

> **この節で学ぶこと**
> 1. 不整脈の種類と治療について説明できる
> 2. 不整脈のある患者の身体的，心理・社会的特徴を説明できる
> 3. 不整脈のある患者に必要な症状マネジメントとセルフモニタリングについて説明できる
> 4. 不整脈のある患者が日常生活を調整するための教育的支援および援助について説明できる

A. 不整脈患者の身体的，心理・社会的特徴

1 ● 不整脈とは

　心臓が全身に必要な血液量を拍出するためには，心筋細胞が規則正しく興奮し，心臓全体がリズムよく拍動する必要がある．心臓全体のリズムが同期して収縮するためには，**洞結節**から発生した興奮が**刺激伝導系**を伝わる（洞調律）必要がある（**図Ⅴ-2-2**）．この刺

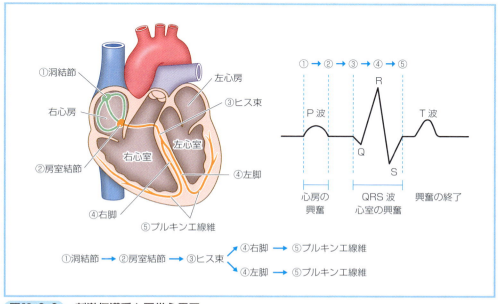

図Ⅴ-2-2 刺激伝導系と正常心電図

表V-2-7 代表的な不整脈の種類

	上室（心房）性	心室性
徐脈	洞不全症候群（SSS） （洞性徐脈，洞停止・洞房ブロックほか）	房室ブロック（AV block） 脚ブロック（BBB）
頻脈	洞性頻脈 上室頻拍（SVT）・発作性上室性頻拍（PSVT） 心房粗動（AFL） 心房細動（AF/AFib） WPW症候群	心室頻拍（VT） 心室細動（VF） ブルガダ症候群（特発性心室細動） QT延長症候群（先天性・二次性）
リズムが不規則	上室性期外収縮（PAC）	心室性期外収縮（PVC）

激伝導系におけるなんらかの異常が不整脈である[1]．不整脈の原因は，年齢，遺伝，ストレスや睡眠不足，疲労などである．そして，虚血性心疾患や心筋症，弁膜症などの心臓病によって二次的に伝導異常が生じて不整脈が出現する．また，心臓病にかかわらず，内分泌疾患や電解質異常，神経系の障害によって生じることもある．

2 ● 不整脈の種類

不整脈は，徐脈性と頻脈性，不規則性（期外収縮）に大別され，異常興奮が起こる部位によって，上室（心房）性と心室性とがある（**表V-2-7**）．徐脈性不整脈は，心拍数が60回/分以下で，興奮の発生や伝導の障害によって起こる．洞不全症候群（SSS）や房室ブロック（AV block）などがある．頻脈性不整脈は，心拍数が100回/分以上で，興奮の旋回や異所性の撃発活動などによって起こる．心室頻拍（VT）や心室細動（VF），発作性上室性頻拍症（PSVT），心房粗動（AFL），心房細動（AF/AFib）などがある．期外収縮は，洞調律よりも早く収縮が起こることであり，上室性期外収縮（PAC）と心室性期外収縮（PVC）がある．また，心室細動および無脈性の心室頻拍，洞不全症候群および房室ブロックは，致死性不整脈といわれ，心臓突然死の原因となる[1,2]．

3 ● 不整脈の検査と治療

不整脈の原因や機序を明らかにするために，心電図検査，心臓電気生理学的検査などが行われる．その原因に応じて，抗不整脈薬などの薬物療法が行われる．薬物療法のみで効果が十分に得られない場合や致死性不整脈の場合には，非薬物療法が併用される．非薬物療法には，経皮的カテーテル心筋焼灼術（アブレーション），植込み型心臓デバイス（cardiac implantable electronic device：CIED）治療，電気的除細動，外科手術がある．非薬物療法の目的は，致死性不整脈による心臓突然死の予防と生命予後の改善，不整脈による症状改善とQOLの改善である[2]．

アブレーション治療は，頻脈性不整脈に対する根本的な治療である．大腿静脈からカテーテルを挿入して心臓までアプローチし，興奮の旋回や撃発活動部位を3次元マッピング技術で特定し，高周波電流で焼灼することで異常回路を遮断する治療である．

植込み型心臓デバイス（CIED）には，ペースメーカー（pace maker：PM）（p.178参照），植込み型除細動器（implantable cardioverter defibrillator：ICD），心臓再同期療法（cardiac resynchronization therapy：CRT）などがある．これらの心臓デバイスは，不整脈の根治治療ではなく，あくまでも突然死を防ぐための対症療法であり，基本的に植込みは一生必要となることを忘れてはならない．

また，不整脈は心疾患のみならず，内分泌疾患，神経系，電解質のバランス異常，薬物副作用などによって誘発されることもあるため，基礎疾患への治療も重要である．

4 ● 不整脈のある患者の身体的特徴

不整脈の代表的な自覚症状は，動悸や脈がとぶ感覚，胸部不快感がある．不整脈の種類によって，心臓がポンプとしてうまく機能しないことから血圧や心拍出量低下が生じるため，めまい，ふらつき，息切れなどの心不全症状や，眼前暗黒感，失神（意識消失），さらには心停止と，症状の内容や程度は多様である．とくに，不整脈が原因で脳への血液量が不足することによって起こる，めまいや失神（意識消失），全身けいれんなどの脳虚血症状を**アダム・ストークス反応**という．

期外収縮は気づかない場合も多く，脈がとぶ，乱れる感覚が生じることもある．程度が強く連続する場合は，胸部不快感や狭い範囲の数秒～数十秒以内で治まる胸痛が生じる．連続する**期外収縮**や徐脈の場合は，めまいを自覚したり，活動時に息切れが生じたり，意識消失をきたすこともある．頻脈は，動悸として自覚される．持続すると心拍出量低下に伴い，息切れ，吐き気，冷や汗が生じ，意識消失することもある．とくに，**心房細動**は，左房内血栓を形成しやすく，その血栓が血流にのって脳動脈をはじめとした血管の塞栓を起こすリスクが非常に高い．また，**心室性頻脈**は死にいたる可能性が大きいため緊急を要する．

なお，不整脈の症状は，心電図所見と患者の自覚症状が一致するとは限らない．また，敏感に自覚する患者もいれば気づかない患者もいる．さらに，同じ患者でも自覚するときもあればしないときもある．また，持続する，あるいは繰り返す不整脈の症状は，身体的苦痛だけでなく，心臓が止まる，意識を失うことを想起させ，心理的苦痛も大きく，それにより不整脈が誘発される．このような悪循環が生じることも理解しておく必要がある．

5 ● 不整脈のある患者の心理・社会的特徴

不整脈の重症度や症状の程度にかかわらず，またいつ起こるかわからない，心臓が止まる，意識を失うことへの不安や恐怖を抱く．このような不安や恐怖から，症状の出現を防ぐために，過度に生活活動を自制したり，不眠や食欲低下，ストレス症状をきたしたりすることも少なくない．そして，これらは精神的な興奮や交感神経を刺激するために頻脈や過呼吸を誘発してしまい，悪循環をきたすことになる．

とくに致死性不整脈を起こす患者や頻回に意識消失をきたすような患者の場合，家族も患者と同様に，患者の突然死への不安や恐怖を抱く．また，ブルガダ症候群，QT延長症候群などの遺伝性疾患や先天性疾患患者や若年患者では，学校生活や就労上の制限が生じたり，結婚・出産などのライフイベントへの影響，高額治療による経済的負担が生じたりすることもある．

また，植込み型除細動器を植込んだ患者にとっては，除細動作動の衝撃に関する未知の

不安や作動を体験した際の恐怖は大きなもので，心的外傷後ストレス障害（PTSD）や1人で外出できないほどの恐怖や不安，うつ状態に陥り，それらから活動を過度に制限する状況は，大きな課題となっている．

B. 不整脈のある患者および家族への援助

1 ● 看護アセスメント

不整脈は，種類や症状，誘因は多様であるが，第一に生命の危険度の判断が必要である．そして発作時の救命処置，急性期の不整脈と基礎疾患治療の確実な実施とともに，致死的な不整脈や合併症の早期発見・早期対処が重要である．

なお，心電図所見と自覚症状が一致するとは限らないため，主観的情報と客観的情報を統合して，身体的苦痛やそれらが日常生活や心理・社会面にどのような影響を及ぼしているかを迅速にアセスメントする．

また，非発作時や慢性期には，心機能に応じた心負荷をかけない生活管理や心理・社会面を含めた包括的な自己管理支援が必要となることから総合的なアセスメントが求められる（**表Ⅴ-2-8**）．

2 ● 援助の方針

不整脈患者の身体的，心理・社会的特徴をふまえ，援助の方針を次のように考える．

①不整脈の重症度・原因に応じて，身体的苦痛および心理的苦痛の緩和をはかり，転倒・転落などの二次障害予防を含めた生活援助を行い，突然死などの合併症を予防・早期発見・早期対処する．
②不整脈とその治療について患者と家族が理解できるよう支援し，セルフモニタリングをはじめとする療養生活のセルフマネジメントができるよう援助する．
③患者や家族が，不整脈発作や死への不安・恐怖に対するストレスマネジメントができるよう援助するとともに，サポート体制を整える．

3 ● 看護活動

a. 症状マネジメント

急性期における症状管理においては，まず，心電図波形と患者の自覚症状双方から致死性であるかを判断する．致死性不整脈の場合は，ただちに医師に報告し，心肺蘇生や除細動などの救命処置を行い，迅速に薬物療法や非薬物療法が開始できるように診療補助を行う．患者は意識消失していることもあるため，転落しないように安全を確保する．意識がある場合は，患者の不安が不整脈を誘発するため鎮静のために薬剤投与を行ったり，状況を説明したり，無駄に心電図モニターのアラームなどを鳴らさないなどの静かな環境を整えたりする．

慢性期の症状管理については，心臓への負荷やストレスなどが誘因になることが多いため，薬物療法の遵守とストレスマネジメント（c.項参照）が，不整脈の予防になると同時

表V-2-8 不整脈患者の看護アセスメント

目 的	アセスメント項目	
身体的側面 ● 不整脈の原因，重症度をアセスメントする ● 症状に伴う身体的苦痛をアセスメントする	● 病歴 ① 不整脈の種類 　誘因となる疾患	現病歴・既往歴： ・不整脈の種類，失神や心停止のリスク ・不整脈の原因・誘因疾患：弁膜症，冠動脈疾患，心筋症，心不全などの器質性心疾患，遺伝性疾患，先天性疾患，内分泌疾患（甲状腺・腎臓など），神経疾患，電解質バランス異常，貧血，自律神経失調，不整脈誘発薬剤の使用 ・家族歴（突然死，心疾患など）
	② 治療内容 　薬物治療 　非薬物治療	・薬物治療：薬剤名，量 ・非薬物治療：除細動，カテーテルアブレーション，植込み型心臓デバイス（PM, ICD, CRT, CRT-D）の種類と設定，遠隔モニタリング機能の有無
	● 検査データ	・心電図（モニター心電図，ホルター心電図，12誘導心電図，運動負荷心電図），電気生理検査，心エコー，心臓カテーテル検査，胸部X線 ・電解質バランス（K, Na, CL） ・内分泌系データ（甲状腺ホルモン，抗利尿ホルモン） ・貧血・栄養状態
	● バイタルサイン ● 徴候，症状 ① 不整脈・関連症状	・脈拍測定（回数，リズム，緊張度，心拍数との照合），血圧，呼吸数，SpO_2，水分出納 ・動悸，脈がとぶ，失神など，これらの症状が規則的か不規則か，継続時間，複数症状が同時に出現するか，突然か徐々に出現するか ・血圧低下・脳虚血・心不全症状（めまい，眼前暗黒感，ふらつき，冷や汗，脱力感，倦怠感，息切れ，胸部違和感，失神）
	② 治療の副作用など	・催不整脈作用（他の不整脈），口渇感，頭痛，めまい，心不全症状，表皮壊死症，過敏症症候群，肝機能障害，間質性肺炎，甲状腺機能異常，角膜色素沈着
	● リスク・誘発要因	・生活活動や運動などの労作，アルコール，カフェイン，喫煙，精神面（緊張，ストレス，不安）と不整脈出現の関連
日常生活の側面 ● 不整脈症状が日常生活に及ぼす影響をアセスメントする	● 環境 ● 食事 ● 排泄 ● 睡眠 ● 清潔 ● 動作・活動 ● 趣味・余暇活動 ● セルフケア能力	・室温（とくに寒冷刺激），居室などがリラックスできる物理的環境か（音，照明，広さ） ・食欲，食事摂取量・回数，塩分・水分，カフェインや飲酒，喫煙 ・尿量，排便（便秘・下痢），緩下薬などの薬剤使用状況 ・睡眠時間，規則性，満足感 ・入浴（湯温，時間，更衣環境），整容，口腔衛生，皮膚の状態 ・買い物・通勤・通学の移動方法，運転の有無 ・運動習慣（内容，活動強度，継続時間，頻度） ・趣味や余暇活動の有無と内容，頻度，満足感 ・日常生活を調整しながら治療を継続する能力の有無・程度 ・自己の健康状態のセルフモニタリングの状況，ヘルスリテラシー，自己効力感
認知・心理的側面 ● 不整脈症状や治療が認知および心理状態に与える影響についてアセスメントする	● 疾患や治療の理解および受け止め ● 価値・信念 ● 対処方法 ● 心理状態	・疾患に関する理解，受けとめ（とくに失神や症状自覚による死の恐怖） ・不整脈の原因・誘発疾患やその治療に関連した過去の体験やその意味付け ・何に価値を置き，何を大切にしているか，信仰する宗教は何か ・健康観や死生観 ・これまで問題にどのように対処してきたか ・ヘルスリテラシー，自己効力感，自己管理行動に対する意欲や動機，学習の準備状態 ・不安，恐怖，うつ，ストレスの有無・程度とその内容，希望や関心事，ストレス発散方法の有無や内容
社会・経済的側面 ● 不整脈症状や治療による社会活動，経済状況への影響をアセスメントする	● 役割 ● 職業 ● 家族構成 ● 家族の状態 ● キーパーソン ● 経済状態 ● ソーシャルサポート	・家庭内，職場，地域社会における役割 ・就業の有無，仕事の内容，勤務時間，労働量，通勤時間・方法，職場環境 ・人数，同居状況 ・家族員のサポート能力，健康状態 ・患者の疾患や治療への理解度や受けとめ ・家族または周囲の人の中でのキーパーソンは誰か ・医療保険の種類，介護保険と介護度，身体障害者手帳申請，民間保険加入の有無 ・友人・知人・同僚・患者会などのサポートの有無，利用できる社会資源 ・サポーターの患者の疾患や治療への理解度や受けとめ ・医療保健福祉関連の多職種チームによるサポート体制

に症状緩和にもなる．心原性の不整脈の場合は，心機能に応じた心負荷軽減のための生活援助を行うことで症状緩和をはかる．

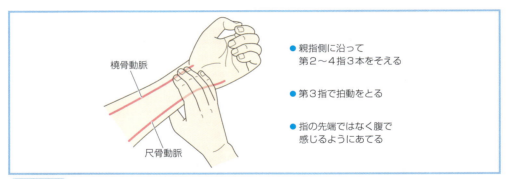

図Ⅴ-2-3　自己検脈の方法

b. セルフモニタリング支援

自己管理（セルフマネジメント）の基本は，セルフモニタリングである．自分で自身の身体状況を観察し，異常の早期発見・早期対処できることが何よりも重要である．つまり，単に"測定したり観察したりする"だけでなく，測定・観察して得た情報から，自身の不整脈の特徴を理解することや，その情報を"どのように解釈・判断し，どのように早期受診や活動調整等の行動につなげるか"を含めて指導しなければ意味がない．とくに，高齢者の場合は，このような観察や判断が困難なこともある．定期受診時にモニタリングした記録を主治医に報告する，あるいは，判断ができる家族などによるサポートを整えるなどの工夫を行う．

不整脈患者のセルフモニタリングにおいて重要なことは，"**自己検脈**"（図Ⅴ-2-3）である．不整脈の自覚症状は患者によって感受性がさまざまであるため，主観的情報のみに頼らず，客観的な指標でもモニタリングできることが重要となる．自己検脈は，不整脈の発見，心負荷の判断，デバイス植込み患者にとってはデバイスの正常作動確認にも役立つ．

また，デバイス植込み患者は，デバイス植込み部の感染や金属アレルギーが起こると，入院によるデバイス抜去と再挿入が必要となり，その侵襲は大きい．そのため，植込み部を入浴時などに鏡で見るなどして感染徴候を観察し，早期発見・早期受診できるようにすることが必要である．

c. 日常生活における教育的支援および援助

慢性期には，不整脈患者が，不整脈治療を確実に継続しながら，治療による制限や自己管理行動を，生活に組み入れることができるように支援する．ただし，不整脈を誘発する基礎疾患（とくに心機能低下を伴うものかどうか），あるいは致死性不整脈かどうかにより，日常生活の調整内容は異なることに留意する．

(1) 病態と治療の必要性の理解

まず初めに，不整脈の機序，治療に関する患者の理解を確認する．不整脈の機序は，複雑で多様であり，患者・家族が十分に理解することはむずかしい．大切なことは，理解不足から漠然とした過度な恐怖や不安を抱いたり，服薬の自己中断をはじめとする療養行動管理が不徹底にならないように，病気と治療に関する理解を促すことである．

（2）内服管理

内服管理においては，抗血栓薬は種類によって食事制限が伴うなど，服薬に関する留意点を含めて，薬剤師による指導が行われる．看護師は，薬剤の作用，副作用の知識提供のみならず，患者・家族の生活スタイルに合わせて，のみ忘れないための管理方法やサポート体制の調整，のみ忘れた際の対応を考える．また，デバイス植込み患者は，「デバイスを植込んでいるのだから，薬物療法は必要ないのではないか」と考え，自己中断することも少なくない．薬物療法と併用して治療していることを患者が理解できるように説明する．

（3）日常生活の調整（ストレスマネジメント，自動車運転，身体活動調整，環境調整）

心機能低下のある患者は，心機能に応じた適切な生活活動の調整をはじめとする包括的心臓リハビリテーションが必要になる（**第V章-2-4「慢性心不全」**参照［p.308］）．

心機能低下を伴わない，あるいは心負荷に関係なく不整脈が生じる場合は，とくに活動を制限する必要はない．この場合，ストレスなどによる交感神経の興奮により不整脈が誘発されることが多いため，気分転換（ストレスコーピング）法の獲得，禁煙，飲酒やカフェイン摂取の節制，質のよい睡眠と過労を避ける生活スタイルなど環境を整える．

失神を伴う不整脈のある患者は，自動車運転が禁止される．地方に住む高齢者などは自動車運転ができないと生活が成り立たない現実もあるため，いかに生活を営むことができるかを考える．

d. 心理・社会的援助

不整脈の症状は，致死性であるかどうかにかかわらず，患者や家族にとっては死を想起させるものである．a.項で述べた症状緩和や安全確保のための援助などで，症状を早く和らげることが，患者・家族の安心につながる．

また，心臓デバイス植込み患者には，運転制限や電磁干渉の回避，除細動作動に対する恐怖や不安，うつ状態に対する援助を行う．デバイスを植込んだことを，"安心して自分なりの生活ができるからよかった"と思えることが目標となる[4]．そのためには，看護師が，「今の（制限された）生活は，イメージしていた生活と比べていかがですか？」「今のあなたにとって，デバイス治療のメリットとデメリットをどのように考えていますか？」などを問いかけることで，患者自身が自分の気持ちに気づき，受け止められるように対話する．また，こういった思いは，植込みを選択する時から最期の時を迎えるまで変化するため，継続的に援助する必要がある．さらに，不安やうつ状態に陥っていないかどうかについては，「眠れていますか？」「食事はとれていますか？」「気持ちが落ち込んでしまうことはありますか？」など問いかけによって早期発見し，早期にリエゾン看護師や臨床心理士などの専門的支援につなぐ．

e. 家族への支援

前述のとおり，致死性不整脈患者の家族は，突然患者を失うかもしれない不安や恐怖を抱いている．家族を患者の支援者としてとらえる前に，家族の心理的負担を把握し，コーピングできるよう支援する．また，心肺蘇生法や自動体外式除細動器（AED）を用いた除細動方法に関する知識とスキルを指導し，早期対処できるように支援する必要がある．そして，遺伝性疾患による不整脈患者は未成年や若年であることが多いため，両親は自責の念を抱き，子どもが成長する過程で抱くさまざまな思いに向き合う負担感をかかえてい

るため，継続的支援が必要である．

> **学習課題**
> 1．不整脈のある患者の心理的特徴を述べてみよう
> 2．不整脈のセルフモニタリングで重要なことを述べてみよう
> 3．不整脈のある患者が日常生活を調整するための指導内容について述べてみよう

> **練習問題**
> **Q1** 不整脈とその症状について適切なのはどれか．
> 1．不整脈の原因は，心臓疾患のみである．
> 2．心室性頻脈の場合，容易に心停止に陥る．
> 3．心室細動は，脳梗塞をきたしやすい．
> 4．期外収縮は，意識を失いやすい．

[解答と解説 ▶p.526]

■ 引用文献
1) 寒川睦子：不整脈の識別とケア．臨床看護 33(8)：1205-1209, 2007
2) 日本循環器学会ほか：不整脈非薬物治療ガイドライン（2018年改訂版），〔http://www.j-circ.or.jp/guideline/pdf/JCS2018_kurita_nogami.pdf〕（最終確認：2023年1月10日）
3) 日本循環器学会ほか：ペースメーカー，ICD，CRTを受けた患者の社会復帰・就学・就労に関するガイドライン（2013年改訂版），〔http://www.j-circ.or.jp/guideline/pdf/JCS2013_okumura_h.pdf〕（最終確認：2023年1月10日）
4) 齊藤奈緒：特集 心臓デバイス植込み患者のケア．看護技術 60(13)：16-26, 2014

V-2. 循環器系の障害を有する人とその家族への援助

3 虚血性心疾患（狭心症，心筋梗塞）

この節で学ぶこと
1. 虚血性心疾患患者の身体的，心理・社会的特徴を述べることができる
2. 狭心症発作時の対処方法について説明できる
3. 虚血性心疾患患者のセルフモニタリングの項目を述べることができる
4. 虚血性心疾患患者の再発予防および生活習慣の修正のための教育的支援について述べることができる

A. 虚血性心疾患患者の身体的，心理・社会的特徴

動脈硬化により血管の内腔が狭くなり，心臓の筋肉を養う冠動脈が狭窄または閉塞し，冠動脈の血流が減少またはなくなる病態が狭心症，心筋梗塞であり，総称して**虚血性心疾患**（ischemic heart disease：IHD）とよばれる（表V-2-9）．

冠動脈の動脈硬化を引き起こす因子は**冠危険因子**とよばれ，高血圧，脂質異常症，糖尿病，加齢（とくに男性は45歳以上，女性は閉経後），喫煙，肥満，運動不足，痛風，精神的ストレスなどが挙げられる．これらの因子は生活習慣が大きくかかわっており，単独で，また相互に作用して動脈硬化を促進させる[1]．

薬物療法，経皮的冠動脈形成術・冠動脈バイパス術などの血行再建治療を受けた患者は，生涯にわたりこの虚血性心疾患とともに生活することを余儀なくされる．慢性期の虚血性

表V-2-9 狭心症と心筋梗塞における胸痛の違い

狭心症	心筋梗塞
冠動脈の狭窄などによる心筋の一過性虚血によって起こる．労作など心筋への酸素の需要が供給を上回ったときに酸素不足で胸痛が起こる	冠動脈の動脈硬化により，狭くなっている冠動脈の粥腫（アテローム）の破綻により血栓が生じ，冠動脈の内腔が閉塞し，その動脈の先の血流が途絶えたときに心筋の壊死が始まる．この状態が心筋梗塞である
胸痛は安静により改善する 一過性・可逆性 硝酸薬（ニトログリセリン）が有効 20〜30分以内で消失	胸痛は一般に激痛 硝酸薬（ニトログリセリン）が無効 20〜30分以上持続
【狭心症，心筋梗塞共通】 胸痛は，前胸部を中心とした手掌大の範囲に絞扼感・圧迫感・痛みが生じる．とくに，左側の頸部，肩，左上肢に痛みが放散することもある 高齢者や糖尿病合併症患者では，痛みがはっきりしないことがある（無症候性心筋虚血）	

心疾患の患者のゴールは，狭心症状の軽減ないしは寛解，ADLおよび運動耐容能の拡大，QOLの向上と動脈硬化の進行を遅らせ，新たな狭心症や心筋梗塞を防ぎ，突然死への移行を予防することである．

1 ● 狭心症状の出現

血行再建された冠動脈の再狭窄，新たな冠動脈の狭窄により，虚血性心疾患の典型的症状である狭心症状の出現の可能性がある．狭心症状は労作に伴って起こる．冠動脈の動脈硬化により内腔が狭くなり，労作に伴う心筋の酸素需要に供給が追いつけない，つまり心筋の酸素需要と供給のバランスが崩れた結果生じる．

2 ● 虚血性心疾患の2次予防（再発予防）に向けたセルフマネジメントの必要性

生活習慣の修正によって，動脈硬化の進展阻止，虚血性心疾患の再発予防が期待され，臨床的に狭心症状の改善，心血管事故（突然死や致死的不整脈）の減少に反映される．狭心症状の軽減（寛解），狭心症発作の予防，生命予後の改善を目指した薬物療法に先立ち，患者および家族自身が疾病とつきあっていくための生活習慣の修正に向け，食事，運動，禁煙などについてセルフマネジメントの実践が必要である．

3 ● 虚血性心疾患に伴う抑うつ症状および将来への不安

急性心筋梗塞発症後の患者は抑うつ症状の出現が多いといわれている．抑うつ症状またはうつ病は，健康増進，すなわちセルフマネジメントに関する意欲・関心の低下を起こし，生活習慣の悪化，服薬・定期的受診が困難となり，心血管疾患の予後を悪化させるといわれている[2]．

また発症時期が働き盛りの壮年期の場合には，再発の不安，セルフマネジメント実践に伴う心身の負担（ストレス）から社会復帰，将来への不安をもっていることが多い．さらに患者自身，その不安や心配，セルフマネジメント実践のストレスに気づかず，日常生活のなかに，不安，ストレスをかかえていることも考えられる．

4 ● 家族の心理的・経済的負担

家族もまた，患者の虚血性心疾患と生涯つきあっていかなくてはならない．患者の生活習慣の修正，虚血性心疾患の再発予防に向けたセルフマネジメントの実践に家族の協力・支援は必須である．

一方，家族の生活習慣の修正も必要であり，患者の狭心症発作時など異常時・緊急時の対応のため，家族には1次救命処置の知識・技術の習得が求められる．

また長期（生涯）にわたる定期的受診・検査・内服の必要性は，医療費の点からも患者・家族だけでなく，ひいては社会全体の負担になる．

B. 虚血性心疾患患者および家族への援助

　患者・家族のQOLを維持・向上しながら，患者が再発予防に向けたセルフマネジメントを実践できるためには，患者の生活全般の支援に向け，医師・看護師に加え，理学療法士，薬剤師，臨床心理士や公認心理師，健康運動指導士，栄養士，検査技師など多職種で患者・家族にかかわるチーム医療を実践する長期的・包括的プログラムが必要である．虚血性心疾患を含め，心大血管の疾患を有するものにとっては，**心臓リハビリテーション**[*]の実践と継続がそれにあたると考える．

　本項では，虚血性心疾患の心臓リハビリテーションにおける回復期（前期回復期，後期回復期）・維持期（図Ⅴ-2-4）について述べる．生涯にわたる快適な生活を目指すことがこの時期の目標となる．

1 ● 看護アセスメント

　虚血性心疾患は，動脈硬化に起因する**生活習慣病**の1つであり，かつ再発の危険のある疾患である．狭心症状の出現のしかた，程度，薬物治療を含めた治療の副作用，心機能低下患者においては心不全症状の有無・程度，生活習慣およびその修正のためのセルフマネジメントにかかわる心理・社会的側面も含めたアセスメントが大切である（表Ⅴ-2-10）．

2 ● 援助の方針

　虚血性心疾患患者の身体的，心理・社会的特徴をふまえ，援助の方針を次のように考える．

①狭心症状の出現の有無・程度に応じて，症状の緩和をはかり，日常生活を安全，安楽に送ることができるように援助する．
②虚血性心疾患の再発（2次予防），心不全の発症予防に向けて，冠危険因子の管理および生活習慣修正に前向きに取り組むことができるように援助する．
③生活習慣修正に向けた取り組みの過程や疾患や治療に伴って生じる心理・社会的負担に適切に対処でき，抑うつ症状や不安が増悪しないように援助する．
④緊急時に適切に対処できるように援助する（家族も含める）．

3 ● 看護活動

　虚血性心疾患の慢性期の管理の目標は，冠危険因子の是正および生活習慣の修正であり，患者・家族が主体的に治療や生活習慣の修正に取り組めるように，看護師は動機づけを行い，教育・支援していく．

a. 症状マネジメント

　虚血性心疾患の重症度，すなわち冠動脈の病変，狭窄の程度，左室駆出率などから心臓の残存機能に応じて狭心症状（労作時または安静時の胸痛・胸部苦悶感，呼吸困難感）や

---

[*]心臓リハビリテーション：WHO（世界保健機関）（1964年）によると，心臓リハビリテーションの概念は「患者が可能なかぎり良好な身体的・精神的・社会的状態を確保するのに必要な行動の総和であり，患者自身の努力により社会・地域社会において最大限の地位を確保すること」と定義されている．

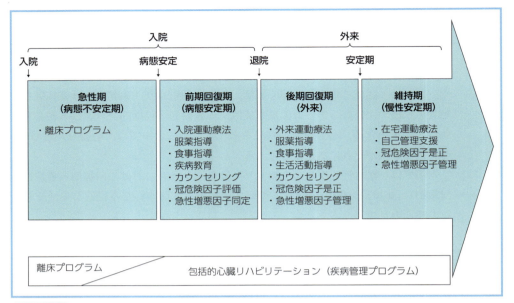

図Ⅴ-2-4　心臓リハビリテーションの時期区分
[日本心臓リハビリテーション学会：心不全の心臓リハビリテーション標準プログラム(2017年版), p.7, 〔https://www.jacr.jp/cms/wp-content/uploads/2015/04/shinfuzen2017_2.pdf〕（最終確認：2023年1月10日）より引用]

心不全症状（動悸，息切れ，浮腫，呼吸困難感）が出現する．患者の虚血性心疾患の重症度に応じて，またどのような労作やできごと（心筋の酸素需要が供給を上回る状況）が狭心症状を誘発させるのかアセスメントし，症状出現の予防，症状の緩和をはかる．

看護師は患者が指示された薬を確実に服薬できるように，その人のライフスタイルに合わせた服薬方法（服薬時間，1日の服薬回数，薬の形態など）を患者とともに調整する．たとえば指先の動作が困難な患者の場合は，硝酸薬（ニトログリセリン）は錠剤ではなくスプレー式（噴霧式）が適している．

排便時に力むことで狭心症状が誘発されるときは，便秘の予防・下剤の調整，排便前に速効型の硝酸薬（舌下錠，スプレー式口腔内噴霧薬）投与の必要性を検討する．

また血管けいれん性（攣縮性）狭心症は深夜から早朝にかけて起こることが多いため，就寝前に内服し夜間の血中濃度を高めるなど，服薬時間を調整する．

なお，心不全症状については，**第Ⅴ章-2-4「慢性心不全」**の項（p.308）を参照されたい．

b. セルフモニタリング

(1) 狭心症状

上記「a. 症状マネジメント」については，狭心症状が出現する時間，持続時間，何をしていたときか，何もしていないときか，どのようにして症状が治まったか，硝酸薬は使用したか，硝酸薬の効果（効果があったか，薬の使用回数，効果発現時間）について，患者自身がモニタリングし，定期的な外来受診時に医療者（医師，看護師）に報告できる必要がある．

また狭心症状が増加する場合や，いままで行っていた労作や安静時（夜間睡眠時も含

表Ⅴ-2-10 虚血性心疾患患者の看護アセスメント

目 的	アセスメント項目		備 考
身体的側面 ● 虚血性心疾患の重症度および薬物療法による副作用の有無・程度をアセスメントする ● 狭心症状の出現の有無・程度をアセスメントする ● 冠危険因子である肥満，高血圧，糖尿病，脂質異常症の有無・程度をアセスメントする	①現病歴，既往歴，治療歴	・虚血性心疾患（急性心筋梗塞，狭心症など）発症日，既往，カテーテル検査・治療，冠動脈の狭窄の程度，左室駆出率，両親・祖父母・兄弟などの虚血性心疾患，心大血管疾患の既往の有無，突然死の有無	
	●検査データ ①循環器系	・検査項目のデータや所見の異常の有無・程度・推移を把握する ・心臓カテーテル・心エコー（壁運動の程度）・（負荷）心電図など検査所見：冠動脈の狭窄・範囲および残存狭窄の有無・程度，左室駆出率（LVEF：%） ・心電図（調律，不整脈の有無），胸部X線，心臓CT/MRI，心肺運動負荷試験，心臓リハビリテーションの経験・参加状況	・心電図には安静時，負荷（薬物・運動），24時間連続記録できるホルター心電図などがある． ・胸部X線では心拡大，肺うっ血，胸水の有無を確認する．
	②血液検査	・心筋逸脱酵素（CPK），脳性ナトリウム利尿ペプチド（BNP[*1]），白血球数，CRP，腎機能（BUN，クレアチニン） ・血清コレステロール（LDL，HDL，CHO，TG），ヘモグロビン ・空腹時血糖値，食後2時間血糖値，HbA1c，PT-INR[*2]（プロトロンビン時間-国際標準化比）またはトロンボテスト，尿検査	・抗凝固薬，抗血小板薬内服中の患者は，出血傾向に注意する．また抜歯や生検，手術など出血を伴う検査・治療を行う際は，事前に処方医に相談すること．
	③呼吸器系	・夜間の呼吸状態（無呼吸の有無），日中の眠気，集中力の低下などの睡眠時無呼吸症候群に関連したもの	・睡眠時無呼吸は家族によって気づかれることが多い．「夜中，呼吸が一時的に止まっていませんか，いびきがひどくないですか」と確認する．
	④体格や体重の推移 ●バイタルサイン ●徴候・症状	・身長，体重，BMI（肥満度） ・体温，脈拍，血圧，呼吸数 ・狭心症状の有無・程度（症状出現時の状況，誘因，再現性，以前と同じ部位・程度の胸痛であるか，安静時に生じたものか），持続時間，何をすれば治まったか，硝酸薬使用の有無とその効果・どのくらいで狭心症状が消失したか ・息切れ，呼吸困難感の有無・程度 ・虚血性心疾患発症日および冠動脈形成術の有無・内容	
日常生活の側面 ● 病状に影響する生活習慣と虚血性心疾患の重症度，狭心症状の出現，冠危険因子がその人の日常生活に及ぼす影響をアセスメントする	●環境 ●食事	・生活環境の変化の有無とその内容 ・住環境（階段・エレベータの有無） ・食事内容（回数，量，食事を摂る時間，食事にかける時間），食欲，水分摂取量，塩分・脂質を多く含む食事についての嗜好	・同居する家族の食事についての嗜好を確認し，食生活を改善することは，患者・家族の生活習慣修正に向けた行動の1つとなりうる．
	●排泄	・排尿回数，排尿量と性状 ・排便回数，便の固さ，排便習慣の工夫（その人なりの工夫），下剤・整腸薬使用の有無と程度	・排尿・排便が心臓へ負荷となることがあるため，排尿・排便の行為が狭心症状の誘因になっていないか，アセスメントする． ・排尿量を家庭において測定することは困難であり，体重の増減の有無・程度，浮腫の有無・程度で評価する． ・便秘，排便困難は心臓への負担が大きく，血圧を上昇させるため，便秘を避ける．
	●睡眠	・睡眠時間，熟眠感の程度，夜間の中途覚醒の有無，日中の眠気，睡眠薬使用の有無・程度	
	●清潔	・入浴習慣の有無（湯船につかる，シャワーのみなど）	
	●動作・活動	・運動の種類，運動量と運動の強さ，時間，回数，どのような動きにより狭心症状が出現するか	
	●嗜好	・喫煙の有無・程度，ブリンクマン指数（＝1日の喫煙本数×喫煙年数） ・アルコール・カフェイン摂取量	
	●趣味・余暇活動	・どのような趣味・余暇活動を行っているか，患者自身が行っている工夫	

(つづき)

	●セルフケア能力	・日常生活を調整しながら治療を継続する能力の有無，程度 ・ストレスに直面したときの対処方法 ・どのような動きが障害されているか ・日常生活において自分でできることとできないことを把握する	
認知・心理的側面 ●虚血性心疾患とその治療，生活習慣修正に向けた取り組みが心理状態に及ぼす影響をアセスメントする	●疾患や治療の理解および受け止め	・疾患および冠危険因子，治療およびその副作用をどのように理解し，それを受け止めているか ・指導するうえで必要な理解力（リテラシー）：読み書き能力，説明を理解する能力，健康についての情報収集能力	・家族などからの情報収集も有用である．
	●価値・信念	・何に価値をおき，何を大切にしているか，信仰する宗教は何か	
	●対処方法	・これまで問題にどのように対処してきたか	
	●心理状態	・いらだち，不安，抑うつの有無や程度	
社会・経済的側面 ●虚血性心疾患とその治療，生活習慣修正に向けた取り組みが社会・経済状態に及ぼす影響をアセスメントする	●役割	・家庭における役割，職場における地位・役割	・虚血性心疾患の重症度により，階段昇降が狭心症状を誘発することもある．
	●職業	・就業の有無，仕事内容，勤務時間，労働量，通勤時間・手段，職場環境や人間関係	
	●家族構成	・何人暮らしか ・家屋の状況（階段，手すりなどのバリアフリーの状況）	
	●家族の状態	・家族の病気や治療の理解力および受け止め，協力体制の状態	
	●キーパーソン	・家族または周囲の人のなかでのキーパーソンは誰か	
	●経済状態	・医療保険の種類，医療費の支払能力の有無，程度	
	●ソーシャルサポート	・友人・知人・同僚・患者会などのサポートの有無，利用できる社会資源	

[*1] BNP (brain natriuretic peptide：脳性ナトリウム利尿ペプチド)：BNPは心臓から全身へ分泌されるホルモンであり，主に心室の負荷により分泌が亢進し，血中濃度が上昇する．BNPは心不全の補助診断として用いられる．急性心不全の鑑別診断として，慢性心不全時の管理指標として有用である[3,4]．

[*2] PT-INR (prothrombin time-international normalized ratio：プロトロンビン時間-国際標準化比)：血液の凝固能を示し，主として抗凝固薬であるワルファリンの投与量管理のために使われている．正常値は0.80〜1.20．定期的にPT-INRを測定し，ワルファリンの量を調節する．

表V-2-11 緊急受診のタイミングと注意

1. 医師から処方されている硝酸薬を2回使用しても発作が治まらない
2. 発作のパターンが変わる，発作の回数が増える
3. 夜中に苦しくなって目が覚める（安静にしていても発作が起こる）
4. 急に体重が増える

加えて1〜3の症状があるときは
- 夜中でも「朝まで……」と我慢しない
- 「外来受診の日」が近くても，かかりつけ医に連絡する

む）でも症状が出現する場合は不安定狭心症の可能性が高く，入院治療が必要なため，すみやかに医療者に連絡するよう，患者・家族に指導することが欠かせない（**表V-2-11**）．

(2) 血圧・体重・症状

患者自身が日々の血圧・体重・症状をモニタリングし，それらを記録すること（**セルフモニタリング**）は，自分の体への気づきを促し，自己管理の1つの方法である．セルフモニタリングの方法として，日記やノートへの記載がある．毎日の血圧・体重・症状，気に

表 V-2-12　自己管理のための日記・ノートに記載される内容

1. 患者氏名
2. 医師名・病院名（ID番号）
3. 緊急時の連絡先（家族，友人など）と連絡方法
4. 病名および冠動脈所見
5. 目標血圧・体重と最近の自身の値（最近の値についてはグラフなどを活用）
6. 必要な血液検査データ（INR，BNP，HbA1c，LDL，HDLなど）
7. 運動療法の内容（運動時間・強さ・方法）
8. 内服薬
9. その他（自由記載）

なったことを記入する（表V-2-12）．日記やノートを外来受診時に医師や看護師が確認することで，日々の患者の様子がわかりやすく，患者と医療者とのコミュニケーションをよくする．なお，このような日記やノートを書くこと自体が患者のストレスにならないように，できている部分を認め，次の目標を一緒に考えるなどのかかわりが必要である．

(3) 運動時の症状

これについては，後述する虚血性心疾患患者の運動への支援の項で述べる．

c. 日常生活における教育的支援と援助

(1) 生活習慣修正

虚血性心疾患の再発予防および生活習慣修正のための自己管理が主体的に実践できるような情報提供と動機づけを行い，患者・家族のアドヒアランスを高められるよう支援する．患者・家族は，虚血性心疾患を発症して入院後，退院前に教育的支援を受ける必要があるが，それらに加え，外来診療や心臓リハビリテーションにおいて医療者の継続的なかかわりが必要である．冠危険因子の管理目標値については表V-2-13を参照されたい．

(2) 運動

狭心症状の改善（寛解），再発予防，生活習慣修正のために**運動療法**の継続が必要である．できるかぎり**心肺運動負荷試験**に基づき，患者のライフスタイル，心機能に応じて安全で効果的に実施できるように運動処方の4因子（FITT），すなわち，運動回数（Frequency），運動の強度（Intensity），運動時間（Time），運動の種類（Type）が設定されることが望ましい．なお，運動のやりすぎ（毎日運動しないと気がすまないなど）は心臓への過負荷や整形外科的疾患を引き起こすことになるので体調に合わせ無理のない範囲で運動するように指導する（表V-2-14）．

(3) 入浴

入浴は，浴室への出入り，衣服の着脱，体を洗う，浴槽につかるという動作からなる．急激な室温の差は心負荷となるため，冬場の寒い時期などは脱衣室と浴室をあらかじめ暖めておく，かけ湯をして入浴する，前かがみの姿勢を続けないなどを指導しておく．入浴後は，とくに心機能低下例を除き，水分補給を行う．

(4) 定期受診の必要性と内服薬の管理

虚血性心疾患再発予防のために，定期的受診の必要性，および生涯にわたり服薬が必要であることの理解を患者・家族に促す．定期的な受診については，患者・家族が通院しやすい病院・診療所などの情報提供を行い，受診や服薬が中断しないようにする．

表V-2-13　心臓リハビリテーションにおける冠危険因子の診断と管理目標値

冠危険因子	診断基準	管理目標値
高血圧	①診察室血圧≧140/90 mmHg ②診察室外血圧 　家庭血圧≧135/85 mmHg 　24時間血圧≧130/80 mmHg 　夜間血圧≧120/70 mmHg ①または②	診察室血圧 冠動脈疾患：130/80 mmHg未満 心不全での収縮期血圧： 左室収縮率保持例130 mmHg未満 左室収縮率低下例110～130 mmHg
脂質異常症	LDL-C≧140 mg/dL HDL-C＜40 mg/dL TG≧150 mg/dL non-HDL-C≧170 mg/dL 上記のいずれか	冠動脈疾患： LDL-C＜100 mg/dL，non-HDL-C＜130 mg/dL HDL-C≧40 mg/dL，TG＜150 mg/dL 急性冠症候群の既往，家族性高コレステロール血症，糖尿病併発例ではLDL-C＜70 mg/dL，non-HDL-C＜100 mg/dL
糖尿病・耐糖能異常	①空腹時血糖≧126 mg/dL ②随時血糖≧200 mg/dL ①または②かつ　HbA1c≧6.5% 耐糖能異常　空腹時110 mg/dL以上または糖負荷後2時間血糖140 mg/dL以上	HbA1c＜7.0% 65歳以上の高齢者では認知機能やADLの低下，低血糖リスクを考慮して8.0～8.5%未満
肥満・メタボリックシンドローム	腹囲　男性≧85 cm，女性≧90 cm 上記に加え下記の2項目以上 ①空腹時TG≧150 mg/dLまたはHDL-C≦40 mg/dL ②収縮期血圧≧130 mmHgまたは拡張期血圧≧85 mmHg ③空腹時血糖≧110 mg/dL	左記の是正 BMI＜25 kg/m²
慢性腎臓病	①尿検査，画像診断，血液，病理で腎障害の存在が明らか，特に0.15 g/gCr以上の蛋白尿（30 mg/gCr以上のアルブミン尿） ②糸球体濾過量（GFR）60 mL/min/1.73 m²未満 ①②のいずれかまたは両方が3ヵ月以上持続する状態	eGFR≧60 mL/min/1.73 m²
身体不活動	エネルギー消費量が1.5 MET以下の座位や臥位での覚醒行動の時間が長い	
喫煙	紙巻きたばこ，葉巻，電気加熱式たばこ，電子たばこ	禁煙・受動喫煙の回避

BMI：body mass index，HDL-C：HDLコレステロール，LDL-C：LDLコレステロール，non-HDL-C：総コレステロール－HDL-C，TG：中性脂肪，推算GFR(eGFR)＝$194 \times Cr^{-1.094} \times 年齢^{-0.287} \times 1$（女性の場合は×0.739）．空腹時とは10時間以上の絶食状態での採血を指す．
［日本循環器学会／日本心臓リハビリテーション学会：2021年改訂版　心血管疾患におけるリハビリテーションに関するガイドライン，p.106，〔https://www.j-circ.or.jp/cms/wp-content/uploads/2021/03/JCS2021_Makita.pdf〕（最終確認：2023年1月10日）より許諾を得て転載］

　虚血性心疾患の患者は多種・多数の薬が必要である．患者のライフスタイル，認知機能に合わせ，服薬回数，服薬時間，一包化などの服薬方法を調整する．
　他疾患について他科・他院を受診する際は「お薬手帳」などを活用し，現在内服している薬を提示するように指導する．とくに抗凝固薬・抗血小板薬内服中の患者の場合は，出血傾向に注意するとともに，出血の可能性を伴う検査や治療（抜歯や内視鏡検査による生

表V-2-14　心血管疾患患者に対する有酸素運動実施時の一般的注意点

1.	体調がよい時にのみ運動する．	風邪の症状がある場合は，消失後2日以上経過するまで待つ．
2.	食後すぐに激しい運動をしない．	最低でも2時間は待つ．
3.	水分補給を行う．	運動による発汗で失われる水分量は運動の強度や環境，個々の健康状態によって異なる．
4.	天候に合わせて運動する．	気温が高い場合は熱中症に注意し，適切な水分補給を行う． 同じ気温でも湿度が高いと熱中症のリスクが上がるので注意する．
5.	坂道ではスピードを落とす．	負荷量の増加に注意する．
6.	適切な服装と靴を着用する．	通気性のよい服装を心がける． ウォーキング用の靴を履く．
7.	個人の限界を理解する．	定期的に医師の診察を受け，制限が必要ないか確認する．
8.	適切な運動種目を選択する．	主な運動種目は有酸素持久運動とする． 40歳以上の対象者は衝撃の強い運動を避け，行う場合は低い強度から開始する． ウォームアップとクールダウンを十分行う．
9.	症状に注意する．	次のような症状が出現した場合は医師に相談する． 　a. 運動中の胸部，腕，首，あごの不快感 　b. 運動後の脱力感 　c. 運動中の不快感を伴う息切れ 　d. 運動後または運動中の骨関節の不快感
10.	過負荷のサインに注意する．	次のようなサインに注意する． 　a. セッションを終了できない 　b. 運動中に会話できない 　c. 運動後にふらつきや吐き気がある 　d. 慢性的な疲労感 　e. 不眠症 　f. 関節の痛み
11.	ゆっくりと開始し，徐々に強度を上げる．	トレーニングに適応する時間を設ける．

検，手術など）の際，これらの薬を一時的に中止する場合があるので，必ず医師に相談するように指導する．中止した場合は，いつから再開するのか確認する．抗凝固薬，抗血小板薬内服中の注意点については**表V-2-16**参照のこと．

また高齢者では，食欲が低下し食事摂取が困難なときに，無理に内服を続けると薬物の血中濃度が高くなったり，利尿薬により脱水を引き起こしたり，また経口摂取困難のために経口薬の内服が継続できず狭心症の発作を引き起こすことがあるなど，高齢者については服薬状況においてとくに注意を要する．

(5) 緊急時の対処

狭心症状発作時には，**硝酸薬**（ニトロペン®の舌下錠，ミオコール®スプレーの口腔内への噴霧など）を使用できるように指導する．硝酸薬は常に携帯し，家族もまた，その保管場所について熟知しておく必要がある．薬の作用により血管が拡張し，血圧が下がることがあり，血圧低下による転倒の危険性があるため，使用時は，いすに腰かけるか横になった状態で行う．舌下投与後，症状が持続する場合は，3分間隔で2回まで硝酸薬を使用可能であるが，2回使用しても症状が治まらない場合や，20分以上持続する痛みの場合は，不安定狭心症，急性心筋梗塞など命にかかわる病態への移行の可能性が高いため，すみや

表V-2-15　運動負荷試験および各種日常労作の運動強度一覧表

METs[注1]	リハビリテーション労作	運動負荷試験[注2]	日常労作および家事	職業労作など	レクリエーションなど
1〜2	臥床安静 坐位，立位 ゆっくりした歩行 (1〜2 km/時)		食事，洗面 編み物，裁縫 自動車の運転 乗りものに座って乗る	事務仕事 手洗いの仕事	ラジオ，テレビ[注3] 読書 トランプ，囲碁，将棋
2〜3	ややゆっくりした歩行(3 km/時) 自転車(8 km/時)	ステージ0 (2.2)	乗りものに立って乗る 調理，小物の選択 床拭き(モップで)	守衛，管理人 楽器の演奏	ボウリング 盆栽の手入れ
3〜4	普通の歩行(4 km/時) 自転車(10 km/時)	マスターテスト1/2シングル 25 W (3.6)	シャワー 荷物を背負って歩く(10 kg) 炊事一般，洗濯，アイロン，ふとんを敷く 窓拭き，床拭き(膝をついて)	機械の組み立て 溶接作業 トラックの運転 タクシーの運転	ラジオ体操 バドミントン(非競技) 釣り ゴルフ(バッグをもたずに)
4〜5	やや速めの歩行(5 km/時) 自転車(13 km/時) 柔軟体操	ステージ1 (4.3) 50 W (4.7)	荷物をかかえて歩く(10 kg) 軽い大工仕事，軽い草むしり，床拭き(立て膝) (夫婦生活)(入浴)	ペンキ工	園芸 卓球，テニス(ダブルス) バドミントン(シングルス) キャッチボール
5〜6	速めの歩行(6 km/時) 自転車(16 km/時)	マスターテストシングル ステージ2 (5.7) 75 W (6.0)	荷物を片手に下げて歩く(10 kg) 階段昇降 庭掘り，シャベル使い(軽い土)	大工 農作業	アイススケート 渓流釣り
6〜7	ゆっくりしたジョギング(4〜5 km/時) 自転車(17.5 km/時)	マスターテストダブル ステージ3 (7.0) 100 W (7.3)	まき割り シャベルで掘る 雪かき，水汲み		テニス(シングルス)
7〜8	ジョギング(8 km/時) 自転車(19 km/時)	ステージ4 (8.3) 128 W (8.7)			水泳 エアロビクスダンス 登山，スキー
8〜	ジョギング(10 km/時) 自転車(22 km/時)	ステージ5 (10.2) 150 W (10.0)	階段を連続して上る(10階)		なわとび 各種スポーツ競技

注1：METsとは，安静坐位を1として，その何倍の酸素消費量にあたるかを示したもの．
注2：運動負荷試験のステージは国立循環器病センターのプロトコールによるトレッドミル試験のステージを示す．
　　　(　)内はMETs，マスターテストとは階段昇降負荷試験のことである．
注3：ラジオやテレビなどによるスポーツ観戦は，とくに激しい興奮状態をもたらし，心負荷となるため，注意すること．
[齋藤宗靖：急性心筋梗塞症のリハビリテーション—急性期から回復期へ．狭心症・心筋梗塞のリハビリテーション，第3版(木全心一，齋藤宗靖編著)，p.156，南江堂，1999より許諾を得て改変し転載]

かに医師に連絡し，緊急受診するようにあらかじめ指導しておく．

　緊急時は，患者・家族とも動揺や不安が強く，冷静に対処できないことが多い．普段から定期的に，患者・家族に発作時・緊急時の対処方法や，家族に**1次救命処置（心肺蘇生法）**をあらかじめ指導しておく．緊急時に備え，自宅の電話のそばには，「緊急時に相

表V-2-16　虚血性心疾患をもつ抗凝固薬，抗血小板薬内服中の患者への指導

1. 定期的に受診，血液凝固能の検査（INR）を受け，医師から指示された抗凝固薬，抗血小板薬量を確実に内服すること
2. のみ忘れないこと：のみ忘れてしまった場合，半日以内であれば気がついたらすぐにのむこと．半日以上経過しているときは，次回から指示された量を内服すること．のみ忘れた分を一度にまとめて（2回分，3回分）内服することはしないこと
3. 出血しやすいため，次の症状が強く現れた場合は医師に連絡すること
    - 鼻出血
    - 歯肉からの出血
    - 血尿・血痰
    - 皮下出血の出現・拡大
    - 傷口の出血が止まりづらい，血便
4. 以下の食品は，ワルファリンの作用を弱めるビタミンKを多く含んでいるため，摂取しないこと
    - 納豆
    - クロレラ
    - 青汁

    ただし，ビタミンKを多く含む緑黄色野菜，海藻類は通常の食事摂取量では問題にならないため，栄養学的にバランスのとれた食事を心がける
5. ヒゲを剃るときはカミソリ
6. 歯ブラシは柔らかめ．強くブラッシングしない
7. 鼻をかむときはやさしく
8. ケガのおそれのある仕事や運動は，医師，看護師に相談しながら慎重に
9. 以下のことを行うときは，抗凝固薬，抗血小板薬を処方している医師に連絡すること
    - 出血の可能性を伴う検査や治療（抜歯や内視鏡検査による生検，手術など）を受けるとき
    - 他の薬剤の投与を受けるとき
    - 他の医療機関で治療を受けるとき

談・受診する病院名，病院のID番号，氏名，自宅の住所・電話番号」を目立つように貼っておくなどの工夫をする．

(6) 性生活

性行為は一時的な急激な運動で，脈拍や血圧を上昇させ，心臓に負担となる．性生活の消費エネルギーはやや速めの歩行（5 km/時）程度ないしは階段を上れる程度と考えられているが，個人差があることを留意する．過度の不安に陥らないように，また胸痛・息切れ・動悸を感じない程度にする．QOLが低下しないよう，心臓に負担がかからないような性生活ができるように，パートナーと相談することを勧める．患者は性生活についての不安や悩みを医療者に相談できない場合が多いこともふまえ，患者の年齢，ライフスタイルに応じて，家族やパートナーも交えて，適時指導していく．

なお，硝酸薬（ニトログリセリン）使用中の患者には勃起障害治療薬（シルデナフィルクエン酸塩［バイアグラ®］）の服用については医師に相談するよう勧める．

(7) 車の運転

車の運転そのものは肉体的労作ではないが，精神的ストレスを伴いやすい．運転中の心理状態や交通事情により心拍数や血圧が大きく変動し，心負荷となる．十分な休息のもと運転すること，無理をしないこと，ストレスの多い渋滞した道路での運転には十分注意するように指導する．

d. 心理・社会的支援

冠動脈形成術の進歩により，心機能にほとんどダメージを残すことなく社会復帰できる

患者も増加してきたが，そのような患者も新たな冠動脈病変が出現する可能性はもっている．外見的にも発症前と変わらなかったり，普段は自覚症状がないことから，自分の疾患，心機能を理解することは容易ではなく，生活習慣の改善にも取り組みにくくなってしまう．外見的に以前と変わらない様子は，患者自身が疾患を理解することを困難にさせるだけでなく，周囲の人々からの疾患の理解，協力が乏しいという状況も生み出す．

一方，虚血性心疾患が重度であれば患者自身で狭心症状を誘発する労作を自然に回避するようになったり（無理はしなくなったり），ADLになんらかの支障をきたし，ライフスタイルや社会的役割の変更を余儀なくされることがある．

なお，疾患の理解にあたっては，患者・家族の認知機能，抑うつや不安症状の有無も評価する必要がある．高齢者の場合は認知機能が低下していることがあり，そのため，服薬が困難であったり，指示された食事や運動範囲を守れなかったり，あるいは運動の継続が困難な場合がある．その場合は，患者の介護にあたる家族や周囲の人々へ，疾患や治療の知識・生活習慣修正に向けた日常生活について支援する．また抑うつや不安などの精神症状は意欲低下や悲観的な考え方をもたらし，虚血性心疾患患者のアドヒアランスを低下させ，生活習慣を悪化させる．

以上のことをふまえ，患者・家族が再発予防，生活習慣の修正に前向きにストレスなく取り組めるように，まずは医療者は患者に定期的に継続的にかかわる必要がある．患者・家族が疾患や病態（虚血性心疾患の重症度）をどのようにとらえ，理解しているのか，再発予防および生活習慣修正のための自己管理に向けた動機づけについて確認する．患者や家族とともにいままでの生活を振り返りながら，患者・家族の日常生活と結びつけ疾患や治療についての知識を提供する．生活習慣改善でできている部分を**ポジティブフィードバック**する．生活習慣修正を困難にさせている状況について話し合い，解決策を一緒に探すなどの働きかけが必要である．

e. 家族への支援

虚血性心疾患患者には再発予防，冠動脈危険因子の是正，生活習慣の修正のため，家族や周囲の人の協力を促す必要がある．一方，患者自身が生活習慣の修正やそのための自己管理にストレスを感じることがあるように，家族もまたさまざまなストレスをかかえ，時に不安や抑うつ的になることも考慮して，協力を得る必要がある．

学習課題

1. 狭心症と心筋梗塞の胸痛の違いを述べてみよう
2. 虚血性心疾患の危険因子について説明してみよう
3. 虚血性心疾患患者の身体的アセスメント項目について説明してみよう
4. 抗血小板薬・抗凝固薬内服中の患者への指導内容を述べてみよう

練習問題

Q1 虚血性心疾患の再発予防および生活習慣修正の支援について，正しいのはどれか．2つ選べ．
1．虚血性心疾患における心臓リハビリテーションは退院後に開始する．
2．運動療法は，心臓カテーテル検査の結果に基づいた運動処方のもと，実施されることが望ましい．
3．虚血性心疾患患者のセルフモニタリングには，体重測定や血圧測定がある．
4．抗凝固薬・抗血小板薬を内服している患者には，出血の可能性を伴う検査や処置，手術を受けるときは医師に相談するように指導する．

［解答と解説 ▶ p.526］

引用文献
1) 百村伸一（編）：心臓病の治療と看護，p.111，南江堂，2006
2) Joynt KE, Whellan DJ, O'Connor CM：Depression and cardiovascular disease mechanisms of interaction. Biological Psychiatry **54**（3）：248, 2003
3) 日本循環器学会学術委員会合同研究班：慢性心不全治療ガイドライン（2010年改訂版），2010，〔http://www.j-circ.or.jp/guideline/pdf/JCS2010_matsuzaki_h.pdf〕（最終確認：2023年1月10日）
4) 松崎益徳，吉川純一，筒井裕之（編）：《新心臓病診療プラクティス》心不全に挑む・患者を救う，p.146-150，文光堂，2005

V-2. 循環器系の障害を有する人とその家族への援助

4 慢性心不全

この節で学ぶこと
1. 慢性心不全患者の身体的，心理・社会的特徴を述べることができる
2. 心不全増悪の徴候とそのアセスメント内容を説明できる
3. 心不全増悪の誘因とその対処・予防法を説明できる
4. 慢性心不全患者の日常生活における教育的支援および援助について述べることができる

A. 慢性心不全患者の身体的，心理・社会的特徴

慢性心不全は，高血圧，虚血性心疾患，心筋症などの器質的心疾患の終末像であり，その患者の多くは，入退院を繰り返す高齢者である．加齢とともに慢性心不全の有病率は上昇し，欧米の疫学研究では65歳以上の5〜10％を占めると報告されている．日本も超高齢社会の到来により，今後ますます慢性心不全患者が増加することが予想される．

心不全の原因となる心疾患として，動脈硬化の進展により引き起こされる虚血性心疾患，高血圧といった動脈硬化性疾患，大動脈弁狭窄症・閉鎖不全症，僧帽弁閉鎖不全症などの弁疾患，心筋症とともに，心房細動などの不整脈がある．

> **・左心不全と右心不全**
> 　左心不全とは左室に障害や負荷が加わり，低心拍出量や肺静脈圧の上昇をきたす心不全であり，右心不全は，右心への負荷により静脈圧が上昇して，浮腫，うっ血肝などをきたす心不全である．
>
> **・左室駆出率（left ventricular ejection fraction：LVEF）による分類**[1]
> 　左室の収縮機能により，LVEFが40％未満の「LVEFの低下した心不全」，50％以上の「LVEFの保たれた心不全」，40％以上50％未満の「LVEFが軽度低下した心不全」に分類される．LVEFが40％未満であった患者が治療経過で40％以上に改善した場合，「LVEFが改善した心不全」に分類される．

慢性心不全の治療は，主に薬物治療と非薬物治療に分類される．薬物治療では，基本薬として，アンジオテンシン変換酵素（ACE）阻害薬，あるいはアンジオテンシンⅡ受容体拮抗薬（ARB），β遮断薬，ミネラルコルチコイド受容体拮抗薬が用いられ，病態に応じて，ネプリライシン阻害薬，ナトリウム，グルコース共輸送体（SGLT）2阻害薬，利尿薬，ジギタリス，血管拡張薬が使用される．一方，非薬物治療として，両室ペーシング，植込み型除細動器，重症心不全患者には補助人工心臓の装着などが行われる．

慢性心不全患者の予後は不良であり，日本人を対象とした疫学研究では，1年死亡率が

約16%，1年以内の心不全増悪による再入院率は30％に上る[2]．慢性心不全患者の治療，看護目標として，死亡率の低減とともに心不全増悪による再入院の予防がきわめて重要である．このような慢性心不全患者の主な身体的，心理・社会的特徴を以下に説明する．

1 ● 心ポンプ失調によるうっ血症状と低心拍出症状

心不全は心臓が全身に十分な血液を送れない心ポンプ失調を呈し，その病態把握，重症度評価は，バイタルサイン，症状，身体所見，心エコーによる心機能の評価，胸部X線検査による心拡大や肺うっ血の状態，心電図，脳性ナトリウム利尿ペプチド（brain natriuretic peptide：BNP）などにより行われる．慢性心不全の症状は，**表V-2-17**に示すように多岐にわたる．心不全に特徴的な症状には，うっ血症状（肺うっ血［左心不全］，静脈性うっ血［右心不全］）と低心拍出症状がある．肺うっ血の典型的な症状としては，労作時呼吸困難，夜間発作性呼吸困難，起坐呼吸がある．また静脈性うっ血の症状として，浮腫，体重増加，腹部膨満感，食欲不振などがある．このうち，体重増加は，患者自らがモニタリングできる，心不全増悪の重要なサインである．低心拍出症状として，全身倦怠感，易疲労感，夜間多尿，乏尿，四肢冷感などがみられる．心不全における重症度分類として身体活動による自覚症状の程度により心疾患の重症度を分類したNew York Heart Association（NYHA）心機能分類が広く用いられている（**表V-2-18**）．治療により，うっ血状態や低心拍出状態が改善すると，これらの症状は軽減するが，心不全の多くが増悪と寛解を繰り返す．

表V-2-17　心不全の自覚症状，身体所見

うっ血による自覚症状と身体所見		
左心不全	自覚症状	呼吸困難，夜間発作性呼吸困難，息切れ，頻呼吸，起坐呼吸，咳嗽
	身体所見	水泡音，喘鳴，ピンク色泡沫状痰，Ⅲ音やⅣ音の聴取
右心不全	自覚症状	右季肋部痛，食欲不振，腹満感，心窩部不快感
	身体所見	浮腫，体重増加，肝腫大，肝胆道系酵素の上昇，頸静脈怒張，右心不全が高度なときは肺うっ血所見が乏しい
低心拍出量による自覚症状と身体所見		
自覚症状		意識障害，不穏，記銘力低下，倦怠感，易疲労感
身体所見		冷汗，四肢冷感，チアノーゼ，低血圧，乏尿，夜間多尿，身の置き場がない様相

表V-2-18　New York Heart Association（NYHA）心機能分類

Ⅰ	心疾患はあるが，身体活動に制限はない．日常的な身体活動では著しい疲労，動悸，呼吸困難あるいは狭心痛を生じない
Ⅱ	軽度ないしは中等度の身体活動の制限がある．安静時には無症状．日常的な身体活動で疲労，動悸，呼吸困難あるいは狭心痛を生じる
Ⅲ	高度な身体活動の制限がある．安静時は無症状．日常的な身体活動以下の労作で疲労，動悸，呼吸困難あるいは狭心痛を生じる
Ⅳ	心疾患のため，いかなる身体活動も制限される．心不全症状や狭心痛が安静時にも存在する．わずかな労作でこれらの症状は増悪する

2● 抑うつ，不安を抱きやすく，病態・治療に影響を及ぼす

慢性心不全患者は増悪症状を繰り返し，療養も長期に及ぶため，抑うつ症状や不安を抱きやすい．抑うつや不安は，QOLを損なうばかりでなく，心不全の病態や治療にも大きく影響する．このような心理状態は，交感神経の亢進，動脈硬化の進展，電気生理的不安定を引き起こすとされ，心不全の増悪につながる．また，抑うつや不安などの症状は治療や療養指導内容の遵守に影響し，飲酒や喫煙といった不健康な生活習慣を助長することもある．

また，心不全患者は高齢者が多く，認知機能が低下している場合がある．認知機能の低下は，心不全の自己管理を困難にし，心不全増悪の原因となる．

3● 心不全増悪の誘因と増悪時の症状

心不全増悪の誘因は，主に治療や療養指導が遵守されていない場合と，医学的要因に分けられる．水分，塩分の過剰摂取，服薬の不徹底，過労は，増悪の誘因の多数を占め，多くは患者あるいは家族への教育の強化などにより予防可能である．医学的要因として，心不全の基礎心疾患および合併症に起因した，血圧のコントロール不良，不整脈，貧血，心筋虚血などがある．

心不全増悪時の症状には，呼吸困難，夜間発作性呼吸困難，起坐呼吸，体重増加，浮腫，全身倦怠感などがある．

4● 心不全増悪による再入院を繰り返す

慢性心不全患者の心不全増悪による再入院率の高さは，心不全患者の治療・看護において大きな課題である．心不全の増悪は，病態の進行のみならず，患者の精神的，経済的負担にもなる．心不全増悪を繰り返す場合，病態に加えて，心理状態，日常生活状況，家族の支援およびソーシャルサポートなど，増悪の誘因を多面的に評価し援助することが求められる．

5● 家族の心理的・経済的負担

慢性心不全患者の家族は，患者の治療と自己管理を長期にわたり支援するため，心理的負担は大きい．とくに高齢の心不全患者では，認知機能の低下を伴うことが多いため，家族の肉体的，精神的負担はますます増大する．また入退院の繰り返しや治療の継続に伴う治療費，入院費などの経済的負担も大きい．

B. 慢性心不全患者および家族への援助

1● 看護アセスメント

慢性心不全は，増悪を繰り返し，その誘因が医学的要因のみでなく，日常生活や心理・社会的要因に及ぶため，特徴的な身体症状とともに，心理状況や日常生活状況をアセスメントすることが重要である．アセスメントの目的および項目を表V-2-19にまとめた．

2● 援助の方針

慢性心不全患者の身体的，心理・社会的特徴をふまえて，援助の方針を次のように考える．

①心不全の発症時は，症状のアセスメントを行い，身体的，精神的苦痛の緩和に努めるとともに，患者が病気および治療を理解し，急性期の治療に取り組めるよう援助する．
②心不全症状の寛解時には，患者が心不全増悪予防に向けた日常生活における自己管理の方法を考え，生活の再調整ができるよう支援する．
③心不全の増悪時には，患者が症状を緩和するとともに，身体的，心理・社会的側面から増悪要因を評価し，増悪要因を取り除くあるいは軽減するための方法を考え，社会生活が再調整できるよう支援する．

3 ● 看護活動

a. 症状マネジメント

心不全増悪時には，呼吸困難，全身倦怠感，動悸，体重増加といった症状を呈する．呼吸困難，とくに夜間発作性呼吸困難は，夜間の静脈還流の増加，心拍数の減少が原因となって生じ，起坐呼吸を呈する．呼吸困難時の起坐位は，横隔膜が下がることにより呼吸面積が広がり，また，静脈還流の減少にもつながり，肺うっ血を軽減して，呼吸困難が軽減する．全身倦怠感に対しては，不眠が誘因となることがあるため，十分な睡眠や休息をとり，日常生活では，続けて活動することを避け，活動後はこまめに休息をとるよう援助する．動悸は労作時に起こることが多く，呼吸困難，浮腫，**チアノーゼ**などの症状を合併することがある．動悸時には安静にするとともに，合併する症状への対処も必要となる．

b. セルフモニタリング

慢性心不全患者が増悪時の症状をセルフモニタリングできることは，増悪症状の重症化の予防に有効である．心不全の増悪をきたさないために，過度な心負荷がかからない日常生活を心がけ，労作時呼吸困難，体重増加，浮腫といった症状の出現に気づけるよう，指導する．とくに，毎日の体重測定による体重増加のチェックは，患者自身が心不全増悪の徴候を把握するうえで，もっとも簡便で重要な指標である．日々の体重測定を習慣化し，短期間に体重が増加した場合は，早期に受診するよう指導する．早期に治療を受けることにより症状の重症化や長期の入院を避けることができるため，増悪症状が出始めたら受診することを指導することも重要である．

c. 心不全患者，家族および介護者に対する治療および生活に関する教育・支援内容

心不全患者，家族，および介護者に対する教育・支援内容を**表V-2-20**にまとめた．疾病や治療に関する情報の提供，自己管理行動に関する教育を実施する際，患者や家族の理解度やヘルスリテラシーを考慮する．具体的な教育，支援内容について，以下に説明する．

(1) 心不全に関する知識

心不全の原因，症状，重症度などの疾患に関する基本的事項とともに，心不全増悪の誘因や合併疾患に関する知識を提供する．

(2) 心不全増悪の誘因およびその予防法

心不全増悪の誘因とその予防法について，**表V-2-21**に示す．誘因とその予防法は多岐にわたる．前述の「セルフモニタリング」，ならびに「心不全に関する知識」も含めて，患者とともに日常生活を振り返り，誘因となりやすい生活習慣を改善し，予防法が実行で

表 V-2-19 慢性心不全患者の看護アセスメント

目的	アセスメント項目		備考
身体的側面	●病歴		
	①現病歴	・心不全の主たる原因となった心疾患の発症の時期とこれまでの病状の変化や治療・通院状況	
	②既往歴	・上記以外の心疾患の発症の時期 ・心疾患以外の疾患の罹患時期	
	③治療歴	・心不全の主たる原因となった心疾患ならびに心不全の治療経過 ・心不全や心疾患以外の疾患の治療経過	・心不全の原因疾患の中でも，特発性拡張型心筋症は遺伝性の場合があり，遺伝カウンセリングが必要なことがある．
	④家族歴	・3〜4世代にわたる心不全，拡張型心筋症，心臓移植，原因不明の突然死，原因不明の不整脈や脳卒中を罹患した家族の有無	
	●検査データ・所見		
	①循環器・呼吸器系	〈既往・患者背景〉 ・高血圧，冠動脈疾患，弁膜症などの既往歴 ・糖尿病，腎疾患，肺疾患などの既往歴 ・心毒性のある薬剤による治療歴 〈バイタルサイン〉 ・血圧，脈拍（数・リズム），呼吸（数・呼吸パターン），体温 〈身体所見〉 ・湿性ラ音，Ⅲ音，頸動脈怒張，四肢冷感，チアノーゼ，低血圧 〈徴候・症状〉 ・労作性呼吸困難，起坐呼吸，夜間発作性呼吸困難，咳，全身倦怠感，チアノーゼ，四肢冷感，動悸，浮腫，体重増加，腹部症状（膨満感，食欲不振）の有無，程度 〈検査所見〉 ・心電図：不整脈の有無 ・心臓超音波検査：左室駆出率 ・胸部X線検査：心胸郭比	・「どのような」症状や徴候が「いつから」「どのような状況で」始まり，「どの程度」持続したか聴取する． ・認知機能の低下などにより，患者自らが症状を表現することがむずかしい場合は，家族の協力を得る ・心胸郭比（CTR）の正常値は50％であり，心拡大が進行するとCTR値が上昇する．
	②腎・泌尿器系	・BUN，クレアチニン，尿量	・尿量の減少を認めた場合は，いつ頃からどの程度の尿量だったかアセスメントする．
	③血液系	・赤血球数，白血球数，ヘモグロビン値，ヘマトクリット値，C反応性タンパク，BNP	・BNPは，心不全の増悪時に上昇し，治療効果の判定にも使用される指標である． ・心不全患者は貧血をきたしやすいため，ヘモグロビン値，ヘマトクリット値の変化に注意する．
	④身体活動機能	・NYHA心機能分類による評価，6分間歩行距離，心肺運動負荷試験	・6分間歩行距離は，自分のペースで6分間歩行可能な距離の最大値を測定したものであり，心不全患者の身体運動機能の指標となる．
	⑤消化器系	・肝機能，腹部超音波検査，腹部X線検査，	
日常生活の側面	●環境	・住環境：家屋の構造，浴室，トイレ，寝室，玄関，段差や階段の状況，手すりなどの福祉用具の利用状況 ・地域環境：患者の生活範囲，病院や薬局などへのアクセス状況，地域特性（住宅地，郊外，漁農山村地域など）	
	●食事	・食事の内容，量，回数，時間帯 ・外食，市販の総菜や弁当など，塩分を多く含む食品の摂取状況 ・水分摂取の量，内容	
	●排泄	・排尿回数，排尿量，性状 ・排便回数，便秘・下痢の有無	

(つづき)

		●睡眠	・睡眠時間や睡眠パターン（生活リズムが規則的か） ・熟睡感 ・睡眠薬服用の有無	
		●清潔	・入浴や歯磨きの頻度 ・うがい，外出後の手洗いなど感染予防行動 ・ワクチン接種状況	
		●動作・活動	・心負荷の大きい運動，活動の実施状況 ・運動，活動時の呼吸困難の有無	・運動強度については，虚血性心疾患の表V-2-16を参照
		●趣味・余暇活動	・趣味や余暇活動の内容や頻度 ・病状の進行に伴う趣味や余暇活動の変化	
		●セルフケア能力	・日常生活を調整しながら治療を継続する能力の有無，程度 ・心不全増悪の徴候や症状に関するセルフモニタリングの状況	
認知・心理的側面		●疾患や治療の理解および受け止め	・心不全の病態や増悪要因，治療および薬物の副作用をどのように理解し，受け止めているか ・患者や家族は療養生活をどのように受け止めているか ・予後に対する患者の見通しはどのようなものか	
		●価値・信念	・何を大切に生きてきたか ・治療や療養において，何を大切にするか ・これからの人生をどう生きたいか ・今後の人生や生活の目標 ・信仰する宗教は何か	
		●対処方法	・心不全特有の症状をどのように理解し，受け止め，表現しているか ・増悪症状の出現時にどのような対処をしてきたか	・今までにどのような増悪症状を経験したかが，症状の理解や受け止めに影響するため，入院歴や受診歴等の情報もふまえながらアセスメントする
		●心理状態	・抑うつ，不安の有無や程度	
		●認知機能	・見当識，記憶力，判断力，計算力，遂行力などの認知機能の程度	
社会・経済的側面		●役割	・家庭における役割 ・職場における役割，地位 ・地域活動などでの役割	
		●職業	・就労の有無，仕事内容，仕事時間，労働量（心負荷の高い業務の有無） ・通勤方法，通勤時間 ・職場環境や人間関係	・就労状況が心不全の発症，増悪に関連していないか留意する
		●家族構成	・同居者数 ・両親，配偶者，子どもなどとの同居の有無 ・家族間の関係性	
		●家族の状態	・家族の患者の病気，治療に対する理解および受け止めの状況，協力体制の状態	
		●キーパーソン	・家族の中でのキーパーソンは誰か，キーパーソンの年齢，性別，健康状態	・患者，キーパーソンともに高齢の場合は，キーパーソンの健康状態にも留意する．
		●経済状態	・医療保険の有無 ・民間保険の加入の有無 ・医療費の支払い能力の有無	
		●ソーシャルサポート	・友人・知人・同僚・患者会などのサポートの有無 ・利用できる社会資源	

表Ⅴ-2-20　心不全患者，家族および介護者に対する治療および生活に関する教育・支援内容

教育内容	具体的な教育・支援方法
心不全に関する知識	
・定義，原因，症状，病の軌跡 ・重症度の評価（検査内容） ・増悪の誘因 ・合併疾患 ・薬物治療，非薬物治療	・理解度やヘルスリテラシーを考慮し，教育資材などを用い，知識を提供する
セルフモニタリング	
・患者自身が症状モニタリングを実施することの必要性・重要性 ・セルフモニタリングのスキル ・患者手帳の活用	・患者手帳への記録を促すとともに，医療者は記録された情報を診療や患者教育に活用する
増悪時の対応	
・増悪時の症状と評価 ・増悪時の医療者への連絡方法	・呼吸困難，浮腫，3日間で2kg以上の体重増加など増悪の徴候を認めた場合の医療機関への受診の必要性と，具体的な方法を説明する
治療に対するアドヒアランス	
・薬剤名，薬効，服薬方法，副作用 ・処方どおりに服用することの重要性 ・デバイス治療の目的，治療に関する生活上の注意事項	・理解度やヘルスリテラシーを考慮し，教育資材などを用いて知識を提供する ・定期的にアドヒアランスを評価する ・アドヒアランスが欠如している場合は，医療者による教育，支援を行う
感染予防とワクチン接種	
・心不全増悪因子としての感染症 ・インフルエンザ，肺炎に対するワクチン接種の必要性	・日常生活上の感染予防に関する知識を提供する ・予防接種の実施時期に関する情報を提供する
塩分・水分管理	
・過度の飲水の危険性 ・重症心不全患者における飲水制限 ・適正な塩分摂取（6g未満/日） ・適正体重の維持の重要性	・飲水量の計測方法について具体的に説明する ・効果的な減塩方法について，教材などを用いて説明する ・減塩による食欲低下などの症状を観察する
栄養管理	
・バランスのよい食事の必要性 ・合併疾患を考慮した食事内容	・定期的に栄養状態を観察する ・嚥下機能などの身体機能や生活状況に応じた栄養指導に努める ・食事量の減少や食欲低下は，心不全増悪の徴候の可能性があることを説明する
アルコール	
・過度のアルコール摂取の危険性	・心不全の病因を含め個別性を考慮し，飲酒量に関する助言を行う
禁煙	
・禁煙の必要性	・『禁煙ガイドライン2010年改訂版』を参照
身体活動	
・安定期の適切な身体活動の必要性 ・症状悪化時の安静，活動制限の必要性 ・過度な安静による弊害（運動耐容能の低下など）	・運動耐容能，骨格筋を評価する ・定期的に日常生活動作を評価する ・身体機能とともに生活環境を考慮したうえで，転倒リスクなどを評価し，日常生活上の身体活動の留意点を具体的に指導する
入浴	
・適切な入浴方法	・重症度や生活環境に応じた方法を指導する

（次ページへつづく）

(つづき)

旅　行	
・旅行中の注意事項（服薬，飲水量，食事内容，身体活動量） ・旅行に伴う心不全増悪の危険性 ・旅行中の急性増悪時の対処方法	・旅行時の食事内容や食事時間の変化，気候の変化，運動量の変化などが心不全に及ぼす影響を説明する ・旅行前の準備に関する情報提供を行う
性生活	
・性行為が心不全に及ぼす影響 ・心不全治療薬と性機能の関係 ・勃起障害治療薬の服用について	・性行為により心不全悪化の可能性があることを説明する ・必要時，専門家を紹介する
心理的支援	
・心不全と心理精神的変化 ・日常生活におけるストレスマネジメント	・継続的に精神症状を評価する ・日常生活におけるストレスマネジメントの必要性とその方法について説明する ・精神症状の悪化が疑われる場合は，精神科医，心療内科医，臨床心理士へのコンサルテーションを実施する
定期的な受診	
・定期的な受診の必要性	・退院前に退院後の受診日程を確認する ・症状増悪時は，受診予定にかかわらず，すみやかに医療機関に連絡することを説明する ・医療者へのアクセスを簡便にする（電話相談，社会的資源の活用）

［日本循環器学会／日本心不全学会：急性・慢性心不全診療ガイドライン（2017年改訂版），p.107,〔http://www.j-circ.or.jp/guideline/pdf/JCS2017_tsutsui_h.pdf〕（最終確認：2023年1月10日）より許諾を得て転載］

きるよう支援する．

(3) 食事療法・薬物治療

食事療法については，主治医，栄養士と連携をとりながら，食事療法に関する理解を促し，遵守するための日常生活上の工夫を患者とともに考え，アドヒアランスを高められるよう援助する．

薬物治療については，主治医，薬剤師と連携をとりながら，服用している薬の効用とともに，副作用への理解を促す．また，薬物治療に対するアドヒアランスの低下は，心不全増悪につながるため，内服薬の自己管理がどの程度できるのか，あるいは自己管理するためにどのような支援が必要か，家族などの支援を要するのか，などを綿密にアセスメントし，日常生活での自己管理ができるよう援助する．

(4) 運動・活動

心不全患者は，しばしば過度な心負荷となる活動，運動をすることにより，心不全の増悪を引き起こすため，心負荷の大きい活動や運動を避けるようにする．また，疲労の蓄積にも注意し，外出先などではこまめに休息をとるなどの工夫をするよう指導する．

d. 心理・社会的支援

心不全患者は，増悪症状を繰り返すことから，抑うつ症状や不安をきたしやすいため，患者および家族に，感情の変化にも気をつけるよう指導する．抑うつ症状や不安を抱いた場合に，主治医や看護師に遠慮なく伝えることができるよう，信頼関係を築いておくことも重要である．抑うつや不安症状が強い場合は，心不全の増悪要因にもなるため，精神科

表Ⅴ-2-21 心不全増悪の誘因と予防法

水分・塩分過剰摂取	・増悪前の食事内容を振り返り，塩分・水分を摂り過ぎていないか評価する ・患者自身が適切な塩分・水分摂取量を把握しているか確認する ・摂取した水分量の簡便な計量法，塩分摂取量を減らすための調理や食品選びの工夫を指導する
服薬の不徹底	・服用している薬剤への理解と増悪前の服薬状況を確認する ・副作用の出現の有無を確認する ・服薬の自己管理がむずかしい場合，家族の協力や服薬方法の工夫（ピルケースの使用など）
過労	・家庭や職場などで，心負荷の大きい活動（労作）の有無を確認し，できるだけ避けるようにする ・日常生活のなかでの激しい運動を避ける ・疲労が蓄積しないよう，こまめに休息をとるなどの工夫をする
血圧のコントロール不良	・家庭血圧計などを用い，自宅で定期的に血圧を測定する ・降圧薬を服用している場合は，服用し忘れないように注意する ・血圧変動をきたす環境要因（急激な温度差，ストレスなど）をできるかぎり避ける
不整脈	・抗不整脈薬を服用している場合は，服用し忘れないよう注意する ・定期的に受診をする
感染（とくに上気道感染）	・手洗い，うがいを励行する ・ワクチン接種の推奨
貧血	・定期的な血液検査による評価 ・食事療法
心筋虚血	・薬物治療，食事指導による高血圧，糖尿病，脂質異常症（高脂血症）などの冠危険因子のコントロールを行う

医，心療内科医，精神看護専門看護師などの専門家と連携しながらサポートしていく．

また，心不全患者には高齢者が多いため，認知機能の障害，独居，療養支援をする配偶者も高齢者（**老老介護**），といった高齢者がもつ背景を把握しながら支援していく．認知機能が低下している場合は，状況に合わせた心不全の増悪因子のコントロールが行えるよう，**訪問看護**や**介護保険制度**の活用などを視野に入れながら，これまでの生活を振り返り，生活の再調整を支援する．また，独居患者，老老介護といった生活の再調整をむずかしくする社会的要因がある場合は，介護保険制度などの活用に関する情報提供を行う．

e. 在宅療養へ移行するための退院支援

心不全患者が入院生活から自宅での生活に円滑に移行できるよう，入院早期から退院調整，退院支援を実施する．入院中の退院調整では，退院後の生活支援の必要性の評価，具体的な支援内容の検討を行う．さらには，退院後の心不全増悪による再入院を防ぐために，外来やかかりつけ医での継続的なフォローアップが必要である．

f. 家族への支援

入退院を繰り返す患者の家族は，療養介護の肉体的・心理的負担をかかえやすいため，患者とともに生活していくうえでの悩みや不安を表出しやすい関係作りをし，コミュニケーションをはかる．また，症状の増悪を予防するためには家族の協力が重要であるため，患者とともに家族が，疾患，治療，自己管理の方法をどこまで理解しているかを把握し，理解できるよう支援する．

学習課題

1. 慢性心不全の原因となる主な心疾患を述べてみよう
2. 左心不全と右心不全の症状について説明してみよう
3. 心不全増悪の徴候とそのアセスメント内容について説明してみよう
4. 心不全患者へのセルフモニタリングの援助について述べてみよう
5. 心不全患者，家族および介護者への教育，支援内容について説明してみよう

練習問題

Q1 Aさん（70歳，男性）は，20年前から高血圧の治療を受けていたが，2年前に初めて慢性心不全と診断され外来受診中であった．医師から処方された薬をのまない日があり，日々の血圧測定や体重測定も実施しない日があった．10日前から自宅の階段昇降時に息苦しさが出現し，4日前から息苦しさのため，夜間眠れなくなっていた．本日，定期受診の際，心不全の増悪と診断され入院した．入院時，体温36.3℃，呼吸数24/分，脈拍数96/分，整で，血圧150/90 mmHgであり，体重は1週間で4 kg増加し，下肢の浮腫が認められた．

Aさんのアセスメントで適切なのはどれか．

1. 受診時の血圧は正常である．
2. NYHA心機能分類のⅡ度に該当する．
3. 治療に対するアドヒアランスは良好である．
4. 1週間で4 kgの体重増加は，心不全の増悪のサインである．

[解答と解説 ▶ p.526]

引用文献

1) 日本循環器学会/日本心不全学会ほか：急性・慢性心不全診療ガイドライン（2017年改訂版），p.10, 2018
2) Ide T, et al：Clinical characteristics and outcomes of hospitalized patients with heart failure from the large-scale Japanese Registry of Acute Decompensated Heart Failure (JROADHF). Circ J **85** (9)：1438-1450, 2021

V-3. 消化器系の障害を有する人とその家族への援助

1 胃・十二指腸潰瘍

この節で学ぶこと

1. 胃・十二指腸潰瘍患者の身体的，心理・社会的特徴を述べることができる
2. 胃・十二指腸潰瘍患者に行われる薬物療法について説明できる
3. 胃・十二指腸潰瘍患者の再発予防および生活習慣改善のための教育的支援について述べることができる

A. 胃・十二指腸潰瘍患者の身体的，心理・社会的特徴

胃・十二指腸潰瘍（gastric and duodenal ulcer）は消化性潰瘍（peptic ulcer：PU）ともいわれ，胃酸や消化酵素による胃・十二指腸粘膜の自己消化により発生する．組織欠損が粘膜内にとどまっているものは**びらん**，粘膜筋板を越えたものは**潰瘍**という．

受病者数は減少しているが，特異的な自覚症状が乏しいため実際の患者数は多いと考えられる．厚生労働省の2017年患者調査[1]によると，胃潰瘍（197,000人）の総患者数は十二指腸潰瘍（27,000人）の約7倍である．男女比では，胃潰瘍は0.9：1，十二指腸潰瘍は1.7：1である．好発部位は，胃潰瘍では小彎胃角部，後壁に多く，十二指腸潰瘍では球部に多い．

自己消化の起こる成因は，防御因子（胃粘膜の粘液・血流，プロスタグランジンなど）と攻撃因子（胃酸，ペプシンなど）のバランスが崩れることによると考えられている．しかし，1983年 *Helicobacter pylori*（以下，**ピロリ菌**）発見以降は，その感染と**非ステロイド性抗炎症薬**（non-steroidal anti-inflammatory drugs：**NSAIDs**）がバランスを崩す2大要因と考えられている．NSAIDsはプロスタグランジン（prostaglandin：PG）の産生を低下させ，胃粘膜の恒常性の維持を阻害することで，粘膜防御機構の働きを抑制し，潰瘍発生の要因となりうる．

主な症状は心窩部痛，腹部膨満感，悪心，胸やけなどであるが，特異的な症状に乏しいため受診行動が遅れることが多い．健康診断で発見されるか，あるいは，突然の吐血・下血により受診し，緊急入院となる場合も少なくない．予後はよいが再発率が高く，薬物療法の継続が重要となる．X線検査，内視鏡検査で確定診断を得て潰瘍の部位と病期（ステージ）を判断するが（表V-3-1），生検によりがんなど悪性腫瘍との鑑別診断をすることが必要である．

治療は，薬物療法が基本で，ピロリ菌除菌，NSAIDs中止が中心となる．出血性潰瘍のうち活動性出血・非出血性露出血管は内視鏡的止血治療の適応となる．

このような胃・十二指腸潰瘍患者の主な身体的，心理・社会的特徴を以下に説明する．

表Ⅴ-3-1　改変 Forrest 分類

Ⅰ．活動性出血	a. 噴出性出血
	b. 湧出性出血
Ⅱ．出血の痕跡を認める潰瘍	a. 非出血性露出血管
	b. 血餅付着
	c. 黒色潰瘍底
Ⅲ．きれいな潰瘍底	

[Kohler B, Riemann JF : Upper GI bleeding : value and consequences of emergency endoscopy and endoscopic treatment. Hepatogastroenterology 38：198-200, 1991／日本消化器病学会（編）：消化性潰瘍診療ガイドライン2020, 改訂第3版, p.8, 南江堂, 2020より引用]

表Ⅴ-3-2　主な消化性潰瘍治療薬

	分類	主な一般名
H. pylori 除菌治療薬	胃酸分泌抑制薬 抗菌薬	ボノプラザン（VPZ） アモキシシリン（AMPC） クラリスロマイシン（CAM）
攻撃因子抑制薬 （胃酸分泌抑制薬）	プロトンポンプ阻害薬（PPI）	オメプラゾール
	ヒスタミン（H_2）受容体拮抗薬（H_2RA）	シメチジン，ラニチジン塩酸塩，ファモチジンなど
	選択的ムスカリン受容体拮抗薬	ピレンゼピン塩酸塩水和物，チキジウム臭化物
防御因子増強薬	粘膜抵抗強化薬	スクラルファート ミソプロストール

[日本消化器病学会（編）：消化性潰瘍診療ガイドライン2020（改訂第3版）, p.38-45, 66, 74-76, 南江堂, 2020を参考に作成]

1 ● 特異的な症状に乏しく無症状のこともある

　主に，心窩部から上腹部にかけての疼痛，腹部膨満感，食欲不振，胸やけ，悪心などの消化器症状を呈する．あるいは合併症併発まで無症状のこともある．疼痛は食事時間と関係し，胃潰瘍では食後，十二指腸潰瘍では空腹時に多く，左上方や背部への放散痛を認める．また，食事摂取不良に伴う栄養状態の低下を認める場合もある．

2 ● 薬物療法におけるアドヒアランス

　適切な薬物治療を継続することで，潰瘍の治癒，再発防止につながる．主な治療薬を示す（**表Ⅴ-3-2**）．主な副作用は，下痢，腹痛，味覚異常，口内炎などである．

　ピロリ菌除菌治療によって潰瘍の再発抑制や治癒促進が明らかになり[2]，2000年より胃・十二指腸潰瘍患者にピロリ菌除菌治療が保険適用された．ピロリ菌除菌による消化性潰瘍治癒率は約90％と高く[3]，7日間の3剤療法（PPIもしくはVPZと，AMPC＋CAM）が推奨されており[4]，セルフマネジメントに向けた服薬指導が重要となる．

3 ● 日常生活のセルフマネジメントが必要

a. ストレスマネジメント

　出血性潰瘍の初期治療に安静は必要であるが，合併症を有しない場合，適切な薬物療法のもとでは生活管理の動機づけがむずかしい．しかし，精神的葛藤や不安などの精神的ストレスは，自律神経の失調をきたして胃酸の分泌，胃の運動や緊張の亢進をもたらし，平

滑筋や終末血管の攣縮（れんしゅく）が起こって局所的な血流障害を生じ，潰瘍形成にいたる．現代人は，家庭生活や学校・職場など社会生活のなかでの役割を果たすうえで，対人関係のストレスを多くかかえているといえる．このような状況下で**ストレスマネジメント**ができているかどうかが，潰瘍の治癒，再発に大きく影響する．また，喫煙，多量飲酒，不規則な生活習慣，慢性的な睡眠不足は，一般的な健康増進の点からも改善の余地がある．

b. 食事療法の意義

食事療法の基本は，傷害のある胃粘膜を刺激しないこと，胃酸分泌を亢進させないこと，十分な栄養摂取によって潰瘍の治癒を促進することである．しかし，酸分泌抑制薬投与下では，食事摂取の有無は酸分泌に影響を与えない[5]ため，厳格な食事療法の必要性は非常に低いといえる．ただし，健康の維持・増進のために，生体内リズムを正常化し消化機能を適切に維持することは重要である．

4 ● 合併症併発による生命の危険状態

3大合併症は，出血，穿孔，狭窄である．ショックや穿孔による腹膜炎は重篤な合併症であり，重症度に応じたすみやかな対処が必要となる．

吐血・下血による出血が急速に大量に起これば，頻脈や血圧低下をきたしショック状態となることもある．出血が少量で長期間にわたって持続していた場合は，動悸，息切れ，眩暈（げんうん），易疲労感など貧血症状を主訴として来院することもある．吐血では，血液と胃液が混じり，ヘモグロビンが胃液中の塩酸の作用を受けて塩酸ヘマチンとなるため，出血が少量のときはコーヒー残渣様となり，量が増えると暗赤色を呈する．ただし，急激な大量出血では鮮紅色を呈する．同様に下血では黒色便（タール便）となり，Treitz靱帯（じんたい）より下部の消化管出血では鮮紅色となる．顕性出血がある場合，入院，**内視鏡的治療**の適応となる．

穿孔，穿通は十二指腸潰瘍に多い．上腹部痛，腹膜刺激症状（筋性防御；defense，反跳痛；ブルンベルグ［Blumberg］徴候），横隔膜下遊離ガス像（フリーエアー）が特徴的な所見である．軽い限局性腹膜炎は内科的治療（絶飲食，補液，経鼻胃管留置，薬物療法）の適応となり，24時間以内に改善しない場合は手術適応となる．また，70歳以上の高齢者では外科手術が優先される[6]．

狭窄は十二指腸球部の潰瘍に多い．嘔吐，体重減少などがある場合は内科的治療（薬物療法，内視鏡下バルーン拡張術）の適応となる．慢性に再燃を繰り返した瘢痕狭窄では，場合により手術適応（胃・十二指腸吻合，胃切除術など）となる[7]．

5 ● 家族の心理的・経済的負担

一般的な健康増進の観点からも，不規則な生活習慣の改善，禁煙，節酒，適切な食事などの実践には家族の協力が不可欠である．また，長期間の薬物治療継続への協力，ストレス蓄積予防への配慮が必要であり，合併症併発への不安など心理的負担も大きい．また，入院費や治療費，休職中の収入減などの経済的な負担もある．

B. 胃・十二指腸潰瘍患者および家族への援助

1 ● 看護アセスメント

　消化性潰瘍は，特異的な症状が少なく，また自覚症状を欠く場合も多い．そのため早期の受診行動や治療の継続が困難である．全身状態を注意深く観察し，平常との違いに気づきアセスメントすることが重要である．アセスメントの目的および項目を**表Ⅴ-3-3**にまとめた．

2 ● 援助の方針

　胃・十二指腸潰瘍患者の身体的，心理・社会的特徴をふまえて，援助の方針を次のように考える．

①疼痛を緩和し，生活習慣を整えることができるように援助する．
②病態や治療の必要性を理解し，適切な治療を継続できるように支援する．
③再発・合併症を予防するための自己管理ができるように支援する．

3 ● 看護活動

a. 症状マネジメント

　主な症状は，心窩部から上腹部にかけての疼痛，腹部膨満感，食欲不振，胸やけ，悪心である．疾患特有の症状を呈さないため，患者自身がその症状をどう認識しているかを理解することが重要となる．出血以外の症状では，症状を軽視する傾向があるため，病態悪化の予防や適切な治療が早期に受けられるよう，患者に症状が起こる理由を説明しておく．
　後述する安静療法，薬物療法，食事療法が症状緩和に有効であり，疾患理解に基づくセルフマネジメントが重要となる．

b. セルフモニタリング

　消化性潰瘍患者に出現する症状の発現メカニズムを理解し，それらを把握し病態をアセスメントする．特異的な症状がなく受診行動が遅れる可能性が高いため，患者自身が平常時との違いを注意深く観察し，症状発現状況から異常であることの判断ができ，早期に受診行動がとれるように指導する．とくに，出血・疼痛の部位や程度から緊急性の判断ができるように指導する．吐物や便を観察し，性状が血性だけでなく黒色のときにも受診するよう指導する．また，貧血症状があるときにも受診するよう指導し，異常の早期発見，早期対処に努める．さらに，症状がなくても定期検診を必ず受けることを勧める．

c. 日常生活における教育的支援および援助

　消化性潰瘍の病気や治療について患者と家族に情報提供を行う．胃粘膜の防御機構を破綻させる要因とそのメカニズムを理解することで，自ら健康的な生活習慣を確立することができる．

(1) 内服薬の管理

　適切な薬物療法での治癒率は高く，服薬を中断すると再発しやすいことを十分説明し，薬物療法のアドヒアランスが高められるように教育する．継続的な薬物治療の必要性を理

表Ⅴ-3-3　胃・十二指腸潰瘍患者の看護アセスメント

目的	アセスメント項目		備考
身体的側面 ● 全身状態をアセスメントする ● 潰瘍の病態，合併症の危険性，緊急処置の必要性をアセスメントする	● 病歴 ● 検査データ 　①血液系 　②呼吸・循環器系 　③消化器系 　④腎・泌尿器系 　⑤身体所見 ● 徴候・症状 ● バイタルサイン ● リスク要因	・現病歴，既往歴，治療歴，家族歴など ・検査項目のデータや所見の異常の有無と程度を把握する ・栄養状態：総タンパク，アルブミン ・貧血：赤血球，ヘマトクリット，ヘモグロビン ・腎機能：クレアチニン，尿素窒素 ・炎症反応：白血球，CRP ・四肢末梢循環状態（冷感），チアノーゼ，SpO$_2$ ・胸部X線 ・食事内容と量，便の性状と量，嘔気・嘔吐 ・吐物の性状と量，腹部症状（腹痛の有無・部位） ・X線造影，内視鏡 ・尿の性状・量 ・各症状の有無とその程度，発現時期を把握する． ・ショック状態（顔面蒼白），体重減少，貧血症状（ふらつき，眼瞼結膜貧血），胸やけ，おくび，嘔気・嘔吐，吐血，食欲不振，疼痛（心窩部・上腹部），下血 ・嘔気・嘔吐，吐物の性状・量 ・腹部症状：腹痛の有無・程度・部位，発現時期 ・既往歴の現症 ・身長・体重 ・体温，脈拍，血圧，呼吸数 ・絶食，輸液中は水分出納 ・喫煙歴，飲酒，NSAIDs服用の有無	・穿孔：胸部X線で横隔膜下遊離ガス像（フリーエアー）を認める． ・腹膜炎：腹膜刺激症状（筋性防御，Blumberg徴候）あり，CRP↑，白血球↑ ・出血性ショック：血圧低下，頻脈，尿量減少，腎機能低下，意識レベル低下
日常生活の側面 ● 身体症状が日常生活に及ぼす影響をアセスメントする	● 環境 ● 食事 ● 排泄 ● 睡眠 ● 清潔 ● 動作・活動 ● 趣味・余暇活動 ● セルフケア能力	・入院前の生活環境：衣生活，居住地の特徴，住居環境（冷暖房など） ・食事内容と量，食欲，水分摂取量 ・排尿回数，量と性状，排便の量と性状 ・睡眠時間，熟眠感 ・入浴の有無，歯磨きや含嗽の有無 ・運動の種類，運動量，どのような動きが障害されているか ・どのような趣味・余暇活動を行っているか，患者が行っている工夫 ・日常生活を調整しながら治療を継続する能力の有無，程度，生活習慣，生活リズムの乱れの有無 ・日常生活において自分でできること，できないことを把握する	・内視鏡的止血後3日間は絶食となる． ・手術適応となれば術式にもよるが，生活習慣の変更を余儀なくされる．
認知・心理的側面 ● 疾患および治療が心理状態に及ぼす影響をアセスメントする	● 疾患や治療の理解および受け止め ● 価値・信念 ● 対処方法 ● 心理状態	・疾患および増悪因子，治療およびその副作用を，どのように理解し，それを受け止めているか ・教育するうえで必要な理解力の有無など ・何に価値を置いているか，何を大切にしているか，信仰する宗教は何か ・これまで問題にどのように対処してきたか ・記憶力，理解力，判断力，など ・いらだち，不安，抑うつの有無や程度	

(つづき)

社会・経済的側面 ● 疾患および治療が社会・経済状態に及ぼす影響をアセスメントする	● 職業	・就業の有無，仕事内容，勤務時間，労働量，通勤時間，通勤方法，職場環境や人間関係	
	● 役割	・家庭における役割，職場における地位・役割，世帯主かどうか	
	● ソーシャルサポート	・友人・知人・同僚・患者会などのサポートの有無，利用できる社会資源	
	● 経済状態	・医療保険の種類，民間保険の加入の有無，医療費の支払い能力の有無	
	● 家族構成 ● キーパーソン	・何人暮らしか ・家族のなかでのキーパーソンは誰か，悩みを相談できる人は誰か	
	● 家族の状態	・家族の病気や治療の理解力および受け止め，協力体制の状態いつでも悩みを相談できる状況であるか	

解することで，症状がなくなっても自己判断で中止しないように指導する．継続治療が困難な場合は，患者とともにその要因を明確にして対処方法を考える．また，胃酸分泌は夜間のほうが亢進するので，就寝前の服用を指導する．

(2) 健康的な食生活を勧める

健康増進のためにも以下の必要性を説明する．食事を1日3食規則正しく摂取し体内リズムを整える．長時間の空腹を避け，胃液濃縮による胃粘膜傷害を予防する．胃液の分泌亢進をきたすもの（肉，アルコール，コーヒー，硬い生野菜，過度の香辛料，濃い味，漬物，酢のもの，柑橘類など）を控える．脂肪など胃内停滞時間の長いものは控える．なるべく就寝3時間前の食事を避ける．胃の負担を軽減するため，1回の食事量を少なくし，消化のよいものをゆっくりよく噛み，腹八分目にする．また，きざむ，おろす，煮込むなどの調理工夫で消化を助ける．

(3) 消化性潰瘍の原因・誘因

喫煙，飲酒，NSAIDs服用は潰瘍再発のリスク因子となる[8]．**喫煙**は消化性潰瘍の危険因子と考えられているが，禁煙の潰瘍治癒・再発に及ぼす影響のエビデンスは得られていない．しかし，喫煙は胃粘膜の血流を悪化させ胃酸分泌を促し，重大な健康被害があることからも，禁煙指導は重要である．また，ストレスも胃粘膜の血流悪化，胃酸分泌を亢進するため，ストレスマネジメントの指導が必要である．さらに，解熱鎮痛薬としてNSAIDsを連用することを避けるよう説明する．服薬時は適正量を守り，空腹時の内服を避けて胃薬との併用も考慮する．

d. 出血時の看護

(1) 安静治療の意義

出血時，再出血の危険性が高い場合，**バイタルサイン**が不安定な患者，**心肺機能**が低い患者などは安静治療の対象となる．安静の意義は，体動により血流が活発になり再出血するのを予防，貧血状態での運動による心肺負荷の増大を予防，潰瘍治癒促進のために運動によるエネルギー消費の増大を避ける，などといわれるが明確なエビデンスはない．

絶食は，食事により胃の収縮運動や胃酸分泌が促進され再出血を誘発することから必要となる．患者に絶食の必要性を説明し心身の安静に努める．

(2) 出血性ショックの予防

出血時はショック状態になる可能性があることを念頭に置いて異常の早期発見に努める．出血量を測定し，一般状態を把握するとともに，検査データから貧血の程度をアセスメントし，緊急処置の必要性を判断し，**循環血液量**の補充や輸血に備える．大量出血時は，安静にして末梢静脈ルートを確保し，バイタルサインを測定する．必要に応じて，心電図，脈拍，血圧のモニタリングを開始する．また，吐物を誤嚥しないように顔を横に向けたり，含嗽（がんそう）により口腔内の清潔に努め，吸引の準備もする．さらに，患者の精神状態にも配慮し，適切な状態説明をするとともに，過度な不安を与えないようにする．

(3) 検査・治療に応じた看護

出血の状態や部位を確認するために緊急内視鏡検査が行われる．出血点が明らかな場合は内視鏡的止血処置が行われ，高率の止血効果が得られている．止血処置後の絶食期間と再出血について明らかなエビデンスはないが，急性期（48時間）には絶食が必要と考えられる[5]．患者に検査，治療，絶食の必要性を説明し協力を得る．内視鏡的処置で止血できないときは血管内治療（interventional radiology：IVR）や手術適応となるため，治療結果や治療後の状態を把握する．

e．心理・社会的支援

患者が病気や病状，治療をどのように理解し，受け止めているかを十分に把握しながら，患者の心理状態に合わせた支援が必要である．合併症や再発予防のため，これまでの生活習慣を振り返り，消化性潰瘍の危険因子・誘発因子の除去に努め，どのように生活改善できるか一緒に話し合う．また，患者のキーパーソンの協力も得られるように支援する．病気の治療だけでなく健康増進の面からも，生活習慣の改善策を見つけられるよう支援する．家庭や職場を含めた今後の生活全般を包括的に考えていくことが必要である．

f．家族への支援

とくに，吐血・下血によって突然入院となった場合は，患者だけでなく家族にとっても予期せぬできごとであり，精神的動揺は大きい．絶食，輸液，安静，生命の危機状況，緊急処置，手術など，患者の病状や治療に対する説明を適宜行い不安の緩和に努める．患者・家族が安心して積極的に治療に協力でき，早期退院できるように支援する．また，退院後の生活改善，継続治療に家族の協力は不可欠であり，患者の病気を理解できるよう家族にも十分に説明する．

学習課題

1. びらんと潰瘍の違いを述べてみよう
2. 胃・十二指腸潰瘍の原因，誘因を述べてみよう
3. 潰瘍出血時の対処方法について説明してみよう
4. 胃酸分泌抑制のための指導内容を述べてみよう

練習問題

Q1 胃・十二指腸潰瘍患者への看護で正しいのはどれか，2つ選べ．
1．薬物療法は症状が軽減すれば中止するよう指導する．
2．症状の発現メカニズムを説明し，セルフモニタリングを指導する．
3．潰瘍の治癒や再発防止のため，ストレスマネジメントを支援する．
4．胃酸分泌を亢進させない食事を指導する．
5．吐血時は消化のよい流動食とする．

［解答と解説 ▶ p.526］

引用文献

1) 日本消化器病学会（編）：消化性潰瘍診療ガイドライン2020（改訂第3版）．2020年4月1日．p.2，南江堂，厚生労働省．平成29年患者調査〔https://www.mhlw.go.jp/toukei/list/10-20-kekka_gaiyou.html〕（最終確認：2023年1月10日）
2) 前掲1）p.28, 33
3) 日本消化器病学会（編）：消化性潰瘍診療ガイドライン2015（改訂第2版）．2015年4月1日．p.28，南江堂
4) 前掲1）p.38
5) 前掲3）p.17
6) 前掲1）p.186-190
7) 前掲1）p.182, 183, 191-192
8) 前掲3）p.61

2 慢性肝炎

V-3. 消化器系の障害を有する人とその家族への援助

この節で学ぶこと
1. 慢性肝炎患者の身体的，心理・社会的特徴を説明できる
2. 慢性肝炎患者とその家族のアセスメントの目的と項目を説明できる
3. 慢性肝炎患者が検査や治療を継続しながら社会生活を維持するための援助について説明できる

A. 慢性肝炎患者の身体的，心理・社会的特徴

　慢性肝炎とは，慢性的に肝臓に炎症を生じる疾患で，肝炎が6ヵ月以上持続する状態である．急性肝炎から移行することは少なく，慢性肝炎の大部分は肝炎ウイルスの感染が原因である．また，ウイルス感染以外に自己免疫性肝炎が慢性肝炎の原因になることもある．慢性肝炎が持続すると肝細胞が硬くなる**肝線維化**が起こり，放置していると20〜30年の経過で肝硬変に進展し，さらに線維化が進行すると肝がんを発症しやすくなる[1]．

　肝炎ウイルスにはA型からE型までの5種類が存在する[2]．それぞれの肝炎ウイルスの特徴を**表V-3-4**に示す．以下，本項ではB型肝炎とC型肝炎について述べる．

　日本のウイルス性肝炎の持続感染者は，B型肝炎ウイルス（hepatitis B virus：HBV）

表V-3-4　肝炎ウイルスの種類とその特徴

	A型肝炎ウイルス	B型肝炎ウイルス	C型肝炎ウイルス	D型肝炎ウイルス	E型肝炎ウイルス
主な感染経路	経口（生ガキ，生野菜などを介して）	血液，体液 母児感染 乳幼児期の水平感染 成人期の性感染症	血液，体液 薬物濫用者の注射針の回し打ち 不衛生な状態での刺青やピアスの穴あけ	血液，体液	経口，血液
慢性化	しない	する	する	まれ	まれ
ワクチン	あり	あり	なし	HBワクチンが有効	なし
その他	4類感染症	5類感染症	5類感染症	5類感染症 HBVなしでは増殖・感染ができない	4類感染症 人獣共通感染症

［森川賢一，坂本直哉：肝炎ウイルス．内科学書消化器・腹膜疾患肝・胆道・膵疾患，第9版，中山書店，2019南学正臣編），p.303を参考に作成］

が110万～120万人，C型肝炎ウイルス（hepatitis C virus：HCV）が90万～130万人存在すると推定されているが[3]，自覚症状のないことが多く，適切な時期に治療を受ける機会を逃し，気づかないうちに肝硬変や肝がんへ進展する感染者の存在が問題となっている．そのため，無症状の人に肝炎ウイルス検査を行い，感染している場合に治療を勧めることが重要である．日本では肝炎対策基本法が2010年に施行され[3]，居住地域にかかわらず肝炎検査と肝炎治療を受けられるようにすること，肝炎患者などの人権が尊重され差別されないようにすることを目指して肝炎対策が実施されている．

B型慢性肝炎の診断はHBs抗原を測定し，陽性であればHBV-DNA量を確認してHBVが血中に存在していることを確認する．C型慢性肝炎の診断はHCV抗体検査とHCV-RNA量を測定する[4]．肝線維化の診断のため，非侵襲的に肝硬度を測定する超音波エラストグラフィや侵襲的な肝生検が行われる[5]．

B型慢性肝炎の治療目標は，肝炎の活動性と肝線維化進展の抑制による慢性肝不全の回避ならびに肝細胞がん発生の抑止，およびそれらによる生命予後ならびにQOLの改善である．HBs抗原の消失をめざして抗ウイルス療法が行われる．抗ウイルス薬には，インターフェロン（IFN），核酸アナログ製剤がある．IFNは注射薬で，**インフルエンザ様症状**が高頻度に出現することから，治療期間が短く持続的な効果が期待できるペグインターフェロン（pegylated interferon：Peg-IFN）がまず考慮される[6]．C型慢性肝炎の治療目標は，HCVを排除し，肝硬変・肝不全への進展および肝発がんを抑止することである．抗ウイルス療法は従来のIFNに代わり直接作用型抗ウイルス薬（direct acting antivirals：DAA）が主体となった．DAAは直接ウイルスの増殖を阻害する経口薬で，100％に近いウイルス排除が期待でき，IFNに比べて副作用が少なく，高齢者や肝硬変患者にも使用可能である[4]．

1 ● 身体的特徴

a. 身体症状は乏しいが，抗ウイルス療法に伴う副作用が出現する

慢性肝炎は特徴的な身体所見に乏しく多くは無症状だが，全身倦怠感や食欲不振，易疲労感，微熱，上腹部の不快感がみられることがある．また，血小板の造血因子であるトロンボポエチンは肝臓で生成されるため，血小板減少が高頻度にみられる．無治療でいると徐々に病態は悪化し，肝硬変に進展すると肝腫大やクモ状血管腫，手掌紅斑，静脈の怒張が，非代償性肝硬変では黄疸，腹水・浮腫，食道・胃静脈瘤，肝性脳症の所見が認められる．

抗ウイルス薬による副作用が出現することがある．IFNでは全身倦怠感や発熱，頭痛，関節痛などのインフルエンザ様症状が60～95％の患者にみられ，血小板減少と好中球減少はほぼ必発する[6]．頻度は低いが，うつ症状，間質性肺炎，発疹なども出現する．その他の抗ウイルス薬は副作用の発現頻度が低いものの，核酸アナログ製剤では腎機能障害，低リン血症，骨密度低下など，リバビリン（抗HCV薬）では溶血性貧血，DAAでは貧血，頭痛，倦怠感，瘙痒感，悪心，下痢，発心，便秘が出現することがある[6]．

2 ● 心理・社会的特徴

b. 慢性肝炎の発症および偏見や差別による精神的負担と生活上の困難さ

ウイルス性慢性肝炎を発症した患者は，ウイルス感染に対する恐怖や怒り，悲しみ，罪悪感などの負の感情を経験しやすい．また，長い療養生活の中で，発症の衝撃や治療効果への不安，副作用による治療継続の不安，がん化の心配，治療変更時の自己決定の迷いなど幾度となく心理的苦痛を経験する．C型慢性肝炎では感染原因がわからないことによる理不尽な感染への苦悩を抱くことがある．また，肝炎ウイルスの感染経路などについての国民の理解が未だ十分ではなく，ウイルス性肝炎＝感染症，肝疾患＝飲酒という偏見を周囲から受けることがあり，不当な差別が存在すると指摘されている．このような偏見や差別をおそれて罹患を家族や職場に伝えないでいると，家庭内や職場での生活や人間関係に支障を生じ，さらに患者の苦悩は増幅されることになる．

c. 肝硬変・肝がんへの進展に対する不安がある

B型慢性肝炎では年率2％で肝硬変，年率1.2～8.1％で肝がんが発症する[6]．C型慢性肝炎からの肝発がんは10年間で12.4％と報告されており[6]，高齢患者では肝硬変になる前に肝がんを発症することが多い[1]．適切に治療すれば肝硬変や肝がんへの進展を防ぐことができるが，患者およびその家族は，肝炎が肝硬変や肝がんといったより重篤な病態へ進行することに対する将来的な不安をかかえている．

d. 長期の通院治療による社会活動の制限と経済的負担

長期に及ぶ治療や通院には時間と費用がかかるため，家事や子育て，介護，仕事といった社会活動に制限がかかりやすい．治療費や就労継続などの経済的な心配が，患者のみならず家族にも出てくる．

B. 慢性肝炎患者および家族への援助

1 ● 看護アセスメント

慢性肝炎のアセスメントの目的および項目を表Ⅴ-3-5にまとめた．慢性肝炎は自覚症状が乏しいため，検査所見から肝機能障害の程度や肝炎の進展度をアセスメントする必要がある．また，治療は長期間におよび，治療後も定期検査が必要となるため，受診行動や服薬管理など自己管理状況のアセスメントは重要である．自己管理行動が不十分な場合は，心理・社会的側面にその要因がないかを分析するため，さらにアセスメントを進める必要がある．

2 ● 援助の方針

慢性肝炎患者の身体的，心理・社会的特徴をふまえて，援助の方針を次のように考える．

①慢性肝炎から肝硬変・肝がんへの進展を防ぐための自己管理を継続できるように援助する．
②治療意欲を支え，定期受診の定着と長期療養を継続できるよう援助する．
③症状や生活にかかわる不安の軽減により，治療と社会生活を両立できるよう援助する．

表V-3-5 慢性肝炎患者の看護アセスメント

目的	アセスメント項目		備考
身体的側面 ● 肝機能障害の程度をアセスメントする ● 治療の副作用をアセスメントする	● 病歴等	・現病歴,既往歴,治療歴,家族歴,飲酒歴,喫煙歴	
	● 検査データ ① 肝炎ウイルスマーカー	・HBs抗原,HBe抗原,HBe抗体,HBV-DNA,HCV抗体,HCV-RNA	・肝炎ウイルスは診断だけでなく,ALTなどの肝機能検査と共に治療効果の判定にも用いられる.
	② 肝機能検査	・AST,ALT,ALP,γ-GTP,総ビリルビン,直接ビリルビン,総タンパク,アルブミン,コリンエステラーゼ,総コレステロール,プロトロンビン時間,ICG試験,血小板数,血清鉄,血清亜鉛	
	③ 肝線維化マーカー	・ヒアルロン酸,Ⅳ型コラーゲン,PⅢNP,M2BPGi	
	④ 腫瘍マーカー	・AFP,PIVKA-Ⅱ	・肝細胞のがん化の判断に用いられる.
	⑤ 画像検査	・超音波検査,CT,MRI	
	⑥ 肝硬度検査	・超音波エラストグラフィ,肝生検	・肝線維化の診断に用いられる.
	● 身体所見 ① 慢性肝炎の症状	・全身倦怠感や食思不振,易疲労感,微熱,上腹部の不快感	
	② 代償性肝硬変の症状	・肝腫大,クモ状血管腫,手掌紅斑,静脈怒張	
	③ 非代償性肝硬変の症状	・黄疸,腹水・下腿浮腫,食道・胃静脈瘤,肝性脳症,出血傾向,低コレステロール血症,高血糖・低血糖	
	● 抗ウイルス療法の副作用 ① IFN	・インフルエンザ様症状(発熱,全身倦怠感,頭痛,関節痛),骨髄抑制症状(血小板減少,好中球減少),うつ症状,間質性肺炎,脳血管障害,眼底出血,甲状腺機能障害,発疹	
	② 核酸アナログ製剤	・腎機能障害,低リン血症,骨密度低下	
	③ リバビリン	・貧血	
	④ DAA	・貧血,頭痛,倦怠感,瘙痒感,悪心,下痢,発心,便秘	
	● バイタルサイン	・血圧,脈拍数,体温,呼吸数	
日常生活の側面 ● 生活行動が肝線維化の進展によくない影響を及ぼしていないかをアセスメントする ● 症状や治療の副作用が生活に及ぼす影響をアセスメントする	● 食事	・食事の回数・内容・摂取量,飲酒の摂取量・回数	・規則正しく栄養バランスのよい食事を摂り,脂肪は控えめにして飲酒しない.
	● 排泄	・排便の回数・量,下剤使用の有無,水分摂取状況	・肝臓への負担を避けるため便秘を予防する.
	● 睡眠	・睡眠の量と質	
	● 清潔	・血液や体液が周囲の人に付着しないように注意しているか	
	● 運動・活動	・症状や副作用による日常生活動作や行動への影響の有無と程度,運動習慣の有無と程度	・患者の高齢化に加えて,肝疾患では栄養障害などによる二次性サルコペニアを生じやすく,適度な運動が推奨されている.
	● 趣味・余暇活動	・症状や副作用による趣味や余暇活動への影響の有無と程度	
	● セルフケア能力	・治療に伴うストレスや苦痛に対処し,日常生活を調整しながら治療を継続する能力の程度や意欲	
認知・心理的側面 ● 慢性肝炎や治療が認知・心理面に及ぼす影響をアセスメントする	● 疾患や治療の理解および受け止め	・罹患前の健康に対する認識や取り組み方,罹患後の疾病に対する認識や受け止め方 ・疾病や治療に関する知識の理解度,感染防止に関する知識の理解度,肝炎の進展を抑制する生活に関する知識の理解度 ・受診行動や服薬管理の状況,肝炎の進展を抑制するためにどのような行動をしているか	
	● 価値・信念	・何に価値を置き何を大事にしているか,信仰する宗教は何か ・治療や生き方の意思決定は患者の価値・信念に基づいているか	

(つづき)

	●心理状態	・不安や心配事の有無と程度，周囲への感染に関する不安，治療の副作用に伴う妊孕性に関する不安，周囲からの偏見や差別に苦しんでいないか，予後の不確かさに対する苦悩	
	●対処方法	・これまで問題にどのように対処してきたか ・ストレス要因は何か，心身のストレス反応が出現していないか，疾患や治療，副作用に伴う困難にどのように対処しているのか，その対処は効果的に働いているか	
	●認知機能	・認知機能の程度，医療者の説明に対する理解度	
社会・経済的側面 ●治療が社会的役や経済面に及ぼす影響をアセスメントする	●役割 ●職業 ●家族構成 ●家族の状態	・家族や社会のなかで果たしている役割 ・職業の有無，仕事の内容 ・同居家族の有無，キーパーソンは誰か ・家族の心理状態，家族が果たしている役割，家族間の関係性	
	●経済状態	・経済状況の変化，経済的負担の有無と程度，医療費助成制度についての知識や利用の有無	・傷病手当金や高額療養費，肝炎医療費助成制度，B型およびC型肝炎特別措置法に基づく給付金などさまざまな制度がある．
	●ソーシャルサポート	・家族や友人，同僚からのサポートの有無と内容，利用できる社会資源と活用の有無，就労支援に関する職場や地域の相談窓口の活用状況	・施設によっては，「肝炎対策の推進に関する基本的な指針」（厚生労働省，2016）に基づき養成された肝炎医療コーディネーターが相談を受けることができる．

3 ● 看護活動

a. 症状マネジメント

　薬剤により出現頻度は異なるが，抗ウイルス薬は副作用が出現するため，副作用症状の早期発見に努める．患者に対しては，治療導入時は副作用の種類や発現時期を説明し，副作用発現の際はすみやかに医療者に伝えるよう指導しておく．また，IFNに伴うインフルエンザ様症状に対しては解熱や鎮痛を図り，倦怠感が強い場合は日常生活を整える援助を行う．好中球減少がある場合は感染予防を徹底し，血小板減少がある場合は皮膚や粘膜からの出血予防と転倒・打撲に注意するよう説明する．

b. セルフモニタリング

　抗ウイルス薬に伴う副作用をモニタリングするよう説明する．IFNのようにうつ症状が発現する場合もあるため，身体症状だけでなく気分の落ち込み，焦燥感，集中力や興味の低下，不眠，食欲不振のような精神症状のモニタリングも必要である．

　また，慢性肝炎から肝硬変，肝がんへの進展の徴候を見逃さないことが重要である．患者には肝硬変の症状を説明しておき，患者自らが異常に気づけるよう指導する．

c. 日常生活における教育的支援および援助

　抗ウイルス療法は外来で行われることが多く，ウイルス排除後も肝がん発症の可能性はあるため，通院を中断・中止せず通院間隔を守ることが重要となる．しかし，子育てや介護，仕事などの社会生活を送る患者にとって通院は容易なことではない．また，治療効果がない場合や副作用が強い場合は治療を自己中断してしまうことがある．看護師は，患者の生活の中に定期受診が定着するよう治療意欲を支え，受診行動を妨げる要因をアセスメ

ントし，その要因の解決に向けて他職種と協働し，職場の理解を求める方法や通院しやすい場所や時間の調整などを検討する．

経口内服薬は決められた服薬間隔を厳守することが必要となる．飲み忘れがないように薬ケースや服薬手帳などの利用を勧める．患者の認知機能が低下している場合は，家族の協力や訪問看護などの介入が必要になることがある．

飲酒，肥満，糖尿病などで肝臓に脂肪がたまる状態になると肝臓病の進行が早いことが知られている[1]．飲酒と食べ過ぎを避け，良質のタンパク質を中心に脂肪を控えた食品を規則正しく摂取するよう説明する．血清鉄が増加している患者には鉄分を多く含む食品を避けるよう指導する．また，慢性肝炎患者は高齢化が進み，加えて肝疾患では栄養代謝障害による二次性サルコペニアを生じやすいため，適度な運動方法を説明し習慣化できるよう援助する．これらの肝臓病進展防止の取り組みは，患者のコントロール感を高めて療養継続の励みにもなる．

家族やパートナー，周囲の人への感染防止について説明する必要がある．食器の共用や入浴，会話などの日常生活で感染することは通常ないが，歯ブラシやひげそりなど血液が付着する可能性のある生活用品は共有しないよう説明する．出血した場合は自分で圧迫止血し，接触による他者への感染を防止する．B型肝炎ウイルスの場合は，血液や体液を介して感染するため性行為での感染に注意し，パートナーにはワクチン接種で感染予防ができることを説明する[1]．

d. 心理・社会的支援

慢性肝炎患者は，前述のようにさまざまな不安や苦悩に直面する．肝疾患患者への療養支援を行う熟練看護師は，患者自らの意思で治療や自己管理に向き合えるように，患者の重荷をその身になって受け止めて言葉をかけ，その人らしさを引き出しながら支えていると報告されている*[7]．患者の言葉を傾聴する時間を確保し，患者の心情を汲み取り理解を示す援助が必要である．また，主治医に対し疑問や質問を伝えられるようになると不安の軽減につながるため，主治医と患者との調整を行う介入や，医療職とのコミュニケーションスキルを高めるような介入も必要となる．さらに，家族や職場，社会福祉士，**肝炎医療コーディネーター**の支援といったソーシャルサポートも不安の軽減につながるため，多職種と連携しながら患者の支援体制を強化する必要がある．しかし，家族や職場に発病を公表していない場合があり，患者の意向を尊重する慎重な対応が求められる．

肝炎の症状や抗ウイルス薬の副作用は仕事にも支障を及ぼすため，治療しながら勤務を続けられるのか，働き方や職場を変える必要があるのか，勤務や休業の制度はどうなっているのか，治療費はどれくらいかかるのかなど種々の悩みを伴う．看護師は，患者の相談に乗り，市町村や職場の相談窓口や，傷病手当金および高額療養費の支給や肝炎医療費助成制度などの情報を患者が入手できるよう支援を行う．

e. 家族への支援

慢性肝炎患者の家族は患者同様に不安や苦悩をかかえている．家族に対しても疾患や治

---

*高比良ら[7]は，肝疾患患者への療養支援を外来で行う熟練看護師にインタビュー調査を行っている．その分析結果の中で，重荷とは，肝炎の偏見からくる苦しみや肝炎ウイルス検査陽性の衝撃，治療遵守のむずかしさ，自己決定の迷いなどの患者の心理的負担を示すと説明している．

療に関する知識を提供し，患者の自己管理の重要性を説明する．家族からの質問や疑問にいつでも対応できる体制を整えておき，家族が患者と共に社会生活を維持できるよう支援する．

> **コラム**
> ### 薬害肝炎について
>
> 　肝炎は「国内最大の感染症」（肝炎対策基本法前文より）である．B型肝炎ウイルスおよびC型肝炎ウイルスへの感染については，国の責めに帰すべき事由によりもたらされたものがある．
> 　B型肝炎ウイルスにおいては，集団予防接種の際の注射器と針の連続使用が1988年まで約40年間続けられたことによって感染被害が発生した．2011年6月の「基本合意書」において国は，B型肝炎ウイルスに感染した被害者に甚大な被害を生じさせ，その被害の拡大を防止しなかったことについての責任を認めた[i]．
> 　C型肝炎ウイルスにおいては，1971年から1990年ごろの期間，多くの患者が出産時の大量出血などの止血にフィブリノゲン製剤または血液凝固第IX因子製剤を投与されて感染した．海外ではC型肝炎ウイルス感染の危険性を理由にこれらの血液製剤は製造を禁止されていたが，国や製薬会社はその情報を入手しながら放置したため被害が拡大した．これらの血液製剤を投与された患者がC型肝炎ウイルスに感染したとして，国および製薬会社に対し損害賠償を求める薬害肝炎訴訟が2002年10月以降，全国5ヵ所の地方裁判所で提訴された．最終的に，2008年1月15日の「基本合意書」において国は，感染被害者に甚大な被害が生じ，その被害の拡大を防止しえなかったことについて責任を認めた[ii]．
> 　なお，2008年1月11日に「特定フィブリノゲン製剤及び特定血液凝固第IX因子製剤によるC型肝炎感染被害者を救済するための給付金の支給に関する特別措置法」，2012年1月13日に「特定B型肝炎ウイルス感染者給付金等の支給に関する特別措置法」が成立した．しかし，無症候性キャリアの中には，その自覚がない人が多いと考えられるため，肝炎ウイルス検査の受診勧奨とこれらの制度の周知に努める必要がある．
>
> **引用文献**
> i) 全国B型肝炎訴訟原告団代表，全国B型肝炎訴訟弁護団代表，厚生労働大臣：基本合意書, 2011年6月23日，〔https://www.mhlw.go.jp/stf/houdou/2r9852000001h6p9-att/2r9852000001h6sv.pdf〕（最終確認：2023年1月10日）
> ii) 厚生労働省：第2節薬害肝炎事件，平成22年厚生労働白書, p.10-15, 2010〔https://www.mhlw.go.jp/wp/hakusyo/kousei/10/dl/01-01-02.pdf〕（最終確認：2023年1月10日）

学習課題

1. 慢性肝炎患者の肝機能障害をアセスメントするための検査データを説明してみよう
2. 慢性肝炎の抗ウイルス薬による副作用を説明してみよう
3. 慢性肝炎の悪化を防ぐための日常生活上の注意点について説明してみよう

練習問題

Q1 C型肝炎ウイルスの感染予防で正しいのはどれか，2つ選べ．
1. 家族内であれば髭剃りを共有してもよい．
2. 性行為のパートナーへの感染に注意する必要がある．
3. 料理中に指先を包丁で傷つけ出血した場合は，絆創膏などで傷口を完全に覆う．
4. 食器を共有したり同じ浴室を使用すると感染することがある．
5. C型肝炎ウイルスの感染予防にワクチンが有用である．

[解答と解説 ▶ p.526]

引用文献

1) 日本肝臓学会（編）：肝臓病の理解のために，p.4-24，〔https://www.jsh.or.jp/lib/files/citizens/booklet/understanding_liver_disease.pdf〕（最終確認：2023年1月10日）
2) 森川賢一，坂本直哉：肝炎ウイルス．内科学書消化器・腹膜疾患肝・胆道・膵疾患，第9版（南学正臣総編集），p.303-306，中山書店，2019
3) 厚生労働省：肝炎総合対策の推進，〔https://www.mhlw.go.jp/stf/seisakunitsuite/bunya/kenkou_iryou/kenkou/kekkaku-kansenshou/kanen/index.html〕（最終確認：2023年1月10日）
4) 榎本信幸：ウイルス性慢性肝炎．内科学書消化器・腹膜疾患肝・胆道・膵疾患，第9版（南学正臣総編集），p.335-341，中山書店，2019
5) 瀬川 誠，坂井田功：肝画像検査と肝硬度検査．内科学書消化器・腹膜疾患肝・胆道・膵疾患，第9版（南学正臣総編集），p.311-318，中山書店，2019
6) 日本肝臓学会（編）：第1章B型肝炎，第2章C型肝炎．慢性肝炎・肝硬変の診療ガイド2019，第1版，p.2-47，文光堂，2019
7) 高比良祥子，小林裕美：熟練看護師が外来で行う肝疾患患者への療養支援のあり様．日本看護科学会誌41：269-278，2021

3 肝硬変

V-3. 消化器系の障害を有する人とその家族への援助

> **この節で学ぶこと**
> 1. 肝硬変患者の身体的，心理・社会的特徴を説明できる
> 2. 肝性脳症の徴候とアセスメントの内容を説明できる
> 3. 肝性脳症の誘因とその対処・予防法を説明できる
> 4. 肝硬変患者の日常生活における教育的支援と援助について述べることができる

A. 肝硬変患者の身体的，心理・社会的特徴

肝硬変（[liver] cirrhosis）とは肝細胞が慢性的な炎症を繰り返し，持続的に破壊され続けた結果，肝細胞が次第に線維に置き換わり増殖していき，残存する健全な肝細胞は再生を繰り返すため肝小葉の構造が改築され，肝臓の表面が結節状に凸凹を呈する状態である．また，肝硬変の成因は，C型肝炎ウイルス（hepatitis C virus：HCV），B型肝炎ウイルス（hepatitis B virus：HBV），アルコール性，そのほかの自己免疫疾患や代謝性に分けられるが，そのほとんどがHCV，HBVによるものである．B型およびC型肝炎ウイルスによる非代償期肝硬変に対する抗ウイルス治療の長期的な効果は十分明らかにされていない．しかし，有効性が認められており，今後の副作用などについての経過観察が必要である[1]．機能別診断による分類では，代償期には肝腫大，クモ状血管腫，手掌紅斑，静脈の怒張などがみられるが，自覚症状は乏しく，肝臓の予備能力のために全体的な機能は維持できている．非代償期は代償期の症状に加えて，黄疸（jaundice），腹水，浮腫，脳症，食道静脈瘤の形成が1つ以上出現し，正常な残った肝臓が機能を代償できなくなった状態をいう．

肝硬変は肝臓内の血流障害により代償的に側副血行路を形成するため，門脈圧の亢進により**食道・胃静脈**の怒張をきたし破裂する可能性がある．また，肝細胞の機能障害により**血液凝固因子**の生成低下，胆汁の生成と排泄障害，肝臓の代謝機能の低下によるタンパク質代謝，脂質代謝，糖質代謝，ホルモン代謝，ビタミン代謝の異常をきたす．これらの症状が複合して①出血傾向，②黄疸，③浮腫・腹水の貯留，④**肝性脳症**（hepatic encephalopathy）などの症状を呈する．

肝硬変患者の主な身体的，心理・社会的特徴を以下に述べる．

1 ● 身体的特徴

a. 血小板減少と門脈圧亢進による食道・胃静脈瘤の破裂により大量出血の可能性がある

肝臓には血小板産生・分化の調節因子であるトロンボポエチンを産生する機能がある．

肝硬変になると肝臓の機能が低下し，血小板の寿命の短縮，血小板凝集能の低下などが起こり，出血しやすく止血しにくい状態になる．門脈圧亢進により側副血行路の1つである食道・胃静脈に血流が集まり**静脈瘤**を形成し，門脈圧が亢進すると静脈瘤は破裂する．止血しにくいため，破裂による出血は直接の死因となる．また，出血による血圧低下は肝不全・腎不全をきたす．

出血傾向の強いときには，皮下の点状出血だけでなく，口腔粘膜，消化管出血など全身に出血傾向がみられる．

b. 肝機能の低下による食欲不振・全身倦怠感・易疲労感・黄疸があり改善困難な身体的・精神的な苦痛が大きい

食欲不振については，肝硬変の代償期には自覚症状はほとんどみられない．しかし非代償期になると肝臓の機能が低下し，食欲不振がみられる．高度進行肝硬変患者の50～90％は低栄養状態にある．全身倦怠感・易疲労感については，肝硬変の非代償期にはさまざまな症状があるが，全身倦怠感に有効な治療薬はなく，患者は「身の置き場のないしんどさ」を訴える．腹水が貯留している場合，腰部への負担もある．黄疸は，血清総ビリルビン値2～3 mg/dL以上で出現し，皮膚・眼球結膜の黄染がみられる．なお，血清総ビリルビン値1～2 mg/dLでは基準値（0.2～1.2 mg/dL）は上回っており肝機能の低下が示唆されるものの，皮膚・眼球結膜の黄染は不明瞭である．肝硬変による黄疸は肝細胞性黄疸で，直接（抱合型）ビリルビンが上昇する．

c. 低アルブミン血症に伴う腹水・胸水の貯留，浮腫があり，呼吸や体動が困難

腹水は，低アルブミン血症，門脈圧亢進による肝リンパ液の漏出など複雑な機序によって生じる．治療は，膠質浸透圧を上げるために，血漿アルブミン，新鮮凍結血漿，濃厚血小板の輸血を行い，利尿薬（フロセミド［ラシックス®］，アセタゾラミド［ダイアモックス®］など）を投与する．また，超音波下で腹水穿刺を行うが，このとき急激な除水は血圧低下やショックをきたすため，定期的に血圧測定を行いながらゆっくり除水する．全身に水がたまりやすくなっているので，腹水の貯留とともに並行して浮腫を起こすことが多い．胸水の貯留がある場合には息苦しさ，体動の困難がある．

d. 肝性脳症による転倒・転落や外傷の危険

肝性脳症とは，本来肝臓で代謝されるべき神経毒性の強い物質（アンモニア，メルカプタン，フェノール類，γ-アミノ酪酸［GABA］，窒素など）が解毒されずに脳内に移行し，特有の精神・神経症状を呈する状態である（**図V-3-1**）．肝性脳症は種々の要因で起きるため，要因に応じた対処方法を選択する．羽ばたき振戦など初期症状に注意し，予兆を早期発見・早期対処することが重要である．このような予兆のある場合，環境に対する知覚や認識が不十分で，患者は安全な行動や判断ができにくくなる．ベッドからの転落や自動車の運転による事故など，外傷の危険が大きくなるので，患者の行動にも注意が必要である．対処方法を**表V-3-6**に示す．

2● 心理・社会的特徴

身体症状や神経症状の悪化を自覚し不安，死に対する恐怖，予期的悲嘆がある．全身の倦怠感が強くなり，腹水・胸水の貯留による横隔膜運動の障害により呼吸苦がみられるようになる．また，出血傾向が強くなり刺激しなくても歯肉出血や皮下出血がみられ，食道

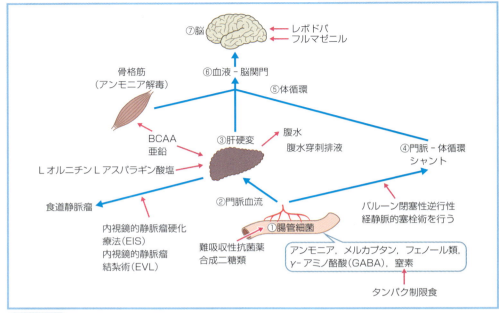

図V-3-1 肝性脳症の病態と対策

[Moriwaki H, Shiraki M, Iwasa J, et al：Hepatic encephalopathy as a complication of liver cirrhosis：an Asian perspective. J Gastroenterol Hepatol 25(5)：858-863, 2010を参考に作成]

表V-3-6 肝性脳症の誘因と対処方法

誘因	対処方法
高タンパク食	非代償期には低タンパク食にする 分岐鎖アミノ酸を含む特殊組成アミノ酸液製剤 顆粒製剤：リーバクト®顆粒，経腸栄養剤：アミノレバン®EN，ヘパンED®
消化管出血	ヒスタミンH_2受容体拮抗薬投与，プロトンポンプ阻害薬投与，粘膜保護薬投与
便秘	ラクツロース投与，緩下薬・グリセリン浣腸薬の投与 腸内殺菌薬（カナマイシン®，硫酸ポリミキシンB®など）の投与
利尿薬と腹水の排液	注意深い利尿薬の投与 塩分制限（3〜6g/日）

静脈瘤からの吐血・下血が起こる．肝性脳症が強くなると言動の混乱，傾眠傾向が強くなる．このような状況は急激にくる場合もあれば，徐々に進行することもあり，患者の予後に対する不安や，死への恐怖が強くなる．

3● 家族の心理的・経済的負担

代償期には患者の日常生活にとくに問題はないが，非代償期になると，さまざまな症状が出現し家族の不安も患者同様に強くなる．腹水の貯留がある場合は患者の身体的な苦痛が大きくなり活動が低下するため，患者の身の回りの世話を家族がしなければならない．また，入院費・治療費など経済的な負担も増える．患者が不安をもつときに家族が支援的

役割をとるが，肝性脳症の場合には患者の認識の変化に対応することが心理的にも大きな負担となる．

B. 肝硬変患者および家族への援助

1 ● 看護アセスメント

　肝硬変患者のアセスメントの目的および項目を**表V-3-7**にまとめた．肝硬変は自覚症状だけでなく，検査所見より病態の進行や肝機能の障害の程度をアセスメントする必要がある．また，静脈瘤の破裂による循環動態の変化，腹水・胸水の貯留に伴う呼吸困難など生命の危機的状況をまねく状態が急激に出ることがあり，身体・心理面への影響および日常生活面にどの程度支障をきたしているか，自己管理能力も含め正確にアセスメントすることが必要である．

2 ● 援助の方針

　肝硬変患者の身体的，心理・社会的特徴をふまえて，援助の方針を次のように考える．

①血小板減少の程度を把握し，食道・胃静脈瘤の破裂を予防できるように援助する．
②腹水・胸水の貯留，浮腫の悪化を抑え，呼吸や体動の苦痛を軽減できるように援助する．
③肝性脳症を早期に発見し，肝性脳症の増悪を予防し，転倒・転落そのほかの危険行動を予防できるように援助する．
④身体症状や神経症状の悪化による不安を表出し，死に対する恐怖が緩和できるように援助する．

3 ● 看護活動

a. 症状マネジメント

(1) 瘙痒感のケア

　瘙痒感は胆汁の刺激と皮膚の乾燥により増すため，皮膚の清潔の必要性について説明し，清潔な刺激の少ない衣類（木綿など）を用意し，できれば朝夕の清拭，更衣を勧める．瘙痒感があり出血傾向があると皮膚を傷つけるため，爪を切り搔破しないよう説明する．また，瘙痒感のあるときは睡眠障害をきたすので，就寝前の清拭が効果的である．保湿効果のある薬剤の塗布，かゆみ止めの軟膏や内服薬も有効である．

(2) 浮腫のケア

　代謝機能の低下は水の体内貯留を起こし，膠質浸透圧が低下することもあって，浮腫，腹水，胸水の貯留が起こる．浮腫，腹水，胸水に伴う不快な症状に身の置き場のなさを訴える．腹水に対しては対症療法として利尿薬の投与，腹水穿刺が行われることもあるが，腹水の貯留は繰り返し引き起こされ患者の苦痛は一時的にのみしか軽減されない．皮膚の清潔と保湿により瘙痒感を軽減させ，皮膚を傷つけないようなケアが必要である．加えて，浮腫・腹水貯留のあるときは体を締めつけないよう，ゴム口の緩いソックス，ゆったりした下着，ゴムの緩いズボンを着用するよう勧める．また，下肢に浮腫が出現した場合は，

表Ⅴ-3-7 肝硬変患者の看護アセスメント

目 的	アセスメント項目		備 考
身体的側面 ●肝硬変の進行度および肝機能障害の程度をアセスメントする.	●病歴 ①現病歴 ②既往歴 ③治療歴 ④家族歴 ●検査データ	・B型肝炎, C型肝炎, アルコール依存症 ・肥満, 高脂血症, 糖尿病, 肝機能異常 ・輸血など ・肝疾患歴, 吐血歴, 肝がんなど ・肝機能検査（AST, ALT, LDH, γ-GTP, ALP, 総タンパク, アルブミン, グロブリン, 免疫グロブリン, ChE, TTT, ZTT, 血清コレステロール, 血清総胆汁酸, 血中アンモニア, 血漿遊離アミノ酸, 血清電解質, 総ビリルビン, 直接型ビリルビン, 間接型ビリルビン） ・生化学検査（赤血球数, 白血球数, 血小板数, ヘモグロビン, プロトロンビン時間：PT, 活性化部分トロンボプラスチン：APTT） ・ウイルスマーカー検査（HBVマーカー, HCVマーカー） ・腫瘍マーカー（AFP, PIVKA-Ⅱ） ・その他（ヒアルロン酸, Ⅳ型コラーゲン・7S, P-Ⅲ-P, Mac-2結合タンパク糖鎖修飾異性体：M2BPGi, オートタキシン） ・スコアリングシステム（FIB-4, APRI, Hepascore, C型肝硬変の判別式など） ・尿検査（ビリルビン, ウロビリノーゲン） ・画像検査（腹部超音波検査, 腹部CT, MRI, 腹水検査, 門脈造影など） ・肝生検 ・内視鏡検査（上部消化管内視鏡検査など） ・腹水穿刺：排液量と性状, チューブの脱落予防 ・身長, 体重, BMI, 腹囲	・肝硬変にいたる疾患とその治療について経過を把握する. ・AST, ALTは肝細胞が傷害されると血中で観られる. 肝硬変の進行度, 肝臓の障害の程度を把握するのに必須. ・胸水の貯留がある場合, 呼吸状態と関連させて観察する. ・腹囲・体重測定は毎回同じ条件で測定する. ・その他の検査項目は肝臓の線維化の進展にともなって変化するタンパク質上の糖鎖構造をとらえるマーカーで, 発がんの予測に役立つ. ・肝生検は肝硬変の確定診断・進行度の判断のために行われる. ・食道・胃静脈内視鏡所見記載基準（2013）：占拠部位, 形態, 色調, 発赤所見, 出血所見, 粘膜所見の6因子 ・腹水穿刺終了後の皮膚の観察と感染の有無を観察する.
	●バイタルサイン	・体温, 脈拍, 血圧, 呼吸数, Sao$_2$, Spo$_2$, 尿量など	
●血小板減少症状と食道・胃静脈瘤の症状 ●治療に伴う症状をアセスメントする.	●徴候・症状 ●リスク要因 ●合併症	・肝硬変の進行について観察する. ①酒皶（顔の発赤や毛細血管の拡張が続くこと）, 手掌紅斑 ④黄疸の程度（腹水貯留の観察, 血中アンモニア, 見当識障害の有無など） ・血小板減少症状と肝性脳症について観察する. ①皮下出血（範囲・程度）, 歯肉出血などの出血（範囲・程度） 口臭（口腔粘膜・歯肉など出血）, 衣類などへの血液汚染 ②吐血・下血の程度（血圧低下などバイタルサインを観察しショック症状の早期発見と治療） ③飲み込みにくさなどがあれば食道・胃の上部消化管の内視鏡検査 ・飲酒, 便秘, 非代償期になると分岐鎖アミノ酸製剤の摂取忘れなど ・治療の副作用 ・ビタミンK（第Ⅱ, Ⅶ, Ⅸ, Ⅹ因子の減少）：低血圧, 呼吸困難, 循環障害など ・血管強化剤（アドナ®）, 抗プラスミン薬（トランサミン®）：食欲不振, 胃の不快感など ・凝固因子濃縮製剤, 新鮮血, 保存血輸血：発熱, じんま疹, アナフィラキシーショックなどの観察を輸血開始後5〜10分間行う. ・内視鏡的硬化療法（EIS）, 内視鏡的結紮術（EVL）：硬化剤・造影剤による発疹, 嘔気, 血圧低下など	

(つづき)

		・内視鏡検査時の食道粘膜潰瘍形成による胸痛，発熱，出血，敗血症，食道裂孔など	
日常生活の側面 ●肝硬変による日常生活の影響をアセスメントする	●環境	・肝性脳症の症状がある場合，自転車・バイク・自動車の運転をしないように気をつける． ・興奮時・意識混濁時のベッドからの転落に備える． ・意識障害時は窒息の予防と気道確保を行う．	
	●食事	・食事の回数，摂取量，バランス，水分摂取量，飲酒の有無，	
	●排泄	・便秘の有無，排泄パターン，水分出納	
	●睡眠	・不眠の有無	
	●清潔	・清潔行為の状態 ・瘙痒感，全身の浮腫の有無と程度，腹水による皮膚の脆弱化，皮下出血の有無と範囲，痂皮の形成の有無と程度	
	●動作・活動	・適度な運動と休息のバランス ・腹水の貯留に伴う腰痛の程度と倦怠感 ・羽ばたき振戦の有無と程度 ・日常生活のパターンと治療による日常生活規制の有無と程度	
	●趣味・余暇活動	・趣味・余暇活動の内容の変化，治療による影響の有無と程度 ・喫煙の有無（禁煙状況）	
	●セルフケア能力	・日常生活を調整しながら治療を継続する能力の有無と程度 ・治療に伴う苦痛やストレスに対処し，日常生活を調整しながら治療を継続する能力の有無と程度，および意欲	
認知・心理的側面 ●肝硬変による認知・心理的側面への影響をアセスメントする	●疾患や治療の理解および受け止め	・疾患・治療とその副作用についての知識，認識および受け入れ ・感染症防止に関する知識，認識 ・疾患を進展させる因子，および進展の徴候についての知識，認識 ・肝性脳症時の予防と対処行動についての知識，認識	・肝性脳症時に家族およびキーパーソンの理解と協力が得られるよう説明する
	●価値観・信念	・何に価値を置き，何を大切にしているか，信仰する宗教は何か	
	●対処方法	・これまで問題にどのように対処してきたか ・治療や副作用に伴う困難にどのように対処しているか	
	●心理状態	・疾患や治療，副作用に対する不安およびストレスの有無と程度 ・ボディ・イメージの変容（腹水の貯留，食道静脈瘤，黄疸などについての認識） ・予後についての不安の有無と程度	
	●認知機能	・血中のアンモニア値のモニタリング ・性格の変化や感情的な言動の有無と程度	
社会・経済的側面 ●肝硬変による社会・経済的側面への影響をアセスメントする	●役割	・家族や社会の中での役割，発達課題	
	●職業	・職業の有無，職場からの支援の状況	
	●家族構成	・家族構成，同居家族の有無・人数	
	●家族の状態	・家族の心理的状態 ・患者が亡くなることについての予期的悲嘆の状態	
	●キーパーソン	・家族または周囲の人の中でのキーパーソンは誰か	
	●経済状態	・家族の，社会的・経済的状態	
	●ソーシャルサポート	・友人・知人・同僚・患者会などのサポートの有無，利用できる社会資源 ・肝性脳症時の対応を家族だけでなく，家族の支援体制を得られるようにする	

下肢の挙上を行う．また皮膚が脆弱になっているため傷つけないよう注意する．腹水や浮腫がある場合，減塩食（5g以下／日）にし，1日の尿量を確認する．ファウラー位，セミファウラー位など患者の希望に合わせて上半身を挙上し呼吸が安楽になるようにする．

(3) 食道静脈瘤の治療とケア

肝硬変の症状には，出血傾向の亢進による皮下出血，歯肉出血，痔出血などや，門脈圧の亢進による食道静脈瘤・胃静脈瘤がある．静脈瘤のある場合，食事の温度に注意し，十分に咀嚼してから嚥下しなければならないことを患者が十分理解することが必要である．過度のストレスや血圧の上昇に気をつけるよう説明する．また，少量の消化管出血は下血として排泄されるが，患者には多量でない場合の下血に気づくことは困難である．便が暗黒色の場合，胃・食道からの出血があることを説明する．吐血は嘔吐を伴い，少量の吐血は胃酸と混ざって暗赤色となる．食道静脈瘤からの大量の出血は鮮紅色になり，ショック状態を起こさないよう定期的な受診が必要である．また，粘膜保護薬の内服の必要性を説明する．食道・胃静脈瘤から出血した場合はS-Bチューブを用いて止血できるよう確実に固定し，粘膜損傷を防ぎ，患者・家族の精神的不安を緩和するよう援助する（**図Ⅴ-3-2**，**表Ⅴ-3-8**）．

(4) 腹水・胸水の治療とケア

腹水・胸水の貯留による苦痛が軽減できる体位を工夫するために，長時間の同一体位を避け，腹壁の緊張を緩和できるよう膝関節を軽く屈曲させる．胸水による肺の圧迫を予防するために上半身を挙上する．また，腹水穿刺後長時間かけて排液を行う場合，穿刺したチューブが脱落しないよう患者に説明し協力を得る．腹水により腸粘膜も脆弱化し，免疫力が低下しているため，特発性細菌性腹膜炎を起こしやすくなっており，腹部症状に注意

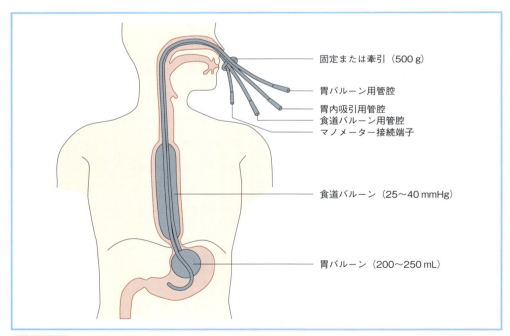

図Ⅴ-3-2 S-Bチューブによる食道静脈瘤出血の圧迫止血

表V-3-8　食道静脈瘤破裂時の看護

観察	項目	目的・対処
吐血	量と性状 発現時間と持続時間を確認	
吐血に伴う症状の有無と程度	腹痛の部位・強さ・程度，吐き気・嘔吐・胃部不快感など	消化管の安静をはかるため，安静臥床し，嘔吐が続くようであれば，前傾姿勢または側臥位にする．誤嚥を予防するために顔は横向きにする
ショック症状の有無と程度	体温下降，呼吸促拍，脈拍は頻脈・微弱，血圧下降，冷汗，顔面蒼白，尿量減少，意識の混濁，皮膚の冷感など	吐血後，心窩部を氷嚢を用いて冷罨法を行い止血する
S-Bチューブの確認	S-Bチューブの固定：胃バルーンが胃のなかで膨らんでいること（200〜250 mLを注入）を確認したらチューブを上方に静かに引っ張り，胃バルーンが胃食道接合部に接したところでチューブを固定する 排液の量・性状：1回の吸引ごとに50 mL程度の水でチューブと胃および食道を洗浄する． 食道びらん・潰瘍の形成の予防：出血部を確認できたら，12時間以上48時間以内の間，圧迫止血を行う．2〜3時間おきにバルーンを脱気して出血の有無を確認し，粘膜損傷を防ぐため，6時間ごとに5分間は，食道バルーン内の空気を抜く	S-Bチューブの挿入・固定を確実に行う S-Bチューブによる苦痛の緩和
検査データ	血液一般検査（RBC，WBC，PLTなど） 血液生化学検査（総タンパク，Alb，Na，Clなど） 動脈血ガス分析など	
検査・治療に対する患者・家族の反応	精神的不安，ショックなど 患者・家族への説明と内容の理解の確認	不穏・興奮などの精神状態の変化 患者・家族の休息を促す

する．出血傾向が高いので穿刺部の観察を行うことが必要である．

(5) 肝性脳症の早期発見と治療・ケア

　肝性脳症を早期に発見することは患者のQOLを保つために有効であるが，肝性脳症が発症すれば，患者は認知機能に障害をきたし適切な対処方法を患者自身でとることが困難になる．看護師は，家族と協力して患者の生活習慣を把握し，肝性脳症の予防のためには，便秘や疲労などストレスの緩和に努めることが重要である．血中のアンモニアを増やさないためにも食事量と摂取内容に注意が必要である．食事摂取量が少ない場合，1日4〜7回の分割食や就寝前のエネルギー補給を勧め，起床時の飢餓状態を改善する．栄養士や家族と相談して制限のあるなかでもおいしく食べられるよう工夫する．また，肝性脳症の早期発見と肝機能を悪化させるおそれのある生活習慣の行動変容ができるよう援助する．肝性脳症は，①食欲不振，全身倦怠感，羽ばたき振戦，肝性口臭などの有無，②精神神経症状の有無，③便秘の有無などの観察によって早期発見を行う．食事療法を守り，アンモニアの産生を抑制できる分岐鎖アミノ酸の摂取を守れるよう患者の理解を得ることが重要である．また，非代償期には低タンパク食を守れるよう患者・家族に説明する．便の貯留は血中のアンモニア濃度を上昇させるので，便秘を起こさないよう食事内容を工夫し，ラクツ

表V-3-9 肝性脳症の昏睡度分類

昏睡度	精神症状	参考事項
I	睡眠-覚醒リズムの逆転 多幸気分ときに抑うつ状態 だらしなく，気にとめない態度	あとでふり返ってみて判定できる
II	指南力（時，場所）障害，ものをとり違える（confusion）． 異常行動（例：お金をまく，化粧品をゴミ箱に捨てるなど） ときに傾眠状態（普通のよびかけで開眼し会話ができる） 無礼な言動があったりするが，他人の指示に従う態度をみせる	興奮状態がない 尿便失禁がない 羽ばたき振戦あり
III	しばしば興奮状態またはせん妄状態を伴い，反抗的態度をみせる 嗜眠状態（ほとんど眠っている） 外的刺激で開眼しうるが，他人の指示に従わない，または従えない（簡単な命令には応じえる）	羽ばたき振戦あり （患者の協力がえられる場合） 指南力は高度に障害
IV	昏睡（完全な意識の消失） 痛み刺激に反応する	刺激に対して，払いのける動作，顔をしかめるなどがみられる
V	深昏睡 痛み刺激にもまったく反応しない	

［犬山シンポジウム記録刊行会（編）：第12回犬山シンポジウム A型肝炎・劇症肝炎, 124頁, 中外医学社, 1982より引用］

ロースなどの下剤を指示どおりに内服し，排便習慣の確立をはかる．排便の量・性状から便秘傾向になった場合，すみやかに下剤を用いて排便を促す．食道静脈瘤がある場合，腹圧をかけると再吐血，再下血を起こす可能性があるので便秘の予防は重要である．清潔を促し，下血による肛門周囲の粘膜の損傷が原因のびらんや感染を予防するためにも，洗浄機付き便器を用い洗浄と乾燥を行う．

b. セルフモニタリング

肝性脳症は便秘や疲労などにより引き起こされる．内服薬管理，体調管理など治療や定期的な受診を継続できるように，患者の日常生活の調整を支援することが大切である．食事内容と食事量，便の性状，内服の自己管理，体重，腹囲測定をチェックシートなどに記録するなど，患者だけでなく家族や医療者と共有できる方法を話し合って決めることも重要である．

肝性脳症（表V-3-9）については，患者本人の自覚症状を把握することが困難であるため，看護師だけでなく家族のこまめな観察と関心によりささいな変化を把握し，患者の行動や認知能力をアセスメントできることが大切である．

c. 日常生活における教育的支援と援助

肝硬変による症状の緩和は継続して行うことが大切であるが，継続しても治癒することがなく，症状の進行に伴って患者のセルフケアが困難になるので教育的支援と周囲のサポートが必要である．

(1) 口腔内の清潔

吐血後は口腔内が血液臭で不快になる．また，出血傾向があるときは，歯肉や口腔粘膜からの持続的な出血があり，吐き気・嘔吐を誘発させる．また，絶食により口腔内は乾燥しているため，口腔内を洗浄し，粘膜を保護する目的で頻回に食塩水，冷水で含嗽を促す

(表Ⅴ-3-8参照).
(2) 皮膚の看護的ケア
　四肢・体幹に浮腫がある場合，四肢の下垂は浮腫増悪の原因となるので長時間の下垂起坐位や歩行などは避ける．また，末梢の循環や気分転換のためにマッサージを行うことも有効であるが，浮腫により皮膚が脆弱化しているため圧をかけ過ぎないよう注意する．臥床時には背部の浮腫が出現するため，背部の観察と体位変換に努める．また，浮腫の予防のために塩分制限・水分制限を守り，口渇には氷片などで対処する．塩分を控えても食欲が出るよう酸味などで食事の味つけや盛りつけなどを配慮する．肝機能の低下に伴い血小板が減少し，瘙痒感によって皮膚を傷つけると，出血しやすくなるほか，免疫力の低下や皮膚の脆弱による皮膚損傷，褥瘡，感染を予防する必要がある．体位変換時，体動の介助など皮膚を損傷しないよう愛護的にかかわり，褥瘡の好発部位は，毎日必ず観察し，部分清拭，全身清拭を定期的に行う．このほか，易感染状態であるため，口腔の清潔保持に努め，肺炎を予防する．

(3) 肝性脳症時の安全と環境整備
　肝性脳症が軽度な場合，症状の進行に気づかず自転車・バイク・自動車を運転し事故を起こす場合がある．患者自身の判断能力が低下しているため，家族や周囲の人々が協力して注意を促す．興奮時にはベッドからの転落の危険があるため，ベッドの高さや位置などを工夫し，床に直接マットレスを置くなど転落に備える．また，意識障害が出現した場合，気道を確保し窒息を予防する．必要時には吸引を行う．意識障害に伴い失禁をきたすことがあるため，バルーンカテーテル挿入時は，陰部の洗浄を行い，感染を予防する．

(4) 不眠時の治療とケア
　医師と相談し必要に応じて睡眠薬を用いるとき肝臓の機能が低下しているので，薬剤の排泄が遅れるため，睡眠薬の効果が遷延する可能性があるが心配ないことを家族に説明する．副作用の出現については家族の理解・協力を得て，精神的な負担をかけないようにする．

(5) 終末期のケア
　終末期を迎えた患者には，安心して時間を過ごせるよう，清潔のケアや排泄のケアはとくに呼吸苦や出血傾向に注意して行う．

d. 心理・社会的支援
　肝硬変は症状の悪化と改善を繰り返し，肝細胞がんを合併しない場合の5年生存率は80％以上，非代償性肝硬変の5年生存率は40％といわれ予後は厳しい．このため患者は医師から疾患と治療についての説明を受けた内容をどのように理解しているか確認しておく必要がある．また，今後の治療とそれに伴う身体的変化，社会的制約などについて患者の認識を把握し，副作用や合併症，生活上の注意点や対処方法について話し合う．瘙痒感，腹水や胸水による呼吸苦，腰痛，倦怠感などで寝つきにくい，よく眠れないなどの場合は，医師と相談し必要に応じて睡眠薬を用いる．
　肝性脳症が改善した後，患者は自分の行動のずれを自覚し不安をもつため，患者の不安について傾聴する．また，対症療法と生活管理が有効であることを説明し1人でかかえ込まないよう家族・キーパーソンなどの協力を得る．患者は，体調の変化を自覚すると同時に，次第に予後について考えるようになることがある．患者が自己実現できるよう，また

患者にとって自分らしいあり方ができるよう援助する．

患者の話を傾聴し，家族との時間がもてるように工夫することも必要である．

e. 家族への支援

肝硬変が予後不良であるため，家族が死に対する予期的悲嘆の過程にあるとき，感情の表出ができるよう援助する．肝性脳症による性格の変化や認知機能の変化は，患者の人格が変わったような印象を家族に与え，家族を不安にする．また，家族を失うことの恐怖も生じている．疾患による変化であることを説明し家族の感情を受け止め，心理的・精神的援助を行う．患者と同様，病気や治療に関する知識を提供し，自己管理の必要性や方法などについても説明する．同時に，家族が不安や疑問を表出しやすい環境を整え，軽減できるよう援助する．そのうえで家族が主体となって患者をサポートしていけるよう支援していく．経済面で不安がある場合には，相談窓口を紹介し，メディカルソーシャルワーカーなど適切な人に相談するよう勧める．高額療養費制度，高額療養費受領委任払い制度など病院の窓口で説明を受け自分で各市町村の役場で手続きが必要である．

学習課題

1. 食道静脈瘤のある患者の日常生活指導について説明してみよう
2. 腹水穿刺を受けている患者の観察点と看護を説明してみよう
3. 肝硬変の悪化を防ぐために，日常生活面において注意すべき点を説明してみよう．また，家族への説明を具体的に挙げてみよう

練習問題

Q1 肝硬変の患者の症状で皮下出血，腹水貯留，手指の振戦がみられるときにアセスメントする情報で正しいのはどれか．2つ選べ．
1. 血中のアンモニア値
2. 高血糖の程度
3. 排便のコントロール状況
4. 血圧の低下
5. 運動量の低下の有無

[解答と解説 ▶ p.526]

引用文献
1) 日本消化器病学会：肝硬変診療ガイドライン2015，改訂第2版，p.32-53，南江堂，2015
2) 犬山シンポジウム記録刊行会（編）：第12回犬山シンポジウム A型肝炎・劇症肝炎，124頁，中外医学社，1982

V-3. 消化器系の障害を有する人とその家族への援助

4 肝臓がん

> **この節で学ぶこと**
> 1. 肝臓がんの治療を説明できる
> 2. 肝臓がん患者の身体的，心理・社会的特徴を説明できる
> 3. 肝臓がん患者のアセスメントのポイントを説明できる
> 4. 肝臓がん患者に対する看護援助を説明できる．

A. 肝臓がん患者の身体的，心理・社会的特徴

　肝臓がんは原発性肝臓がんと転移性肝臓がんに大別される．さらに原発性肝臓がんは肝細胞がんや肝内胆管がんなどに分類され[1]，肝細胞がんが原発性肝臓がんの約9割を占める．肝細胞がんは女性よりも男性に多く，とくに40歳代の働き盛りの年代から罹患者数が増加する[2]．また，肝細胞がん患者の7～8割はC型肝炎ウイルス，1～2割はB型肝炎ウイルスに感染している．肝炎や肝硬変を基礎疾患とすることから，治療を行っても多発性に再発するという特徴がある．ここでは，肝細胞がんを患う患者の身体的，心理・社会的特徴や，治療の特徴について説明する．

1● がん罹患の心理的衝撃が大きい

　肝炎と肝硬変は肝細胞がん発症の主要なリスクファクター（危険因子）であり，肝細胞がんに罹患した患者の多くは肝炎や肝硬変に対する治療を長期にわたって受けている．肝細胞がんの発症をおそれながら治療に期待をかけ，病状が悪化しないように自己管理を行う努力を続けてきたにもかかわらず，肝細胞がんが発症した患者にとって，がんに罹患した心理的衝撃は強く，大きな脅威となる．

2● 肝臓の予備機能と肝細胞がんの進展度により多岐にわたる治療法が提示される

　肝細胞がんに対する治療には，①肝臓の腫瘍部分を切除する肝切除術，②経皮的に電極を腫瘍に挿入し，電極の先端部分に高熱を発生させ局所的に腫瘍を焼いて死滅させるラジオ波焼灼療法，③経皮的に挿入したカテーテルを経由して，腫瘍の栄養血管である肝動脈を塞栓物質で血流遮断し，腫瘍を壊死させる肝動脈塞栓療法，④カテーテルを用いて腫瘍の栄養血管である肝動脈に抗がん薬を直接注入する肝動注化学療法，⑤分子標的薬，免疫チェックポイント阻害薬による全身薬物療法，⑥ドナーからの肝移植がある．肝炎，肝硬変が基礎疾患にある場合は，肝臓そのものがこれらの疾患により慢性的な障害を受けて

表Ⅴ-3-10 Child-Pugh分類

項目＼ポイント	1点	2点	3点
脳症	ない	軽度	ときどき昏睡
腹水	ない	少量	中等量
血清ビリルビン値（mg/dL）	2.0未満	2.0〜3.0	3.0超
血清アルブミン値（g/dL）	3.5超	2.8〜3.5	2.8未満
プロトロンビン活性値（％）	70超	40〜70	40未満

各項目のポイントを加算しその合計点で分類する．

Child-Pugh分類	
A	5〜 6点
B	7〜 9点
C	10〜15点

表Ⅴ-3-11 肝障害度分類

項目＼肝障害度	A	B	C
腹水	ない	治療効果あり	治療効果少ない
血清ビリルビン値（mg/dL）	2.0未満	2.0〜3.0	3.0超
血清アルブミン値（g/dL）	3.5超	3.0〜3.5	3.0未満
ICG R_{15}（％）	15未満	15〜40	40超
プロトロンビン活性値（％）	80超	50〜80	50未満

註：2項目以上の項目に該当した肝障害度が2ヵ所に生じる場合には高いほうの肝障害度をとる．たとえば，肝障害度Bが3項目，肝障害度Cが2項目の場合には肝障害度Cとする．また，肝障害度Aが3項目，B，Cがそれぞれ1項目の場合はBが2項目相当以上の肝障害と判断して肝障害度Bと判定する．

[日本肝癌研究会（編）：臨床・病理 原発性肝癌取扱い規約，第6版補訂版，p.15，金原出版，2019より許諾を得て転載]

いるため，肝臓の予備機能と肝細胞がんの進展度（肝外転移，脈管侵襲個数，腫瘍数と腫瘍径）を考えて治療法が選択される[3]．肝臓の予備機能を評価する指標にはChild-Pugh分類（**表Ⅴ-3-10**）があり，肝切除術を行うことを検討するときには肝障害度分類（**表Ⅴ-3-11**）が用いられる．さらに肝細胞がんの進展度を画像診断で判断し，治療アルゴリズムに基づいて治療が決められる（**図Ⅴ-3-3**）．

3● 顕著な自覚症状がないまま経過し，終末期になると多彩な肝不全症状が出現する

早期の肝細胞がんは自覚症状が少なく，全身倦怠感，肝臓部位の腫瘤の触知や疼痛が出現する程度である．肝細胞がんに肝炎や肝硬変を合併している場合にはこれらの疾患の症状が出現するが，肝臓は「沈黙の臓器」と称されるように予備能力が高く，高度に肝機能が障害されないかぎり顕著な症状を自覚することは少ない．また，肝細胞がんは肝臓のなかで再発を繰り返し，肺や骨への転移はかなり進行しなければ生じないことも，自覚症状が少なく経過することの要因である．治療の副作用症状のほかには顕著な自覚症状を伴わ

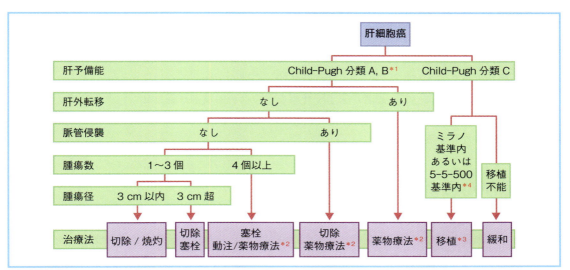

図Ⅴ-3-3 肝細胞がん治療アルゴリズム

治療法について，2段になっているものは上段が優先される．
スラッシュはどちらも等しく推奨される．
[*1]：肝切除の場合は肝障害度による評価を推奨
[*2]：Child-Pugh分類Aのみ
[*3]：患者年齢は65歳以下
[*4]：遠隔転移や脈管侵襲なし，腫瘍径5cm以内かつ腫瘍数5個以内かつAFP 500 ng/mL以下
［日本肝臓学会（編）：肝癌診療ガイドライン2021年版, p.76, 金原出版, 2021より許諾を得て転載］

ないことから，患者は治療を繰り返し受けながらも，治療が終われば地域で質の高い生活を送ることが可能である．その反面，体のなかにがんがありながらその症状がほとんど自覚されないことから，治療を継続することへの負担感，自分の体に対する不確かさ，いつ病状が出現し悪化するのかといった不安をかかえることがある．

肝細胞がんは進行すると門脈を介して肝臓全体に広がり，最終的には肝不全状態となる．肝臓は，栄養代謝，解毒，胆汁の排泄など多様な機能を担っており，肝不全状態になると，腹水，黄疸，全身倦怠感，肝性脳症，出血などの多彩な身体症状が出現する．肝不全症状は急激に出現することが多く，患者は症状による身体的苦痛だけでなく，死が近づいていることの察知による恐怖や悲嘆を感じる．

4● 再発を繰り返すことによる心理的葛藤

肝炎や肝硬変を合併する肝細胞がんは，肝切除術などの根治を目指した治療後にも多発性に再発する可能性が高い．肝細胞がんが再発したときの衝撃は肝細胞がん発症時よりも強く，病気が治らないことへの恐怖と，努力のかいなく再発することへの無念さが生じる[4]．また，治療法によって治療の目的や期待される効果は異なり，患者はそれらの治療の違いを十分に理解したうえで意思決定をする必要がある．患者は治療の効果に期待をもって治療を受けるものの，腫瘍が再発するたびに厳しい病状について説明され，強い心理的衝撃を受けるなかで今後の生き方を検討しなければならず，葛藤を体験する．

5 ● 家族の心理的・経済的負担

　肝炎，肝硬変の治療を長期に続けてきた患者の家族は，患者の生活の支援を行いながら，家族自身も患者のがんの発症に対する不安，がん発症後の病状の悪化や治療に対する不安，繰り返される入院生活の介護に伴う身体的・心理的・経済的負担をかかえやすい．また，病気や治療によって，患者が家事や仕事などの社会的役割が果たせないときには，ほかの家族員がその役割を担うこともあり，生活のしかたが変化したり，役割を担うことが負担になったりする．

B. 肝臓がん患者および家族への援助

1 ● 看護アセスメント

　肝細胞がんの進行度と症状，病気と治療がもたらす身体的苦痛と生活の支障，長期にわたる肝炎・肝硬変の治療後にがんを発症したことに対する思い，繰り返される再発と治療に対する患者の思いと取り組み，患者と家族が望む生活のありようを中心にアセスメントする（表Ⅴ-3-12）．

2 ● 援助の方針

　肝臓がん患者の身体的，心理・社会的特徴をふまえ，援助の方針を次のように考える．

①肝細胞がん発症時は心理的衝撃を軽減するとともに，病気や治療について十分理解して自律した意思決定ができるように支援する．
②多岐にわたる治療の内容について理解し，安全・安楽に治療を受けられるように援助する．
③入院治療を繰り返しながら地域で生活するときに，日常生活をセルフマネジメントしながら質の高い生活が送れるよう支援する．
④病状の悪化に伴い出現する身体症状の苦痛ならびに心理・社会的苦痛を緩和できるように援助する．

3 ● 看護活動

a. 症状マネジメント

　肝細胞がんの早期は顕著な自覚症状が少ない．しかしながら，肝臓内に肝細胞がんが多発することで肝機能が低下し，多彩な苦痛症状が出現する．病状の悪化に伴い出現する身体症状の苦痛の緩和をはかる．また，治療に伴う副作用を緩和し，安全・安楽に治療が受けられるように支援することも求められる．以下に肝細胞がんの進行と肝機能低下に伴う代表的な症状のマネジメントについて説明する．

（1）全身倦怠感

　全身のけだるさ，四肢の重さ，注意力や意欲の低下，日常生活への影響を把握する．倦怠感が強いときは休息をとり，足浴やマッサージなどで気分転換をはかる．日常生活の援助をはかり，エネルギーの余分な消耗を防ぐ．

表V-3-12　肝臓がん患者の看護アセスメント

目的	アセスメント項目		備考
身体的側面 ● 肝細胞がんの進行度，症状，肝機能の状態をアセスメントする ● 治療による副作用・合併症をアセスメントする	● 病歴 ● 検査データ	・現病歴，既往歴（とくに肝炎・肝硬変），感染症，治療歴，家族歴など ・総血清ビリルビン，アルブミン，プロトロンビン時間，ICG，LDH，AST，ALT，血清腫瘍マーカー（AFP，AFP-L3分画，PIVKA-Ⅱ） ・画像検査（エコー，ダイナミックCT，MRI，血管造影），血糖，電解質（Na，K，Ca）	・血清ビリルビン，血清アルブミン，プロトロンビン活性値，ICGは肝障害度の判断指標となる．血清腫瘍マーカーと画像検査は，肝細胞がんの診断，進行度と治療効果の評価に用いられる．血糖値は肝機能低下により変動が生じる可能性がある．
	● バイタルサイン ● 身体所見 ● 徴候・症状 ①肝細胞がんによる自覚症状 ②肝細胞がんの進行，ならびに肝不全症状 ③治療の副作用 ● リスク要因 ● 合併症	・上腹部の腫瘤，腹部膨満・圧迫感，疼痛，全身倦怠感，食欲不振 ・肝性脳症，浮腫，腹水，胸水，黄疸，出血傾向，門脈圧亢進症状，疼痛，尿量の変化 ・各治療の内容と，副作用症状の程度・薬物療法（抗がん薬，分子標的治療薬，免疫チェックポイント阻害薬）の有害事象：悪心・嘔吐，食欲不振，骨髄抑制，脱毛，腎機能障害，末梢神経障害，皮膚障害，免疫関連有害事象など，使用する薬剤特有の有害事象 ・Child-Pugh分類，肝障害度分類 ・肝機能検査データ ・各治療の合併症の有無と程度	・肝腫大があると膨満感や圧迫感が生じる． ・肝不全の徴候，全身状態の急性増悪がないかアセスメントする．とくに門脈圧亢進症状の食道静脈瘤破裂は生命の危機に直結する． ・肝細胞がんの治療は多岐にわたるので，各治療法の副作用，合併症，治療に伴う日常生活の制限について理解したうえで，アセスメントする． ・治療は肝臓の予備機能と肝細胞がんの進展度で選択される．また，治療は肝機能に影響を及ぼすため，肝機能の変化に注意が必要である．
日常生活の側面 ● 肝細胞がんとその治療が日常生活に与える影響をアセスメントする ● 治療を繰り返し受けながら，患者と家族が質の高い生活を送るために工夫していることをアセスメントする	● 環境 ● 食事 ● 排泄 ● 睡眠 ● 清潔 ● 動作・活動 ①自宅での患者と家族の取り組み ②患者と家族が望む生活のありよう ● 趣味・余暇活動 ● セルフケア能力	・治療環境，退院後の住居など療養の環境 ・内容と量，食欲，水分摂取量，栄養状態，体重の変化，治療食の指示，輸液の有無や内容，食事摂取のしかた ・排尿・排便回数，排泄のしかた，排泄物の性状 ・睡眠時間，熟睡感の有無，余暇の過ごし方 ・整容の状況，入浴の有無 ・身体症状による日常生活動作の制限の有無と程度 ・自宅での生活のしかた，体調の維持や症状コントロールにおいて患者と家族が工夫していること ・がんをもちながら，どのように生きていきたいか，どのような生活を送りたいと考えているか ・日々の生活で大切にしている趣味や余暇活動・日常生活を調整しながら治療を継続する能力の有無，程度 ・治療や副作用，合併症を理解し，副作用を最小限に抑えるためのセルフケア行動をとる能力	・腹水や全身倦怠感により，食事摂取量が減少しやすい．肝庇護にはバランスのとれた食事が必要なので，食事内容に留意する． ・身体症状による日常生活の制限をアセスメントし，安楽な生活の援助に役立てる． ・肝炎，肝硬変の治療を長期に受けてきた患者と家族が，病気をもちながら工夫してきたことを理解し，質の高い生活を地域で送ることを支援する． ・治療の副作用に対するセルフケア能力をアセスメントし，セルフケア支援に役立てる．
認知・心理的側面 ● 肝細胞がんとその治療が心理状態に及ぼす影響をアセスメントする	● 疾患や治療の理解および受け止め	・病気や治療についての医師の説明内容 ・病気や治療に対する理解のしかた ・病気や治療に対する思い，態度 ・感情の表し方：表情，不安・いらだち・怒りなど表出される感情，活気など ・患者と家族のコミュニケーションの様子	・長期にわたる肝炎・肝硬変の治療後にがんを発症したことに対する思いや，繰り返される再発と治療に対する患者の思いについて理解し，患者が前向きに治療に取り組むことと，悲嘆などの心理的苦痛を軽減できるように支援する．

(つづき)

		●価値・信念	・何に価値を置き，何を大切にしているか，信仰する宗教は何か ・病気をもちながら生活してきた過程において価値を置いていることは何か	
		●対処方法	・これまで問題にどのように対処してきたか ・肝炎や肝硬変の治療を受けていたときの対処方法	
		●心理状態	・がんと共に生きることにかかえる思い ・将来の見通しに対する不安の有無と程度 ・気分の落ち込み，抑うつ気分の有無と程度	
		●認知機能		
社会・経済的側面 ●肝細胞がんとその治療が社会・経済的側面に及ぼす影響をアセスメントする		●役割	・家庭内の役割と，患者が役割を果たせないときの家族のサポート状況 ・社会的役割についての患者の思い	・治療中，および退院後の自宅での生活で，患者がどのように社会的役割を果たせるかをアセスメントし，治療を受けながら質の高い生活を送ることを支援する．
		●職業	・職業：就労の有無，内容，就業時間，通勤時間，労働環境，職場における地位や役割，人間関係	
		●家族構成 ●家族の状態	・何人家族か，同居の有無 ・家族の心理状態ならびに健康状態，介護のサポート体制	・家族は患者の支援者であるとともに，家族自体もケアを必要とする対象である．家族がかかえる問題を理解する．
		●キーパーソン	・家族または周囲の人の中でのキーパーソンは誰か ・キーパーソンの心理的状態ならびに健康状態，介護力，サポート体制	
		●経済状態	・経済状況，医療保険の種類，民間保険の加入の有無	・治療が長期にわたることによる経済的負担が生じやすい．
		●ソーシャルサポート	・友人・知人・同僚・患者会などのサポートの有無，利用できる社会資源 ・患者同士の情報交換や情緒的サポートの有無と内容	

(2) 腹 水

腹水貯留による腹部膨満，腹囲と体重の変化，呼吸困難・悪心・嘔吐・食欲不振・下痢・便秘といった腹水の随伴症状，日常生活への影響を把握する．腹水に対する治療法と副作用を理解し，安全に治療が行えるよう援助する．また，**ファウラー位**の保持や，日常生活の援助を行うことで，呼吸困難の増強を防ぐ．浮腫により腰背部の皮膚が弱くなり**褥瘡**のリスクが高まるため，エアマットレスの導入や**体位変換**を行う．食事摂取量が少なくなるので，少量ずつ頻回でエネルギーの高い食事を援助する．

(3) 腹 痛

腫瘍の増大による痛みと，治療（とくに肝動脈塞栓療法）の効果で腫瘍が壊死・崩壊するときに生じる痛みがある．治療の副作用により痛むときは，痛みの原因を説明して不安の軽減をはかる．腹痛の部位，強さと性質，頻度を観察し，痛みについて医療者に遠慮せず訴えることの大切さを患者に説明する．腹痛の緩和のため，医師の指示に基づいて適切に鎮痛薬を使用し，その効果と鎮痛薬の副作用を観察する．

b. セルフモニタリング

肝細胞がんの進行や肝硬変の悪化による肝機能の低下を患者自身で予防しながら，質の高い生活が送れるよう支援する．セルフモニタリングの指導内容は次のとおりである．

①肝機能低下時の便秘は血中アンモニア値上昇の原因となるので，排便のコントロールを行い，性状や回数を観察する必要性を説明する．
②肝炎・肝硬変を合併している場合には，肝機能の状態と栄養状態に見合った食事療法が必要となる．基本的に，肝硬変代償期はバランスのとれた食事内容が必要であり，肝硬変非代償期は塩分が制限され，肝性脳症発症時はタンパク質が制限される．
③肝不全の自覚症状（皮膚や粘膜の黄染，全身倦怠感，腹部膨満感，体重の増加，浮腫，意識がぼんやりする，息苦しさなど）が出現したときには受診するよう説明する．
④治療で抗がん薬，分子標的治療薬ならびに免疫チェックポイント阻害薬を使用する場合には，使用される薬剤の副作用症状と対処方法を説明する（p.199参照）．

c. 日常生活における教育的支援および援助

肝細胞がんは働き盛り世代から発症が増加する．社会や家庭において重要な役割を担う世代であり，治療を受けながら患者と家族が望む生活を送れるように支援することが求められる．社会的役割を果たしつつ患者らしい生活が送れることと，肝機能低下の予防のため肝臓を庇護する生活の両立ができるよう，活動と安静のバランスをとるように説明する．安静の程度は肝機能状態により異なるので医師と相談し，制限のなかでどのような生活が可能かを患者や家族と話し合い，具体的な生活のしかたがイメージできるよう支援する．

d. 心理・社会的支援

長期にわたる肝炎・肝硬変の治療後にがんを発症した心理的衝撃や，繰り返される再発と治療に対する患者の思いを傾聴，理解し，患者が前向きに治療に取り組むことと，悲嘆などの心理的苦痛を軽減できるように支援する．そのためには，患者の思いを共感的な態度で傾聴し，つらさに寄り添う態度を示す．また，病状の進行に伴い治療法が変化することから，患者や家族が病気や治療について十分理解し，自律した意思決定ができるように支援することが求められる．治療に対する理解のしかたを確認し，必要な情報を提供する．

e. 家族への支援

家族は患者とともに治療や病状の進行に対する不安，予後に対する不安で揺れ動く体験をする．家族の身体的・心理的安定が図れること，そのうえで患者の支援者としての機能が発揮できるようになることを意図して，家族の思いや，介護の負担感を傾聴し理解する．

学習課題

1. Child-Pugh分類と肝障害度分類の違いを述べてみよう
2. 肝細胞がんの進行や肝硬変の悪化を防ぐためのセルフモニタリング指導の内容について述べてみよう

練習問題

Q1 次の文を読み，問題に答えなさい．

Bさん，48歳の男性，会社員，12年前にC型肝炎と診断され通院治療を続けていたが，2週間前に肝細胞がん（Child-Pugh分類A，腫瘍数4個，転移なし）と診断され入院した．Bさんへの看護で正しいのはどれか．

1. 肝臓の予備機能をアセスメントするための検査データとして，血清ビリルビン値，血清総タンパク値，プロトロンビン活性値を確認した．
2. 肝臓の予備機能と肝細胞がんの進展度からBさんに行われる治療はラジオ波焼灼療法であると考えて，オリエンテーションの準備をした．
3. 肝炎の治療を長期に受けてきたため肝細胞がん発症は予測しており，肝細胞がんの診断による心理的な衝撃は強くないと推測した．
4. 入院することや今後の治療に関連する経済的な問題・不安があるかを確認した．

［解答と解説 ▶ p.527］

引用文献

1) 日本肝癌研究会（編）：臨床・病理 原発性肝癌取扱い規約，第6版補訂版，p.17-18，金原出版，2019
2) 国立がん研究センターがん情報サービス：最新がん統計．更新日2021年7月1日，〔https://ganjoho.jp/reg_stat/statistics/stat/cancer/8_liver.html〕（最終確認：2023年1月10日）
3) 日本肝臓学会（編）：肝癌診療ガイドライン2021年版，第5版，p.75，金原出版，2021
4) 庄村雅子：難治性肝がん患者の闘病モデルの構築とがん緩和ケア看護に関する研究．お茶の水医学雑誌 54（4）：147-162，2006

V-3. 消化器系の障害を有する人とその家族への援助

5 潰瘍性大腸炎

この節で学ぶこと

1. 潰瘍性大腸炎患者の身体的，心理・社会的特徴を述べることができる
2. 潰瘍性大腸炎患者の症状の特徴とそのコントロール方法について説明できる
3. 寛解を維持するための看護のポイントを説明できる

A. 潰瘍性大腸炎患者の身体的，心理・社会的特徴

　潰瘍性大腸炎は，大腸の粘膜に炎症が起こり，びらんや潰瘍を形成する炎症性腸疾患である．原因は不明で，なんらかの免疫病理学的機序や心理的要因が関与しているとされているが，その機序はまだ解明されていない部分があり，遺伝的素因や環境因子が要因としていわれている．

　炎症が直腸から大腸全体に広がり，その広がりの程度によって直腸炎型，左側大腸炎型，全大腸炎型に分類される．症状は血液や粘液が混じった粘血便，下血が典型であり，腹痛や下痢，発熱を伴う場合もある．また罹患が長期間に及び，かつ炎症が大腸の広範囲にいたっている場合には，がん化の危険性が高まる傾向も知られている．好発年齢は10～30歳代で若年に多くみられるが，若年層に限らず50歳以上での発症も珍しくない．患者数は増加の一途をたどっており，2019年度末現在の特定医療費（指定難病）受給者証所持者数において潰瘍性大腸炎は12万6,603人となっている[1]．

　病状は，比較的症状が落ち着いている寛解と炎症が悪化する再燃とを繰り返す．潰瘍性大腸炎の原因として考えられるものとしては，近年急激に患者が増加していることから欧米化された食生活（動物性脂肪の増加，野菜類の減少など）や，家族・親類の発症もあることから遺伝的要因も関与していると考えられている．また，心理的ストレスによる病状悪化の影響も大きい．治療は重症度に合わせてステロイド薬などの薬物療法，ステロイド薬が無効の場合は白血球除去療法が有効といわれている．難治性で再燃が続く重症の場合，根治的療法として大腸を全摘もしくは切除する手術療法も検討される．

1 ● 苦痛を伴う症状（粘血便，腹痛，発熱）の持続

　潰瘍性大腸炎の特徴的な症状は，血性下痢（粘血便，血便）である．炎症により大腸粘膜がただれ，出血を伴う滲出液が出続ける．夜間も頻回に下痢が続くのも特徴である．劇症時には1日10～20回以上にも及び，同時に滲出液，炎症そのものの刺激で腸蠕動が亢進し腹痛も伴う．しぶり腹といわれるように常に腹部の不快感，蠕動痛が持続する．頻回の排泄

と夜間の不眠で著しく体力を消耗し，著明な体重減少にいたる場合もある．炎症が進行すると発熱も亢進し，38℃以上になる場合もあるため，さらにエネルギーの消耗を増悪させる．

2 ● 薬物療法・食事療法の継続が必要

炎症を抑えるためにまず薬による治療が主体となるが，薬物の使い方は重症度によって適切とされる薬剤を選択する．

a. 軽症から中等度の場合

5-アミノサリチル酸製剤であるメサラジン（ペンタサ®，アサコール®，リアルダ®），サラゾスルファピリジン（サラゾピリン®）の経口投与に始まり，**ステロイド薬**（プレドニン®）も状態に応じて投与する．これらを直接腸内へ投与する注腸液（ペンタサ®注腸，ステロネマ®注腸）やステロイドの坐薬なども効果がある．ステロイド薬の使用が長期にわたる場合には，副作用（易感染性，骨粗鬆症，満月様顔貌［ムーンフェイス］，成長障害など）に注意が必要である．寛解にいたったのちも，メサラジンやサラゾスルファピリジンの経口投与を継続することで再燃を予防する．

b. 重症の場合

入院のうえ，ステロイド薬を経口または静脈注射で投与するとともに，腸管の安静をはかり脱水・栄養不良を改善するために中心静脈栄養による**高カロリー輸液**を要する．

ステロイドが無効な場合，**血球成分除去療法**を検討する．静脈血を体外循環により血球除去フィルターを通すことによって，炎症により活性化された顆粒球・リンパ球を体外に除去し，炎症細胞を減少させることで治療する方法である．さらにステロイド薬を減量すると状態が悪化してしまうために減量できないときやステロイド薬が無効な場合には，免疫調節薬の使用を考える．生物学的製剤として，インフリキシマブ点滴静注（レミケード®），アダリムマブ皮下注射（ヒュミラ®），ゴリムマブ皮下注射（シンポニー®）の投与も検討される．その場合，感染症のチェックなどを十分に行い，副作用の発現に注意が必要となる．インフリキシマブ，アダリムマブの副作用として，免疫抑制作用による結核菌感染の顕性化，敗血症や肺炎などの感染症，肝障害，発疹，白血球減少などが報告されている．

潰瘍性大腸炎の治療薬として以下の新薬も承認されており，選択肢が増えたことに伴い新たな治療指針案が出された[2]．

- トファシチニブ（ゼルヤンツ®）経口
- ベドリズマブ（エンタイビオ®）点滴静注
- ウステキヌマブ（ステラーラ®）点滴静注（初回のみ），以降は皮下注射

c. 食事療法と心理的影響

食事は再燃予防，悪化防止のために腸への負担をできるかぎり減らすことがポイントとなる．基本として低残渣食のように繊維質が少なく消化のよいものとする．さらにアルコールや香辛料などの刺激の強いものは量を加減することが望ましい．潰瘍性大腸炎の場合，心理的ストレスの影響も大きいといわれており，あまり厳密に食べることを制限するとかえってストレスを増して逆効果になってしまうので，症状や精神・心理状態に応じて適宜制限していくほうがよい．炎症を増悪させる食品が明らかになっていないので，患者

の症状に応じて適宜制限するにとどめておく．

3● ライフイベントへの影響が大きい

　好発年齢である10～30歳代は，進学，就職，結婚，妊娠などのライフイベントとともに体調を管理し，寛解維持できるように，さまざまな調整が必要となる．とくに10歳代では青年期の心理的問題からくる下痢や腹痛，発熱などの症状と誤解されることも多い．患者はこのような症状による苦痛に対して周囲の理解が得られないことでさらに苦痛が増大する状況に置かれることもある．潰瘍性大腸炎について，患者・家族が正しい知識をもち周囲の理解も得られるよう支援していく必要がある．寛解状態で，栄養状態を良好に保つことができれば，妊娠，出産もとくに問題ないといわれている．

B. 潰瘍性大腸炎患者および家族への援助

1● 看護アセスメント

　再燃の兆しは，血便，発熱，腹痛などの症状である．患者自身がこれらの兆しを早期にキャッチし，適切な対処行動がとれることが悪化の予防につながる．アセスメントの目的および項目を**表Ⅴ-3-13**にまとめた．

2● 援助の方針

　潰瘍性大腸炎患者の身体的，心理・社会的特徴をふまえ，援助の方針を次のように考える．

> ①炎症の悪化・再燃を早期にキャッチし，日々の炎症の状態を患者自身がアセスメントしながら，必要な薬物療法・食事療法を行えるよう援助する．
> ②血球成分除去療法のような特殊な治療・処置が必要な場合には，患者自身がその治療法，効果を十分理解でき，納得したうえで治療を受けられるよう，支援を行う．
> ③薬物療法や食事療法について自己管理方法を患者が習得し，継続できるように指導・支援をする．また，精神的ストレスなど炎症を悪化させる要因をできるかぎり取り除くことができるよう支援する．

3● 看護活動

　患者自身で腸炎の程度に応じて適切な療養法が自己管理できるよう，以下のことを指導・援助する．

a. 症状マネジメント

　主な症状である血便，下痢，腹痛，発熱の程度を把握し，炎症の程度をアセスメントする．状態に応じて医師の指示に従い，ステロイド薬などの薬物療法を施すことが必要である．さらに，これらの症状が増悪している場合には腸管の安静が必要となるので，輸液療法（高カロリー輸液）や栄養剤による水分・栄養補給が必要である．栄養の喪失と体力の消耗も著しい場合は，全身的にも安静にしていることが必要である．

表Ⅴ-3-13 潰瘍性大腸炎患者の看護アセスメント

目的		アセスメント項目
身体的側面	●病歴	・現病歴，既往歴，治療歴，家族歴など
	●検査データ	①血液検査：CRP，白血球数，リンパ球数，血小板数，赤血球沈降速度（炎症の程度を知る指標） 総タンパク，アルブミン，総コレステロール（栄養状態を知る指標） ②造影検査：大腸造影（大腸の形状・状態，潰瘍の範囲，狭窄の部位と範囲・程度） ③内視鏡検査：大腸内視鏡（大腸の状態，潰瘍の範囲，狭窄の部位と範囲・程度）
	●バイタルサイン	・体温（発熱の有無），脈拍数（頻脈）
	●身体所見	・全身倦怠感
	●徴候・症状	・血便，下痢，体重減少，貧血症状
	●リスク要因	・食生活
	●合併症	・なし
日常生活の側面	●環境	・なし
	●食事	・食事内容，量：消化に時間がかかるもの，刺激物などの摂取，量を多くとりすぎていなかったか
	●排泄	・便の回数および性状：血便の程度（血液の混入状態）性状（水様便，泥状便，軟便など）
	●睡眠	・睡眠不足，不眠の有無：十分な休息がとれているか，疲労の蓄積・体力の消耗がないか，ストレスをためていないか
	●清潔	・肛門周囲の皮膚状態：下痢・血便による肛門周囲の皮膚障害の有無
	●動作・活動	・発熱・腹痛や下痢の程度に応じて活動をコントロールできているか
	●趣味・余暇活動	・ストレス解消につながる活動ができているか
	●セルフケア能力	・日常生活を調整しながら治療を継続する能力の有無，程度 ・食事摂取についての自己管理
認知・心理的側面	●疾患や治療の理解および受け止め	・潰瘍性大腸炎についてどのように理解しているか，病気であることのストレスはどのようであるか（自身の受け止めかたによって適切な療養行動がとれるかが左右される）
	●価値・信念	・何に価値を置き，何を大切にしているか，信仰する宗教は何か ・仕事・学校生活など役割遂行と病気の状態との調整において，症状緩和にうまくつながる行動をとることができるか ・価値観・優先順位がどのようであるか
	●対処方法	・これまで問題にどのように対処してきたか ・腸の炎症の再燃など病状悪化したときに，適切な療養行動・対処（食事の調整，安静の確保など）はできていたか
	●心理状態	・精神的に不安定な状態・抑うつ状態に陥っていないか
社会・経済的側面	●役割	・学校生活に支障はないか，就業に支障はないか
	●職業	・就業状況に病気が影響しているか
	●家族構成	・家族内での自身の役割を発揮できているか，果たせているか
	●家族の状態	・病気に対する家族の理解はどのようであるか
	●キーパーソン	・家族または周囲の人の中でのキーパーソンは誰か
	●経済状態	・就業状況に病気が影響しているか
	●ソーシャルサポート	・患者会などのセルフヘルプグループによる支援，指定難病制度などの医療助成制度の利用

b. セルフモニタリング

　炎症の程度をアセスメントするために，セルフモニタリングとして便の回数，性状，出血の有無に注意を払う．また腹痛も蠕動の亢進と，炎症そのものにより痛みが増強する．発熱については37℃台の微熱が続くような再燃の始まりから，38℃以上の増悪時など，炎症の程度を判断する指標として重要である．少量で頻回の排便のため，頻回にトイレにかけ込まなければならないことも心理的苦痛となる．また，夜間の排便による不眠が重なり，疲労が蓄積し，精神的にも不安定になりやすい．抑うつ状態が危惧される場合は，ストレスをためないよう，気分転換をはかることも勧める．

c. 日常生活における教育的支援および援助

(1) 薬物療法

　炎症や血便の状態など，自分の病状に応じて薬の調整をしていくので，医師から指示された投与方法を患者が理解・納得して実施できているかを確認する．とくにステロイド薬に対する副作用に対して，過剰に不安をもつ場合もあるので，病状をふまえて医師とともに量の増減の調整をしていくことを説明し，必要な投与量を確保できるよう指導する．注腸液の場合は，手技的に時間がかかるが直接大腸に投与することの有用性を説明する．さらに注入後，臥床して体位を変えていくことで薬を炎症部位に到達させることができ，炎症の沈静により効果的であることも説明し，患者自身で薬の効果を高められる方法であることを指導する．ステロイド薬の場合，ムーンフェイスなどは一時的な副作用であり，病状を改善してステロイド薬の投与量を減らすことができれば，症状も消失することを，患者の心理的な負担について配慮し説明していく．易感染性のように注意が必要な副作用については，日ごろの手洗い，うがいなどの対策について説明し，治療上必要なステロイド薬の投与は続けることができるよう支援する．

(2) 食事療法

　腸への負担をかけないようにしながら良質の栄養を摂取していくことが基本である．患者自身が普段の生活のなかでどのようなことに気をつける必要があるのか，生活パターンとともに食事の摂取方法，内容を検討する．潰瘍性大腸炎の場合は，食べてはいけないものについては，明確ではなく，個人差が大きい．しかし，消化に時間のかかるものや刺激物は腸へ負担をかけ，炎症の再燃につながる．刺激物は腸の粘膜への刺激が強く，ただれや潰瘍を悪化させてしまう．粘血便や下痢の程度，回数に応じて，食事の内容も調整する必要がある．制限することばかりにとらわれるとストレスになるので，調子のよいときを見はからって食べたいものを食べ，調子が悪くなったときには消化のよい刺激の少ないものをとるように切り替え，患者自身が自分の便や腹部症状をとらえながら調整できるよう支援する．

(3) 精神的負担・ストレス

　精神的負担が増大すると下痢が悪化しやすい．ストレスが増大すると神経に影響して腸蠕動が亢進しやすくなる．潰瘍性大腸炎の状態改善，寛解維持には，いわゆる気分転換なども重要である．

　潰瘍性大腸炎の主な症状に血便がある．しかも1日10回以上と頻回に及ぶ．そのため，患者は症状が増悪してくるにつれ，抑うつ状態に陥りやすくなる．なかには「赤く血が出ているのを見るのもいや，すぐに流してしまう」と排便後の便を見られないくらい憂うつになることも多い．また，学校や職場でのストレスなど精神・心理的負担によって炎症の再燃，腸蠕動の亢進が誘発され，下痢を悪化させることにつながるので，生活そのもののストレス解消も重要である．趣味をもったり，悩みを話せる人をもつなど，それぞれ患者自身に合った方法をもっておくことも，再燃予防につながる．

d. 心理・社会的支援

学校生活や仕事，家庭生活などで精神・心理的問題をかかえていると，それが炎症の再燃に影響しやすいのも潰瘍性大腸炎の特徴である．患者おのおのでさまざまな問題，ストレスの状況があるので，患者自身が対処方法を自分なりに見つけることができるよう支援する．社会生活上でのストレスについては，愚痴などを話せる人を確保して話を聞いてもらうことで気持ちを少しでも楽にできるようにしたり，趣味などのストレス解消方法をもっておくことを勧める．不安に思っていること，生活上でうまくいっていないことについて，患者の話を傾聴し，患者自身が自分の状況に適した解決方法を見出していくことを支援していく．

e. 家族への支援

家族へは，腸炎の悪化は内臓の症状で，他者にはわかりにくいので，患者が発熱や腹痛により体力を消耗し，安静が必要であることを理解できるよう病態を説明する．さらに患者が十分な休息がとれるよう，また，精神的ストレスによっても再燃を起こしやすいことも十分説明し，患者に過剰な負担をかけたり，心理的ストレスを増強させないような配慮が必要であることを伝える．患者ができるだけ安楽に前向きに過ごすことができるように環境を整えることが家族による支援として重要であることを説明する．

学習課題

1. 潰瘍性大腸炎の症状を挙げてみよう
2. 潰瘍性大腸炎の好発年齢とそれによる心理・社会的影響について述べてみよう
3. 潰瘍性大腸炎患者の自己管理，療養法の指導のポイントについて述べてみよう（食事療法，薬物療法，心理的支援のそれぞれについて）

練習問題

Q1 潰瘍性大腸炎の特徴で正しいのはどれか．
1．肛門部に痔瘻を形成しやすい．
2．粘血便が特徴である．
3．好発年齢は10〜20歳代の若年層に限られる．
4．縦走潰瘍が特徴である．

［解答と解説 ▶ p.527］

引用文献

1）難病情報センター：特定医療費（指定難病）受給者証所持者数，〔http://www.nanbyou.or.jp/entry/5354〕（最終確認：2023年1月10日）
2）厚生労働科学研究費補助金 難治性疾患政策研究事業「難治性炎症性腸管障害に関する調査研究」（久松班）：潰瘍性大腸炎・クローン病 診断基準・治療方針，〔http://www.ibdjapan.org/pdf/doc01.pdf〕（最終確認：2023年1月10日）

V-3. 消化器系の障害を有する人とその家族への援助

6 クローン病

この節で学ぶこと
1. クローン病患者の身体的，心理・社会的特徴を述べることができる
2. クローン病の再燃時の症状とそのコントロール方法について説明できる
3. 寛解を維持するために必要な栄養療法について説明できる
4. 自己管理の維持向上のための指導のポイントが説明できる

A. クローン病患者の身体的，心理・社会的特徴

　クローン病（Crohn's disease）は，下痢，腹痛，発熱，体重減少を主症状とする**炎症性腸疾患**の1つである．原因はいまだ不明であるが，消化管粘膜になんらかの**免疫異常**が起こり慢性の腸管炎症性障害が引き起こされるものと考えられている．口から肛門までの消化管のあらゆる部位に発症し，主に小腸と大腸，なかでも回盲部が好発部位である．クローン病の潰瘍は深く浸潤していくタイプであるため，同じ炎症性腸疾患である潰瘍性大腸炎とは下痢の様相に違いがみられ，血便や粘血便をみることは少ない．かわりに**痔瘻**や腸管の**瘻孔**（ろうこう），穿孔にいたることが特徴的である．10～20歳代の若年者に多く発症し，男女比は2：1と男性に多い．

　根治療法が見つかっていないため**指定難病**として認定されており，医療費の公費負担助成の対象となっている．2019年医療受給者証交付件数でみると4万4,245人が登録されている[1]．病状は症状が落ち着いている寛解と炎症が悪化する再燃を繰り返す．さらに若年者に多く発症するので，学校生活や進学，就職，結婚，出産などのライフイベントにも影響を及ぼす．いかにして症状のない寛解の状態を長く保ち，健康に近い状態で過ごすことができるか，患者自身が自分の腸の状態をアセスメントし，必要な栄養療法・薬物療法の自己管理ができ，適切な療養生活を送ることができるよう，支援していくことが看護のポイントである．

1 ● 再燃時における苦痛

　病気が悪化し再燃して腸管内の炎症が進行すると，炎症そのものによる発熱と腹痛を生じる．腸管内の状態は，繰り返し起こる炎症によって腸管粘膜の引きつれが生じ（縦走潰瘍），腫れあがって小石を敷き詰めたような潰瘍（敷石状潰瘍）となる．それがさらに増悪すると腸管狭窄にいたり，その部分の通過障害を起こすことによる腹痛も生じる．このように摂取した食事を消化吸収できなくなること，炎症による体力消耗が重なることから体重減少も高頻度に生じる．数週間で3～5kgの減少は再燃増悪時に患者がよく経験す

ることである．ときに潰瘍が重篤に進行し腸管粘膜下層に浸潤して腸穿孔を起こしたり，肛門近くでは痔瘻を形成したりすることも多い．穿孔の場合は緊急に手術が必要となる．

2 ● 再燃を起こさないための薬物療法と栄養療法の継続が必要

　治療の目標は再燃予防および炎症の沈静化である．炎症の原因と考えられているものを避け，腸に負担がかからないよう腸管を良好な状態に整え，栄養を十分に消化吸収できる機能を保つことが重要である．そのため薬物療法と栄養療法とを組み合わせ，腸の状態に合わせた調整をしていく．

a. 薬物療法

　炎症を抑える薬として，寛解導入から寛解維持期まで広く使われるのが5-アミノサリチル酸製剤であるメサラジン（ペンタサ®），サラゾスルファピリジン（サラゾピリン®）である．クローン病の軽症～中等症の活動期に使用できるステロイド薬ブデソニド（ゼンタコート®）もある．炎症が激しく，これらの薬では抑えられない場合は，ステロイド薬プレドニゾロン（プレドニン®）を使用する．これらも無効な場合には免疫抑制薬であるアザチオプリン（イムラン®）を用いる場合もある．また生物学的製剤として抗TNF-α抗体療法であるインフリキシマブ（レミケード®），アダリムマブ（ヒュミラ®）による治療でも寛解導入効果および瘻孔の閉鎖維持に効果がある．抗IL-12/IL-23抗体製剤ウステキヌマブ（ステラーラ®）および抗$\alpha_4\beta_7$インテグリン抗体製剤ベドリズマブ（エンタイビオ®）が新たに承認されている．これらの薬剤は副作用として易感染性，とくに結核の発症に十分に注意する必要がある．

b. 栄養療法

（1）完全中心静脈栄養法

　再燃増悪し，下痢や腹痛が激しいときには腸管の安静を確保しなければならない．また，腸管の高度狭窄，瘻孔形成の場合も入院が必要となる．経口摂取を制限して必要な水分，栄養をすべて高カロリー輸液により補給する完全中心静脈栄養法を行う．

（2）経腸栄養療法（成分栄養療法）

　再燃の要因の1つは，摂取した食物の成分が**抗原**として腸管内へ誤った**免疫反応**を起こして炎症となるためと考えられている．そこで，成分栄養剤（エレンタール®）による経腸栄養療法が有用である．成分栄養剤は，タンパク質をアミノ酸にまで分解した形にしてある栄養剤であるためタンパク抗原を排除することができる．抗原刺激を減少させることで炎症を予防しながら必要な栄養を摂取できる．同時にクローン病の炎症を起こす抗原物質として考えられている脂肪分が少ないことも再燃予防に効果的である．

c. 食事療法

　クローン病であっても，寛解時良好で健常に近い状態ならば通常の食事摂取が可能である．しかし，腸への負担ができるだけ少ない食事にすることで，クローン病の悪化，炎症の再燃を予防することが重要である．消化に時間がかかりすぎないように，繊維質の少ない低残渣食が勧められる．また原因物質と考えられる脂肪分を制限することと，食事の量を調整することも再燃予防につながる．

3● ライフイベントへの影響が大きい

クローン病は青年期から成人期にあたる10〜20歳代に多く発症し，クローン病の症状であるにもかかわらず，青年期の精神・心理的問題からきている腹痛や下痢と周囲に誤解されてしまうというつらい経験をもつ患者も多い．さらに進学や就職といったライフイベントにおいて病気のことを考慮しながら進むべき道を考えなければならないという悩みもかかえている．お互いに病気を理解しながら話せる相手がいると大きな心の支えとなる．その点では，クローン病にかかわる医師・看護師やメディカルソーシャルワーカー，患者会などの同病の経験をもつ人たちと話をする機会をもてることが精神的支えとなる．

B. クローン病患者および家族への援助

1● 看護アセスメント

患者自身が下痢や腹痛，発熱などの症状から自分の腸の状態をキャッチしてアセスメントすることにより適切な療養行動（薬物・栄養療法の調整）をとることができる．また，病院での検査によっても腸の状態をより詳細に的確に把握することができる．検査等のアセスメントの項目は表V-3-14にまとめた．

2● 援助の方針

クローン病患者の身体的，心理・社会的特徴をふまえ，援助の方針を次のように考える．

> ①初発時は，まずクローン病についての理解を促し，自分の腸の状態をアセスメントし，適切な栄養療法を実施できるよう援助する．
> ②再燃増悪時は，炎症の沈静に必要な治療を施し，状態の改善をはかるとともに，再燃予防方法について患者とともに考える．腸の状態をキャッチする方法を習得し，その状態に適した薬物療法，栄養療法の具体的療養方法を実施できるよう支援する．
> ③寛解維持期は，よりよい状態を維持できているのは，どのような対処行動をとっているからかを患者とともに分析し，適切な自己管理方法を維持していくことができるよう支援する．

3● 看護活動

良好な状態を維持できるように過ごすためには，腸の状態に合わせた栄養療法を行えるよう患者自身で自己管理できるようになることが必要である．炎症の再燃の兆しを早めにキャッチし，腸の状態をアセスメントできるようになるためのセルフモニタリングの指標を提示する．

a. 症状マネジメント

下痢や腹痛が増悪している場合には，炎症を沈静化させるために指示されている薬物療法を守って内服薬による改善をはかる．下痢が著しい場合には，止痢薬を使用するとともに腸の消化吸収機能が低下しているので，腸に負担をかけないように，消化のよい食事や成分栄養剤により栄養補給をはかる．冷たい飲み物や食べすぎも症状を悪化させるので避ける．

表V-3-14 クローン病患者の看護アセスメント

目的		アセスメント項目
身体的側面	●病歴	・現病歴,既往歴,治療歴,家族歴など
	●検査データ	①血液検査:CRP,白血球数,リンパ球数,血小板数,赤血球沈降速度(炎症の程度を知る指標) 総タンパク,アルブミン,総コレステロール(栄養状態を知る指標) ②造影検査:小腸大腸造影(小腸大腸の形状・状態,潰瘍の範囲,狭窄の部位と範囲・程度) ③内視鏡検査:胃カメラ(胃・十二指腸の状態把握)ダブルバルーン小腸内視鏡・大腸内視鏡(小腸および大腸の状態,潰瘍の範囲,狭窄の部位と範囲・程度)
	●バイタルサイン	・体温(発熱の有無),脈拍数(頻脈)
	●身体所見	・全身倦怠感
	●徴候・症状	・下痢,発熱,体重減少,貧血症状
	●リスク要因	・食生活
	●合併症	・腸管外合併症(関節痛・関節炎,結節性紅斑)の有無,症状の程度
日常生活の側面	●環境	・なし
	●食事	・食事内容,量:消化に時間がかかるもの,刺激物などの摂取,量を多くとりすぎていなかったか
	●排泄	・便の回数および性状:下痢の程度(水様便,泥状便,軟便など),血便の有無と血液混入の程度
	●睡眠	・睡眠不足,不眠の有無
	●清潔	・肛門の状態:下痢・肛門病変(痔瘻)による肛門および周囲の皮膚障害の有無
	●動作・活動	・発熱・腹痛や下痢の程度に応じて活動をコントロールできているか,十分な休息がとれているか,疲労の蓄積・体力の消耗がないか
	●趣味・余暇活動	・ストレス解消につながる活動ができているか
	●セルフケア能力	・日常生活を調整しながら治療を継続する能力の有無,程度 ・食事摂取についての自己管理,
認知・心理的側面	●疾患や治療の理解および受け止め	・クローン病についてどのように理解しているか,病気であることのストレスはどのようであるか(自身の受け止めかたによって適切な療養行動がとれるかが左右される)
	●価値・信念	・何に価値を置き,何を大切にしているか,信仰する宗教は何か ・仕事・学校生活など役割遂行と病気の状態との調整において,症状緩和にうまくつながる行動をとることができるか ・価値観・優先順位がどのようであるか
	●対処方法	・これまで問題にどのように対処してきたか ・腸の炎症の再燃など病状悪化したときに,適切な療養行動・対処(食事の調整,安静の確保など)はできていたか
	●心理状態	・ストレスをためていないか
	●認知機能	・なし
社会・経済的側面	●役割	・学校生活に支障はないか,就業に支障はないか
	●職業	・就業状況に病気が影響しているか
	●家族構成	・家族内での自身の役割を発揮できているか,果たせているか
	●家族の状態	・病気に対する家族の理解はどのようであるか
	●キーパーソン	・家族または周囲の人の中でのキーパーソンは誰か
	●経済状態	・就業状況に病気が影響しているか
	●ソーシャルサポート	・患者会などのセルフヘルプグループによる支援,指定難病制度などの医療助成制度の利用,腸管障害・栄養状態に応じて身体障碍者手帳の申請

b. セルフモニタリング

炎症が増悪している徴候である①下痢,②腹痛,③発熱,④体重減少の4症状について注意を払うよう指導する.

①下 痢

炎症の再燃が増悪すると腸の消化吸収機能が低下し,下痢便の回数が増加する.多いときには1日10回以上に及ぶ.同時に,便の性状も泥状〜水様の状態が進行する.患者自身でその程度や回数から再燃の兆しをキャッチすることができる.

②腹　痛

　腸の機能が低下すると摂取したものを十分に消化吸収できなくなるため，潰瘍や狭窄の部位に食物が停滞し，その刺激で腸蠕動が亢進して腹痛が増強する．造影検査の結果で患者自身が自分の腸のどのあたりに狭窄があるかを把握しておくと，その部位の腸蠕動の亢進や痛みに注意を払い，腸の機能の衰えの兆しを把握できる．

③発　熱

　全身状態の指標となる．患者自身では無理をしていないつもりでも，疲労が蓄積していると抵抗力が低下して，微熱が続いたり，発熱を生じたりする．炎症が全身的な症状として現れている兆しとして注意を払う必要がある．

④体重減少

　腸の炎症が亢進すると体力の消耗が激しくなるとともに，腸の消化吸収力が低下して下痢が増悪し栄養吸収量が低下してしまうことからも，急激な体重の減少が起こる．患者自身でも体力が落ちていたり，易疲労性を感じていたりすることも多い．これらも再燃の増悪を示しているととらえる必要がある．

c. 日常生活における教育的支援および援助

▶自己管理の維持向上のための指導のポイント

　どうしたら適切な療養生活を送ることができるか，患者が自己管理できるように，具体的な方法を一緒に考えることが重要である．クローン病の場合は，薬物療法・経腸栄養療法・食事療法が再燃の予防を左右する．日々の生活のなかで，患者自身が自分の腸の状態に適した方法を実行できるように教育的支援を行っていく．

(1) 薬物療法

　5-アミノサリチル酸製剤については，病状に応じて服用量を医師と相談しながら調整していく．ステロイド薬は，長期投与時の副作用（易感染性，骨粗鬆症，ムーンフェイス，成長障害など）に注意が必要である．さらに，免疫抑制薬やインフリキシマブなどは，易感染性などの副作用に十分注意が必要である．インフリキシマブおよびアダリムマブは，長期寛解維持を目指して投与されているなかで効果減弱がみられるケースに対して，倍量投与が可能となった．病状に適した使用方法を医師とともに検討し，より安全性に配慮しながら投与していくことが重要である．

(2) 経腸栄養療法

　成分栄養剤は各成分がすでに消化された状態になっている．食事を摂取すれば，食物を腸で消化して栄養素を分解してから吸収するが，すでに分解してあるので容易に栄養分を吸収することができる．腸への負担を少なくできることも寛解維持に有用である．しかし，成分栄養剤使用時には浸透圧性の下痢に注意が必要である．成分栄養剤は高浸透圧の液体であるため，腸に急激に大量に入ると浸透圧性の下痢を起こしてしまう．そのため，濃度を薄くしたり，経口での摂取だけでなく，経鼻チューブを自己挿入して夜間睡眠中に注入ポンプを使用して投与することで調整する方法をとる．

(3) 食事療法

　同じクローン病であっても個々の患者によって炎症の程度，病変の部位や範囲，消化吸

収機能にはかなり差があり，病態も一定でなく日々変化するので，患者自身が自分の腸の状態に合わせて食品の選択，摂取量の調整をしていく必要がある．

　厚生労働省の治療指針では，寛解維持のための成分栄養剤と食事療法のバランス調整の指針が提示されている．腸の状態が良好で消化吸収力に問題のないときは食事を多く摂取しても問題なく過ごすことができる．しかし，食事量が多すぎたり，炎症を起こしやすい食品を摂取しすぎると腸への負担が増大し，炎症の再燃率が高くなる．炎症が増悪してきたとき，つまり下痢や腹痛の程度が悪化してきたときには食事摂取量を減らしてその分成分栄養剤を増やし，腸への負担を減らしながら十分な栄養補給をしていくことが悪化の予防に有用である．

腸の具合と生活リズムに合った方法で投与する

d. 心理・社会的支援

　とくにクローン病は消化器疾患であるため，見た目にはなんら健康な人と変わらない状態であるが，炎症の再燃を起こさないように必要な栄養療法を続けていけるよう学校生活や仕事のしかたを調整しなければならない．必要時，患者会等について情報提供することも重要となる．

　クローン病患者は適切な栄養療法を調整し，より健康に近い寛解状態を維持できれば，学校生活や就職，仕事，結婚になんら制限が生じることはないといえる．妊娠・出産についてもクローン病自体が影響することはなく，栄養状態が良好に保たれれば，健常者と同様に可能である．自分の腸の状態に合わせて必要な栄養療法を行い，よりよい体調を維持していくことが，心理面・社会生活を良好に保つことにつながる．

e. 家族への支援

　クローン病は思春期に発病する人も多いため，家族のなかでとくに両親との関係性に配慮が必要となる．患者がアイデンティティを確立する時期でもあるため，親がどの程度患者を支援していったらよいのか悩むことも多い．病状も内臓疾患であるため，他者からはわかりにくい．両親は心配しすぎないよう患者に過度な干渉とならないような態度がとれるよう，患者の身体状態や気持ちについて説明し，病気についての理解をもてるようにする．食事療法についても，治療として必要となる内容に関して両親の理解を促し，食品の選択・制限について協力していくことができるよう支援する．

学習課題

1. クローン病と潰瘍性大腸炎の違いを述べてみよう
2. クローン病の治療の目標と療養法について説明してみよう
3. クローン病に必要なセルフモニタリング指導のポイントを述べてみよう

練習問題

Q1 クローン病の特徴で正しいのはどれか.
1. 痔瘻や腸管の瘻孔を起こしやすい.
2. 直腸に好発する.
3. 好発年齢は50歳以上である.
4. 粘血便が特徴的症状である.

[解答と解説 ▶ p.527]

引用文献

1) 難病情報センター:特定医療費(指定難病)受給者証所持者数,〔http://www.nanbyou.or.jp/entry/5354〕(最終確認:2023年1月10日)

V-4. 代謝・内分泌系の障害を有する人とその家族への援助

1 糖尿病

> **この節で学ぶこと**
> 1. 糖尿病患者の身体的，心理・社会的特徴を説明できる
> 2. 糖尿病患者の症状マネジメントについて説明できる
> 3. 心身のセルフモニタリングの教育について説明できる
> 4. 日常生活における教育的支援および援助について説明できる

A. 糖尿病患者の身体的，心理・社会的特徴

　糖尿病はインスリン作用の不足によって起こる，主に慢性の高血糖状態を特徴とする代謝異常をきたす疾患群である．インスリン作用の不足は，インスリンの分泌不足とインスリン抵抗性の増大によって起こる．急激で高度なインスリン作用不足は急性代謝失調（急性合併症）を起こす．また，著しい血糖値の上昇をまねき，高度な脱水を起こし，**糖尿病性ケトアシドーシス**[*1]や高浸透圧高血糖状態[*2]も起こす．重度な場合は昏睡に陥る．また，高血糖や代謝障害が慢性的に続くと，慢性合併症である細小血管症（網膜症，腎症，神経障害）が出現する．さらに，糖尿病，高血圧，脂質異常症，喫煙などの危険因子が相互に関係し，動脈硬化を進展させ，**動脈硬化性疾患**（狭心症や心筋梗塞，脳梗塞，下肢閉塞性動脈硬化症など）を引き起こす．

　糖尿病の原因は多様で，遺伝因子と環境因子が関与する．糖尿病は成因（表V-4-1）と病態の両面から分類される．

　糖尿病の治療の目的は，血糖，血圧，脂質代謝の良好なコントロール状態と適正体重の維持，および禁煙の遵守を行うことにより，糖尿病の合併症の発症，進展を阻止し，ひいては健康な人と変わらない日常生活の質（QOL）の維持，寿命の確保をすることである．また，健康な人と変わらない人生を目指すには，高齢化などにより増加するサルコペニア[*3]やフレイル[*4]などの併存症を予防・管理することが重要である．

[*1] 糖尿病性ケトアシドーシス：極度のインスリン欠乏と，コルチゾールやアドレナリンなどインスリン拮抗ホルモンの増加により，高血糖（≧250 mg/dL），高ケトン血症（β-ヒドロキシ酪酸の増加），アシドーシス（pH7.3未満）をきたした状態である．

[*2] 高浸透圧高血糖状態：著しい高血糖（≧600 mg/dL）と高度な脱水によって循環不全をきたした状態である．著しいアシドーシスは認めない．高齢者に多く，明確な前駆症状は乏しい．高齢の2型糖尿病患者が感染症，脳血管障害，手術，高カロリー輸液，利尿薬やステロイド薬投与により高血糖をきたした場合に発症しやすく，発症まで数日の期間がある．

[*3] サルコペニア：加齢に伴う筋量と筋力の低下によって，身体活動能力が減弱した状態である．高齢の糖尿病患者はサルコペニアを発症しやすく，転倒や骨折のリスクが高い．

[*4] フレイル：健康と要介護の中間の状態である．筋力低下，活動量の低下，歩行速度の低下，易疲労感，体重減少などが臨床的診断の基準となる．

表Ⅴ-4-1　糖尿病と糖代謝異常*の成因分類

Ⅰ. 1型　膵β細胞の破壊，通常は絶対的インスリン欠乏にいたる
　　　A. 自己免疫性
　　　B. 特発性
Ⅱ. 2型　インスリン分泌低下を主体とするものと，インスリン抵抗性が主体で，それにインスリンの相対的不足を伴うものなどがある
Ⅲ. その他の特定の機序，疾患によるもの
　　　A. 遺伝因子として遺伝子異常が同定されたもの
　　　　①膵β細胞機能にかかわる遺伝子異常
　　　　②インスリン作用の伝達機構にかかわる遺伝子異常
　　　B. 他の疾患，条件に伴うもの
　　　　①膵外分泌疾患　　　②内分泌疾患
　　　　③肝疾患　　　　　　④薬剤や化学物質によるもの
　　　　⑤感染症　　　　　　⑥免疫機序によるまれな病態
　　　　⑦その他の遺伝的症候群で糖尿病を伴うことの多いもの
Ⅳ. 妊娠糖尿病

注：現時点では上記のいずれにも分類できないものは分類不能とする．
*一部には，糖尿病特有の合併症をきたすかどうかが確認されていないものも含まれる．
[日本糖尿病学会：「糖尿病の分類と診断基準に関する委員会報告(国際標準化対応版)」糖尿病55(7)：490, 2012 より許諾を得て転載]

表Ⅴ-4-2　血糖コントロール目標（65歳以上の高齢者については『糖尿病治療ガイド2022-2023』の「高齢者糖尿病の血糖コントロール目標」を参照）

目標	コントロール目標値[注4]		
	血糖正常化を目指す際の目標[注1]	合併症予防のための目標[注2]	治療強化が困難な際の目標[注3]
HbA1c (%)	6.0未満	7.0未満	8.0未満

治療目標は年齢，罹病期間，臓器障害，低血糖の危険性，サポート体制などを考慮して個別に設定する．
注1) 適切な食事療法や運動療法だけで達成可能な場合，または薬物療法中でも低血糖などの副作用なく達成可能な場合の目標とする．
注2) 合併症予防の観点からHbA1cの目標値を7%未満とする．対応する血糖値としては，空腹時血糖値130 mg/dL未満，食後2時間血糖値180 mg/dL未満をおおよその目安とする．
注3) 低血糖などの副作用，その他の理由で治療の強化がむずかしい場合の目標とする．
注4) いずれも成人に対しての目標値であり，また妊娠例は除くものとする．
[日本糖尿病学会（編・著）：糖尿病治療ガイド2022-2023, p.34, 文光堂, 2022より転載]

治療は，病態や合併症に沿った食事療法，運動療法を行い，血糖コントロールがなお不十分なときに薬物療法を開始する．合併症予防のための「血糖コントロール目標」（表Ⅴ-4-2）は低血糖を起こさず，HbA1c 7.0%未満とされている*．

1 ● 身体的特徴

a. 持続する中等度以上の高血糖は特徴的な症状を呈するが，それ以外は自覚症状に乏しい

持続する中等度以上の高血糖では，口渇，多飲，多尿，体重減少，易疲労といった特徴的な症状を呈する．高血糖により血漿浸透圧は上昇する．そして，尿糖の排泄によって浸

---

*日本糖尿病学会は，2016年5月に新たに高齢者糖尿病の血糖コントロール目標を発表した．詳しくは学会ウェブサイト（http://www.jds.or.jp）を参照のこと．

透圧利尿が生じて多尿となる．多尿により脱水状態となるため，さらに血漿浸透圧が上昇して口渇が出現し，多飲になる．また，筋肉や脂肪組織ではタンパク質や脂肪の異化が亢進し，体重減少をきたす．

b. 慢性の高血糖状態の症状は生活に埋もれていることがある

高血糖の症状である口渇は，水分を多く摂るという対処を自然に行い，その結果トイレの回数が増える（多尿）が，生活に大きな支障が現れないことが多い．そのため，気にとめずに生活している．多くは体重減少に気づくと異常を意識する（**第Ⅳ章-1「インスリン療法を受ける患者の援助」**[p.160]参照）．

c. 糖尿病合併症も症状に乏しく，症状を自覚したときには重症化していることが多い

糖尿病網膜症は，正常（網膜症なし），単純網膜症，増殖前網膜症，増殖網膜症の4期に分類される（**表Ⅴ-4-3**）．黄斑症は単純網膜症の時期にも起こりうる．視力低下を自覚したときに糖尿病と診断される人もいる．

糖尿病性腎症では，腎症前期，早期腎症期，顕性腎症期，腎不全期，透析療法期の5期に分類される（**表Ⅴ-4-4**）．症状を自覚するのは顕性腎症後期のころである．

糖尿病性神経障害には，多発神経障害（感覚障害，運動障害，自律神経障害）と単神経障害がある（**表Ⅴ-4-5**）．糖尿病の早期より感覚障害があることは多いが，生活に支障が出るほどの症状ではないために自覚しにくい．

d. インスリン作用の不足によって，エネルギー不足の状態になる

糖尿病は自覚症状に乏しいため，単に血糖値が高くなる病気ととらえられやすい．しかし，体内はエネルギー不足の状態にある．

糖尿病は，血糖値が上昇しても膵臓からインスリンが分泌されなかったり，インスリンが分泌されたとしても細胞がインスリンの作用に応答できず，ブドウ糖を取り込むことができない状態にある．どちらも血液中に十分なブドウ糖が存在するにもかかわらず，細胞がこれを利用できない．食事だけではエネルギーが足りなくなるので，代わりに脂肪をエネルギー源として用い，さらには細胞自身のタンパク質が消費され，やせ細っていく．

表Ⅴ-4-3 糖尿病網膜症の病期と治療

病期	状態	自覚症状	治療
網膜症なし			血糖コントロール 眼科1回/年
単純網膜症	網膜の血管がもろくなり，小さな出血が出現する	ほとんどなし	血糖コントロール 眼科1回/6ヵ月
増殖前網膜症	血管がつまって網膜に虚血部分が出現する	かすみなど まったくないことも多い	血糖コントロール 網膜光凝固術 眼科1回/2ヵ月
増殖網膜症	新生血管という非常にもろい血管が出現する	飛蚊症 視力低下 ないこともある	網膜光凝固術 硝子体手術 眼科1回/1ヵ月
黄斑症	黄斑部にむくみを生じた状態．単純網膜症の段階でも起こり，視力が低下する．治療は網膜光凝固術，硝子体手術である		

表Ⅴ-4-4　糖尿病性腎症の病期と治療

病期	検査データと自覚症状	食事療法のポイント	その他の治療
第1期 腎症前期	尿アルブミン値30 mg/gCr未満 GFR（eGFR）30 mL/分/1.73 m² 以上	糖尿病食 高血圧があれば塩分6 g/日未満	血糖コントロール，降圧治療，脂質管理，禁煙
第2期 早期腎症期	尿アルブミン値30～299 mg/gCr GFR（eGFR）30 mL/分/1.73 m² 以上 高血圧出現が高率	糖尿病食 高血圧があれば塩分6 g/日未満 タンパク質の過剰摂取は好ましくない	血糖コントロール，降圧治療，脂質管理，禁煙
第3期 顕性腎症期	尿アルブミン値300 mg/gCr以上あるいは尿タンパク値0.5 g/gCr以上 GFR（eGFR）30 mL/分/1.73 m² 以上 むくみ	塩分6 g/日未満 タンパク質制限	適切な血糖コントロール，降圧治療，脂質管理，禁煙
第4期 腎不全期	GFR（eGFR）30 mL/分/1.73 m² 未満 血清クレアチニンが2.0 mg/dLを超える	塩分6 g/日未満 タンパク質制限 カリウム制限	適切な血糖コントロール，降圧治療，脂質管理，禁煙，貧血治療
第5期 透析療法期	導入時期を判断するための「透析導入適応の基準」（厚生労働省）がある．腎機能障害，臨床症状，日常生活障害度を評価し判断する	塩分6 g/日未満 水分・カリウム制限	適切な血糖コントロール，降圧治療，脂質管理，禁煙 透析療法または腎移植

表Ⅴ-4-5　糖尿病性神経障害の症状と治療

【症　状】
1. 感覚障害：しびれ感や痛みと感覚鈍麻
　足先のしびれ感，足の裏に何か貼りついた感じ，砂利やゴムまりの上を歩く感じ
2. 運動障害：筋萎縮と手足の麻痺
　睡眠中などの安静時によく足がつる（こむらがえり）
3. 自律神経障害：神経障害が進行した場合
　1）起立性低血圧などの心血管系異常
　2）便秘と下痢を繰り返すなどの消化器症状
　3）排尿困難や残尿などの泌尿器系異常
　4）食事時の顔面や前胸部にみられる異常発汗
　5）低血糖があっても症状がない無自覚性低血糖
　6）突発性不整脈による突然死
4. 単神経障害：末梢神経栄養血管の閉塞による梗塞
　1）外眼筋麻痺：ものがダブって見える
　2）顔面神経麻痺：顔がゆがむ

【治　療】
- 発症から末期まで血糖コントロールが重要である
- 治療薬として使用可能であるのはアルドース還元酵素阻害薬（エパルレスタット）のみである．発症早期の症例で進行を抑える可能性が高い
- その他飲酒，喫煙，高血圧，脂質異常症，肥満などのリスクをコントロールする

2 ● 心理的特徴

a. 症状に乏しいため，病気があることを認識しにくい

　慢性の高血糖状態は，症状があったとしても生活に大きな支障が出ることは少ない．そのため，患者は糖尿病があることを実感しにくい．健診などで血糖値が高くても，前日にお

酒が多かったから血糖値が高いのだと自己解釈して医療機関を受診しない．また，糖尿病の状態や合併症の病期を理解しておらず，最悪の場合，治療を中断してしまうこともある．

b. 疾患に対する誤解や偏見が自尊感情の低下や病気を隠すことにつながる

糖尿病のある人が増え，社会には糖尿病に関する情報があふれている．しかし，まだまだ正しく理解されているとはいえない現状がある．糖尿病は成因が1つではないし，遺伝もかかわっている疾患であるが，「ぜいたく病」「暴飲暴食が原因」「自己管理ができない人がなる」などととらえられがちである．患者にとっては患者自身が悪いのだといわれている気持ちにさせられ，自分自身の価値を低くとらえたり，否定的感情が生まれたりする．そのような状況により周囲に病状を開示しないことにつながる場合も多い．

3 ● 社会的特徴

a. 療養法を実践するために生活の再編成を強いられる

療養法を実践するには，食事時間や食事内容を変更したり，歩行運動の時間をとったり生活を組み直す必要が多くの人に求められる．インスリン療法を取り入れている人では，インスリン注射を生活に組み入れていかなければならない．いつどこで注射をするのか，食事時間が遅れるときはどのように対処したらよいのか，低血糖を回避するにも人目に触れず補食をするには何を摂ったらよいのかなど，患者は常に生活調整を考えなくてはならない．身についた習慣，家族との関係，生活の流れを変えるのは大変なことである．

b. 家族も患者に病気があることでいろいろな体験をする

家族もまた生活の変更を求められる．たとえば，食事療法を実践するために食事の内容を変更したり，お弁当を作るようにしたり，患者が運動療法で一駅歩こうとすると，家族も一緒に早起きしなくてはならなくなったりする．また，患者が低血糖になれば，その対処を手伝ったり，意識がなくなるほどの低血糖の場合は救急車をよんだり，グルカゴン製剤（注射薬または点鼻薬）の使用（低血糖時の救急処置で，血糖を上昇させる）ができるように練習をしなくてはならないこともある．

c. 療養をサポートする家族などがいない人は療養の継続がむずかしい

1人で暮らす糖尿病患者では，1人で家事をしながら療養法を実践していかなくてはならない．経済的に困窮した状態になることもあり，その場合はとくに食事療法の実践がうまくいかないため，血糖コントロールの継続がむずかしい．1人暮らしの患者は孤独感を抱いていることも多く，地域や外来での療養支援が望まれる．

B. 糖尿病患者および家族への援助

1 ● 看護アセスメント（表V-4-6）

病気があることを実感しにくい患者に糖尿病がある身体の状態を理解してもらい，療養を継続できるように働きかけるために，身体的・心理的・社会的側面から情報収集し，アセスメントして計画を立てる．また，糖尿病患者への看護活動では患者の理解が非常に重要であり，話を聴くこと自体が看護援助になる．

表Ⅴ-4-6　糖尿病患者の看護アセスメント

目的	アセスメント項目		備考
身体的側面 ● 糖尿病の状態をアセスメントする ● 糖尿病合併症の状態とリスクをアセスメントする	**● 病歴** ① 既往歴	・心筋梗塞，狭心症，脳梗塞，高血圧，脂質異常症，膵疾患，肝疾患，内分泌疾患，胃切除，足潰瘍など	
	② 治療歴	・糖尿病と診断されてからの治療内容と継続状況 ・食事療法の指示されたエネルギー量，内服薬，インスリンの種類と量，運動療法	
	③ 家族歴	・現在年齢と死亡年齢 ・現疾患あるいは死亡原因疾患 ・糖尿病の有無と発症年齢，治療内容，合併症の有無 ・肥満，脂質異常症，高血圧，脳血管障害，心筋梗塞，狭心症の有無と発症年齢	・親，同胞，子どものいずれかに糖尿病を認める比率は2型糖尿病で40％以上，1型糖尿病で15〜20％といわれている．
	④ 喫煙歴	・喫煙量，喫煙歴	
	⑤ 妊娠，出産歴	・妊娠時に糖尿病といわれたことがあるか ・4,000g以上の巨大児 ・妊娠中毒症，死産歴	
	● 検査データ ① 体格や体重の推移	・身長，体重（体重の推移，20歳時の体重，過去最大体重）	・20歳時の体重は理想体重であることが多い．
	② 血糖値の変動と糖尿病の状態	・血糖値（空腹時・食後2時間，随時），血糖日内変動，HbA1c, GA（グリコアルブミン）	・貧血や腎障害がある場合はHbA1cではなくGAを指標にすることがある．
	③ インスリン分泌能・インスリン抵抗性・ブドウ糖毒性	・75g OGTT，血清Cペプチド，尿中Cペプチド，HOMA-R	・評価はむずかしいので，インスリン分泌能，インスリン抵抗性，ブドウ糖毒性について主治医に確認することも必要である．
	④ 糖尿病の成因	・IA-2抗体，膵島細胞抗体（ICA），インスリン自己抗体（IAA）ZnT8抗体，GAD抗体	・1型糖尿病発症時の陽性率はGAD抗体が70〜80％といわれている．
	⑤ 糖尿病合併症のリスク	・中性脂肪，総コレステロール，HDLコレステロール，LDLコレステロール，non-HDLコレステロール ・胸部X線，心電図 ・尿タンパク，eGFR（推定糸球体濾過率） ・血圧 ・HbA1c, GA	
	⑥ 合併症の有無と程度，治療状況	・糖尿病網膜症：眼底検査 ・糖尿病性腎症：尿タンパク，尿中アルブミン，eGFR（推算糸球体濾過率），クレアチニン，尿素窒素 ・糖尿病性神経障害：振動覚検査，アキレス腱反射，膝蓋腱反射，神経伝導速度，CVR-R，シェロング試験 ・心筋梗塞，狭心症：心エコー，負荷心電図，冠動脈造影 ・脳血管障害：頸動脈エコー，CT, MRI ・閉塞性動脈硬化症：足背動脈と後脛骨動脈の触知，皮膚温低下の有無，ABI（足関節部血圧/上腕動脈血圧比），下肢動脈エコー	・入院・外来カルテより収集する． ・主治医に尋ねてみる． ・eGFRまたはクレアチニンクリアランス（Ccr）
	● バイタルサイン	・血圧，脈拍	
	● 身体所見	・低血糖出現回数，低血糖の症状，程度，対処	
	● 徴候・症状 ① 低血糖の経験	・症状の有無，いつからあるのか，生活への支障の程度を把握する	
	② 持続する高血糖の症状	・多飲，多尿，口渇，体重減少，易疲労感 ・皮膚や神経のピリピリ感，ボーっとした感じ，疲れ	・高血糖状態の症状の出現は発症後3〜5年経過している可能性が高い．
	③ 高血糖に起因する症状	・皮膚や神経のピリピリ感，ボーっとした感じ，疲れ	

(つづき)

	●リスク要因	・過食，多量の飲酒，運動不足，喫煙，ストレス，高血圧，脂質異常症，肥満，遺伝的要因	
	●合併症	・網膜症：眼のかすみ，視力低下 ・腎症：浮腫 ・神経障害：しびれ，痛み，感覚鈍麻 ・感染症：白癬，湿疹，陰部瘙痒（そうよう）症 ・歯周病 ・足病変：白癬，角化症，胼胝，鶏眼，炎症，傷，潰瘍	・糖尿病を発症してから5年経つと神経障害，7，8年経つと網膜症，10〜15年経つと腎症が出現するといわれている．
日常生活の側面 ●生活状況を把握し，生活調整が必要になると思われる問題をアセスメントする	●環境 ●食事	・生活環境（新鮮な空気，日照，温度，清潔さ，静かさ） ・1日何食食べるか，食事時間，主な内容と量，調理者，外食の頻度，内容の傾向，どのようなときに外食するのか，誰とするのか ・間食の頻度，時間，内容と量，どんなときに摂るのか	
	●排泄	・排便回数，量，下痢や便秘の有無 ・排尿回数，性状，量 ・コントロール上の問題	
	●睡眠	・休息は十分か，睡眠障害の有無，日中の覚醒は十分か	
	●清潔 ●動作・活動	・入浴回数・方法，口腔の保清状況 ・運動習慣の有無，内容と量，時間，通学・通勤の手段 ・平日と休日のタイムスケジュール，仕事時間・内容，社会活動	
	●飲酒	・飲酒の頻度，内容と量，飲酒理由，つまみの内容と量	
	●ストレス ●趣味・余暇活動 ●セルフケア能力	・ストレスの有無と程度，対処方法 ・趣味や楽しみ，人との交流，地域活動など ・日常生活を調整しながら治療を継続する能力の有無，程度 ・日常生活の自立度	
認知・心理的側面 ●糖尿病や合併症に対する認知や心理状態をアセスメントする ●患者が人生や生活において大事にしていること（価値・信念）をアセスメントする	●疾患や治療の理解および受け止め	・糖尿病や合併症に関する知識 ・糖尿病に対する誤解や否定的感情 ・家族歴に関連した体験と思い	・糖尿病と初めて診断された患者は心理的衝撃が大きく，受け入れられないことがある．
	●価値・信念	・何に価値を置き，何を大切にしているか，信仰する宗教は何か	
	●対処方法 ●心理状態	・これまで問題にどのように対処してきたか ・合併症に対する不安や恐怖感 ・糖尿病に対する否定的感情 ・家族歴に関連した体験と思い	
	●認知機能	・入院による環境変化への適応，感覚機能（視覚，聴覚）	
社会・経済的側面 ●生活や療養のうえで，家族のサポートがどれくらい可能かアセスメントする ●生活や療養のうえで社会資源を利用する必要があるかアセスメントする	●役割	・家庭内役割 ・社会的役割	
	●職業 ●家族構成 ●家族の状態	・仕事の内容，就業時間 ・何人暮らしか，同居の有無 ・家族構成，家族内の患者の役割，療養をサポートしてくれる人 ・協力体制，家庭内の変化，家族の病気や治療に対する理解と受け止めの状態	
	●キーパーソン	・家族または周囲の人の中でのキーパーソンは誰か	
	●経済状態	・家計を主に支える人は誰か，仕事をいつまで休むことができるのか，仕事は継続できるのか	
	●ソーシャルサポート	・友人・知人・同僚，患者会などのサポートの有無，利用できる社会資源	

2 ● 援助の方針

糖尿病患者の身体的，心理・社会的特徴をふまえ，援助の方針を次のように考える．

①看護師が患者の身体の状態や生活，気持ちを理解する．
②患者が糖尿病のある身体を理解するのを援助する．
③糖尿病や合併症を管理するために行う療養法を指導する．
④患者が生活のなかで折り合いをつけながら療養を行うことを支援する．

3 ● 看護活動

a. 症状マネジメント

症状は患者が感じるとおりのものであるので，疾患との関連が明らかでない場合でもよく聴くことが大切である．どのような症状がどのように現れるのか，その症状に対する患者の反応・対処・評価を聴いて，症状の体験を明らかにする．看護師は知識や技術を提供したり，患者の体験に関心を示し，理解・共感してサポートする．また，治療や対処による症状の変化をモニタリングし，症状マネジメントの結果を明らかにする．

(1) 持続する中等度以上の高血糖症状：口渇，多飲，多尿

中等度以上の高血糖のときには，浸透圧利尿が生じて多尿となり，さらに血漿浸透圧が上昇して口渇が出現し，多飲になる．しかし，患者は多飲したために多尿になったのだと誤解をして飲水を控えることがある．高血糖と脱水が増悪するため，糖分の含まれていない水分を十分に摂ることが重要である．

(2) 持続する中等度以上の高血糖症状：体重減少，易疲労

糖尿病のある身体はインスリン作用が不足してエネルギー不足の状態にある．しかし，患者は血糖値を下げようと必死になって運動療法を行うことがある．このような場合は，活動は日常生活レベルにして身体を休め，インスリンが効くようになったら運動療法を再開するように指導する．さらに，血糖値，遊離脂肪酸，ケトン体が高値になる危険性があるため，空腹時血糖値が250 mg/dL以上または尿ケトン体中等度以上の陽性の場合には運動療法を禁止あるいは制限したほうがよいといわれている．

(3) 自律神経障害の症状

・起立性低血圧，立ちくらみ

急に臥位から立位にならないように，たとえば，トイレに立つときはあらかじめ時間間隔を決めておき，早めに坐位になり準備をする．

・無自覚性低血糖

頻回の血糖測定によって低血糖を回避していく．また，無自覚性低血糖になって意識が消失したときに対応できるように，グルカゴン注射を家族に依頼することもある．

(4) 低血糖

第Ⅳ章-1「インスリン療法を受ける患者の援助」（p.160）を参照のこと．

b. セルフモニタリング

(1) 血糖自己測定をする場合は，患者が血糖値の意味を解釈して生活調整に役立てることができるように教育する

血糖自己測定は，患者が測定した血糖値を解釈して，低血糖や高血糖を回避するための生活調整に役立てることに意義がある．

- 測定する時間帯は，空腹時だけでなく食後2時間血糖値をときどき測定することを勧めてもよい．よく血糖の動きがわかり，療養への動機づけになることもある．
- 低い血糖値や高い血糖値に注目して，その要因について患者に考えてもらう．理由が浮かばないときは，考えられる具体的な要因（食事間隔，食事量・内容，間食，運動の強度・量，シックデイ，1型糖尿病の女性では月経など）について尋ねる．これを繰り返すことで，患者は自分自身でなぜ血糖値が低い（高い）のか振り返るようになる．
- どのように対処したら低血糖や高血糖を回避できるのかを具体的に実際に即したアドバイスをする．

(2) 体重を毎日測り，体重維持に努める

体重は糖尿病の状態をみる1つの指標であり，とくに，肥満のある患者や持続する中等度以上の高血糖の患者には重要である．

目標体重を維持するように指導する．

> 目標体重（kg）＝身長（m）×身長（m）×目標BMI 22〜25（kg/m²）
> 65歳未満の目標BMI＝22 kg/m²

減量したい場合は，1日2回（朝食前，夕食後）の体重測定と記録を勧める．これによって増減の理由を自ら考え，自分自身で改善していくことができるといわれている．たとえば，夕食を多く摂った日は朝食前と夕食後の差が大きくなる．これも血糖値と同様に看護師が一日一日の変化をみて，差が大きい日や小さい日にはどのような生活であったのかを尋ねて患者に話してもらい，その要因に気づけるように働きかける必要がある．

(3) 症状や検査データの変化をとらえられるように援助する

- 症状に変化がないか問いかける．
- 糖尿病を自己管理するために注目すべきデータと目標値を説明する（**表Ⅴ-4-7**）．
- 目標値と照らし合わせながら変化を伝える．

ここで大事なのは，よくなっていることを伝えることである．患者はよくなっていることがわかると療養を行っていくことができる．目標値を伝えただけでは，患者はよくなっていることをうまく理解できないので，繰り返し変化を一緒にみていって伝えていく．

表V-4-7 注目すべきデータと目標値

データ	目標値
HbA1c 過去1〜2ヵ月間の平均血糖値を反映する	7.0％未満（NGSP値），合併症予防の目標
空腹時血糖値	130 mg/dL 未満
食後2時間血糖値	180 mg/dL 未満
中性脂肪	150 mg/dL 未満（早朝空腹時）
HDLコレステロール（善玉）	40 mg/dL 以上
LDLコレステロール（悪玉）	120 mg/dL 未満 冠動脈疾患がある場合は 100 mg/dL 未満
non-HDLコレステロール	150 mg/dL 未満 冠動脈疾患がある場合は 130 mg/dL 未満
尿糖	マイナス（糖排泄閾値160〜180 mg/dLを超えると陽性になる．個人差が大きい）
尿タンパク	マイナス（糖尿病腎症第2期くらいまで）
血圧	130/80 mmHg 未満
体重	目標体重

c. 日常生活における教育的支援および援助

①持続する高血糖状態がある場合は，生活に埋もれている高血糖の症状に気づくように体の状態を尋ねる．

②情報収集しながら，患者の語りに批判を加えずありのままの患者を受け止める．

　なんでも話せる雰囲気を作り，患者が語れるように聴いて日常生活の側面の情報を収集する．患者は語るうちに自らの生活を振り返るようになり，問題点に気づいていく．また，患者が自由に語ることができ，ありのままを看護師が受け止めていくと，信頼関係が築かれていく．看護師は患者の身体の状態，生活，気持ちを理解するように努める．

③患者が現在の体の状態を理解できるように適切な情報を提供する．

　医師から糖尿病や合併症の状態と治療について説明されているが，誤解があったり，記憶に残っていなかったり，理解できていないことがある．それを補足するために看護師からも適切な情報を提供する．患者が糖尿病の状態と合併症の病期，それに適した治療を理解することが大切である．

④糖尿病や合併症の状態に合った治療やそれに沿った療養法に対して自己効力感を高めるアプローチ法を使いながら指導する．

　たとえば，インスリン治療を行っている患者に療養指導を行った後に，一緒に達成可能な目標（HbA1cを1ヵ月で0.5％下げるなど）を設定する．1ヵ月後，自己測定の血糖値の記録を振り返り，よくなっている時間帯を見つけ伝える．そして，どのような療養の工夫をしたのかを聴き，よくなっている血糖値と結びつけ，よくなった根拠を伝える．それから「すごい」「すばらしい」などの称賛の言葉を伝える（言語的説得）．HbA1cが0.5％下がっていれば成功体験となる．下がっていない場合は，具体的にこうすればよくなると思う可能性を伝える（言語的説得）（第Ⅲ章-1-B「セルフマネジメント」[p.92]参照）．

⑤**患者が生活のなかで折り合いをつけながら療養法の支援者として寄り添う.**
　ほとんどの患者は生活の再編成を強いられる．これは単にライフスタイルを変更するだけでなく，病気を受け入れていくことも関与している．患者は行きつ戻りつしながら折り合いをつけて療養を行っていく．看護師は性急にライフスタイルの改善を求めるのではなく，支援者として寄り添いながら患者の療養を支える．

　食事療法の主な意義は，適正なエネルギー摂取によってインスリン分泌の節約をすることにある．適正なエネルギー摂取量は，性，年齢，肥満度，身体活動量，病態，患者のアドヒアランスなどを考慮して決められる．一般的に以下の算出方法で求める．

　適正エネルギー摂取量（kcal）＝目標体重（kg）×25～35（kcal/kg）

（1）食事療法
　糖尿病食の指導は，適正なエネルギー摂取と栄養バランスのとれた食品の選択を容易にする「糖尿病食事療法のための食品交換表」[1]を使用して行うと理解しやすいこともある．理想を押しつけるのではなく，患者の生活に即した指導を行う．たとえば，食事をほとんど作ったことがない男性の場合，朝食にはどのようなものを購入したらよいのかなど具体的に検討していくことが重要である．そうでないと食事療法は継続されない．

（2）運動療法
　運動療法の主な効果は，インスリン抵抗性の改善にある．運動療法は禁止あるいは制限したほうがよい場合があるので，指導前にメディカルチェックが必要である．運動療法の指示は主治医に確認する．
　有酸素運動が適しており，50歳未満では心拍数の上昇を1分間100～120拍以内，50歳以降は1分間100拍以内にとどめる．心拍数を指標にできない場合は，患者自身の「楽である」または「ややきつい」といった体感を目安にする．歩行運動では1回15～30分間を1日2回，週に3回以上，しない日が2日間以上続かないように行うことが望ましい．また，準備・整理運動も励行し夜間の運動では交通事故などに十分気をつけることを伝える．運動療法は仲間やパートナーがいると継続されやすい．

（3）薬物療法
　糖尿病治療薬は投与方法の点から経口療法と注射薬療法に分けられ，注射薬はインスリン製剤以外に，GLP-1受容体作動薬がある．GLP-1受容体作動薬は血糖値に依存し，インスリン分泌促進作用を発揮する．薬物療法はさまざまな作用の薬剤があり，2種類の作用を備えた配合錠や，インスリン製剤とGLP-1受容体作動薬の配合注射薬も登場し，多様化している．GLP-1受容体作動薬の経口薬も2021年2月に発売された．
　患者の病態，合併症の有無，薬剤の作用特性などを考慮して薬剤が選択されるが，患者はそれをよく理解していないことが多く，理解が十分でない人に服薬を忘れる傾向がある．まず病態の理解を助けて，それから治療に結びつけるとよい．服用している薬の種類を調べ，その作用とどのような病態に効果があるのかを確認して患者に説明する．

（4）フットケア
　フットケアとは，足潰瘍にいたらないように，日ごろから足の観察をして早期に傷を発

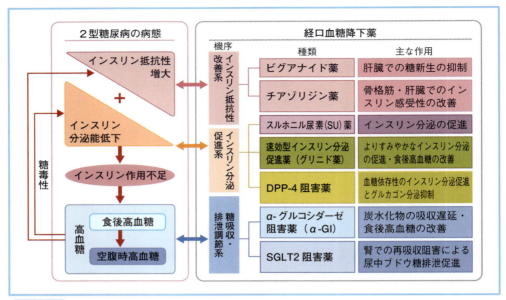

図Ⅴ-4-1　病態に合わせた経口血糖降下薬の選択

[日本糖尿病学会(編・著)：糖尿病治療ガイド2018-2019, p.33, 文光堂, 2018より転載]

見し，手当てをすることであり，リスクを軽減させるケアのことである．糖尿病があるからといって皆が足潰瘍→足壊疽→切断になるわけではない．やみくもに患者に恐怖感を与えないように配慮する．

　足潰瘍のきっかけは靴擦れが多いが，そこに神経障害による感覚鈍麻，視力低下による傷の発見の遅れが重なると足潰瘍に進みやすい．日ごろから足を観察し，傷を作らないためのケアをする習慣を作ることが大事である．

(5) シックデイ

　糖尿病患者が治療中に発熱，下痢，嘔吐をきたす，または食欲不振のために食事が摂れないときをシックデイという．インスリン依存状態の患者では糖尿病性**ケトアシドーシス**になりやすく，とくに注意が必要である．

　インスリン治療中の患者は，食事が摂れなくても自己判断でインスリン注射を中断してはいけない．発熱，嘔吐，下痢がひどいときは医療機関を受診するように指導する．

　糖分が含まれていない飲みもので十分に水分を摂り，脱水を防ぐように指導する．食欲のないときは，口あたりがよく消化のよい食物（お粥，ジュース，アイスクリームなど）をできるだけ摂取するように指導する．

　血糖自己測定をしている場合は，3〜4時間に1回測定し，血糖値が200〜250 mg/dLを超えたら速効型または超速効型インスリンを2単位追加するといった指示を事前に与えることもある．

(6) 歯磨きの励行

　血糖コントロールが不良なときは歯周病が重症化しやすい．プラークコントロールが重要であり，歯磨きだけでは歯垢は十分除去できないので歯科の受診も必要である．

d. 心理・社会的支援

生活状況をていねいに聴くことが心理的支援になる．一方的に聴取する形ではなく，傾聴と共感の姿勢でじっくり聴く．看護師は患者の病気の経過，生活，価値観，病気や治療に対する思い・考えを理解し，ありのままを受け止めるように努める．

糖尿病合併症が進むと，QOLの低下をまねく．生活と療養を継続できるかどうかを患者と話し合い，必要時メディカルソーシャルワーカーなどに相談し，社会資源を取り入れることを検討する．

e. 家族への支援

家族もまた患者が糖尿病をもつことでさまざまな体験をしていることを理解する必要がある．適切な情報を提供して，患者の病気や治療に対する家族の理解を助けたり，家族の話もよく聴き，心理的サポートに努める．

医療者は家族のサポートを期待しすぎることがあるが，すべての家族が患者の療養をサポートしてくれるとは限らない．サポートしないからといって悪い家族ではない．家族のサポート力をアセスメントして，可能なことを手伝ってもらうようにする．

学習課題

1. 糖尿病の3大合併症（細小血管症）を挙げてみよう
2. 持続する中等度以上の高血糖症状のメカニズムと，症状マネジメントについて説明してみよう
3. 糖尿病患者の食事療法，運動療法，薬物療法の指導のポイントを述べてみよう
4. 糖尿病患者のシックデイについて説明してみよう

練習問題

Q1 糖尿病の看護について適切なのはどれか．2つ選べ．
1. 多飲多尿を訴える患者に水分摂取を控えるようにアドバイスした．
2. 外食で食事を済ます患者に理想的な食事について説明した．
3. 薬ののみ忘れがたびたびある患者に「忘れずに薬をのみましょう」とアドバイスした．
4. 糖尿病の自己管理を促すために注目すべきデータや目標値を説明した．
5. 運動習慣のない患者が階段昇降を行いきついと話したため，運動の頻度と強度を確認し，再指導した．

［解答と解説 ▶ p.527］

引用文献

1) 日本糖尿病学会（編）：糖尿病食事療法のための食品交換表，第7版，文光堂，2013

V-4. 代謝・内分泌系の障害を有する人とその家族への援助

2 脂質異常症

この節で学ぶこと

1. 脂質異常症治療の必要性と危険因子からみた治療方針を説明できる
2. 体重をモニタリングしていくことの重要性を説明できる
3. 生活習慣の改善を支援するための重要な看護活動を説明できる

　LDLコレステロール値が上昇すると，冠動脈疾患の相対リスクが連続的に上昇することが日本でも確認されている．動脈硬化性疾患（心筋梗塞を中心とした冠動脈疾患と脳梗塞・脳出血を中心とした脳血管障害）による死亡は，がんと並んで死因の30％を占めている．その予防には，脂質異常症の適切な管理が極めて重要である．

　脂質異常症は，血液中の脂質であるLDLコレステロール，トリグリセライド（中性脂肪）が高値を示すか，HDLコレステロールが低値を示す疾患である（**表V-4-8**）．大部分の脂

表V-4-8　脂質異常症の診断基準

LDLコレステロール	140 mg/dL 以上	高LDLコレステロール血症
	120～139 mg/dL	境界域高LDLコレステロール血症**
HDLコレステロール	40 mg/dL 未満	低HDLコレステロール血症
トリグリセライド	150 mg/dL 以上（空腹時採血*）	高トリグリセライド血症
	175 mg/dL 以上（随時採血*）	
Non-HDLコレステロール	170 mg/dL 以上	高non-HDLコレステロール血症
	150～169 mg/dL	境界域高non-HDLコレステロール血症**

* 基本的に10時間以上の絶食を「空腹時」とする．ただし水やお茶などカロリーのない水分の摂取は可とする．空腹時であることが確認できない場合を「随時」とする．
** スクリーニングで境界域高LDL-C血症，境界域高non-HDL-C血症を示した場合は，高リスク病態がないか検討し，治療の必要性を考慮する．

- LDL-CはFriedewald式（TC－HDL-C－TG/5）で計算する（ただし空腹時採血の場合のみ）．または直接法で求める．
- TGが400 mg/dL以上や随時採血の場合はnon-HDL-C（＝TC－HDL-C）かLDL-C直接法を使用する．ただしスクリーニングでnon-HDL-Cを用いる時は，高TG血症を伴わない場合はLDL-Cとの差が＋30 mg/dLより小さくなる可能性を念頭においてリスクを評価する．
- TGの基準値は空腹時採血と随時採血により異なる．
- HDL-Cは単独では薬物介入の対象とはならない．

TG：トリグリセライド（中性脂肪），TC：総コレステロール．
non-HDLコレステロール：TC（総コレステロール）からHDLコレステロールを引いたもの．動脈硬化惹起性リポタンパク中のコレステロールを表す．冠動脈疾患の発症・死亡を予測しうる有用な指標．
［日本動脈硬化学会（編）：動脈硬化性疾患予防ガイドライン2022年版, p.22, 日本動脈硬化学会, 2022より許諾を得て転載］

表V-4-9 原発性高脂血症の分類と成因

1. 原発性高カイロミクロン血症
    1) 家族性リポタンパクリパーゼ（LPL）欠損症
    2) アポリポタンパクC-Ⅱ欠損症
    3) アポA-Ⅴ欠損症，GPIHBP1欠損症，LMF1欠損症など
    4) 原発性Ⅴ型高脂血症
    5) その他の高カイロミクロン血症
2. 原発性高コレステロール血症
    1) 家族性高コレステロール血症（FH）
    2) 常染色体劣性遺伝性高コレステロール血症（ARH）
    3) 家族性欠陥アポB（FDB）
    4) シトステロール血症
    5) 家族性複合型高脂血症（FCHL）
3. 原発性高トリグリセライド血症
    1) 家族性Ⅳ型高脂血症
    2) 特発性高トリグリセライド血症
4. 家族性Ⅲ型高脂血症
    1) アポリポタンパクE異常症
    2) アポリポタンパクE欠損症
5. 原発性高HDLコレステロール血症
    1) CETP欠損症
    2) HL欠損症
    3) EL欠損症
    4) SR-BI欠損症
    5) その他の原発性高HDLコレステロール血症

（厚生省特定疾患原発性高脂血症調査研究班報告書から改変）
［日本動脈硬化学会（編）：動脈硬化性疾患予防のための脂質異常症診療ガイド2018年版，p.30，日本動脈硬化学会，2018より許諾を得て転載］

表V-4-10 続発性高脂血症の分類と成因

1. 高コレステロール血症
    1) 甲状腺機能低下症
    2) ネフローゼ症候群
    3) 原発性胆汁性胆管炎
    4) 閉塞性黄疸
    5) 糖尿病
    6) クッシング症候群
    7) 褐色細胞腫
    8) 薬剤（利尿薬・β遮断薬・コルチコステロイド・経口避妊薬・サイクロスポリンなど）
2. 高トリグリセライド血症
    1) 飲酒
    2) 肥満
    3) 糖尿病
    4) ネフローゼ症候群
    5) 慢性腎臓病（CKD）
    6) クッシング症候群
    7) 褐色細胞腫
    8) 尿毒症
    9) 全身性エリテマトーデス
    10) 血清タンパク異常症
    11) 薬剤（利尿薬・非選択性β遮断薬・コルチコステロイド・エストロゲン・レチノイド・免疫抑制薬・抗HIV薬など）

［日本動脈硬化学会（編）：動脈硬化性疾患予防のための脂質異常症診療ガイド2018年版，p.31，日本動脈硬化学会，2018より許諾を得て転載］

質異常症は，多様な**遺伝素因**と**食習慣の欧米化**や運動不足，肥満（とくに内臓脂肪型）などを原因として発症する．脂質異常症は，他の基礎疾患の関与を否定できる原発性と，他の基礎疾患や薬物使用に基づいて生じる続発性に分類される（表V-4-9，表V-4-10）．

脂質異常症を治療する目的は，動脈硬化性疾患の発症と進展を予防することである．また，動脈硬化を進行させる危険因子である高血圧，糖尿病，慢性腎臓病（CKD），喫煙，肥満などを包括的に管理することが重要である．管理目標値に関してはp.385を参照．

A. 脂質異常症患者の身体的，心理・社会的特徴

1 ● 自覚症状はほとんどないことが多い

数少ないが身体所見はある．黄色腫はコレステロールの沈着により認められる．眼瞼や手掌，アキレス腱，手背や足背の腱などにみられる．とくに，家族性高コレステロール血症のアキレス腱肥厚は比較的頻度が高い．また，特有な眼の症状（角膜輪）や高カイロミクロン血症による肝腫大にも注意する．

2 ● 予防が重要な病気であるが，療養行動に結びつきにくい

脂質異常症は自覚症状に乏しく，管理する意義を理解できないと療養行動に結びつきにくい．

3 ● 生活習慣を見直さず，薬物治療をしていればよいと思う人がいる

糖尿病でも同様であるが，「薬をのんでいるから大丈夫」「自分はよく薬が効く」「薬をのんで検査データ値を下げる」と生活習慣を見直さず，薬物治療に頼る患者も多い．食事は基本であり，乱れた食生活のままでは薬物の効果も十分に発揮されない．

B. 脂質異常症患者および家族への援助

1 ● 看護アセスメント（表Ⅴ-4-11）

治療効果を高めるためには，治療の必要性，動脈硬化性疾患の危険因子，治療の中心は生活習慣の改善にあることを理解してもらうことが必要となる．そのために，脂質異常症の症状や検査データ，動脈硬化性疾患の危険因子とその管理についてアセスメントする．そして，患者の生活状況や価値観を把握，理解し，生活調整が必要と思われる問題をアセスメントする．また，脂質異常症や動脈硬化性疾患に対する患者本人と家族の認識や感情を中心にアセスメントする．

2 ● 援助の方針

脂質異常症患者の身体的，心理・社会的特徴をふまえ，援助の方針を次のように考える．

①脂質異常症を治療する必要性と動脈硬化性疾患の危険因子も理解できるように援助する．
②生活習慣の改善ができるように指導する．
③治療の効果や副作用といった身体の変化をみていけるように援助する．
④療養法が継続できるように支援する．

3 ● 看護活動

a. 症状マネジメント

自覚症状はほとんどないが，疾患との関連が明らかでない場合でもよく聴くことが大切である．どのような症状がどのように現れるのか，その症状に対する患者の反応・対処・評価を聴いて，症状の体験を明らかにする．看護師は，患者の体験に関心を示し，治療や対処による症状の変化をモニタリングして，症状マネジメントの結果を明らかにする．

b. セルフモニタリング

(1) 毎日体重を測定し記録する

食事療法は，運動療法とともに脂質異常症治療の基本となるものである．体重は，食事療法の有効性を評価する重要な指標である．また，糖尿病，肥満，高血圧の管理にも必要なことである．

表Ⅴ-4-11　脂質異常症患者の看護アセスメント

目的	アセスメント項目		備考
身体的側面 ●動脈硬化性疾患の危険因子をアセスメントする ●動脈硬化性疾患の危険因子の管理についてアセスメントする	●病歴 ①既往歴 ②治療歴 ③家族歴 ④喫煙歴 ●脂質異常症の分類 ●検査データ ●バイタルサイン ●身体所見 ●体格や体重の推移 ●徴候・症状 ①脂質異常症の症状 ②動脈硬化性疾患によると考えられる症状 ③体調 ●リスク要因 ●合併症	・動脈硬化性疾患，高血圧，糖尿病 ・脂質異常症の診断のきっかけと時期，治療内容と継続状況 ・現在年齢あるいは死亡年齢 ・現疾患あるいは死亡原因疾患 ・脂質異常症の有無と種類 ・動脈硬化性疾患（冠動脈疾患，脳血管障害，末梢動脈疾患）の有無と種類および発症年齢 ・血族結婚の有無 ・喫煙量，喫煙歴 ・続発性，原発性 ・中性脂肪（TG），総コレステロール（TC），LDLコレステロール，HDLコレステロール，non-HDLコレステロール ・糖尿病に関するデータ ・心電図，胸部X線 ・血圧，脈拍 ・黄色腫（手掌，アキレス腱，手背や足背の腱など） ・アキレス腱の肥厚 ・眼の症状（角膜輪） ・身長，体重（体重の推移，過去最大体重） ・アキレス腱肥厚などによる靴擦れ・踵部の自発痛 ・腹痛 ・胸痛，間欠性跛行，一過性四肢麻痺など ・疾患と関連しているかわからないが，身体の不調感 ・肥満 ・喫煙 ・高血圧，糖尿病 ・家族に動脈硬化性疾患になった人がいる ・運動習慣がない ・肉類や揚げ物，魚卵が好きでよく食べる ・動脈硬化性疾患（冠動脈疾患，脳血管障害，末梢動脈疾患）	・遺伝素因が密接に関与するため，家族歴を聴取するのは必須である． ・家族性高コレステロール血症は常染色体優性遺伝疾患であり早発性冠動脈疾患発症リスクがきわめて高い． ・TG値500 mg/dL以上の著明な高トリグリセライド血症になると，急性膵炎のリスクが高まる． ・家族性高コレステロール血症のアキレス腱肥厚は比較的頻度が高い． ・自覚症状はほとんどないことが多い．
日常生活の側面 ●生活状況を把握し，生活調整が必要になると思われる問題をアセスメントする ●患者が人生や生活において大事にしていること（価値・信念）をアセスメントする	●環境 ●食事 ●排泄 ●睡眠 ●清潔 ●動作・活動 ●飲酒 ●趣味・余暇活動	・生活環境（新鮮な空気，日照，温度，清潔さ，静かさ） ・1日何食食べるか，食事時間，主な内容と量，調理者 ・外食の頻度，内容の傾向（卵類や動物性脂肪の摂取），どのようなときに外食するのか，誰とするのか ・間食の頻度，時間，内容と量，どんなときに摂るのか ・排泄パターン（規則性），回数，性状，量，コントロール上の問題 ・休息は十分か，睡眠障害の有無，日中の覚醒は十分か ・入浴回数・方法，口腔の保清状況 ・運動習慣の有無，内容と量，時間，通学・通勤の手段，ADL ・飲酒の頻度，内容と量，飲酒理由，つまみの内容と量 ・趣味や楽しみ，人との交流，地域活動など	

(つづき)

	●セルフケア能力	・日常生活を調整しながら治療を継続する能力の有無，程度 ・日常生活の自立度	
認知・心理的側面 ●脂質異常症に対する認知や心理状態をアセスメントする	●疾患や治療の理解および受け止め	・脂質異常症や動脈硬化性疾患に関する知識・誤解 ・疾患をどのように受け止めているか ・家族歴に関連した体験と思い	・自覚症状に乏しいために，治療をしてきていない人も多い．
	●価値・信念	・何に価値を置き，何を大切にしているか，信仰する宗教は何か	
	●対処方法	・これまで問題にどのように対処してきたか ・ストレスの有無と程度，対処方法	
	●心理状態	・動脈硬化性疾患に対する無関心・不安感 ・家族歴に関連した体験と思い	
	●認知機能	・入院による環境変化への適応，感覚機能（視覚，聴覚）	
社会・経済的側面 ●生活や療養のうえで，家族のサポートがどれくらい可能かアセスメントする	●役割	・家族内の患者の役割 ・社会役割	
	●職業	・仕事の内容，就業時間	
	●家族構成	・家族構成，療養をサポートしてくれる人	
	●家族の状態	・協力体制，家族の病気に対する理解と受け止めの状態	
	●キーパーソン	・家族または周囲の人の中でのキーパーソンは誰か	
	●経済状態	・家計は安定しているか	
	●ソーシャルサポート	・友人・知人・同僚・患者会などのサポートの有無，利用できる社会資源	・動脈硬化性疾患が発症してしまった場合は，社会資源の利用を検討していかなければならないことがある．

(2) 治療の効果や副作用といった身体の変化をとらえられるように援助する

リスク区分別脂質管理目標値（表V-4-12）を用いて，目標値を説明したり，一緒にデータの変化をみていく．薬物療法による副作用について説明し，副作用と思われる症状を自覚したときはすみやかに報告するように指導する．とくに，肝障害や横紋筋融解症[*1]（筋肉障害）などに注意が必要である．

c. 日常生活における教育的支援および援助

(1) 脂質異常症治療の必要性を説明する

血管の絵や模型を用いて，コレステロールが血管の内壁に付着してプラーク[*2]が作られ，プラークが破裂すると血管内は塞がれてしまうこと（血管イベント）をイメージできるように説明する．そして，脂質異常症の治療は，プラークが破裂しないようにコレステロールの蓄積を抑制し，プラークの安定化を目的に行われることを説明する．

[*1] 横紋筋融解症：CKが正常上限の10倍以上に上昇し，クレアチニン上昇を伴う筋肉症状があり，通常は茶褐色尿と尿ミオグロブリンを伴う．スタチンとフィブラート系薬の併用や，腎機能障害のある患者へのフィブラート系薬の投与の場合に起こることがある．

[*2] プラーク：動脈硬化病変では，内膜の肥厚による血管内腔の狭窄がみられる．この内膜の肥厚した部分をプラークという．動脈硬化性疾患の危険因子や感染，物理的刺激によって血管内皮細胞が傷害・活性化されると，血液中の単球が内皮細胞に接着して，内皮下に侵入し，マクロファージへと成熟・分化していく．過剰なLDLが存在すると，糖が結合したり，活性酸素によって酸化されたりして変性LDLになる．マクロファージは変性LDLを取り込んで，泡沫細胞となってコレステロールエステルを細胞内に蓄積し，プラークが形成されていく．

表V-4-12 リスク区分別脂質管理目標値

治療方針の原則	管理区分	脂質管理目標値（mg/dL）			
		LDL-C	Non-HDL-C	TG	HDL-C
一次予防 まず生活習慣の改善を行った後薬物療法の適用を考慮する	低リスク	<160	<190	<150（空腹時）*** <175（随時）	≧40
	中リスク	<140	<170		
	高リスク	<120 <100*	<150 <130*		
二次予防 生活習慣の是正とともに薬物治療を考慮する	冠動脈疾患またはアテローム血栓性脳梗塞（明らかなアテローム****を伴うその他の脳梗塞を含む）の既往	<100 <70**	<130 <100**		

- *糖尿病において，PAD（末梢動脈疾患），細小血管症（網膜症，腎症，神経障害）合併時，または喫煙ありの場合に考慮する．
- **「急性冠症候群」，「家族性高コレステロール血症」，「糖尿病」，「冠動脈疾患とアテローム血栓性脳梗塞（明らかなアテロームを伴うその他の脳梗塞を含む）」の4病態のいずれかを合併する場合に考慮する．
- 一次予防における管理目標達成の手段は非薬物療法が基本であるが，いずれの管理区分においてもLDL-Cが180 mg/dL以上の場合は薬物治療を考慮する．家族性高コレステロール血症の可能性も念頭に置いておく．
- まず，LDL-Cの管理目標値を達成し，次にnon-HDL-Cの達成を目指す．LDL-Cの管理目標を達成してもnon-HDL-Cが高い場合は高TG血症を伴うことが多く，その管理が重要となる．低HDL-Cについては基本的には生活習慣の改善で対処すべきである．
- これらの値はあくまでも到達努力目標であり，一次予防（低・中リスク）においてはLDL-C低下率20〜30%も目標値としてなり得る．
- ***10時間以上の絶食を「空腹時」とする．ただし水やお茶などカロリーのない水分の摂取は可とする．それ以外の条件を「随時」とする．
- ****頭蓋内外動脈の50%以上の狭窄，または弓部大動脈粥腫（最大肥厚4 mm以上）
- 高齢者については『動脈硬化性疾患予防ガイドライン2022年版』第7章を参照

［日本動脈硬化学会（編）：動脈硬化性疾患予防ガイドライン2022年版，p.71，日本動脈硬化学会，2022より許諾を得て転載］

(2)「動脈硬化性疾患予防から見た脂質管理目標値設定のためのフローチャート」を用いて危険因子や管理目標値を示し，説明する

図V-4-2〜3，表V-4-12において，たとえば，50歳男性，糖尿病・冠動脈疾患の既往なし，喫煙者，冠動脈疾患の家族歴なし，総コレステロール（TC）220 mg/dL，LDLコレステロール110 mg/dL，HDLコレステロール36 mg/dL，中性脂肪（TG）75 mg/dL（空腹時），血圧135/85 mmHg，HbA1c 5.0%，随時血糖100 mg/dLの場合では，以下のように用いる．

①絶対リスク（冠動脈疾患またはアテローム血栓性脳梗塞の既往）を評価する（図V-4-2）

冠動脈疾患やアテローム血栓性脳梗塞の既往はないため，二次予防ではない．次に高リスク病態（糖尿病，慢性腎臓病，末梢動脈疾患）があるかどうかをみる．この男性には高リスク病態はない．

②久山町スコアによる動脈硬化性疾患発症予測モデル（図V-4-3）を用いたリスク評価をする

久山町スコアによる各危険因子のポイントを合計し，年齢階級別の絶対リスクを推計する．この男性では，合計ポイントは13点となり，50歳であるので図V-4-3の右表と照らし合わせるとリスクは4.5%で中リスクとなる．

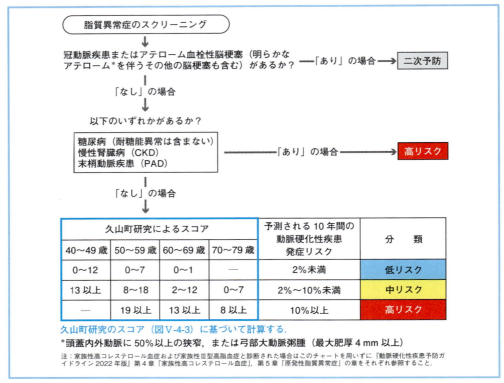

久山町研究によるスコア				予測される10年間の動脈硬化性疾患発症リスク	分　類
40～49歳	50～59歳	60～69歳	70～79歳		
0～12	0～7	0～1	—	2%未満	低リスク
13以上	8～18	2～12	0～7	2%～10%未満	中リスク
—	19以上	13以上	8以上	10%以上	高リスク

久山町研究のスコア（図Ⅴ-4-3）に基づいて計算する．

*頭蓋内外動脈に50%以上の狭窄，または弓部大動脈粥腫（最大肥厚4mm以上）

注：家族性高コレステロール血症および家族性Ⅲ型高脂血症と診断された場合はこのチャートを用いずに『動脈硬化性疾患予防ガイドライン2022年版』第4章「家族性高コレステロール血症」，第5章「原発性脂質異常症」の章をそれぞれ参照すること．

図Ⅴ-4-2　動脈硬化性疾患予防から見た脂質管理目標値設定のためのフローチャート

［日本動脈硬化学会（編）：動脈硬化性疾患予防ガイドライン2022年版，p.69，日本動脈硬化学会，2022より許諾を得て転載］

①性別	ポイント
女性	0
男性	7

②収縮期血圧	ポイント
<120 mmHg	0
120～129 mmHg	1
130～139 mmHg	2
140～159 mmHg	3
160 mmHg～	4

③糖代謝異常（糖尿病は含まない）	ポイント
なし	0
あり	1

④血清LDL-C	ポイント
<120 mg/dL	0
120～139 mg/dL	1
140～159 mg/dL	2
160 mg/dL～	3

⑤血清HDL-C	ポイント
60 mg/dL～	0
40～59 mg/dL	1
<40 mg/dL	2

⑥喫煙	ポイント
なし	0
あり	2

注1：過去喫煙者は⑥喫煙はなしとする．

①～⑥のポイント合計	点

右表のポイント合計より年齢階級別の絶対リスクを推計する．

ポイント合計	40～49歳	50～59歳	60～69歳	70～79歳
0	<1.0%	<1.0%	1.7%	3.4%
1	<1.0%	<1.0%	1.9%	3.9%
2	<1.0%	<1.0%	2.2%	4.5%
3	<1.0%	1.1%	2.6%	5.2%
4	<1.0%	1.3%	3.0%	6.0%
5	<1.0%	1.4%	3.4%	6.9%
6	<1.0%	1.7%	3.9%	7.9%
7	<1.0%	1.9%	4.5%	9.1%
8	1.1%	2.2%	5.2%	10.4%
9	1.3%	2.6%	6.0%	11.9%
10	1.4%	3.0%	6.9%	13.6%
11	1.7%	3.4%	7.9%	15.5%
12	1.9%	3.9%	9.1%	17.7%
13	2.2%	4.5%	10.4%	20.2%
14	2.6%	5.2%	11.9%	22.9%
15	3.0%	6.0%	13.6%	25.9%
16	3.4%	6.9%	15.5%	29.3%
17	3.9%	7.9%	17.7%	33.0%
18	4.5%	9.1%	20.2%	37.0%
19	5.2%	10.4%	22.9%	41.1%

図Ⅴ-4-3　久山町スコアによる動脈硬化性疾患発症予測モデル

［日本動脈硬化学会（編）：動脈硬化性疾患予防ガイドライン2022年版，p.69，日本動脈硬化学会，2022より許諾を得て転載］

③管理目標値を設定する

リスク区分別脂質管理目標値（表V-4-12）をみると，一次予防の中リスクではLDLコレステロールの管理目標値は140 mg/dL未満となる．non-HDLコレステロールの管理目標値は，LDLコレステロールの管理目標値を達成した後の二次目標となる．TGとHDLコレステロールの管理目標値はリスク管理区分にかかわらず同じである．この男性では，LDLコレステロールは管理目標値を達成しており，HDLコレステロールが36 mg/dLと管理目標値より低い．

「動脈硬化性疾患発症予測・脂質管理目標設定アプリ」を用いると容易に計算でき，リスク評価が行える（https://www.j-athero.org/jp/general/ge-tool2/）．

(3) 生活習慣の改善方法を指導する

脂質異常症の治療の基本は，生活習慣の改善であり，薬物療法も考慮することを説明する．脂質異常症，高血圧，糖尿病，肥満などの包括的管理の一環として生活習慣の改善方法を指導する．

▶食事療法

食事療法の目的は，適切な食生活により血清脂質を改善し，動脈硬化性疾患の発症と再発を予防することにある．食事療法による食生活の改善には，食事内容の改善と**食行動**の改善の2つがある．

食事内容の改善は，総エネルギー摂取量の適正化をはかることが一番重要である．摂取エネルギー量を調節することで，脂肪やコレステロールの摂取量も自然に調整される．そして，栄養素のバランスをとる，コレステロールや飽和脂肪酸摂取を制限することを考慮する．高LDL-C血症の場合は，コレステロールの摂取量を1日200 mg未満を目指す．

> 総エネルギー摂取量（kcal/日）＝目標とする体重（kg）×身体活動量（kcal）
> ※目標とする体重の目安：18～49歳は［身長（m）］^{2}×18.5～24.9 kg/m^2，50～64歳は［身長（m）］^{2}×20.0～24.9 kg/m^2，65歳以上は［身長（m）］^{2}×21.5～24.9 kg/m^2
> ※身体活動量：軽い労作で25～30 kcal，普通の労作で30～35 kcal，重い労作で35～ kcal

肥満を解消するには，適正エネルギー摂取量を目指すが，まずは現状から1日250 kcal程度を減じることから始める．食行動の改善は，1日3食を規則的に摂る，腹八分目とする，ながら食いや早食いを避ける，外食・中食はできるだけ控えるといった食行動を推進する

コラム

メタボリックシンドローム

メタボリックシンドロームは，内臓脂肪肥満とインスリン抵抗性を基盤として生じ，動脈硬化を進行させ，動脈硬化性疾患の危険性を高める．ウエスト周囲径が男性85 cm，女性90 cm以上を基本条件として，加えて高トリグリセライド血症150 mg/dL以上かつ/または低HDLコレステロール血症40 mg/dL未満，収縮期血圧130 mmHg以上かつ/または拡張期血圧85 mmHg以上，空腹時血糖値110 mg/dL以上のうち2項目以上有する場合に診断される．内臓脂肪蓄積は他のリスクの発症要因になるだけでなく，軽度でもリスクが集積することで動脈硬化性疾患の発症に直接影響する．

ことである．
具体的な食品の選択についてアドバイスする．

①飽和脂肪酸を摂りすぎない：バター，ラード，ココナッツオイル，肉の脂身など
②コレステロールが多い食品は控える：卵黄，タラコ，いかの塩辛，ししゃも，いくら，レバー，モツ
③アルコールやお菓子は控える：1日ビール中ビン1本，日本酒1合，ワイングラス2杯程度を目安にする．
④食物繊維を十分摂る：野菜，海藻，きのこなど．白米を玄米に替えてもよい．
⑤青魚や大豆製品は動脈硬化を防ぐ成分が含まれている：イワシ，サバ，豆腐など
⑥食塩を多く含む食品の摂取を控える

▶ 運動療法

運動療法には以下のような効果がある．

①体力を維持もしくは増加させ，健康寿命を延伸させる
②動脈硬化性疾患の予防・治療効果がある
③脂質代謝を改善し，血圧を低下させる
④インスリン抵抗性や耐糖能を改善し，糖尿病のリスクを下げる
⑤精神的ストレスや認知機能の低下を抑制する

日常生活のなかで，身体活動を増やす工夫を行うとともに，中強度以上（歩行あるいはそれ以上の強度の運動）**有酸素運動**を毎日30分以上を目標に行うことが望ましい．1日のなかで，短時間の運動を数回に分けて行ってもよい（例：10分間の運動を3回実施）．

急性冠症候群＊，急性心膜・心筋炎，重症不整脈，重症心不全などは運動療法が禁忌となる．疾患に罹患している場合は定期的な循環器系のメディカルチェックが必要である．運動は早期空腹時や食直後をさけ，気候に合わせて運動量や運動の強度を調整する．

▶ **体重を適正に保つ**

標準体重を実現し，維持する（p.264参照）．肥満，とくに内臓脂肪の蓄積は心血管疾患の危険因子と考えられ，脂質異常症，糖尿病，高血圧などを介して動脈硬化を促進させる．

▶ **禁　煙**

喫煙は，すべての動脈硬化性疾患に対する主要な危険因子であり，心血管疾患による死亡および他のさまざまな原因による死亡のリスクを増加させる．一方，年齢や性別を問わず，禁煙は死亡や心血管リスクを低下させる．また，禁煙の開始とともに効果はすみやかに現れ，禁煙期間が長くなるほどリスクはさらに低下する．

禁煙指導は心理的サポートを含め，十分に時間をかけて行う必要があるため，主治医や看護師に相談のうえ指導を行う．

＊急性冠症候群：冠動脈にできたプラークの突然の破裂により血栓が形成され，冠動脈の血流が減少あるいは途絶えて起こる病態の総称である．具体的な病名は不安定狭心症，急性心筋梗塞，心臓突然死などになる．

(4) 生活習慣の改善は，自己効力感を高めるアプローチ方法を使って段階的に行うとよい
第Ⅲ章-1-B「セルフマネジメント」（p.92）参照．

(5) 療養法が継続できるように支える
　検査データの変化を一緒にみていき，身体の状態をとらえるのを助けること，自己効力感を高めるアプローチ方法を使いながら生活習慣を改善していくことを支援する．

d. 心理・社会的支援

　患者の話を傾聴と共感の姿勢でじっくり聴く．一方的に生活習慣の改善を求めるのではなく，看護師は患者の病気の経過，生活状況，価値観，病気や治療に対する思い・考えを理解し，ありのままを受け止めるように努める．

　動脈硬化性疾患の発症，再発が起こると，QOLの低下をまねくことがある．生活と療養を継続できるか患者と話し合い，必要時メディカルソーシャルワーカーなどに相談し，社会資源を取り入れることを検討する．

e. 家族への支援

　家族も脂質異常症があることでどのようなことが起こりうるのか，治療の必要性を理解できるように援助する．家族の話もよく聴き，心理的サポートに努める．家族の力をアセスメントして可能な場合，食事や運動療法について協力を依頼する．

コラム　特定健康診査・特定保健指導

　食習慣や生活習慣の変化などにより，糖尿病などの**生活習慣病**の有病者や予備群が増加し，医療費に占める生活習慣病の割合も増加している．このような状況に対応するため，「高齢者の医療の確保に関する法律」に基づき，国民健康保険組合などの医療保険者は40～74歳の加入者に対して，**特定健康診査・特定保健指導**の実施が2008年4月より義務づけられた．これは内臓型肥満に注目した健診・保健指導である．近年，内臓脂肪の蓄積が生活習慣病の発症に大きく関与していることが明らかとなっている．2023年度には，2008年度と比較して，特定保健指導の対象者を25％以上減少させることを政策目標に挙げている．2019年度の健診実施率は55.6％，特定保健指導の対象者の減少率は13.5％である．

　特定健康診査は，その結果から生活習慣病の発症リスクに応じて情報提供，動機づけ支援，積極的支援の3つのグループに分け，保健指導を実施する．情報提供では，特定健康診査を受診した全員に結果と合わせて，個人の生活習慣やその改善に関する基本的情報を提供する．動機づけ支援と積極的支援は特定保健指導となる．動機づけ支援では，対象者本人が自分の生活習慣の改善すべき点を自覚し，自ら目標設定し行動に移すことができるように支援する．積極的支援では，対象者本人が自分の生活習慣改善の必要性を理解し，具体的で実践可能な行動目標を選択できるように支援し，行動が継続できるように3ヵ月以上継続的な支援をする．動機づけ支援も積極的支援も6ヵ月後に実績評価を行う．

学習課題

1. 動脈硬化性疾患を予防するためにはどのような管理が必要か，述べてみよう
2. 生活習慣の改善を支援するうえで大切なポイントを述べてみよう
3. 脂質異常症を治療する目的を述べてみよう

練習問題

Q1 脂質異常症の看護について適切なのはどれか．2つ選べ．
1. LDLコレステロール管理目標設定のためのフローチャートを用いて，危険因子や管理目標値を示し，現状と比較して説明した．
2. 薬物療法がとくに重要であると説明した．
3. 禁煙指導を行った．
4. 間食がやめられない患者にやめるようにいっても変わらないので指導を終了した．
5. 毎日30分以上継続して有酸素運動をしなければならないと指導した．

［解答と解説　▶ p.527］

V-4. 代謝・内分泌系の障害を有する人とその家族への援助

3 甲状腺機能障害（亢進症・低下症）

> **この節で学ぶこと**
> 1. 甲状腺機能障害患者の身体的，心理・社会的特徴を説明できる
> 2. 甲状腺機能障害患者の主な身体症状とその対処方法を甲状腺機能の違いによって説明できる
> 3. 甲状腺機能障害患者のアセスメントの視点および援助について説明できる

A. 甲状腺機能障害（亢進症・低下症）患者の身体的，心理・社会的特徴

　甲状腺は，甲状軟骨と輪状軟骨のすぐ下（女性では甲状軟骨の下）あたりにあり，蝶が羽根を広げたような形をしている．重さは約20gで通常の場合は，頸部の触診で触知することはない．**甲状腺ホルモン**には，新陳代謝を活発にする働きがあり，摂取した食物をエネルギーとして利用し，脳や心臓，肝臓などの働きを活性化し，血流や発汗の量，体温などを維持・調節する働きをもつ．また，甲状腺には子どもの時期に，骨の発育や知能の発達を促す機能もある．

　甲状腺機能の障害によってさまざまな症状が出現するが，急性症状が出ることは少なく，**不定愁訴**的な症状が多いため甲状腺以外の病気と誤って診断されることがある．甲状腺機能亢進症の代表的な疾患にはバセドウ病，亜急性甲状腺炎，無痛性甲状腺炎などがあり，バセドウ病の**メルゼブルグの三徴**（眼球突出，甲状腺腫大，頻脈）が特徴的な症状として挙げられる．しかし，最近では慢性甲状腺炎（橋本病）とバセドウ病の併発，バセドウ病から慢性甲状腺炎に移行した症例などがあるためメルゼブルグの三徴だけで診断しないようになってきている．甲状腺機能低下症の代表的な疾患は，先天性甲状腺機能低下症（クレチン症），後天的甲状腺機能低下症などで，後者の原因としては慢性甲状腺炎などがある．甲状腺機能低下症のほとんどは慢性甲状腺炎で，なんらかの原因で自己免疫の異常が原因で起きる**自己免疫疾患**の代表的なものである．

　これらの背景をふまえ，甲状腺機能障害の患者の主な身体的，心理・社会的特徴について説明する．

1 ● 眼球突出やむくみなどのボディイメージの変容

a. 甲状腺機能亢進症

　バセドウ病の場合，悪性眼球突出症になれば，複視，角膜潰瘍などが起こる．また，治療で甲状腺機能が正常になっても眼球突出が改善されることが少ないため，女性の場合，

美容上の問題をもち，ボディイメージの変容に対する適応に支障をきたす場合がある．

b. 甲状腺機能低下症

甲状腺機能が低下すると身体の新陳代謝に関係する甲状腺ホルモンが十分産生できなくなり，むくみ，起床時の手のこわばり感，顔・まぶた・唇・舌のむくみ，嗄声，声の低音，皮膚の乾燥，体重増加，顔面浮腫，無気力，判断力の低下，行動力低下，体温の低下，便秘，過多月経，コレステロールの増加などの症状がみられる．

c. 甲状腺炎

慢性甲状腺炎は初期には無症状のことがほとんどである．慢性甲状腺炎の原因は，免疫機能の異常と考えられており，橋本病のように自己免疫性甲状腺機能低下症が含まれる．甲状腺が全体に硬く腫脹し，前頸部の違和感，咽喉頭の異常感などもみられる．これらの症状によって，活動範囲が制限されることになり，身体的のみならず心理的・社会的にも影響を受ける．

2 ● 情緒不安定な状態になる

a. 甲状腺機能亢進症

甲状腺濾胞細胞の増殖と血管の拡張により甲状腺が腫大する．生理作用としてアドレナリンのβ受容体を介する作用を亢進させ，頻脈が起こる．このほか，疲れやすい，イライラ感，全身倦怠，体重減少，微熱，暑がり，多汗，動悸（頻脈），息切れ，手指振戦，筋力低下，周期性四肢麻痺（男性），頭痛などがみられる．また，甲状腺の機能は心身の活動性に影響を与える作用がある．このため，甲状腺機能が亢進すると活動性も亢進して落ち着きがなく多動になる．また，怒りやすい，緊張するなどの情緒の不安定な状態がみられ，人間関係にも変化をきたす．

b. 甲状腺機能低下症

甲状腺機能低下がある場合は，無気力，うつ状態，イライラ感などの症状により精神科疾患や，更年期障害と間違われたり，記憶力の低下がある場合などは老化現象や認知症と間違われたりすることもある．

3 ● 下垂体ホルモン分泌異常による機能の低下と治療

先天性甲状腺機能低下症（クレチン症）は，甲状腺の形成が不十分だったり，甲状腺ホルモンを産生できないために，甲状腺ホルモンの分泌が十分にされず，それを補おうとし

て下垂体からの甲状腺刺激ホルモンが異常に分泌される先天性の疾患である．現在，新生児の甲状腺機能のスクリーニングによって早期発見が可能となり，小児期からホルモン補充療法が行われているため知的障害などは回避されるようになった．その一方で，後天性でとくに中年以降の女性の場合，症状が不定愁訴とよく似ているため，更年期障害と判断されて発見が遅れることがある．治療開始が遅れると粘液水腫の状態になり，全身に浮腫様の症状がみられ筋力低下をきたし，粘液水腫反射，心筋の肥厚，心機能の低下などによる心不全や，精神活動の低下が著明で粘液水腫性昏睡に陥ることがある．甲状腺機能を正常に保つための治療が適切に行われると，症状は改善するので，定期的な受診と血中の甲状腺ホルモンの測定が必要になる．甲状腺機能亢進の場合は抗甲状腺ホルモン薬の補充，甲状腺機能低下の場合は甲状腺ホルモンの補充をすることで日常生活に支障をきたすことがないよう甲状腺ホルモンが維持できる．

B. 甲状腺機能障害（亢進症・低下症）患者および家族への援助

1 ● 看護アセスメント

疾患の病態および検査の流れを図Ⅴ-4-4にまとめた．また，甲状腺機能亢進症および甲状腺機能低下症のアセスメントについては表Ⅴ-4-13にまとめた．

2 ● 援助の方針

甲状腺機能障害（亢進症・低下症）患者の身体的，心理・社会的特徴をふまえ，援助の方針を次のように考える．

①身体の活動性に合わせたセルフケアができ，ボディイメージの変容に適応した行動がとれるように支援する．
②症状の増悪因子について理解を促し，内服薬の管理と定期的な受診ができるように支援する．
③家族，周囲の人々に症状と増悪因子についての理解を促し，社会生活が再調整できるように支援する．

3 ● 看護活動

a. 症状マネジメント

甲状腺機能亢進症の患者は，身体のさまざまな機能が亢進するために適切な治療を継続して行うことが重要になる．無治療や治療の中断は心臓など各臓器に過度のストレスを与える．とくに，**甲状腺クリーゼ**の患者は甲状腺機能が突然亢進し，全身機能が生命の危機的状態にいたる．甲状腺クリーゼとは，甲状腺中毒症の原因となる未治療ないしコントロール不良の甲状腺基礎疾患が存在し，これになんらかの強いストレスが加わったときに，甲状腺ホルモン作用の過剰に対する生体の代償機構の破綻により複数臓器が機能不全に陥った結果，生命の危機に直面した緊急治療を要する病態をいう，と定義されている[1]．甲状腺ホルモンの生産抑制をするチオアミドは治療効果出現まで数週間を要するので，効

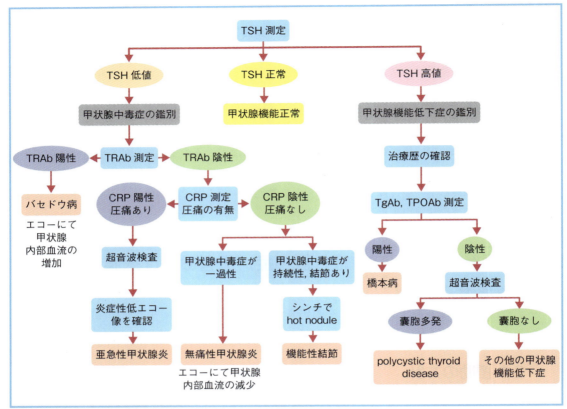

図Ⅴ-4-4　甲状腺疾患と検査のフローチャート

TSH：甲状腺刺激ホルモン，TRAb：抗TSH受容体抗体，TSAb：甲状腺刺激抗体，TgAb：抗サイログロブリン抗体，TPOAb：抗甲状腺ペルオキシダーゼ抗体，polycystic thyroid disease：多囊胞性甲状腺疾患
［窪田純久：やさしく解説 甲状腺疾患の診断と治療, p.36, 37, 40, 南江堂, 2016を参考に作成］

果がみられないからといって中断するのは危険である．また，ヨードは甲状腺クリーゼのみに使用され長期投与は行わない．

　甲状腺機能低下症の患者には，倦怠感，寒がり，浮腫・むくみ，筋力低下，便秘，体重増加，過多月経，嗄声，皮膚乾燥，脱毛などの症状がみられる．レボチロキシンナトリウム（T₄製剤）など甲状腺ホルモンの補充が有効で，年齢・症状により投与量を調節する．ホルモンバランス調整のために1週間〜1ヵ月に1度の定期的な血液検査が必要で，少数の例外を除き永続的に内服によるホルモン補充療法が必要となる．ただ，患者が自覚しない程度の症状の場合は，無治療のまま経過観察する．症状悪化を防止するためには，規則正しい生活と，適度な運動・休養が大切である．また，妊娠・出産をきっかけに病状が重症化することがあるので医師と相談して治療の状態がよいときに計画的に行う必要がある．

　甲状腺がんの手術後，甲状腺全体の半分もしくは3分の1程度が残っていれば甲状腺機能は正常に維持される．甲状腺全摘出術を行ったりしなければ，術後の甲状腺ホルモンの補充は必要ない．甲状腺ホルモンの補充療法を受けている場合は，生涯にわたって内服が必要である．

3. 甲状腺機能障害（亢進症・低下症）

表Ⅴ-4-13 甲状腺機能障害患者の看護アセスメント

目的	アセスメント項目			
		機能亢進症状	機能低下症状	甲状腺炎
身体的側面 ● 甲状腺機能障害関する効果と副作用をアセスメントする	● 病歴		・全身性の免疫異常：慢性関節リウマチ，SLE，シェーグレン症候群など ・臓器特異性免疫異常：慢性萎縮性胃炎（抗胃壁抗体），悪性貧血，胆汁性肝硬変症，自己免疫性肝炎，特発性血小板減少症，アジソン病（シュミット症候群），シーハン症候群，リンパ球性下垂体炎，ACTH単独欠損症など ・食事にヨードの過剰摂取があるか	
	● 検査データ	①血液系：白血球（顆粒球数） ②筋系：筋力測定（近位筋の筋力低下） ③免疫系：胸部X線，エコー，CT，MRI，甲状腺シンチグラフィ，血液検査 ・遊離サイロキシン（FT$_4$）上昇，遊離トリヨードサイロニン（FT$_3$）上昇，TSH低下 ・抗TSH受容体抗体（TSAb）陽性，抗サイログロブリン抗体（抗TgAb）陽性，抗甲状腺ペルオキシダーゼ抗体（抗TPOAb）陽性など	②筋系：筋力測定（筋力低下），仮性筋肥大 ③胸部X線，エコー，CT，MRI，甲状腺シンチグラフィ，血液検査 ・遊離サイロキシン（FT$_4$）低下，TSH上昇	③胸部X線，エコー，CT，MRI，甲状腺シンチグラフィ，血液検査 ・赤沈亢進，遊離サイロキシン（FT$_4$）上昇，TSH低下 ・CRP上昇
	● バイタルサイン	体温，脈拍，血圧，呼吸数	体温，脈拍，血圧，呼吸数	体温，脈拍，血圧，呼吸数
	● 身体症状	呼吸・循環器系：脈拍，血圧 ・収縮期血圧上昇，拡張期血圧低下，頻脈，心房細動（Af） 消化器系：コレステロール低下，ALP上昇 脳神経系：深部腱反射の亢進，手指振戦 ・黄色人種男性に同期性四肢麻痺の有無（糖過剰摂取による低カリウム血症） 性腺系：女性では希発月経，無月経	呼吸・循環器系：脈拍，血圧，胸部X線（心胸郭比） ・収縮期血圧低下，拡張期血圧上昇 ・心筋活動性の低下，心拍出量の低下，心拡大，心音微弱 ・冷感，蒼白排便状況（便秘の有無と程度） 脳神経系：深部腱反射の亢進 性腺系：女性では月経過多	呼吸・循環器系：動悸
	● 徴候・症状	・甲状腺^{123}Iシンチグラム（摂取率上昇），甲状腺のびまん性腫大 ・皮膚症状：発汗過多，暑がり，温湿手掌，皮膚の薄化，限局性粘液水腫，脱毛 ・眼球突出：瞼裂開大，瞬目減少，輻輳困難，上眼瞼下降不全	・皮膚症状：発汗低下，皮膚乾燥，粘膜水腫 ・嗄声，巨大舌，脱毛	・午後から夕方に症状が強くなる ・38.0℃以上の高熱 ・圧痛を伴う甲状腺腫（結節性で硬い） ・先行する上気道感染の有無

(つづき)

	●リスク要因	・抗甲状腺薬の副作用：発疹，じんま疹，発熱，関節痛，肝炎，無顆粒球症（顆粒球減少症） ・手術による甲状腺の切除：甲状腺クリーゼ	・甲状腺ホルモン製剤の内服治療による甲状腺ホルモンの状態の安定に数週間程度必要であるため投与量が決定するまでに数ヵ月かかる ・ヨードの過剰摂取を控える（昆布，昆布だしなど）	・甲状腺炎の起因となるウイルスや細菌を想定した治療を行う
	●合併症			・化膿性甲状腺炎：咽頭後膿瘍，縦隔炎，気管閉塞，頸静脈血栓症，敗血症 ・亜急性甲状腺炎：甲状腺機能低下症
日常生活の側面 ●疾患とその治療による身体症状および精神症状が日常生活に及ぼす影響をアセスメントする	●環境	・発汗過多があるので室温のコントロールに注意する ・騒音の少ない静かな環境を整え，精神的ストレスを抑える	・冷え性，皮膚の乾燥があるため保湿・保温を行う	
	●食事	・食欲亢進，体重減少 ・バセドウ病の場合：（糖質の摂取状況）糖分の過剰摂取後に低カリウム血症の可能性があるため ・ヨードを含む食品の摂取状況（甲状腺機能に変調をきたすことがあるため） ・代謝亢進による発汗・下痢があるため水分摂取を促す	・食欲低下，体重増加 ・（甲状腺ホルモン製剤の内服治療中）ヨードを含む食品の摂取状況（甲状腺機能に変調をきたすことがあるため）	・体重減少 ・ヨードを含む食品の摂取状況（甲状腺機能に変調をきたすことがあるため）
	●排泄	・排便回数の増加，下痢	・排便状況（便秘の有無と程度）	
	●睡眠	・不眠の有無		
	●清潔	・発汗にともなう入浴やシャワーの回数など	・発汗にともなう入浴やシャワーの回数など	・発汗にともなう入浴やシャワーの回数など
	●動作・活動	・動悸，息切れ	・易疲労，動作緩慢，寒がり	・全身倦怠感
	●趣味・余暇活動 ●セルフケア能力	・日常生活を調整しながら治療を継続する能力の有無，程度 ・眼球突出が著明な場合，就寝時の角膜保護を行う	・日常生活を調整しながら治療を継続する能力の有無，程度	・日常生活を調整しながら治療を継続する能力の有無，程度
認知・心理的側面 ●疾患とその治療が心理状態に及ぼす影響をアセスメントする	●疾患や治療の理解および受け止め	・妊娠中に抗甲状腺薬の使用を中断していないか ・出産後の症状の増悪の有無		
	●価値・信念	・何に価値を置き，何を大切にしているか，信仰する宗教は何か ・眼球突出による顔貌の変化からボディ・イメージの変容に対処できているか	・何に価値を置き，何を大切にしているか，信仰する宗教は何か	・何に価値を置き，何を大切にしているか，信仰する宗教は何か
	●対処方法	・これまで問題にどのように対処してきたか	・これまで問題にどのように対処してきたか	・これまで問題にどのように対処してきたか
	●心理状態	・イライラ感，神経過敏，不穏，せん妄	・感情鈍麻	
	●認知機能			
社会・経済的側面 ●疾患および治療が社会・経済状態に及ぼす影響をアセスメントする	●役割	・家族や社会の中での役割・発達課題	・家族や社会の中での役割・発達課題	・家族や社会の中での役割・発達課題
	●職業	・職業の有無，職場からの支援の有無	・職業の有無，職場からの支援の有無	・職業の有無，職場からの支援の有無

(つづき)

●家族構成	・抗甲状腺薬を服用したままの妊娠は症状に影響があり，妊娠を継続するためにも血液検査と内服の指示を受け，医師の管理が必要である		
●家族の状態	・放射性ヨードが経口投与されている場合，治療後2〜4日間は乳幼児への影響を考えて近づかない．妊娠期〜授乳期には放射性ヨード剤は投与しない．		
●キーパーソン	・家族または周囲の人の中でのキーパーソンは誰か	・家族または周囲の人の中でのキーパーソンは誰か	・家族または周囲の人の中でのキーパーソンは誰か
●経済状態	・抗甲状腺薬の内服治療は長期にわたるため，経済的支援が必要な場合がある．また，甲状腺亜全摘出術の術後に甲状腺薬を内服する場合も長期の内服が必要になる		
●ソーシャルサポート	・友人・知人・同僚・患者会などのサポートの有無，利用できる社会資源の提供	・友人・知人・同僚・患者会などのサポートの有無，利用できる社会資源の提供	・友人・知人・同僚・患者会などのサポートの有無，利用できる社会資源の提供

b. セルフモニタリング

　甲状腺機能亢進症の患者は，専門医による継続的な診察と治療が守られれば日常生活のコントロールは良好であるため，服薬管理の必要性を理解し，実施できることが重要である．患者は安静な状態での心拍数，血圧，体温の測定，尿・便（性状）の変化をセルフモニタリングし，異常の早期発見をできることが大切である．身体機能が亢進している場合，副腎ホルモンとのバランスの影響などのほか，甲状腺クリーゼが疑われるため早期に受診し専門医による治療が必要である．

　甲状腺機能低下症の患者は，甲状腺ホルモン薬の内服により機能亢進症状が出現する可能性があり，脈拍数，血圧のセルフチェックが大切である．狭心症様症状（動悸，胸痛など）の症状があれば，すみやかに病院を受診するよう説明する．

c. 日常生活における教育的支援および援助

　甲状腺機能亢進症の患者は，発汗や下痢で食事・水分摂取が必要な場合は，水分・電解質の異常をきたしやすい．このため，ナトリウム，カリウムを積極的に補給する目的でスポーツドリンクなどの補給を行う．また，患者に代謝亢進がある場合は，食欲があっても熱生産が活性化しており体重減少が起こるため，十分なエネルギー補給とタンパク質，ビタミンのバランスのよい補給を勧める．とくに，甲状腺クリーゼで発熱があるときには解熱薬を効果的に用いる．全身倦怠感のある場合は，エネルギーの消耗を避け，苦痛を最小限にし，患者の状態に合わせた介助を行う．眼球突出のある場合，角膜障害を保護するために点眼，夜間睡眠時の角膜保護（眼軟膏，眼帯など）の使用を勧める．ボディイメージの変容に適応できるよう，外出時のサングラスの装用を勧める．甲状腺腫大のある場合は，襟の高い服，スカーフの装用など頸部の隠れるような服装を勧める．

甲状腺機能低下症の患者は，代謝の低下により寒く感じるため，室温は24℃前後に保ち，静かに休息できる環境を整える．活動性が低下し，労作が鈍くなっていることを自覚していない場合があるため，危険な環境を作らないよう家族に気を配るよう説明する．

d. 心理・社会的支援

甲状腺機能亢進症の患者には，精神的ストレスを抑えるため，騒音の少ない静かな環境を整えることを勧める．発汗，暑がりなどのエネルギーの消耗を抑えるため，涼しい室温と湿度にコントロールする．日常生活の予定を調整し，無理をしないような活動計画を立てるよう勧める．

甲状腺機能低下症の患者は，指示された甲状腺ホルモン薬の内服を継続することで精神症状も軽減する．このため，甲状腺ホルモン薬の内服は甲状腺機能を維持するために必要なもので副作用はないこと，継続して内服しなければ効果がないこと，維持量を確認するために定期的な血液検査が必要であることを説明し受診と治療の継続の理解を得る．

e. 家族への支援

甲状腺機能亢進症の患者に放射性ヨードが経口投与されている場合，治療後2〜4日間は成長過程の乳幼児への影響を考慮して近づかないようにする以外の制限はない．ただし，放射性ヨードは胎盤を通過する[2]ため，投与後6ヵ月以上は妊娠を避ける必要がある．また，乳汁を介して乳児の甲状腺も破壊するので妊娠期〜授乳期には投与しない．

甲状腺機能の亢進症・低下症のどちらも精神的な変化を伴うため，家族も患者の人格の変化に戸惑うことがある．適切な治療の継続と心身の安楽の得られる環境づくり，計画的な妊娠など，疾患の理解と協力が得られるよう十分な説明が必要である．

C. そのほかの甲状腺機能障害について

甲状腺機能亢進症の場合，抗甲状腺薬の効果が無効な場合，甲状腺^{123}Iによる放射線療法，甲状腺亜全摘出術が行われる．これらは甲状腺機能亢進症状を改善するのには著明な効果がある反面，副作用として甲状腺機能低下症，副甲状腺機能低下症・反回神経麻痺（手術の場合）をきたす可能性があり，副作用に対しての甲状腺ホルモン薬の継続した内服が必要になる．

学習課題

1. 甲状腺機能亢進症状のある患者のボディイメージの変容とその対処，セルフケアについて整理してみよう
2. 甲状腺クリーゼのアセスメントとケアの注意点について整理してみよう
3. 甲状腺機能亢進症，甲状腺機能低下症それぞれ，どのような症状があるか挙げてみよう

練習問題

Q1 甲状腺機能亢進症の患者への説明で正しいのはどれか．2つ選べ．
1．妊娠・出産は症状を悪化させる原因なので，避けたほうがよい．
2．催奇形の危険性があるため，妊娠したら抗甲状腺薬の内服を中止する．
3．ヨウ素（ヨード）を多く含有するコンブを過剰に摂取しない．
4．発汗や下痢を助長するので，水分摂取は1日1,000 mL以内にする．
5．抗甲状腺薬の服用患者は，白血球の減少による易感染状態に注意する．

[解答と解説 ▶ p.528]

引用文献

1）赤水尚史ほか：甲状腺クリーゼの診断基準，第2版，2012，〔http://www.japanthyroid.jp/doctor/img/crisis2.pdf〕（最終確認：2023年1月10日）
2）百渓尚子：妊娠とバセドウ病．日本臨床別冊《新領域別症候群シリーズNo.1》内分泌症候群 I －その他の内分泌疾患を含めて，第2版，p.265-269，日本臨牀社，2006

V-5. 腎・泌尿器系の障害を有する人とその家族への援助

1 慢性腎不全（慢性腎臓病）

この節で学ぶこと
1. 慢性腎不全患者の身体的，心理・社会的特徴を説明できる
2. 慢性腎不全の治療の目的および看護目標を説明できる
3. 保存期にある慢性腎不全患者の日常生活における教育的支援を説明できる
4. 慢性腎不全患者の心理・社会的問題への支援を説明できる

A. 慢性腎不全患者の身体的，心理・社会的特徴

慢性腎不全（慢性腎臓病［chronic kidney disease：CKD］）とは，原因疾患により腎機能が不可逆的に障害され，**内部環境の恒常性**が維持できなくなる病態である（図V-5-1）．自覚症状がないまま数ヵ月から数年にわたり緩徐に進行し，末期には体内に蓄積した尿毒素による多彩な全身症状（尿毒症）を呈し生命の危機状態に陥る．透析療法や腎移植といった代償的治療が必要不可欠となる．

慢性腎不全の治療は末期腎不全（end-stage renal disease：ESRD）への進行の抑止と病態の是正を目的とし，原因疾患や増悪因子，腎機能障害の程度に応じて，食事療法，生活指導，薬物療法，一部は手術療法など集学的治療が行われる．慢性腎不全の原因疾患は糖尿病腎症，慢性糸球体腎炎，腎硬化症，多発性囊胞腎，急速進行性糸球体腎炎，ループス腎炎など多岐にわたる．なかでも糖尿病腎症は，新規透析導入患者の原因疾患ではもっとも多く年々増加傾向にある．また，慢性腎不全は**心血管疾患**（cardiovascular disease：CVD）を発症するリスクが高い病態であり，慢性腎不全対策は国民的課題として着目されている．

このような慢性腎不全患者の主な身体的，心理・社会的特徴を，以下に説明する．

1● 自覚症状がないまま不可逆的に進行

慢性腎不全の重症度は，CKDの重症度分類（**第Ⅳ章-2「人工透析を受ける患者の援助」**の表Ⅳ-2-1［p.167］参照）に示すとおり，原疾患・腎機能・タンパク尿によって5段階に分類される．そのうち腎機能の障害は，**糸球体濾過量**（glomerular filtration rate：**GFR**）で評価し，**図V-5-2**のようにGFR区分で表記する．GFR測定の国際標準はイヌリンクリアランスであるが測定方法が煩雑なため，臨床的には推算GFR（eGFR）が用いられる．慢性腎不全は，GFR区分G3b（代償性腎不全期）にいたっても残存ネフロンにより腎機能障害は代償されるため明らかな自覚症状はなく，またG4（非代償性腎不全期）に進行し腎障害が深刻な状態であっても，なおはっきりとした症状が現れないこともある．

1. 慢性腎不全（慢性腎臓病） 401

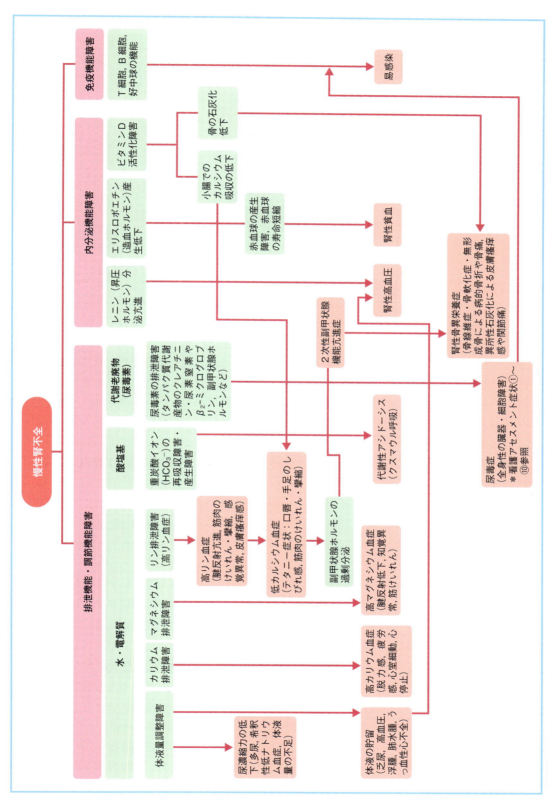

図V-5-1 慢性腎不全の病態

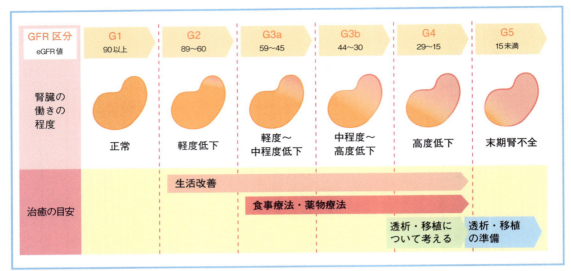

図Ⅴ-5-2 CKDステージ分類（GFR区分）と治療の目安

［腎臓サポート協会：腎臓病なんでもサイト．〔http://www.kidneydirections.ne.jp/kidney_treat/〕（最終確認：2023年1月10日）より引用］

慢性腎不全はこのように自覚症状が乏しく，また，緩徐に進行するため，患者は慢性腎不全であることを実感できず治療や定期受診・定期検査を軽視してしまうことがある．とくに自覚症状が乏しいG1，G2は予後を左右する治療期であるため，この時期における定期受診・定期検査は重要である．

2 ● 末期腎不全への進行を抑止するために日常生活のセルフマネジメントは必要不可欠

　残存する腎機能をできるかぎり保持し，慢性腎不全の進行を抑止するために，食事療法，活動制限や増悪因子の回避などの生活管理，薬物療法など日常生活の自己管理が，もっとも重要な治療として位置づけられている．しかし，自覚症状が乏しいため，患者は治療の必要性を認識できず，日常生活の自己管理に主体的に取り組めないことがある．慢性腎不全の進行に伴い，患者に求められる自己管理，とくに食事療法は厳しい制限となるため，これを継続するには多大な忍耐を要する．モチベーションを維持し自己管理を長期にわたり継続していくことが慢性腎不全患者にとってもっとも重要な課題といえる．

3 ● 免疫抑制療法および腎機能障害に伴い免疫機能が低下

　腎炎の発症には過剰な免疫反応（免疫複合体の形成）が関与しているものも多く，この場合，薬物治療として免疫抑制薬やステロイド薬が使用される．患者はこれらの薬剤の作用に加え，腎機能障害に伴う免疫機能の低下もあるため，**易感染**状態となる．とくにGFR区分G5（末期腎不全）では，尿毒症による全身性の臓器・細胞障害が加わり，弱毒菌による日和見感染を起こし重症化しやすい．感染症への罹患は，慢性腎不全の増悪因子の1つにも挙げられており，慢性腎不全の進行を助長するため注意を要する．

4 ● 末期には苦痛を伴う多彩な全身症状が出現

　GFR区分G4〜G5には，体液貯留，電解質異常，代謝性アシドーシス，腎性貧血，骨代謝異常，高血圧などの症状に加え，複数の尿毒素の蓄積による多彩な全身症状（尿毒症症状）を呈する．身の置き所がないような倦怠感や下肢の知覚異常，皮膚瘙痒感，呼吸困難，悪心・嘔吐などの身体症状だけでなく，集中力・記銘力・計算能力の低下やイライラ感・うつ状態・幻覚などの精神症状をかかえ，全身的な苦痛により日常生活を営むことが困難となる．また，尿毒症，高カリウム血症に伴う致死的不整脈や心停止，体液貯留に伴ううっ血性心不全などにより生命の危機状態に陥る．

5 ● 慢性腎不全および透析治療に関する心理的葛藤や不安

　慢性腎不全は根治のむずかしい進行性の難病であり，将来の見通しが立たず不安を抱く．また，病態の悪化に伴う身体的苦痛や治療に伴う生活上の制限，生殖機能障害の出現などにより社会的役割や家族役割を思うように遂行できず，無力感や絶望感を抱きやすい．また，慢性腎不全に伴う色素沈着やステロイド療法による満月様顔貌（ムーンフェイス）・多毛などの外観の変化によりボディイメージの変容をきたし自尊心の低下をまねきやすい．さらに，GFR区分G4には透析治療を現実的課題として認識するようになり，「全身的苦痛から解放されたい」と切実に感じる反面，「透析導入をなんとか避けたい」という気持ちも強く，透析治療に不安や恐怖を感じ葛藤する．患者は，このような心理に加えステロイドの副作用や苦痛を伴う全身症状などが重なり，**抑うつ状態**に陥りやすい．

6 ● 家族の心理的・経済的負担

　慢性腎不全患者の家族は，慢性腎不全および治療について患者と同様に不安を抱き苦悩する．患者にとってもっとも重要な治療といえる食事療法や生活管理には家族の協力が必要であり，これに伴う心理的負担がある．また，青年期以前に発症した患者の場合，両親は慢性腎不全の進行を自らの責任と感じ，患者に対し罪悪感を抱きやすい．成人期にある女性患者の場合，妊娠・出産により慢性腎不全が増悪する危険性があるため，配偶者もまたむずかしい決断を迫られることがある．さらに，慢性腎不全は長期間にわたり治療が必要なため，医療費や患者の転職・退職に伴う収入の減少など経済的負担もかかえることになる．

B. 慢性腎不全患者および家族への援助

1 ● 看護アセスメント

　セルフモニタリングや必要な生活管理を患者自身が主体的・継続的に実践できているか，また，GFR区分G4には透析を視野に入れて心身の準備ができているかがアセスメントのポイントとなる．アセスメントの目的および項目を**表V-5-1**にまとめた．

表Ⅴ-5-1 慢性腎不全患者の看護アセスメント

目 的	アセスメント項目		備 考
身体的側面 ● 腎機能障害の程度をアセスメントする ● 腎機能障害に伴う身体的苦痛の有無と程度をアセスメントする ● 慢性腎不全の増悪因子をアセスメントする	●病歴 ●検査データ ①腎	・現病歴・既往歴・家族歴 ・検査項目のデータや所見の異常の有無と程度を把握する ・尿量，尿比重 ・尿タンパク，尿中クレアチニン，血尿，血清クレアチニン，尿素窒素，尿酸 ・糸球体濾過量（GFR） ・腹部X線，腎エコー，腹部CT，腎生検 ・経静脈的腎盂造影，腎血管造影，MRI，核医学検査	・糸球体濾過量（GFR）：イヌリンなど尿細管で再吸収や再分泌されない物質を静注し尿中へのイヌリン排泄量を計測し糸球体濾過量を算出する（イヌリンクリアランス）． ・IgA腎症では，肉眼的血尿を認めることがある． ・臨床では簡易的に推算GFR（eGFR）が用いられる．eGFRの算出には以下の計算式を用いる． ・eGFR（mL／分／1.73 m²）＝ 0.741 × 175 ×年齢$^{-0.203}$ ×血清クレアチニン$^{-1.154}$（女性は×0.742） ・血清クレアチニンが2 mg/dLを超える場合，GFR区分G4以降に該当することが多く，重症度は高い． ・尿素窒素100 mg/dL以上，あるいは血清クレアチニン8 mg/dL以上になると尿毒症症状が出現することが多い． ・透析導入の基準は，第Ⅳ章-2「人工透析を受ける患者の援助」の項（p.167）を参照． ・血清カリウム値は5.5 mEq/L以上で食事療法にカリウム制限を加える必要がある．
	②循環・呼吸	・電解質（Na, K） ・胸部X線（心胸郭比，肺うっ血の有無） ・心電図，心エコー ・血液ガス分析	
	③消化・栄養	・BMI ・血清総タンパク・アルブミン ・消化管造影，内視鏡 ・便の性状，便潜血	
	④血液	・赤血球，ヘモグロビン，ヘマトクリット，血清鉄，鉄飽和率（TSAT），フェリチン ・血小板，出血時間，凝固時間，プロトロンビン時間，活性化部分トロンボプラスチン時間	
	⑤免疫 ⑥内分泌代謝	・白血球数，白血球分画，リンパ球数，CRP ・空腹時血糖，HbA1c ・血清コレステロール（HDL, LDL），トリグリセリド ・ホルモン検査（副甲状腺ホルモン，レニン活性，アルドステロン，インスリン，尿中Cペプチド） ・血液ガス分析（HCO_3^-, pH） ・副甲状腺シンチグラフィ	・糖尿病腎症患者では，慢性腎不全の悪化に伴い腎臓の糖新生機能が低下し血糖値が下がることがある．
	⑦骨・関節	・電解質（P, Ca） ・X線，骨密度検査	
	●徴候・症状 ①消化器症状	・各症状の有無と程度を把握する ・悪心，嘔吐，食欲不振，口腔内乾燥，口内炎，アンモニア様口臭，下痢	
	②循環・呼吸器症状	・浮腫，胸痛，不整脈，動悸，息切れ，呼吸困難	・糖尿病患者では糖尿病神経障害により胸痛などの疼痛の知覚が軽度な場合もあるため注意を要する．
	③末梢神経症状 ④中枢神経症状	・知覚異常（しびれ感，灼熱感），筋けいれん ・羽ばたき振戦，味覚異常，頭痛，嘔吐，けいれん，不眠，不安，理解力・集中力の低下，幻覚，意識障害	
	⑤皮膚症状 ⑥出血傾向	・皮膚搔痒感，色素沈着 ・皮下出血，鼻出血，歯肉出血，吐血・下血，性器出血，関節腔出血	
	⑦骨・関節症状 ⑧視力障害 ⑨生殖器症状 ⑩その他	・骨痛，関節痛，骨折 ・眼底出血，網膜浮腫 ・不妊，月経異常，インポテンツ ・全身倦怠感，易疲労感，抑うつ，腰背部痛，貧血症状（めまい，顔面蒼白，動悸，息切れ）	
	●バイタルサイン	・血圧，脈拍，呼吸，体温，体重，飲水量，SpO_2	

(つづき)

日常生活の側面 ● 慢性腎不全とその治療による身体症状および精神症状が日常生活に及ぼす影響をアセスメントする ● 慢性腎不全の増悪因子をアセスメントする	● 環境 ● 食事 ● 排泄 ● 睡眠 ● 清潔 ● 動作・活動 ● 趣味・余暇活動 ● 嗜好 ● セルフケア能力	・食事環境，受動喫煙の有無，室温調整の設備（寒冷刺激を避けられる場所か） ・食事内容・量，水分摂取量・食欲 ・尿量，性状，排尿回数，夜間頻尿の有無 ・便の性状，量，排便回数 ・睡眠時間，熟眠感の有無 ・入浴，洗面，歯磨き等の口腔ケア ・日常生活動作・運動の種類，量，時間，疲労感・脱力感，動作・活動制限の有無 ・趣味・余暇活動の状況 ・飲酒・喫煙の有無・程度 ・セルフケア実施状況：食事療法，運動療法，服薬管理，慢性腎不全の増悪を避ける生活管理など ・日常生活を調整しながら治療を継続する能力の有無・程度	
認知・心理的側面 ● 慢性腎不全および現行の治療が心理状態に及ぼす影響をアセスメントする ● 透析治療に対する心の準備状態をアセスメントする	● 疾患や治療の理解および受け止め ● 価値・信念 ● 対処方法 ● 心理状態 ● 認知能力	・慢性腎不全および増悪因子，現行の治療とその副作用に関する理解と受け止め，透析に関する理解と受け止め，腎移植に関する理解と受け止め ・何に価値を置き，何を大事にしているか，信仰する宗教は何か ・問題への対処パターン ・いらだち，不安，抑うつの有無や程度 ・ボディイメージと自尊感情 ・理解力・集中力・記憶力の低下の有無 ・視力，聴力	
社会・経済的側面 ● 慢性腎不全とその治療が社会・経済状態に及ぼす影響をアセスメントする ● 患者のサポート体制をアセスメントする	● 役割 ● 職業 ● 家族構成 ● 経済状態 ● ソーシャルサポート ● 家庭状況 ● キーパーソン	・職場・家庭における役割 ・学業・就業の有無，仕事内容，勤務時間，その他社会的活動，職場環境や人間関係 ・医療保険の種類，民間保険の加入の有無，医療費の支払い能力 ・友人・知人・同僚などのサポート体制，同病者との交流，社会資源の活用状況 ・病態や治療に関する家族の理解と受け止め，協力体制 ・キーパーソンは誰か	

2 ● 援助の方針

慢性腎不全患者の身体的，心理・社会的特徴をふまえて，援助の方針を次のように考える．

①慢性腎不全における定期受診およびセルフモニタリングの重要性を理解し，定期受診およびセルフモリタリングを継続して行うことができるように支援する．
②治療上必要な生活管理を主体的・継続的に実践し，かつ，その人らしく過ごせるように支援する．
③慢性腎不全に伴う症状を緩和し，身体的・精神的苦痛を軽減できるように支援する．
④病いを受容し，透析導入への心の準備ができるように支援する．

3 ● 看護活動

a. 症状マネジメント

慢性腎不全は進行とともに身体症状が出現し，末期には尿毒素の蓄積により苦痛を伴う

表Ⅴ-5-2　慢性腎不全に特有な症状とその対処法

主な症状	対処法
浮腫，高血圧(乏尿期)	食塩摂取量を制限する 医師の指示に従い水分摂取量を前日尿量＋500 mL 以内に制限する 医師の指示に従い利尿薬や降圧薬を服用する
脱水（多尿期）	多尿期は1日の尿量が1,500〜2,000 mL 程度維持できるように水分補給する
貧血	医師の指示に従いエリスロポエチン製剤や鉄剤を服用または静脈注射を受ける 鉄分を多く含む食品を摂取する ・鉄剤を服用する場合，服用直前・直後はタンニン含有物（緑茶や紅茶）の摂取を避ける
皮膚瘙痒感	リンを多く含む食品を制限する 部屋の加湿，保湿薬の使用により皮膚の乾燥を防ぐ ぬるま湯（可能なら水）での入浴・シャワー浴・清拭を行う 肌着や靴下は木綿や絹製品を使用し，ゴムの強い圧迫を避ける 皮膚に保湿薬やかゆみ止め薬を塗布する 医師の指示に従い抗ヒスタミン薬を服用する 皮膚をかきむしらないように注意し，爪は短く切る
出血傾向	粘膜や皮膚への圧迫や摩擦を避ける ・やわらかい毛の歯ブラシの使用，鼻を強くかまない，傷を作らないよう注意 冬場は部屋を加湿し鼻腔内の乾燥を防ぐ 努責を避ける ・排便コントロールを行い，重いものはもたない 黒色便があった場合はすみやかに受診し，医師の指示に従い対処する（※鉄剤の服用によって黒色便になる場合もある）
易感染状態	尿路感染を予防する ・シャワー浴や温水洗浄便座を利用し陰部を清潔に保つ ・排尿を我慢せず，医師の指示に従い飲水する 上気道感染を予防する ・外出後は手洗い・含嗽の励行 ・感染症の症状がある場合はすみやかに受診し，治療を受ける
嘔気，食欲不振	食事は消化のよいものを少量ずつ分食し，ゆっくり摂取する 胃粘膜への刺激が強いものや香りの強いものの摂取を避ける 口腔内を清潔にする

全身症状を呈する．慢性腎不全患者に特有の症状とその対処法を表Ⅴ-5-2にまとめた．

b. セルフモニタリング

慢性腎不全は自覚症状がないまま進行するため，腎機能障害の程度を把握するために定期的に受診し尿検査・血液検査を行う必要がある．とくに自覚症状に乏しい時期の患者には，定期受診・定期検査の必要性・重要性について十分に理解できるよう説明する．また，慢性腎不全の進行とともに全身倦怠感や貧血，高血圧や尿毒症症状が出現すること，末期には身体的症状だけでなく不眠や不安，幻覚といった精神症状も出現し抑うつ状態に陥りやすいことを説明し心身両面の変化をとらえていけるように指導する．ステロイド薬など治療薬の副作用について説明し，症状や徴候を早期に発見でき適切な対処につながるよう援助する．さらに，慢性腎不全の増悪因子に関する知識を提供し，身体および生活状況を査定できるように支援する．

c. 日常生活における教育的支援および援助

慢性腎不全の病態や病期，予後や治療についての正しい認識を促し，残腎機能をできるだけ長く維持できるようにセルフケアに関する教育的支援を行う．看護師は，患者および家族のライフスタイル，価値・信念を十分に考慮し，患者と家族がその人らしく生活できるよう，ともに考えていくことが重要である．さらに，患者・家族のセルフケアを振り返り，看護師は不適切な点の是正だけでなく肯定的なフィードバックを行うことで患者・家族のセルフケアに対する意欲を支え，セルフケアを継続できるよう援助する．セルフケアの指導基準として，CKD生活・食事指導基準を**表Ⅴ-5-3**に示す．

(1) 食事療法

保存期にある慢性腎不全患者の食事療法は，**塩分制限，低タンパクと適正なエネルギー**が基本となる．

塩分制限は，高血圧・尿タンパクの抑制と心血管疾患の予防を目的に行われる．塩分を

表Ⅴ-5-3 慢性腎不全の増悪因子とその対策

増悪因子	対策
高血圧，急激な血圧低下	・医師の指示のもと塩分制限を行う． ・降圧薬ののみ間違いがないよう適切に服薬する．
感染（尿路感染，全身性感染）	尿路感染を予防する． ・シャワー浴や温水洗浄便座を利用し陰部を清潔に保つ． ・排尿を我慢せず，医師の指示に従い飲水する． 上気道感染を予防する． ・外出後の手洗い・含嗽の励行． ・感染症の症状がある場合は，すみやかに受診し治療を受ける．
腎毒性薬物： 　解熱鎮痛薬（とくにNSAIDs），抗菌薬や血管造影剤の一種など	・市販薬の服用を避け，医療機関で処方を受ける． ・医療機関に治療・検査等で受診する際は，担当医に慢性腎不全であることを伝える．
脱水	・過度な減塩を避ける． ・多尿期は1日尿量が1,500〜2,000 mL程度維持できるように水分を補給する． ・多量の発汗がある場合は，こまめに水分を補給する． ・下痢や嘔吐がある場合は，医療機関で治療を受ける． ・利尿薬服用中は，医師の指示に従い服薬し，脱水にならないよう水分出納に注意する．
寒冷	・室温を調整する．冬場の浴室と脱衣場の温度差をなくす工夫をする． ・身体を冷やさないように衣服などで保温に努める
喫煙	・禁煙する．むずかしい場合は，禁煙外来の受診やその他の禁煙サポート資源を利用する．
尿路障害（前立腺肥大，尿路結石）	・泌尿器科に受診し治療を受ける． ・飲水を控えることがないように注意する．
過労	・規則正しい生活を送る． ・過労を避け，十分な休息をとる． ・必要時は産業医・産業保健師に相談し労働内容や労働時間を調整する． ・リラクセーションに心がけ，周囲のサポートや社会資源を十分に活用する．

制限してもおいしく食べられるように，調味料の使い方（計量して小皿に分けて直接つけて食べるなど）や酸味や香辛料の利用，だしのうまみを利かせるなどの調理の工夫，減塩食品の有効利用などを指導する．

　低タンパク食は，尿毒素であるタンパク質代謝産物の産生を最小に抑え，残存糸球体への過剰な濾過による負担を軽減する目的でGFR区分G3から行われる．エネルギー不足のままタンパク質制限を行うと体のタンパク質が分解されエネルギーとなり（体タンパクの異化亢進），クレアチニンなどのタンパク質代謝産物が増加するため，低タンパク食を行う際は炭水化物や脂質から適正エネルギーを摂取することが要件となる．タンパク質調整食品や粉あめなどの低甘味ブドウ糖重合体製品，でんぷん食品など治療用特殊食品を有効に取り入れ，低タンパク食を継続できるよう支援する．

　カリウムやリン，水分の制限は腎障害の程度に応じて必要時に行われる．カリウム制限は，高カリウム血症による致死的不整脈や心停止などを予防する目的で行われる．カリウムを多く含有する生野菜や果物の摂取を控えること，野菜やいも類を摂取する場合は，ゆでこぼしたり水にさらすことでカリウムを20〜30％減らすことができることを説明する．リンの制限は，高リン血症による筋肉のけいれん，皮膚瘙痒感や低カルシウム血症によるテタニー症状などを改善・予防する目的で行われる．リンはタンパク質に含まれていることから，高値の場合は低タンパク食の見直しを行い，リン含有量の多いタンパク質（魚肉ソーセージ，レバーなど）を控えるように指導する．その他，原因疾患やリスクファクター（危険因子），腎機能障害の程度によって食事療法の内容は異なるため，看護師は医師や栄養士と協働して個々の患者に合った栄養指導を行っていく．

（2）運動指導

　運動に伴う腎血流量の低下と体タンパクの異化亢進を回避するために，病状に応じて運動制限が必要となる．しかし，過度な制限は心身の健康を損ない，患者のQOLの低下につながる．患者の血圧，タンパク尿，腎機能障害の程度や病期・病態，臨床経過に合わせて個々の患者の生活指導内容（運動制限）を検討し，評価・修正を加えていく過程が必要となる．成人のCKD生活・食事指導基準を**図Ⅴ-5-3**に示す．

（3）慢性腎不全の増悪因子とその対策

　慢性腎不全の進行阻止のためには，原因疾患および**生活習慣病**のコントロールを前提に，慢性腎不全の増悪因子を避けるまたはコントロールするための生活調整が必要である．慢性腎不全の増悪因子とその対策は**表Ⅴ-5-3**に示した．妊娠・出産については慢性腎不全の悪化が危惧されるため，必ず担当医に相談するように指導する．

（4）服薬指導

　ステロイド薬を服用している患者のなかには，副作用をおそれ自己判断で減量・中止する者がいる．治療の必要性を十分に説明したうえで，自己判断による服薬の減量や中止は**血圧低下**や**ショック**などの離脱症候群や病態の悪化につながる危険性があるため，必ず医師と相談のうえで服薬調整を行うように指導する．免疫抑制薬のカルシニューリン阻害薬（ネオーラル®，プログラフ®）を併用している患者には，免疫抑制薬の血中濃度が高くなるグレープフルーツや血中濃度が低くなるセントジョンズワート（ハーブの一種）を摂取しないように指導する．また，ステロイド薬や免疫抑制薬の服用中は易感染性が高まるこ

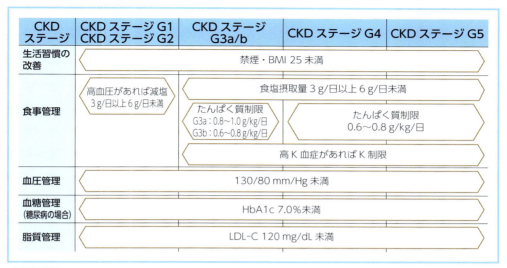

図Ⅴ-5-3　CKD生活・食事指導基準（成人）
［日本腎臓学会：医師・コメディカルのための慢性腎臓病 生活・食事指導マニュアル，p.86, 2015より許諾を得て転載］

とから，感染予防の必要性と対処方法について説明する．

　ループ利尿薬は，体液貯留に伴う高血圧を改善する一方で，利尿作用が強いため血圧低下や脱水に注意する必要がある．

　その他，病態の是正を目的とした複数の薬剤を服用することが多くなるため，のみ忘れを防ぐ方法やのみにくい薬をのみやすくする工夫などについて提示し，継続服用できるように薬剤師とともに指導にあたる．

(5) 緊急時の対応

　尿毒症症状，とくに代謝異常に基づく中枢神経障害は病態が重篤であることを示している．患者の身近にいる家族に対し，頭痛や嘔吐，けいれん，意識障害は重篤な状態を示すサインであることを説明し，患者が嘔吐している場合は，誤嚥を予防するために側臥位（そくがい）に寝かせるように，また，意識障害がある場合は患者を安静に臥床させ，主治医に連絡をとり，救急車などを利用しすみやかに受診するように指導する．

d. 心理・社会的支援

　診断・告知や腎機能悪化に伴う喪失体験，透析導入の決断など，患者は長い療養過程で慢性腎不全に伴ういくつかの危機的状況に直面する．患者が思いを語り感情を表出できる場を提供し傾聴するとともに，患者の心理状態を把握し，危機理論を参考に心理過程に合わせた支援が必要である．また，患者は治療上求められる生活上の制限，とくに食事療法を継続していくことに多大な忍耐を要するため，看護師はこの苦労を共感的に理解しねぎらい，肯定的なフィードバックにより患者の意欲を支えていく．透析治療に不安や恐怖を抱く患者のなかには不適切な情報に翻弄（ほんろう）され恐怖心を強める者もいるため，現状に合った正しい知識と情報を提供し，透析治療に関する予測可能な問題に対しては具体的な対処法を提示することで，予期的不安を緩和することができる．また，慢性腎不全患者は抑うつ

状態に陥りやすいため，身体的苦痛の緩和をはかるとともに，精神科医や心療内科医，**精神看護専門看護師（リエゾンナース）** などの専門職者が協働し，患者の心理的サポートが行えるよう調整することも重要である．さらに，同病者間で体験的知識を共有し情緒的サポートが得られるように，患者会やサポートグループの参加方法や参加のメリット，デメリットなど具体的な情報を提供する．

なお，慢性腎不全の原疾患が指定難病に認定されている場合は，医療費の患者負担分の一部またはすべてについて国と都道府県から公的助成を受けることができる．あるいは，腎機能障害の程度により身体障害者手帳を取得でき，これに伴いさまざまな福祉サービスの利用が可能となる．患者が社会資源を十分に活用できるようメディカルソーシャルワーカー（MSW）と連携し支援する．

e. 家族への支援

家族もまたさまざまな不安や戸惑いをかかえるため，患者と同様，心理過程に合わせた支援が必要となる．家族が思いを語り感情を表出できる場を提供する．また，患者が食事療法や生活改善などの自己管理を続けていくためには家族の協力が必要である．看護師は家族の生活状況も考慮して患者をサポートする具体的な方法を家族とともに考えていく．患者が慢性腎不全の悪化や治療の副作用などにより抑うつ状態に陥りやすいことを説明し，家族の情緒的サポートの重要性を伝え，患者への対応について話す機会を設ける．

学習課題

1. GFR区分のG4～G5で出現する症状を挙げてみよう
2. 慢性腎不全の増悪因子を説明してみよう
3. 保存期にある慢性腎不全患者の食事，運動，服薬における指導のポイントを挙げてみよう

練習問題

Q1 慢性腎不全で正しいのはどれか．
1. もっとも多い原因疾患は，腎硬化症である．
2. GFR区分G3より高血圧や貧血がみられるようになる．
3. 高タンパク食が必要である．
4. カリウム制限が必要な場合は，生野菜や果物の摂取を控える．

［解答と解説 ▶ p.528］

V-5. 腎・泌尿器系の障害を有する人とその家族への援助

2 前立腺がん

この節で学ぶこと
1. 前立腺がん患者の身体的，心理・社会的特徴を述べることができる
2. 前立腺がんで内分泌療法を受けている患者の特徴を説明できる
3. 内分泌療法（ホルモン療法）を受ける前立腺がん患者の看護目標および看護の特徴を説明できる

A. 前立腺がん患者の身体的，心理・社会的特徴

　前立腺がんは男性に特有のがんであり，2018年の罹患数予想は，92,021人（第1位）で，65歳以上で増加する．死亡数は12,544人（2019年）で，第7位である．**前立腺特異抗原**（prostate specific antigen：**PSA**）による診断方法の普及により，罹患率の年次推移は，1975年以降増加している．

　前立腺がんは，前立腺の細胞が正常の細胞増殖機能を失い，無秩序に自己増殖することにより発生する．最近，遺伝子の異常が原因といわれているが，正常細胞がなぜがん化するのかまだ十分に解明されていないのが現状である．外的要因としては，ミルクや油脂などが示唆されている．前立腺がんがよく転移する臓器としてリンパ節と骨，肺が挙げられ，腰痛や病的骨折，肺転移により発見されることも特徴の1つである．

　前立腺がんは，**グリーソンスコア**（表V-5-4）とよばれる病理学上の分類を使用し，「PSA監視療法（待機療法）」「手術療法」「放射線治療」「内分泌療法（ホルモン療法）」「化学療法」という治療法がある．

　治療選択の大切なポイントは，発見時のPSA値，腫瘍の悪性度（グリーソンスコア），

表V-5-4　グリーソンスコア：前立腺がんの悪性度を病理学的に分類したもの

①針生検で組織を採取し，顕微鏡でがんの悪性度を検査する
②検査する組織の悪性度を領域ごとに5段階（1が悪性度が低く，5が悪性度が高い）に分類する
③5段階に分類した各領域のうち，もっとも面積の大きかった領域と2番目に面積の大きかった領域の悪性度（1～5）を合計する
　【例】もっとも多い成分が〔3〕で，次に多い成分が〔4〕の場合，〔3〕＋〔4〕＝〔7〕と評価
④ ③で計算した値でグリーソンスコアを評価する（2～10までの9段階に分類される）
　〔評価〕6以下：比較的進行の遅いおとなしい高分化型
　　　　　7：中等度の悪性度（もっとも多い）
　　　　　8～10：悪性度の高い低分化／未分化型

［国立がん研究センターがん対策情報センター：前立腺がん［がん情報センター］，〔http://ganjoho.jp/public/cancer/prostate/index.html〕（最終確認：2023年1月10日）を参考に作成］

表Ⅴ-5-5 転移のない前立腺がんに対するNCCNリスク分類

リスク分類	腫瘍の大きさの病期分類，グリーソンスコア，PSA値
低リスク	病期T1～T2a，グリーソンスコア6以下，PSA値10 ng/mL未満
中間リスク	病期T2b～T2c，グリーソンスコア7，またはPSA値10～20 ng/mL
高リスク	病期T3a，グリーソンスコア8～10，またはPSA値20 ng/mL以上

[NCCN®腫瘍学臨床診察ガイドライン，前立腺癌，2019年 第4版を参考に作成]

病期診断（表Ⅴ-5-5），患者の年齢と期待余命，患者の病気に対する考え方などである．
　前立腺がんの予後は，全身状態，年齢，病期およびがん細胞の性質（分化度），治療法などにより決まり，前立腺内に限局したがんで手術療法の場合は10年生存率90%以上が期待されるが，遠隔転移のある前立腺がんは予後不良で5年生存率は20～30%となっている．

1 ● 身体的特徴

a. 高齢者に多く，積極的治療の対象にならないことが多い

　前立腺がんは，年をとることによって多くなるがんの代表で，ラテントがん（比較的進行が遅い）および悪性度の高いがん（時間の経過とともに進行し，臨床的に診断される）がある．
　高齢者のラテントがんは，70歳以上で2～3割，80歳以上で3～4割に存在し，25%から半数程度は寿命に影響を及ぼさないと考えられている．低リスク（表Ⅴ-5-5）の場合，「PSA監視療法」となる場合がある．診断後3～6ヵ月ごとの直腸診とPSA検査，および1～3年ごとの前立腺生検により，がんの進行状態を検査しながら，がんとともに生きていくことが多い．多くの患者は先の予測のつかない不安をかかえて生きていくことになる．

b. 積極的治療により排尿障害や性機能障害が出現しやすい

　手術療法および放射線治療では根治が期待できるが，機能障害（排尿障害や性機能障害）が伴う．患者は，排泄スタイルの変化，セクシュアリティパターンの変調，ボディイメージの変容という問題に直面しやすい．
　近年では，ロボット支援前立腺全摘出術が普及しており，低侵襲となっている．また，強度変調放射線治療（IMRT）や粒子線治療を行う施設も徐々に増え，より副作用が少ない治療となりつつある．

c. 内分泌療法（ホルモン療法）は，治療期間が長く，やがて再燃をする

　前立腺がんの内分泌療法は，高齢者，手術療法や放射線治療を受けることがむずかしい場合，放射線治療との併用，進行がんの場合に行われる．内分泌療法は，①精巣を手術的に除去，②LH-RHアナログ注射，③Gn-RHアゴニスト（リュープロレリン，ゴセレリン酢酸塩，デガレリクス酢酸塩），④抗男性ホルモン内服薬（フルタミド，ビカルタミド），⑤女性ホルモン薬（エストロゲン），⑥副腎皮質ステロイド薬（プレドニゾロン）である．内分泌療法の問題点は再燃（治療を続けていると，いずれは反応が弱くなり，落ち着いていた病状がぶり返す）で，いずれの治療においても完治することはまれである．患者は，再燃，治療薬の変更を繰り返しながら，年単位の長期治療を強いられ，治療の効果に一喜

一憂しながら長期間治療に取り組んでいる．

d. 女性ホルモン薬による心臓や脳血管への影響

女性ホルモン薬は心臓や脳血管に悪影響を及ぼし，重篤な場合には心不全や脳梗塞などが起こることがある．高齢者の場合，各臓器機能低下や合併症をかかえているリスクが高く，また症状の出現パターンがゆっくりである．

2 心理・社会的特徴

a. 突然のがんの告知と羞恥を伴う検査

前立腺がんに特異的な臨床症状はない．前立腺の肥大症状である排尿困難，頻尿，残尿感，夜間多尿，尿意切迫，下腹部不快感などの症状のため病院を受診した際に，前立腺がんの検診が併せて施行され，前立腺がんが発見されることが多い．前立腺がんの診断にはPSA，直腸診，経直腸的前立腺エコー，前立腺系統的生検が行われる．

患者は，がんを疑うことなく，医療機関を受診し，結果としてがんと確定されることになる．患者および家族は，予測もしていなかった突然のがんの告知に戸惑い，心理的苦痛は大きいと考えられる．また，確定診断のためとはいえ，肛門部や男性外性器など患者にとって羞恥を伴う検査のため，患者の自尊心も大きく揺らぐ．患者は，自尊心の傷ついた状態で，突然のがん告知という大きな衝撃を受けることになる．

b. 内分泌療法による更年期症状

内分泌療法の一般的な副作用は，ホットフラッシュ（hot flash），性機能障害，骨粗鬆症，糖や脂質の代謝異常などである．抗男性ホルモン薬を使用した場合には，乳房の女性化，乳房痛，下腹部に脂肪がつきやすい，体重増加などの副作用が起こる．男性患者にとって，女性化・男性性を喪失することは，自己概念の混乱につながり，セクシュアリティパターンの変調や心理・社会的苦痛を伴う．

c. 妻（およびパートナー）との関係性へも影響

セクシュアリティパターンの変調という問題は，患者のみならず，妻（およびパートナー）にも影響を及ぼす．性に対する考え方や性生活活動といった性的ヒストリーとともに，副作用による性機能障害，とくに勃起障害による妻（およびパートナー）との関係への影響も留意する．患者および妻（およびパートナー）は，苦痛をかかえていても，恥ず

かしさで表現しにくい状況もありうる．

B. 前立腺がん患者および家族への援助

1 ● 看護アセスメント

前立腺がんは，高齢者に多く，特異的な症状がない．そのため，その診断においては，患者の排尿習慣や日常生活上の変化を問診しながら検査データ（PSA）をチェックしていく．また確定診断のため，肛門部や男性外性器など患者にとって羞恥を伴う検査が行われる．そのため，検査目的およびその方法を十分説明し患者の協力を得ながら進める必要がある．さらに治療は，患者の希望に沿って行われるため，身体的側面，日常生活の側面，認知・心理的側面，社会・経済的側面を総合的にアセスメントすることがポイントである．アセスメントの目的およびその項目を表Ⅴ-5-6にまとめた．

2 ● 援助の方針

前立腺がん患者の身体的，心理・社会的特徴をふまえて，援助の方針を次のように考える．

①診断時は，羞恥を伴う検査の苦痛を緩和し，問診，検査データを総合的に把握し，病気および治療の理解を促して，自分の意思で治療方法を選択できるよう支援する．
②治療時は，内分泌療法による副作用についての理解を促し，日常生活の調整，とくに妻（およびパートナー）との関係をお互いに相談・調整しながら，治療が継続できるよう支援する．
③再燃時は，副作用をセルフケアしながら治療を続けてきたことに対して十分ねぎらい，再燃による心理的苦痛を軽減し，今後の治療について意思決定できるよう支援する．

3 ● 看護活動

a. 症状マネジメント

前立腺がんの患者は，高齢者に多く，前立腺肥大症状を加齢による変化であるととらえていたり，骨や肺の遠隔転移による症状である痛みや日常生活上の困難をかかえて医療機関を訪れることも少なくない．看護師は，患者のかかえる自覚症状を中心に前立腺肥大に伴う症状などを系統的に情報収集していくことが必要である．前立腺の肥大症状として現れる排尿困難，頻尿，残尿感，夜間多尿などの症状は，患者の夜間の睡眠状態や熟睡感，日中の生活行動に影響することもあるため，患者の生活リズムとともに主観的・客観的情報を収集していく．また骨や肺に遠隔転移がある場合は，痛みや咳・息苦しさなどから日常生活行動に支障をきたしていないか（とくに，歩行に制限をきたしていないか，自然な姿勢で生活が維持できているかなど），生活の変化により心理・社会的問題をかかえていないかを観察していくことも重要である．

b. 治療選択における意思決定に関する支援

前立腺がんの治療には，特別な治療を実施せずに当面経過観察する「PSA監視療法（待機療法）」があり，期待余命により治療内容が選択されるという，ほかのがんとは異なる

表 V-5-6　前立腺がん患者の看護アセスメント

目的	アセスメント項目		備考
身体的側面 ●前立腺がんの症状および病期をアセスメントする ●前立腺がんのリスク要因，前立腺肥大症状および転移症状や診断・病期確定のための検査データや所見を把握する	●病歴 ①家族歴 ②既往歴 ●検査データ ①前立腺特異抗原（PSA）： 　タンデムR法 ②直腸診 ③経直腸的前立腺エコー 　（TRUS） ④病理組織検査： 　グリーソンスコア（表Ｖ-5-4） ⑤病期診断 　腹部・骨盤CT 　骨盤MRI 　骨シンチグラム ⑥遺伝子検査 ●徴候・症状 ①前立腺の肥大症状 ②転移症状 　骨転移 　肺転移 ●リスク要因	・前立腺がんの兄弟または父親の有無 ・母親または姉妹における乳がんまたは卵巣がんの有無 ・黒色腫および膵がん，大腸がんの家族歴の有無 ・前立腺肥大症，前立腺の炎症や感染症の有無 ・PSAの値によりがんのリスクを判断する（PSAの基準値0〜4.0 ng/mL） ・4〜10 ng/mL：「グレーゾーン」25〜30％にがんが発見される ・10 ng/mLを超える場合：50〜80％にがんが発見される ・100 ng/mLを超える場合：前立腺がんが強く疑われ，さらには転移も疑われる ・前立腺の大きさ・硬さ・病変の有無，左右対称性 ・前立腺の容積 ・BRCA1，BRCA2，ATM，CHEK2，RAD51D，PALB2，ATR，MUTYM，BRIP1，など ・排尿困難，頻尿，残尿感，夜間多尿，尿意切迫，下腹部不快感，血尿など ・腰の痛み，仙骨部の痛み，殿部痛，だるさ，歩きにくさ ・咳や体動時の息苦しさ ・確立したリスク要因：高齢者，黒人，前立腺がんの家族歴 ・リスク要因：脂質，乳製品，カルシウム ・予防要因：野菜・果物，カロテノイド（なかでもリコペン），ビタミンE，セレン，ビタミンD，イソフラボンなど	・前立腺がんの家族歴は罹患リスクを約2.4〜5.6倍に高める． ・遺伝性乳がん・卵巣がん（HBOC）症候群およびリンチ症候群との関連が認められている． ・PSAは前立腺肥大症や前立腺炎でも上昇する． ・PASは年齢とともに上昇する． 　PSAの基準値 　　50〜64歳：3.0 ng/mL以下 　　65〜69歳：3.5 ng/mL以下 　　70歳以上：4.5 ng/mL以下 ・PSAは前立腺がんの特異的腫瘍マーカーであるため，検診，治療内容の選択やその効果評価にも用いられる． ・PSA値に異常が認められる場合，直腸診，経直腸的前立腺エコーが行われ，確定診断は前立腺系統的生検による病理組織検査の所見である． ・前立腺がんは腫瘍の悪性度により治療方法が選択され，グリーソンスコア（表Ｖ-5-4）とよばれる病理学上の分類を使用する． ・また，がんの広がりを確認するため，CTあるいは，MRI，骨シンチグラムが施行される． ・治療法には，「PSA監視療法」「フォーカルセラピー」「手術（外科治療）」「放射線治療」「内分泌療法（ホルモン療法）」「化学療法」がある． ・病期分類は，わが国では一般的にNCCNリスク分類（表Ｖ-5-5）が使用されている．曖昧さを含んでいるため，可能なかぎりTNM分類（改定第8版（2017年））に従って分類することが推奨されている． ・骨転移のある場合，血清カルシウム値が上昇することがある．

(つづき)

●内分泌療法に伴う身体的苦痛の有無・程度, 効果をアセスメントする	●副作用症状	・ホットフラッシュ (hot flash): 急激に発汗する, のぼせる, 身体がカーッとなる, 肩こり, 感情・気分の起伏が激しくなる ・性機能障害: 勃起不全 ・女性化症状: 乳房痛, 下腹部の皮下脂肪 ・その他: 関節痛, 食欲増進, 体重増加, むくみ, 肝機能障害, 骨粗鬆症 ・バイタルサイン	・女性ホルモン薬を使用している場合: 心臓や脳血管に悪影響 (浮腫・血栓) を及ぼし, 重篤な場合には心不全や脳梗塞などが起こることがあるため, 定期的に脈拍・血圧などのバイタルサインを測定し, 不整脈や胸部不快症状などがあれば, すみやかに医師に報告をして, 心電図, 胸部X線, CT, MRIなどを行う.
日常生活の側面 ●前立腺がんとその治療による身体症状および精神症状が日常生活に及ぼす影響をアセスメントする	●環境 ●食事 ●排泄 ●睡眠 ●動作・活動 ●趣味・余暇活動 ●セルフケア能力	・水分摂取量, 食事内容と量, 食欲 ・排尿回数, 排尿量と性状, 排尿困難感, 頻尿, 残尿感, 夜間多尿, 尿意切迫, 下腹部不快感など ・夜間の排尿のための中途覚醒の有無や睡眠時間や質 ・骨転移のある場合: 痛みによる睡眠障害の有無 ・どのような動きが障害されているか (骨転移のある場合: 臥床→座る, 立ち上がりなどの様子を詳しく把握する) ・どのような趣味・余暇活動を行っているか, 患者が行っている工夫 ・日常生活を調整しながら治療を継続する能力の有無, 程度 ・日常生活において自分でできること, できないことを把握する	・前立腺がんによる前立腺の肥大症状, 骨転移による症状により影響を及ぼす日常生活についてアセスメントしていく.
認知・心理的側面 ●前立腺がんとその治療が心理状態に及ぼす影響をアセスメントする	●疾患や治療の理解および受け止め ●価値・信念 ●対処方法 ●心理状態 ●妻 (およびパートナー) との関係	・がんの主病巣 (前立腺) や浸潤から起こる症状および転移による症状, 治療およびその副作用を, どのように理解し, 受け止めているか ・教育するうえで必要な理解力の有無, がんに対するイメージや受け止め方 (過去にがんに罹患した人が身近にいたのか, その人から受けたイメージなど) など ・何に価値を置いているか, 何を大切にしているか, 死に対するイメージなど ・これまで問題にどのように対処してきたか (コーピングパターン) ・いらだち, 不安, 抑うつ, あせり, 怒り, あきらめなどの有無や程度 ・恋愛観, 愛情の深さや表現の方法 (性交渉の頻度や考え方など), いま問題となっている性の問題についてなどを妻 (およびパートナー) と話し合うことができるか ・性的ヒストリー: 通常の性的パターン, 患者・妻 (およびパートナー) の満足度	・患者が治療を自己決定していくことも念頭に認知・心理的側面をアセスメントしていく. ・ホルモン療法により起こる女性化症状や性機能障害が及ぼす影響をアセスメントしていく.
社会・経済的側面 ●前立腺がんとその治療が社会・経済状態に及ぼす影響をアセスメントする	●役割 ●職業 ●家族構成 ●家族の状態 ●キーパーソン ●経済状態 ●ソーシャルサポート	・家庭内における役割, 職場における地位・役割, 地域社会への参加状態や役割 ・就業の有無, 仕事内容, 勤務時間, 労働量, 通勤時間, 通勤方法, 職場環境や人間関係 ・家族構成 ・何人暮らしか ・家族の病気や治療への理解状態および受け止め, 協力体制の状態 ・家族や周囲の人でキーパーソンは誰か ・医療保険の種類, 民間保険 (がん保険なども含む) の加入の有無, 年金などの加入および給付の有無, 医療費の支払い能力の有無 ・友人・知人・同僚・患者会などのサポートの有無, 利用できる社会資源	

治療方法や決定に際しての特徴がある．治療方法の決定は，発見時のPSA値，腫瘍の悪性度（グリーソンスコア），病期診断，患者の年齢と期待余命（期待される寿命），患者の病気に対する考え方などをもとに医師から提案がなされ，患者が治療方法を自己選択する．患者に対して十分な情報（がんであること，治療内容・副作用，治療により期待できる効果や限界など）を提供することで，患者自身が自分の置かれている状態を正確に理解して，今後自分の日常生活に起こり得ることをイメージした上で，治療方法を選択できるようサポートする．

内分泌療法は治療を続けると，再燃とよばれる治療抵抗性となり，薬剤を変更する（LH-RHアナログ注射→女性ホルモン薬→副腎皮質ステロイド薬）ことも多い．患者のがんの治癒に期待する思いや治療に関する認識の変化に留意しながらかかわることが重要である．

c. セルフモニタリング

内分泌療法は，ほかのがんの集学的治療に比べて比較的侵襲が少ないが，年単位の長期治療になることが多い．また，重篤な副作用は少ないが，ホットフラッシュ，勃起不全，女性化症状など，患者のセクシュアリティやQOLに関連する副作用が継続する．治療開始の際には，患者が治療の作用・副作用を理解し，長期にわたってセルフモニタリング・セルフケアができるよう指導する．高齢者の場合は，具体的な症状を説明しながら，継続的に看護師がかかわりながらセルフモニタリングできるよう励ます．

女性ホルモン薬の長期治療患者の場合，心臓や脳血管に悪影響を及ぼし，重篤な場合には心不全や脳梗塞などが起こることがある．脳・心血管系合併症の早期発見に留意する．治療期間中のモニタリングとして，定期的に脈拍・血圧などのバイタルサインを測定し，不整脈や胸部不快症状などがあれば，すみやかに報告をするよう指導しておくことが必要である．

d. 性的問題に関する教育的支援および心理・社会的支援

疾患そのものがセクシュアリティに関与する部分であることに加え，男性患者にとって，女性化することや男性性を喪失することは，自己概念の混乱につながり，セクシュアリティパターンの変調や心理・社会的苦痛を伴う．患者の性的ヒストリーとともに，副作用による性機能障害，とくに勃起障害による妻（およびパートナー）との関係に影響することに配慮しながらかかわる．

相談できず患者1人で悩んでいるかもしれないことも考慮して，患者が高齢であっても看護師のほうから尋ねることが望ましい．患者の自尊心を傷つけないように，プライバシーの保てる個室でゆっくりと援助する．

e. 家族への支援

性的問題に関しては，患者だけがかかえている問題ではなく，妻（およびパートナー）が悩み，患者にも気づかいながら誰にも相談できないでいる場合もある．そのことを考慮しながら情報をアセスメントして心理・社会的苦痛を把握していく．家族の思いを汲み取りながら，患者の相談や教育的介入とは別に，看護師のほうから妻（およびパートナー）に対しても相談の機会をもつことも大切である．当事者だけに問題解決をまかせるのではなく，看護師がその調整をはかる必要性を査定しつつ，プライバシーを守りながらかかわ

ることも重要である．

　性的ヒストリーについては，通常のセクシュアリティパターンや患者本人・妻（およびパートナー）の両者の満足度が関与しているため，いま障害となっている性の問題についてわからないことがあれば尋ねるように勧める．また心配なことを相手に話すことの必要性，お互いに心身の状態を思いやりながらかかわり合うことなどを勧め，両者で解決できるように促す．

学習課題

1. 前立腺がん患者が治療を選択する際の支援について述べてみよう
2. 前立腺がんの高齢患者の身体的アセスメント項目について説明してみよう
3. 前立腺がん患者のセクシュアリティに対する支援の内容を挙げてみよう

練習問題

Q1 内分泌療法（ホルモン療法）を受ける前立腺がん患者の留意する副作用として適切なのはどれか．2つ選べ．

1. 肺炎
2. 骨粗鬆症
3. 便秘
4. 貧血
5. 脳梗塞

［解答と解説 ▶ p.528］

V-6. 血液・免疫系の障害を有する人とその家族への援助

1 再生不良性貧血

この節で学ぶこと
1. 再生不良性貧血患者の身体的，心理・社会的特徴を説明できる
2. 再生不良性貧血患者の症状の変化のアセスメント内容について説明できる
3. 再生不良性貧血患者の症状の悪化時の対処とケアについて説明できる
4. 再生不良性貧血患者の日常生活における教育的支援および援助について述べることができる

A. 再生不良性貧血患者の身体的，心理・社会的特徴

再生不良性貧血（aplastic anemia）は，骨髄の血球産生低下により，末梢血での汎血球減少症と骨髄の低形成を特徴とする造血障害である．再生不良性貧血は指定難病として認定されており，特発性の場合，原因不明である．先天性の場合はファンコニ（ー）貧血を合併する．かつては血液難病の代表的疾患としてとらえられていた．患者の血液中には造血幹細胞を攻撃するTリンパ球が出現することから自己免疫疾患としてとらえられ，近年，造血幹細胞移植，免疫抑制療法などの進歩により血液疾患のなかでも治療効果の得られやすい疾患の1つになっている．2004～2012年の発症患者数は人口100万人あたり8.2人前後とされており女性が男性より約1.16倍多く，10～20歳代と70～80歳代に多い傾向がある[1]．

軽症の場合は，輸血を定期的に行い，タンパク同化ステロイド（プリモボラン®）の内服が行われ，さらに症状が進むと免疫抑制療法として抗胸腺細胞グロブリン（anti-thymocyte globulin：ATG），抗リンパ球グロブリン（antilymphocyte globulin：ALG），免疫抑制薬（シクロスポリン）が用いられる．年齢が50歳未満でヒト白血球抗原（human leukocyte antigen：HLA）の適合するドナーが見つかれば造血幹細胞移植を行う．とくに発熱があるような重症患者の場合は，免疫抑制療法による治療が困難である．治療は重症度や治療開始時期の遅れにより免疫抑制療法の効果が出にくくなるため，病状に合った治療をできるだけすみやかに開始することが重要である．再生不良性貧血の患者の主な身体的，心理・社会的特徴を以下に述べる．

1 ● 汎血球減少による貧血，出血，易感染状態

ヘモグロビン（Hb）値が6.0 g/dL以下に低下すると貧血症状（顔面蒼白，息切れ，動悸，めまい，易疲労感，頭痛など），血小板が50,000/μL以下に低下すると出血傾向（皮下出血，歯肉出血，鼻出血，眼底出血など）が起こる．また，重症では血尿，性器出血，

消化管出血，脳出血などがある．白血球（とくに好中球）減少のある場合は，発熱や易感染状態となる．

2● 長期の治療による発達課題の阻害

若年での発症は，長期に及ぶ治療が必要になるため，汎血球減少によるセルフケアと治療による生活の制限があり，先の見通しが立ちにくいことによる不安，社会的・経済的自立の障害，女性の場合，妊娠・出産への障害など**発達課題**が阻害され，自己実現の欲求が満たされないことがある[2]．また，重症化した場合，造血幹細胞移植（**骨髄移植**）が適応となるが，HLA適合の同胞がドナーの第1選択になることや，予後不良である場合が多く，患者・家族は葛藤が大きい．

B. 再生不良性貧血患者および家族への援助

1● 看護アセスメント

再生不良性貧血の診断・治療には再生不良性貧血の重症度分類の診断基準を用いる．汎血球減少の評価には末梢血の血球分類，**骨髄穿刺**，骨髄生検が必要で，これらの検査には疼痛が伴うため，検査には十分な説明を行い，不安や疼痛が軽減できるよう声をかけ，環境を整えることが必要である．また，再生不良性貧血の症状は持続的に起こるため，日常生活や社会・経済面などへの影響があり，これらを**表Ⅴ-6-1**にまとめた．

2● 援助の方針

再生不良性貧血患者の身体的，心理・社会的特徴をふまえて，援助の方針を次のように考える．

> ①病気および治療の理解を促して，前向きに治療に取り組めるように援助する．
> ②日常生活をセルフマネジメントし，その人らしい生活が再調整できるように支援する．
> ③重症の場合は，苦痛症状を緩和し前向きに治療に取り組めるよう支援する．

3● 看護活動

a. 症状マネジメント

汎血球減少による**貧血症状**，**出血傾向**，全身倦怠感・易疲労感，感染などがあり対処方法については**表Ⅴ-6-2**に示すとおりである．

軽症の場合，慢性的な貧血状態では自覚症状がない場合がある．頭痛や疲労感，皮下出血斑などが患者に出現している症状を再生不良性貧血の汎血球症状に結びつけて説明する．また，このとき貧血症状，出血傾向，易疲労感，発熱などに必要な対処方法を説明する．貧血症状と易疲労感は低酸素状態によって起こるため，無理な活動を避け安静に努める．慢性的な貧血の場合，代償性に脈拍が増加し自覚症状が出にくいので，脈拍の測定など簡便なセルフチェックができるよう指導する．

出血傾向は，皮膚・粘膜の表在性のものと，臓器・組織内部で起こる場合とがある．転

表V-6-1　再生不良性貧血患者の看護アセスメント

目的	アセスメント項目		備考
身体的側面 ● 再生不良性貧血の重症度をアセスメントする ● 再生不良性貧血の症状に伴う身体的苦痛の有無・程度をアセスメントする	● 病歴	・現病歴：めまい，頭痛，倦怠感，心拍数の増加や動機，息切れ，顔色の蒼白，易感染，点状出血，紫斑，鼻出血，歯肉出血，血尿，下血など ・既往歴：ファンコニ貧血（10歳までに80%以上発症）	
	● 検査データ ①血液系	・検査項目のデータや所見の異常の有無と程度を把握する ・赤血球数，白血球数，リンパ球数，血小板数 ・網赤血球数の変動（絶対数＝赤血球数×%） ・白血球分画	・汎血球減少（成人） 　ヘモグロビン濃度： 　　男性12.0 g/dL以下 　　女性11.0 g/dL以下 　白血球数：4,000/μL以下 　血小板数：$10×10^4$/μL以下
	②骨髄系	・骨髄穿刺：細胞数の減少の有無，巨核球の減少の有無とリンパ球の比率の増加の有無，造血細胞の異型性の有無 ・骨髄生検：造血細胞の減少，脂肪組織の増加する低形成	・免疫抑制薬の副作用の評価を行う． ・ヘモグロビン7 g/dL以上を維持するよう白血球除去赤血球を輸血する． ・好中球500/μL以下で感染症がある場合，G-CSFを投与する．
	③免疫系 ④呼吸・循環器系	・CRP，末梢血内のTリンパ球の有無 ・胸部X線，胸部CT，呼吸機能検査，血液ガス分析，心電図，心エコー	・貧血による全身状態への影響を評価する． ・赤血球輸血によるヘモクロマトーシス（皮膚色素沈着，糖尿病，肝硬変など）の評価を行う．
	⑤消化器系 ⑥中枢神経系	・肝機能検査：AST，ALT ・食前血糖値，HbA1c ・意識レベル，瞳孔不同，呼吸状態，いびきの有無	・免疫抑制療法の副作用予防のためにステロイドを用いることにより消化器症状，高血糖をきたすことがある． ・脳内の出血に注意する．
	● バイタルサイン	・体温，脈拍，血圧，呼吸数 ・アナフィラキシーショックの有無：皮膚紅潮，瘙痒感，膨隆疹，発熱，頻脈，悪寒，血圧低下，口腔内の違和感，口唇のしびれ，喘鳴など	・輸血時や免疫療法開始時にはアナフィラキシーショックを起こす可能性があるため，患者に異常時にはすぐ医療者にいうよう説明し，すみやかに医師に伝え対処する．
	● 徴候・症状	・貧血症状：顔面蒼白，息切れ，動悸，めまい，易疲労感，頭痛など ・出血傾向：皮下出血，歯肉出血，鼻出血，眼底出血など ・重症：血尿，性器出血，消化管出血，脳出血など ・好中球減少のある場合：発熱	・慢性的に好中球減少が継続している場合，500/μL以下でも重篤な感染症は起こらないが，重症で好中球減少が進行している場合，突然敗血症を起こす場合がある．
日常生活の側面 ● 再生不良性貧血とその治療による身体症状および精神症状が日常生活に及ぼす影響をアセスメントする	● 環境 ● 食事 ● 排泄 ● 睡眠 ● 清潔	・食事内容と量，食欲，水分摂取量 ・排尿回数，排尿量と性状 ・睡眠時間，寝つきや目覚めの状況 ・歯磨きやうがいの有無，入浴の有無	・生ものの摂取は，白血球数1,000/μL以下になると気をつけ，感染を予防する． ・免疫抑制剤使用時は，易感染状態になるため，保温や清潔な環境に努める ・転倒の予防も必要となる ・歯肉出血がある場合とくに口腔内の清潔が必要，また，下着は毎日清潔なものと取り替える．
	● 動作・活動	・運動の種類，運動量，時間，回数 ・どのような動きが障害されているか	・貧血に伴う易疲労感のために動悸などがある場合は安静に努めることも必要になる． ・貧血に伴う易疲労感によりADLが制限されるので安静に努めることも必要になる．

(つづき)

	●趣味・余暇活動	・どのような趣味・余暇活動を行っているか ・日常生活を調整しながら治療を継続する能力の有無，程度	・手洗い，マスク，保温，疲労を避ける行動がとれているかなど． ・激しい動作を控え，転倒・転落に注意する． ・安全な環境を整える．
	●セルフケア能力	・日常生活において自分でできること，できないことを把握する	
認知・心理的側面 ● 再生不良性貧血とその治療が心理状態に及ぼす影響をアセスメントする	●疾患や治療の理解および受け止め	・汎血球減少時の症状について理解しているか ・汎血球減少の対処行動を受け止めているか ・輸血の必要性と副作用について理解しているか ・免疫抑制療法の必要性と副作用についての理解	・ステロイドの長期内服によるムーンフェイス，精神症状などにも注意する．
	●価値・信念	・何に価値をおいているか，何を大切にしているか	
	●対処方法	・これまで問題にどのように対処してきたか	
	●心理状態	・いらだち，不安，抑うつの有無や程度	
社会・経済的側面 ● 再生不良性貧血とその治療が社会・経済状態に及ぼす影響をアセスメントする	●役割	・家庭における役割，職場における地位・役割	
	●職業	・就業の有無，仕事内容，勤務時間，労働量，通勤時間，通勤方法，職場環境や人間関係	
	●家族構成	・家族構成	
	●家族の状態	・家族の病気や治療の理解力および受け止め，協力体制の状態	
	●キーパーソン	・家族や周囲の人でキーパーソンは誰か	
	●経済状態	・医療費助成制度における自己負担限度額の手続き方法 ・医療保険の種類，民間保険の加入の有無，医療費の支払い能力の有無	
	●ソーシャルサポート	・友人・知人・同僚・患者会などのサポートの有無，利用できる社会資源	

倒・転落，打撲などを起こさないよう環境を安全に整えること，皮膚を保護できるよう衣類は締めつけないものや柔らかいもの，清潔なものを選択する．また，歯肉出血，消化器出血，血尿，不正出血などは患者自身で観察できるので，これらの異常がある場合はすみやかに受診する．また，頭痛，悪心・嘔吐や瞳孔不同，意識障害がある場合，脳内出血の可能性があるため至急，主治医に連絡をとり医療機関を受診することを説明する．

b. セルフモニタリング

長期にわたる治療が必要であるため，治療の副作用などについて説明し，体調の変化に気づけるように指導する．また，ステロイドの副作用による精神症状があるため，身体症状だけでなく，イライラや食欲不振，不眠などのうつ状態の徴候も説明し，感情の変化にも気づけるように指導する．

c. 日常生活における教育的支援および援助

軽症の場合，外来での輸血を続けセルフコントロールしながら生活を送ることができるので，再生不良性貧血の病気の特徴や治療について情報提供を行い，患者と家族に正しい認識を促し，定期的に受診すること，体調や症状に変化があればすみやかに受診するよう説明する．中等症の場合は，免疫抑制療法などの加療は入院と外来通院で行われる．内服薬の管理の重要性について強調し，患者が主体的にセルフケアできるように，また治療のアドヒアランスが高められるように説明する．

表Ⅴ-6-2　再生不良性貧血患者に特有な身体症状とその対処法

主な症状	対処法
貧血症状	酸素の消耗を避け，苦痛を最小限にする ・ヘモグロビンが減少していても長期になると自覚症状がないことがあるので動悸，頭痛などがあるときには安静に努める ・活動は休みながら行い，動悸などが起こらないよう気をつける
出血傾向	皮下出血に注意し増強させないように安静を促す ・締めつけのない衣類，肌に柔らかい素材，吸湿性のよい衣類を選択する ・採血後などの止血を十分に行う ・便通を整え肛門周囲の皮膚，粘膜を傷つけないようにする ・毎日決まった時間の排便習慣を身につける ・便の色に注意し，血便・黒色便が出た場合は，診察時医師に報告する ・入浴時や更衣時など皮膚をこするような場合はていねいに行い，強く摩擦しないようにする ・爪を伸ばしたり深爪をしないよう気をつける ・皮膚にできた傷に痂皮ができた場合は自然に落下するのを待つ ・鼻を強くかまないようにし，鼻毛を抜かないようにする ・歯ブラシは柔らかいものを選択する
全身倦怠感・易疲労感	エネルギーの消耗を避けるため，患者の状態に合わせて介助をする ・症状が強い場合は，入浴にせずシャワー浴や清拭をする ・十分な休養と睡眠をとり，規則正しい生活を送る ・必要時移動には車いすを使用する
易感染状態	感染を予防するために，患者の体調に合わせた清潔ケアを行う ・呼吸器感染を防ぐため，病室を出るときはマスクを使用し，外出から戻ったら含嗽と手洗いをする ・尿路感染症を防ぐため，入浴，シャワー浴，温水洗浄便座などを使用した陰部洗浄を行う ・外出時にはマスクを着用し，人混みを避け感染源から身を守るよう心がける ・発熱時など体調に変化があればすぐに受診し，医師に相談する ・旅行，遠出時には，保険証を持参し，住所・氏名・年齢・病名・経過と症状・血液型・かかりつけの病院と医師名・服用中の内服薬などを記入したカードなどを身につける
発熱	エネルギーの消耗を避け，苦痛を最小限にする ・処方されている解熱薬を効果的に使用する ・効果的に冷罨法を行う ・発汗が多いときは，汗を拭きとり下着やパジャマを素早く交換する
妊娠について	安全な妊娠の継続と出産をする ・生理の持続日数，量を記録する ・生理用のタンポンの使用は避ける ・妊娠・出産は医師と相談して計画的に行う

(1) 内服薬の管理についての教育

　免疫抑制療法で用いる免疫抑制薬（シクロスポリン）を内服しているときは，グレープフルーツを使用した食品を摂取することで免疫抑制反応が強く出やすいため，摂取しないように指導する．また，ATGには，T細胞に対する抗体以外に，すべての血液細胞に対する抗体が含まれており，腎，肝，乳腺，肺，小腸などさまざまな組織に対する抗体も含まれているため全身管理が必要になる．とくに**アナフィラキシーショック**は生命にかかわるため，皮膚紅潮，瘙痒感，膨隆疹，発熱，頻脈，悪寒，血圧低下，口腔内の違和感，口唇のしびれ，喘鳴などの自覚症状について患者に説明する．このほか，一時的な血小板減少には血小板輸血，血清病（発熱，発疹，関節痛，筋肉痛，リンパ節腫脹，漿膜炎［心外膜炎，胸膜炎］，タンパク尿など）にはステロイド薬の投与により対処できる．この

ため免疫抑制薬の内服を患者の判断で中断したり，のみ忘れたために2回量を一度に内服したりすることのないよう説明する．

また，ステロイド薬の副作用をおそれて，自己判断でステロイド薬を減量したり，中断したりしないよう，治療継続の必要性を十分に説明し，どうしても減量したい場合は必ず主治医や看護師に相談するように説明する．

(2) 他科への受診について

歯科治療やそのほかの医療機関の受診時には紹介状を持参することを勧める．

d. 心理・社会的支援

長期にわたる治療で精神的なストレスをもつことや，先の見通しがないと思われる不安感などがある．これらはステロイド薬の副作用とも関係するが，患者は1人で思い悩むことがないよう，患者会などを紹介する．また，再生不良性貧血は，**指定難病**として認定され，医療費の自己負担分の一部を国と都道府県が公費負担として助成している．したがって，患者や家族に医療費の公費負担制度，そのほかの社会保障制度などの情報や，メディカルソーシャルワーカーなどについても情報提供を行う．

e. 家族への支援

長期の療養生活は家族にとっても不安が強い．また，家族は重症化した場合の造血幹細胞移植に伴うドナーの役割を果たす場合がある．血縁者でHLAが完全に一致しなければ骨髄バンクからの非血縁者間の**同種造血幹細胞移植・臍帯血移植**を行うが，完全一致のドナーがいるかどうかは不確定である．家族はドナーかどうかにかかわらず不安や葛藤を感じるため，家族への精神的な支援が必要である．

医療費の経済的な支援はあっても，患者自身の経済活動に制限があり，家族への負担も大きいため，社会資源を積極的に活用するよう勧める．

学習課題

1. 再生不良性貧血患者の身体的，心理・社会的特徴を疾患の進行に沿って説明してみよう
2. 再生不良性貧血患者の症状マネジメントを行うのに必要な患者教育について説明してみよう
3. 再生不良性貧血患者の経済的・社会的支援について説明してみよう

練習問題

Q1 再生不良性貧血について正しいのはどれか．
1. 貧血，出血傾向，発熱があり汎血球減少の原因となる他の疾患がない場合は，再生不良性貧血を疑う．
2. 再生不良性貧血は，ビタミンA，ビタミンD，ビタミンEの不足により起こる．
3. ヘモグロビン値を5 g/dL以上に保つために白血球除去赤血球輸血を行う．
4. 遺伝する可能性があるので妊娠については医師に相談する．

［解答と解説 ▶ p.528］

引用文献
1) 難病情報センター：再生不良性貧血，〔http://www.nanbyou.or.jp/entry/106〕（最終確認：2023年1月10日）
2) 外崎明子，森 令子：看護過程レクチャー 再生不良性貧血患者の看護過程．クリニカルスタディ 27（3）：51-61，2006

2 白血病

この節で学ぶこと
1. 白血病患者の身体的,心理・社会的特徴を説明できる
2. 白血病の症状および白血病に対する化学療法の副作用について説明できる
3. 白血病患者の看護の目標および特徴を説明できる.

A. 白血病患者の身体的,心理・社会的特徴

　白血病とは,造血系細胞が骨髄のなかで遺伝子などなんらかの異常が起こって腫瘍化する悪性腫瘍である.分化段階の骨髄系・リンパ系細胞が白血病細胞として増殖し末梢血に出現する疾患で,急性と慢性に大別される.急性白血病(acute leukemia)は,造血細胞あるいは前駆細胞レベルで腫瘍化が起こり,血液細胞の分化・成熟がある段階で停止し,白血病細胞が増加する.一方,慢性白血病(chronic leukemia)は,多能性幹細胞の異常により,分化・成熟能は保持しているが種々の系統に属する造血細胞が異常増殖する.慢性骨髄性白血病(chronic myelogenous leukemia:CML)の腫瘍細胞は染色体相互転座により形成されるフィラデルフィア染色体が特徴である.CMLの臨床経過は緩やかで,チロシンキナーゼ阻害薬の登場により,CMLの長期生存率は90%前後となったが,急性転化すると白血病細胞が急激に増加し悪化することがある.診断には,血液検査と骨髄検査・骨髄生検による形態,細胞表面マーカーの確認と,染色体・遺伝子検査等が必要である.

　急性白血病の病型分類は,1999年にWHOが**染色体・遺伝子変異**も含めた,造血器・リンパ組織悪性腫瘍分類法を発表し,新WHO分類(2008年)以降は,骨髄異形成症候群から進展する病型や治療関連白血病も急性白血病に包括している(**表V-6-3**).急性白血病は白血病細胞が全身に広がっているのでがんの進行度を示す病期分類はなく,病型分類のWHO分類[*1]とFAB分類[*2]が用いられる.また,急性白血病の予後を予測する予後因子がある.予後因子には,年齢や全身状態といった患者側の要因と,染色体の型や遺伝子の変異といった白血病細胞側の要因がある.予後予測によって,治療方針として移植の要否も決まるため,診察時に確認する必要がある.

　日本では年間3,000~4,000人発症し,治療成績は病型により予後良好・不良群に分けら

[*1]WHO分類:白血病発病に関連する染色体異常や遺伝子変異に重きをおいた分類
[*2]FAB分類:骨髄液中の白血病化した細胞の系列や形態によってAMLを8種類に分類

表V-6-3 急性白血病の分類

AML	ALL/LBL
反復する遺伝子異常を伴うAML 骨髄異形成に関連した変化を伴うAML（AML/MRC） 治療関連骨髄性腫瘍（t-MN, t-MDS, t-AML, t-MDS/MPNを含む） 他の分類に該当しないAML（AML-NOS） 腫瘤形成性AML（骨髄肉腫） Down症に伴う骨髄増殖症	Bリンパ芽球性白血病/リンパ腫 ・非特定型 ・反復性遺伝子異常を伴うBリンパ芽球性白血病／リンパ腫 ・数的異常 ・暫定的 Tリンパ芽球性白血病／リンパ腫（非特定型を含む） ・初期T細胞前駆体リンパ芽球性白血病 ・自然キラー（NK）細胞リンパ芽球性白血病／リンパ腫

・AML（acute myelogenous leukemia）：急性骨髄性白血病
・ALL（acute lymphoblastic leukemia）：急性リンパ性白血病
・LBL（lymphoblastic lymphoma）：リンパ芽球性リンパ腫

［日本造血細胞移植学会：造血細胞移植ガイドライン急性骨髄性白血病 第3版, 2019年1月,〔https://www.jshct.com/uploads/files/guideline/03_01_aml03.pdf〕（最終確認：2023年1月10日）p.2/日本造血細胞移植ガイドライン急性リンパ性白血病（成人）第3版, 2020年9月,〔https://www.jshct.com/uploads/files/guideline/03_01_all03.pdf〕p.2（最終確認：2023年1月10日）を参考に作成］

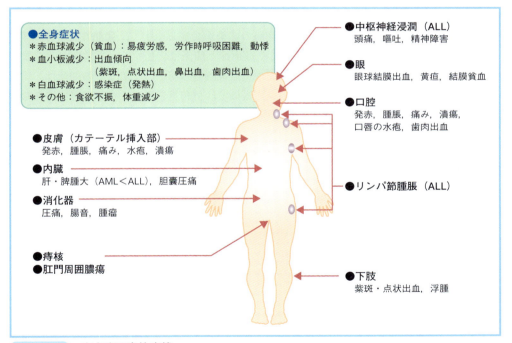

図V-6-1 白血病の身体症状

れる．病態は，骨髄が白血病細胞で占拠されるため正常細胞が抑圧され，白血球，顆粒球減少による感染症，赤血球減少による貧血，血小板減少による出血症状が出現する．また，肝臓，脾臓，リンパ節に浸潤・腫大し，さらに皮膚などに浸潤することもある（**図V-6-1**）．

体内に存在する白血病細胞を根絶させることを目的とする治療の主体は，複数の抗がん薬を用いて治療する化学療法である．病態により，分化誘導療法，分子標的療法などがある．化学療法の有害反応に伴う症状，そのほか合併症に対しては支持療法が行われる．さらに白血病の根治を目指し，放射線の全身照射・抗がん薬による前処置を施し，自己複製能および多分化能をもつ造血幹細胞をヒト白血球抗原（human leukocyte antigen：HLA）適合ドナーから採取して**造血幹細胞移植**が行われており，根治を期待できる治療として適応が拡大されている．近年，B細胞性急性リンパ芽球性白血病の治療として，患者の免疫細胞に遺伝子改変を行い，がん細胞への攻撃力を高める治療が実施されている．以下，白血病患者の主な身体的，心理・社会的特徴を説明する．

1 ● 疾患・治療に伴う易感染状態

白血病細胞の異常増殖や化学療法の骨髄抑制によって，正常白血球の産生が抑制され好中球が減少する．また移植後は免疫抑制薬やステロイド薬の治療により，免疫抑制状態が長期に続く．白血球は身体防衛機能をもち，病原微生物や異物に対する貪食作用があり，この働きを担う好中球が500/μL以下になると細菌感染やウイルス感染，真菌症などの感染の頻度が増し，好中球が100/μL以下になると致命的な感染症が発症する．とくに，口腔，肺，尿路，血液（敗血症）経路の感染が発症しやすく，**発熱性好中球減少症**（febrile neutropenia：FN）の頻度が高く，敗血症と肺炎は発症すると重篤となる．また，化学療法後の白血球が減少している期間や造血幹細胞移植後の生着までの期間は，重症感染予防のために抗菌薬などが多剤使用されるので，日和見感染症に注意が必要である．

2 ● 疾患・治療に伴う出血

白血病細胞の異常増殖や化学療法の骨髄抑制によって，正常血小板の産生が抑制され減少する．止血機能をもつ血小板の数が30,000/μL以下で止血しにくくなり，皮下や粘膜からだけでなく，肺・脳・消化管からの致命的な出血の可能性が高くなる．また，血小板の寿命は5〜9日であり，治療後1週間ころより血小板が減少するため輸血が必要となることがある．また，急性骨髄性白血病（acute myelogenous leukemia：AML）には播種性血管内凝固（disseminated intravascular coagulation：DIC）を合併しやすいものもあり，凝固異常による出血にも注意が必要である．

3 ● 苦痛を伴う多様な症状

感染に伴う発熱や赤血球の減少に伴う貧血による全身倦怠感，腫瘍細胞の組織への浸潤による骨痛などの症状が出現する．全身への酸素運搬能をもつ赤血球の数が250万/μL以下，Hb 7.0 g/dL以下で動悸，息切れ，めまい，頭痛などの貧血による症状が現れ，日常生活に支障をきたす．赤血球の寿命は約120日であり，貧血症状は治療の数週間から数ヵ月を経て現れ，輸血が必要となることがある．また，抗がん薬や代謝産物が嘔吐中枢を刺激することによる悪心・嘔吐，フリーラジカル（活性酸素）の発生による口腔粘膜傷害や局所感染による口内炎，消化管粘膜の萎縮などの著しく苦痛な症状がある．

4 ● 合併症予防に対するセルフケアの負担

感染や出血は死亡原因となるため合併症の予防や増悪防止が重要となる．感染に対する知識を習得し，治療中はHEPAフィルター（1時間15回の換気が可能で空気中の0.3μm以上の塵埃99.97％除去可能）を使用した空調管理（保護隔離），全身の清潔行為，口腔ケア，内服管理，食事管理などのセルフケアの継続が必要である．

5 ● 病名や予後，治療に伴う有害反応や制限に対する不安・恐怖

白血病は，抗がん薬が著効する疾患だが，血液がん，不治の病というイメージも強くもたれる．白血病の治療に関連した感染や出血は死亡原因となることや保護隔離による行動や面会・食事の制限，治療長期化のために重症感や拘束感をもちやすい．さらに，リスクの高い移植治療の選択など，患者には疾患や予後，治療に対する不安や恐怖が生じやすい．CMLはチロシンキナーゼ阻害薬を生涯飲み続けることで，将来の人生への不安，経済負担や有害反応への対処など苦痛が伴うことがある．

6 ● ボディイメージの変容や長期治療による役割の変化に関する心理的葛藤

抗がん薬の有害反応による脱毛や皮膚の色素沈着，**出血傾向**による皮膚の出血斑など外観上の変化が起こる．また抗がん薬が直接，精巣や卵巣に作用して生殖機能障害や性機能障害が起こる．女性の性機能障害により，更年期障害とよく似た症状である熱感・焦燥感・不安感・不眠・性器の萎縮・性交時痛が生じやすくなる．毛髪は美容や外観上の役割が大きいため，脱毛によるボディイメージの変容に伴う心理的葛藤が生じる．長期入院や移植後長引く免疫抑制状態により，患者の就業，学業，結婚，家庭生活など，社会生活のなかでの役割に変化をもたらすことがあり，さらに将来への不安を抱くことで自己概念が低下し，心理的葛藤が生じやすい．

7 ● 家族の心理的・経済的負担

家族が，白血病は不治の病というイメージをもつのは患者と同様である．また，疾患や治療の副作用による多くの重篤な症状に苦しむ患者の姿を目のあたりにしながら，患者を支援する家族の心理的負担は大きい．患者自身が，家族の経済基盤となっている年齢層が多く，高額な抗腫瘍薬や抗菌薬，血液製剤などの治療により経済的負担も大きい．

B. 白血病患者および家族への援助

1 ● 看護アセスメント

白血病は，病的変化が現れやすく長期の治療経過をたどる．現症状や治療の有害反応は日常のQOLを低下させるため，細やかなアセスメントが重要である（表Ⅴ-6-4）．

2 ● 援助の方針

白血病患者の身体的，心理・社会的特徴をふまえ，また治療，寛解の各時期に応じて行

表Ⅴ-6-4 白血病患者の看護アセスメント

目的	アセスメント項目	
身体的側面 ● 白血病細胞の増悪症状，および治療に伴う合併症の予防と早期発見，増悪防止のためにアセスメントする	● 病歴	・現病歴，既往歴，治療歴，家族歴（血縁両親・同胞の有無，ドナー候補としての健康状態）など
	● 検査データ	・検体検査（血液検査［白血球数，白血球分画，免疫グロブリン，赤血球数，血小板数，CRP，凝固系，腎機能，肝機能，Blast］，染色体検査，尿検査など） ・培養検査（血液，尿，便，喀痰，胃液） ・生理機能検査（心電図，心エコー，呼吸機能，血液ガス分析），画像検査（胸腹部X線，胸腹部CT，頭部CT/MRI），内視鏡検査 ・身長，体重 ・骨髄検査，骨髄生検，髄液検査，など
	● バイタルサイン	・体温，脈拍，血圧，呼吸数，Spo₂
	● 身体所見	・起立性血圧・脈拍の変動，表在リンパ節腫大，皮膚・粘膜・損傷状態，腹部膨満，脾腫大，排便状態（便秘・下痢），排尿状態（尿性状，回数）
	● 徴候・症状	・慢性白血病は，無症状のことも多い．急性白血病は，症状が出やすい． ・大呼吸（腫瘍の急増大に伴う代謝性アシドーシス） ・意識レベルの低下・変動（リンパ性白血病の中枢神経浸潤） ・肝脾腫（お腹が張る，腫瘤，痛み） ・歯肉腫脹（歯茎腫脹，痛み） ・骨痛（腰痛，関節痛） ①感染 ・37.5度以上の発熱，頭痛，悪寒，戦慄，発汗 ・皮膚粘膜の異常（口腔粘膜，咽頭，腸管，肛門膿瘍，陰部，全身の皮膚） ・カテーテル挿入部の感染徴候（中心静脈，ドレーン挿入部） ・排泄物（尿混濁，痰の性状） ②出血 ・皮膚粘膜の出血の有無，点状出血，紫斑 ・血尿，下血，採血や注射部位など処置部の観察 ③貧血 ・ふらつき，息切れ，動悸，めまい，全身倦怠感，頭痛 ④嘔気・嘔吐 ・嘔気嘔吐の有無，程度，頻度，持続時間，誘発要因，食事量，体重減少 ・過去の治療時の症状や程度と対処，薬剤の効果 ⑤口内炎 ・口内炎のレベル，出血の有無，舌苔の有無，疼痛 ・味覚の変化 ・口腔の状態（口唇，口角，歯肉，頬粘膜，口蓋，舌） ⑥脱毛 ・脱毛の範囲，頭皮の状態
	● リスク要因	・染色体異常，完解までの治療回数，年齢，感染，出血
	● 合併症	・感染症（肺炎，口内炎，胃腸炎，尿路感染症，肛門陰部周囲炎，敗血症，髄膜炎など） ・ステロイド性糖尿病，肝機能障害
日常生活の側面 ● 白血病とその治療による身体症状や精神症状が日常生活に及ぼす影響についてアセスメントする	● 環境	・住居環境（階段や段差手すりなどのハード面），部屋や水回りの掃除，空調の掃除状況，ペットの有無，職場や学校の環境
	● 食事	・食事量，内容，水分量
	● 排泄	・排泄回数，排泄量，性状
	● 睡眠	・睡眠時間，熟睡感，夜間の覚醒
	● 清潔	・口腔ケア，含嗽，入浴などの習慣
	● 動作・活動	・活動量，活動範囲，息切れ，めまい，ふらつきの有無
	● 趣味・余暇活動	・気分転換の有無
	● セルフケア能力	・日常生活を調整しながら治療を継続する能力の有無，程度 ・周囲に支援を求める能力 ・家族などからの支援の程度（どの程度の支援が受けられることでセルフケアが実現できるか）
認知・心理的側面 ● 白血病とその治療が心理状態に及ぼす影響をアセスメントする	● 疾患や治療の理解および受け止め	・表情，言動，説明内容や教育内容，説明内容の自身の言語での表現，家族の理解，日常生活への関心の低下，否認，悲嘆状況
	● 価値・信念	・何に価値を置き，何を大切にしているか，信仰する宗教は何か ・治療を受けるうえで優先したい日常のこと ・受けたくない治療や対応

(つづき)		●対処方法	・これまで問題にどのように対処してきたか ・あらたな対処方法の習得 ・家族などのサポートシステム ・化学療法の有害事象の状況と自身の対処
		●心理状態	・睡眠状態，安定剤の使用の有無，ADLや関心の低下の有無，食欲の有無，食事摂取量の低下，同室者や家族となど他者との関係，患者の性格
		●認知機能	・物事の判断，状況の自分の言語での表現，状況を予測した判断と対応力
社会・経済的側面 ●白血病とその治療が社会・経済・家族に及ぼす影響についてアセスメントする		●役割	・家庭における役割，職場・学校における役割，役職など
		●職業	・就学就労の状況，仕事内容，勤務時間，労働量，通勤時間，通勤方法，学校や職場での人間関係，職場環境 ・就業時間，就学時間など職場との調整の可能性
		●家族構成	・家族構成員，人数，同胞の就学・就業状態 ・同居家族以外（離婚している場合も含）のHLA検査の対象となりうる血縁者
		●家族の状態	・家族の年齢，家族の就業状況，家族自身の健康状態・感染症の有無 ・家族制度，社会復帰，家族の既往歴，家族の病気や治療の理解力及び受け止め，協力体制，患者との関係性
		●キーパーソン	・家族または周囲の人の中でのキーパーソンは誰か ・代理決定者となる人，日常生活の世話をする人
		●経済状態	・医療保険の種類，民間保険の加入の有無，医療費支払い能力，公的制度 ・就学就労サポートの必要性
		●ソーシャルサポート	・友人・知人・同僚・患者会などのサポートの有無，利用できる社会資源 ・サポートはあるが自覚できていない，もしくは気遣いすぎるなど関係性に注意

われる看護ケアについて援助の方針を次のように考える．

①治療期は，疾患および治療に伴う苦痛症状が現れる時期であるので，多くの苦痛症状を緩和し安楽に療養生活を送ることができ，治療過程で主体的に闘病できるよう支援する．
②寛解期は，血液像は正常化し外来通院しながら家庭生活ができる時期であり，家庭生活を再構築できるよう支援する．

3 ● 看護活動

a. 症状マネジメント

造血過程での腫瘍化に伴う症状が問題となるため，造血のメカニズムと血液の働きを理解することが重要である．患者が疾患と治療の有害作用による諸症状にどのように対処できるかを，看護師は指導する．

(1) 易感染

外因性感染は人の手を介して起こることが多いので，患者だけでなく医療者や面会人の手洗いを励行する．スタンダード・プリコーションに基づき，排泄物の扱い，カテーテルの操作など細菌繁殖のないように注意する．必要に応じて，バイオクリーンルームの使用や面会制限を考慮する．内因性感染予防は，治療開始後の感染部位の増悪を防ぐことが重要である．治療開始前に，う歯や痔核，副鼻腔炎などの治療をしておく．治療中は，口腔，皮膚粘膜などの感染しやすい部位を観察する．①皮膚の清潔のためシャワー浴，②食前食後・帰室時のうがい，③肛門部位や陰部の排泄ごとの洗浄，④食事は生ものを避け，加熱処理したものを提供する．

(2) 出血傾向

　血小板の減少については自覚症状がないため，予防の目的や必要性を十分に説明する．皮膚粘膜に機械的・物理的刺激を与えないよう，①軟らかい歯ブラシを使用してブラッシングを行う，②鼻出血の予防のため鼻を強くかまない，③転倒・打撲による外傷を作らない，④締めつける衣類を着用しない，⑤努責（怒責）をしないよう便秘予防を行う．また血圧測定や採血時の駆血は強く締めすぎないよう短時間で行う．

(3) 発　熱

　好中球数500/μL未満で腋窩温37.5℃以上の発熱は発熱性好中球減少症（FN）の発症を考え細菌検査を行う．悪寒・戦慄を伴うときは保温に努め，悪寒が軽減してから冷罨法を行う．感染に伴う発熱は高熱となるため，患者が不快でなければ，後頭部や腋窩，鼠径部など大血管部の冷却を行うと解熱効果は大きい．

(4) 消化器症状

　化学療法による悪心・嘔吐，食欲不振に対しては制吐薬の効果的な使用が中心である．また，食事やにおいが増悪因子となるため配慮し，嘔吐後は口腔内の清潔に努める．

(5) 口内炎

　予防的な対策が重要であり，清潔保持のための歯磨き，うがいが中心である．抗炎症作用，粘膜損傷・保護作用，消毒，止血作用，鎮痛作用など口内炎のレベル・目的に応じた含嗽薬や軟膏を使用する．口内炎による口内痛に対しては，冷却や鎮痛薬の投与を行い，スポンジブラシの使用など状態に応じた口腔ケアを行う．

b. セルフモニタリング

(1) 感染の早期発見と対処

　発熱，局所の腫脹や発赤・疼痛，咳や喀痰，口内炎など自覚症状の有無を全身観察することができるよう説明する．症状が出現したらすぐに医療者に報告し，外来で受診してもらうよう指導する．

(2) 出血の早期発見と対処

　皮膚や粘膜，出血の有無・部位・程度，頭痛や腹痛，尿や便の色・消化器出血などを観察できるように指導する．出血時は，清潔なガーゼやタオルなどで圧迫止血を確実に行い，血流を減らすために出血部位の安静，冷却，挙上などを行う．家庭において止血ができない場合は，すぐに病院に連絡し対処してもらう．止血困難な場合は，医師の指示により凝血薬，止血薬の投与，輸血などを行う．

(3) 化学療法に伴う症状の早期発見と対処

　治療薬剤の有害反応の特徴と出現時期，症状緩和のための対処方法について教育しておくことが重要である．**第Ⅳ章-5「化学療法を受ける患者の援助」**（p.197）を参考にされたい．

c. 日常生活における教育的支援および援助

　合併症予防が重要となるため，疾患や治療過程における血液データ（血球数，好中球，炎症反応など）やそれに伴う症状，治療の有害反応について患者自身が理解し，身体状況に応じた予防行為ができるよう援助する．血小板減少時は，皮膚の観察を行い出血予防のための行為ができるよう，また貧血時は，ふらつきによる転倒などの危険回避行動ができるよう説明する．また，感染に対して口腔ケア，手洗い，うがいなどの予防行為を継続し，

感染の徴候にも注意できるように教育支援する．

▶生殖機能障害

抗がん薬によって，生殖機能障害が起こり，不妊になる可能性があることを十分に説明したうえで，精子・卵子凍結保存などの紹介を行う．また，抗がん薬や造血幹細胞移植前の全身照射によって性腺分泌の低下が起こったり，精神的なことから性生活についても支障をきたすことがあり，パートナーとのスキンシップやコミュニケーションの大切さなどを感じられるように支援する．2021年より，政策としてがん患者妊孕性温存治療費を助成する事業が開始された．治療開始前の案内と治療スケジュールにあわせた調整が必要である．

d. 心理・社会的支援

(1) 病名や予後，治療に伴う有害反応や制限に対する不安・恐怖

不安の原因をアセスメントし，それに対する援助を行いながら患者の闘病意欲が維持できるようにすることが必要である．病気への不安に対しては，まずは病気の認識を把握し，説明に同席し理解を助け，インフォームド・コンセントを得る．闘病への目標をともに考え見出せるように支援し，苦痛は病状の悪化を連想するため積極的に症状緩和を行う．また，検査や治療に伴う不安に対しては傾聴し，疑問に対して具体的に対応する．患者のキーパーソンを確認し，ともに患者を支援できるよう対応を考える．

退院後は，入院中の厳重な感染管理とのギャップに感染の危険に対して過敏になる患者もいる．長い治療経過や社会復帰がなかなかできないことにより，身体症状だけでなく，抑うつ的な気分やイライラ，焦燥感などの精神症状が現れることもある．できるだけ自己の感情の変化に気づき，すぐに相談できるように指導し，自身のがんばりに気づくことができるようにフィードバックして支援する．

(2) ボディイメージの変容や長期治療による役割の変化に関する心理的葛藤

白血病は15歳〜30歳代のAYA（adolesent and young adult）の罹患者も多いため，がんと治療によって生じた外見的な変化への配慮は重要である．身体・心理・社会的問題をアセスメントし，アピアランスケアを実践することで，それらの苦痛を緩和する．たとえば脱毛に対しては，まずは気持ちを傾聴し，治療後には必ず毛髪が生えることを説明する．脱毛は治療開始2〜3週目に出現するので，環境整備とともに，帽子やバンダナなどの頭部を保護する工夫を情報提供し，外出や退院に合わせて必要な場合はかつらを紹介する．また，役割の変化に対しては，機会をみて外出や外泊ができるよう調整する．就学者に対しては学習環境を整え，働く世代には就労サポートなど，発達段階に応じた課題達成ができる配慮をする．長期内服が必要な治療に対し，アドヒアランスが良好に維持できるよう，心的・経済的面への相談支援を行う．

(3) 社会資源の活用

抗腫瘍薬，抗菌薬，血液製剤の使用，バイオクリーンルームや個室の使用，さらに，造血幹細胞移植をする場合は，それにかかる費用とドナーにかかる費用の負担も含め，医療費負担は高額である．保険診療における自己負担が一定以上の場合には，高額療養費制度の手続きを紹介する．患者や家族にとって予想以上に費用がかかることから，メディカルソーシャルワーカーや骨髄移植推進財団など，活用できる社会資源の情報提供を行う．

e. 家族への支援

　家族は，患者と同様にさまざまな不安をもちながら，患者への支援者としての役割をもっている．不安や恐怖感を軽減できるように，必要な病気や治療に関する情報を提供し，また感情表出を助ける言葉かけなど家族の気持ちを受容する態度で接することが必要である．退院後も，社会復帰に時間がかかること，定期受診の重要性を理解し協力してもらい，さらに患者が生活を再構築することをサポートできるよう，家族を交えて話し合い支えていくことが大切である．

学習課題

1. 白血病の病態と治療理念を述べてみよう
2. 白血病患者への感染予防の教育的支援の内容を挙げてみよう
3. 白血病患者への心理社会的支援を挙げてみよう

練習問題

Q1 37歳，女性．急性骨髄性白血病で入院し，化学療法が行われた．治療開始8日目より歯みがき後の歯肉出血が出現し血小板輸血が行われた．採血部位は出血斑が出現し，食事も少し口がしみるので，食べる気がしないと気持ちが落ち込んでいる．体温は37.5～38℃ある．日常生活指導で正しいのはどれか．1つ選べ．

1. 出血を伴うため歯みがきは行わないよう指導する．
2. 今後起こりうる脱毛への対応を説明し心配ごとを減らす．
3. 食前後のうがいを励行する．
4. 気分転換のため散歩を勧める．

［解答と解説　▶p.528］

V-6. 血液・免疫系の障害を有する人とその家族への援助

3 HIV感染症/AIDS

> **この節で学ぶこと**
> 1. HIV感染者/AIDS患者の身体的，心理・社会的特徴を述べることができる
> 2. HIV感染者/AIDS患者への日常生活における看護援助について説明できる
> 3. HIV感染者/AIDS患者への看護援助を行うにあたり，医療チームでのかかわりが重要な理由を説明できる

　治療方法が確立していなかった時期ではHIV/AIDS＝死というイメージがあったが，1997年以降に開発された抗HIV薬による多剤併用療法が奏効している．多くの感染者は外来通院しながら，抗HIV薬による内服治療を続けることでHIVをコントロールし，社会生活を送ることが可能となり，HIV感染症は慢性的に経過する感染症になってきている．ただし，AIDSを発症すると，入院治療が必要になってくる．

A. HIV感染者/AIDS患者の身体的，心理・社会的特徴

　HIV感染症の診断は2段階の検査を行い確定されるが，第1段階としてHIV抗体検査[*1]や抗原抗体検査のスクリーニング検査が行われる．スクリーニング検査実施にあたりウインドウ・ピリオドを考慮する必要がある．ウインドウ・ピリオドとは，HIVに感染してから抗体検査で陽性と判定できるまでの期間で，通常8週間程度とされている．抗体検査の偽陽性確率は0.3％程度あり，結果が陽性の場合には，第2段階としてイムノクロマト法のHIV-1/2抗体確認検査法やHIV-1核酸増幅検査法（RT-PCR法）を行う．

　HIV感染症の治療は大きく2つに分けられ，血中ウイルス量（HIV RNA量）を検出限界未満に継続的に抑えることを目標とする多剤併用療法（anti-retroviral therapy：ART）[*2]と，免疫力が低下した際に出現する日和見感染症や関連する腫瘍等への治療がある．CD4陽性リンパ球数は健康成人では700〜1,300/μL程度で，測定値は変動があるため，継続的に検査値を追っていく必要がある．血中ウイルス量はHIV RNAコピー数で表わされ，治療開始の診断や抗HIV薬の効果判定の指標になる．

[*1] HIV抗体検査の実施にあたり，検査前後のカウンセリングを行い，十分な説明のもと，本人の同意を得てから行うことが必要である．また，プライバシーの保護に配慮することも重要である．検査結果は本人の了解なしにほかには伝えてはならず，看護職においては保健師助産師看護師法の守秘義務が課せられるとともに，感染症の予防及び感染症の患者に対する医療に関する法律においても罰則規定がある．
[*2] 多剤併用療法（ART）は「抗HIV治療ガイドライン」[1)]に沿って開始される．本ガイドラインは毎年アップデートされるため，最新版での確認が必要である（治療については本ガイドラインに加えてHIV感染症「治療の手引き」［日本エイズ学会HIV感染症治療委員会］を参照）．

1 ● 身体的特徴

HIV感染症は，ヒト免疫不全ウイルス（human immunodeficiency virus：HIV）が免疫の中心的な役割を果たす白血球のCD4陽性リンパ球に感染し，破壊することで免疫力が低下することによって生じる病態である．HIV感染による免疫機能の低下がさらに進み，AIDS（acquired immunodeficiency syndrome）指標疾患である日和見感染症やHIV関連の腫瘍を発症するとAIDSと診断される（図V-6-2，表V-6-5，図V-6-3）．

HIV感染者の中心は20～40歳代であるが，10歳代や60～80歳代の感染者も増加し，感染は拡大傾向にある．また，抗HIV薬による治療が奏効し，生命予後が改善され，非感染症と同じように寿命が伸びてきた一方，AIDS発症者の中には脳・中枢神経系に後遺症を残す人もいる．

HIVの感染経路は，①性行為による感染，②血液を介しての感染，③母子感染の3つである．感染者の多くが性行為による感染であるため，2次感染予防のために，セーファーセックスの指導などが必要になる（表V-6-6）．

2 ● 心理的・社会的特徴

長期にわたる療養生活で，自分の生活を再構築していくには，病気と向き合い，日常生活においてセルフケア能力を高めていくことが必要となる．また，長期にわたる療養生活では医療費などの経済的な負担が生じる．

HIV感染症をめぐるさまざまな差別や偏見はいまだ存在している．家族や配偶者，パートナーや親しい友人などにHIV感染を伝えられず，孤立感が増すことや，HIV感染を伝えていないことに対して精神的負担を感じたりする．周囲の人たちとの関係性を維持することが困難になることもある（表V-6-6）．

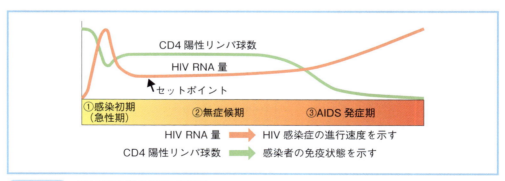

図V-6-2　HIV感染症の経過（病期）

①感染初期（急性期）：HIVは初感染後，急激に増殖する．患者には発熱，倦怠感，筋肉痛，リンパ節腫脹，発疹といったインフルエンザ様の症状がみられることがあるが，数週間で消失する．
②無症候期：急性症状の消失後もウイルスは増殖を続けるが，宿主の免疫応答により症状のない平衡状態が長期間続くことが多い．この無症候期でもHIVは著しい速度（毎日100億個前後のウイルスが産生される）で増殖しており，骨髄からリクルートされてくるCD4陽性リンパ球は次々とHIVに感染して，平均2.2日で死滅するとされている．
③AIDS発症期：ウイルスの増殖と宿主の免疫応答による平衡状態がやがて破綻し，血中ウイルス量（HIV RNA量）が増加し，CD4陽性リンパ球数も減少し，免疫不全状態となって感染者はAIDSを発症する．

［日本エイズ学会HIV感染症治療委員会（編）：HIV感染症「治療の手引き」，第25版，p.6，2022より許諾を得て転載］

表 V-6-5　AIDS 指標疾患

A. 真菌症	1　カンジダ症（食道，気管，気管支，肺） 2　クリプトコッカス症（肺以外） 3　コクシジオイデス症[1] 4　ヒストプラズマ症[1] 5　ニューモシスチス肺炎
B. 原虫感染症	6　トキソプラズマ脳症（生後1ヵ月以後） 7　クリプトスポリジウム症（1ヵ月以上続く下痢を伴ったもの） 8　イソスポラ症（1ヵ月以上続く下痢を伴ったもの）
C. 細菌感染症	9　化膿性細菌感染症[2] 10　サルモネラ菌血症（再発を繰り返すもので，チフス菌によるものを除く） 11　活動性結核（肺結核または肺外結核）[1,3] 12　非結核性抗酸菌症[1]
D. ウイルス感染症	13　サイトメガロウイルス感染症（生後1ヵ月以後で，肝，脾，リンパ節以外） 14　単純ヘルペスウイルス感染症[4] 15　進行性多巣性白質脳症
E. 腫瘍	16　カポジ肉腫 17　原発性脳リンパ腫 18　非ホジキンリンパ腫（a. 大細胞型・免疫芽球型，b. Burkitt型） 19　浸潤性子宮頸がん[3]
F. その他	20　反復性肺炎 21　リンパ性間質性肺炎/肺リンパ過形成：LIP/PLH complex（13歳未満） 22　HIV脳症（痴呆*または亜急性脳炎） 23　HIV消耗性症候群（全身衰弱またはスリム病）

*認知症
1）a：全身に播種したもの，b：肺，頸部，肺門リンパ節以外の部位に起こったもの．
2）13歳未満で，ヘモフィリス，連鎖球菌等の化膿性細菌により以下のいずれかが2年以内に，2つ以上多発あるいは繰り返して起こったもの（a：敗血症，b：肺炎，c：髄膜炎，d：骨関節炎，e：中耳・皮膚粘膜以外の部位や深在臓器の膿瘍）．
3）C11活動性結核のうち肺結核，およびE19浸潤性子宮頸がんについては，HIVによる免疫不全を示唆する症状または所見がみられた場合に限る．
4）a：1ヵ月以上持続する粘膜，皮膚の潰瘍を呈するもの，b：生後1ヵ月以後で気管支炎，肺炎，食道炎を併発するもの．
[HIV感染症および血友病におけるチーム医療の構築と医療水準の向上を目指した研究班：抗HIV治療ガイドライン，2022年3月版, p.7, 2022より引用]

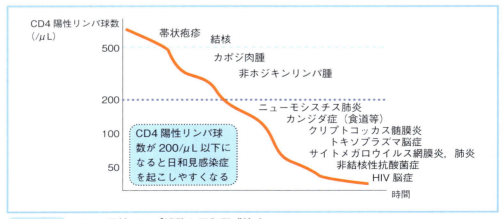

図 V-6-3　CD4陽性リンパ球数と日和見感染症
CD4陽性リンパ球数の減少により日和見感染症のリスクは高くなる．ただし，その数値になったからといって必ずしもその病気を発症するとは限らない．

表Ⅴ-6-6　HIV感染者/AIDS患者の特徴

病態：免疫力（CD4陽性リンパ球数）の低下
- 日和見感染症の合併，発症と後遺症
- 中枢神経障害
- 長期合併症：心血管疾患，糖・脂質代謝異常，骨代謝異常，慢性腎臓病，悪性腫瘍など

10〜80歳代へ年齢層拡大
- 若年者：性的行動が活発
- 女性：妊娠・出産適齢期
- 生産年齢層：仕事と受診の両立
- 高齢者

感染経路
- 性感染：多様な性指向
- 血液：血液製剤，麻薬等静脈注射器具の共有
- 母子感染：胎内，産道，母乳

社会的な問題
- 偏見・差別：支援者，理解者が得られにくい
- プライバシーの問題：就学，就職など
- 病名開示に対する問題：結婚・出産などへの影響

長期療養生活への影響
- 対応可能な医療機関や福祉施設が限定
- 長期にわたる確実な内服による疲れ
- 精神的な負担，メンタルヘルスの課題
- 経済的な問題
- 高齢化による認知や身体機能低下

　一方，HIV感染を周囲の人たちに伝えた場合は，伝えられた側も衝撃を受けることが多く，感染者を支える周囲の人たちの精神的・社会的な負担が生じる．
　ここからは，おもにHIV感染者への援助について述べる．

B. HIV感染者および家族への援助

1 ● 看護アセスメント

　HIV感染症は，免疫力が低下してくると日和見感染症を発症してくるため全身の症状の観察が必要となり，身体症状の出現により日常生活や精神的にも影響を受けることから，総合的にアセスメントすることが重要となる（**表Ⅴ-6-7**）．

2 ● 援助の方針

　HIV感染者の身体的，心理・社会的特徴をふまえて援助の方針を次のように考える．

①プライバシーを保護し，安心して医療や看護を受けられる場を提供する．
②患者自らの意思と責任で自己の健康管理ができるよう，適切なセルフマネジメント能力を獲得できるよう支援する．
③情報提供により療養スタイルなどについて患者の意思決定を促し，生活の質（QOL）を維持・向上できるようチームで支援する．

3 ● 看護活動

a. 症状マネジメント

　HIV感染症における症状には，①HIV感染後2〜4週間の潜伏期間の後に起きる急性感染症，②免疫力が低下したことで生じる日和見感染症，③HIVそのものによる症状，④抗HIV薬による副作用，⑤治療開始後，免疫力が回復する過程で沈静化した日和見感染症を発症する免疫再構築症候群（immune reconstitution inflammatory syndrome：

表V-6-7　HIV感染者/AIDS患者の看護アセスメント

目的	アセスメント項目		備考
身体的側面 ● 現在の免疫状態および日和見感染症の徴候をアセスメントする ● 抗HIV薬の副作用をアセスメントする	● 病歴 ● 検査データ ① 血液系	・CD4陽性リンパ球数，血中ウイルス量（HIV-RNA量），HIV薬剤耐性検査 ・白血球数，赤血球数，ヘモグロビン値，血小板数，CPR，HBs抗原，HBs抗体，HCV抗体，RPR法，梅毒トリポネーマ抗体 ・β-Dグルカン，トキソプラズマ抗体，サイトメガロウイルス抗原抗体価，クリプトコッカス抗原抗体価	
	② 腎・泌尿器系 ③ 呼吸・循環器系 ④ 消化器系	・尿検査 ・胸部X線，心電図，胸部CT ・上部消化管内視鏡，下部消化管内視鏡，腹部CT ・便検査（培養，原虫）	
	⑤ 脳神経系 ⑥ 眼系 ⑦ 婦人科系 ⑧ 皮膚系 ● バイタルサイン ● 身体所見	・頭部CT，髄液検査，MRI，脳血流量測定 ・視力，眼底検査 ・子宮頸部細胞診 ・皮膚・粘膜生検 ・体温，脈拍，血圧，呼吸数，SpO_2 ・身長および体重（とくに体重減少の有無，BMI）	・治療および副作用についての詳細は文献1，2を参照
	● 徴候・症状 ・現在の免疫状態および日和見感染症 ・抗HIV薬の副作用	・日和見感染症を示唆する主な症状：発熱，頭痛，呼吸苦，皮疹，下痢，意識状態の変化，リンパ節腫脹 ・薬剤により出現する副作用は異なるが，以下の検査データを確認する：肝機能，腎機能，TG，LDLコレステロール，血糖 ・抗HIV薬開始後の免疫再構築症候群（IRIS）にも注意する	
日常生活の側面 ● 2次感染のための予防行動についてアセスメントする ● 長期療養生活に影響する要因についてアセスメントする ● 服薬行動に及ぼす要因についてアセスメントする	● 環境 ● 食事 ● 排泄 ● 睡眠 ● 清潔 ● 動作・活動 ● 趣味・余暇活動 ● セルフケア能力	・住環境，ペットの有無，屋外環境 ・食欲，食事摂取量，食事回数，飲酒，喫煙，嚥下時困難の有無 ・排便回数，性状，出血の有無，下痢止めの使用有無 ・睡眠時間，熟睡感の有無，睡眠薬の使用状況 ・更衣，入浴，歯磨きなどの習慣，易感染時の感染予防対策 ・ADL，どのような動作で低酸素血症が生じるか，性行動，コンドーム使用 ・趣味，社会参加状況，他者との交流 ・日常生活を調整しながら治療を継続する能力の有無・程度 ・薬剤の副作用についての情報，自分の体への関心，心身の症状出現時の対応	
認知・心理的側面 ● 疾患および治療が心理状態に及ぼす影響についてアセスメントする	● 疾患や治療の理解および受け止め ● 価値・信念 ● 対処方法 ● 心理状態	・疾患やHIVの感染経路，感染予防行動，他の性感染症等への理解度，受け止め方，健康認識，薬や服薬行動への認知 ・性行動やセクシュアリティへの認知，価値観，セーファーセックスについての知識や行動など ・何に価値を置き，何を大切にしているか，信仰する宗教は何か ・これまで問題にどのように対処してきたか ・不安，動揺，否認など	

(つづき)

社会・経済的側面		
●社会・経済的状態が通院などの療養生活に影響する要因についてアセスメントする	●役割	・職場での地位や役割，家庭内での役割
	●職業	・就業の有無，仕事内容や労働量，職場内での地位や役割，通勤方法や時間，職場環境，人間関係など
	●家族構成	・何人家族か，同居家族の有無・人数
	●家族の状態	・家族との関係性，家族の健康状態， ・それまでの配偶者やパートナーとの関係性，問題解決のための互いの対処方法
	●キーパーソン	・家族または周囲の人のなかでのキーパーソンは誰か
	●感染告知の有無	・誰にHIV感染を伝えているか，伝えた人の反応や状況（疾患の受け止めや協力体制の有無）
	●経済状態	・医療保険の加入の有無と種類，医療費の支払い能力
	●ソーシャルサポート	・友人・知人・同僚・患者会などのサポートの有無，利用できる社会資源 ・地域の医療福祉資源，HIVボランティアグループなどのサポートの有無

IRIS)＊などがある．そのため，現在の臨床病期や免疫状態，治療内容や時期などを把握したうえで身体所見や今後出現してくる症状を予測しつつ，その変化をしっかり観察することが重要である．看護師は症状緩和をはかり，ADLを維持・向上できるようケアしていく．

b. セルフモニタリング

HIV感染症では免疫状態を示すCD4陽性リンパ球数と血中ウイルス量（HIV RNA量）が重要な検査データとなる．定期的に外来通院し，医師の診察を受け，無症候期では，自覚症状がないため血液検査により免疫状態を把握し，日和見感染症の徴候の早期発見に努めることが大切となる．日和見感染症との関連で，眼科の検診，女性の場合は子宮頸がん検診が加わり，これらも定期的に受けることが大切である．

さらに，療養の長期化や高齢化に伴う合併症や併存疾患への対策が必要になってきている．主な合併症として，脂質代謝異常，心血管疾患，慢性腎臓病，肝疾患，骨関連疾患，HIV関連神経認知障害，非AIDS関連悪性腫瘍などについて，職場での定期健診や地域での健診による早期発見を行っていけるよう支援していくことが重要となる．

c. 日常生活における教育的支援および援助

HIV感染症や治療について情報提供を行い，日常生活上の注意点，2次感染予防を中心にセルフマネジメントできるよう，患者や家族と話し合いをもっていく．

それと同時に，疾患について正しく理解したうえで，普段の生活から自身の体をよく観察すること，気分の落ち込みやイライラ感など気持ちの変化にも気づいていくことが早期対応につながることを説明していくことが必要である．

HIV感染者は生産年齢層を中心としているため，仕事をすることと外来受診の時間を確保することの折り合いをつけることがむずかしいこともあり，自覚症状のないことで受診中断のまま経過し，AIDSを発症してしまうことも少なくない．HIV感染症について正し

＊免疫再構築症候群（IRIS）：抗HIV療法開始後，数ヵ月以内に認められる日和見感染症，AIDS関連悪性腫瘍疾患，肝炎などが増悪症状を示す状態をいう．ART開始に伴い，免疫系が再構築し，体内に潜在していた病原体に対して免疫応答を急激に回復させるためと考えられている．

い知識や情報を伝え，病気と向き合い，定期受診の必要性を理解してもらえるよう，外来あるいは入院時からのかかわりが非常に重要である．

(1) 日常生活上の注意点

生活リズムを整え，食事や睡眠のバランスをとることは基本的なことであるが，生活リズムの形成は服薬アドヒアランスを保つためにも重要となってくる．免疫力が低い場合には，生ものや生水に注意する．

食器・トイレ・風呂・洗濯機の共用，握手，くしゃみなどでは感染することはない．いままでどおりに生活できること，もし，介護が必要な状態であってもスタンダードプリコーションによって感染回避できることを患者を含め同居者や介護者などに説明していくことも大切である．

(2) 2次感染予防

出血時の対処は基本的に患者自身が行い，歯ブラシ・カミソリなどの共用を避けること，使用した注射器や針は非貫通性の容器に入れ，病院などで廃棄することなどを説明する．

HIV感染症は**性感染症**の1つであり，HIVをほかの人に感染させない，そして感染者自身これ以上ほかの性感染症に罹患しないという2つの感染防止の視点をもつ必要がある．治療により検出限界値未満を維持されていれば性行為によりHIVを感染させることはないので，治療により検出限界値未満を維持されていれば，妊娠を前提とした避妊をしない性行為であっても相手に感染はさせない．U＝U（Undertectable＝Untransmittable）[3]という言葉があり，治療により検出限界値未満であればコンドームを使用せずに性行為を行っても，陰性パートナーへのHIV伝播はゼロであることが示された．しかし，HIV感染者同士でも，相手からの異なったHIV株感染や，性感染症を予防するためにもコンドームの着用も大切である．そのためには感染者自身の健康管理という視点で，性行動や今後のより安全な性行動（セーファーセックス*）のために話し合うことが重要である．性に関する話題は抵抗を示す患者もいるため，患者の関心のあるテーマから話を展開していくことがポイントであり，患者と率直な話し合いをもてる態度や真摯な姿勢が必要とされる．

(3) 服薬支援

HIVの内服治療は，薬剤耐性が生じるのを防ぐため薬剤の血中濃度を一定に保つために決められた時間に100%に近い確実な内服を継続することが求められる（図Ⅴ-6-4）．抗HIV薬の内服開始にあたり，患者の生活リズムや生活環境などについて情報収集し，薬剤師，メディカルソーシャルワーカーなどの協力を得ながら，準備を整え，服薬アドヒアランスを保てるよう支援していくことがポイントである．服薬アドヒアランスを保つためには，生活環境の調整を基盤に，周囲の人の支援，のみやすい薬物の組み合わせや用法，治療効果への期待感，生きがいや生きていく意欲，継続して内服できる経済的負担の軽減などの因子が関連している[4]ため，患者とともに話し合い，意思決定できるよう支援していくことが重要である．

---

*セーファーセックス（safer sex）：より安全な性行為．HIV感染症を含む性感染症に感染するリスクを減少させるような行動をとりながら性行為を行うこと．リスクを下げるための方法としてコンドームなどによるバリア法が挙げられる．また，不特定多数の相手との性関係をもたないことも性感染症のリスクを下げる方法の1つであるが，特定の相手としか性関係をもたないからといって性感染症に罹患しないということにはならない．

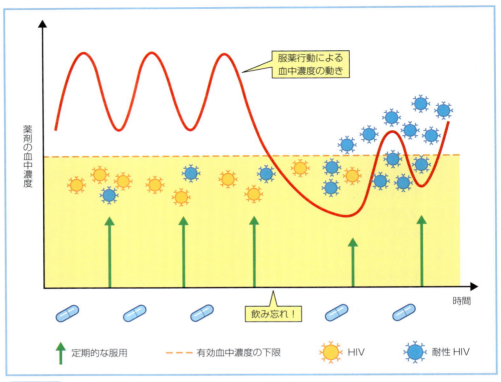

図Ⅴ-6-4 抗HIV薬の血中濃度と耐性ウイルスの出現

薬の効果を十分に生かすためには，薬の濃度を一定に保つ必要がある．体のなかに薬が有効な濃度以上保たれていればHIVは増殖できない．もし，服薬を忘れて血中濃度が低下すれば，HIVが増えてしまう．そのうえ，薬の効きが悪いHIV（これを薬剤耐性HIVとよぶ）が発生する可能性が出てくる．

［国際国立医療研究センターエイズ治療・研究開発センター 2021年度ACC患者ノート からだ・こころ・くらし・くすりノート，p.14, 2021より引用］

　内服開始後は，副作用のセルフモニタリングができるよう説明し，症状が出現した場合には自己判断で中断せず，医師や薬剤師などに相談するよう説明する．また，免疫力が低く，日和見感染症の治療後，抗HIV薬による内服治療を開始した場合には，免疫再構築症候群（IRIS）を発症する可能性が高く，十分に観察を行っていくことが必要である．

　また，脂質代謝異常や心血管系疾患などの長期合併症の治療も併用する場合には，これらの治療薬の管理や副作用のモニタリングが加わり，管理する薬剤数や管理方法も複雑になっていく．さらに，高齢化により嚥下機能の低下や認知障害を伴う場合には，お薬カレンダーや一包化など薬剤管理方法やのみ忘れ防止のための工夫，ポリファーマシーに伴う課題などを薬剤師とともに支援していくことが必要となる．

(4) 心理・社会的支援

　患者はHIV感染のリスク行動を意識しているか，受診時に自覚症状があるかなどによって，HIV感染を知らされたときの心的反応は異なるが，HIV陽性を知らされたときのショックは大きく，精神的な落ち込み，否定的な感情などさまざま心的反応が生じることが多い．そのため，告知直後から数ヵ月は精神的な支援を必要とすることがある．また，身体症状

が悪化したとき，人生の最終段階における時期など，身体症状に連動して精神的なサポートがより必要となることが考えられる．

HIV感染症についての知識や情報は普及してきているが，いまだ社会からの偏見や差別は存在し，HIV感染を他者に知られるのではないかと不安に思っている．それらの不安を軽減するためにも，診療および面談を行う際には個室などプライバシーが保護できるような場を準備したり，大部屋や廊下などでは，その人がHIV感染者とわかってしまうような会話や用語を使用しないなどの配慮が，患者や家族との信頼関係を作り上げていく基盤にもつながる．

また，ほかの疾患患者に比べ，家族や周囲の人たちに病気を告げ，支援者になってもらうことは容易ではなく，周囲の人との人間関係を調整しつつ，支援者を増やしていく援助も続けていく必要がある．

メンタルヘルスや各種物質依存の問題をかかえるHIV感染者も増えてきており，セルフマネジメント能力を維持していくためにも，精神科医やHIVカウンセラーなどの専門職と連携し，支援していくことが重要となってきている．

HIV感染者では，免疫状態に応じ，免疫機能障害で障害認定を受け，身体障害者手帳を取得し，投薬を開始する際には**自立支援医療**を利用できる．治療の継続が可能となるよう療養環境を整え，メディカルソーシャルワーカーなどと連携をとりながら，情報提供を行う．

e. 家族やパートナーへの支援

配偶者やパートナーにHIV抗体検査を行う場合には，検査前後のカウンセリングを行い，不安を軽減し，HIV感染症について正しい知識と情報を理解してもらうよう支援していく．

家族やパートナー，周囲の支援者も患者の心身の変化に伴い，さまざまな心配や不安が生じてくる．支援者もHIV感染をほかの人たちに相談することができにくいため，HIV感染を知っている支援者が不安や苦悩をかかえ込んでいることが少なくない．そのため，とくに病状説明時には，支援者が気持ちを表出できる場を作り，話を傾聴していく．疾患や日常生活上の注意点などについて正しい知識を提供し，服薬が開始となった場合には協力者となってもらえるよう，感染者を支える大切な人として支援していくことが大切である．

f. 在宅療養支援

HIV感染者の高齢化や長期合併症などにより在宅での訪問看護や介護など，地域支援を必要とする人が増えてきている．このような感染者の地域での受け入れ体制を整備し，訪問看護ステーションや地域包括支援センターなどとの連携，調整をはかり，感染者が馴染みのある地域で自分らしく生活できるよう支援していくことが重要なポイントである．

学習課題

1. HIV感染症とAIDSの違い，HIV感染症の感染経路を述べてみよう
2. HIV感染症において免疫状態を示す検査データとその指標を述べてみよう
3. HIV感染者への教育的支援および援助の内容とその必要性を挙げてみよう

練習問題

Q1 HIV感染者への生活指導で正しいのはどれか．
1．抗HIV薬は決められた時間に内服する．
2．AIDSを発症すると自立支援医療を利用することが可能になる．
3．性感染症予防は，他者への感染予防を目的に行う．
4．使用した食器は消毒をする．

［解答と解説 ▶ p.528］

引用文献

1) 平成29年厚生労働行政推進調査事業費補助金エイズ対策政策研究事業　HIV感染症及びその合併症の課題を克服する研究班（研究代表者：白坂琢磨）：抗HIV治療ガイドライン（2017年3月），2017
2) 日本エイズ学会HIV感染症治療委員会：HIV感染症「治療の手引き」，第21版，2018
3) Benjamin R, et al：Viral suppression and HIV transmission in serodiscordant male couples：an international, prospective, observational, cohort study, Lancet HIV 5（8）：e438-e447, 2018
4) 井上洋士，岩本愛吉，桑原　健ほか：抗HIV薬の服薬アドヒアランスの維持因子．看護研究35（4）：31-42, 2002

V-6. 血液・免疫系の障害を有する人とその家族への援助

関節リウマチ

この節で学ぶこと

1. 関節リウマチの関節炎の症状の特徴を説明できる
2. 関節リウマチ患者の身体的, 心理・社会的特徴を説明できる
3. 関節リウマチが日常生活動作 (activities of daily living：ADL) や心理・社会的要因にどのような影響を及ぼすのかを説明できる
4. 関節リウマチ患者および家族に対する援助の方針および看護の特徴を説明できる.

A. 関節リウマチ患者の身体的, 心理・社会的特徴

　関節リウマチ (rheumatoid arthritis：RA) は, 病変が主に関節滑膜に生じる全身性の炎症性疾患で対称性多発性関節炎が持続することによって関節が破壊されることを特徴とする. RAは関節のなかの滑膜に炎症が起こり, 関節の炎症が進行すると, 関節軟骨と関節周囲の骨がタンパク質分解酵素により溶かされて, 関節が破壊される. さらに, 関節の変形, 拘縮ひいては機能障害を引き起こす. RAが進行すれば, 肺などの臓器病変やアミロイドーシスの出現・進行, 感染症や心血管病変の合併などによって生命予後も悪化する. 免疫機能亢進を基盤とする慢性炎症性**自己免疫疾患**であることは明らかであるが, どの**自己抗原**が炎症の原因となり, どれが組織損傷の結果として産生されたものかは不明瞭で, 発病のしくみは未解決のままである. RAは不治の病とされ, 徐々に進行する関節破壊によって著しい身体機能低下にいたるとされていた. しかし, 近年の新しい治療薬によりRAの薬物療法には著しい変化がもたらされ, 患者の疾患活動性がかなり制御できるようになり, 治療方針も大きく変わった. 短期的QOL改善を目的とする医療から, 長期的予後の改善を目指す医療へとパラダイムシフトが起こった. そのため, RAの経過や機能障害に反映する病気の進行速度は遅延しており, 患者のADLは良好に保たれ, QOLは向上しつつある. だが, いったん生じた関節破壊は回復しないので, 現在の治療方針は, RAの診断がついたら, できるだけ早期に治療を行うことが推奨されている. 日本のRAの確定診断名を有した症例数は111.6万人であり, その中で処方箋発行があったRA患者数は82.5万人である[1]. 女性が76.2％であり, 男女比は1：3.2である[1]. また, 高齢化の進展を反映して, RA患者の高齢化や高齢発症するRA患者が増加傾向にあり, 70〜79歳が全体の28.6％を占めている[1]. 受療率は入院, 外来ともに減少しており, 薬物を含めた治療法の向上に伴う変化と考えられている.

　RAの初発症状は80〜90％が関節痛であるが, 関節症状や朝のこわばりが現れないこともある. RAは, 米国リウマチ協会 (American College of Rheumatology：ACR) と欧州

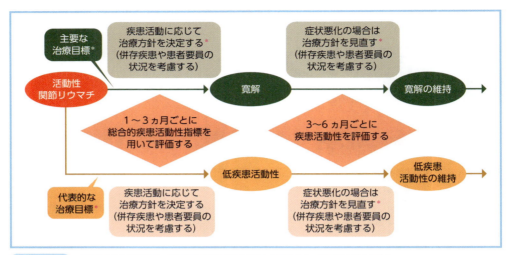

図Ⅴ-6-5 関節リウマチの「目標に向けた治療（T2T）」のアルゴリズム

［房間美恵, 竹内 勤（監）, 中原英子, 金子祐子（編）：関節リウマチ看護ハンドブック, 羊土社, p.65, 2019より引用］

リウマチ学会（European League Against Rheumatism：EULAR）による分類基準により診断されることが世界の共通基準である．そのほか日本リウマチ学会の早期RA診断基準によって診断されることもある．

『関節リウマチ診療ガイドライン2020』において治療目標は，関節リウマチの疾患活動性の低下および関節破壊の進行抑制を介して，長期予後の改善，とくにQOLの最大化と生命予後の改善を目指すことと示された[1]．治療方針は，疾患活動性や安全性とその他の患者因子（合併病態，関節破壊の進行など）に基づいて決定される．そして，目標達成に向けた治療（Treat to Target：T2T）を実行することが重要となる（**図Ⅴ-6-5**）．T2Tは，日常診療において治療目標を明確にし，戦略的に治療アプローチを展開する考え方，取り組みであり，長期的なアウトカムの改善を目指す．

『関節リウマチ診療ガイドライン2020』において，薬物治療（**表Ⅴ-6-8**）はフェーズⅠからⅢという段階的な順で進めることが示されている．フェーズⅠでは，RAと診断されたらすみやかに，メトトレキサート（MTX）の使用が検討される．メトトレキサートは，RA治療の第一選択薬であり，疾患活動性の改善効果と関節破壊進行の抑制効果が期待できる．ただし，年齢，腎機能，肺合併症などを考慮して，使用の有無や量が判断される．メトトレキサートの使用がむずかしい場合は，従来型抗リウマチ薬（csDMRD）の使用を検討する．フェーズⅠの治療により関節崩壊の進行を抑制できたり，身体機能が維持されたり，治療目標の達成・維持ができたら，治療薬の減量を考慮する．一方，治療目標が達成できない場合はフェーズⅡに移行することとなる．フェーズⅡでは，生物学的製剤（bDMARD）またはヤヌスキナーゼ（JAK）阻害薬の使用を検討する．このフェーズⅡでも治療目標が達成できない場合は，フェーズⅢとなり，フェーズⅡで使用した以外の生物学的製剤（bDMARD）またはヤヌスキナーゼ（JAK）阻害薬への変更を検討する．

以上の主軸となる薬物療法に加えて，ステロイド薬，非ステロイド性抗炎症薬

表Ⅴ-6-8　関節リウマチの治療薬の概要

治療薬	概説
DMARD（抗リウマチ薬）	低分子化合物主体の合成抗リウマチ薬（sDMARD）と生物学的製剤（bDMARD）とに大きく分類される．RAの疾患活動性に合わせ，抗リウマチ薬（DMARD）を単剤もしくは複数組み合わせて治療する．
メトトレキサート（MTX）	RA患者の治療において中心的な存在であり，第一選択薬である．RAの疾患活動性を抑制する効果の確実性は高い．csDMARDに分類される．感染症，口内炎，消化管障害，肝酵素上昇などの副作用がある．葉酸または活性型葉酸は，消化管症状や肝障害などの副作用を軽減するため活用される．
csDMARD（従来型抗リウマチ薬）	リウマチ治療の主体となる関節破壊の進行を遅らせることができる．抗リウマチ薬を作用機序で分けると免疫抑制薬，免疫調節剤，分子標的薬に分類される．csDMARDを開始しても疾患活動性が高い場合にはbDMARDやtsDMARDの使用を検討する．
bDMARD（生物学的抗リウマチ薬）	炎症性サイトカインのTNFα，IL-1，IL-6やT細胞などを標的として炎症を抑え，軟骨や骨の破壊の進行を抑えることのできる薬剤である．csDMARDの効果が不十分な場合に用いる．重篤な感染症（上気道感染，肺炎など）などの有害事象があるため，慎重に適応を決定する必要がある．
ヤヌスキナーゼ（JAK）阻害薬	RAの病態に関連する複数のサイトカインを阻害して有効性を発揮する．経口投与が可能であり，冷蔵が不要という特徴がある．
NSAIDs（非ステロイド性抗炎症薬）	疼痛などの症状や炎症を抑える目的で用いられる．必要最小限で短期間の使用が望ましい．
ステロイド薬	活動性の高いリウマチに対して，csDMARDと併用して用いられる．csDMARDの効果がみられたらすみやかに減量する．長期的な使用により，重大な有害事象（感染症，糖尿病，骨粗鬆症など）のリスクがあるため，可能な限り短期間で漸減中止することが望ましい．
抗RANKL抗体	骨びらんの進行を抑制する目的で，従来型抗リウマチ薬と併用して用いられる．

（non-steroidal anti-inflammatory drags：NSAIDs）．抗RANKL抗体は補助的治療薬として活用される．ステロイド薬は，疾患活動性，身体機能の改善を目的に活用されるが，長期的投与による重篤な有害事象のリスクが考慮されるため，早期のRA患者で少量で短期間の使用にとどめることが推奨されている．NSAIDsは，RAの疾患活動性の改善効果はないが，疼痛などの症状緩和を目的に活用され，長期使用による副作用を考慮して，必要最小限で短時間の使用が推奨されている．抗RANKL抗体は，骨破壊抑制効果があるため，疾患活動性が低下しても骨びらんの進行がある患者に使用が考慮される．

そして，RA患者には，薬物療法，リハビリテーション，手術療法，ケアの4本柱を集学的に実施して支援することが推奨され，RA患者に対するトータルマネジメントの重要性が認識されている．また，リウマチ専門医だけでなく，看護師，理学療法士，作業療法士，介護関係者などとの連携・協働が重要となる．薬物療法を行っても四肢関節症状および機能障害が残存する場合には，慎重な身体機能評価を行い，装具療法，生活指導を含むリハビリテーション治療などが行われる．手術療法は，関節変形や関節破壊の状況，日常生活の支障状況をふまえて，機能回復が得られると判断された場合に，人工関節置換術，

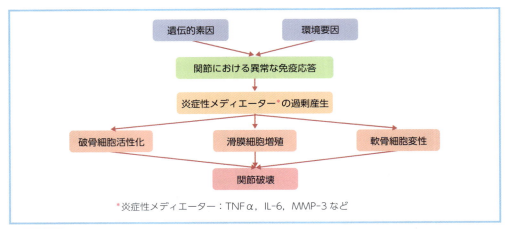

図Ⅴ-6-6 関節リウマチにおける関節破壊のメカニズム

[厚生労働省：平成22年度リウマチ・アレルギー相談員養成研修会テキスト, p.118, 2010 [https://www.mhlw.go.jp/new-info/kobetu/kenkou/ryumachi/dl/jouhou01-10.pdf] より引用]

関節形成術，滑膜切除術などが行われる．

1 ● 多数の関節が長期間にわたり持続的な炎症をきたす

　RAは，関節滑膜の炎症を主座とする慢性の炎症性疾患である．関節症状には，関節炎による関節痛，関節の腫脹，局所熱がある．関節破壊は発症6ヵ月以内に出現することが多く，しかも最初の1年間の進行が顕著であるため，早期診断・早期治療が重要である．病因には遺伝的素因と環境要因などが複雑に関与していることが推測されているが詳細は不明なままである．関節滑膜には，リンパ球浸潤，血管新生，滑膜増殖が生じてくる．増殖している滑膜組織からはTNFα，IL-6などの炎症性サイトカイン，メタロプロテアーゼのような中性プロテアーゼ，活性酵素などのさまざまな炎症性メディエーターが産生され，破骨細胞の活性化や軟骨細胞の変性を介して関節破壊が生じる（**図Ⅴ-6-6**）[2]．この進行は，関節の炎症活動が安定し，比較的痛みのコントロールがしやすい安定期と，炎症活動が高まり再燃する増悪期を繰り返し進行する．

　関節炎は，手指，手首，足首，肘，膝などの小〜中関節が対称的に腫脹し，痛む．手指では，初期には近位指節間（PIP）関節や，中手指節間（MCP）関節の腫脹がみられるが，靱帯や腱の緩みと筋の張力のため，進行するとスワンネック変形，ぼたん穴変形，尺側偏位などの変形がみられる（**図Ⅴ-6-7**）．肘関節では屈曲拘縮が高率にみられ，肩関節では圧痛，運動制限が起こる．膝関節は機能障害を残すことが多く，関節炎が慢性化すると大腿四頭筋が萎縮し，関節液が貯留し膝窩部が膨隆することがある．

　関節症状と比べ頻度は少ないが，多彩な関節外症状を伴うことがある．主なものとしては，皮下結節，強膜炎，心外膜炎，胸膜炎や間質性肺炎，肺線維症などである．間質性肺炎と肺線維症はRAの肺病変のなかでも生命予後を左右する合併症であり，RAの10％に認められ，男性に多い．

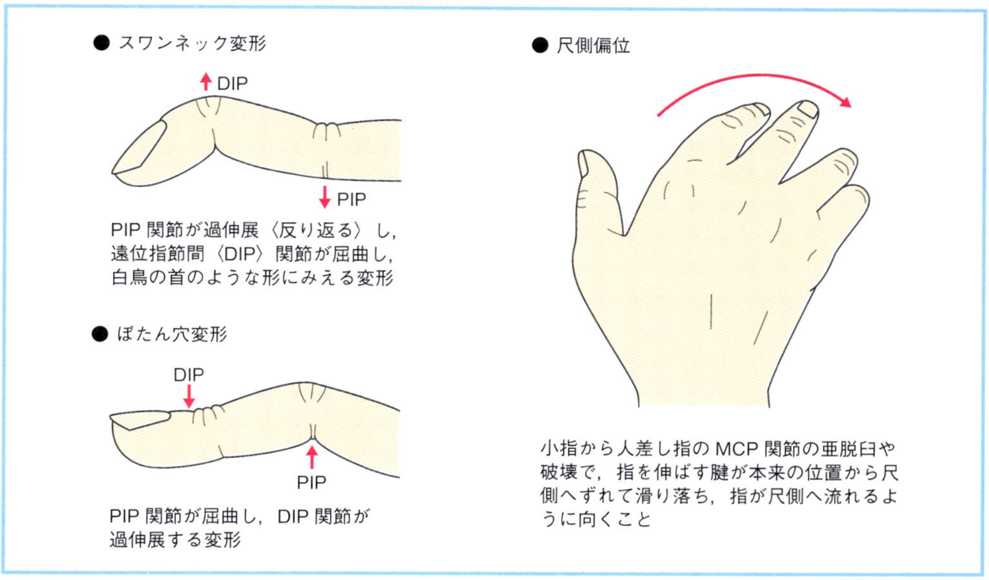

図Ⅴ-6-7　代表的な関節変形

●スワンネック変形
PIP関節が過伸展〈反り返る〉し，遠位指節間〈DIP〉関節が屈曲し，白鳥の首のような形にみえる変形

●ぼたん穴変形
PIP関節が屈曲し，DIP関節が過伸展する変形

●尺側偏位
小指から人差し指のMCP関節の亜脱臼や破壊で，指を伸ばす腱が本来の位置から尺側へずれて滑り落ち，指が尺側へ流れるように向くこと

表Ⅴ-6-9　Steinbrocker の Class 分類

Class Ⅰ：身体機能は完全で不自由なしに普通の仕事は全部できる
Class Ⅱ：動作の際に1ヵ所あるいはそれ以上の関節に苦痛または運動制限はあっても，普通の活動はなんとかできる程度
Class Ⅲ：普通の仕事や自分の身の回りのことがごくわずかできるか，あるいはほとんどできない程度の機能
Class Ⅳ：寝たきり，あるいは車いすに座りっきりで，身の回りのことはほとんどまたはまったくできない程度の機能

［森　俊輔：エビデンスに基づく最新リウマチ薬物療法，p.140，金原出版，2005より引用］

2● 関節の機能障害をまねき，ADLが低下する

RA患者は関節の痛みや腫脹，全身症状である貧血，易疲労，発熱などの症状により，重いものがもてない，手や足を自由に動かせないなどADLの低下をきたす．手指の関節炎があると，ドアノブが回せない，びんのふたが開けられない，衣服の着脱が容易にできないなど，さまざまな生活活動に支障をきたすことになる．日常生活への影響の評価には，スタインブロッカー（Steinbrocker）のClass分類（表Ⅴ-6-9）が用いられ，日常生活の困難度の評価にはHealth Assessment Questionnaire-Disability Index（HAQ-DI）が用いられることが多い（表Ⅴ-6-10）．

3● 症状に伴うQOLの低下

RA患者は，発症直後のショック，痛みや倦怠感などによる苦痛に加えて，いままでできたことができない苦痛，動作や活動の不自由さ，自己否定的な感情や抑うつ的症状，不安などを抱くことが多い．また，仕事への支障，家事労働ができないなど役割遂行が困難となり，アイデンティティに揺らぎをもたらすこともある．さらに，リハビリテーション

表Ⅴ-6-10　HAQ-DI および mHAQ スコア質問票

カテゴリー	各項目の日常動作について，この1週間のあなたの状態を平均して，右の4つから1つを選んでレ印をつけてください	何の困難もない（0点）	いくらか困難（1点）	かなり困難（2点）	できない（3点）
(1) 衣類の着脱と身支度	1. 靴ひもを結び，ボタンかけも含めて自分で身支度できますか？	□	□	□	□
	2. 自分で洗髪できますか？	□	□	□	□
(2) 起立	1. 肘かけのない背もたれが垂直ないすから立ち上がれますか？	□	□	□	□
	2. 就寝，起床の動作ができますか？	□	□	□	□
(3) 食事	1. 皿の上の肉を切ることができますか？	□	□	□	□
	2. いっぱいに水が入っている茶碗やコップを口元まで運べますか？	□	□	□	□
	3. 新しい牛乳のパックの口を開けられますか？	□	□	□	□
(4) 歩行	1. 戸外で平坦な地面を歩けますか？	□	□	□	□
	2. 階段を5段登れますか？	□	□	□	□
(5) 衛生	1. 身体全体を洗い，タオルで拭くことができますか？	□	□	□	□
	2. 浴槽につかることができますか？	□	□	□	□
	3. トイレに座ったり立ったりできますか？	□	□	□	□
(6) 伸展	1. 頭上にある5ポンド（約2.3kg）のものに手を伸ばしてつかみ，下に降ろせますか？	□	□	□	□
	2. 腰を曲げ床にある衣類を拾い上げられますか？	□	□	□	□
(7) 握力	1. 自動車のドアを開けられますか？	□	□	□	□
	2. 広口のビンの蓋を開けられますか？	□	□	□	□
	3. 蛇口の開閉ができますか？	□	□	□	□
(8) 活動	1. 用事や買い物で出かけることができますか？	□	□	□	□
	2. 車の乗り降りができますか？	□	□	□	□
	3. 掃除機をかけたり，庭掃除などの家事ができますか？	□	□	□	□

HAQ-DI：(1)～(8)の各カテゴリー中の最高点の総和/回答したカテゴリー数．
mHAQ：赤字の質問項目のみで回答を得て，同様の計算を行う．文献1，2をもとに作成
※mHAQはHAQ-DIを簡素化したもの

の成果や意欲とは関連なく，炎症活動が高まったり症状が増悪することもあり，モチベーションを維持することがむずかしい場合もある．

4● 経済的な負担

　RAの治療薬の発展は画期的な効果をもたらす一方で，薬剤が高価なために経済的負担が大きくなる．医療費自己負担額3割の場合，生物学的製剤投与に年間40万～50万円かかることもある．さらに，関節破壊が進行すると，RA患者は仕事内容の変更を余儀なくされる場合や，長期にわたる治療や入退院を繰り返すことによる療養費の負担なども生じることがある．必要に応じて，患者が活用できる支援制度や，相談窓口を紹介する．

B. 関節リウマチ患者および家族への援助

1 ● 看護アセスメント

　　RAは、病気の経過に応じて看護が異なるため、現病歴や現在の治療内容を把握することが重要となる。また、現在の症状と苦痛だけではなく今後の経過予測もふまえて、その人に適した看護を提供する必要があるため、身体的、心理・社会的背景とADLなどを綿密にアセスメントすることが重要である。RAに特徴的なアセスメント項目を表V-6-11にまとめた。

2 ● 援助の方針

　　RA患者の身体的、心理・社会的特徴をふまえ、援助の方針を次のように考える。

> ①早期「疾患の受容と適切な治療の遂行」：病気や治療の理解を促進し、治療を受け止められるよう支援する。また、適切な治療を遂行できるよう支援する。
> ②関節破壊期「関節機能の維持・強化・変形予防、ADLの向上、QOLの向上」：治療管理や症状マネジメントなどのセルフマネジメントの確立と、関節機能の保持と拡大と、日常生活行動に関して教育的に支援する。
> ③関節破壊高度期（晩期）「QOLを重視した対応、手術療法、地域医療連携」：ADLよりはQOLを重視し、関節破壊の状況により手術療法が実施されることもあるため、その看護とリハビリテーションを遂行する。在宅療養や地域医療連携をはかるよう支援する。

3 ● 看護活動

a. 病気の理解と薬物療法を促進する援助

　患者がなるべく主体的に自己管理できるよう適切な知識提供と意欲を保てるような支援をすることが大切である。疾病や治療に関する知識は、患者や家族の理解力や心理状態を把握して、エビデンスに基づいた適切な情報を、患者に適した方法で提供することが望ましい。また、必要に応じてRAに関して適切な情報が掲載されているホームページを紹介する。

　RAに対する薬物の投与方法は、診断されたら早期に有効と考えられる抗リウマチ薬を投与する方法が主流である。薬物療法では、病状、活動性、副作用について定期的に評価し、適宜変更を考慮しなければならない。療養生活を送る患者本人も、薬剤や副作用などの知識を備えるとともに、症状や副作用の観察ができることが重要である。

　DMARDs（抗リウマチ薬）やステロイド薬など、副作用の強い薬物を用いることも多いので、それらに関する知識を薬剤に関するパンフレットなどを活用して提供し、早期発見できるようにする。副作用が強いときは、薬剤の変更や調整について患者や医師と検討する。薬物療法が確実に行われるよう薬剤管理のアセスメントを行い、患者の個別性をふまえて支援する。MTXのように特殊な内服方法の薬もあるため、とくに高齢者は内服を間違えないように工夫する必要がある。MTXの副作用で頻度が高い肝機能障害などは葉酸併用で予防・治療が可能だが、間質性肺炎や感染症などの重篤な副作用が出現することもあるため[3]、十分な説明と、定期的な診察や検査を受けることが重要である。

表Ⅴ-6-11　関節リウマチ患者の看護アセスメント

目　的	アセスメント項目		備　考
身体的側面 ● 病状（ステージ）のアセスメントと今後の看護の方向性を設定する ● RA特有の症状と、それに伴う身体的苦痛の有無・程度をアセスメントする	● 病歴	・これまでの治療経過（治療歴，手術歴） ・現在の治療状況 ・RAに特徴的な症状に関連した全身的所見． ・初発症状と程度，その後の経過 ・既往歴	
	● 検査データ ①血液系	・RA診断時：赤血球沈降速度，CRP，IgM，リウマトイド因子，抗CCP抗体など ・経過観察時：赤血球沈降速度，CRP，IgM，リウマトイド ・因子，免疫グロブリン，MMP-3など ・肝機能，腎機能検査など	・抗リウマチ薬による肝機能障害，腎機能障害などが出現する場合がある．
	②骨・関節系	・X線検査，CT，MRI，関節超音波検査，骨シンチグラフィ，関節可動域（ROM），徒手筋力テスト（MMT）など	
	③免疫系	・リウマトイド因子（RAテスト，RAHA［RAPA］法，免疫比濁法）など	
	④呼吸・循環器系	・胸部X線，Spo₂など	
	⑤腎・泌尿器系	・機能検査など	
	⑥脳神経系	・知覚異常，病的反射の出現，深部腱反射の亢進など	
	● バイタルサイン	・体温，脈拍，血圧，呼吸数など	・発熱や不整脈が出現する場合もある． ・疼痛にはペインスケールを用いたりする．
	● 徴候・症状	・関節症状がある場合は，関節の部位，疼痛の程度，発赤や腫脹の有無，朝のこわばりなど．皮下結節や眼症状，呼吸器症状など関節外症状の有無もアセスメントする． ・抗リウマチ薬の副作用症状（消化器症状など）の有無	
	● リスク要因	・家族内のRA罹患の有無（家族歴） ・リスク因子（喫煙，ウイルス感染など）の有無	
	● 合併症	・呼吸器疾患，糖尿病，シェーグレン症候群，骨粗鬆症，心筋梗塞などの合併症の有無	
日常生活の側面 ● 日常生活状況をアセスメントする	● 環境	・居住環境，生活地域など	
	● 食事	・食事内容と量，食事の摂取状況（箸やスプーンの使用方法，食器の種類など），調理の状況（調理が可能か，調理器具の活用方法など），介助の必要性など	
	● 排泄	・排便状況，尿の性状，尿量，排泄場所（トイレが使用可能か否か），衣服の着脱状況，介助の必要性など	
	● 睡眠	・睡眠時間，睡眠障害の有無，寝具など	
	● 清潔	・入浴の有無（介助の必要性），歯磨きやうがいの有無（介助の必要性），タオルが絞れるかなどの清潔行動の状況など	
	● 動作・活動	・リハビリテーションの種類，リハビリテーション実施状況など ・その他，日常生活で障害されている動作 ・関節保護の状況など	
	● 趣味・余暇活動	・趣味・余暇活動に支障をきたしているか，また，それに対する思いなど	
	● セルフケア能力	・日常生活を調整しながら治療を継続する能力の有無，程度 ・自分でできること・支援が必要なこと・全面介助が必要なことを把握できているか，支援や介助が必要な場合の依頼人や依頼場所が準備できているか	

(つづき)

認知・心理的側面 ● 認知・心理的側面をアセスメントする	● 疾患や治療の理解および受け止め	・疾病や治療に関する理解と受け止め方，理解力（読解力など） ・疾患および増悪因子，治療およびその副作用をどのように理解し，受け止めているか	
	● 価値・信念	・何に価値を置き，何を大切にしているか，信仰する宗教は何か	
	● 対処方法	・大きな問題に直面したときの主なコーピング方法など ・何に価値をおいているか，何を大事にしているかなど	・妊娠・出産の希望がある場合は，治療薬の調整が必要となるため主治医と十分に検討する必要がある
	● 心理状態	・今後どのようにしたい（どうなりたい）と思っているかなど ・挙児希望の有無など ・不安，抑うつ，依存傾向などの精神症状 ・心配，悩みなど	
	● 認知機能	・認知機能検査など	
社会・経済的側面 ● RAとその治療が社会・経済状態に及ぼす影響をアセスメントする ● 患者のもつサポート体制をアセスメントする	● 役割	・家庭における役割，職場における地位・役割など	
	● 職業	・就業の有無，仕事内容，勤務時間，労働量，通勤時間，通勤方法，職場環境や人間関係など	
	● 家族構成	・家族の人数，家族構成員	
	● 家族の状態	・家族の年齢，家族の就業状況，家族の既往歴など ・家族の病気や治療に対する理解力および受け止め，協力体制の状態 ・（主な介護者），患者との関係性など	
	● キーパーソン	・家族または周囲の人の中でのキーパーソンは誰か	
	● 経済状態	・医療保険の種類，民間保険の加入の有無，医療費の支払い能力の有無，公的制度（介護保険・身体障害者福祉など）の有無など	
	● ソーシャルサポート	・友人・知人・同僚・患者会などのサポートの有無，利用できる社会資源 ・ヘルパー・介護サービス・訪問看護の有無など ・支援物品の状況など	

　生物学的製剤の発展に伴い，自己注射指導が必要となる場合もあるが，患者が自己注射への恐怖心や抵抗感を抱くことも多い．自己注射や疾患に対する思いを受け止めながら，手技の指導をすることが重要となる．パンフレットを用いたり，安全な手技となるよう工夫したり，補助具の使用を検討したりする．また，自己注射部位の観察や副作用の有無を確認する．

b. 症状マネジメント

　症状マネジメントでは，患者がどのように症状を認知しているか，どのように症状を評価しているか，症状に対してどのように対処しているかが重要である．看護師は患者とともに上記に関する認識の相違や効果的でない対処について互いに検討し合うことが重要である．痛みを我慢してしまう患者もいるので注意する．薬物の効果時間や量を含めて，薬物療法が効果的に作用しているかを評価し，より効果的になるよう支援する．疼痛や腫脹などの苦痛が著しい場合は，関節の安静・保護に努める．温・冷罨法（おん・れいあんぽう）などを活用して症状

緩和をはかる．急性期の痛みの場合は，冷罨法を行う．**ボディメカニクス**[*]の知識を活用し，炎症活動が盛んな関節に負担がかからない動作を工夫する．室内温度や湿度を適正に保ち，痛みへの影響を軽減し，体の保温に努める．

「活動と安静のバランス」を常に意識するようにして，意欲だけで行動しないようにし，患者自身がバランス感覚をもてるように，体の反応や体調のバロメーターを意識するよう指導する．活動量は徐々に増やし，増やすたびに患者の身体的反応をアセスメントする．十分な睡眠時間を確保し，活動の前後には安静時間をとるようにする．

c. セルフモニタリング

RA患者が自分の現在の状況を観察し，理解して管理することは重要である．自分の病気や治療について何を知っているのか，どのような症状があるのか，自分の状況を把握するようお薬手帳，セルフケアノートなどの活用も検討する．しかし，このようなことに意識が向きすぎると，日々変化する症状に混乱したり，自分ができないことを気にするあまり抑うつやネガティブな考えが強くなる場合もあるので留意する．患者の性格や特性などを把握しながら指導することが重要である．

d. 日常生活における教育的支援および援助

関節症状により階段の昇降，入浴，トイレ動作，食事動作，書字動作など生活全般の動作が影響を受ける．患者とともにADLに関する関連動作を評価する．たとえば，自分でできること，補助具を用いて自分でできること，介助が必要なことなどのように整理して，介助の適正を判断する．ADLの自立度に合わせて目標を立案し，具体的援助を計画し実施する．関節への負担を少なくして日常生活におけるセルフケアの範囲が広がるよう自助具を活用する．住居・福祉用具など，生活能力を高めるための環境整備も重要である．関節を過度に動かしすぎると関節炎が増悪することもある．患者自身が，日常生活での休息・安静の重要性，仕事内容の吟味，仕事と休息の関係などを十分に理解する必要がある．つまり，患者自身が十分な観察を行い，症状や病状に合わせて生活をマネジメントできることが重要である．

リハビリテーションを継続することの重要性（変形や拘縮を予防し，血液循環や**関節可**

---

[*]ボディメカニクス：身体運動力学のことである．人間の運動機能は身体の構造や機能と相互に関連し合っており，そのしくみを理解して合理的に動作を行うことによって身体的負荷を軽減するような姿勢や動作についていう言葉．

動域・活動範囲を増加させるなど）を伝える．また，リハビリテーション継続の支障になっている要因を明らかにし，継続を支援する．炎症活動が著しく，疼痛などの症状が強い場合は，活動を減少させ，関節への負荷をかけないことが推奨されている．しかし，まったく動かさないでいると関節拘縮が生じるので，関節を保護しながら生活のなかで手足を使うようにする．炎症活動期のリハビリテーションは，具体的な方法や量について，専門医や理学療法士などに確認しながら進める必要がある．

リハビリテーションにより，ADLが向上したとしても，症状が一進一退を繰り返すことも多いので，焦らないよう配慮することが大切である．予測的にかかわり，症状悪化への対応を伝えることも重要である．関節障害による生活上の問題だけでなく，2次的な問題としての体力低下や気力低下が生じやすいことも考慮する．行動計画や家事などは，症状の変動なども含めて，柔軟な計画を立てるよう指導する．生活動作は，筋力，関節の可動域，柔軟性，バランス，持久力，集中力，モチベーションなど多様な要因が影響し合う現象であるので，包括的な見解で支援することが重要である．

e. 心理・社会的支援

身体機能が低下し，ADLが低下すると，自尊心が低下しやすい．痛みや苦痛は患者本人にしかわからないので，患者が訴える痛みや不満・不安などに耳を傾けることが大切であり，体験の共有や共感をはかることが重要である．

また，小さな成功体験を積み重ねたり，ポジティブフィードバックを繰り返すことにより自己効力感を維持できることもある．医療者や家族などからの，具体的な変化に対するフィードバックや，適切な助言と励ましは効果的であることが多い．しかし，話し方やタイミングなどは十分配慮する必要がある．活動を促進する可能性のある動機づけを探ること（たとえば，料理ができるようになる，旅行に行けるようになるなど）や，役割を明確にして自尊心を保てるように調整することも重要である．もし，不安や抑うつが強い場合には，精神科医や心療内科医，リエゾンナースなどの専門家に相談したり，連携がとれるように調整する．

今後の生活をどのように構築するのか，医療者と家族などがともに率直に語り合え，目標を共有できる機会を設けることも重要である．患者会では，同様の体験をしている患者との交流や体験の共有ができ，療養生活に関する情報交換ができることなどを紹介し，社会的サポートの広がりを支援する．患者同士の体験の共有では，経過が長期にわたる患者から，さまざまな問題のとらえ方や対処方法を聞くことで，病気とのつきあい方を学ぶ機会になることもある．

f. 家族への支援

家族は患者とともに治療や病状の進行に対する不安，予後に対する不安を抱く．近年，RAの治療は大きく進歩したが，それを知らない患者や家族も多く将来への不安を抱きやすい．治療に関する適切な説明と治療継続の重要性を理解してもらえるよう支援する．また，長期にわたる療養生活をともにし，関節変形や関節破壊があり，慢性的な痛みや日常生活上の不自由さに向きあう患者を支援する家族のなかには，多様で複雑な心情を抱いていることもある．なかには，患者への介護に疲弊している家族もいる．家族の心身の健康状態をアセスメントし，必要に応じて介護職などの導入を行い，包括的なケアを行う．

g. チーム医療

RAの医療では，薬物療法，患者教育，リハビリテーションなどを含めたトータルマネジメントが重要である．トータルマネジメントは，発症からの経過を経時的にとらえる縦断的なマネジメントと，その時点における各専門職が協働・連携する横断的マネジメントの2つの意味が含まれる[4]．専門医，看護師，理学療法士，作業療法士，薬剤師，栄養士などの連携によるチーム医療が重要であり，患者や家族もチームの一員としてとらえることが大切である．またRAは，**身体障害者福祉**や**介護保険**などの公的制度を活用できるので，在宅療養に関してメディカルソーシャルワーカー（MSW）や介護支援専門員（**ケアマネジャー**）などと連携をとり，調整する．

学習課題

1. 関節リウマチの定義と分類を述べてみよう
2. 関節リウマチの早期，関節破壊期，関節破壊高度期における看護目標を説明してみよう
3. 関節リウマチ患者の症状マネジメントにおいて重視すべきことを説明してみよう

練習問題

Q1 関節リウマチ患者への治療・ケアで正しいのはどれか．
1. 関節リウマチ診療は著しい進歩があるため，医療費に関係なく効果のある治療薬を積極的に推奨すべきである．
2. 急性期の痛みがある場合には，関節を温めて痛みを緩和する．
3. bDMARD（生物学的製剤）は，診断されたらなるべく早めに治療を開始する．
4. 関節軟骨破壊による疼痛を軽減するため非ステロイド性抗炎症薬を用いる．

［解答と解説 ▶ p.529］

引用文献

1) 一般社団法人日本リウマチ学会（編）：関節リウマチ診療ガイドライン2020．診断と治療社，2021
2) 厚生労働省：平成22年リウマチ・アレルギー相談員養成研修会テキスト，第6章関節リウマチ，2010〔https://www.mhlw.go.jp/new-info/kobetu/kenkou/ryumachi/jouhou01.html〕（最終確認：2023年1月10日）
3) 宮坂信之（編）：インフォームドコンセントのための図説シリーズ　関節リウマチ―生物学的製剤の正しい使い方とは？，医薬ジャーナル社，2011
4) 公益財団法人日本リウマチ財団（監）：関節リウマチのトータルマネジメント，p.1-19，医歯薬出版，2011

V-6. 血液・免疫系の障害を有する人とその家族への援助

5 全身性エリテマトーデス

> **この節で学ぶこと**
> 1. 全身性エリテマトーデス患者の身体的，心理・社会的特徴を説明できる
> 2. 全身性エリテマトーデス患者に必要な症状マネジメントとセルフモニタリングについて説明できる
> 3. 全身性エリテマトーデス患者が日常生活を送るために必要な看護師の教育的支援と援助について説明できる
> 4. 全身性エリテマトーデス患者および家族に必要な心理・社会的支援について説明できる

A. 全身性エリテマトーデス患者の身体的，心理・社会的特徴

　全身性エリテマトーデス **SLE** は，全身の臓器に多様な症状が現れ，再燃と寛解（かんかい）を繰り返す慢性炎症性疾患である．日本におけるSLE患者数は推定約6万〜10万人とされ，男女比は1：9〜10と圧倒的に女性に多く，20〜40歳代の妊娠可能年齢に好発する[1]．

　原則的な治療は免疫を抑制する薬物，とくにステロイド薬の投与であり，投与量は病態や疾患の活動性に応じて異なる．活動性の高いループス腎炎や溶血性貧血，間質性肺炎などの重要臓器の病変を伴うなど重症度の高い場合は，ステロイドパルス療法（ステロイド薬を短期間に大量投与する治療）が選択される．さらに臓器病変とその重症度によって，ステロイド薬での治療と組み合わせながら，ミコフェノール酸モフェチル（MMF），シクロホスファミド間欠静注療法（IVCY）などの免疫抑制薬を用いた治療を行う．シクロホスファミドは悪性リンパ腫などの悪性腫瘍の治療に用いられてきた抗がん薬であるが，低用量では自己免疫抑制効果を発揮するためSLEに対する治療にも用いられている．世界的な標準治療で用いられていたヒドロキシクロロキン（HCQ）は全身症状の軽減に効果が認められており，日本でも2015年に承認された．

　SLEに対する治療は進歩し続けており，早期診断・早期治療が可能となった現在では，以前に比べ予後は著しく改善し，10年生存率は90％を上回る[2]．SLE患者の死亡原因は，従来では腎不全や中枢神経ループスなどSLE自体の症状によるものが多かったが，近年では感染症や動脈硬化性病変などによる死亡が増加している．

1 ● 身体的特徴
a. 疾患に伴う多様な全身性症状

　SLEは自己に対する免疫の異常により，自己抗原に対して抗核抗体や抗DNA抗体など

表Ⅴ-6-12　全身性エリテマトーデスの主要な症状

1) 全身症状
　　全身倦怠感，発熱，貧血，白血球・リンパ球減少，血小板減少
2) 皮膚・粘膜症状
　　蝶形紅斑，円盤状紅斑，発疹，脱毛，口腔潰瘍
3) 筋・関節症状
　　関節痛，多発性関節炎，ジャクー（Jaccoud）変形
4) 腎症状
　　ループス腎炎，腎不全
5) 中枢神経症状
　　けいれん，精神症状，脳梗塞，神経炎
6) 心・血管障害
　　心膜炎，胸痛，心囊液貯留
7) 肺・胸膜症状
　　胸膜炎，急性間質性肺炎，肺胞出血
8) 消化管症状
　　口腔潰瘍，腹膜炎，ループス腸炎

の自己抗体や免疫複合体が産生され，皮膚，心臓，腎臓，神経などの多臓器に障害が起こる**全身性自己免疫疾患**である．表Ⅴ-6-12に示すとおり，皮膚・粘膜症状，筋・関節症状，内臓病変に伴う症状や血球減少，神経・精神症状など，苦痛を伴う多様な症状が出現する．とくに活動期には，倦怠感や発熱などの全身的な症状を認めることが多い．皮膚・粘膜の発疹も活動期に多く起こり，蝶形紅斑や円盤状紅斑などの特徴的な皮膚症状も認められ，紫外線曝露によって増強する．手や指，膝などの多発性関節炎も多くみられるが，関節リウマチとは異なって，関節破壊を伴わない変形（ジャクー［Jaccoud］変形とよばれる）を起こす．

　臓器病変としてはループス腎炎とよばれる腎障害がもっとも多く，腎不全に進行することもある．心病変として心囊炎や心筋炎を発症し，胸痛や心囊液貯留を起こすことがある．抗リン脂質抗体症候群（antiphospholipid syndrome：APS）を合併している場合には，動脈・静脈血栓症が繰り返し起こることがある．中枢神経ループス（CNSループス）とは，髄膜炎やてんかん，頭痛，脳梗塞などをきたす中枢神経症状と，うつ，情緒不安定，記憶・認知障害などの精神症状とを合わせたものである．SLEの治療ではステロイド薬を使用するため，ステロイド薬の影響による精神症状との鑑別が重要である．

b. ステロイド薬や免疫抑制薬の使用に伴う感染症のリスクとその他の副作用

　SLEは免疫機能が障害される自己免疫疾患であり，治療を目的としてステロイド薬や免疫抑制薬を使用するが，それにより患者の免疫機能は低下する．疾患の症状としての白血球・リンパ球減少も加わり，患者は非常に感染を起こしやすい状態となる．とくに，ステロイド薬や免疫抑制薬の大量投与を行っている場合は，日和見感染を起こしたり，感染症によって重篤な状態に陥ることがある．感染症はSLEのもっとも頻度の高い合併症であり，発症することは患者の予後に大きく影響する．そのほかにも，ステロイド薬の使用による副作用は多彩であり，消化性潰瘍，骨粗鬆症，糖尿病の誘発，精神症状，血栓などの症状にも注意が必要である．

c. 再燃と寛解を繰り返し長期化する治療

　SLEは再燃と寛解を繰り返し，慢性の経過をたどる疾患である．患者は長期間にわたる治療，通院を行いながら，寛解の状態を維持し，再燃を早期発見するためのセルフモニタリングを行っていくことになる．SLEの増悪因子には，過労やストレス，紫外線への長時間曝露，寒冷刺激，感染，妊娠・出産などがあり，患者は寛解の状態を長く維持していくために，SLEの増悪因子を避けながら生活をコントロールしていく必要がある．

2 ● 心理・社会的特徴

a. 症状・治療の影響による心理的葛藤や社会的苦痛

　SLEは根治の方法のない難病であることから，患者はSLEに罹患したことそのものに大きな衝撃を受け，抑うつ状態となることもある．ステロイド薬や免疫抑制薬の投与によって，骨粗鬆症や糖尿病，さまざまな感染症などの合併症のリスクも高まるため，患者はSLEの治療を受けながら，SLE以外の疾患を発症する不安も抱くことになる．

　SLEに特徴的な症状として**蝶形紅斑**や脱毛の出現がみられ，ステロイド薬の長期使用の副作用でも，満月様顔貌（ムーンフェイス），中心性肥満，多毛といった特徴的な外見の変化がみられる．SLEの患者は若年女性が多いことから，こうした容貌の変化はボディイメージの混乱につながり，精神的・社会的苦痛は非常に大きくなる．

　SLEの治療は長期化し，治療や通院による制限も発生することから，学業や就職，結婚・妊娠・出産といったライフイベントへの影響が大きい．患者は「この病気をもったまま仕事を続けられるのか」「結婚することができるのか」と，将来への不安を抱きやすい．

b. 家族の心理的・経済的負担

　SLEは難病であり，再燃と寛解を繰り返して治療が長期化する疾患であるため，家族も患者と同じように先行きのみえない不安や精神的な苦痛を感じている．SLEの原因は不明だが，遺伝的素因に環境要因が加わることで発症すると考えられており，家族は罪悪感を抱きやすい．またSLEの患者は若年女性に多く，家族も，患者の就業や妊娠・出産など将来についての不安を抱く．

　さらに，患者が入退院を繰り返すことや治療の長期継続に伴って，入院費，治療費などの経済的負担，役割の代行といった社会的負担も発生する．

B. 全身性エリテマトーデス患者および家族への援助

1 ● 看護アセスメント

SLEは，全身の臓器に非常に多様な症状が出現し，治療の影響による症状も多岐にわたる疾患である．患者の全身に現れる症状を詳細に観察し，異常を早期に発見し対処する必要がある．また，出現している症状が患者の日常生活や心理・社会的側面に及ぼす影響にも目を向け，アセスメントする必要がある．SLE患者の看護アセスメントの項目を**表V-6-13**に示す．

2 ● 援助の方針

SLE患者の身体的，心理・社会的特徴をふまえて，援助の方針を次のように考える．

①診断時は，苦痛を伴う多様な症状を緩和し，診断を受けたことによる衝撃を軽減する．疾患および治療への理解と受容を促し，患者が前向きに治療に取り組めるよう支援する．
②活動期・再燃期は，症状や治療に伴う苦痛を緩和するとともに，再燃による心理的苦痛を軽減する．また，再燃をもたらした増悪因子について患者とともに考え，生活の再調整に向けた支援を行う．
③寛解期は，寛解状態を長期間維持するために，患者がSLEの増悪因子を理解し，疾患と折り合いをつけて生活を調整するなど，自分自身でセルフマネジメントできるよう支援する．

3 ● 看護活動

a. 症状マネジメント

適切な症状マネジメントを行うためには，まずSLE患者に出現する多様な症状の発症メカニズムを理解することが必要である．看護師は，患者がそれらの症状をどのように認識し，症状や苦痛を表現しているかを理解する．それぞれの症状がなぜ出現しているのか，どうすれば緩和できるのかについて患者に知識を提供するだけでなく，患者が主体的に症状を緩和できるよう，ともに対策を考える姿勢をもって支援することが重要である．

b. セルフモニタリング

寛解の状態を維持し，再燃時にも異常を早期発見し対処できるよう，患者が自身の体調の変化に気づけるよう支援する．看護師は，日々の体調や症状の変化，日常生活のなかでのできごとなどを患者とともに振り返り，増悪因子にかかわるような行動や生活習慣に気づけるように働きかけ，主体的に生活を調整していけるようにする．また，患者自身で，発熱や関節痛など多様な症状の有無を確認し，再燃徴候を察知する習慣をつけていく．SLEに特徴的な神経・精神症状や，ステロイドの副作用による精神症状出現のリスクもあるため，身体症状だけでなく，気分不快や食欲不振，不眠などのうつ状態の徴候も説明し，自ら気づけるように意識づける．

症状に気づいた場合は早期に受診するよう説明するが，患者の不安が強い場合には，軽微な症状も再燃の徴候に結びつけて強い不安を感じることもあるため，患者の心理状態をアセスメントしたうえで，過剰な不安を抱く必要はないと説明するほうが適切な場合もある．

表V-6-13 全身性エリテマトーデス患者の看護アセスメント項目

目的	アセスメント項目		備考
身体的側面 ● 現在の病状およびステロイド薬，免疫抑制薬の副作用をアセスメントする ● SLE特有の症状に伴う身体的苦痛の有無・程度・再燃の徴候をアセスメントする	●病歴	・現病歴，既往歴，薬剤の使用歴とアレルギーなど ・家族歴 ・妊娠歴・月経歴	・腎炎や貧血などが既往にある場合，SLEの部分的な症状として先行していることがある． ・薬剤によって起こるSLE様症状（薬剤誘発ループス）との鑑別のため，使用している薬剤について確認する． ・SLEには遺伝的要因が関与していることから，家族員もSLEやその他の膠原病，自己免疫疾患を発症していることがある．
	●検査データ ①血液検査	・赤血球数，赤血球沈降速度，白血球数，リンパ球数，CRP，血小板数	・抗体が生成され血球成分が減少するため，易感染状態，貧血，出血傾向の程度，SLEの重症度を把握できる．また，ステロイド薬や免疫抑制薬の副作用の有無・程度を把握できる．
	②骨・関節系	・X線，CT	・SLEの関節炎は骨破壊を伴わないことから，関節リウマチとの鑑別ができる．ステロイド薬の使用による大腿骨頭・膝関節の無菌性壊死の有無を把握できる．
	③免疫系	・自己抗体（ANA），抗二本鎖DNA抗体（抗ds-DNA抗体），抗Sm抗体，抗リン脂質抗体	・自己抗体の状態から再燃を把握できる．
	④呼吸・循環器系	・胸部X線，胸部CT，呼吸機能検査，血液ガス分析，心電図，心エコー，心臓カテーテル検査，血管造影	・臓器の障害の有無と程度により，SLEの重症度を把握できる．
	⑤腎・泌尿器系	・腎機能検査，腎生検，尿の性状，尿量	・ループス腎炎では，持続的タンパク尿，血尿が認められる．
	⑥消化器系	・X線造影，内視鏡，腹部CT ・食事内容，食事量，腹部症状の有無，発現時期と程度 ・排便状況（便秘・下痢の有無と程度）	
	⑦脳神経系 ●バイタルサイン	・脳波検査，頭部CT，頭部MRI，髄液検査 ・体温，脈拍，血圧，呼吸数と呼吸の性状，SpO_2	・SLEの症状，感染徴候を把握できる．
	●徴候・症状	・症状の有無と程度を把握する ・発熱，全身倦怠感，易疲労感，関節痛，蝶形紅斑，口腔潰瘍，体重減少，浮腫，頭痛，けいれん，意識障害，脱毛，幻覚，情緒不安定，抑うつなど	・SLEの重症度や再燃の状態を把握できる．
日常生活の側面 ● 全身性エリテマトーデスとその治療による身体・精神症状が日常生活に及ぼす影響をアセスメントする	●環境 ●食事 ●排泄 ●睡眠 ●清潔	・生活している環境，家庭状況や就学・職業上の環境 ・食事回数と量，内容，食欲，水分摂取量 ・排尿回数，排尿量と性状 ・睡眠時間，寝つきや目覚めの状況 ・手洗い含嗽，口腔ケア等の清潔行動，入浴ができているか	
	●動作・活動	・ADL，日常的に行っている運動の種類，運動量，時間，回数運動の種類，運動量，時間，回数 ・どのような活動が障害されているか，患者の対処	
	●趣味，余暇活動 ●セルフケア能力	・どのような趣味・余暇活動が行えているか ・日常生活を調整しながら治療を継続する能力の有無，程度，日常生活のなかで，できること，できないことを把握する	

(つづき)

認知・心理的側面 ●全身性エリテマトーデスとその治療が心理状態に及ぼす影響をアセスメントする	●疾患や治療の理解および受け止め	・疾患および増悪因子，治療およびその副作用をどのように理解し，受け止めているか ・情報提供をするうえで必要な理解力・認知機能の状態	
	●価値・信念	・どんな価値観をもっているか，大切にしていることは何か	
	●対処方法	・これまで問題にどのように対処してきたか	
	●心理状態	・不安，抑うつ，精神的な問題の有無や程度	
社会・経済的側面 ●全身性エリテマトーデスとその治療が社会・経済状態に及ぼす影響をアセスメントする ●患者のもつサポート体制をアセスメントする	●役割	・就業の有無と業務内容，勤務時間，労働量，職場の環境	
	●職業	・会社・家庭などにおける役割	
	●家族構成		
	●家族の状態	・疾患や治療に対する家族の理解と受け止め，家族内での協力体制	
	●キーパーソン	・家族または周囲の人のなかでのキーパーソンは誰か	
	●経済状態	・医療保険の種類，民間保険の加入状況，医療費の生活への負担	
	●ソーシャルサポート	・友人，知人・同僚・患者会・コミュニティなどのサポートの有無，利用できる社会資源	

外来受診時には，日々の体調や気持ちの変化をモニタリングできているかを確認する．適切に振り返りができている場合は患者の努力をねぎらい，ポジティブフィードバックを行う．

c. 日常生活における教育的支援および援助

患者に対し，SLEの特徴や増悪因子，再燃によって出現する症状，治療による副作用などについて，患者用パンフレットなどを用いてわかりやすく知識提供を行い，正しい認識を促す．病気を適切にコントロールできれば寛解の状態を長く維持できることを伝え，患者が増悪因子を避ける必要性や，適切な内服の重要性について理解したうえで，主体的に治療に参加できるよう支援する．

患者が増悪因子を避け，適切に治療を継続するためには，日常生活や社会生活のなかでの規制も少なくないため，家族や友人，就業先の関係者などの理解と協力も得られるようにしていく．

(1) SLEの増悪因子

SLEの増悪因子と具体的な対策を表V-6-14に示す．増悪因子のなかでも，とくに過労，ストレス，紫外線への長時間曝露などは日常生活や仕事と密接に関係しているため，患者自身が増悪因子への対策を工夫し，生活のなかに取り入れていく必要がある．看護師は，患者が増悪因子を生活に無理のないかたちで避けていけるよう，患者・家族と話し合ってともに考える．

(2) 内服薬の管理

患者がステロイド薬や免疫抑制薬の副作用に不安を感じている場合，自己判断で服薬を減量や中断してしまうことがある．治療継続の必要性と服薬中断のリスクを十分に説明し，減量したい場合，必ず医療者に相談するよう説明する．そのうえで，患者がなぜ薬を減量したいと感じたのか，内服に不安や苦痛があるのか，患者の思いを引き出して解決に努める（p.191参照）．

表V-6-14　全身性エリテマトーデス患者にとっての増悪因子と対策

増悪因子	対　策
紫外線への長時間曝露	直射日光を避ける工夫をする ・外出時には長袖シャツ，日傘や帽子を着用する ・家事や育児などによる紫外線の曝露を抑えられるよう，家族と相談し役割を調整する
寒冷刺激	寒冷刺激を避ける ・暖かい服装や，暖房器具を使った室温調整を心がける ・食器洗いなどの水を使う家事ではゴム手袋，温水を使用する
疲労，ストレス	運動や仕事による疲労をためないようにし，十分な休息をとる ・長時間の激しい運動を避ける ・疲労を感じたときには，ゆっくり休む時間を確保する ・疲労時に休息を確保できるよう，職場や家庭で環境を調整し，キーパーソンに理解を求める
感　染	感染予防と感染症の増悪を防ぐ ・外出時にはマスクを着用し，外出から戻ったときには含嗽と手洗いを心がける ・清潔を保つため，体調に合わせて入浴，シャワー浴などの保清を行う ・口内炎や呼吸器感染症を防ぐため，歯磨きや含嗽を促す ・尿路感染症を防ぐため，温水洗浄便座などを使用した陰部洗浄を行う ・感染症が流行する時期には人ごみを避ける ・感染の徴候を理解し，感染症状が出現した際には早めに受診する
妊娠・出産	安心して妊娠・出産できるようライフプランを組み立て，病状をコントロールする ・妊娠・出産によるSLE増悪のリスクがあること，ステロイド薬や免疫抑制薬は胎児への催奇形性があることから，避妊の必要性を説明する ・SLEの活動性が低い状態で，薬剤が適切にコントロールされていれば，妊娠・出産は可能であることを伝え，妊娠の希望があるときは医療者に相談するよう説明する

また，免疫抑制薬のカルシニューリン阻害薬（シクロスポリン，タクロリムス）を内服しているときは，グレープフルーツを使用した食品を摂取することで免疫抑制反応が強く出ることがあるため，摂取を避けるように説明する．

d. 心理・社会的支援

患者が疾患や病状，治療をどう理解し受け止めているかを十分に把握しながら，患者の心理状態に合わせた支援が重要である．診断時や再燃時は，患者は強い衝撃を受けて状況を正しく認識できないことがあるため，まず患者の身体的苦痛の緩和をはかるとともに，危機モデルなどを参考に患者の置かれている状況や心理過程を理解したうえで，疾患や治療への理解を促していく．

容貌の変化に伴ってボディイメージの混乱がみられる場合，紅斑や脱毛といったSLEの症状は治療により改善されることを伝え，ムーンフェイスや多毛，中心性肥満はステロイド薬の副作用であり，適切に減量をすれば改善することを理解してもらう．疾患や治療に対する不安が大きなストレスになり，それ自体が増悪因子になってしまうことも考えられるため，日常生活のなかで患者がうまくセルフケアを行い，自信をもって生活できるよう支援することも重要である．

SLEの精神症状やステロイド薬などの影響で心理状態が変化しやすいため，抑うつ状態，情緒不安定，異常な言動などの症状を早期発見できるように努める．不安や抑うつが強い場合，異常な言動がみられる場合は，精神科医や心療内科医，精神看護専門看護師（リエ

ゾンナース）などと連携をとり，精神的な問題にかかわれる専門家を交えたチームで，患者を支援できるよう調整する．

　SLEは「難病の患者に対する医療等に関する法律（難病法）」（p.144参照）により**指定難病**とされており，重症度や障害の程度によって，手続きを行えば医療費の助成を受けることができる．患者・家族には，医療費の助成制度，そのほかの社会保険制度の紹介や，メディカルソーシャルワーカーへの相談窓口などの情報提供を行う．また，患者の希望に沿って患者会を紹介し，生活上の工夫に関する情報交換や，悩みや不安を同じ立場で話し合うことのできる機会を作る．

e．家族への支援

　患者と同様に家族もさまざまな不安や苦痛をかかえているため，家族が気持ちを表出できる機会を作り，思いを傾聴する．患者が疾患と折り合いをつけながら生活をしていくためには，家族や周囲の人々の協力が不可欠であるため，家族がこの病気や治療をどのように理解しているかを把握し，患者を支援できるよう援助する．

学習課題

1. 全身性エリテマトーデスの主な症状と治療を挙げてみよう
2. 全身性エリテマトーデスの増悪因子を挙げ，その対策を述べてみよう
3. 全身性エリテマトーデス患者のアセスメントに必要な内容を述べてみよう

練習問題

Q1 全身性エリテマトーデスの病態や治療について，正しいのはどれか．2つ選べ．
1. 男性と女性がほぼ同数である．
2. 特徴的な症状として，蝶形紅斑や脱毛がある．
3. 治療はステロイド薬・免疫抑制薬投与が基本となる．
4. 寒冷刺激を避けるため，日光浴を勧める．
5. 臓器病変としてもっとも多いのは心膜炎である．

［解答と解説 ▶ p.529］

引用文献

1) 難病情報センター：全身性エリテマトーデス，〔http://www.nanbyou.or.jp/entry/53〕（最終確認：2023年1月10日）
2) 橋本博史：全身性エリテマトーデス臨床マニュアル，第3版，日本医事新報社，2017
3) 厚生労働科学研究費補助金難治性疾患等政策研究事業自己免疫疾患に関する調査研究（自己免疫班），日本リウマチ学会（編）：全身性エリテマトーデス診療ガイドライン2019，南山堂，2019

V-7. 脳・神経系の障害を有する人とその家族への援助

1 脳梗塞

この節で学ぶこと
1. 脳梗塞患者の身体的，心理・社会的特徴を説明できる
2. 脳梗塞患者の看護問題を明らかにするためのアセスメント項目と，脳梗塞患者への具体的な看護活動について説明できる
3. 脳梗塞患者をかかえる家族への具体的な看護活動について説明できる

A. 脳梗塞患者の身体的，心理・社会的特徴

　脳梗塞（cerebral infarction）は，脳動脈が閉塞し，その血管から血液の供給を受ける脳組織が阻血状態となり，局所の神経症状が現れる疾患で，「血栓性脳梗塞」「塞栓性脳梗塞」「血行力学性脳梗塞」の3つに大別される[1]．血栓性脳梗塞は，**動脈硬化**により動脈の狭窄が生じ，さらに血栓やプラークによって脳動脈が閉塞することで発症する．一方，塞栓性脳梗塞は，心臓などに付着した血栓などが脳動脈に達して血管を閉塞し，脳梗塞を起こす．血行力学性脳梗塞は，脳梗塞を発症していないものの，動脈の高度な狭窄があったため，ショックなどにより急激な血圧低下が起こったときに脳の血流量が不足して発症する．

　脳梗塞は臨床的に「心原性脳塞栓症」「アテローム血栓性脳梗塞」「ラクナ梗塞」に分類されている．ラクナ梗塞では穿通動脈（脳の深部に血液を供給する細い動脈であり，他の血管との吻合がない）に病変がみられ，アテローム血栓性脳梗塞はアテローム硬化（粥状硬化）による主幹動脈の狭窄や閉塞がみられる．心原性脳塞栓症は，突然に発症する点が大きな特徴である．

　近年の日本における1年間の死亡総数のうち，脳梗塞などの脳血管疾患が占める割合は第4位となっている[2]．また，脳血管疾患による死亡のうち，脳出血よりも脳梗塞の患者数が多いという実態がある[3]．さらに，厚生労働省による2019年国民生活基礎調査[4]の概況では，介護が必要となった原因のうちもっとも高い割合を占めたのは，認知症の17.6％であったが，脳血管疾患は16.1％で2番目に高い割合となっている．これらから，脳梗塞は患者のQOLや生命に多大な影響を与える重大な疾患といえる．

　脳梗塞患者の身体的，心理・社会的特徴について，以下に説明する．

1● 片麻痺が出現し日常生活動作に影響が及ぶ

　運動麻痺とは，筋力が低下して運動そのものが障害されている状態をいい，主に上位運動ニューロン，下位運動ニューロン等が障害されることによって生じる．中大脳動脈の血流障害が起きて脳梗塞になると，代表的な症状として**片麻痺**（身体の一側の上下肢の運動

麻痺）がみられる．そのため，程度の差はあるものの，患者のADLに障害が生じる．
　運動麻痺は，完全な脱力がみられる「完全麻痺」と，部分的な脱力がみられる「不完全麻痺」に分類できる．一方，「弛緩性麻痺」と「痙性麻痺」のように，性状によって分類することもある．なお，脳梗塞の発症に伴い片麻痺となった患者の中には，肩の疼痛や運動制限を生じさせる複合性局所疼痛症候群（肩手症候群）がみられることがあるが，このような場合であっても患者のADL向上やQOLの改善を目指し，疼痛に配慮しながら継続的にリハビリテーションに取り組むことが求められる．

2 ● 高次脳機能障害の出現でけがや事故が起こる危険性が高くなる

　高次脳機能障害は，臨床的には脳損傷に起因する認知機能障害全般をさし，失行，失認のほか，記憶障害，注意障害，遂行機能障害，社会的行動障害などが含まれる概念とされる[5]．
　このうちの注意障害が生じると，気が散りやすい，複数のことを同時に行うと間違いが多くなるといったことが患者にみられるようになる．また，半側空間無視は脳梗塞の発症などによりたびたびみられ，大脳半球病巣と反対側の刺激への反応が障害される病態をいう．たとえば大脳の右側に脳梗塞を発症した患者では，自分の左側を無視するようになる[6]．このことは，患者が環境を認知し危険を回避した行動をする際の障害となるため，日常生活のなかでは転倒などの事故が起こる危険性が高くなる．

3 ● 失語症によりコミュニケーションが障害される

　中大脳動脈の閉塞や狭窄により脳梗塞が優位半球で起こると**失語症**が生じる．とくに運動性言語中枢（ブローカ中枢）が損傷を受けた場合には運動性失語（ブローカ失語）が，感覚性言語中枢（ウェルニッケ中枢）が損傷を受けた場合には感覚性失語（ウェルニッケ失語）がみられる（図V-7-1）．前者の特徴は，構音とプロソディ（話す速さやリズム，抑揚などのことで，韻律ともいう）の障害が強いことであり，発音がぎこちなく，スラスラと話すことがむずかしくなる．一方，後者には聴覚的理解の障害が強いという特徴があり，話の内容を正確に理解できなくなる．いずれにしても失語症を発症した場合には，自分の意思や感情を十分に表現できず，感情が不安定になったり，家族も含めた対人関係が狭小化する可能性があるため，障害に応じた適切なコミュニケーション手段の確立が重要となる．

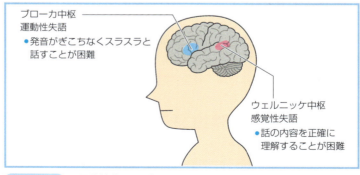

図V-7-1　運動性失語と感覚性失語

4 ● 嚥下機能の障害により栄養や水分の摂取が困難になる

　脳梗塞の発症に伴う延髄外側への血流量の低下は延髄外側症候群（ワレンベルグ症候群）を生じさせ，球麻痺をもたらす．球麻痺が生じると，固形の食物をのみ込むことが困難になる．一方，延髄より中枢の障害では偽性球麻痺が生じ，液体を飲みこむことがむずかしくなる．嚥下機能は人間にとって必要な栄養素や水分を体内に取り込む際に重要な役割を果たすため，この機能が低下した患者では栄養素と水分の補給が困難になる危険性がある．また食事は，療養生活における楽しみの1つとしての意味ももち合わせているため，患者のQOLに大きな影響を与える．

B. 脳梗塞患者および家族への援助

1 ● 看護アセスメント

　脳梗塞患者への看護を実践するにあたり，高血圧，脂質異常症，メタボリックシンドローム，心房細動などの再発の危険因子となる疾患・症候群や，睡眠時無呼吸症候群，末梢動脈疾患といった脳梗塞患者に併存することの多い疾患・症候群の有無とその治療状況について把握する．また，身体・認知機能のレベルは家庭や社会への復帰を目指すうえで必要不可欠な情報となるため，多職種で連携しながら適切な評価を継続的に行い，患者への個別的な支援計画の立案に生かしていくことが求められる．

　脳梗塞患者に対するアセスメントのポイントは，**表V-7-1**に示す．

2 ● 援助の方針

　脳梗塞を発症すると，程度の差はあるものの患者には血管の走行と支配領域に一致した運動・感覚の障害や高次脳機能障害が起こる．これらの多彩な症状を見きわめ，残存能力を活用し，日常生活および社会生活を再構築できるように支援すること，リハビリテーションによって獲得した身体機能を低下させないように努めることが回復期・慢性期にある患者への看護のポイントとなる．また，脳梗塞の突然の発症により，患者は身体・認知機能に障害を負うことになるため，患者と家族が将来に向けて抱く不安は大きく，障害を受容することに対しての心理的苦痛が大きい．そのため，患者と家族に対する支持的なかかわりや日常生活に対する教育的支援も行う必要がある．

　具体的な援助の方針を次のように考える．

①突然の発症に伴う患者と家族の心理的・身体的苦痛を理解し，その苦痛の緩和をはかるとともに，疾病や障害を受容できるように援助する．
②脳梗塞再発の危険因子について理解し，服薬に対するアドヒアランスを高め，日常生活についても主体的にセルフマネジメントができるように支援する．
③残存機能を活用してADLの向上を促すとともに，1日も早く家庭や社会に復帰できるように支援する．
④患者と家族が高次脳機能障害の症状を理解し，日常生活を安全に営めるように援助する．

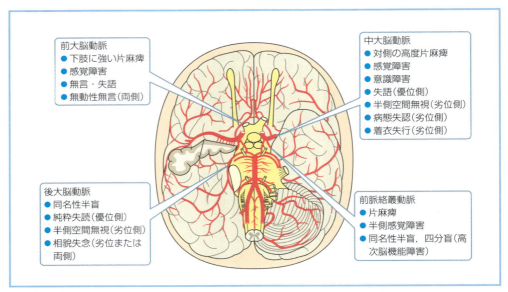

図Ⅴ-7-2　脳梗塞の発生部位による神経症状

ある特定の機能と密接に関係している大脳半球のことを優位半球という．たとえば，右利き者では左大脳半球に言語野がある場合が大半であり，左大脳半球が優位半球（優位側）となる．一方，言語野がない右大脳半球は劣位半球（劣位側）となる．なお，一般的には言語野のある大脳半球が優位側とみなされている．

3 ● 看護活動

a. 症状マネジメント

（1）閉塞した血管と主な臨床症状

　いったん脳梗塞に陥った脳の組織は回復が見込めず，また障害を受けた部位や範囲によって脳梗塞患者の症状が異なるため，患者や家族が症状の変化や新たな症状の出現に気づいたら早急に受診することが重要になる．閉塞した血管と主な臨床症状については，図Ⅴ-7-2に示すとおりである．

b. セルフモニタリング

　脳梗塞などの脳血管疾患の発症，ならびに再発の予防には，高血圧，糖尿病，および脂質異常症といった危険因子の管理が重要になる．そのため，正しい方法で測定した体重や血圧の値だけでなく，食事や水分の摂取状況，ならびに運動やリハビリテーションの取り組み状況などについて主体的かつ継続的に患者自身が記録をし，それを活用した日々の振り返りを行えるようになることが求められる．

c. 日常生活における教育的支援および援助

　脳梗塞発症により低下した身体機能の回復を促すには，患者の認知機能や心理の状態，家族支援のレベルや居住環境など，さまざまな要因の影響を考慮する必要がある．

第Ⅴ-7-1　脳梗塞患者の看護アセスメント項目

目　的	アセスメント項目		備　考
身体的側面 ●脳梗塞発症後の経過と症状の変化をアセスメントする ●基礎疾患についてアセスメントする	●病歴	・現病歴，既往歴，治療歴：高血圧，脂質異常症，糖尿病，心房細動，メタボリックシンドローム，多血症，末梢動脈疾患，睡眠時無呼吸症候群，慢性腎臓病，感染症などの疾患・症候群の有無や治療の状況，慢性腎臓病患者では血液透析を受けているか ・家族歴：家族内で上述した疾患に罹患した者がいるか	・血液透析が脳梗塞発症の危険因子になる可能性が指摘されているように，既往歴や現病歴だけでなく，患者が受けている治療内容も把握する．
	●検査データ ①脳血管系	・各検査項目のデータや所見を把握する ・頭部CT，頭部MRI，MRA，脳波検査，SPECTなど	
	②循環器系	・心電図，ホルター心電図，心臓超音波検査など	
	③血液	・凝固・線溶検査：活性化部分トロンボプラスチン時間，プロトロンビン時間とその国際標準比（PT-INR）など ・生化学検査：血糖値，グリコヘモグロビン，総コレステロール，トリグリセライドなど ・末梢血液検査：ヘモグロビン，ヘマトクリット，赤血球数，血小板数など	・ワルファリンを服用している患者では，定期的な採血を行ってPT-INRを確認し，服薬する薬剤の量を決めていく． ・抗凝固薬を服用している患者では，気づかない間に皮下出血が生じていることもあるため，日ごろから全身の観察を行う必要がある．
	④尿 ●バイタルサイン ●徴候・症状 ①脳血管の狭窄・閉塞に伴う症状 ②頭蓋内圧亢進症状	・尿定量検査（タンパク，糖など） ・体温，脈拍，呼吸，意識など ・片麻痺，運動失調，感覚障害，意識障害，失語，構音障害，嚥下障害，視野障害などの有無と程度 ・頭痛，悪心・嘔吐，めまいなどの有無と程度	・脳梗塞の再発時には，めまいや頭痛といった症状のみでなく，言葉の出にくさや顔面神経麻痺，片麻痺などがみられることも多い．在宅療養中の患者であれば，これらの症状の出現に気づいたら，発症時刻を確認し，ただちに医療機関を受診する必要がある．
日常生活の側面 ●脳梗塞とその治療による身体症状および精神症状が日常生活に及ぼす影響をアセスメントする	●環境	・ナースコールなどの必要物品の配置状況，ベッドや床頭台の配置状況，手すりや介助バーの設置状況 ・トイレ，風呂，寝室の位置，段差や階段の有無，車いすが使用できるか，住宅改修が可能か	
	●食事	・食物を口に運び，咀嚼し，嚥下するまでの実施状況 ・食事内容，食事・水分摂取量，食事環境，食習慣，嗜好品（飲酒・喫煙）の摂取や嚥下困難の有無，BMIなど	・喫煙が脳梗塞発症の危険因子となるという指摘もあるため，禁煙ならびに受動喫煙の回避に取り組むことが求められる．
	●排泄	・トイレ動作の実施状況（おむつや尿器などの用具の使用や失禁の有無を含む） ・排尿・排便の回数，量，性状，尿意・便意の有無，排尿・排便困難感の有無など	・脳卒中の発症予防と再発予防を目的として，肥満やメタボリックシンドロームの管理に取り組んでもよいとされている．なお，メタボリックシンドロームとは，内臓脂肪の蓄積に加え，高血糖，脂質異常，血圧高値の3項目のうちの2項目以上に該当する場合をいう．
	●睡眠・休息	・睡眠時間 ・不眠や疲労感の訴え，熟眠感の程度，睡眠薬の服薬状況，ベッド上で過ごす時間	
	●清潔	・口腔ケア，手洗い，洗顔，整髪，髭剃りや化粧などの実施状況 ・清拭や入浴（洗う，すすぐ，拭く，乾かす）の実施状況	
	●動作・活動	・基本的日常生活動作の自立度：起居動作，移動・移乗，入浴，食事，排泄，更衣，整容にかかわる動作の遂行能力や実施状況 ・手段的日常生活動作の自立度：電話を使う，買い物，食事の準備，家事，洗濯，服薬や金銭の管理などの遂行能力や実施状況	

(つづき)

		●趣味・余暇活動	・趣味の活動として取り組んできたことは何か，あるいは取り組みたいと思っていることは何か（どのような活動に関心をもっているのか） ・余暇の時間の過ごし方に満足しているか，あるいはどのように余暇を過ごしたいと思っているのか	
		●認知機能障害（高次脳機能障害を含む）	・記憶障害（例：同じことを繰り返し尋ねる，新しいことが覚えられない），注意障害（例：同時に2つのことを行うと混乱する，1つの作業を集中して長く続けられない），社会的行動障害（例：暴言・暴力がみられる，大声を出す），遂行機能障害（例：複雑な問題を解決するために支援を要する，約束の時間に間に合わせることができない），失行や失認の有無と程度	
		●セルフケア能力	・日常生活を調整しながら治療を継続する能力の有無，程度 ・日常生活を営む中で生じる倦怠感の有無と程度 ・自分自身で健康を管理したり，健康維持に向けた取り組みを実施することへの意欲の有無，程度	
認知・心理的側面 ●脳梗塞とその治療が心理状態に及ぼす影響をアセスメントする		●疾患や治療の理解および受け止め	・疾患や治療，および脳梗塞の発症後に自分の体に生じた変化について，どのように理解し受け止めているか，リハビリテーションの必要性について，どのように理解し受け止めているか	
		●価値・信念	・何に価値を置き，何を大切にしているか，信仰する宗教は何か	
		●対処方法	・これまで問題にどのように対処してきたか ・ストレスに対してどのように対処してきたか	
		●心理状態 ●認知機能	・不安や抑うつの有無と程度，治療やリハビリテーションに対する意欲の程度	・脳卒中後うつがADLや認知機能障害に影響を及ぼしたり，社会参加を阻害する可能性があるため，関連職種と連携しながら患者の身体機能のみならず，心理・社会的機能のアセスメントを行うことが求められる．
社会・経済的側面 ●脳梗塞とその治療が社会・経済状態に及ぼす影響をアセスメントする		●役割	・社会や家庭内でどのような役割を担ってきたのか ・これまで担ってきた役割について，どのように認識しているのか ・社会や家庭への復帰後は，どのような役割を担いたいと思っているのか ・いつまで休むことができるのか，仕事や家庭内の役割を続けることができるのか	
		●職業	・就労に対する意欲や能力，職場環境（通勤手段を含む）	・就労意欲や能力，職場環境を評価したうえで産業医との連携のもとに職業リハビリテーションを実施することにより，復職率が高まる可能性が指摘されている．
		●家族構成 ●家族の状態	・家計を支える人は誰か ・家族構成，家族の疾患や障害への受け止め，家族の協力体制	
		●キーパーソン	・家族または周囲の人の中でのキーパーソンは誰か	
		●経済状態 ●ソーシャルサポート	・医療費や介護保険費用の支払い能力 ・友人・知人・同僚・患者会などのサポートの有無，利用できる社会資源 ・介護保険や身体障害者手帳の交付申請の状況，公的サービスの利用状況	

(1) ライフスタイルの見直し

セルフモニタリングの中でも述べたように，脳梗塞再発を防ぐには危険因子の管理を行う必要がある．つまり，塩分や脂質，アルコールの過剰摂取や喫煙を控えたり，定期的な水分補給や運動を習慣化できるようにする．さらに，血圧の急激な変動をまねく生活場面，具体的にはヒートショックを防ぐために湯温の高い入浴を控えたり，とくに寒暖差が激しい季節は脱衣場や浴室を入浴前に温めるなど，患者の生活様式や居住環境を確認したうえで注意事項を説明する．

(2) 服薬管理

服薬アドヒアランスの低下は再発予防薬の効果を減弱させ，脳卒中再発をまねく危険性を高める．そのため，薬剤に関する正確な情報を分かりやすく伝えることにより，薬剤の作用や服薬の必要性に関する患者の理解を促すようにする．具体的には，脳梗塞患者に処方されている薬剤のなかには，特定の食品と合わせて摂取することにより相互作用が生じるものがあることを患者・家族に伝える．とくに，抗凝固薬（ワルファリンカリウム）を服用している患者は納豆や青汁，クロレラといったビタミンKを多く含む食品を摂取することにより，薬の効果が減弱してしまうといわれている．さらに，抗血小板薬のシロスタゾールを服用する患者は，グレープフルーツジュースとの同時服用により作用が増強するおそれがあると指摘されている．また，抗凝固薬などを内服している患者は，外傷を避けることや，外科的な治療を受ける場合には主治医に相談すること，外傷を負い，出血をきたした場合は圧迫止血を試み，止血が困難であればすみやかに受診するよう併せて説明する．

脳梗塞の発症後に記憶障害や注意障害を生じた患者では，薬ののみ忘れや重複内服を防ぐことも重要になる．とくに，直接経口凝固薬（direct oral anticoagulants：DOAC）を服用している患者は，一度でものみ忘れると血栓が発生するリスクが急激に高まるため，確実に内服が行える方法を患者や家族と相談しながら検討していく．

d. 心理・社会的支援

脳梗塞の発症後に抑うつ傾向になる患者がいる．うつ症状の出現は，リハビリテーションの目標到達にも大きな影響を与える．そのため，うつ症状を確認したときは必要な日常生活上の援助を提供するのみでなく，患者の訴えを傾聴し精神的な支援も行う．

2000年から施行されている介護保険制度では，40歳から64歳までの医療保険加入者を第2号被保険者と定め，それらの人々が介護保険法で定められた特定疾病が原因で要介護または要支援の認定を受けたときには，サービスを受給できるしくみとなっている．なお，脳梗塞は特定疾病に該当する疾患であるため，メディカルソーシャルワーカー（MSW）と協働し，住宅改修や訪問介護など，必要なサービスやその窓口を紹介する．

e. 家族への支援

脳梗塞患者はさまざまな後遺症を伴うため，家族による日常生活への支援が必要となることが多い．したがって，患者の家庭復帰を進めるうえでは介護の方法，注意点について具体的に家族に説明，指導を行う必要がある．それと同時に，訪問看護や訪問介護，介護老人保健施設における通所リハビリテーション（**デイケア**）や短期入所療養介護（**ショートステイ**）など，活用できる社会資源を紹介し，家族の介護負担にも配慮する．また，家族は患者と同様，在宅での療養生活に対して不安を感じていることが多いため，看護師は

地域包括支援センターなどの相談窓口や患者会に関する情報提供を行い，患者と家族が健やかに療養生活を営めるよう支援する．

学習課題

1. 脳梗塞発症再発の危険要因を述べてみよう
2. 脳血栓症と脳塞栓症の違いを説明してみよう
3. 抗凝固薬を内服する患者の注意点を説明してみよう
4. 脳梗塞患者の再発予防のための教育的支援について具体的に説明してみよう

練習問題

Q1 脳梗塞患者に対する看護として正しいのはどれか．
1. 新たな運動麻痺の出現を夜間に確認した場合には，翌日の朝を待って受診をするように説明する．
2. 脳梗塞再発の予防を目指し，すべての患者の血圧の目標値は140/90 mmHgとする．
3. ワルファリンを服用している場合は，納豆を摂取することにより薬効が増強する可能性があるため，患者に摂取しないように伝える．
4. 在宅生活を営む脳梗塞患者には，血圧の急激な変動をまねくことがないよう，湯温や浴室・脱衣場の室温にも注意を払う必要がある．

［解答と解説　▶p.529］

引用文献

1) 湧川佳幸：脳梗塞・TIA．ブレインナーシング29(5)：416-418，2013
2) 厚生労働省：令和2年（2020）人口動態統計（各定数）の概況．第6表　性別にみた死因順位（第10位まで）別死亡数・死亡率（人口10万対）・構成割合，〔https://www.mhlw.go.jp/toukei/saikin/hw/jinkou/kakutei20/dl/10_h6.pdf〕（最終確認：2023年1月10日）
3) 厚生労働省：令和2年（2020）人口動態統計月報年計（概数）の概況．第6表　死亡数・死亡率（人口10万対），死因簡単分類別，〔https://www.mhlw.go.jp/toukei/saikin/hw/jinkou/geppo/nengai20/dl/h6.pdf〕（最終確認：2023年1月10日）
4) 厚生労働省：2019年国民生活基礎調査の概況．表18　現在の要介護度別にみた介護が必要となった主な原因（上位3位），〔https://www.mhlw.go.jp/toukei/saikin/hw/k-tyosa/k-tyosa19/dl/05.pdf〕（最終確認：2023年1月10日）
5) 厚生労働省社会・援護局障害保健福祉部国立障害者リハビリテーションセンター：高次脳機能障害者支援の手引き（改訂第2版），〔http://www.rehab.go.jp/brain_fukyu/data/〕（最終確認：2023年1月10日）
6) 杉本あずさ，河村　満：半側空間無視．ブレインナーシング29(2)：115-117，2013
7) 日本脳卒中学会 脳卒中ガイドライン委員会（編）：危険因子の管理　高血圧．脳卒中治療ガイドライン2021，協和企画，2021

V-7. 脳・神経系の障害を有する人とその家族への援助

2 パーキンソン病

> **この節で学ぶこと**
> 1. パーキンソン病患者の身体的，心理・社会的特徴を説明できる
> 2. L-ドパ製剤を長期間服用している患者に起こりやすい特有の症状（on-off現象やwearing-off現象）について説明できる
> 3. パーキンソン病患者の身体的，心理・社会的特徴をふまえた具体的な看護活動について説明できる

A. パーキンソン病患者の身体的，心理・社会的特徴

　パーキンソン病は中脳の黒質が変性・脱落することによってドパミンが不足し，特有の運動症状を呈する疾患である．

　厚生労働省による調査[1]では，パーキンソン病の総患者数は162,000人と報告されている．これを年齢別に見ると，40～49歳は2,000人，50～59歳は5,000人，65歳以上では145,000人となっているように[2]，有病者数が65歳以降で増える疾患である．厚生労働省はパーキンソン病患者にどの程度介助が必要かを表す指標として，生活機能障害度を定めている．生活機能障害度は1度が「日常生活，通院にほとんど介助を有しない」，2度が「日常生活，通院に介助を要する」，3度が「日常生活に全面的介助を要し，歩行・起立不能がある」となっている[3]．生活機能障害度は，後述するHoehn & Yahrの重症度分類と併せて用いられる．

1 ● 身体的特徴

　パーキンソン病の症状は運動症状と非運動症状に大別される．前者には**振戦**，**筋固縮（筋強剛）**，**無動（寡動）**，姿勢反射障害があり，これらは四大徴候といわれる．一方，後者には，便秘や起立性低血圧，抑うつ，不眠などの症状が含まれる．

a. 安静時に手足が震える

　振戦は，一側の上肢または下肢から始まり，動作を静止している状態でよく確認され，口唇や下顎で生じることもある．また，精神的な緊張が高まると，症状が強く出現するという特徴もある．手指に振戦が出現した場合には，丸薬を丸めるような特徴的な動きを示す．

b. 動作が緩慢になり，ADL が徐々に困難になる

　パーキンソン病患者は，意図した動作を開始するまでに時間がかかるのみでなく，動作が緩慢になったり，動作自体が乏しくなる．これらは，無動（寡動）とよばれる特徴的な症状である．無動がさらに進行するとADLを自力で行うことが困難となり，生活全般に

わたって他者の援助が必要になる．

　長期にわたりL-ドパ製剤を服用している患者では，不随意運動が目立つようになる．この症状は体幹や四肢，舌などにもみられる．パーキンソン病治療薬の服用を急に中止したり減量することにより，高熱，意識障害，高度の筋硬直，ショック状態などがみられることもあるため注意する．なお，これらは悪性症候群を起こしたときの症状である．

　なお，パーキンソン病の重症度は，Hoehn & Yahrの重症度分類[4]を用いて評価される．この分類では，Ⅰ度が「一側性の障害，軽度」，Ⅱ度が「両側の症状，日常生活やや不自由」，Ⅲ度が「歩行障害，姿勢反射障害あり，かなり不自由」，Ⅳ度が「起立，歩行障害強く車いす」，Ⅴ度が「寝たきり，全介助」となっている．

c. 特徴的な姿勢と歩行の状態になる

　パーキンソン病が進行してくると姿勢にも変化が生じる．具体的には，頸部の高度な屈曲や体幹の前傾がみられるとともに膝関節も屈曲傾向となる．また，歩行時には上肢の自然な振りがなくなり，歩幅も減少し（小刻み歩行），歩行時の足の挙上が少なくなり（すり足歩行），最初の一歩はなかなか踏み出せないが（すくみ足），歩き出すと早足となって止まることができなくなる（加速歩行）．加えて，立位時に後方から押されると前方に突進し止まれなくなる「突進現象」や，焦って動作を行うことにより，すくみ足の増強がみられるようになる．このような姿勢・歩行状態にあるため，患者は転倒しやすく，また転倒時には骨折などのけがを負いやすい．

d. 筋肉の緊張が高まり，動作がぎこちなくなる

　筋の緊張が高まるため，他動的に関節の屈伸を行う際にはカクカクとした断続的な抵抗（歯車様固縮）や，鉛を曲げるようなゆっくりとした抵抗（鉛管固縮）がみられるようになる．これらは筋固縮（筋強剛）とよばれる症状であり，患者の動作はぎこちなくなる．

e. 自律神経障害によるさまざまな症状が現れる

　パーキンソン病患者には，自律神経症状もみられる．そのなかでも便秘はもっともよくみられる．そのほかには起立性低血圧や排尿障害などがみられる．なお，起立性低血圧とは，仰臥位・座位から立位への体位変換後3分以内に収縮期血圧が20 mmHg以上低下する場合をいう．このような血圧の変動は，めまいや失神の出現につながり，転倒を生じさせる要因になる．

　排尿障害に関しては，蓄尿機能の障害（尿を溜めることができなくなる）のために頻尿や尿意切迫感などの症状が主として出現する．

2 ● 心理・社会的特徴

a. コミュニケーションが障害される

　パーキンソン病患者は，仮面様顔貌とよばれる変化の乏しい表情となる．さらに，小声で単調に，しかも早口で話すことが増すため，会話が聞き取りにくくなる．また，文字を書いているうちにだんだん小さくなるという小字症も出現する．このように，病期の進行に伴ってさまざまなコミュニケーション障害が生じる．

b. うつ状態や幻覚などの精神症状や睡眠障害が現れる

　うつ状態の合併が認められる患者も多く，抑うつ気分や興味・喜びの減退を示す言動が

目立つようになる．また，REM（rapid eye movement）睡眠行動障害のために睡眠中であっても筋緊張が持続しており，立ちあがって歩き回ったり，大声を出すなどの異常行動がみられることもある．なお，この時の行動は暴力的であることが多く，患者自身や介護者がケガを負ってしまうこともある．加えて，パーキンソン病の治療薬のなかには幻覚（とくに幻視）やせん妄を起こしやすいものがあるため，これらの症状の出現により家族の介護に対する負担感が強まることも多い．

c. 経済面や介護に関する家族の負担が大きい

パーキンソン病は慢性的に経過し，その症状は進行するため，治療に伴う経済的負担のみでなく，家族の介護に対する負担が大きい．患者が健やかな療養生活を送るためには家族による支援が欠かせないが，療養生活が長期化するなかで家族の健康状態が悪化したり，生活状況が変化することも多い．

B. パーキンソン病患者および家族への援助

1 ● 看護アセスメント

パーキンソン病患者に対するアセスメントのポイントは，**表V-7-2**に示すとおりである．まず，アセスメントを行ううえではパーキンソン病による特徴的な症状の有無と程度を把握することが重要である．次に，この疾患になると患者には長期にわたる薬物療法が必要になるため，その効果や副作用の出現などについて継続した観察を行う．

2 ● 援助の方針

パーキンソン病患者の治療では，L-ドパ製剤などの内服により運動症状の改善をはかることが中心となる．そのため，これらの薬物療法が確実に行われること，副作用が生じた場合には薬物の調整がすみやかにできることを目指す．また，発症からの期間が経過するにつれて症状は進行し，生活全般にわたる介護が必要になる．したがって，家族の介護負担を減らし，患者自身の自尊感情を高めるためにもADLの維持・改善に努めることが重要となる．このようなパーキンソン病患者の治療や症状の特徴をふまえ，援助の方針を次のように考える．

①薬物を正しく服用でき，症状が安定するように援助する．
②日常生活のなかにもリハビリテーションを積極的に取り入れて実施し，ADLの維持・改善がはかれるようにする．
③疾患や障害を受け止め，病気の進行状況に応じながら家庭や社会における役割を変更できるようにする．
④2次的な合併症の予防を心がけ，安全で安楽な療養生活が送れるように援助する．

3 ● 看護活動

a. 症状マネジメント

進行性の疾患であるため，病状の安定や緩和をはかるには患者と家族が正しい知識をも

表V-7-2 パーキンソン病患者の看護アセスメント

目的	アセスメント項目		備考
身体的側面 ●パーキンソン病発症後の経過と症状の変化をアセスメントする	●病歴	・パーキンソニズムを呈する原因となる変性疾患(進行性核上性麻痺,多系統萎縮症,レビー小体型認知症など)の有無や治療の状況 ・パーキンソニズムを呈する原因となる非変性疾患(多発性脳梗塞,脳炎など)の有無や治療の状況 ・パーキンソニズムをもたらす薬剤(ハロペリドールやクロルプロマジンといった抗精神病薬,メトクロプラミドといった抗潰瘍薬など)・毒物(マンガンなど)の暴露の有無 ・家族内にパーキンソン病患者はいるか ・パーキンソン病に併発することの多い症状・症候群(レストレスレッグス症候群,睡眠時無呼吸症候群,網状皮斑など)の有無,治療の状況	・レストレスレッグス症候群とは,「むずむず脚症候群」とよばれる下肢に生じる不快な感覚のことをいう.患者は,「虫がはっているようだ」「むずむずする」という言葉でその感覚を表現することが多い.
	●検査データ	・各検査項目のデータや所見の異常の有無と程度を把握する	
	●①脳神経系 ●②筋骨格系 ●③神経学的検査	・CT,MRI,脳血流SPECTなど ・筋力低下の有無,関節可動域(ROM)など	・パーキンソン病の診断には,静止時振戦などの神経学的所見の有無のみでなく,MRIやCTなどによりパーキンソン病と類似した症状を示す疾患との鑑別を行う必要がある.
	●パーキンソン病の重症度	・Hoehn & Yahrの重症度分類,日常生活機能障害度	
	●徴候・症状 ●①非運動症状	・自律神経障害(起立性低血圧,食事性低血圧,便秘,胃内容排出遅延,流涎,頻尿,尿失禁,多汗など)の有無と程度 ・精神症状や行動障害(幻視,幻聴,衝動制御障害(病的賭博など))の有無と程度 ・認知機能障害や感覚障害(嗅覚障害)の有無と程度	
	●②運動症状	・すくみ足,振戦,筋固縮(筋強剛),無動(寡動),姿勢反射障害の有無と程度	・すくみ足は無動(寡動)を現す症状の1つであり,歩行における方向転換時などで強く現れる.
	●服薬の状況	・on-off現象,wearing-off現象の有無,各現象が出現しやすい時間と状況,不随意運動の出現の状況	
	●合併症	・褥瘡,呼吸器感染症,尿路感染症の有無,脱水の有無と程度など	
日常生活の側面 ●パーキンソン病とその治療による身体症状および精神症状が日常生活に及ぼす影響をアセスメントする	●環境	・十分な歩行スペースがあるか,ベッドの高さや床頭台の配置状況,手すりやベッド柵,介助バーの設置状況 ・トイレや風呂,寝室の位置,段差や階段の有無,電気コード類はまとめられているか,部分的に敷いてあるじゅうたんなどは取り除かれているか,家具などは固定されているか,車いすが使用できるか,住宅改修が可能かなど	・狭い場所での方向転換は困難であるため,ベッド周囲のスペースを広く確保することが転倒予防につながる.
	●食事	・食事の内容と摂取量,食欲不振や胸やけなどの消化器症状と流涎の有無と程度,水分摂取量,BMI,体重,食事動作の状況,嚥下困難の有無と程度	・寡動のために,食事動作が緩慢になるだけでなく咀しゃくやのみ込みの速度も遅くなる.
	●排泄	・排便・排尿回数と性状,量,排泄コントロールの状況,排泄方法	・大腸通過遅延型便秘と直腸肛門型便秘がみられる場合が多い.なお,便秘の出現には,内服する薬剤が影響していることもある.
	●睡眠・休息	・睡眠時間,不眠の訴えの有無,日中の過度の眠気,睡眠薬の服薬状況やREM睡眠行動異常症の有無など	
	●清潔	・整容動作(洗面・整髪)の状況,清潔動作(入浴)の状況	

(つづき)

	●動作・活動	・座位，立位，歩行時などの姿勢 ・基本的日常生活動作の自立度：起居動作，移動・移乗，入浴，食事，排泄，更衣 ・手段的日常生活動作の自立度：電話を使う，買い物，食事の準備，家事，洗濯，服薬や金銭の管理などの遂行能力や実施状況 ・リハビリテーションの取り組み状況 ・リハビリテーションの継続の必要性に対する理解や意欲	
	●趣味・余暇活動	・趣味の活動として取り組んできたことは何か，あるいは取り組みたいと思っていることは何か（どのような活動に関心をもっているのか） ・余暇の時間の過ごし方に満足しているか，あるいはどのように余暇を過ごしたいと思っているのか	
	●セルフケア能力	・日常生活を調整しながら治療を継続する能力の有無，程度 ・日常生活を営む中で生じる倦怠感の有無と程度 ・健康維持への意欲の有無と程度	
認知・心理的側面 ●パーキンソン病とその治療が心理状態に及ぼす影響をアセスメントする	●疾患や治療の理解および受け止め	・疾患および治療について，どのように理解し受け止めているか ・内服薬の種類と用量，内服時間と回数，正確な内服（量，時間）ができているか，薬物の副作用の有無，薬物療法の必要性や服薬の管理方法の理解の程度	・パーキンソン病の発症により仮面様顔貌や前傾姿勢がみられるなど，患者には外見上の変化が生じるが，このことに戸惑いを感じていることも多い．
	●価値・信念	・何に価値を置き，何を大切にしているか，信仰する宗教は何か	
	●対処方法	・これまで問題にどのように対処してきたか ・ストレスに対してどのように対処してきたか	
	●心理状態	・感情鈍麻，抑うつ気分，悲壮感などの有無と程度	
社会・経済的側面 ●パーキンソン病とその治療が社会・経済状態に及ぼす影響をアセスメントする	●役割	・これまでの社会や家庭内での役割とその認識 ・社会や家庭への復帰後は，どのような役割を担いたいと思っているのか ・家庭や社会における役割，仕事をいつまで休むことができるか，仕事や家庭内の役割を継続できるのか	・薬剤の影響による日中の過度の眠気や，睡眠発作が日中の活動性への影響と，交通事故をまねく要因にもなるため注意する．
	●職業	・就労に対する意欲や能力，職場環境（通勤手段を含む）	
	●家族構成 ●家族の状態	・家計を支える人は誰か ・家族構成，家族の疾患や障害への受け止め，家族の協力体制	
	●キーパーソン	・家族または周囲の人の中でのキーパーソンは誰か	
	●経済状態 ●ソーシャルサポート	・医療費や介護保険費用の支払い能力 ・友人・知人・同僚・患者会などのサポートの有無，利用できる社会資源 ・医療保険や介護保険の加入の状況，身体障害者手帳交付の有無，介護保険法や障害者総合支援法によるサービスの利用状況など	・難病医療費助成の対象は，Hoehn & Yahrの重症度分類のⅢ度以上であり，かつ，生活機能障害度が2度以上である者に限られる．

ち，病気とうまく付き合っていけるようにすることが重要になる．パーキンソン病の症状といえば運動症状に焦点が当てられがちだが，非運動症状が伴うことで患者のQOLは低下すること，および不眠状態が続いたり精神的ストレスが強くなることで運動症状が悪化するため，患者と家族がさまざまな症状の変化に気づくことが症状マネジメントの第一歩となる．

b. セルフモニタリング

　パーキンソン病の治療の中心は薬物療法である．具体的には，不足するドパミンを補充するL-ドパ，ドパミン受容体を刺激するドパミンアゴニスト，ドパミンの放出を促進するアマンタジン塩酸塩，脳内におけるドパミンの分解を抑制し効果を延長させるセレギリン塩酸塩（選択的MAO-B阻害剤），脳内で優位になったコリン系を抑制することで脳内のバランスを改善するトリヘキシフェニジル塩酸塩（抗コリン薬），血中でのL-ドパの分解を遅らせL-ドパの作用時間を延ばすエンタカポン（COMT阻害剤），不足したノルアドレナリンを補充するドロキシドパ（ノルアドレナリン作動性神経機能改善剤），脳内のアデノシンの働きを抑制しドパミンとのバランスを整えるイストラデフィリン（アデノシンA_{2A}受容体拮抗薬）など，目的に応じてさまざまな薬剤が選択され，服用量を増減することによって症状の変動をみていくことになる．

　L-ドパ製剤の内服を長期にわたって行うと，患者には wearing-off 現象や on-off 現象などがみられるようになる．wearing-off 現象は，L-ドパ製剤の作用時間が短縮し，服用後数時間が経過すると薬効が消失することをいう．この現象は，L-ドパ製剤の血中濃度の変動に起因して出現する．on-off 現象は，L-ドパ製剤の血中濃度とは無関係に症状がよくなったり悪くなったりすることをいう．また，ジスキネジアとよばれる身体の不随意運動がみられることもあるが，これはL-ドパ製剤の効果がもっとも高くなっている時に出現することが多い．このような症状がみられた場合には，用量や薬剤の種類の再調整が必要となるため，内服時間と症状の程度を継続して観察する．なお，パーキンソン病治療薬であるL-ドパ製剤の服用を急に中止したり減量すると悪性症候群にいたる危険性があるため留意する．

c. 日常生活における教育的支援および援助

（1） ADLの維持・改善

　ADLの維持・改善をはかるには，自分の力でできることとできないことを明確にし，自分でできることに対しては積極的に取り組むよう促すことが必要となる．たとえば，病期の進行に伴い，ボタンを掛けたり外したりするような細かい動作が困難になるため，マジックテープやファスナーを活用した衣服の着用について助言し，日常生活の自立に役立つ情報の提供を行う．その際には，パーキンソン病治療薬の作用時間との兼ね合いで患者のADLの自立レベルが大きく異なるため，薬効が十分に現れている時間にタイミングを合わせることを併せて説明する．

（2） 転倒予防

　姿勢反射障害や歩行障害が出現することにより，患者の転倒の危険性は高まる．近年の調査において介護が必要になった原因のなかに「転倒・骨折」が挙げられているように[5]，転倒をきっかけとして患者のQOLはいっそう低下する．とくに，パーキンソン病患者の

転倒時には頭部や顔面の外傷や大腿骨頸部骨折を伴うことが多いとの指摘もある．したがって，患者が安全に生活できるよう生活環境を整える必要性を患者と家族に伝えていく．また，自立神経症状の1つである起立性低血圧の出現は，転倒の危険要因になるため，一気に立ち上がらずベッド上で端座位となってから，ゆっくり立ち上がるなど，日常生活上の留意点を説明する．

(3) 嚥下困難

症状の進行に伴い嚥下困難も強くなる．そのため，食物や水分を十分に摂取できず低栄養や脱水に陥る危険性が高くなる．低栄養に関しては，食事動作が緩慢になることや，胸やけ，食欲不振などの症状の出現が影響している可能性もあるため，これらの点を患者・家族に伝えるとともに，摂取しやすい食形態についての説明を行う．身体的には，水分摂取時にむせやすくなるため，増粘安定剤の活用を勧めたり，1回に食べる量を少なくすることや，口腔内にある食物すべてを嚥下してから次の食物を食べ始めるように助言する．

パーキンソン病患者では，口腔内に存在する細菌をのみ込むことによる不顕性誤嚥が生じたり，誤嚥により肺炎を併発する場合もある．これらの状態に陥るのを防ぐためにも口腔内を日ごろから清潔に保ち，嚥下機能の改善をはかるための体操などに取り組むように促す．

d. 心理・社会的支援

症状の進行に伴うADLの自立レベルの低下は，患者の社会参加や他者との交流の機会の減少にもつながる．また，このような状況は患者の不安やストレスの原因となり，精神状態の悪化をまねくため，患者が自分の気持ちを表出したり気分転換をはかることができるよう支援するとともに，趣味や生きがい，楽しみを見つけ，療養生活を健やかに送ることができるように働きかける．

「難病の患者に対する医療等に関する法律（平成26年法律第50号）」が2015年1月から施行されたのに伴い，難病医療費助成の対象が338疾病に拡大された（2021年11月1日現在）．パーキンソン病は，この助成の対象疾病（指定難病）となっている．また，病期の進行に伴う身体機能の低下は，身体障害者手帳交付の対象となる障害（肢体不自由）に該当するため，必要時にはその取得も検討していくようにする．

介護保険は65歳以上の人を第1号被保険者としてサービスの給付対象としているが，40～64歳の医療保険加入者は第2号被保険者となるため，パーキンソン病と診断されれば介護保険の給付の対象になる．これは，パーキンソン病が介護保険制度における16種類の特定疾病のうちの1つとなっているためである．なお，パーキンソン病患者が障害者総合支援法に基づくサービスを受給することは可能であるが，制度上，介護保険の対象者である場合には介護保険での給付が優先されることになっている．

また，就労を希望する患者に対し，厚生労働省では，パーキンソン病を含む難病患者を対象とした雇用支援を実施している．例えば，ハローワークに配置されている「難病患者就職サポーター」は，在職中に難病を発症した患者に対する雇用継続などの支援を行っている．

e. 家族への支援

症状が進行すると，患者が自宅で療養生活を営むには家族の介護が必須になる．したがって，家族に対して介護技術を具体的に指導していくことが必要となる．その場合には，

家族の負担は非常に大きくなるため，たとえば**訪問看護**や訪問介護，介護老人保健施設における通所リハビリテーション（デイケア）や短期入所療養介護（ショートステイ）などの社会資源を紹介し，家族が休息を取れるように配慮する．また，家族は患者と同様に不安をかかえていることも多いため，各都道府県にある難病相談・支援センター，保健所などの相談窓口や患者会の存在を紹介し，患者と家族が健やかに療養生活を営めるよう支援していく．

学習課題

1. パーキンソン病患者にみられる主な臨床症状を述べてみよう
2. on-off現象，wearing-off現象，up-down現象について説明してみよう
3. パーキンソン病患者の服薬管理について，具体的な注意点を述べてみよう

練習問題

Q1 パーキンソン病患者の特徴として正しいのはどれか．
1. 病期の初期の段階から，両側の上肢または下肢に振戦が出現する．
2. 寡動のために，日常生活動作の遂行が緩慢になる．
3. 満月様顔貌とよばれる変化の乏しい表情になる．
4. 振戦のために文字がうまく書けず，書いているうちに字が大きくなってしまう．

［解答と解説 ▶ p.529］

引用文献

1) 厚生労働省：平成29年患者調査（傷病分類編），〔https://www.mhlw.go.jp/toukei/saikin/hw/kanja/10syoubyo/dl/h29syobyo.pdf〕（最終確認：2023年1月10日）
2) 厚生労働省：平成29年患者調査，第62表総患者数，性・年齢階級×傷病小分類別，〔https://www.e-stat.go.jp/stat-search/files?page=1&layout=datalist&toukei=00450022&tstat=000001031167&cycle=7&tclass1=000001124800&tclass2=000001124801&tclass3val=0〕（最終確認：2023年1月10日）
3) 厚生労働省：難病患者の就労支援　難病の方の就労を支援しています，〔https://www.mhlw.go.jp/content/000761866.pdf〕（最終確認：2023年1月10日）
4) 佐藤　猛：パーキンソン病，レビー小体病．パーキンソン病・パーキンソン症候群の在宅ケア-合併症・認知症の対応，看護ケア（佐藤　猛，服部信孝，田村美穂編），p.11，中央法規，2016
5) 厚生労働省：2019年国民生活基礎調査の概況，Ⅳ介護の状況，〔https://www.mhlw.go.jp/toukei/saikin/hw/k-tyosa/k-tyosa19/dl/05.pdf〕（最終確認：2023年1月10日）

V-7. 脳・神経系の障害を有する人とその家族への援助

3 筋萎縮性側索硬化症

> **この節で学ぶこと**
> 1. 筋萎縮性側索硬化症患者の身体的，心理・社会的特徴を説明できる
> 2. 筋萎縮性側索硬化症患者の身体的，心理・社会的特徴をふまえ，必要な看護アセスメント項目を述べることができる
> 3. 筋萎縮性側索硬化症患者に対する具体的看護活動を述べることができる
> 4. 筋萎縮性側索硬化症患者の家族に対する具体的看護活動を述べることができる

A. 筋萎縮性側索硬化症患者の身体的，心理・社会的特徴

　筋萎縮性側索硬化症（**ALS**）は，上位運動ニューロンと下位運動ニューロンがともに進行性に侵される疾患である．ほとんどは孤発性（＝遺伝歴がない）で，約5％が家族性に発症する．家族性のものの一部について原因遺伝子が解明されてきているが，疾患全体の根本的な原因についてはわかっておらず，治療法も確立していない．年間の新規発症は人口10万人あたり約1～2.5人で，全国では約9,200人の患者がいる（平成25年度特定疾患医療受給者数）．発症年齢は60～70歳代がもっとも多く，男性にやや多い[1]．全身の筋力低下や筋萎縮が進行し，最終的に四肢麻痺の状態となり，眼球運動を除いて意思表示が困難となる．自力での呼吸もできなくなり**人工呼吸器**が必要な状態になる．進行性で予後不良であり，呼吸不全や窒息，肺炎などにより2～5年で死亡することが多いとされているが，最近では人工呼吸器の装着，適切な全身管理により10年以上生存する患者もみられている．ALS患者の主な身体的，心理・社会的特徴について説明する．

1● 確実に進行する全身に及ぶ筋力低下，筋萎縮

　ALSは，上位運動ニューロンと下位運動ニューロンがともに侵され，支配されている筋の筋力低下や萎縮によって**随意運動**が進行性に障害されることが基本的な病態である．手や足が動きにくいといった一側の四肢の症状が最初に現れる場合が約4分の3，しゃべりにくい，ものがのみ込みにくい，といった症状から発症する場合は約4分の1といわれている．後者の症状は**球麻痺**とよばれる．進行の速さや障害される部位の順序などは個人差があるが，疾患の進行とともに症状は全身に及び，筋力低下や四肢麻痺による運動障害，球麻痺の進行による**構音障害**，**嚥下障害**，さらに呼吸筋が侵されることによる呼吸障害が起こる．すなわち，自らの力では，動けない，話ができない，ものを食べられない，呼吸ができない，という状態が経過とともに生じてくる．

　一方で，膀胱直腸障害，眼球運動障害，感覚障害，**褥瘡**は，原則としてALSの患者に

はみられないとされており，これらは陰性四徴候といわれる（ただし，現在では長期生存者も増えてきており，褥瘡はみられるようになってきている）．また，性機能，精神機能は一般に保たれるとされてきたが，近年は認知機能障害のある患者もみられる[2]．

2● 症状の進行に伴う日常生活への著しい影響

これらの症状が出現し進行することは，患者のADLを低下させることに直結する．自力で歩けなくなる，立ち上がれなくなる，衣服の着脱ができなくなる，ものをもてなくなる，などADLすべてにおいて，これまで行ってきたことがだんだん自分でできなくなるという状況に患者は直面する．進行するとベッド上に寝たきりの生活を余儀なくされることになるのである．さらに，口からものを食べるという基本的欲求が障害され，いずれ経口摂取に代わり，経鼻胃管や胃瘻などの経管栄養によって栄養を摂っていかなければならない．さらに言葉を話すことによるコミュニケーションも困難になり，口の動き，文字盤，眼球運動や脳波などを利用した意思伝達装置といった代替方法を見つけていくことが必要になる．呼吸困難の出現に対しては鼻マスクによる非侵襲的陽圧換気（non-invasive positive pressure ventilation：NPPV）あるいは気管切開下陽圧換気（tracheotomy positive pressure ventilation：TPPV）による人工呼吸療法が必要となる．

3● 疾患の告知，症状の進行がもたらす多大なる心理的・社会的苦痛

ALSであると診断を受け，その疾患の特徴や経過，治療法などについて説明を受けることは，患者および家族にとって多大なる苦痛をもたらす．ALSであると診断がなされるまで，患者や家族は出現した症状の原因がわからず，複数の病院にかかったりして不安を募らせていることが多い．そしてそこでALSについて説明される内容は衝撃的であり，患者や家族は打ちひしがれる．怒り，拒否，あきらめ，うつや受容の感情がさまざまな順番と程度でみられる[3]．

また，病状の進行に伴い，患者は自分の身に起こっていることを実感せざるをえない状況に置かれる．身体が動かなくなっていく一方で，感覚機能や精神的機能は保たれるため，全身の関節痛を感じたり，身体の衰えを認識し，状況が理解できてしまう苦悩は想像を絶する．

さらに，病気の進行は患者にとってこれまでの役割を喪失していくことでもある．症状の軽いうちは，仕事やそのほかの社会的役割，家庭での役割を継続できる場合もあるが，時間の経過とともに困難になってくる．

患者や家族はこれらさまざまな危機的状況を乗り越えていかなくてはならない．

4● 人工呼吸器をつけるかどうかの選択

ALS患者は病気の進行とともにさまざまな局面で意思決定をしなければならない．呼吸困難が出現し，NPPVを導入するか，さらに呼吸状態が悪化した場合に気管切開をするか否か，いずれその選択を迫られることは，この病気をもつ患者にとって避けて通れない問題であり，同時にもっとも過酷な選択である．いずれの場合であっても，決定するために何が必要か，決定したことが何を意味し，その後療養生活はどのようになるのか，どの

ような支援を受けられるのか，などさまざまなことについて，患者や家族が十分な情報を得て十分に考えつくされたうえで意思決定がなされなければならない．

5 患者の介護に伴う家族の負担

　ALSの診断は家族にも大きな衝撃を与える．家族もまた患者とともにいろいろな変化を受け入れて適応していかなければならない．症状が進行すると患者の生活は家族の介護に負うところが大きくなる．ALS患者が人工呼吸器を装着した場合，現在の日本ではほとんどが在宅療養となり，家族はまさに24時間体制で介護をすることになる．また，医療費・療養費・生活費の負担も課題である．とくに患者が家計の担い手であった場合，その影響は大きい．可能な社会資源を活用し，これら家族の心身の負担，経済的な負担が軽減されるようにしなければならない．

B. 筋萎縮性側索硬化症患者および家族への援助

1 看護アセスメント

　ALSは，疾患による障害が日常生活に与える影響が大きい．身体のどの部分に症状が現れていて，それらが日常生活や心理・社会的側面にどのような影響を及ぼしているかを細かくアセスメントすることが重要である．アセスメントの目的および項目を**表V-7-3**に示す．

2 援助の方針

　ALS患者の身体的，心理・社会的特徴をふまえ，援助の方針を次のように考える．

①診断されたとき：患者，家族ともに診断によるショックが緩和され，疾患の特徴について理解できるように援助する．前向きに病気とともに生きていく気持ちをもち，栄養摂取や人工呼吸などに関する選択について意思決定が行えるように援助する．
②動作が不自由になってきたとき：残された能力を活用し，補助道具も利用しながら，安全で安楽な日常生活が送れるように援助する．
③球麻痺の症状が出現してきたとき：食事の工夫により楽しみを保持して安全に食事ができるように援助する．代替手段を活用して自分の意思を伝えることができるように援助する．
④呼吸障害が出現しているとき：適切な全身状態の管理により安全・安楽に生活できるように援助する．家族の負担も軽減しながら患者とともに希望をもち，前向きに生活できるように援助する．

3 看護活動

a. 症状マネジメント

　ALSには現在根本的な治療法はなく，日本で治療薬として認可されているのはリルゾールとエダラボンの2剤のみである．わずかな生存期間の延長や，症状進行抑制が期待されているが，現状では，症状に対する対症療法が中心となる．ALS患者に特有の身体

表Ⅴ-7-3 筋萎縮性側索硬化症患者の看護アセスメント

目的	アセスメント項目		備考
身体的側面 ● ALSの重症度，出現している症状および症状による苦痛の程度についてアセスメントする	● 病歴	・現病歴・既往歴・治療歴・家族歴	
	● 検査データ	・各検査項目のデータや所見の異常の有無・程度を把握する	
	①血液検査	・白血球数，赤血球沈降速度，リンパ球数，CRP，総タンパク，アルブミン	
	②骨・関節・筋系	・関節可動域(ROM)，徒手筋力テスト(MMT)，筋電図	
	③呼吸・循環器系	・胸部X線，胸部CT/MRI，呼吸機能，血液ガス分析	
	④脳神経系	・頭部MRI	
	● バイタルサイン	・体温，脈拍，血圧，呼吸数，SpO_2	・安静時に線維性収縮，線維束性収縮がみられ，随意収縮時には高振幅，持続時間延長，多相性波形がみられる． ・嚥下障害による誤嚥性肺炎の合併がないか注意が必要である．
	● 徴候・症状	・各症状の有無と程度を把握する	
	①球症状	・舌の麻痺・萎縮，筋線維束性収縮，構音障害，嚥下障害	
	②筋萎縮・筋力低下	・上下肢・体幹の筋萎縮・筋力低下，痙縮（つっぱる），線維束性収縮（筋肉のぴくつき），意思とは関係ない強制泣き，強制笑いなど	
	③呼吸障害	・呼吸困難感，呼吸音	
日常生活の側面 ● ALSの症状が日常生活にどのような影響を及ぼしているか，障害を補う方法がとれているかをアセスメントする	● 環境	・家屋の部屋の配置や状況（段差の有無や手すりの設置状況など） ・滞在時間の長い部屋やベッド周辺の状況	・ADLの障害の程度に合わせて動線を考慮したり転倒転落など危険防止策が取られているか ・必要な物が整えられていて取りやすいようになっているか ・経管栄養や胃瘻による栄養摂取をしている場合はその状況．
	● 食事	・食事形態・内容，摂取量，水分摂取状況，咀嚼や嚥下の様子	
	● 排泄	・排尿回数，排便回数，便の性状・色，下剤や緩下剤の使用の有無	
	● 睡眠	・睡眠時間，寝つきの状態，中途覚醒の有無，睡眠薬の使用の有無	
	● 清潔	・入浴・清拭や洗髪頻度，歯磨き・口腔ケアの頻度	
	● 活動・動作	・食事，更衣，整容，入浴，排泄の各動作，起居・移動についてどれくらい障害されているか，自分でどの程度できるか，どのように援助を受けているか ・ADLの変化を認識し日常生活への調整を行えているか	
	● コミュニケーション	・発語の状況，代替コミュニケーション手段	
	● 趣味・余暇活動	・これまでの趣味や余暇活動がどれくらい継続できているか，新たに始めた趣味や余暇活動はあるか	
	● セルフケア能力	・日常生活を調整しながら治療を継続する能力の有無，程度	
認知・心理的側面 ● 患者本来の心理面の特性と疾患・障害が心理面に及ぼす影響をアセスメントする	● 疾患や治療の理解および受け止め	・もっている理解力の程度 ・疾患，現在の状況，今後（人工呼吸器の装着を含め）についてどのように理解し，どう受け止め，考えているか	
	● 心理状態	・ショック，不安，怒り，抑うつなどの有無と程度	
	● 価値・信念	・何に価値を置き，何を大切にしているか，信仰する宗教は何か	
	● 対処方法	・これまで問題にどのような対処（コーピング）方法をとってきたか	
社会・経済的側面 ● ALSや療養生活が社会・経済状態に及ぼす影響をアセスメントする	● 役割	・職場での役割・地位，家庭内での役割	
	● 職業	・就業の有無，疾患による職業への影響の程度	
	● 家族構成	・家族の疾患の理解・受け止め，今後に対する考え（人工呼吸器装着についてを含む），協力体制	
	● 家族の状態	・構成員，介護者	

(つづき)

	●キーパーソン	・家族または周囲の人のなかでのキーパーソンは誰か
	●経済状態	・家計の主な担い手，疾患による経済状態への影響，医療保険の種類，民間保険の加入の有無
	●ソーシャルサポート	・友人・知人・同僚・患者会などのサポートの有無，利用できる社会資源 ・医療費助成制度や身体障害者手帳，介護保険などの社会資源の活用の状態

表V-7-4 筋萎縮性側索硬化症患者に特有の症状とその対処法

主な症状	対処法
こむら返り （有痛性筋攣縮）	症状を和らげる ・温罨法や軽いマッサージにより筋の緊張を和らげる ・頻回に起こる場合は医師に薬剤処方の相談をする ・普段から自分であるいは他動的にストレッチングを行う
疲労感	無理をせず活動のペースを守り生活できるようにする ・昼寝をする時間をとる ・激しい運動や活動をした次の日は休む ・半日休んでも疲れがとれない場合は一日の活動量を見直す
流涎	不快感を軽減し，誤嚥を防ぐ ・ガーゼなどを口に挟み吸い取るようにする ・症状が強い場合は，唾液分泌抑制の薬剤使用について医師に相談する ・症状が強く取りきれない場合は吸引器を使用する
便秘	定期的に排便がみられるよう食事や薬剤による調整を行う ・繊維質の多い食事を摂る ・水分摂取を心がける ・腹部や腰部の温罨法を行う ・便秘が続く場合，緩下薬や下剤，浣腸，摘便などの方法を用いる
四肢の腫脹	症状を和らげ，静脈血栓など2次的障害を防ぐ ・四肢を枕などに乗せて高くして休む ・弾性ストッキングを着用する

症状とその対処法を表V-7-4に示す．

b. セルフモニタリング

ALS患者にとってのセルフモニタリングは，日々の生活のなかで，どのようなことに障害が出てきたかを自分で認識することに始まる．患者が自分で何ができて何が不自由であるかを理解し，周囲の力を借りていけるように援助することが必要である．できなくなったことを認めることは患者にとって苦痛を伴うことであり，看護者はその心情に配慮しながら，親身な態度で接する．症状によっては，患者はそれを疾患と結びつけて自覚しにくいこともある．たとえば頭重感や睡眠不足が呼吸障害の初期症状であることもある．看護師は，共感的な態度で患者が体験していることを表出できるように働きかける．

c. 日常生活における教育的支援および援助

ALS患者にとっては疾患が日常生活そのものに大きな影響を与えるため，障害の進行・程度に合わせ，生活上の工夫などについて具体的に説明し，患者や家族が実行できる

表V-7-5 筋萎縮性側索硬化症患者の障害別生活上の工夫・対策

障害	時期	工夫・対策
運動障害	歩行可能な時期 上肢の運動機能障害出現時期	・疲労しない程度に運動，ストレッチングなどを行う ・ものを取りやすい低い位置に移動する ・食事や髪の毛をとかす，歯磨きなどの動作時には腕をテーブルや台の上に乗せて行う ・腕を支える補助具を使用する ・握りやすいように細いものを太くする（スプーンやフォークの柄を太くするなど） ・そでぐりやえりぐりが大きなゆったりした衣服を着る ・衣服のボタンを面ファスナー（マジックテープ）に替える
	下肢の運動機能障害出現時期 ベッド上臥床期	・歩行障害の進行に合わせ，杖，歩行器，車いす（普通→ヘッドレスト付，リクライニング式），電動車いすなどの移動補助手段を用いる ・早めに手すりや段差の解消などの自宅改造を行う ・電動ベッドや褥瘡予防マットレスの使用など，患者・介護者双方に負担の少ない療養環境を作る ・関節可動域訓練，定期的な車いす移乗などにより関節拘縮を防ぐ
嚥下障害	経口摂取可能時期	・食前に水分摂取や冷刺激，嚥下体操をする ・ご飯は軟らかく炊く，お粥にする ・肉や野菜は軟らかく煮る，細かく刻む ・障害の進行に応じ，とろみをつける，すりつぶす，ミキサーにかけるなどさらに形態を工夫する ・水分摂取が不足しないよう，とろみをつけ頻回に摂る ・食事の前後には口腔ケアを行う ・流涎のひどい場合吸引を行う ・誤嚥・窒息時には家族もすみやかに対応（背部叩打法やハイムリック法，吸引など）できるようにしておく ・定期的に体重測定を行う
	経口摂取困難時期	・鼻腔栄養カテーテルや胃瘻造設による栄養摂取 ・少量の嗜好品や好きなものの摂取など楽しみの確保の工夫をする
構音障害	障害出現時	・ゆっくり話す，一音節ずつ話す，などの工夫をする ・普段よく使う言葉を表にしておく ・残存する運動機能により，代替のコミュニケーション方法を早期に考え準備する
	障害の進行時	・筆談，文字盤，意思伝達装置（口，眼球運動，まばたき，脳波などによる入力操作）などによって意思疎通ができるようにする
呼吸障害	自力呼吸可能時期	・呼吸リハビリテーションの実施（腹式呼吸，口すぼめ呼吸，呼吸筋トレーニングなど）により，廃用症候群による呼吸機能の低下を防ぐ ・効果的な排痰ができるよう，ネブライザー，体位ドレナージ，スクイージングなどを実施する
	自力呼吸困難時期	・唾液や痰の吸引を行う ・障害の程度によりNPPV，TPPVによる人工呼吸療法を行う ・装置の使用，緊急時の対応について家族が対処できるようにする

ようにしていくことは大変重要である．運動障害，嚥下障害，構音障害，呼吸障害別に教育的支援・援助のポイントを表V-7-5に示す．

d. 心理・社会的支援

すべての過程において，患者が置かれた状況をどのように理解し，受け止め，どのように対処しようとしているかを十分に把握し，それに合わせて支持的な態度で接することが

必要である．とくに診断時は，事実の大きさに患者は圧倒され，否認したり，抑うつ的になるなど防衛機制が働くこともある．看護者は患者のありのままを受け止め，時間はかかっても患者が少しずつ現実に向き合い，疾患とともに生きていくという気持ちをもって生活できるように援助していく．症状が進行してくると，患者はさまざまな喪失体験を繰り返す．具体的な生活上の工夫について教育的援助を行い，失われた機能を代替手段を使って生活していくことを患者が受け止められるようにかかわる．とくにベッド上での生活が主になってきたときには，気分転換の時間がもてるように患者，家族とともに考えていくことも必要である．そして，身体が動かなくなったり話せなくなっても，患者の人間性は損なわれないことを，折に触れ言葉や態度で示していくことも重要であろう．一般に精神機能や知的能力は維持されるので，患者のこれまでの趣味や仕事を考慮して，何か知的，創造的な活動が行えるように勧めていくことも支援の1つとなる．

　また，人工呼吸器をつけるかどうかの意思決定支援も重要な看護上の役割である．それぞれの選択肢によって，患者や家族のその後の生活がどのようになるか，24時間の生活場面，外出時などの特定の場面といったいろいろな状況を想定し，十分に考えたうえで意思決定ができるよう，情報を提供し疑問に答える．また決定したことを支持するという意味でも，できるだけ患者や家族が想定していた生活が送れるよう援助していくことも重要である．

　ALSは，指定難病として認定されており，ALSの治療にかかる医療費は公費で負担される（一部自己負担の場合もある）．症状が重くなり，日常生活に支障が出てきた場合，身体障害者の認定を受ければいろいろな障害福祉サービスを受けられるようになる．このほかにもALS患者の場合，40歳から介護保険制度を利用することができる．これらの社会資源について情報提供を行い，必要に応じて主治医，メディカルソーシャルワーカー，地域の保健師などと連携しながら，療養生活が円滑に進むように調整していくことが必要である．

e. 家族への支援

　患者がこの疾患とともに生きていくうえで家族の協力は不可欠であり，それゆえ家族にかかる身体的・精神的な負担は相当なものである．診断期から，家族にも気持ちが表出できるようにかかわること，家族だけで負担をかかえ込まないように配慮することが必要である．患者がベッド上の生活となり，人工呼吸器を装着するような状態になると，まさに24時間の介護体制となる．訪問看護，訪問リハビリテーション，訪問介護などの社会資源をうまく活用し，できるだけ家族の負担が軽減でき，息抜きの時間がもてるようにする（レスパイトケア）など，家族も心身ともに健康な状態で患者とともに生活していけるようにすることが重要である．

　在宅介護におけるさまざまな問題とその対応については成書に詳細を委ねるが，2011年3月の東日本大震災を経験し，人工呼吸器の電源確保や療養場所の変更に伴う問題などさまざまな解決すべき課題が明らかとなっている．そのような災害への備えを考え，患者・家族の不安に対応していくことが求められている．

学習課題

1. 筋萎縮性側索硬化症によって起こる代表的な障害を4つ挙げてみよう
2. 筋萎縮性側索硬化症患者の身体的アセスメント項目を述べてみよう
3. 筋萎縮性側索硬化症患者に特有の症状とその対処法について説明してみよう
4. 筋萎縮性側索硬化症患者の日常生活における支援・教育内容について障害ごとに説明してみよう
5. 筋萎縮性側索硬化症患者の家族に対する支援内容を述べてみよう

練習問題

Q1 筋萎縮性側索硬化症患者への支援として適切なのはどれか.
1. 診断時にショックが大きく,現実を否認した言動があるときは,早めに現実に適応できるよう,今後の見通しについてなるべく多くの情報提供をする.
2. 人工呼吸器を装着しないことを患者が決定した際は,家族の気持ちに配慮しながらもう一度考え直したほうがよいことを伝えていく.
3. 嚥下障害の出現に対しては,誤嚥性肺炎の発症予防のために,経口摂取をなるべく早く中止できるよう支援する.
4. 意思伝達装置にはさまざまなものがあり,患者にとって使いやすいものを見つけていけるよう支援する.

［解答と解説 ▶p.529］

引用文献
1) 難病情報センター:筋萎縮性側索硬化症(ALS)(指定難病2),〔http://www.nanbyou.or.jp/entry/52〕(最終確認:2023年1月10日)
2) 日本神経学会:筋萎縮性側索硬化症ガイドライン2013, 南江堂, 2013
3) アメリカALS協会:ALSマニュアル—ALSと共に生きる(遠藤 明訳), p.43, 日本メディカルセンター, 1997

V-7. 脳・神経系の障害を有する人とその家族への援助

4 重症筋無力症

この節で学ぶこと

1. 重症筋無力症患者の身体的，心理・社会的特徴を説明できる
2. 重症筋無力症患者の身体的，心理・社会的特徴をふまえ，必要な看護アセスメント項目を述べることができる
3. 重症筋無力症患者に対する具体的看護活動を述べることができる
4. 重症筋無力症患者の家族に対する具体的看護活動を述べることができる

A. 重症筋無力症患者の身体的，心理・社会的特徴

　重症筋無力症（myasthenia gravis：MG）は，**骨格筋**の易疲労性を主な症状とする**自己免疫疾患**である．有病率は人口10万人あたり23.1人でここ10年で患者数は約2倍となっている．男女比は1：1.7で女性に多い．発症年齢は，女性では30歳代から50歳代にかけてなだらかなピークがあり，男性では50歳代から60歳代にピークがある[1]．また，15歳以下に発症するものを小児期発症重症筋無力症という[2]．MGは，繰り返し運動すると疲れやすい，力が入らない，といった症状が夕方になるととくに現れ，休息によって回復するという特徴をもつ．症状の現れる部位や程度などにより病型が分類される．免疫療法を中心とした治療法の進歩により，多くの患者は大きな支障なく日常生活が送れるようになってきたが，多様な治療法を組み合わせて行われることが多く，病態や治療，その副作用など正しい理解が必要である．

　MG患者の身体的，心理・社会的特徴を以下に示す．

1 ● 日常生活に影響する多様な症状の出現

　MGは，運動神経と骨格筋との接合部で，神経の末端から放出されるアセチルコリンの受け皿である，筋肉側後シナプス膜上のアセチルコリン受容体が自己免疫機序によって障害され，神経刺激が筋肉側へ十分伝わらないことによって起こる．すなわち，アセチルコリン受容体を**抗原**として認識する抗アセチルコリン受容体抗体が産生され，神経側から出されたアセチルコリンが筋肉側に十分受容されず筋無力症状をきたす．また，割合は少ないが筋特異的受容体型チロシンキナーゼ抗体が原因となっている場合もある．これら**自己抗体**の産生機序は不明であるが，合併症として胸腺の過形成や胸腺腫（きょうせんしゅ）が高率に認められることから，胸腺の異常が関与している可能性が考えられているがまだ十分には解明されていない．

　頻度の高い初発症状は，外眼筋麻痺による複視や眼瞼下垂（がんけんかすい）などの眼症状であるが，全身

型として四肢筋の易疲労性（近位筋に多い）や**嚥下障害**，**構音障害**などの球症状から始まるものもある．これらの症状が昼から夕方にかけて増悪する日内変動があるのが特徴的である．状態が急激に悪化し嚥下困難，気道閉塞，**呼吸困難**に陥ることがあり，これを**クリーゼ**とよぶ．感染症や手術などによって誘発されることが多く，生命にかかわるので迅速な対応を要する．

2 ● 免疫療法を主とした多様な治療法および副作用

胸腺摘出手術と**副腎皮質ステロイド薬**，**カルシニューリン阻害薬（免疫抑制薬）**を中心とした免疫療法が主に行われる．効果の低い場合，**ステロイドパルス療法**（大量静注法），免疫グロブリン大量療法，**血液浄化療法**が用いられることがある．それぞれの治療法について十分に理解し，とくに副作用，合併症に関しては最小限に抑えられるよう観察し，患者への指導が必要である．なかでも多くの患者が使用するステロイド薬は感染症，糖尿病など重大な副作用を起こしやすいので注意を要する．免疫療法と併用して抗コリンエステラーゼ薬を用いた対症療法も行われる．

3 ● 症状による ADL の障害

症状の出現により患者は**ADL**にさまざまな支障をきたし，以下のような問題が起こってくる．

①眼症状や四肢筋力低下・脱力により歩行がままならない
②腕が上がらず歯磨きができない
③顔面筋の障害や嚥下困難・構音障害により，普通の食事が噛みにくい，のみ込みにくい
④声が鼻に抜けて話しにくい

治療法の進歩により症状の寛解，軽減がみられる患者が多くなったものの，症状が不変あるいは悪化し，長期にわたって治療を続けなければならない場合もある．患者や家族は障害を補う生活の工夫をしながら，増悪因子である感染やストレスを避けるよう気をつけていかなければならない．

4 ● 難病であることと ADL 低下による不安

症状に日内変動があり，反復運動によって悪化するが休息をとると軽減するという特徴があるため，初めは，疲れやすいなどの訴えが周囲からは怠けているとみられ，患者はつらい思いをしていることがある．また，MGと診断されると，それが難病であり，「重症」と名前のついていることからショックや不安を抱きやすい．症状により著しくADLが低下していることも多く，このまま動けなくなるのではないかなど精神的に苦痛をかかえている．

治療には胸腺摘出など大きな侵襲を伴ったり，ステロイド薬や免疫抑制薬など副作用の大きいものがあり，治療に対しても不安をもちやすい．

5 ● 家族の心理的・経済的負担

家族は，患者と同様，難病であることや病名から将来に対し不安を感じていることが多

い．患者のADLの低下は家族の生活にも大きく影響を与える．また，療養生活が長期に及ぶ場合，患者が家計の担い手である場合など経済的にも負担が大きくなる．

B. 重症筋無力症患者および家族への援助

1 ● 看護アセスメント

MGの症状は日常生活に直接的に影響を与える．どのような症状が現れていて，患者の日常生活や心理・社会的側面にどう影響しているか，また，治療の副作用とその影響についても細かくアセスメントすることが重要である．また，この疾患の特徴である日内変動をとらえるためにも継続的な観察が必要である．アセスメントの目的および項目を表V-7-6にまとめた．とくにMG患者のADLについてアセスメントする際の参考資料として，MG-ADLスコアを表V-7-7に示す．

2 ● 援助の方針

MG患者の身体的，心理・社会的特徴をふまえ，援助の方針を次のように考える．

> ①診断・治療時：疾患や治療について理解でき，前向きに治療に取り組めるように援助する．症状が軽減され，安全・安楽に生活できるように援助する．
> ②社会生活を送りながらの療養時：増悪因子や服薬管理，必要なリハビリテーションなどについて理解し，日常生活のなかでセルフマネジメントを行いながら安定した日々を送ることができるように援助する．

3 ● 看護活動

a. 症状マネジメント

症状マネジメントするうえで，この疾患の特徴，治療法についてよく理解することが重要である．日内変動があり，反復運動によって悪化するため，調子のよい午前中に筋力低下予防のためのリハビリテーションを行うなどの工夫も大切である．MG患者に特有の身体症状とその対処法を表V-7-8に示す．

b. セルフモニタリング

MGは，治療によって症状の軽減がみられる患者が増えてきてはいるものの，なんらかの症状が残ったまま長期にわたって療養を続けることも多い．また，生活のなかで増悪因子となるものも存在する．患者に対し，疾患の特徴や治療の副作用，増悪因子などについてよく説明し，患者が自分自身で症状を把握できるようにしていくことが大切である．その際，体調の変化をとらえられるように簡単な療養日記をつけてもらい，日々のできごとと体調との関連をわかりやすくしたり，長期的にみてよくなっていることを実感できるようにしたりすることなども工夫の1つである．思うように症状が改善しない場合，患者は心理的に落ち込み不安を強くすることが考えられる．患者の思いに耳を傾け，生活のなかで困っていることに具体的なアドバイスをしたり，うまく対処できていることを評価するなど，前向きに療養生活が送れるよう支援が必要である．

表Ⅴ-7-6　重症筋無力症患者の看護アセスメント

目的	アセスメント項目		備考
身体的側面 ●MGの重症度，出現している症状および症状による苦痛の程度についてアセスメントする ●ステロイド薬や免疫抑制薬による副作用の有無と程度についてアセスメントする	●病歴 ●検査データ ❶MGに特有の検査 ①血液検査	・他疾患の治療のために使用している薬剤 ・各検査項目のデータや所見の異常の有無・程度を把握する ・抗アセチルコリン受容体（AchR）抗体，抗筋特異的受容体型チロシンキナーゼ（MuSK）抗体，他の自己免疫性疾患の自己抗体	・MG患者の約85%に抗AchR抗体がみられる．また，他の自己免疫性疾患を合併していることがある．
	②薬理学的検査	・エドロホニウム塩化物静注負荷試験	・コリンエステラーゼ阻害薬であるエドロホニウム塩化物の負荷により症状が改善することが診断基準の1つ．
	③電気生理学的検査 ④画像検査 ❷症状や副作用のアセスメントに必要な検査 ①血液検査	・反復誘発筋電図 ・胸部X線，胸部CT/MRI ・白血球数，赤血球沈降速度，リンパ球数，CRP，総タンパク，アルブミン，血糖値，HbA1c	・筋の疲労現象を証明する． ・胸腺過形成や胸腺腫を合併していることが多い． ・副作用として，ステロイド薬には感染症，糖尿病，消化性潰瘍，精神障害，骨粗鬆症，緑内障など，免疫抑制薬には感染症，腎障害，高血圧などがあり，関連する検査項目の観察が必要．
	②骨・関節・筋系	・X線，CT，関節可動域（ROM），徒手筋力テスト（MMT）	
	③呼吸・循環器系	・胸部X線，胸部CT/MRI，呼吸機能，血液ガス分析，心電図	
	④消化器系 ⑤尿検査 ●バイタルサイン ●徴候・症状	・X線造影，内視鏡，腹部CT/MRI ・尿量，尿糖，尿中白血球 ・体温，脈拍，血圧，呼吸数，Spo$_2$ ・各症状の有無と程度を把握する．とくにMGに特有の症状については日内変動についても十分アセスメントする	
	❶MGに特有の症状	・眼瞼下垂，眼球運動障害，四肢筋力低下，咀嚼障害，嚥下障害，構音障害，呼吸困難，易疲労感	
	❷副作用の症状	・満月様顔貌，中心性肥満，月経異常，不眠，にきび，多毛，情緒不安定，抑うつなど	
日常生活の側面 ●MGの症状や治療の副作用症状が日常生活にどのような影響を及ぼしているかをアセスメントする	●環境	・家屋の状況（段差の有無，手すりの設置状況など）	・複視などの症状がある場合階段や段差で転倒しやすい
	●食事	・食事形態・内容，摂取量，咀嚼や嚥下の様子	
	●排泄	・排尿回数，排便回数，便の性状，色，下剤や緩下剤の使用の有無	
	●睡眠	・睡眠時間，寝つきの状態，中途覚醒の有無，睡眠薬の使用の有無	
	●清潔	・入浴や洗髪頻度，歯磨きの頻度，手洗い・うがいの習慣	
	●動作・活動	・食事，更衣，整容，入浴，排泄の各動作，移動についてどれくらい障害されているか，自分でどの程度できるか	・日常生活動作については表Ⅴ-7-7 MG-ADLスコアも活用する．
	●趣味・余暇活動	・どのように余暇を過ごしているか，できなくなった趣味はないか	
	●セルフケア能力	・日常生活を調整しながら治療を継続する能力の有無，程度 ・症状に対処できているか，増悪因子に注意して生活できているか	・表Ⅴ-7-8，表Ⅴ-7-9参照．
認知・心理的側面 ●患者本来の心理面の特性と疾患や治療が心理面に及ぼす影響をアセスメントする	●疾患や治療の理解および受け止め	・もっている理解力の程度 ・疾患と治療法，副作用，増悪因子についてどのように理解し，どう受け止めているか	
	●心理状態	・ショック，不安，怒り，抑うつなどの有無と程度	
	●価値・信念	・何に価値を置き，何を大切にしているか，信仰する宗教は何か	
	●対処能力	・これまで問題にどのような対処（コーピング）方法をとってきたか	

(つづき)

社会・経済的側面 ●MGとその治療が社会・経済状態に及ぼす影響をアセスメントする	●役割	・職場での役割・地位，家庭内での役割
	●職業	・就業の有無，仕事内容，仕事量，勤務時間，通勤方法・時間，職場環境，人間関係，疾患による職業への影響の有無・程度
	●家族構成 ●家族の状態	・構成員 ・家族の疾患や治療の理解・受け止め，協力体制
	●キーパーソン	・家族または周囲の人のなかでのキーパーソンは誰か
	●経済状態	・家計の主な担い手はだれか，疾患による経済状態への影響，医療保険の種類，民間保険の加入の有無，医療費の支払い能力の状態
	●ソーシャルサポート	・友人・知人・同僚・患者会などのサポートの有無，利用できる社会資源 ・医療費助成制度や身体障害者手帳，介護保険などの社会資源の活用の状態

表V-7-7 MG-ADLスコア

	0点	1点	2点	3点
会話	正常	間欠的に不明瞭，もしくは鼻声	常に不明瞭もしくは鼻声，しかし聞いて理解可能	聞いて理解するのが困難
咀嚼	正常	固形物で疲労	軟らかいもので疲労	経管栄養
嚥下	正常	まれにむせる	頻回にむせるため，食事の変更が必要	経管栄養
呼吸	正常	体動時の息切れ	安静時の息切れ	人工呼吸器を使用
歯磨き・櫛の使用の障害	なし	努力を要するが休息を要しない	休息を要する	できない
いすからの立ち上がり障害	なし	軽度，ときどき腕を使う	中等度，常に腕を使う	高度，介助を要する
複視	なし	あるが毎日ではない	毎日起こるが持続しない	常にある
眼瞼下垂	なし	あるが毎日ではない	毎日起こるが持続しない	常にある

[Wolfe GI, Herbelin L, Nations SP et al : Myasthenia gravis activities of daily living profile. Neurology 52(7):1487-1489, 1999 より引用]

c. 日常生活における教育的支援および援助

　MGの特徴，治療の副作用などについて患者と家族に説明し，正しい理解を促すことが重要である．とくに内服薬の管理，増悪因子についての注意事項は，十分理解したうえで実行できるよう，患者・家族と生活のシミュレーションをともにしながら考えていく姿勢が必要である．

(1) 内服薬の管理

　ステロイド薬や免疫抑制薬の服用にあたっては，医師から指示されたとおり内服を続けていくことが重要である．副作用を心配して，中断したり，量を減らしたりすることのないよう指導する．勝手な判断は症状の増悪をまねき，結果的に内服量を増やすことにもなりうるので，何か疑問や心配のあるときは医師や看護師，薬剤師に相談するように説明する．

表V-7-8 重症筋無力症患者に特有の症状とその対処法

主な症状	対処法
嚥下困難 咀嚼困難	調理や食品選択の工夫をして，バランスの取れた満足できる食事が摂れるようにする ・ご飯は軟らかめに炊く，あるいはお粥やおじやにする ・野菜や肉・魚類は軟らかく煮てとろみをつける ・お茶や汁物などの水分にもとろみをつける ・硬いものや刺激物を避ける ・症状の強いときはミキサー食にするなど形態をさらに工夫する，また経管栄養の適用についても相談する ・食べすぎると脱力などの症状が出やすいので腹八分目を心がけるよう促す
眼症状 （複視，眼瞼下垂）	安全に生活できるように配慮し，眼を使わないことによる筋萎縮を防ぐ ・ベッドサイドなど生活範囲の環境を整える ・段差や階段などに気をつけて歩行する，手すりを使用するよう促す ・初期は複視による頭痛やめまいを避けるため眼帯の使用などにより片目を使うようにするが，筋萎縮を避けるため，慣れてきたらなるべく両目で見るように進めていく ・眼瞼下垂の悪化を防ぐためにサングラスを使用する ・薬が効いているときに眼症状のリハビリテーションを行う（振り子やメトロノームの動きを眼球だけで追従するなど外眼筋のリハビリテーション）
呼吸困難	苦痛を軽減しながら症状の悪化を防ぐ ・腹式呼吸を勧める．症状の軽いときに口すぼめ呼吸，風船を膨らませるなど呼吸リハビリテーションを行う ・喀痰の喀出困難に対してはネブライザーや，体位ドレナージ，スクイージングなど排痰を促す技術を用いる ・症状の重篤なときは人工呼吸器装着や気管切開の適応となる
四肢筋力低下・脱力	安全・安楽に生活できるよう配慮し，症状の悪化を防ぐ ・ベッドサイドなど生活範囲の環境を整える ・障害された部位に応じたリハビリテーションを調子のよいときに行う ・障害されている動作に応じて，援助を行ったり自助具を用いて患者が自分で行えるよう工夫する

　また，一時的症状改善のための抗コリンエステラーゼ薬は即効性があるので，生活するうえで筋力を必要とする行動に合わせ，その少し前に内服して動きやすくするのに有効である．医師や薬剤師と相談のうえで，患者が自分なりに生活のリズムに合わせて服薬していけるように指導し見守ることが必要である．この場合も自己判断で増量したりすることのないよう指導する．

(2) 増悪因子

　症状を悪化させる増悪因子について，患者や家族がよく理解し，うまく対策がとれるよう，よく話し合って無理なく療養生活が送れるようにする．とくにステロイド薬や免疫抑制薬を使用している場合，感染症を起こしやすく，それがクリーゼ（急激に悪化し呼吸困難や嚥下障害を呈する）の引き金になることもあるので注意が必要である．しかし，神経質になりすぎるとかえってストレスを増加させることにもつながるので，患者や家族が負担に感じすぎないように働きかけることも必要である．表V-7-9にMGの増悪因子とその対策を示す．この増悪因子のなかで，薬剤はMGに特有であり注意を要する．万が一，呼吸困難が出現したらすぐに来院することを伝え，家族に対して対処法を指導しておくことも必要である．

表V-7-9 重症筋無力症の増悪因子とその対策

増悪因子	対策
感染症	感染症を予防する ・帰宅時の手洗いやうがいの励行 ・かぜやインフルエンザの流行期にはなるべく外出を控え，人ごみを避ける ・身体や口内を清潔に保つ ・けがをしたら傷口を清潔にし，傷のひどい場合は受診する
疲労・ストレス	疲労やストレスをためないようゆったりとした生活を心がける ・仕事の忙しいときは休日に十分な休養をとる ・仕事の負担が大きすぎるときは職場に相談し，理解と協力が得られるようにすることも考慮する ・家事や育児の負担は家族のサポートを得られるようにする ・疲労を感じたら無理をせずゆっくり休むよう心がける ・長時間の激しい運動は避ける ・心配や悩みを話せる相談相手を確保する
手術・外傷	外傷を避ける ・手術が必要な場合は，疾患のことを伝え，MGの主治医にも相談する．連絡を取り合って行ってもらうことが望ましい ・歯科受診で抜歯など侵襲のある処置を受けるときは主治医の紹介状を持参する ・けがをしないように気をつける
妊娠・出産	安心・安全に妊娠・出産できる ・妊娠を考えている場合，その時期について普段から主治医に相談しておく ・薬物の胎児への影響も考えられるので，症状が落ち着き少量のステロイド薬使用の状態でのぞめるよう家族計画を考える ・妊娠期間中はMGの主治医，産婦人科医の連携による指導を受けながら安全に生活できるようにする ・出産後の症状の悪化，新生児の一過性の筋無力症状の出現に備え，神経内科・産婦人科・小児科のある総合病院での出産が望ましい ・妊娠や出産に対して過度に心配せず，疑問や不安は主治医や看護師に相談するようにする
薬剤	薬剤による増悪が起こらないよう注意する ・筋弛緩薬，睡眠薬・精神安定薬，抗菌薬，抗不整脈薬，降圧薬，抗コリン薬などのなかに，MGの症状増悪をきたすものがある．主治医から処方された以外の薬を内服するときは，必ず事前に相談する．市販薬も同様である

d. 心理・社会的支援

症状によって患者は生活に非常に不便を感じたり，自分自身をもどかしく思ったり，治療や将来に不安を感じたりしている．診断期はとくにショックを受け不安を募らせていることが多いので，看護師はその心理状態を把握しながら，ショックを和らげ，徐々に患者が現実と向き合えるように働きかけることが大切である．そのうえで患者が疾患と治療法について十分理解し，前向きに治療にのぞめるようにしていく．患者によっては長期にわたって治療を続けなければならない場合もあるので，患者が希望をもちつつも，長く疾患とつきあっていかなければならない覚悟も合わせてもてるような支援が必要である．思うように治療効果が得られないとき，患者の闘病意欲の減退がみられることもある．看護師は患者の気持ちに寄り添い，患者に合ったコーピング方法で意欲を保ち，安定した療養生活が送れるように支援していく．

MGは，**指定難病**として認定されており，医療費が公費で負担される（一部自己負担の場合がある）．これに加え，**高額療養費制度**，症状や年齢により**身体障害者福祉制度**や**介**

護保険制度を利用するなどして治療や生活のうえでサポートが得られることを情報提供する．これら社会資源の活用については，主治医，メディカルソーシャルワーカー（MSW）や地域の保健師などと連携をはかることが望ましい．また，患者会は，疾患や治療法，生活上の工夫，社会資源などについてさまざまな情報が得られ，同じ疾患をもつ者同士，気持ちを共有して支え合っていけるなど有益なサポート源であることの紹介を行う．

e. 家族への支援

家族に対しても，診断時からその不安を軽減し，患者とともに前向きに生活していけるよう支援することが必要である．家族が気持ちを表出できる機会を作り，共感的な態度で接する．患者の療養生活について家族がかかえる具体的な悩みや不安に対しては，社会資源の活用も含めてともに解決策を考え，患者会においては，家族にとっても情報を得たり，家族同士で励まし合えるなどのメリットがあることを伝える．

学習課題

1. 重症筋無力症患者に特有の身体症状を述べてみよう
2. 重症筋無力症の症状がADLにどのような影響を与えるか説明してみよう
3. 重症筋無力症の治療と副作用について説明してみよう
4. 重症筋無力症の増悪因子とその対処法を述べてみよう
5. 重症筋無力症患者に対する心理・社会的支援として考えられることを述べてみよう

練習問題

Q1 重症筋無力症患者への対応として適切なのはどれか．
1. 夕方に症状が軽快することが多いので，リハビリテーションは夕方に行えるように時間を調整する．
2. ステロイド薬を使用している患者の場合，症状に合わせて用量の増減が自分で行えるよう指導する．
3. 妊娠・出産にあたっては，個人の産科クリニックでの出産は避けることが望ましいことを説明する．
4. 睡眠薬の使用を希望している患者には，症状悪化のおそれがあるため使えないことを説明し，他の入眠方法をともに考える．

［解答と解説 ▶ p.529］

引用文献

1) 難病情報センター：重症筋無力症（指定難病11），〔http://www.nanbyou.or.jp/entry/120〕（最終確認：2023年1月10日）
2) 日本神経学会：重症筋無力症診療ガイドライン2014，p.114，南江堂，2014

V-8. 感覚器系の障害を有する人とその家族への援助

1 視覚障害

> **この節で学ぶこと**
> 1. 中途視覚障害患者の身体的，心理・社会的特徴について説明できる
> 2. 視覚障害患者の原疾患および視力の看護アセスメントについて説明できる
> 3. 視覚障害患者に必要な援助や教育的支援について説明できる．

A. 視覚障害患者の身体的，心理・社会的特徴

　人間が生活するうえで，外界にあるものの形，位置，性質を認識するためには，両眼の視機能が重要となる．しかし，疾病や外傷，加齢などにより視機能が障害されると，外界の情報を眼を介して取り込むことができず日常生活に多大な影響をもたらす．

　視覚障害は，外界の状況を認識し，的確に判断したり，適切な対処行動をとったりするための重要な**感覚機能**の1つである視機能が障害された状態である．視覚障害とは視力や視野に障害があり，生活に支障をきたしている状態をいう．眼鏡を使用しても一定以上の視力が出なかったり，視野が狭くなったりしている状態である[1]．視覚障害には，ものの有無や形を認識する機能に障害のある視力障害，視線を固定した状態で見える範囲に障害のある視野障害などが含まれる．視覚障害の主な原因は，緑内障，糖尿病網膜症，網膜色素変性症，白内障，事故などであり，ここでは**緑内障**と**糖尿病網膜症**，**網膜色素変性症**に伴う視覚障害を有する患者の特徴に焦点を当てて述べる．

1 ● 視覚障害を伴う原疾患のマネジメントが必要

　視覚障害における原疾患の約半数以上は緑内障，糖尿病網膜症，網膜色素変性症などであるといわれている[1]．緑内障の患者は，視野狭窄が進み中心視野が確保できなくなるまで視覚障害の進行に気づかないことが多く，とくに眼圧が適切にコントロールできない場合は視神経萎縮により失明にいたる．緑内障は，緑内障の分類，重症度，眼圧の高さに応じた点眼薬（1滴／回，複数は5分以上あける）を続け，必要な場合はレーザー治療，手術を受けることで進行を遅らせることができる．糖尿病網膜症の患者は，初期には眼の症状を自覚することなく，増殖網膜症の段階まで進むと突然，視力低下や視野狭窄が出現し，さらに糖尿病が悪化すると失明にいたる．また，網膜色素変性症の患者は，暗順応が障害される夜盲や，階段を下りにくくものにぶつかりやすいなどの視野障害を体験し，さらに病気が進行すると失明にいたることもある．以上のことから，視覚障害をもたらしている原疾患を適切にコントロールできない場合は，いずれの疾患も失明にいたる可能性がある．

表V-8-1 視覚障害分類と対策

	眼疾患	視機能障害	視覚的能力障害	視機能的社会的不利
定義	視器の病的逸脱	視覚システムの機能低下	視機能障害による日常生活や社会生活での不自由	視覚能力障害が被る社会生活上の不利
障害部位	角膜，水晶体，硝子体，網膜，視神経，脳	視力，視野，両眼視，色覚，光覚	読み書き，歩行，日常生活，職業能力	身体的自立，社会的自立，経済的自立，雇用
対策	医療	ロービジョンケア		
				教育・福祉

[髙橋 広：ロービジョンケアの実際―視覚障害者のQOL向上のために，7頁，医学書院，2002より引用]

したがって，視覚障害の背景にある原疾患のマネジメントが重要である．

2 ● 視覚障害によるセルフケアおよび危険回避能力の低下

　人間は日常生活のほとんどの情報収集を視覚に頼っている．WHOの定義では，ロービジョンを矯正視力0.05以上0.3未満としている．日本では，視力障害のために日常生活に不自由のある状態をさす．視機能が障害されると外界からの情報が著しく欠如し，食事や排泄，歩行などのADLが障害されセルフケア能力が低下する．さらに視機能の低下により段差がわかりにくくなったり，歩行中にものや人にぶつかったりと自分の身を危険から守れなくなり，危険回避能力も低下する．このことから患者は，不安や恐怖，自信喪失を体験することで行動範囲が縮小し社会とのつながりが疎遠になる．また，セルフケア能力の低下に伴い他人の援助を必要とする状況になる．多くの場合，視機能は多少保持されているため，患者の残されている視機能を最大限に活用し，できるかぎり患者が自立した生活を送れるように支援するロービジョンケアが必要となる（表V-8-1）．また，近年ではICT（情報通信技術）や携帯電話の普及によって情報へのアクセシビリティが確保されつつある．これに伴い，就業の機会が増えたり，社会とのつながりを拡大できる可能性もある．

　災害時には視覚障害者は避難が困難となる．災害前から避難場所，経路，移動手段を確認し，地域で声かけサポートを作っておくことを準備する．また，避難時白杖をもつと支援依頼がスムーズになる．

3 ● 視覚障害による心理的葛藤や将来への不安

　緑内障や糖尿病網膜症の患者は，眼圧や血糖のコントロールが不十分の場合，失明の可能性が高くなる．とくに緑内障はかなり視野障害が進行しないと自分で気づけないことが多く，失明原因の1位である．したがって，長年にわたり視覚に頼って日常生活を送ってきた成人にとって，人生の途中で突然に眼が見えなくなるというときの心理的葛藤は，言葉で言い表すことができないほど強いだろう．そして今後失明するおそれがあると知ったときの衝撃は大きく，現実を容易に受け入れることは困難である．また，人間のもつ適応能力という点から考えると，視覚障害が緩徐に進行した場合と急激に進行した場合では，視覚以外の感覚器による適応能力に差が生じることがある．とくに，中途視覚障害の患者

は，日常生活，家庭や職場での役割などいままで培ってきた生活基盤を変更しなければならず，さまざまな障害や変化に直面し混乱する．このことから患者は，慣れ親しんだ日常の世界が閉ざされてしまうという孤立感や白杖(はくじょう)をもって歩くことへの引け目，家族に負担をかけることへの申し訳なさ，外出することへの恐怖などを感じ，視覚の喪失のみならずさまざまな喪失感を体験する．したがって，患者の潜在能力や適応能力をアセスメントすることが重要である．

4 ● 家族の心理的・社会的負担

家族は，患者同様さまざまな将来への不安を感じている．とくに患者が家計を支えていた場合，就労が困難になり経済的問題が生じやすい．また，患者のセルフケア能力の低下に伴って家族の援助が必要となる．したがって，患者のみならず家族の身体的，心理・社会的負担が大きくなるため，家族の介護力やサポート体制なども把握することが重要である．

B. 視覚障害患者および家族への援助

1 ● 看護アセスメント

視覚障害の患者の看護アセスメントの目的および項目は**表Ⅴ-8-2**に示すとおりである．

2 ● 援助の方針

視覚障害の患者の身体的，心理・社会的特徴をふまえて，援助の方針を次のように考える．

> ①視覚障害にいたったときは，失明あるいは失明するかもしれないというショックが軽減され，病気および治療を理解して，前向きに治療に取り組めるように援助する．
> ②視覚障害の原疾患をコントロールできるように，増悪因子についての理解ができ，服薬管理と日常生活におけるセルフマネジメントを適切に行えるように援助する．
> ③視覚障害をもちながら，残存機能を最大限に活用し社会生活を維持する方法を獲得できるように援助する．

3 ● 看護活動

a. 症状マネジメント

視力低下の予防には，原疾患のコントロール（眼圧上昇の予防，血糖コントロールなど）が必要である．ここでは，緑内障や糖尿病網膜症，網膜色素変性症の患者に出現する主な症状を取り上げて説明する．

(1) 視力低下

視力低下は，凸レンズの眼鏡やコンタクトレンズなどで視力の矯正をはかる．視力低下の程度に応じて拡大鏡などを使うとよい．また，網膜の中心の機能が障害を受けて視力が低下しても，中心から離れた網膜は機能していることがあるため，その部分の網膜でものをみる練習（中心外固視の練習という）を促し，残存している視機能を活用できるように援助する．また，視力低下の進行を防ぐためには，その原因となっている原疾患のコント

表Ⅴ-8-2　視覚障害患者の看護アセスメント

目的	アセスメント項目		備考
身体的側面 ● 視機能をアセスメントする ● 基礎疾患についてアセスメントする	● 病歴	・現病歴：視力低下がいつ頃から出たか，病院の受診はいつからか ・既往歴：交通事故，外傷，骨折など ・糖尿病	・障害年金の受給に影響する
	● 検査データ ❶ 視機能 ① 視力	・検査項目のデータや所見の異常の有無と程度を把握する ・最小視認域（点視式，森実式，ドットカードなど） ・最小分離域（ランドルト環など） ・最小可読域（絵視力など） ・中心視力と中心外視力の変化	・視力の表記 ・指数弁：f.C.（finger counting），手動弁：f.m.（finger movement），光覚弁：L.S.（Light Sence），全盲：0（ゼロ），矯正不能：n.c.（non corrigent）
	② 視野	・中心視野（アムスラーチャート式など） ・周辺視野（ゴールドマン視野検査など） ・中心暗点の有無と大きさ	
	③ 色覚	・仮性同色表（備考参照） ・アノマロスコープ：赤緑異常の評価に用いる．赤緑異常をもっている場合，正常人に比べて混合比がどちらかに大きく偏る傾向がみられる ・パネルD-15テスト：連続した色相の15個のチップを色が連続的に変化するように並べる．色覚異常の種類・程度を判別することができる	・中心視野：10°以内で生活が困難になるといわれている． ・2001年10月以降厚生労働省は雇用時の色覚検査廃止．2004年以降学校保健法施行規則の定期健康診断項目から色覚検査は削除．
	④ 屈折・調節	・近視，遠視，乱視の有無 ・矯正視力	
	⑤ 眼底検査 ❷ 基礎疾患 ① 血液系 ② 消化器系 ③ 脳神経系	・精密眼底検査，蛍光眼底検査など ・血糖値（空腹時），HbA1c ・糖尿病治療薬の有無と使用方法 ・脳波検査，CT，MRI ・四肢末梢の知覚（しびれ，知覚麻痺の有無）	・眼底出血の有無を判定． ・糖尿病治療薬の使用と血糖値の変化を継続して観察する．
	● 身長・体重の指標 ● 徴候・症状	・身長，体重，BMI ・白内障：視力低下，羞明夜盲，霧視など ・緑内障：視力低下，眼痛，頭痛，悪心・嘔吐，視野狭窄など ・網膜剝離：飛蚊症，視野欠損，視力低下など ・糖尿病網膜症：霧視，飛蚊症，視力低下，失明 ・網膜色素変性症：夜盲，視野狭窄，羞明など	・眼圧亢進症状（眼痛，片頭痛，吐き気，眼瞼の腫脹，結膜充血など）があり脳圧亢進症状に似ているため鑑別が必要．
日常生活の側面 ● 視覚障害とその治療による身体症状および精神症状が日常生活に及ぼす影響をアセスメントする	● 環境 ● 食事 ● 排泄 ● 睡眠 ● 清潔 ● 日常生活動作・活動	・視覚障害の症状に合わせた明るさの調節を行う． ・食事内容と量，食欲，水分摂取量 ・排尿回数，排尿量と性状 ・睡眠時間，寝つきや目覚めの状況 ・歯磨きやうがいの有無，入浴の有無 ・運動の種類，運動量，時間，回数 ・四肢末梢の知覚障害の有無 ・どのような動きが障害されているか，日常生活の工夫，物品の配置，目印など	・羞明感が強い場合，厚手のカーテンなど室内でも遮光することがある．
	● 趣味・余暇活動	・どのような趣味・余暇活動を行っているか，患者が行っている工夫	・視覚障害の福祉施設，視能訓練士，歩行訓練士（視覚障害生活訓練等指導者）により，生活訓練（歩行訓練，コミュニケーション訓練，日常生活動作訓練）が行われている．
	● セルフケア能力	・日常生活において自分でできること，できないことを把握する	

(つづき)

認知・心理的側面 ● 視覚障害とその治療による治療が心理状態に及ぼす影響をアセスメントする	● 疾患や治療の理解および受け止め	・疾患および増悪因子，治療およびその副作用を，どのように理解し，それを受け止めているか ・教育するうえで必要な理解力の有無など ・視力以外のコミュニケーションツールとその利用方法について*の理解	*点字，パソコンなど訓練により習得できるツールのほか，プレイストークリングポケット，拡大読書器，音声ICタグレコーダーなども使用する．
	● 価値・信念	・何に価値を置き，何を大切にしているか，信仰する宗教は何か	
	● 対処方法	・これまで問題にどのように対処してきたか	
	● 心理状態	・いらだち，不安，抑うつの有無や程度	
社会・経済的側面 ● 視覚障害とその治療が社会・経済状態に及ぼす影響をアセスメントする	● 役割	・家庭における役割，職場における地位・役割	
	● 職業	・就業の有無，仕事内容，勤務時間，労働量，通勤時間，通勤方法，職場環境や人間関係 ・就業のための職業訓練	・ハローワーク，視覚障害者対象の職業訓練を活用し，就労支援を受ける．
	● 家族構成 ● 家族の状態	・何人暮らしか ・家族の病気や治療の理解力および受け止め，協力体制の状態	
	● キーパーソン	・家族や周囲の人でキーパーソンは誰か	
	● 経済状態	・医療保険の種類，民間保険の加入の有無，医療費の支払い能力の有無 ・社会保障・障害年金の等級	・身体障害者手帳の受給． ・障害基礎年金の受給． ・社会保険労務士に症状の変化などを相談し，適切な認定評価を受けられているか確認する．
	● ソーシャルサポート	・友人・知人・同僚・患者会などのサポートの有無，利用できる社会資源	

ロールが重要であるため，緑内障の患者は眼圧のコントロール，糖尿病網膜症の患者は血糖コントロールができるように治療の継続や日常生活におけるセルフマネジメントを促す．さらに，光覚がなくなると視力は0となり，全盲となる．この場合は，医療と福祉が一体となって患者が直面する問題を解決できるように支援する．

(2) 視野狭窄

視野狭窄は，見える範囲を拡大する凹レンズの眼鏡などを使用して矯正をはかる．ただし，像の大きさは小さくなるため，凹レンズの使用は視力低下のみられない患者に適している．視野が狭くても眼を動かして少しずつ情報を取り込んで全体像を把握するスキャニングの練習を促し，残存している視機能を十分活用できるようにする．また，視野狭窄が進行しないように原疾患の治療や日常生活における増悪因子を除去することが重要であり，緑内障の患者は眼圧のコントロールができるように治療の継続を促す．

(3) 羞明

網膜色素変性症では，光がうまく網膜上に集まらず光が散逸することでまぶしさを感じることが多い．したがって，遮光メガネ（短波長をカットし，まぶしさをとる特殊なメガネ）を用いたり，照明を調整したり，外出時はサンバイザーやツバつきの帽子をかぶるなど，まぶしさを軽減できるよう援助する．

以上，生活に支障をきたすほどの視力低下や視野狭窄，羞明などの症状がみられる患者は，危険回避能力が低下しているため，外出の際は車の運転を控え介助者の同伴が必要になることを説明する．

b. セルフモニタリング

視力および視野は定期的な眼科受診により正確に評価される．眼底検査も含め，視機能

の評価を客観的に継続して行うことが必要である．また，視力や視野についてのセルフモニタリングはADLに直接結びついて行われているが，緑内障の場合，中心視野がある程度保たれていると不自由を感じないことが多い．糖尿病の場合は，視力障害をもちながらも，血糖をコントロールするために血糖測定，食事療法，血圧測定，体重測定，データの記録を行わなければならない．原疾患を管理するためにセルフモニタリングが有効であること，セルフモニタリングした資料を活用して治療計画を立てることなどについて理解を促し，継続できるよう励ますことが大切である．

c. 日常生活における教育的支援および援助

日常生活では，危険を避けることがむずかしくなり生活範囲が狭くなる．まず患者自身が現在の状況をどのようにとらえているかを傾聴しながら確認していくことが必要になる．また，患者だけでなく家族やキーパーソンの認識を把握したうえで，教育的支援のポイントを明らかにし，患者，家族・キーパーソン，職場（学校）などと問題を共有できるようかかわる．

視覚障害に対するADL訓練は，視能訓練士のいる**リハビリテーション施設**，視覚障害の福祉施設などを活用すれば専門的な指導を受けることができる（**表V-8-1**参照）．患者の状況によって入所期間はさまざまであるが，短期間での補助具の選定，歩行訓練，日常生活訓練などにより行動範囲を自立して広げられるといわれている．

たとえば，食事の場合，どこになんの食物が配置されているか，どのようにして食べるかなどは視覚と脳の協調作業である．必要な食品に的確に調味料をかけたり，魚の骨を取り除いたりすることも困難となる．しかし，そのうちに触覚，聴覚，嗅覚が視覚を補って生活できるようになる．慣れるまでは患者自らが能動的に触れて感覚をつかむことも大切であることを説明する．患者が把握した位置のイメージを変えないようにして，患者が感覚をつかめるように見守りながら援助する．また，服薬は音声読み取り装置などの使用や音声読み取り装置のついた器具や押した回数で量が調節できる調味料入れなど，患者が自立して疾患を管理できるような道具があることと，用量ごとに小分けした箱を使用するなどの工夫が必要になる．インスリン注射は単位合わせが困難になり，視力障害者用補助具などの使用を勧める．両眼の視力低下だけでなく，片眼だけに障害がある場合も立体視が困難になるため慣れるまで根気強く練習することが大切であることを説明する．

表Ⅴ-8-3　身体障害者障害程度等級表

	視覚障害
1級	視力の良い方の眼の視力（万国式試視力表によって測ったものをいい，屈折異常のある者については，矯正視力について測ったものをいう．以下同じ．）が0.01以下のもの
2級	1 視力の良い方の眼の視力が0.02以上0.03以下のもの
	2 視力の良い方の眼の視力が0.04かつ他方の眼の視力が手動弁以下のもの
	3 周辺視野角度（Ⅰ/4視標による．以下同じ．）の総和が左右眼それぞれ80度以下かつ両眼中心視野角度（Ⅰ/2視標による．以下同じ．）が28度以下のもの
	4 両眼開放視認点数が70点以下かつ両眼中心視野視認点数が20点以下のもの
3級	1 視力の良い方の眼の視力が0.04以上0.07以下のもの（2級の2に該当するものを除く．）
	2 視力の良い方の眼の視力が0.08かつ他方の眼の視力が手動弁以下のもの
	3 周辺視野角度の総和が左右眼それぞれ80度以下かつ両眼中心視野角度が56度以下のもの
	4 両眼開放視認点数が70点以下かつ両眼中心視野視認点数が40点以下のもの
4級	1 視力の良い方の眼の視力が0.08以上0.1以下のもの（3級の2に該当するものを除く．）
	2 周辺視野角度の総和が左右眼それぞれ80度以下のもの
	3 両眼開放視認点数が70点以下のもの
5級	1 視力の良い方の眼の視力が0.2かつ他方の眼の視力が0.02以下のもの
	2 両眼による視野の2分の1以上が欠けているもの
	3 両眼中心視野角度が56度以下のもの
	4 両眼開放視認点数が70点を超えかつ100点以下のもの
	5 両眼中心視野視認点数が40点以下のもの
6級	視力の良い方の眼の視力が0.3以上0.6以下かつ他方の眼の視力が0.02以下のもの

［厚生労働省：身体障害者手帳の概要，等級表〔https://www.mhlw.go.jp/file/06-Seisakujouhou-12200000-Shakaiengokyokushougaihokenfukushibu/0000172197.pdf〕（最終確認：2023年1月10日）を参考に作成］

d. 心理・社会的支援

失明やロービジョンに適応し生活を再構築していく過程で，失明に対する衝撃の段階，視力低下を認めたくないといった否認の段階，視力低下を受け入れ前向きに対処できる承認の段階といった危機的状況から適応できるような援助が必要となる．情報源が限られるため，社会的恩恵を受けられず，対人関係も円滑に進められなくなり，家庭・社会での役割が果たせないなど発達課題も障害される．患者が視覚障害によって何が不自由か，何に困難を感じているかなど落ち着いて話ができる環境で傾聴することが大切である．聴覚や触覚で視覚を補うため，親しみのある声や態度，ボディタッチは患者を安心させる．手引き歩行では，誘導者の肘の上を片手で軽く握ってもらうように介助する．障害物を避けるよう誘導することは安心した環境作りに必要である．

視覚障害の評価は，矯正視力で評価される．わが国では，**身体障害者福祉法**により利用できる社会保障制度がある．指定医により身体障害者の認定を受け「身体障害者手帳」の交付を受けること（**表Ⅴ-8-3**），「国民年金（障害基礎年金）」の受給などについては，メディカルソーシャルワーカー，社会保険事務所などで相談することを勧める．

e. 家族への支援

視覚障害は患者だけでなく，家族にも心理・社会的危機をもたらす．家族役割の変更は

患者以外の家族にも負担をかけ，喪失感を与える．家族の情緒的安定，経済的安定は患者の不安を軽減させるため，家族と信頼関係を築き，ゆっくりと傾聴する時間をもつことは有効である．また，患者の生活状況を理解するために，家族が視覚障害の疑似体験（目隠しをして食事，移動などを行う）することをとおして，患者と家族の相互理解をもてるよう提案することも有効である．

> **学習課題**
> 1．視力障害を起こす主な疾患を3つ挙げ，それぞれの視力障害の特徴と視力障害のアセスメント方法を述べてみよう
> 2．視力障害患者に対して，症状のコントロールと日常生活行動について必要な援助内容とその教育のポイントを述べてみよう
> 3．視力障害の福祉施設，身体障害者手帳，障害者年金について説明してみよう

> **練習問題**
> **Q1** Aさん（67歳，男性）は，1人暮らし．Aさんには視覚障害があり，光と輪郭がぼんやりわかる程度である．食事の準備や室内の移動は自立している．台風による洪水で，近所のBさんと共に避難所の公民館に避難した．公民館はバリアフリーで複数の部屋があり，日頃からAさんは利用している施設である．避難所の開設初日に医療救護班として看護師が派遣された．
> 避難所生活を開始するAさんへの看護師の対応で適切なのはどれか．
> 1．BさんをAさんの介助者とする．
> 2．Aさんの肩に触れてから声をかける．
> 3．Aさんにはトイレに近い部屋を割り当てる．
> 4．Aさんに優先的に物品や食料を配布する．

［解答と解説 ▶ p.529］

引用文献
1) 石橋達朗，新家　眞，小椋祐一郎ほか：網膜脈絡膜・視神経萎縮症に関する調査研究　H17-19年度総合研究報告書，2008．〔https://mhlw-grants.niph.go.jp/project/14367〕（最終確認：2023年1月10日）

V-8. 感覚器系の障害を有する人とその家族への援助

2 突発性難聴

この節で学ぶこと

1. 突発性難聴患者の身体的，心理・社会的特徴を述べることができる
2. 突発性難聴発症時の対処方法および治療について説明できる
3. 突発性難聴患者のセルフモニタリングの項目を述べることができる
4. 突発性難聴の増悪予防および生活習慣改善（生活習慣の修正）のための教育的支援について述べることができる

A. 突発性難聴患者の身体的，心理・社会的特徴

突発性難聴（sudden deafness）は，原因不明の突然発症する高度の感音性難聴である．多くは一側性であり，高度の難聴と同時に耳鳴，耳閉感を合併し，めまいを伴うこともある．原因として循環障害やウイルス感染などが推定されており，過労，睡眠不足，ストレスが誘因となることが多い．しかし，基本的には原因は不明で確実な治療法がない疾患であり，障害者総合支援法の対象疾患となっている．厚生労働省研究班の2001年の調査では，全国推定受療者数は，年間3万5,000人で人口10万人あたり27.5人であり，2012年の「急性高度難聴に関する調査研究」では人口10万人あたり60.9人と推定されている．60歳代の発症がもっとも多く認められ，性差は認めない．

治療は薬物療法と安静が基本である．薬物療法では，内耳の炎症に対する抗炎症作用，循環障害に対して血流を増加させる作用を期待して副腎皮質ステロイド薬が使用される．また，血管拡張薬，代謝改善薬，ビタミン製剤が使用されることが多い．さらに低酸素状態を改善する高気圧酸素療法，血流改善を期待した星状神経節ブロックなどを併用することもある．急性期において安静は重要であり，心身ともに安静を保ちストレスを解消することが大切である．また，耳の安静も重要であり，静かな環境のなかで生活することが必要である．聞こえの予後を左右する因子は，発症から治療開始までの期間，初診時の聴力レベル，めまいの有無であり，発症早期（7日以内）に治療を開始したほうが聴力予後が良好であり，早期治療を行うことが推奨されている[1]．約1/3の例では治癒するものの，約1/3の例は部分回復，残り約1/3は不変となる．

1● 苦痛を伴う多様な症状の突然の出現

突発性難聴は，その名の示すとおり，ある日突然に高度の難聴を生じ，そのとき自分が何をしていたか明言できるほど突発的である．高度の難聴とともに，耳鳴や耳閉感，めまいを生じることがあり，めまいは繰り返さないのが特徴である．聴力検査により難聴の種

表Ⅴ-8-4　難聴の程度と重症度

聴力	デシベル (dB)	聞こえの状態
正常	25未満	ほとんど不自由なし
軽度難聴	25以上40未満	30 dBになると難聴を自覚する．ささやき声は耳もとでなければ聞こえない．社会的適応性はある
中等度難聴	40以上70未満	会話中聞き落としがありやや不自由を感じるが，対面での会話は可能．70 dBになると大声でなければ通じない
高度難聴	70以上90未満	会話はほとんど不可能．耳もとに口をつけて話しかける必要がある
重度難聴（ろう[聾]）	90以上	言語音，一般環境音は聴取不能
全ろう	測定不能	聴力がまったく測定不能で，補聴器，人工内耳などによってもまったく音が聞こえない

現在，日本においては多くの聴覚障害の分類があり，これは一例である．
[山岨達也：新耳鼻咽喉科学．改訂12版（切替一郎原著，野村恭也監，加我君孝編），p.56-57，南山堂，2022を参考に作成]

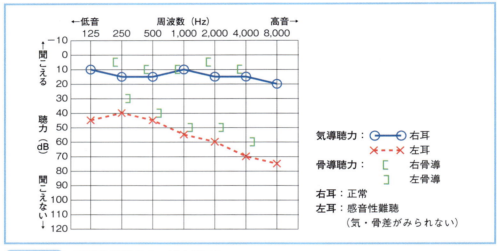

図Ⅴ-8-1　突発性難聴のオージオグラム

[久保　武，安藤邦子，阪上雅史ほか（編）：耳鼻咽喉科ナーシングプラクティス，129頁，文光堂，1998より許諾を得て改変し転載]

類や重症度が判断される（**表Ⅴ-8-4**）．純音聴力検査の結果はオージオグラムに記載され，突発性難聴では気導聴力・骨導聴力ともに低下する感音性難聴である（**図Ⅴ-8-1**）．厚生労働省難治性聴覚障害に関する研究班により2015年に改訂された突発性難聴診断基準（**表Ⅴ-8-5**）に従って診断が行われている．

2● ステロイド療法に伴う副作用

突発性難聴の原因は明らかではないが，ウイルス感染が原因と考えられているため，ステロイド療法が行われる．主なステロイド療法として入院して大量のステロイド薬の点滴を行い，徐々に減量していく方法がある．大量のステロイド薬を使用する場合には，副作用であ

表Ⅴ-8-5　突発性難聴診断基準

主症状
1. 突然発症
2. 高度感音難聴
3. 原因不明

参考事項
1. 難聴（標準純音聴力検査での隣り合う3周波数で各30 dB以上の難聴が72時間以内に生じた）
2. 耳鳴
3. めまい，および吐気・嘔吐
4. 第Ⅷ脳神経以外に著明な神経症状を伴うことはない

診断の基準：主症状の全事項をみたすもの．
［厚生労働省難治性聴覚障害に関する調査研究班，2015年改訂より引用］

る免疫抑制作用が現れ易感染状態となったり，そのほか，血糖値上昇，胃部不快感，空腹感，ムーンフェイスなどが出現することがあるので，副作用症状に注意する必要がある．

3 ● 聴力が改善しないのではないかという予後への不安

突然の聴力低下は精神面に大きな動揺をもたらす．患者は耳鳴や耳閉感などの症状を常時自覚させられざるをえないため，強いストレスを受け**抑うつ状態**になりやすい．聴力がこのまま元に戻らないのではないかという不安も強い．聴力が低下することによって他者とのコミュニケーションが困難となる場合もあり，患者は日常生活に対し不便を感じたり，対人関係が縮小したりするため，精神的・社会的側面にも大きく影響を受ける．そのような患者に対して継続的な精神面への援助が必要である．

4 ● 突然聴力が低下しコミュニケーション手段が奪われることによる社会的不安

突発性難聴と診断された患者は，ある日突然聴力が低下することによって，日常生活での外部からの情報を入手することや他者の言葉を明瞭に聞き取ることができなくなり，相手の意思や思いを円滑に受け取ることがむずかしくなる．その結果，適切な意思伝達が行えず，信頼関係にも影響を及ぼし，患者は生活上のさまざまな制限を強いられる．聴力の低下が職業にも影響する場合には，経済面にも影響し，患者は社会復帰への不安が高まる．

B. 突発性難聴患者および家族への援助

1 ● 看護アセスメント

突発性難聴ではとくに早期発見，早期治療が重要であるため，発生状況や聴力障害の程度（**表Ⅴ-8-4**），随伴症状を的確かつすばやくアセスメントを行う必要がある．また，聴力障害はその人の日常生活に大きく影響を及ぼすと考えられるため，その人の生活の視点からアセスメントすることがポイントである．アセスメントの目的および項目を**表Ⅴ-8-6**にまとめた．

2 ● 援助の方針

突発性難聴患者の身体的,心理・社会的特徴をふまえて,援助の方針を次のように考える.

> ①発症時は,めまい・ふらつきなどの平衡感覚障害による転倒の予防に努め,不安を軽減するとともに病気および治療の理解を促し,安静を守ることができるように援助する.
> ②治療開始後は,ステロイド薬の副作用について理解を促し,副作用出現の早期発見・予防ができるように援助する.
> ③苦痛症状を緩和するとともに,突発性難聴の増悪因子について理解を促し,セルフマネジメントしながら社会生活を再調整できるように支援する.

3 ● 看護活動

a. 症状マネジメント

突発性難聴患者がかかえる主な症状として,聞こえにくさ,耳閉感,頭重感がある.これらの症状に対して,患者がどのように受け止めているのか,苦痛をどのように表現しているのかを理解する必要がある.また,看護師は患者の,出現している症状や予後に対する不安,治療法への疑問などを傾聴し,理解度に応じて知識の提供を行い,治療法である心身の安静が保てるように支援することが大切である.

b. セルフモニタリング

突発性難聴は突然発症するため,患者の心理的動揺は大きく,聞こえの予後に関して不安が大きい.ステロイド療法などの治療によりいったんは症状が落ち着いても,ストレスや疲労により悪化するおそれがある.したがって,患者自身が自己の体調に気づき,休養をとることやストレスの軽減をはかることが大切である.

c. 日常生活における教育的支援および援助

突発性難聴は不規則な生活をしている人に多く発症しており,ストレスが誘因となっていることが考えられる.突発性難聴の誘因となるような過度のストレス,睡眠不足,不規則な生活習慣を正すように努める必要がある.突発性難聴の治療にとって安静が大切であるが,身体的症状がない患者では安静が守られにくいため,説明を十分に行い心身の安静が保持できるよう援助する.喫煙やアルコールは増悪因子となるため控えるよう指導する.このように,看護師は患者とともに生活習慣を振り返ることにより,患者が生活を改められるよう支援する必要がある.ステロイド薬を使用している場合は,感染予防の観点から身体の清潔の必要性について説明する.また,平衡感覚器の障害により転倒を起こすことがないよう環境を整える必要がある.

d. 心理・社会的支援

突発性難聴により難聴がある患者が周囲の人々とのコミュニケーションがうまくはかれないことにより,孤独感を強めて引きこもってしまうことがないように注意する必要がある.患者との会話の工夫として,静かな環境で,健側からゆっくりと話し,患者が話の内容を理解しているか反応を把握しながら会話を進め,必要に応じて筆談などの方法を用いる.治療開始段階によっては長期化したり,症状の改善があまりみられない場合もあるため,患者が根気よく治療に臨めるように援助することが大切である.また,患者の職業が

表Ⅴ-8-6　突発性難聴患者の看護アセスメント

目的	アセスメント項目		備考
身体的側面 ● 突発性難聴の症状に伴う身体的苦痛の有無・程度をアセスメントする ● 突発性難聴の治療薬であるステロイド薬の副作用をアセスメントする	● 病歴 ● 検査データ 　① 聴力検査 　② 脳神経学的検査 ● バイタルサイン ● 徴候・症状 ● 聴力障害を示す言葉,態度	・現病歴, 既往歴, 治療歴など ・検査項目のデータや検査所見の異常の有無と程度を把握し比較する. ・純音聴力検査（気導聴力検査・骨導聴力検査）, 聴性脳幹反応検査, ティンパノメトリー, 語音聴力検査 ・X線, CT, MRI ・体温, 脈拍, 血圧, 呼吸数など ・突発性難聴の症状の有無と程度を把握する. ・難聴, 耳鳴, 耳閉感, めまい, ふらつき, 耳痛, 耳漏, 嘔気の有無 ・ステロイド薬の副作用：感染, ムーンフェイス, 胃部不快, 血糖値上昇 ・よびかけへの反応, 会話の様子, 聞き返しの有無・頻度	・純音聴力検査は, 気導聴力検査と骨導聴力検査を施行し, 聞き取れる最小の音量である最小可聴閾値（dB単位）を聴力レベルとする. 気導聴力検査は, 鼓膜や耳小骨などの病変による伝音機構の異常, 骨導聴力検査は内耳より中枢の感音機構の障害を反映している. 結果はオージオグラム（聴力図）に記載される（図Ⅴ-8-1）. 難聴の程度・重症度を表Ⅴ-8-4に示す. ・難聴の症状が, 聴神経腫瘍由来でないことを確認する必要がある. ・ステロイド薬の副作用について説明し, 感染予防などのセルフケアを促す.
日常生活の側面 ● 突発性難聴とその治療による身体症状および精神症状が日常生活に及ぼす影響をアセスメントする	● 環境 ● 食事 ● 排泄 ● 睡眠 ● 清潔 ● 動作・活動 ● コミュニケーション方法 ● 嗜好品 ● 趣味・余暇時間 ● セルフケア	・騒音, 光, ベッド周辺の環境 ・食事内容と量, 食欲, 水分摂取量 ・排尿・排便回数, 性状 ・睡眠時間, 熟眠感 ・入浴・洗面などのセルフケア状況 ・安静が守られているか ・めまい, ふらつき, 頭痛などの症状により, どのような動作, 活動が障害されているか, 日常生活において自分でできること, できないことを把握する ・どのような趣味・余暇活動を行っているか ・聴力レベル, コミュニケーション手段 ・喫煙, アルコールの摂取（飲酒）, カフェインの摂取, その他の刺激物摂取の有無 ・日常生活を調整しながら治療を継続する能力の有無, 程度	・騒音, 光刺激によりめまいが増強する場合がある. ・耳鳴, めまいなどの症状から嘔気や食欲不振が出現する場合がある.
認知・心理的側面 ● 突発性難聴とその治療が心理状態に及ぼす影響をアセスメントする	● 疾患や治療の理解および受け止め ● 価値・信念 ● 対処方法 ● 心理状態	・疾患, 治療および治療に伴う副作用についてどのように理解し受け止めているか ・理解力の有無 ・何に価値を置き, 何を大切にしているか, 信仰する宗教は何か ・これまで大きな問題が起こったときにどのように対処してきたか, ストレス解消法 ・不安, いらだち, 抑うつの有無や程度, ストレス	・突然の発症であり, 今後の聴力改善に対する患者の不安は大きい. また, 耳鳴などの症状を常時自覚せざるをえない患者の精神的苦痛は非常に大きい. ・ストレスが増悪因子となるため, 日常生活のなかでストレスが蓄積しないように指導する.
社会・経済的側面 ● 突発性難聴とその治療が社会・経済状態に及ぼす影響をアセスメントする	● 役割 ● 職業 ● 家族構成 ● 家族の状態 ● キーパーソン	・家庭における役割, 職場における地位・役割 ・就業の有無, 仕事内容, 難聴の仕事への影響の有無, 勤務時間, 職場環境や人間関係 ・家族構成, 家族内の患者の役割, サポート体制 ・扶養家族の有無, 家族構成 ・家族の病気や治療の理解力および受け止め, 協力体制の状態 ・家族または周囲の人のなかでのキーパーソンは誰か, 相談相手の有無	

(つづき)

	●経済状態	・医療保険の種類，民間保険の加入の有無，医療費の支払い能力の有無
	●ソーシャルサポート	・友人・知人・同僚・患者会などのサポートの有無，利用できる社会資源，職場におけるサポート

騒音環境下にある場合や，難聴が職業に及ぼす影響が大きい場合は患者と話し合い対応策を考えることも必要である．

e. 家族への支援

突発性難聴は突然の発症であり，今後の聴力改善に対して家族も患者同様に不安をかかえているので，家族の気持ちを表出する場を作り思いを傾聴する．また，症状の増悪因子であるストレスを緩和し，生活習慣を改善するためにも家族の協力が必要である．患者がセルフマネジメントできるよう，家族のサポートの重要性を伝え，家族が突発性難聴やステロイド療法の副作用および患者との会話の工夫について理解できるよう支援する．

学習課題

1. 突発性難聴の定義を説明してみよう
2. 突発性難聴の身体的アセスメント項目を説明してみよう
3. 突発性難聴患者のオージオグラムの特徴を述べてみよう
4. ステロイド療法中の突発性難聴患者への指導内容を述べてみよう
5. 突発性難聴患者の教育的支援の内容を挙げてみよう

練習問題

Q1 突発性難聴の患者への生活指導で適切なのはどれか．2つ選べ．
1. 副腎皮質ステロイド薬を使用するため，感染予防に努める．
2. めまいやふらつきがなければ，できるだけ早期に活動を開始する．
3. 耳の安静を保つため，イヤホンで音楽を聴くことを勧める．
4. 喫煙やアルコールは増悪因子となるため控える．
5. 周囲の人に大きな声で話してもらうよう，協力を得ておくとよい．

[解答と解説 ▶p.529]

■引用文献■

1) 一般社団法人日本聴覚医学会（編）：急性感音難聴診療の手引き．p.62, 金原出版, 2018

第VI章

事例で考える

学習目標

1. 特徴的な問題をもった慢性疾患を有する人の臨床事例を通して，根拠に基づいた援助を導き出すことができる

A. 治療継続がむずかしい患者への支援

> **事例 ①**
>
> Aさん，44歳，男性．診断名：高血圧症．既往歴：なし．職業：会社員（家電メーカーの研究開発部門の技術者，課長）．家族構成：妻（42歳），長男（11歳，小学校5年生）との3人暮らし．

身体所見および血液検査データなど

身長175 cm，体重90 kg，腹囲98 cm，血圧160/112 mmHg，空腹時血糖114 mg/dL，トリグリセリド（TG）値220 mg/dL，HDL 38 mg/dL，総コレステロール260 mg/dL，non-HDLコレステロール222 mg/dL，喫煙歴：1日10本×24年，禁煙したいとは思っているが，実行に移せない．

病気の受け止め

5年前の健診時から血圧が高いことを指摘されているが，とくにどこか痛いとか，気持ちが悪いとかないし，高血圧っていわれてもピンとこない．健康には自信をもっている．先生や会社の保健師さんからは体重を減らせ，食べすぎないように，もっと運動するように，といろいろといわれているけど，なんともないしね．

高血圧症発症と経過

5年前（39歳）の会社の健診のとき，初めて血圧が高いことを指摘され，半年前から降圧薬の内服が開始となった．最近，社内にあるクリニックの看護師がAさんに偶然会ったとき，薬がまだたくさん残っているということがわかった．

Aさんの仕事はほとんどがデスクワークであり，通勤はバスと電車を使用し，ほとんど歩くことはない．学生時代はラグビーの選手であったが，就職後運動らしい運動はほとんどしていない．

現在内服中の治療薬

アムロジピンベシル酸塩（アムロジピン®）1錠（2.5 mg）1日1回朝食後

Aさんが話したこと

毎朝薬を飲むっていうのは，思ったより大変です．朝は時間がなくて，つい飲み忘れてしまう．高血圧は将来脳卒中や心臓病になるなんていわれているけど，まだまだ私は大丈夫ですよ．減量はむずかしいし，塩からくないおつまみでお酒を飲んでも，ぜんぜん楽しくありません．仕事が忙しくて運動する時間も作れそうにありません．それに薬の副作用も気になるし．でも，最近息子が「お父さん，そんなに太っていて大丈夫？ お父さんみたいな人って，メタボリックシンドロームっていうんじゃない？」と話していることが気になっています．

設 問

Q1 Aさんは薬の服用が続けられない，減量や運動を実行できないなど，高血圧の治療の継続が困難な現状にある．Aさんのどのような心理状態や環境が治療継続を困難にさせているのか考えてみよう．

Q2 Aさんが実際に治療を継続できるように，Aさんの現在の状況を整理し，高血圧の放置が及ぼす影響を考慮して，具体的な支援について考えてみよう．

［解答への視点 ▶ p.519］

B. 副作用が強い患者への症状マネジメント

> **事例 ②**
>
> Bさん，63歳，男性．診断名：小細胞肺がん．職業：会社員．既往歴：なし．
> 家族構成：妻（62歳，主婦）との2人暮らし

肺がん発症と経過

　Bさんは会社の健診で胸部に異常陰影を指摘され，精密検査を行った結果，肺がんと診断された．肝臓に転移していることがわかり，がん薬物療法（シスプラチンとイリノテカン）を初めて行うことになり，入院した．

入院後の経過

　治療の前日に，看護師は点滴中の注意事項や起こりうる副作用についてパンフレットを用いて説明した．Bさんは「入院したとき，治療をしている患者を見て，つらそうだなと思ってました」と不安を覗かせた．

　治療1～4日目は，悪心・嘔吐に対する予防的処置として制吐薬が投与された．Bさんは，悪心対策として治療1日目の昼食を控えめにするなど，看護師の事前指導に従って対処していた．しかし，2日目の夕方より，悪心が出現し，夜から翌日の朝までに1回嘔吐がみられた．また3日目は，体動や食事のにおいで嘔吐が誘発され，ベッド上でガーグルベースンに胃液様の吐物を2回嘔吐した．悪心の出現時には，追加でメトクロプラミド（プリンペラン®）を使用し，また脱水予防のために電解質溶液を1,000 mL点滴した．さらに，睡眠前には制吐目的と睡眠を確保するために，点滴でハロペリドール（セレネース®）を使用したが，熟眠はできていなかった．5日目になると，嘔吐は消失したが悪心は軽度あり，食事には手をつけられず補液が継続された．

　Bさんは，「思っていたよりもつらかった．体力も落ちてしまったし，このまま治療に耐えられるだろうか．何か食べなければならないとは思うのだけど，食べる気にならない」と訴えた．日中は，ぐったりした様子で時々うとうとしていた．体重は，1日目の朝と比較して1.5 kg減少した．投与前日に入浴したが，それ以降は清潔面へのケアはできていない．妻はBさんに少しでも食べるよう勧めているが，食べてくれないことをとても心配している．

設　問

Q1　5日目におけるBさんの状況についてアセスメントし，看護援助を考えてみよう．
Q2　妻は，Bさんの食欲不振について悩んでいる．妻の不安に対してどのような支援ができるか考えてみよう．

［解答への視点　▶ p.519］

C. セルフモニタリングが必要な患者への教育的支援

> **事例 ❸**
> 　Cさん，55歳，女性．主婦．診断名：2型糖尿病．既往歴：45歳から高血圧，脂質異常症．家族構成：夫（57歳，会社員），次男（29歳，会社員）との3人暮らし．

糖尿病発症と経過
　45歳の時に糖尿病と診断された．これまでHbA1cは8％を超えることがなかったが，この数ヵ月で10％に上昇したため，入院となった．入院時，身長158.5 cm，体重79.5 kg，BMI 31.0，HbA1c 10.0％，随時血糖値283 mg/dL．

内服治療内容
　メトホルミン塩酸塩（メトグルコ®）250 mg，1錠，2回／日
　テネリグリプチン臭化水素酸塩水和物（テネリア®）20 mg，2錠，1回／日
　イプラグリフロジンL-プロリン（スーグラ®）50 mg，1錠，1回／日
　シルニジピン（アテレック®）10 mg，1錠，1回／日
　ロスバスタチンカルシウム（クレストール®）2.5 mg，1錠，1回／日

退院後の治療
　入院後インスリン療法を導入して糖毒性が解除され，食前血糖値110〜130 mg/dLに安定した．また，インスリン分泌能は保たれていた．経口血糖降下薬，糖尿病食1,600 kcal／日，運動療法（ウォーキング6,000歩／日）で血糖コントロールは可能と判断された．

生活状況
　8時起床（朝食欠食），10時洗濯，掃除，12時昼食，16時買い物（時々），18時夕食，21時間食（菓子パン，アイス，果物など），23時就寝．

Cさんが話したこと
　夕食後の間食が多かった．やせたいと思っている．ウォーキングは退院しても継続したい．

設 問

Q1 退院後，血糖コントロールを進めるにはセルフモニタリングが欠かせないが，どのようなセルフモニタリングが可能か考えてみよう．
Q2 体重のセルフモニタリングの方法をどのように説明するか考えてみよう．
Q3 退院後の体重のセルフモニタリング結果についてどのようにアセスメントし，促進したらよいか考えてみよう．

［解答への視点 ▶ p.520］

D. 治療の意思決定に直面している患者への支援

> **事例 ④**
>
> Dさん，28歳，男性．診断名：クローン病．既往歴：なし．職業：会社員．
> 家族構成：両親 父（58歳，会社員），母（53歳，主婦）との3人暮らし．

クローン病発症と経過

　Dさんは，23歳のときにクローン病と診断された．下痢，腹痛，体重減少により，2ヵ月間入院した後，仕事に復帰した．退院後は，メサラジン（ペンタサ®）の内服による薬物療法と成分栄養剤（エレンタール®）の経口摂取による栄養療法を継続し，寛解の状態を維持していた．しかし，Dさんは3年前から職場の部署異動により，疲労やストレスが蓄積するようになり，外来で医師から病気が再燃していると説明を受けた．Dさんは医療者に，「入院はしたくない」と訴え，アダリムマブ（ヒュミラ®40 mg）による治療を導入することとなり，2週間に1回の自己注射を開始した．

今回の治療の経過

　Dさんは最近になり，職場で上司から新たな仕事も任されるようになり，仕事をがんばっていた．しかし，残業や休日出勤が数ヵ月続き，このところアダリムマブ（ヒュミラ®）を自己注射しても，下痢や腹痛，発熱の症状が頻繁に出現するようになり，血液データのCRPも5～6 mg/dLで経過していた．そこで，医師からアダリムマブを2倍量（80 mg）に増量する治療を勧められた．しかし，Dさんはインターネットで調べて，アダリムマブよりも，新しくクローン病の治療薬として承認されたウステキヌマブ（ステラーラ®）のほうがよく効くのではないか，たとえアダリムマブを増やしても，またすぐ効かなくなるのではないかと思って，医師が勧めているアダリムマブの2倍量投与の治療を拒否している．

設 問

Q1 Dさんの希望と医師の治療方針が異なっている．看護師の立場から，Dさんへどのような支援をする必要があるか，考えてみよう．

Q2 また医師へはどのような働きかけをしたらよいか，考えてみよう．

［解答への視点 ▶ p.520］

E. 役割変更を迫られている患者・家族への支援

> **事例⑤**
>
> Eさん．63歳．女性．診断名：多発性囊胞腎による慢性腎臓病（腹膜透析中）
> 既往歴：35歳，妊娠時より高血圧，タンパク尿あり．55歳，腎機能低下．60歳，腹膜透析開始．職業：自営業（美容師）家族構成：本人，夫（63歳，無職），次女（40歳，会社員）の3人暮らし．長女（43歳，美容師）は既婚で別に暮らしている．

病気の受け止め

これまで，仕事との両立のため自宅で行う腹膜透析を選んで行ってきた．今回，繰り返す体重増加と検査データの悪化に伴い，血液透析併用療法について提案された．「腹膜透析は限界があるって知っていたから，仕方ないかな．でも長くやってきた仕事をどうしたらいいかしら」と述べている．

病気発症と腹膜透析開始決定の経緯

遺伝性腎疾患であり，母親も多発性囊胞腎で血液透析を行っており，自身も若いころから「腎臓が悪くなるかも」という認識があった．また，弟は多発性囊胞腎の合併症の脳動脈瘤破裂で他界している．出産後，高血圧の治療を行ってきたが，55歳頃より腎機能低下がみられたため専門医への通院を開始．58歳で仕事との両立をはかるため腹膜透析を選択して開始となった．しかし，ここ最近，体重増加と全身浮腫が著明のため，血液透析併用療法を開始することとなった．

併用療法開始後の経過

Eさんは，日中は仕事のため，これまでは自宅に併設している美容院で，自分でできる腹膜透析を行っていた．しかしながら，腹膜透析を開始して5年たち，検査データや除水バランスが不良となったため，血液透析を併用し，低下した腹膜機能を補うことになった．Eさんは血液透析については「仕方ないですね．体重の増減を頻繁に繰り返して，入退院を繰り返すのは，自営の仕事もあるので難しい」と述べている．今後は，腹膜透析を継続し，美容院が休みである火曜日は血液透析を行うため通院することとなった．生活スタイルの変化に対し夫や次女は協力的であり，通院などのサポートをしている．また長女は，自身の仕事が休みの時に，Eさんの美容室を手伝うこともあり，Eさん自身も「美容師としてまだまだだと思っていたけど，案外やるじゃないって見ていて思うのよ」と嬉しそうに話されている様子が見られている．

Eさんが話したこと

全身のむくみを感じ，腹膜透析の除水量も減ってきたので，「血液透析を行う」と聞いたときは，「やっぱり」という思いがありました．それでも，うちは，地域の人たちがおしゃべりしに来たりする場所だから，仕事を辞めたいっていっても，周囲の人には続けてほしいっていわれちゃうのよね．だから，なんとか週1回の血液透析で済んで安心はしています．ただ，血液透析をした次の日はしんどいって聞くから，もう年だし，もう1日くらい休みにしたいと思うけど，地域の人のことを思うと悩んでしまって……．

> **設 問**
>
> **Q1** 血液透析を併用することになったEさんの生活の変化について考えてみよう．
> **Q2** 社会での役割を果たしながらも，安定した生活と療養の両立を継続するためには，Eさんおよび家族への支援をどのようにしたらよいか考えてみよう．

[解答への視点 ▶ p.520]

F. 増悪を繰り返す患者への教育的支援

事例⑥

Fさん，60歳，男性．診断名：慢性閉塞性肺疾患（chronic obstructive pulmonary disease：COPD）．職業：無職（58歳のとき退職）．身長：167cm，体重：48kg．家族構成：妻（56歳）との2人暮らし．

COPD発症と入院までの経過

55歳時，階段昇降や坂道歩行で息切れを自覚し受診したところCOPDと診断され，58歳時に慢性呼吸不全をきたし，在宅酸素療法（home oxgen therapy：HOT）を導入した．今回は肺炎によるCOPDの増悪のため入院となった．これまでCOPDの増悪による入院歴が3回あり，いずれも呼吸器感染症が契機となっている．最近の活動状況について尋ねると，労作時呼吸困難のため，外出する機会はほとんどなく，屋内で過ごすことが多かった．食欲もないため，食事は朝夕の2回にしていた．

入院後の経過

入院して1週間後，治療により酸素化は改善し，安静時の経皮的酸素飽和度（SpO_2）も96〜97％（酸素1.5L／分吸入下）となり，安静度は病棟内歩行可となった．しかし，Fさんの労作時の呼吸困難は持続し，病室とトイレの間の歩行にも息切れがみられ，活動に消極的であった．

Fさんとその妻が話したこと

Fさん：気をつけているのに，また入院してしまった．入院するたびに悪くなっています．もう，何をしたって悪くなるしかないのだと思います．それに，ちょっと動くだけでも，すぐに苦しくなるから，何もできない．お風呂に入ってもね，最近は自分で洗えないのです．手伝ってもらっても，ハァハァいっているぐらいです．家内には迷惑をかけて，本当に情けない．

妻：夫はときどき，ひどく息が苦しそうにしているのに，私はオロオロするばかりで，何もしてやれません．

設問

Q1 Fさんの増悪を予防するために，どのような教育的支援が必要か考えてみよう．
Q2 現在のFさんの心理状態に配慮し，どのように教育的支援を進めたらよいか考えてみよう．

[解答への視点 ▶ p.521]

G. 入退院を繰り返す心不全患者への支援

> **事例 ❼**
> Gさん，72歳，男性，診断名：慢性心不全，陳旧性心筋梗塞（68歳時に発症），高血圧（40歳で指摘）．職業：農業（長男とともにお茶園を営んでいる）．家族構成：長男（45歳）と2人暮らし．妻は2年前に他界している．

入院時の状況とその後の経過

2年前から心不全の入院を繰り返しており，今回が3回目の入院である．入院時，前回退院時より8kg体重が増え，労作時に息切れがあったものの，安静にすると症状が落ち着き，定期受診も近かったため様子をみていたが，入院前日より安静時も息切れがして，下肢のむくみもひどくなり，受診し，緊急入院となった．入院時の血圧146/96 mmHg，BNP 340 pg/mL，左室駆出率38％，身長170 cm，体重71 kg，胸部X線では肺うっ血，心胸郭比（CTR）60％であった．

入院後持参された内服薬の残薬はカルベジロール（アーチスト®），エナラプリルマレイン酸塩（レニベース®），よりもフロセミド（ラシックス®）が多かった．

入院後の経過

入院直後より，安静，酸素療法，利尿薬などの点滴投与により，尿量が増加し，体重減少とともに，安静時の呼吸困難は改善した．

Gさんが話した病気とその管理

心臓が悪いし，前に入院したときは看護師さんに注意は受けたけど，男二人暮らしだし，茶畑もあるからいろいろいわれてもできない．血圧もノートにつけるようにいわれたけど，面倒だからできない．お茶の試飲もあるし，食事もスーパーでできあいのものを買ってくる．仕事の後の熱めのお風呂とビールが楽しみ．薬は畑仕事をしているときにトイレに行きたくなると困るから，忙しい時は飲まないようにしてる．

> **設問**
> **Q1** Gさんの病態と治療，再入院の要因について説明してみよう．
> **Q2** Gさんに必要なセルフマネジメントの内容とそのための支援をどのように勧めたらよいか考えてみよう．

［解答への視点 ▶ p.521］

設問　解答への視点

第Ⅵ章　事例で考える

A　治療継続がむずかしい患者への支援　[▶ p.512]
Q1 への視点

　Aさんは働き盛りの一家の大黒柱である壮年期にあたる男性である．会社では技術者であり中間管理職でもあるという重要な役割を担っている．

　高血圧は自覚症状がほとんどなく，Aさんの場合も健診で指摘されたのみである．またAさんは健康に自信をもっており，現在の自分の健康に危機感がないと考えられ，加えて薬の副作用を気にする様子もみられ高血圧治療継続のための動機づけに乏しい状況にある．

　Aさんは高血圧と指摘されてから，医師から減量，塩分や脂っこい食べものを控えること，運動をすることを勧められているが，現在の自分の生活習慣を大幅に変えることになり，不自由やストレスを感じているようである．現在のAさんは高血圧治療の必要性の理解が不十分であり，動機づけが弱いことから治療継続に必要な生活習慣を修正するための行動がとれない状況にある．

　まずはAさん自身が「自分にとって，血圧が高いまま放置しておくと，将来どのような影響が出るのか」「高血圧に伴う合併症，降圧薬の副作用についてどの程度知識をもっているのか」という点を明らかにする必要がある．

　一方，小学校5年生の息子が「メタボリックシンドローム」という言葉を使い，Aさんの体重が増えていることを心配していることをAさんは気にしている．Aさんは自分の健康に自信をもちながらも，家族も自分の健康を気にしていることから，「このままではいけない，なんとかする必要がある」というように，高血圧や体重増加についてなんらかの行動をとる必要性を感じ始めている（自覚をもち始めている）とも考えられる．

　以上より，Aさんはトランスセオレティカルモデルにおける変容ステージでは，「行動を変える必要性を感じている」熟考期にあたり，行動変容の必要性を感じつつも，そのための行動が目に見えるものになっていない時期といえる．

Q2 への視点

　Aさんは，高血圧だけでなく，肥満，運動不足，糖尿病（境界域），脂質異常症など心血管病の危険因子を複数もっている状態である．Aさんの高血圧の放置は近い将来，心血管病を引き起こすことが十分予測される．

　高血圧の治療は生涯にわたって行われるものであり，降圧や心血管病予防のための生活習慣の修正には葛藤やストレスを伴うため，Aさんの高血圧治療を支援する医療者と信頼関係を作ることは必須である．

　まずはAさんの健康や血圧についての話を十分に聴くことから始める．Aさんと医療者の信頼関係の確立が治療継続の第一歩となると考える．Aさんの話を聴きながら，Aさんが高血圧のための生活習慣の修正に対して行動を妨げていること，生活習慣修正に伴うAさんの利益と損失をAさんと一緒に考えてみる（変容ステージモデルでは熟考期への介入）．

　降圧や心血管病予防のために，いまの自分に何ができるか，どこをどう修正する必要があるのか，Aさん自身に主体的に考えてもらい，Aさんのニーズに応じて，医療者が具体的な支援を提案し，Aさんと医療者が一緒にAさんの降圧のための具体的な目標を立てる．たとえば，「朝はバスを使わず，駅まで歩いてみる．そのために15分早く起きる．妻に起こしてもらう」「ラーメンなど麺類は1週間に1回程度とし，麺の汁は飲まずに残す」「梅干や漬物は食べない」などである．また自分の体の変化や自分の行動に気がつけるように，体重，血圧，歩数（運動量）などを記録してもらう（日記をつけてもらう）などのセルフモニタリングも有用である（第Ⅴ章-2-1「高血圧」 表Ⅴ-2-5参照[p.276]）．

　また，小学校5年生の息子が父親であるAさんの健康を気づかってくれていることは，Aさんが今後，生活習慣を修正していくうえで，大きな強みであり，家族の協力（支援）が期待できると考える．

B　副作用が強い患者の症状マネジメント　[▶ p.513]
Q1 への視点

　Bさんは，がん薬物療法開始2日目から遅延性の悪心や嘔吐が出現し，5日目になると嘔吐は消失しても悪心や食欲はまだ回復していない．体重が短期間で1.5 kg減ったことや体力の低下から，治療継続への自信を失っている．まず，心理的援助として，悪心や嘔吐は消失し回復過程にあることや，食欲の低下は一時的であり改善すること，症状の改善とともに気力も上向きになることなど，回復過程の流れを説明する．また，脱水予防のために不足している水分や電解質を点滴で補給していることや，食べたいときに好きなものを摂取すればよいことを伝えて，食べることへの焦りから解放する．

　清潔面へのセルフケア能力が低下しているため，清拭を行うなど清潔面での援助を行う．においなど悪心を誘発する因子を排除するために，病室の換気や口腔ケアを促すことも有効である．また，夜間の熟眠感が得られていないため，日中に眠っているときにはその時間を確保するなどの配慮も必要である．

　さらに，がん薬物療法の副作用で苦しむ他の患者の記憶や今回の苦痛体験が，治療継続への不安となっており，それが予期的悪心・嘔吐につながる可能性もある．患者のつらい体験の労をねぎらい，不安の軽減に努めながら，食欲不振に対して患者が自ら対処方法を獲得できるよう患者の回復過程を支援する．

Q2 への視点

　Bさんが悪心や嘔吐，食欲不振のために食事ができず，ぐったりしていることから妻が心配するのは当然である．看護師は，妻の不安な気持ちを受け止めたうえで，現在の状態はがん薬物療法の副作用によるものであること，

必ず食欲は戻るが少し時間がかかること，食事（栄養）や水分を補うために点滴をして対処していることなどを説明し，妻が副作用からの回復過程をイメージできるようにする．また，食欲低下の時期に無理に食べることを勧めるよりも，食べたい気持ちが出てきたときに，Bさんの好きなものや果物，スポーツドリンクなど電解質や水分の多いものを勧めるよう助言する．

また，気分転換をはかるために一緒に散歩に行くなど，Bさんに対して妻ができることを提案し，妻がBさんのためにサポートできている実感を得られるよう援助する．

C　セルフモニタリングが必要な患者への教育的支援
[▶ p.514]

Q1 への視点
食事内容，ウォーキングの歩数，体重，間食をしないという目標を達成できたかなどのセルフモニタリングが可能である．何をセルフモニタリングしていくのかは本人の関心があるものにしたほうが継続されやすい．しかし，Cさんの場合，体重が減量できれば，内服薬も減らすことが可能であり，いま以上に血糖コントロールを改善していく．そのため，Cさんの場合は，体重のセルフモニタリングを勧めてみることが必要である．

Q2 への視点
体重は2回/日（朝食前，夕食後または寝る前）に測定してもらう．グラフ化すると変化がわかりやすいため，グラフ化を勧める．いろいろと考えず，まずは体重を測定し記録をしてもらうことから始める．測定を忘れても思い出した日から測定と記録を再開してもらう．記録をしてもらうことが大切である．

Q3 への視点
まず2回/日の体重の記録がされているか確認する．記録ができていれば，自己記録法としての目的は達成されている．さらに，自己監視法として，生活習慣の改善を期待したい．記録により自分の行動を分析・評価したり，記録をすることが励ましとなったり，望ましい行動が増えるなどの変化がないか確認していく．その過程で，励ましできている部分を評価し，望ましい行動を強化していく．

D　治療の意思決定に直面している患者への支援
[▶ p.515]

Q1 への視点
治療法の選択における意思決定支援として，情報提供および患者が医師の提案する治療を納得して選択できるように意思決定のプロセスに付き合うことが重要である．まず，Dさんが新薬のウステキヌマブ（ステラーラ®）についてどのように考え，仕事を含めどのような生活を望んでいるのかを確認する必要がある．Dさんは，インターネットで新薬について調べて情報を得ているため，どのような情報を得ているかを確認する．さらに，医師がなぜアダリムマブ（ヒュミラ®）2倍量投与を勧めるのか，新薬ウステキヌマブの適応などについて，医師の治療方針を確認する．基本的にウステキヌマブの適応は，アダリムマブが無効になった後で使用することとなっている．したがって，患者の治療に対する思いや生活への希望と医師の治療方針の意図を確認したうえで，Dさんに医師と治療についての話し合いを再度するように勧め，話し合いの場を設定する．そして，話し合いが行われた後，Dさんが，医師の治療方針の説明について理解できたか，治療内容を納得できたかを確認することが重要である．

Q2 への視点
看護師は，医師にDさんの新薬への思いや生活に対する希望を伝え，医師にもDさんの思いや考えを理解してもらうように働きかける．そのうえで，医師が考えている治療方針である「現段階ではDさんの病態から考えるとアダリムマブを2倍量投与することが最善の治療であること，今後はウステキヌマブに関する最新情報をもとにその導入も念頭に置きながら治療を進めていくこと」をDさんにわかりやすく説明してもらうように医師に依頼する．そして看護師は，医師がDさんと治療方針について話し合えるように，話し合いの日時や場を調整する．

E　役割変更を迫られている患者・家族への支援
[▶ p.516]

Q1 への視点
腹膜透析には，日中にバッグ交換を行う方法と，就寝中に機械が自動でバッグ交換をしてくれる方法がある．Eさんは仕事への支障を考慮し，夜間寝ている間に行うものを選択していた．今後は，休養に当てていた定休日が，追加の治療に費やされてしまう．慢性腎臓病は一度低下した腎機能が改善することはなく，今後も治療と生活の両立を目指していかなければならない．血液透析は4時間程度の治療時間であり，通院時間も含めると長い時間拘束されることになる．本来であれば，休日となる日に治療を行うことによって，Eさんにとっての自由な休養の時間が減少してしまうと考えられる．

Q2 への視点
Eさんにとって血液透析は初めて行う治療であり，腹膜透析とはアクセス管理など自己管理が異なる部分もあるため，追加で生活指導が必要となる．今後，血液透析を行う割合が増加していく場合，カリウム制限の強化など食事管理の方法が異なっていくため，本人だけでなく，食事をともにする可能性の高い家族へも食事指導を行うことが効果的と考える．とくに，体重増が問題となっていたため，今後も塩分制限は重要であり，現在の摂取量を確認しつつ6g/日に近づけるように支援していく．また，Eさんの美容室は地域住民のサロンのような位置づけであり，Eさん自身も地域住民との交流を楽しみにしている．なるべくそのような社会的役割が継続できるようにするため，定休日に血液透析を行う調整を行った．しかし，血液透析は腹膜透析と比べ，身体的負荷が大きい治療であるため，仕事と治療の両立が今までと同じようにはできない可能性がある．定休日を増やすことによってご本人の身体的な負担軽減を目指し，適宜長女の支援などにより，Eさんが立ち仕事をせずに地域住民との交流が図れるような過ごし方の提案も，Eさんにとっ

て生きがいにつながると思われる．血液透析の特徴など，家族にも理解してもらい，Eさんが仕事を含めた生活と療養生活のバランスが保つことができるように支援をしていくことが重要と思われる．

F　増悪を繰り返す患者への教育的支援　　[▶ p.517]
Q1 への視点

Fさんの場合，呼吸器感染症による増悪を繰り返しているため，手洗い，含嗽（がんそう）や歯磨きによる口腔内の清潔，インフルエンザのワクチン接種などの呼吸器感染症の予防法について指導する．また，Fさん自身が早期に増悪に気づき，対処できるよう，増悪の徴候の観察方法や対処方法について説明する．

Fさんは，日ごろから食欲がなく，食事は朝夕2回のみとなっており，％標準体重（％ ideal body weight：％IBW）は78.2％と中等度栄養障害の状態である．低栄養や痩せは体力低下や生体防御機能の低下をきたし，感染症を引き起こす．したがって，呼吸器感染症による増悪を予防するためには食生活の見直しも必要と考えられる．

また，日ごろから適度な運動をし，体力作りをしておくことも重要だが，Fさんは日常生活のほとんどを屋内で過ごしており，Fさんや妻の言葉からは，日常生活における呼吸困難に対処できず，ADLに支障をきたしている状況がうかがえる．Fさんがどのような動作で呼吸困難を生じているのかをアセスメントし，呼吸困難を最小限にとどめるための呼吸法や動作の工夫，パニックコントロールなどを習得し，労作時の呼吸困難に対処できるよう支援する．

Q2 への視点

「気をつけているつもりなのに」「もう，何をしたって悪くなるしかないのだと思います」という言葉から，Fさんは急性増悪を繰り返し，呼吸機能や活動能力の低下をきたしていることに落胆し，無力感を抱いていると考えられる．また，「情けない」「生きている価値がない」「何もできない」などの言葉から自尊感情や自信も低下しており，行動変容に対する結果予期，効力予期ともに低い状態と考えられる．

まずはFさんの考えや気持ちを積極的に傾聴して，感情の表出を助け，Fさん自身が自分の力や強さ，および問題に気づくことができるよう働きかける．そして，行動変容に対するFさんの自己効力感を高めるために，①遂行行動の成功体験，②代理的経験，③言語的説得，④生理的・情動的状態の4つの情報源を組み合わせた働きかけを行う．具体的には，ステップ・バイ・ステップ法により，「できた」という成功体験を積み重ねられるようFさんにとって短期間で達成可能な目標設定をすること，Fさんと同じような状況の患者の成功体験を見聞きする機会を作ること，課題達成によるポジティブな反応に対する気づきを高め「できない」という思い込みを取り去ることなどを援助に取り入れることができるよう計画立案する．また，妻に対しては，Fさんのそばにいることをねぎらい，Fさんの取り組みに対する妻の励ましや賞賛の意義や言葉のかけ方について助言する．

G　入退院を繰り返す心不全患者への支援　　[▶ p.518]
Q1 への視点

Gさんは高血圧，虚血性心疾患に伴う慢性心不全の状態であり，左室駆出率が40％未満であり，LVEFの低下したHFrEFの心不全である．左心不全の症状である肺うっ血，呼吸困難，右心不全の症状である浮腫が生じている．そのための安静療法，酸素療法，薬物療法（β遮断薬，ACE阻害薬，利尿薬）が行われている．

再入院の要因としてはフロセミドの残薬が多く，排尿回数を気にして服用しない日があるなど服薬が指示どおりに行えていないことや，お茶やアルコールなどの水分やスーパーの惣菜を活用していることによる塩分の過剰摂取などが考えられる．

Q2 への視点

Gさんはセルフモニタリング，減塩や水分摂取のコントロール，処方どおりの薬剤の服用，入浴時の留意事項の遵守ができていない状況であり，そのための療養管理に関する支援が必要になる．すでにGさんは療養管理に関する指導は受けており，知識の提供のみでは不十分であり，動機づけを高め，具体的に生活の中に組み入れることができるような方策をGさんとともに考えていくことが重要となる．

まずは2年前から3回目の入院であり，今回の入院の原因や，2年間でのGさんの身体状況の変化についてGさん自身や家族が，どのように認識し，感じているのか話してもらう必要がある．本人がとらえている身体の変化と心不全の病態を結び付け，理解できるように説明することで本人の主体的な療養管理の動機づけを高めることが必要である．

そして血圧や体重のセルフモニタリングは悪化の徴候に気づき，早めに治療，対処して，入院せず，農業を継続できるようにするための方策であることなどその意義を説明する．また，Gさんが血圧測定や体重測定を行える時間について確認するなど，具体的に生活の中に組み入れられるようにする支援が必要である．同居の家族に関してもGさんの病状の認識を確認し，十分に説明するとともに，体重測定や血圧測定を行えるよう声をかけてもらい，さらにその結果に関して，受診など対処法についても指導しておくことが重要である．

利尿薬の必要性や服用のタイミングなどについては医師からの説明を受けることができるように調整し，その理解や今後の服用に関する認識を確認する．入浴後のビールの飲用や熱めの湯温での入浴時に関しては，Gさんの仕事後の楽しみとなっている．しかしそのことは，水分の過剰摂取や血圧に影響し，心負荷となり，Gさんが大切に考えている仕事の継続にも影響するため，その管理が重要であることをリフレーミング法*を活用し，本人の思いを大切にしながら説明する必要がある．減塩に関してもスーパーで惣菜などを購入する際の留意点などについて長男とともにできる方法を具体的に栄養士から説明してもらうなどの調整が必要となる．

＊心不全は，左室駆出率（LVEF）によりLVEFが低下した心不全（HFrEF：heart failure with reduced ejection fraction）と，LVEFが保たれた心不全（HFpEF：heart failure with preserved ejection fraction, EF50％以上），LVEFが軽度低下した心不全（HFmrEF：heart failure with mid-range ejection fraction, EF40％以上50％未満）に分類され，治療のアルゴリズムも異なる．［日本循環器学会/日本心不全学会合同ガイドライン：2021年JCS/JHFSガイドライン フォーカスアップデート版急性・慢性心不全診療］<https://www.j-circ.or.jp/cms/wp-content/uploads/2021/03/JCS2021_Tsutsui.pdf>（最終確認：2023年1月10日）

＊リフレーミング法とは，認知行動療法の1つで，物事のとらえ方を変え，別の枠組みからとらえ直すことをさす

練習問題　解答と解説

第Ⅰ章　慢性期看護とは

Q1　解答 3，4，5，2，1　[▶ p.52]
　2021年の死亡順位と死亡数は，1位が悪性新生物（38万1,497人），2位が心疾患（21万4,623人），3位が老衰（15万2,024人），4位が脳血管疾患（10万4,588人），5位が肺炎（7万3,190人）であり3位以降が入れ替わった．

Q2　解答 2　[▶ p.53]
1. 誤り．AIDSは，HIVの感染によって起こる後天性免疫不全症候群という疾患であり，生活習慣に起因して発症する病気ではない．
2. 正しい．2型糖尿病は，食習慣や運動習慣などが関与して疾患が発生する生活習慣病として位置づけられている．
3. 誤り．全身性エリテマトーデスは，自己免疫疾患であり，生活習慣に起因して発症する病気ではない．
4. 誤り．白血病は，血液の悪性疾患であり，生活習慣に起因して発症する病気ではない．

Q3　解答 4　[▶ p.53]
1. 誤り．生活習慣を見直し生活を改善することは，疾病の予防につながるため，1次予防である．
2. 誤り．関節可動域訓練は，病気や障害の進行を防ぐために行われるものであり，3次予防である．
3. 誤り．低下した生活能力を援助するのは，疾病によって生じた影響に対するものであり，3次予防である．
4. 正しい．がん検診は，病気の早期発見のために行うものであり，2次予防である．

Q4　解答 1，3　[▶ p.53]
2. 誤り．公平に医療資源を分配することは，正義の原則にあたる．
4. 誤り．患者に害を与えないようにすることは，無害の原則にあたる．
5. 誤り．守秘義務や約束を守ることは，忠誠の原則にあたる．

Q5　解答 2，4　[▶ p.53]
1. 誤り．チーム医療は，患者のニーズに合わせた質の高い医療を提供することが重要であるため，治療を優先するというメリットは得られない．
3. 誤り．チーム医療はあくまでも患者中心の医療であり，患者の意向をもっとも優先するため，家族の意向が最優先されるとは限らない．
5. 誤り．チーム医療は，患者中心の医療であり，患者の意向を大切にすべきである．したがって，医療者の裁量権が増えるというのは誤りである．

Q6　解答 4　[▶ p.53]
1. 誤り．宗教の多様性への配慮は，心理面の援助として大切である．配慮が必要な人がいるということを前提とし，対応を後回しにはしない．
2. 誤り．援助として重要なのは会話が続くことではない．会話がなくとも，安心できる環境を整えることが心理面を支える援助になる．
3. 誤り．確証がないことをむやみに伝えるのは適切な援助ではない．
4. 正しい．情報提供を行うことで，ストレス反応を自覚した場合などに対処行動をとりやすくなる．災害後に経験する精神的ショックは災害関連死をまねくリスク要因にもなるため，ストレス反応に対する情報提供は適切な援助である．

第Ⅱ章　慢性疾患を有する人とその家族の理解

Q1　解答 3，5　[▶ p.85]
1. 誤り．肥満が加わることで末梢組織のインスリン抵抗性は増大する．
2. 誤り．青年期の発達課題は「同一性 対 同一性の混乱」である．
4. 誤り．慢性疾患患者の病状の経過は疾患によるものだけでなく，加齢や日常生活の過ごし方，治療などにより影響を受けるため，個人差が大きい症状や生活背景，治療内容などを十分に理解し，支援する必要がある．

Q2　解答 2，4　[▶ p.86]
1. 誤り．病者は必ずしもそれまでの通常の生活を送ることができない場合がある．
3. 誤り．自己効力感をもつことと仕事の諸責任が免除されることは，直接的に関連はない．
5. 誤り．病者は「専門家の能力を求めて医師などの技術的に能力のある援助者を求め，その援助者に協力しなければならない」とされている．

Q3　解答 4　[▶ p.86]
1. 誤り．新しい家族となり，生活基盤と関係性を家庭内外で築いていく時期であるため，サポート力が強いとはいえない．
2. 誤り．再婚した家庭は，新しい家族メンバーに適応し，新しい家族関係を構築しなければならないため（多様な家族スタイルの発達課題がある），必ずしも介護へのサポート力が高いとはいえない．
3. 誤り．学童期の子どもをもつ家族は，子どもの社会性を促しながら，一方では社会的な役割も大きくなっていく時期であり，サポート力は十分ではない．
4. 正しい．介護力，体力ともに維持できている時期．

第Ⅲ章 慢性疾患を有する人とその家族への援助・支援の基本

Ⅲ-1 治療・療養行動を支える主な理論・概念

Q1 解答 2, 4 [▶ p.115]

1. 誤り．いきなり大きな目標を掲げるのではなく，達成可能な目標を少しずつクリアできるように働きかけ，成功体験をもてるように働きかける．
2. 正しい．成功体験を思い出してもらい，そのことを評価して言葉で伝える（言語的説得）ことは有効である．
3. 誤り．同じ病気をもつ人の成功体験から学ぶことは代理的経験として自己効力感を高めるのに有効であるが，自分とあまりにも条件が違いすぎる場合には逆効果になる場合もある．1人暮らしの患者にとって，家族のサポートを受けている患者の体験は参考にならない可能性が高い．
4. 正しい．行動によって得られたポジティブな生理的反応を自覚してもらうような声かけは有効である．
5. 誤り．できていないことを自覚することは必要ではあるが，支援する者ができていることをフィードバックすることが自己効力感を高める働きかけとなる．

Q2 解答 1 [▶ p.116]

1. 正しい．健康信念モデルでは，認知された行動変容による利益と障害との差が行動変容の起こりやすさに影響する．この問題では，禁煙した場合の利益について認知を促す手段として，節約できるお金の使い道を考えてもらうことは適切である．
2. 誤り．患者とともに目標を設定することが重要である．
3. 誤り．情報を自分で入手するのがむずかしい患者もいるため，医療者として必要な情報提供をし，喫煙の害について認識してもらうかかわりは必要である．
4. 誤り．周囲のサポートを得ながら行っていくことが望ましく，1人で頑張らなければいけないと思うことは，患者にとって禁煙することへの障害を大きく感じさせてしまい，行動変容につながらない可能性がある．

Ⅲ-2 治療・療養を促進する支援

Q1 解答 2 [▶ p.132]

1. 誤り．看護師が学習について計画してしまうことは，アンドラゴジーの考え方である成人の自己決定性を尊重したアプローチではない．
2. 正しい．グループでの学習は，学習者同士の相互作用をうみ，他者の経験を学習に活かすことができるので有用である．
3. 誤り．講義中心のスタイルよりも，学習者の経験が引き出されるような，ディスカッションやシミュレーションなどの方法を中心としたものの方が望ましい．
4. 誤り．この患者は問題解決の必要性に迫られておらず，学習へのレディネスが高まった状態にない．このような患者にただスケジュールどおりの学習を勧めることは不適切である．

Ⅲ-3 社会資源の活用

Q1 解答 4 [▶ p.152]

1. 誤り．申請は居住する都道府県または指定都市で行う．
2. 誤り．2015年1月の法律施行時の指定難病は110であったが，その後追加され，2021年11月1日現在では338となっている．
3. 誤り．標準的な食事療養にかかる負担は患者負担である．

第Ⅳ章 慢性疾患の主な治療法と治療を受ける患者の看護

Ⅳ-1 インスリン療法を受ける患者の援助

Q1 解答 3, 5 [▶ p.165]

1，2，4は，自律神経系が刺激されるときに生じる病状であるため，誤りである．

Q2 解答 2 [▶ p.166]

1. 誤り．インスリン注射を受ける患者は，低血糖時に適切な対処をしないと意識障害をきたし，事故の原因となりうるため，車の運転には十分な注意が必要であるが，運転をやめる必要はない．したがって，車を運転する人は，運転中の低血糖予防のために，運転前の血糖測定や，低血糖を起こしたときの対処法を指導する必要がある．
3. 誤り．インスリン注射を同一部位へ繰り返し行うと，インスリンリポハイパートロフィーが生じやすいため3cmずつずらして注射するとよい．
4. 誤り．針やインスリン製剤機器は，医療廃棄物として処理しなければならないため，医療機関に持参してもらい処理する．

Ⅳ-2 人工透析を受ける患者の援助

Q1 解答 1, 3 [▶ p.177]

2. 誤り．2次性甲状腺機能低下症ではなく，体内にリンが貯留し，リンが直接副甲状腺を刺激するため，副甲状腺ホルモンの分泌が亢進し，2次性副甲状腺機能亢進症となる．
4. 誤り．イレウス症状は，腹膜透析の副作用・合併症の被囊性腹膜硬化症の1つである．
5. 誤り．糖尿病の合併症により腎症になるという経過をたどる人が多く，もともと高血糖状態となっている人が多い．高血糖は血液透析の副作用・合併症ではない．

Q2 解答 4, 5 [▶ p.177]

1. 誤り．たとえ透析をすることになっても，塩分，水分，リンの管理は重要である．
2. 誤り．排液の混濁，腹痛がある場合は腹膜炎が疑われるため，すみやかに医療機関に連絡するように説明する．
3. 誤り．激しい運動でないかぎり，制限はない．

Ⅳ-3 ペースメーカーを装着している患者の援助

Q1 解答 1, 3 [▶ p.186]

2. 誤り．除細動機能作動時に起こしやすい．

4. 誤り．心停止は，手術中の合併症である．
5. 誤り．気胸は，手術中の合併症である．

Q2 解答 1 [▶ p.186]
2. 誤り．ふらつき，めまい，胸部不快は電磁干渉を受けた際の症状であるため，原因部から距離をとる必要があり，その場にとどまってはいけない．
3. 誤り．自動車運転は，道路交通法に則って制限されている．なぜなら，ペースメーカーを植込んだ患者は失神発作が生じやすいため，事故の危険につながるからである．
4. 誤り．リード脱落や断線を防ぐため，植込み後2ヵ月は，植込み側の上肢を強い力で挙上することを避けるが，過度の制限は関節拘縮をきたすため禁忌ではない．

Ⅳ-4　ステロイド療法を受ける患者の援助
Q1 解答 4 [▶ p.195]
1. 誤り．蝶形紅斑は，頬の両側に発疹が出るのが特徴で，全身性エリテマトーデスにおける皮膚・粘膜症状の1つであり，日光曝露で増悪する．
2. 誤り．寒冷刺激や精神的緊張によって，手足の末梢の小動脈が発作的に収縮し血液の流れが悪くなり，手や足の指の皮膚の色が蒼白，暗紫になる現象をいう．原因疾患としては，膠原病や閉塞性動脈疾患などの際にみられる．
3. 誤り．網状皮斑は，赤紫色の樹枝状もしくは網目状の模様をいい，皮膚型結節性多発動脈炎などの際に下肢にみられる．皮膚の末梢循環障害による症状の1つである．

Q2 解答 1，3 [▶ p.196]
2. 誤り．高血糖になりやすいため，食べすぎや糖分を含んだ飲料を飲みすぎないように生活指導する．
4. 誤り．ステロイド薬の自己判断での服薬中断は危険であるため，事前に美容上の変化については説明し，ステロイド薬の減量とともに軽快することを説明する．
5. 誤り．ニューモシスチス肺炎やサイトメガロウイルス感染，敗血症を引き起こしやすくなる．

Ⅳ-5　化学療法を受ける患者の援助
Q1 解答 4，5 [▶ p.208]
1. 誤り．細胞分裂が速く寿命が短い血球ほど抗がん薬の影響を受けやすい．赤血球は血球のなかで寿命が長いことから，他の血球よりも遅れて抗がん薬の影響が出現する．
2. 誤り．抗がん薬による神経障害は，末梢神経障害のほうが多い．
3. 誤り．悪心・嘔吐は，すべての抗がん薬で出現するとは限らず，出現しやすい抗がん薬とそうでない抗がん薬がある．

Ⅳ-6　放射線療法を受ける患者の援助
Q1 解答 2，3 [▶ p.220]
1. 誤り．外部照射の有害事象は，照射された臓器の耐容線量，患者個人の体質などに起因して生じる．主な早期反応として，放射線宿酔，皮膚炎，粘膜炎，急性浮腫などが挙げられる．
4. 誤り．筋肉や神経は放射線の耐容線量が高い組織であり，骨髄や粘膜，腺組織は耐容線量が低い組織である．
5. 誤り．放射線療法は，手術不能ながんのみならず，術後の肉眼的残存病巣や顕微鏡的残存がん細胞に対しても照射するため，術後のがんも適用となる．

Q2 解答 2 [▶ p.220]
1. 誤り．早期反応は，治療開始後3ヵ月ごろまでに生じる．治療開始から数ヵ月，数年を経て生じるのは晩期反応という．
3. 誤り．粘膜炎は，皮膚炎よりも低い線量で出現する．
4. 誤り．晩期反応としては，皮膚の難治性潰瘍や壊死，イレウス，穿孔などが生じる．

Ⅳ-7　同種造血幹細胞移植を受ける患者の援助
Q1 解答 1，4 [▶ p.231]
2. 誤り．急性GVHDの標的となる主な臓器は，皮膚，腸管，肝臓である．
3. 誤り．腸管GVHDの症状は，疼痛を伴う水様性の下痢が特徴的である．進行すると下血，イレウスとなることもある．
5. 誤り．皮膚GVHDの症状は，瘙痒感を伴う小丘疹が特徴的である．

Ⅳ-8　内分泌療法を受ける患者の援助
Q1 解答 3 [▶ p.238]
1. 誤り．子宮内膜がんは，抗エストロゲン薬の副作用である．
2. 誤り．乳房痛は，抗男性ホルモン薬の副作用である．
4. 誤り．血栓症は，プロゲステロン薬の副作用である．

Ⅳ-9　肝動脈塞栓療法を受ける患者の援助
Q1 解答 2 [▶ p.247]
1. 誤り．造影剤の副作用は，アナフィラキシー，熱感，悪心，瘙痒感，発疹，頭痛である．
3. 誤り．治療が終了し意識が清明であれば，治療当日から食事や水分摂取は可能である．
4. 誤り．動脈を穿刺するので止血のため3～6時間の安静が必要となる．

第Ⅴ章　慢性疾患を有する人とその家族への援助

Ⅴ-1-1　気管支喘息
Q1 解答 1 [▶ p.257]
2. 誤り．吸入後は口腔・咽頭などの薬物濃度が高くなる．口腔・咽頭症状を軽減するために吸入後は必ず含嗽

（または飲水）を勧める．とくに，副腎皮質ステロイドの吸入薬の副作用には，口腔・咽頭カンジダ症があるため，吸入後は必ず含嗽（または飲水）の励行を勧める．
3．誤り．喘息に対して行われる薬物療法は，長期管理薬と増悪治療薬に分けられる．増悪時だけでなく，患者がこのことを理解し，薬物治療を継続することが，喘息をコントロールするうえできわめて重要である．
4．誤り．β遮断薬は，気管支収縮を誘発するので原則として使用しない．正しくは$β_2$刺激薬である．

V-1-2　慢性呼吸不全
Q1 解答 3 [▶p.268]
1．誤り．日常の身体活動性の低下は，骨格筋の機能低下などの運動耐用能の低下をまねき，予後を悪化させる．患者が口すぼめ呼吸など症状マネジメントの方略を身につけ，生活習慣に身体活動が組み込まれるよう働きかけることが重要である．
2．誤り．低栄養状態や体重減少は予後不良因子である．
4．誤り．喫煙指数が高いほど生命予後は不良である．増悪予防の観点からも禁煙を強く勧める必要がある．

V-1-3　肺がん
Q1 解答 2 [▶p.275]
1．誤り．新鮮血の血痰は，喀血の前兆となることがあるので，呼吸困難がなくても続くときには医療機関を受診する．
2．正しい．反回神経麻痺は，嗄声のほかに嚥下障害を生じることがある．
3．誤り．オピオイドの副作用は，下痢ではなく便秘である．
4．誤り．オピオイド鎮痛薬は血中濃度を一定に保つことで除痛効果が得られる．痛みが軽減したのは，ちょうどよい血中濃度にいたったと考えられるため，血中濃度を維持するためにそのままの服用量で継続する．

V-2-1　高血圧
Q1 解答 2, 4 [▶p.286]
1．誤り．塩分は1日6g未満とする．
2．正しい．高齢者では脱水，食欲減退時は，必要時，塩分制限を緩める．
3．誤り．カリウムを多く含む野菜・果物の積極的摂取は，腎障害のある患者では，高カリウム血症を引き起こすため，推奨されない．
4．正しい．糖尿病のある患者では，果物の摂取は，摂取エネルギーの増加につながるため，推奨されない．
5．誤り．高血圧患者に適している運動は，有酸素運動である．

V-2-2　不整脈
Q1 解答 2 [▶p.294]
1．誤り．不整脈は心疾患のみならず，内分泌疾患，神経系・電解質のバランス異常，薬物副作用，さらには，心因性や加齢によって誘発されることもある．
2．正しい．心室性頻脈である．心室頻拍や心室細動は，刺激に対応して心ポンプ機能を果たせず，心臓が揺れているだけであり，心停止にいたる突然死の要因の1つである．
3．誤り．脳梗塞をきたすのは心房細動である．心房細動によって心房内に血栓が形成され，それが脳血管に流れ塞栓を起こす危険性が高い．
4．誤り．期外収縮は自覚症状を感じないことも多いが，刺激より早期に収縮してしまうため心収縮は同期しない．そのため心拍と一致せず，脈がとんだ感覚を生じる．意識消失するのは徐脈あるいは頻脈の場合である．

V-2-3　虚血性心疾患
Q1 解答 3, 4 [▶p.307]
1．誤り．心臓リハビリテーションは，病態，病気に応じて行われるため，退院後とは限らない．
2．誤り．運動療法は，運動負荷試験の結果に基づいた運動処方のもと，実施されることが必要である．

V-2-4　慢性心不全
Q1 解答 4 [▶p.317]
1．誤り．受診時の血圧150/90 mmHgは，Ⅰ度高血圧である．
2．誤り．階段昇降時に息切れがあったことなどから，NYHA心機能分類のⅢ度に該当する．
3．誤り．服薬状況や，血圧や体重測定の状況から，アドヒアランスが不良であると考えられる．
4．正しい．1週間で2～3kg以上の体重増加は，心不全増悪のサインである．

V-3-1　胃・十二指腸潰瘍
Q1 解答 2, 3 [▶p.325]
1．誤り．再発率が高いため，薬物療法は自己判断で中止せず，医師の指示に従う．
4．誤り．食事療法の基本は健康的な食生活であるため，極度の制限は必要なく控える程度でよい．
5．誤り．食事により胃の収縮運動や胃酸分泌が促進され，再出血を誘発するため，絶食が必要となる．

V-3-2　慢性肝炎
Q1 解答 2, 3 [▶p.333]
1．誤り．家族内であっても血液に触れる可能性のある生活備品は共有しない．
2．正しい．C型肝炎ウイルスは，主に血液を介して感染する．少ないが母児感染や性感染も報告されている．
3．正しい．出血部位を覆って接触による感染を防止する必要がある．
4．誤り．食器の共有や入浴，会話，握手などの行為で感染することはほとんどない．
5．誤り．肝炎ウイルスでワクチンがあるのはA型肝炎ウイルスとB型肝炎ウイルスである．

V-3-3　肝硬変
Q1 解答 1, 3 [▶p.334]
1．正しい．アンモニアは腸内細菌によって産生され，腸

で吸収されて肝臓で解毒化される．肝臓のアンモニア処理能力の低下や，便秘によって血中のアンモニア値が上昇すると肝性脳症を起こす．
2. 誤り．肝硬変では血糖のコントロールにあまり影響を受けない．
3. 正しい．便秘に傾くと腸内のアンモニアが排泄されないため血中のアンモニア値が上昇しやすくなる．肝機能が低下しているためにアンモニアの分解能が低下するため肝性脳症を起こしやすくなる．
4. 誤り．門脈圧の亢進はあるが動脈圧にはあまり影響を受けない．
5. 誤り．肝硬変は代償期と非代償期があるがここで示されている症状の患者は非代償期であると考えられ，肝臓の血流量を増やすために安静にすることが治療の基本となる．

V-3-4 肝臓がん
Q1 ▶ 解答 4 [▶ p.352]
1. 誤り．肝細胞がんの予備機能を評価するChild-Pugh分類では，検査データ（血清ビリルビン値，血清アルブミン値，プロトロンビン活性値）と脳症および腹水の状態を指標とする．
2. 誤り．Child-Pugh分類A，腫瘍数4個で転移がない肝細胞がんは，治療アルゴリズムでは肝動脈塞栓療法が選択される．
3. 誤り．肝炎は肝細胞がん発症のリスクファクターであり，患者はがん発症の不安をもちながら肝炎の治療を長期に受けている．がん発症に対する心理的反応は個人差があるため，Bさんがどのようにがん発症を受け止めているかを理解する必要がある．
4. 正しい．長期にわたる肝炎の治療を受けてきたこと，肝細胞がん治療のために入院することから仕事を休むこと，また，肝細胞がんの治療は繰り返し行われることが多いため，経済的な問題が生じやすい．

V-3-5 潰瘍性大腸炎
Q1 ▶ 解答 2 [▶ p.359]
1. 誤り．肛門部に痔瘻を形成しやすいのは，クローン病である．潰瘍性大腸炎は，粘膜下層に浸潤することはないため，痔瘻を形成することはない．
2. 正しい．潰瘍性大腸炎は炎症により大腸粘膜がただれるため，血性下痢（粘血便，血便）が特徴的症状である．
3. 誤り．潰瘍性大腸炎の後発年齢は，10～30歳代であり，50歳以上の発症もみられる．
4. 誤り．縦走潰瘍は潰瘍を形成するクローン病の特徴である．

V-3-6 クローン病
Q1 ▶ 解答 1 [▶ p.366]
1. 正しい．クローン病は肛門から直腸に痔瘻を形成したり，潰瘍が重篤に進行して腸穿孔を起こすことが特徴である．
2. 誤り．クローン病の好発部位は，回盲部である．
3. 誤り．クローン病の好発年齢は，10～20歳代の若年層である．
4. 誤り．粘血便は潰瘍性大腸炎の特徴的症状であり，クローン病では少ない．

V-4-1 糖尿病
Q1 ▶ 解答 4, 5 [▶ p.379]
1. 誤り．高血糖により浸透圧利尿が生じ多尿となり，血漿浸透圧が上昇し口渇が出現する．その結果，多飲となる．飲水を制限すると脱水が増悪し高血糖を助長する．
2. 誤り．知識を提供するだけでなく，実施可能な方法を一緒に考えることが必要である．食生活について聞き，患者の生活に即した具体的な方法を指導する．たとえば，朝食にはどのようなものを購入したらよいかなどを一緒に考える．
3. 誤り．のみ忘れのある患者はのむ理由をよく理解していないことがある．そのため，どうしてのみ忘れてしまうのかを聞き，理由を理解していない場合は病態と薬の作用を関連づけて補足説明をしたり，のむタイミングの問題であれば，変更可能な場合があるため，医師に相談する．
4. 正しい．糖尿病は自覚症状に乏しい疾患であるため，検査データで疾患のコントロール状態を把握していく必要がある．
5. 正しい．運動後，息が切れるのは強すぎる運動と考えられる．運動習慣のない人は歩行運動から始めるのが安全である．運動時の心拍数の目安や徐々に強度を上げることをアドバイスする．

V-4-2 脂質異常症
Q1 ▶ 解答 1, 3 [▶ p.390]
1. 正しい．現状として，10年間の冠動脈疾患による死亡確率，その他の危険因子の有無，脂質管理の目標値を理解してもらうことは必要である．
2. 誤り．治療の中心は生活習慣の見直し・改善にある．薬だけ飲んでいて，生活習慣の改善なしでは薬物治療の効果は十分に発揮されない．
3. 正しい．禁煙は動脈硬化性疾患の危険因子の1つであり，防ぐことができる最大のものである．喫煙習慣は冠動脈疾患，脳卒中，腹部大動脈瘤，末梢動脈疾患の発症と死亡のリスクを増加させる．禁煙により，冠動脈疾患の既往の有無にかかわらず，動脈硬化性疾患による死亡のリスクを50～60％低下させることができる．
4. 誤り．生活習慣を変えることは容易なことではない．別の機会に再指導を試みる．患者が少し頑張れば達成可能な目標を立て，段階的に間食をやめられるようにしていく．たとえば，1日3回間食してしまうのであれば，2回にする．1回の量を減らすなど．
5. 誤り．有酸素運動は体調の悪い日は中止し，また，1日のなかで，短時間を数回に分けて行ってもよいことを説明することが大切である（継続して30分でなくても，10分を3回でもよい）．また，運動療法を開始する時はまず今の生活に10分運

動時間を加えることから始めるようにアドバイスする．

V-4-3 甲状腺機能障害
Q1 解答 3, 5 [▶p.339]
1. 誤り．甲状腺機能が亢進した状態では流早産を起こしやすい．また出産後には，疾患が増悪する危険性がある．薬剤の内服によって甲状腺機能をコントロールしながら安全に妊娠・出産することは可能であるため，医師の管理が必要となる．避けたほうがよいと説明するのは誤りである．
2. 誤り．抗甲状腺薬の内服による催奇形の危険性は，ほとんどないとされている．むしろ妊娠中は，甲状腺機能が亢進すると流早産を引き起こす危険性があるため，医師の指示に従って内服を継続するよう説明する必要がある．
3. 正しい．ヨウ素（ヨード）を過剰摂取すると甲状腺ホルモンの産生が低下し，抗甲状腺薬の効果が不安定になったりするため，ヨウ素を多く含有するコンブなどの過剰摂取は控えるように説明する．
4. 誤り．甲状腺機能亢進症の患者は，全身の代謝が亢進するため発汗や下痢が著しい．喪失した水分と電解質を補給するために，スポーツ飲料などで水分補給をするよう説明する．
5. 正しい．抗甲状腺薬の重大な副作用として顆粒球減少症がある．服用中の患者には，顆粒球（おもに好中球）が減少した場合に感染が起こりやすいこと，および感染予防の方法について説明する．

V-5-1 慢性腎不全
Q1 解答 2, 4 [▶p.410]
1. 誤り．もっとも多い原因疾患は，糖尿病腎症である．次いで，糸球体腎炎，腎硬化症となる．
2. 正しい．GFR区分のG3に進行するとレニン分泌亢進により腎性高血圧が，エリスロポエチン産生低下により腎性貧血がみられるようになる．G1～G2では高血圧があれば塩分制限を行い，G3以降は腎性高血圧を考慮し塩分制限を行う．腎性貧血に対してはエリスロポエチン製剤が処方される．
3. 誤り．G3以降は低タンパク食を行い，タンパク質代謝産物であるクレアチニンや尿素窒素，他の尿毒素の産生を最小に抑える．
4. 正しい．経口から摂取されたカリウムは主に尿から排泄されるため，尿量が減少するとカリウムが体内に貯留し高カリウム血症となる．カリウムが多く含まれる生野菜や果物の摂取を控えるとともに，野菜類のゆでこぼしや水にさらすといったカリウムを軽減する工夫を指導する．

V-5-2 前立腺がん
Q1 解答 2, 5 [▶p.418]
1. 誤り．内分泌療法（ホルモン療法）の副作用に肺炎は関係ない．
2. 正しい．抗男性ホルモン薬，女性ホルモン薬が投与された場合，骨密度の低下による骨粗鬆症のリスクがある．そのため定期的に骨量をモニタリングするとともに，患者に対して転倒に注意するよう生活指導を行う．
3. 誤り．内分泌療法（ホルモン療法）の副作用に便秘は関係ない．
4. 誤り．内分泌療法（ホルモン療法）の副作用に貧血は関係ない．
5. 正しい．抗男性ホルモン薬，女性ホルモン薬が投与された場合，心臓や脳血管への悪影響による脳梗塞を起こすリスクがある．脈拍の異常，血圧の変動に留意するため，自己検脈や定期的な血圧測定の必要性や方法を指導する．

V-6-1 再生不良性貧血
Q1 解答 1 [▶p.425]
1. 正しい．汎血球減少を伴う疾患には，白血病，骨髄異形成症候群，骨髄線維症，発作性夜間ヘモグロビン尿症，巨赤芽球性貧血，がんの骨髄転移，悪性リンパ腫，多発性骨髄腫などがある．
2. 誤り．再生不良性貧血にビタミンの不足は関係ない．
3. 誤り．ヘモグロビン値7g/dL以上を保つようにする．
4. 誤り．難病に指定されているが，特発性再生不良性貧血は遺伝性疾患ではない．妊娠中は症状が悪化することがあり血液専門医の症状管理が必要である．

V-6-2 白血病
Q1 解答 3 [▶p.434]
1. 誤り．粘膜刺激を減らすため，歯みがきはやわらかい歯ブラシやスポンジブラシを用いてやさしく実施し，口腔の清潔を保つ．出血時は圧迫止血する．
2. 誤り．化学療法の強い副作用でFNが発症していると考えられ，心身ともに耐えがたい時期であるため，心配事を減らすことは重要であるがまずは身体症状の苦痛軽減に努める．外見だけでなく心配事は治療の経過とともに変化しうるので寄り添って相談に応じる．
3. 正しい．易感染状態で発熱も生じているため，重症感染のリスクである．重症化を防ぐため清潔保持に努める．
4. 誤り．治療後の骨髄抑制期間中の発熱，血小板減少による出血傾向があるため，データに応じた環境制限や安静が必要であり，安易に散歩を勧めない．

V-6-3 HIV感染症/AIDS
Q1 解答 1 [▶p.444]
1. 正しい．抗HIV薬はウイルス耐性の発生を防ぐためにも毎日決められた時間に確実に内服することが必要である．
2. 誤り．HIVに感染し投薬を開始する際に自立支援医療を利用することが可能となる．
3. 誤り．他者への感染予防，他者からの感染予防，両方の視点が大切である．
4. 誤り．HIVは性行為や血液を介して感染するものであり，唾液からは感染しない．食器は通常の洗浄で十分である．

V-6-4　関節リウマチ
Q1 解答 4 [▶ p.456]
1. 誤り．高額な治療薬もあるため，患者が活用できる支援制度や，相談窓口を紹介することが重要である．
2. 誤り．急性期の痛みがある場合は，冷罨法で患部を冷やすほうがよい．
3. 誤り．第一選択薬はMTXが考慮される．フェーズⅡでbDMARDの使用が検討される．
4. 正しい．関節痛に対する対症療法として，非ステロイド性抗炎症薬を使用する．

V-6-5　全身性エリテマトーデス
Q1 解答 2, 3 [▶ p.464]
1. 誤り．男女比は1：9〜10であり，女性に多い疾患である．
4. 誤り．紫外線への曝露は皮膚症状の増悪因子であるため，日光浴などをして直射日光を長時間浴びることは避ける必要がある．
5. 誤り．臓器病変として多いのは腎障害（ループス腎炎）である．

V-7-1　脳梗塞
Q1 解答 4 [▶ p.472]
1. 誤り．脳梗塞は早期に治療を開始することが重要であるため，新たな症状の出現を確認した場合には，救急車の出動を要請するなどして，すみやかに受診する必要がある．
2. 誤り．『脳卒中治療ガイドライン2021』では，ラクナ梗塞や抗血栓薬内服中の患者では130/80 mmHg未満を目指すことを求めているように，すべての患者に一律に適用する血圧の基準値はない．ラクナ梗塞の患者や抗血栓薬内服中の患者では，130/80 mmHgというより低い目標値が掲げられている．
3. 誤り．納豆を摂取することにより，薬剤の効果は減弱する．

V-7-2　パーキンソン病
Q1 解答 2 [▶ p.480]
1. 誤り．Hoehn&Yahrの重症度分類にもあるように，初期には一側性の上肢または下肢に症状が出現する．
3. 誤り．パーキンソン病の患者にみられるのは仮面様顔貌である．これは，寡動のために生じるものである．
4. 誤り．文字を書き続けるうちに小さな文字になるという，小字症がみられる．この症状も寡動により生じるものである．

V-7-3　筋委縮性側索硬化症
Q1 解答 4 [▶ p.488]
1. 誤り．診断時はショックが大きく，現実を否認するような言動をとる患者もある．危機的な状況にある自分の身を守るための自然な反応である．このようなときには無理に現実に目を向けさせるのではなく，患者の反応を受け止め，温かく見守ることが必要であり，この段階で多くの情報提供をしても，患者は受け入れることができないと考えられる．
2. 誤り．患者が熟考のうえ決定したことは，看護者としてサポートしていく姿勢が望ましい．
3. 誤り．誤嚥性肺炎の予防は重要なことであるが，口から食べる楽しみができるだけ失われないように，患者や家族と相談しながら対応を考えていく姿勢が望ましい．

V-7-4　重症筋無力症
Q1 解答 3 [▶ p.496]
1. 誤り．重症筋無力症は，夕方に症状が増悪するのが特徴である．
2. 誤り．ステロイド薬は，自己判断で中断をしたり量を調節したりすることで，ステロイド離脱症候群や症状の増悪をまねくことにつながるため，医師の指示どおりに服薬するよう指導する．
3. 正しい．出産後の患者の症状の悪化，新生児の一過性の筋無力症状の出現に備え，神経内科・産婦人科・小児科のある総合病院での出産が望ましい．
4. 誤り．必ずしもすべての睡眠薬が使えないわけではないため，医師とも相談し，睡眠薬の使用も含め，入眠方法を考える．

V-8-1　視覚障害
Q1 解答 3 [▶ p.504]
1. 誤り．看護師が指定するものではなく，AさんやBさんの意思決定を支援する．また，介助者を複数要する場合は，必要に応じて介助者が得られるように支援する．
2. 誤り．他人にいきなりからだを触れられると不快であるため，Aさんの前方から声をかけたのちに介助動作を始める．視覚障害があればなおさら驚きや不安が強いことに配慮する必要がある．
3. 正しい．Aさんが介助者に遠慮し，排泄の回数を減らすために飲水制限などを行うことのないよう，環境を整えることが大切である．トイレに近い部屋を割り当てることで，Aさんが自立してトイレに行ける可能性が高まるほか，介助が必要な状態が継続する場合も，介助者の負担が軽減できることが期待できる．
4. 誤り．Aさんの安全について配慮するが，公平性については避難している住民全体に配慮する必要がある．

V-8-2　突発性難聴
Q1 解答 1, 4 [▶ p.510]
2. 誤り．突発性難聴は，ストレスや疲労により悪化することがあるので，無理せず十分な休養を心掛けることが大切である．
3. 誤り．騒音や大音量の音楽は耳鳴りやめまいを増強させることがあるので控えるよう指導する．
5. 誤り．突発性難聴の患者に対するコミュニケーションは，静かな環境で，健側からゆっくりと話すことが基本である．

索引

和文索引

あ
アイデンティティ　449
悪性腫瘍　5
悪性新生物　5
アサーティブコミュニケーション　46
アスピリン喘息　256
アセチルコリン受容体　489
アダム・ストークス反応　289
アドヒアランス　88, 107, 108, 433
アドボカシー　41
アナフィラキシー　241
アナフィラキシーショック　423
アピアランスケア　433
アブレーション治療　288
アロマターゼ阻害薬　232, 236
安定・維持期　6
アンドラゴジー　122

い
易感染　402
意識障害　158
意思決定　42
　　──のバランス　102, 104
意思決定支援　6, 36
胃・十二指腸潰瘍　318
移植後晩期合併症　225
移植前処置　222
移植片対宿主病　224
1型糖尿病　375
1次救命処置　304
遺伝素因　381
医療費　32
医療保険制度　134
イレウス　171, 215
胃瘻　482
インスリン　367
インスリン抵抗性　164
インスリン療法　156
インターフェロン　327
インターベンショナルラジオロジー　239
インフォームド・コンセント　35, 41, 433
インフォームドディシジョンモデル　36
インフルエンザ様症状　327

う
ウインドウ・ピリオド　435
植込み型除細動器（ICD）　178, 288
植込み型心臓デバイス　178, 288
ウェルニッケ失語　466
右心不全　308
運動負荷試験　301
運動麻痺　465
運動療法　283, 301

え
栄養障害　259
エコノミークラス症候群　49
壊死　215
エリクソンの発達理論　65
嚥下困難　479
嚥下障害　270, 481, 490
炎症性腸疾患　360
エンドオブライフ　6
エンパワメント　39
エンパワメントアプローチ　40
塩分制限　407

お
黄疸　334
横紋筋融解症　384
オージオグラム　506
オープンクエスチョン　130
悪心・嘔吐　200, 205
オピオイド　273
オレム　89

か
介護サービス　137
介護支援専門員　136
介護保険　456
介護保険制度　134, 135, 316, 487, 495
咳嗽　250, 258
外部照射法　210, 211
改変Forrest分類　319
潰瘍　318
潰瘍性大腸炎　353
化学療法　197
核酸アナログ製剤　327
喀痰　258
画像誘導放射線治療　212
家族　81
　　──の機能　81
　　──の発達課題　81
家族会　151
加速歩行　474
家庭血圧　282
活動　9
寡動　473

仮面様顔貌　474
カリウム制限　408
カルシニューリン阻害薬　490
加齢現象　56
がん　5
がん遺伝子　5
肝炎　326
肝炎医療コーディネーター　331
寛解　353, 360, 459
寛解期　6
感覚機能　497
肝がん　328
がん患者の心理過程　68
冠危険因子　295
眼球突出　391
環境因子　9
眼瞼下垂　494
肝硬変　328, 334
看護システム理論　90
看護専門外来　26
肝細胞がん　345
がん死亡数　13
患者会　151
患者と医療者との協働関係の形成　93
患者満足　45
肝障害度分類　346
感情の共有　38
肝性脳症　334, 335, 341
関節可動域　454
関節変形　449
関節リウマチ　445
完全中心静脈栄養法　361
感染　180
　　──予防　431
肝臓がん　345
がん対策　16
がん対策基本法　18
がん対策推進基本計画　18
肝動脈化学塞栓療法　239
冠動脈疾患　385
肝動脈塞栓療法　239
がん薬物療法　197
がん抑制遺伝子　5
緩和ケア　7, 274

き
期外収縮　289
気管支喘息　250
危機に対する正常反応　68
起坐位　254

索引

起坐呼吸　309
軌跡の局面　111
基礎代謝量　57
喫煙　264, 323
気道浄化　263
急性冠症候群　388
急性骨髄性白血病　428
球性循環不全　188
急性増悪　20
　　──期　6
急性白血病　426
吸入療法　263
球麻痺　481
教育的アプローチ　95, 122
教育的支援　6
狭心症　295
強度変調放射線治療　212
共有意思決定モデル　36
虚血性心疾患　295
筋萎縮性側索硬化症　147, 481
禁煙　264, 283
　　──指導　388
筋強剛　473
筋固縮　473
金属アレルギー　180

く

口すぼめ呼吸　260
クリーゼ　490
グリーソンスコア　411
クレチン症　392
クローズドクエスチョン　130
クローン病　360

け

ケアマネジャー　136, 456
経口血糖降下薬　378
傾聴　130
経腸栄養療法　361, 364
経鼻胃管　482
けいれん　158
血圧　276
　　──低下　408
血液凝固因子　334
血液浄化療法　490
血液透析　167, 168
結果予期　96
血管イベント　384
血管外漏出　200, 204
血球成分除去療法　354
血行性肺がん　269
血糖コントロール目標　368
血糖自己測定　164, 375
血便　353
ケトアシドーシス　367, 378

下痢　200, 205
健康信念　88, 99
　　──モデル　99, 100
健康状態　9
健康増進法　142
健康日本21（第2次）　13, 14
健康保険法　134
言語的説得　97
原発性高脂血症　381

こ

降圧目標　281
抗ウイルス療法　327
抗HIV薬　441
抗エストロゲン薬　232
構音障害　481, 490
高額療養費制度　496
高カロリー輸液　354
抗がん薬　197
　　──による副作用　198
高血圧　276
高血糖　159
抗原　489
膠原病　188
高次脳機能障害　466
抗腫瘍効果　221
甲状腺炎　392
甲状腺機能亢進症　391
甲状腺機能障害　391
甲状腺機能低下症　392
甲状腺クリーゼ　393
甲状腺ホルモン　391
高浸透圧高血糖状態　367
行動的プロセス　102
口内炎　200, 206
更年期障害　392
更年期様症状　234
抗リウマチ薬　446
効力予期　96
高齢者の医療の確保に関する法律
　　142
向老期　66
呼吸困難　250, 258, 490
国際障害分類　8
国際生活機能分類　8
国民医療費　32
国民皆保険制度　134
国民健康保険法　134
骨格筋　489
個人因子　9
骨髄移植　420
骨髄穿刺　420
骨髄バンク　226
骨髄抑制　200, 204, 213, 241

骨粗鬆症　189
こむら返り　485
コンコーダンス　109
昏睡　158, 367
コンプライアンス　107

さ

災害　48
災害関連死　49
災害への備え　51
再生不良性貧血　419
臍帯血移植　424
在宅酸素療法　273
在宅療養支援体制　31
再燃　353, 360, 412, 459
再燃期　6
細胞傷害性抗がん薬　197
左室駆出率　308
左心不全　308
差別　436
サポートグループ　150
参加　9
酸素療法　254, 258, 265

し

死因構造　9
シェアードディシジョンモデル　36
視覚障害　497
自我同一性　65
敷石状潰瘍　360
糸球体濾過量　400
刺激伝導系　287
自己アイデンティティ　124
自己一貫性　72
自己概念　72, 123
自己検脈　184, 292
自己抗原　445
自己抗体　489
自己効力感　88, 93, 96, 102
自己注射　163
自己免疫疾患
　　334, 391, 419, 445, 458, 489
自己理想　72
脂質異常症　190, 380
　　──の診断基準　380
脂質管理目標値　385
脂質管理目標値設定のためのフロー
　チャート　386
自然災害　48
自尊心　72
疾患管理　21
シックデイ　50, 375, 378
失語症　466
実存的危機　69

指定難病　145, 353, 360, 419, 424, 464, 479, 487, 495
死亡数　258
社会資源　133
社会的危機　65
社会保障制度　133
視野狭窄　501
尺側偏位　449
シャント管理　176
集学的治療　5
重症筋無力症　489
縦走潰瘍　360
終末期　6
羞明　501
出血　419, 428
出血傾向　420, 428
受動喫煙　264
受容　38
受容的態度　129
受療率　10
循環血流量　324
承認　131
ショートステイ　480
障害　7
障害基礎年金　503
障害者総合支援法　139
障害受容過程　70
　　──モデル　70
障害福祉サービス　141, 487
消化性潰瘍　318
硝酸薬　303
症状緩和　7
症状マネジメント　6, 42, 118
　　──のための統合的アプローチ　118
情緒的サポート　6
情動的喚起　98
静脈瘤　335
食行動　387
褥瘡　350, 481
食事管理　175
食習慣の欧米化　381
食事療法　357, 364, 377, 387, 407
食道・胃静脈　334
食道静脈瘤　334, 340
女性ホルモン薬　413
ショック　188, 408, 449
徐脈性不整脈　178, 288
自立支援医療　443
視力　59
　　──低下　499
痔瘻　360
人為災害　48

心筋梗塞　295
神経障害　200
心血管疾患　400
人権擁護　40
進行期　6
人工呼吸器　481, 482
人工透析　167
心疾患の死亡率　14
心室性頻脈　289
心身機能　9
腎性骨異栄養症　170
振戦　473
心臓再同期療法（CRT）　178, 288
心臓デバイスチーム　185
心臓リハビリテーション　297
身体感覚　72
身体機能の変化　56
身体構造　9
身体障害者障害程度等級表　503
身体障害者手帳　503
身体障害者福祉　456
身体障害者福祉制度　495
身体障害者福祉法　503
診断・治療導入期　6
心的外傷後ストレス障害（PTSD）　178, 290
信念　99
心肺機能　323
心肺蘇生法　304
心肺運動負荷試験　301
深部静脈血栓症　49
心不全　308
心房細動　289
親密性　65
心理・社会的危機　65

す
随意運動　481
遂行行動の達成　97
水分管理　175
すくみ足　474
スタインブロッカーのClass分類　449
スタンダード・プリコーション　431
スティグマ　73
ステロイドパルス療法　188, 490
ステロイド薬　187, 251, 354, 457, 490, 506
ステロイド離脱症候群　188
ステロイド療法　187, 506
ストレス　319
ストレスマネジメント　319, 320
スピリチュアルペイン　7

スワンネック変形　449

せ
生活習慣病　4, 12, 15, 297, 389, 408
　　──対策　12
生活の再調整　7
性感染症　441
清潔操作　175
生殖性（生産性）　66
生殖機能　61
精神看護専門看護師　410
生物学的製剤　251, 361, 446
性生活　284, 305
青年期　65
成分栄養療法　361
セーファーセックス　441
セクシュアリティ　78, 237, 417
積極的傾聴　38, 130
セミファウラー位　254
セルフケア　6, 88, 89
　　──不足理論　90
　　──要件　90
　　──理論　90
セルフケア・エージェンシー　90
セルフケア・デマンド　90
セルフヘルプグループ　150
セルフマネジメント　6, 39, 88, 92, 93
　　──能力　117
セルフモニタリング　6, 93, 117, 300
染色体・遺伝子変異　426
センシング　179
全身性自己免疫疾患　458
全身性エリテマトーデス　188, 457
全人的苦痛　7
全身放射線照射　223
喘息　250
先天性甲状腺機能低下症　392
前立腺がん　232, 411
前立腺特異抗原　411

そ
増悪因子　6, 61
増悪治療薬　255
相互作用　124
早期（急性期）反応　213
促進者　150
造血幹細胞　222, 419, 428
　　──移植　221, 419, 424, 428
喪失　37, 66
喪失体験　487
相談技術　95, 129
壮年期　65
瘙痒感　337
塞栓療法　239

索引

続発性高脂血症　381

た
体位ドレナージ　263
体位変換　350
退院調整　28
体験的知識　151
対象喪失　66
耐容線量　214
代理的経験　97
体力　59
多剤併用療法　435
脱水症状　176

ち
チアノーゼ　311
地域生活支援事業　142
地域包括ケアシステム　28
地域包括支援センター　138
地域連携クリティカルパス　27
チーム医療　44
注射指導　163
中枢神経系症状　158
長期管理薬　255
長期（在宅）酸素療法　259, 265
長期フォローアッププログラム
　　　　　　　　　　　225
蝶形紅斑　459
聴力　60
直接作用型抗ウイルス薬　327
治療関連毒性　228

て
手足症候群　207
低アルブミン血症　335
デイケア　471
低血糖　158, 374
低タンパク食　407, 408
適正体重　283
出口部感染　171
出口部管理　176
電磁干渉回避　184
転倒予防　478

と
同一性　65
動機づけ　125
洞結節　283
透析　167
透析アミロイドーシス　171
透析液貯留　172
透析導入基準　169
透析療法　400
疼痛の評価　271
動的肺過膨張　258
道徳的・倫理的・霊的自己　72
糖尿病　156, 190, 367

糖尿病合併症　159, 165, 369
糖尿病食　377
糖尿病腎症　400
糖尿病性ケトアシドーシス
　　　　　　　　　　367, 378
糖尿病性神経障害　369
糖尿病性腎症　168, 369
糖尿病網膜症　369, 497
動脈硬化　465
　　──性疾患　367, 380
特殊災害　48
特定健康診査　389
特定保健指導　389
閉じられた質問　130
突発性難聴　505
　　──診断基準　507
ドナー　222
ドパミン　473
トランジションセオリー　114
トランスセオレティカルモデル
　　　　　　　　88, 102, 104
トリグリセライド　380

な
内視鏡的治療　320
内分泌療法　232, 412
内用療法　211, 212
難聴　505
難病　4, 144, 479
難病患者就職サポーター　479
難病患者の心理過程　66
難病対策　16
難病の患者に対する医療等に関する
　　法律（難病法）　16, 144

に
2次性高血圧　276
ニコチン依存症　284
日常生活動作（ADL）　473
乳がん　232
入退院支援　28
入浴　284, 301
妊娠糖尿病　157
認知行動療法　284
認知症　392
認知的・情緒的プロセス　102

ね
粘血便　353

の
脳血管疾患の死亡率　14
脳梗塞　465
脳心血管病リスク層別化　278
ノンコンプライアンス　107
ノンバーバル　130

は
パーキンソン病　473
バイタルサイン　323
ハヴィガースト　64
肺がん　269
肺高血圧症　259
肺性心　259
排痰法　263
白衣高血圧　276
播種性血管内凝固　428
バセドウ病　391
パターナリズムモデル　36
白血病　426
発達課題　64, 420
発熱性好中球減少症　205, 428
ハッフィング　263
パニックコントロール　263
羽ばたき振戦　335
パフォーマンスステータス　198
パワーレスネス　39
反回神経麻痺　270
晩期（遅発性）反応　215
汎血球減少　419
バンデューラ　96

ひ
ピークフロー　255
久山町スコア　386
微小転移　234
非侵襲的陽圧換気　259, 482
非ステロイド性抗炎症薬　318, 446
悲嘆の過程　67
ヒト白血球抗原　428
避難行動　49
避難所　51
被嚢性腹膜硬化症　171
皮膚障害　200, 206
肥満者の割合　59
非密封小線源治療法　211, 212
病者役割　77
日和見感染症　437
開かれた質問　130
びらん　318
ピロリ菌　318
貧血　419, 420
頻脈性不整脈　288

ふ
ファウラー位　350
副甲状腺機能亢進症　170
複視　494
副腎皮質ステロイド薬　490
副腎皮質ホルモン　187
腹水　334, 340, 350
腹部膨満　273

は

腹膜炎　171
腹膜透析　167, 168
不整脈　178, 287
フットケア　377
不定愁訴　391
ブドウ糖毒性　156
プラーク　384
ブルンベルグ徴候　320
ブローカ失語　466
分子標的治療薬　198

へ

ペーシング　179
ペーシング・センシング不全　180
ペースメーカー　178, 288
　　──症候群　181
ペダゴジー　122
ヘルス・ビリーフ・モデル　100
ヘルパー・セラピー原則　151
偏見　436
便秘　200, 205
片麻痺　465
変容ステージ　102
変容プロセス　102

ほ

放射線宿酔　213
放射線粘膜炎　215
放射線被曝　219
放射線療法　210
訪問介護　487
訪問看護　316, 480, 487
訪問リハビリテーション　487
保険医療福祉サービス　136
保険給付　134
ポジティブフィードバック　306
保証　38
補食　371
補助人工心臓　308
ぼたん穴変形　449
ボディイメージ　72, 172
　　──の変容　73, 391, 429
ボディメカニクス　454
ホルモン（補充）療法　232, 412
本態性高血圧　276

ま

末期腎不全　400
末梢神経障害　206
満月様顔貌　190, 459
慢性肝炎　326
慢性呼吸不全　258
慢性骨髄性白血病　426
慢性疾患　2
　　──により生じる課題　93
　　──の経過　5
　　──の定義　3
慢性腎臓病　167, 400
慢性心不全　308
慢性腎不全　400
慢性白血病　426
慢性閉塞性肺疾患　258

み

密封小線源治療法　211, 212

む

ムーンフェイス　190, 459
無自覚性低血糖　159
無動　473

め

メタボリックシンドローム
　　　　　　4, 12, 286, 387
メルゼブルグの三徴　391
免疫異常　360
免疫再構築症候群　438
免疫抑制薬　457, 490

も

網膜色素変性症　497
問題解決アプローチ　93
門脈圧亢進　334

や

夜間発作性呼吸困難　309
薬害肝炎　332
薬剤耐性HIV　442
薬物管理　176
役割　76
　　──の変化　76
役割荷重　82, 83
役割葛藤　82, 83
病みの軌跡　110
　　──モデル　88, 110

ゆ

有害事象　213
有酸素運動　283, 377, 388
有痛性筋攣縮　485
有病率　258

よ

抑うつ状態　403, 507
予防
　　1次──　21
　　2次──　21
　　3次──　21
予防接種　193
予防対策　21
要介護者　136
要介護認定　136
養生法　23

ら

ライフサイクル　65
ラテントがん　412
ラポール　128

り

リエゾンナース　410
リスク区分別脂質管理目標値　385
リハビリテーション　467
　　──施設　502
粒子線治療　212
流涎　485
療養環境　26
緑内障　497
リンパ行性肺がん　269
倫理原則　42
倫理的問題　41

る

ループス腎炎　458

れ

レスパイトケア　85, 487
レディネス　124

ろ

ロイ　76
瘻孔　360
老人福祉法　142, 144
老老介護　316
ロービジョンケア　498
ローリッグ　93

欧文索引

1次救命処置 304
1次予防 21
2次性高血圧 276
2次予防 21
3次予防 21

A
acute leukemia 426
Adherence 108
ADL 466, 478, 482, 490
advocacy 41
aging 56
AIDS（acquired immunodeficiency syndrome） 436
AIDS指標疾患 437
ALS 147, 481
AML（acute myelogenous leukemia） 428
aplastic anemia 419
ART（anti-retroviral therapy） 435
AYA（adolescent and young adult）世代 19

B
B型肝炎 326
B型肝炎ウイルス 334, 345
Bandura A 96
BNP 309

C
C型肝炎 327
C型肝炎ウイルス 334, 345
CD4陽性リンパ球数 437
cerebral infarction 465
Child-Pugh分類 346
chronic leukemia 426
CIED（cardiac implantable electronic device） 288
CKD（chronic kidney disease） 167, 400
CKD重症度分類 167
CKDステージ分類 402
CKD生活・食事指導基準 409
CML（chronic myelogenous leukemia） 426
CO_2ナルコーシス 263
compliance 107
COPD（chronic obstructive pulmonary disease） 258
Crohn's disease 360
CRT（cardiac resynchronization therapy） 288
CVD（cardiovascular disease） 400

D
DAA（direct acting antivirals） 327
DIC（disseminated intravascular coagulation） 428
DMRD 446
DM（disease management） 21

E
ego identity 65
Elikson EHの発達理論 65
empowerment 39
EPS（encapsulating peritoneal sclerosis） 171
ESRD（end-stage renal disease） 400

F
FITT 301
FN（febrile neutropenia） 428

G
gender 78
GFR（glomerular filtration rate） 400
GVHD（graft versus host disease） 224

H
Havighurst RJ 64
hazardous drug 208
HDLコレステロール 380
HD（hemodialysis） 167
HEPAフィルター 224
HIV（human immunodeficiency virus） 436
HIV感染症 435
HLA（human leukocyte antigen） 428
HOT（home oxygen therapy） 273

I
IASM（integrated approach to symptom management） 118
ICD（implantable cardioverter defibrillator） 288
ICF（International Classification of Functioning, Disability and Health） 8
ICIDH（International Classification of Impairments, Disabilities, and Handicaps） 8
ICS（inhaled corticosteroid） 251
identity 65
IGRT（image-guided radiotherapy） 212
IHD（ischemic heart disease） 295
IMRT（intensity-modulated radiation therapy） 212
IRIS（immune reconstitution inflammatory syndrome） 438
IVR（interventional radiology） 239

L
LDLコレステロール 380
LH-RHアゴニスト 232, 236
Lorig KR 93
LVEF（left ventricular ejection fraction） 308

M
metabolic syndrome 4
MG-ADLスコア 493
MG（myasthenia gravis） 489
mHAQ 450

N
NCCNリスク分類 412
noncompliance 107
NPPV（non-invasive positive pressure ventilation） 482
NSAIDs（non-steroidal anti-inflammatory drags） 318, 447
NYHA心機能分類 309

O
on-off現象 478
Orem DE 89

P
PD（peritoneal dialysis） 167
PEF（peak expiratory flow） 255
PSA（prostate specific antigen） 411
PSA監視療法 412, 414
PS（performance status） 198

R
RA（rheumatoid arthritis） 445
Roy 76

S
self-care 89
self-efficacy 96
self-esteem 72
self-management 93
sexual being 78
sexuality 78
SLE 188
SteinbrockerのClass分類 449
sudden deafness 505

T
TACE（transcatheter arterial chemoembolization） 239
TAE（transcatheter arterial embolization） 239
TBI（total body irradiation） 223
trajectory of illness 110
transition 114
transtheoretical model 102

W
wearing-off現象 478

看護学テキスト NiCE

成人看護学 慢性期看護（改訂第4版）　病気とともに生活する人を支える

2010年8月1日	第1版第1刷発行	編集者 鈴木久美，籏持知恵子，佐藤直美
2015年3月10日	第2版第1刷発行	発行者 小立健太
2019年3月31日	第3版第1刷発行	発行所 株式会社 南　江　堂
2021年8月20日	第3版第4刷発行	〒113-8410 東京都文京区本郷三丁目42番6号
2023年2月25日	第4版第1刷発行	☎（出版）03-3811-7189　（営業）03-3811-7239
2024年1月30日	第4版第2刷発行	ホームページ　https://www.nankodo.co.jp/

　　　　　　　　　　　　　　　　　　　　　　　　　　　　印刷・製本　横山印刷

Ⓒ Nankodo Co., Ltd., 2023

定価は表紙に表示してあります．　　　　　　　　　　　　　Printed and Bound in Japan
落丁・乱丁の場合はお取り替えいたします．　　　　　　　　ISBN 978-4-524-23436-3
ご意見・お問い合わせはホームページまでお寄せください．

本書の無断複製を禁じます．
JCOPY 〈出版者著作権管理機構　委託出版物〉
本書の無断複製は，著作権法上での例外を除き禁じられています．複製される場合は，そのつど事前に，出版者著作権管理機構（TEL 03-5244-5088，FAX 03-5244-5089，e-mail: info@jcopy.or.jp）の許諾を得てください．

本書の複製（複写，スキャン，デジタルデータ化等）を無許諾で行う行為は，著作権法上での限られた例外（「私的使用のための複製」等）を除き禁じられています．大学，病院，企業等の内部において，業務上使用する目的で上記の行為を行うことは私的使用には該当せず違法です．また私的使用であっても，代行業者等の第三者に依頼して上記の行為を行うことは違法です．